D1234185

SOLUTIONS PRATIQUES À 4000 PROBLÈMES QUOTIDIENS

Sélection du Reader's Digest

SOLUTIONS PRATIQUES (A) 4000 PROBLÈMES QUOTIDIENS

Sélection du Reader's Digest
Montréal

SOLUTIONS PRATIQUES À 4000 PROBLÈMES QUOTIDIENS

Les remerciements et les sources des pages 5 et 478 à 480 sont, par la présente, incorporés à cette notice.

Cet ouvrage est l'adaptation de *Household Hints & Handy Tips* publié par The Reader's Digest Association Inc., Pleasantville, N.Y., 10570 © 1988

PREMIÈRE ÉDITION

Données de catalogage avant publication (Canada)
Vedette principale au titre :
Solutions pratiques à 4000 problèmes quotidiens

Traduction de : Household hints and handy tips.
Comprend un index.
ISBN 0-88850-160-9

1. Économie domestique. I. Sélection du Reader's Digest (Canada) (Firme).

TX158.H6714 1989 640 C89-090001-9

Imprimé au Canada — Printed in Canada

89 90 91 92 / 4 3 2 1

ÉQUIPE DE SÉLECTION DU READER'S DIGEST
Rédaction : Agnès Saint-Laurent
Préparation de copie : Joseph Marchetti
Recherche : Wadad Bashour
Supervision graphique : John McGuffie
Graphisme : Andrée Payette
Coordination : Susan Wong
Fabrication : Holger Lorenzen

COLLABORATEURS DE CETTE ÉDITION
Traduction : Suzette Thiboutot-Belleau
Consultation légale : Me Josée Payette
Index : Marie-Cécile Brasseur

Photocomposition : Alphatext/Quebecor PubliTech Inc.
Impression : Pierre DesMarais Inc.
Reliure : Imprimerie Coopérative Harpell
Papier : Rolland Inc.

AUTRES COLLABORATEURS

Artistes
Janice Belove
Louise Delorme
Joe Dyas
John Gist
Linda Gist
Hatra Inc.
David Hurley
Ed Lipinski
Max Menikoff
Angel Pellegrino
Ken Rice
Brigitte Rolland
John Saporito
Bill Shortridge
Ray Skibinski
Vladimir Art Studio

Pour les tests
Ann Rafferty
Virginia Taylor

Consultants
Jean Anderson
Sherri Austin
Jennifer Birckmayer
Trevor Cole
John L. Costa, M.D., F.A.A.P.
Sheila Danko
Clark E. Garner
Michael Garvey, D.V.M., Dip. A.C.V.I.M.
Mark Gasper
Leon Grabowski
Walter A. Grub, Jr.
George E. Harlow, Ph.D.
Sara M. Hunt, Ph.D., R.D.
Elliot Justin, M.D.
Carolyn Klass
Joseph Laquatra, Ph.D.
Walter LeStrange
Jim McCann
Jean McLean
Norman Oehlke
Mary E. Purchase, Ph.D.
Peter G. Rose
Gertrude Rowland
Victor J. Selmanowitz, M.D.
Stanley H. Smith, Ph.D.
Janis Stone, Ph.D.
Marco Polo Stufano
Michael Paul Wein, CPA
Paul Weissler, SAE
Thomas A. Wilson, D.D.S.
Gabriel S. Zatlin, M.D.

L'éditeur remercie pour leur contribution à cet ouvrage :
Herb Barndt, Ph.D.
Ted R. Peck
David M. Kopec, Ph.D.
Jack E. Masingale
Julie Pryme
Damon Sgobbo
Louis Sorkin, Ph.D.

De quoi parlons-nous

Voici un livre rempli de conseils judicieux. La femme au foyer débordée, la femme ou l'homme de carrière, l'amateur de bricolage, l'ami, tous y trouveront mille et un petits trucs qui rendent la vie plus agréable et plus facile.

Quelques chapitres — tels ceux sur la gestion des documents importants ou de l'argent (p. 21) et sur les vêtements et la buanderie (p. 267) — proposent des solutions pratiques aux tâches routinières.

Chaque section traite de problèmes spécifiques, parfois même aigus. Par exemple, que faites-vous quand l'évier se bouche au moment où vous attendez des amis ? Reportez-vous à la première page du deuxième chapitre (p. 70) et, sous le titre général « De la cave au grenier », vous tomberez sur la mention *Comment déboucher un renvoi d'eau.* Tournez alors rapidement les pages pour retrouver le sujet voulu (en capitales et en gras) et la description détaillée, étape par étape, de ce qu'il faut faire.

Imaginons que vous ne trouviez pas du premier coup la solution à votre problème. Cherchez alors l'entrée Renvois d'eau (ou Plomberie) dans l'index général.

Ce livre vous offre des solutions à bien d'autres problèmes, *Cartes de crédit perdues ou volées* (p. 30), *Sous-sol inondé* (p. 119), *Tache sur un vêtement* (pp. 282-285), *Douleurs abdominales* (p. 313), pour n'en citer que quelques-uns.

Dans les situations d'urgence, vous n'aurez pas le temps de consulter un livre. Mieux vaut connaître la réponse d'avance. Pourquoi ne pas apprendre dès maintenant quoi faire quand :

le feu prend sur la cuisinière	p. 106
il y a une odeur de gaz	p. 139
vos freins font défaut	p. 198
un chien attaque votre chien	p. 251
une personne s'évanouit	p. 341
quelqu'un touche un fil chargé	p. 341
une personne s'étouffe	p. 342

Vous pouvez aussi lire les pages consacrées à la sécurité dans la maison et faire ainsi acte de prévention. Protégez votre maison contre les cambrioleurs (p. 128) ; rendez-la sécuritaire pour les enfants (p. 225) ou pour les vieillards (p. 239). Prévenez les accidents dans la salle de bains (p. 113), l'atelier (p. 183). Sachez comment couper le courant (p. 163) ou monter sur une échelle (p. 171). Par ailleurs, la plupart des pannes de voiture se règlent avec une simple trousse d'outils (p. 200). Et vous trouverez dans ce livre une foule de renseignements précieux qui vous épargneront jour après jour les mille et une petites vexations de la vie quotidienne.

Enfin, nous avons choisi d'utiliser le système impérial dans tous les chapitres qui touchent à la construction puisque le bois, les clous n'ont pas encore fait l'objet de normalisation systématique en système métrique. Les sujets autres que ceux de la construction sont traités en métrique, parfois en double système. Au fond, toujours selon le système de mesure le plus pratique pour le lecteur.

— *La rédaction*

Table des matières

CHAPITRE 1

ORGANISEZ-VOUS 8

L'art de tenir maison, 9
Gestion : dossiers et argent, 21
Le tout-ranger bien pensé, 35

CHAPITRE 2

DANS LA MAISON 70

De la cave au grenier, 71
Ces merveilleux appareils, 131

CHAPITRE 3

AUTOUR DE LA MAISON 164

L'extérieur de la maison, 165
Atelier, 183
Garage et voiture, 193
Côté cour, côté jardin, 203

CHAPITRE 4

VOUS ET LES VÔTRES 222

Vie de famille, 223
Nos amies, les bêtes, 241
Beauté pratique, 253
Vêtements et entretien, 267
Secourisme et santé familiale, 306

CHAPITRE 5

BIEN MANGER 344

La cuisine santé, 345
Panier de provisions, 351
Conservation, 355
Préparation, 360
Cuisson, 376
L'art de recevoir, 392

CHAPITRE 6

LOGIS JOLI 404

La décoration simplifiée, 405
Entretien du mobilier, 431

Index, 452
Remerciements, 479

CHAPITRE PREMIER

ORGANISEZ-VOUS

Voici quelques suggestions pratiques sur l'art de tenir maison, de mettre vos papiers en ordre et de gérer votre argent. Enfin, vous découvrirez peut-être que vous avez plus d'espace de rangement que vous ne le pensiez dans votre maison et vous apprendrez comment l'aménager.

Gestion : dossiers et argent

Page 21

Vos dossiers; le classeur; le classement des documents; l'inventaire de la maison; quoi mettre dans un coffre-fort bancaire; un secrétariat à la maison; chèques et vérification de comptes; le budget; le paiement des factures; plaintes et réclamations; cartes de crédit perdues ou volées; comment établir son crédit; vos droits en matière de crédit; le choix d'un médecin ou d'un avocat; comment établir votre valeur nette; l'assurance-vie; bien investir; assurance sociale et régimes de retraite; le testament.

Le tout-ranger bien pensé

Page 35

Utiliser tout l'espace disponible; le rangement dans l'entrée, le salon et la cuisine; réaménagement d'un placard de chambre à coucher; le rangement dans les chambres d'enfant, la salle de bains, les corridors et le grenier; comment construire un casier mobile; repérage des montants dans un mur; fixations pour murs creux et murs pleins; crochets et supports, comment les installer; panneau à chevilles; achat de bois, de contreplaqué et de quincaillerie pour des étagères; planification et installation de rayons sur supports; systèmes muraux en fil de métal; comment construire bibliothèques et étagères; les clous et les vis; l'aménagement des tiroirs; les éléments de rangement mobiles.

L'art de tenir maison

Page 9

L'importance des listes; un petit test sur vos aptitudes à la méthode; le carnet de notes à anneaux; téléphone et temps perdu; la gestion des courses; les tâches vite faites; le courrier; l'organisation du travail de maison; quoi faire quand vous attendez des invités; les aides-ménagère; le coup de pouce des enfants; comment organiser une ventes d'articles usagés; faire échec au désordre cumulatif et aux « grands rangements ».

L'art de tenir maison

VOTRE PERSONNALITÉ

S'organiser n'est pas un but en soi, c'est un moyen. Toute méthode de travail n'est bonne que si elle vous convient, si elle correspond à votre personnalité, à vos capacités et à vos goûts. Sinon, elle est mauvaise.

Méfiez-vous des instruments de travail qui exigent plus d'efforts et de temps que le travail lui-même. Le carnet de rendez-vous, le budget, le livre des dépenses, le classement des dossiers, les listes petites ou grandes perdent toute raison d'être si vous en retirez non pas une diminution mais un accroissement de votre tâche.

Etes-vous une personne du matin ou du soir ? Votre efficacité augmente si vous respectez vos rythmes biologiques. Acquittez-vous des travaux les plus importants ou les plus délicats au moment où vous êtes le plus en forme.

Ne remettez pas ce que vous devez faire. Avez-vous un coup de fil à donner, une lettre à écrire ? Prenez le téléphone ou le stylo.

Découpez vos travaux en tranches selon la méthode du salami : c'est-à-dire que si l'ampleur de la tâche vous décourage d'avance, décomposez-la en plusieurs petites étapes et abordez-les une à la fois.

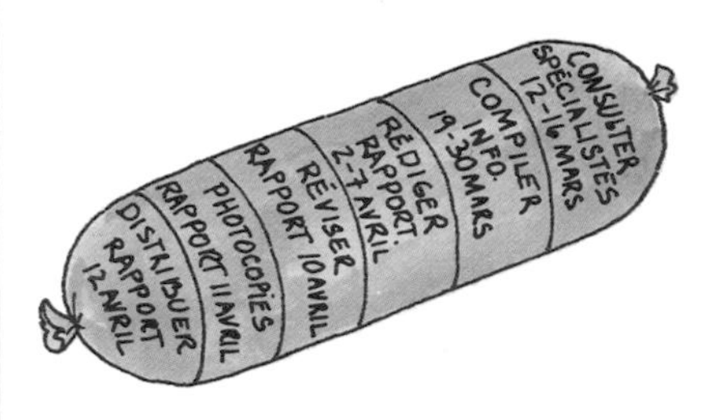

LA LISTE PRINCIPALE

Pour organiser les activités générales de la maison et connaître les horaires de chacun, fabriquez un grand calendrier en forme d'affiche. Notez-y toutes les dates importantes — anniversaires, fêtes, jours fériés — dès le début de l'année. Marquez aussi les rendez-vous de chaque membre de la famille au fur et à mesure qu'ils se présentent.

Gardez sur vous un petit carnet dans lequel vous inscrirez tout. Ce sera votre liste principale et elle vous libérera d'un monceau de petits bouts de papier. Notez-y les courses, les rendez-vous, les choses à acheter ou à faire, les décisions à prendre. Reportez-y les dates importantes inscrites sur le grand calendrier au fur et à mesure qu'elles entrent dans l'actualité.

Allez dans les papeteries et les boutiques d'articles de bureau ; vous serez étonné de l'abondance et de la variété des articles qu'on trouve maintenant sur le marché.

SAVEZ-VOUS VOUS ORGANISER ?

1. Vous faut-il souvent plus de 10 minutes pour retrouver une lettre, une facture, un rapport sur votre table de travail ou dans le classeur ?
2. Y a-t-il sur votre table de travail des papiers qui y traînent depuis un mois au moins et sur lesquels vous n'avez pas encore jeté les yeux ?
3. Vous a-t-on déjà coupé le téléphone, l'électricité ou le gaz pour avoir oublié de payer un compte ?
4. Au cours des deux derniers mois, avez-vous laissé passer par inadvertance un rendez-vous, un anniversaire ou un événement important ?
5. Egarez-vous souvent dans la maison clés, lunettes, gants, sac à main, attaché-case ou autre article ?
6. Abandonnez-vous des objets sur le plancher ou dans le coin d'un placard parce que vous ne savez où les ranger ?
7. Avez-vous des piles de revues à lire ?
8. Vous arrive-t-il de remettre une tâche jusqu'au moment où elle se convertit en cas d'urgence ?
9. Vos problèmes de rangement se résoudraient-ils avec plus d'espace ?
10. Le désordre est-il tel que vous ne sachiez plus par où commencer, en dépit du fait que vous aimez l'ordre ?
11. Les enfants participent-ils de bon gré à l'entretien de la maison ?
12. A la fin de la journée, avez-vous accompli les tâches les plus importantes que vous vous étiez fixées ?
13. Les articles de cuisine les plus utilisés sont-ils à portée de votre main ?
14. Le salon est-il aménagé de façon que vos invités puissent se parler sans avoir à élever la voix ? Y a-t-il des endroits où déposer de la nourriture ou des boissons ?

Résultats : un point pour chaque oui aux questions 1 à 10 ; un point pour chaque non aux questions 11 à 14.
1–3. Vous savez vous organiser, mais vous tirerez profit des conseils contenus dans cette section.
4–7. Vous avez intérêt à améliorer votre méthode de travail. « L'art de tenir maison » vous aidera considérablement.
8–10. Votre vie ne doit pas être rose tous les jours.
11 et plus. C'est presque le chaos. Les conseils offerts dans ce chapitre changeront votre vie. Mettez-vous au travail tout de suite.

Inscrivez dans ce carnet tous les numéros de téléphone et autres détails nécessaires pour accomplir une tâche. Par exemple : « Appeler service à la clientèle Gentil, 374-5000, poste 295, frais additionnels de 5 $, facture du 4-2-89, n° 483. »

Ne surchargez pas votre carnet en y inscrivant les tâches qui reviennent tous les jours ou toutes les semaines. Faites-en un aide-mémoire pour les projets spéciaux.

Réservez quelques pages à des sujets précis. Par exemple, faites une liste de livres à lire, une autre de films à voir ou à louer, d'endroits où amener des visiteurs, de restaurants qu'on vous a recommandés.

Au début de la semaine, ou mieux encore à la fin de la semaine précédente, précisez le programme des jours à venir. En connaissant votre emploi du temps, vous pourrez étaler les tâches importantes et éviter les encombrements et les rattrapages en fin de semaine.

Notez les moments de détente et de divertissement que vous devez vous accorder. Si vous ne les planifiez pas d'avance, le travail et toutes les tâches quotidiennes auront vite fait de vous les supprimer.

VOTRE CARNET

Ne dépensez pas d'argent en accessoires inutiles, comme des onglets à fenêtre, qui coûtent cher. Faites votre carnet à partir de quelques articles peu coûteux.

Dans une papeterie, achetez une reliure à anneaux munie de pochettes pour loger une petite calculatrice et des cartes d'affaires. Achetez en même temps des feuilles volantes et des feuillets intercalaires.

Identifiez les sujets que vous confierez à votre carnet : adresses et numéros de téléphone, courses, projets à long terme, rendez-vous, dépenses, etc. Inscrivez ces rubriques sur les onglets des feuillets intercalaires. Insérez ceux-ci dans les anneaux de la reliure avec les feuilles nécessaires.

Dans la section des rendez-vous, glissez un petit calendrier ; on en distribue gratuitement dans les banques et les papeteries. Enlevez la couverture du dessus et insérez le bloc dans votre carnet en faisant des trous aux endroits appropriés.

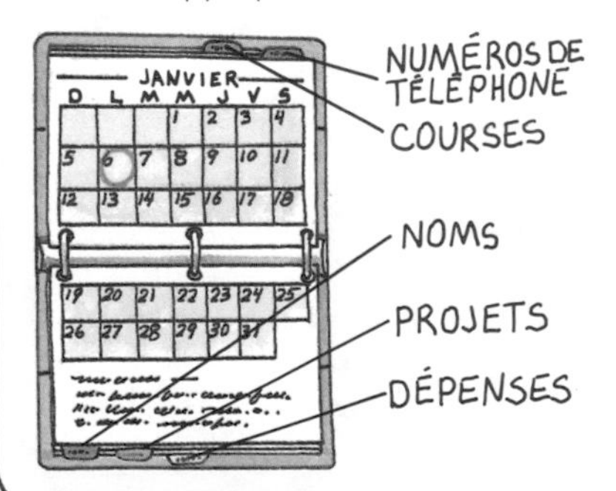

POURQUOI DES LISTES

1. Une tâche notée par écrit devient plus concrète.
2. Vous déterminez mieux les priorités devant une liste de travaux et vous pouvez les étudier objectivement.
3. On oublie moins ce qui est écrit. En faisant la liste des travaux qui vous attendent, vous pouvez tout de suite leur donner un ordre de priorité.
4. Et quel plaisir de biffer ce qui a été accompli !

Gardez ce carnet constamment sur vous. Une liste est pire qu'inutile quand on ne peut s'y référer. Vous penserez avoir terminé un travail et ce ne sera pas vrai.

Programmez chaque jour un seul des travaux inévitables mais qui vous répugnent. Ce sera moins douloureux.

Consacrez un second carnet à des tâches complexes ou spéciales — par exemple, l'inscription d'un enfant au collège, l'organisation d'un déménagement ou des grandes vacances familiales.

Ne vous hâtez pas de jeter les pages remplies. La pièce que vous avez commandée pour la cuisinière il y a deux mois vous arrivera peut-être en mauvais état et vous devrez reprendre la commande au début.

UN CENTRE FAMILIAL DE COMMUNICATION

Prévoyez un endroit — la porte du réfrigérateur, un babillard — que vous organiserez de façon qu'on puisse y afficher des notes. Invitez chaque membre de la famille à utiliser cet espace pour faire connaître ses projets, inscrire les articles à acheter et surtout transmettre les messages téléphoniques.

Gardez ce centre de communication à jour ; jetez les notes inutiles. Réglez chaque jour le plus grand nombre de problèmes. Notez ceux qui restent dans votre carnet.

GAGNEZ DU TEMPS AU TÉLÉPHONE

Faites poser plusieurs prises de téléphone dans la maison ou achetez un téléphone sans fil pour répondre là où vous vous trouvez.

Procurez-vous de longs cordons de rallonge ; vous pourrez vous déplacer dans la maison tout en parlant au téléphone et même exécuter certains travaux comme faire la cuisine, arroser les plantes, etc.

Quand c'est possible, remplacez une course incertaine par un coup de téléphone. Pour confirmer un rendez-vous, vérifier si l'article que vous cherchez est en magasin, connaître les heures d'affaires d'une entreprise, utilisez le téléphone.

Apprenez à abréger un appel sans blesser votre interlocuteur. Vous pouvez vous excuser en disant que le moment est mal choisi et que vous rappellerez plus tard. Mais... s'il vous plaît, rappelez !

Un téléphone est parfois plus efficace qu'une lettre, et il se fait beaucoup plus rapidement. Même un interurbain, de ce point de vue, se révèle avantageux, si vous calculez qu'une lettre prend du temps et que le temps, c'est de l'argent.

Résistez à la tentation de prendre l'appareil quand vous ne voulez pas être dérangé. Fermez plutôt la sonnerie. En laissant le combiné de téléphone décroché pendant un certain temps, vous risquez d'interrompre le service et de ne pouvoir le rétablir au moment voulu.

LES COURSES

Dressez au fur et à mesure une liste des produits d'alimentation ou d'entretien nécessaires. Au moment d'aller au marché, il n'y manquera pas grand-chose.

Groupez les emplettes de manière à en faire plusieurs en une seule sortie. Adoptez un centre commercial qui offre magasins, boutiques et services.

Si possible, fréquentez les commerces près de chez vous ou du bureau, ou ceux qui sont sur votre chemin. Profitez d'une sortie pour vous libérer d'une course plutôt que d'en faire l'objet d'une démarche spéciale.

Lorsqu'il est impossible de tout combiner en un même lieu, établissez votre itinéraire de manière à ne pas revenir sur vos pas.

Allez en famille chez le médecin ou le dentiste ou, tout au moins, prévoyez des rendez-vous collectifs pour tous les enfants.

Demandez le premier rendez-vous de la journée ; l'attente sera moins longue puisque aucun client ne vous aura précédé et il vous restera du temps en sortant.

Apportez votre liste hebdomadaire quand vous sortez faire une course ; vous y glisserez peut-être quelque emplette que vous aviez pensé faire plus tard dans la semaine.

Achetez en premier lieu les articles légers. Réservez pour la fin les objets lourds ou encombrants, les denrées périssables. Etablissez votre itinéraire en conséquence.

Faites-vous aider par votre famille. Si vous devez rapporter une chemise, laissez-la à la vue ; la personne que ses propres courses amèneront près du magasin pourra vous rendre ce service. Au besoin, précisez sur une note s'il faut créditer l'achat au compte ou l'échanger contre une taille ou un coloris différents.

LE TEMPS COMPTE

Faites certaines choses à temps perdu. Pendant que vous attendez chez le médecin, acquittez des factures ; dans l'autobus, dressez votre liste d'épicerie. Voici une idée de ce qu'on peut faire en 5, 10 ou 30 minutes.

Quoi faire en 5 minutes
Prendre rendez-vous.
Se limer les ongles.
Arroser les plantes.
Faire la liste des invités.
Réserver des billets de concert ou d'événement sportif.
Coudre un bouton.

Quoi faire en 10 minutes
Ecrire une note ou une courte lettre.
Acheter une carte d'anniversaire.
Rempoter une plante.
Laver à la main un vêtement.
Ranger des documents.
Faire de l'exercice.

Quoi faire en 30 minutes
Lire les revues qui attendent.
Travailler à un projet d'artisanat.
Nettoyer l'argenterie et les cuivres.
Passer l'aspirateur dans trois ou quatre pièces.
Désherber une plate-bande.

VOTRE COURRIER

Réglez d'un coup et au jour le jour la plus grande partie du courrier qui vous est adressé. Jetez ce qui est inutile ou sans intérêt et ce qui n'exige pas de réponse : par exemple, une offre d'abonnement à une revue que vous recevez déjà.

Quand on renouvelle votre carte de crédit à l'expiration de celle-ci, prenez des ciseaux et coupez immédiatement l'ancienne en petits morceaux. Faites de même avec les cartes de crédit dont vous avez cessé de vous servir.

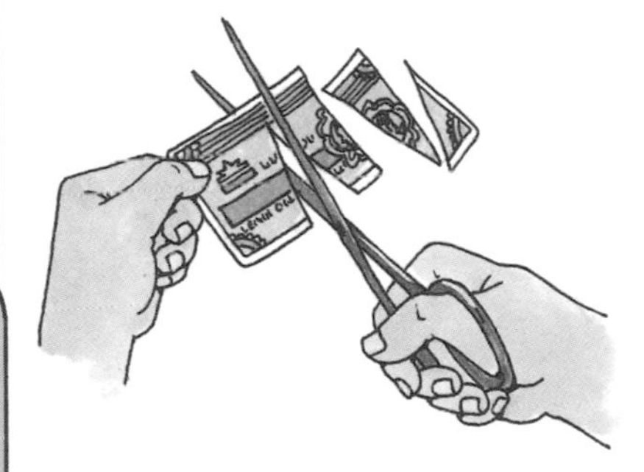

Lorsque vous voulez garder copie d'une réponse, glissez un carbone entre votre feuille et le verso de la lettre d'origine. De la sorte, vous n'aurez qu'un document à ranger. Vous n'avez pas besoin d'écrire à la machine pour obtenir une copie au carbone. Une lettre écrite à la main avec un stylo à bille donne un carbone parfaitement lisible.

Faites provision de quelques cartes de remerciement ou d'anniversaire et mettez-les dans votre classeur après les avoir glissées dans des chemises correctement identifiées.

Inscrivez sur votre liste de tâches hebdomadaires les lettres à écrire, les cartes à envoyer et tous les travaux d'écriture qui ont des dates limites : taxes, enregistrement de la voiture, comptes à payer, etc.

SOYEZ MÉTHODIQUE

Prenez l'habitude de remettre un objet à sa place après vous en être servi et rappelez aux autres d'en faire autant. Vous perdrez moins de temps qu'à tout remettre en ordre au moment où la situation est devenue critique. Et vous ne chercherez pas partout l'article dont vous avez besoin.

Débarrassez-vous des petits travaux au moment où ils se présentent. Par exemple, n'attendez pas la fin de la semaine pour faire le lavage. Démarrez la machine à laver avant le petit déjeuner ; mettez le linge à sécher après. Le lavage se fera presque à votre insu.

Quand vous établissez votre programme de la semaine, accordez-vous une journée, ou à tout le moins quelques heures, pour faire ce dont vous avez envie : sortir ou simplement finir la lecture d'un livre.

Recourez à des appareils lorsqu'ils vous épargnent vraiment du temps ou des efforts. Vous perdez sans doute moins de temps à hacher un oignon à la main qu'à utiliser un robot dont vous devez, après, laver toutes les pièces une à une.

Prévoyez un peu de jeu dans votre horaire quotidien pour les surprises, les interruptions, les urgences. Certains travaux demandent plus de temps que vous n'en aviez d'abord prévu.

Pensez avant d'agir, même dans les travaux de routine. Une méthode de travail relève souvent plus de l'habitude que de la réflexion. Il y a place à l'amélioration.

Pourquoi un travail d'une demi-heure se révèle-t-il souvent deux fois plus long ? Vous avez peut-être calculé uniquement le délai d'exécution en oubliant le délai de préparation ou de rangement. Il faut du temps pour sortir puis ranger les instruments nécessaires.

Fractionnez les grandes tâches. S'il vous faut plusieurs jours pour nettoyer tous les placards de la maison, vous réglerez le cas d'un placard peu encombré en 20 minutes.

LA TÂCHE DE LA FEMME AU XIXe SIÈCLE

« A mesure que la société se dépouille des derniers lambeaux de la barbarie... elle se fait une idée plus juste des tâches de la femme et du degré d'intelligence qu'il lui faut pour s'en acquitter. Qu'un homme de bon sens et de discernement devienne membre d'une famille nombreuse où une femme pieuse et bien élevée s'efforce consciencieusement de remplir ses devoirs ; qu'il apprécie dans toute leur ampleur ses soucis, ses difficultés et ses inquiétudes et il en viendra à la conclusion qu'aucun homme d'Etat ne doit aussi souvent faire preuve de sagesse, de fermeté, de tact, de finesse, de prudence et d'habileté qu'une telle femme. »

Tiré de *The American Woman's Home*, Catherine E. Beecher et Harriet Beecher Stowe, 1869.

VOUS ATTENDEZ DES INVITÉS

Donnez la priorité aux travaux de nettoyage vraiment utiles, ceux qui portent sur des endroits visibles comme les tapis de l'entrée et du salon. Avez-vous remarqué comme on travaille vite dans les heures qui précèdent l'arrivée des invités ?

Si le temps vous manque, si tout n'est pas aussi propre que vous le souhaiteriez, sortez des bougies ; soignez la cuisine et animez la conversation. Personne ne remarquera les détails si dans l'ensemble votre maison se présente bien.

Quand tout est propre dans la salle de bains, passez aux pièces de réception. Mettez-y de l'ordre, époussetez tables et étagères, donnez un coup de chiffon à vos plus beaux bibelots et le tour sera joué.

Vous êtes vraiment coincé ? Soyez astucieux. Si la chaise blanche est impeccable, vos invités croiront que la noire l'est aussi. Passez un peigne dans les franges du tapis : on en déduira que vous avez nettoyé la maison de fond en comble.

La salle de bains pose souvent un problème, tous les membres de votre famille attendant la dernière minute pour faire leur toilette. Juste avant l'arrivée des invités, vaporisez du lave-vitres sur les comptoirs et asséchez avec un essuie-tout.

LA VEILLE

Les petits matins seront moins pénibles si vous les préparez la veille au soir. Rédigez les avis d'absence pour l'école et les permissions de sortie. Sortez les vêtements, préparez la boîte à lunch, donnez de l'argent pour la cantine ou les livres.

Après le dîner, quand la cuisine est propre, mettez la table du petit déjeuner. Sortez les confitures, les céréales et tous les produits non réfrigérés ; ce sera autant de fait en prévision du lendemain matin.

SIMPLIFIEZ-VOUS LA VIE

Prévoyez un peu de temps pour faire les lits et ranger la cuisine avant de quitter la maison le matin. Votre retour sera plus agréable et vous donnerez peut-être le bon exemple aux autres.

Placez un casier près de la porte de service et allouez un étage à chaque enfant : il y mettra son lunch, ses livres d'école, ses vêtements de gymnastique. Au matin, il n'aura qu'à tout ramasser avant de quitter la maison ; au retour, il y laissera les choses non périssables.

Pensez à un coin « fourre-tout », doté d'une chaise, d'une boîte ou d'un panier, pour recevoir livres de classe, linge propre, jouets, courrier, bref tout ce qui doit être rangé. Habituez les enfants à retirer leurs affaires du « fourre-tout » une fois par jour. Installez ce coin dans un endroit passant où ils ne pourront pas ne pas le voir.

Consacrez un rayon d'étagère aux livres empruntés à la bibliothèque. Vos enfants n'auront plus besoin de les chercher dans toute la maison quand viendra le jour de les rendre et vous ne courrez pas le risque de les ranger avec les vôtres.

Gardez de la monnaie dans un petit plat. Vous ne serez pas pris au dépourvu lorsque, à la dernière minute, un membre de la famille viendra réclamer un peu d'argent.

LE PARTAGE DES TÂCHES

Passez en revue les tâches quotidiennes et répartissez-les si possible en fonction des goûts de chacun. On peut avoir horreur de rincer la vaisselle mais être d'accord pour la sortir du lave-vaisselle. Mieux vaut miser sur les préférences plutôt que d'essayer vainement de vaincre les répugnances.

Faites un tableau de répartition des tâches, à l'heure du repas ; chacun à tour de rôle sera chargé de mettre la table ou de laver la vaisselle.

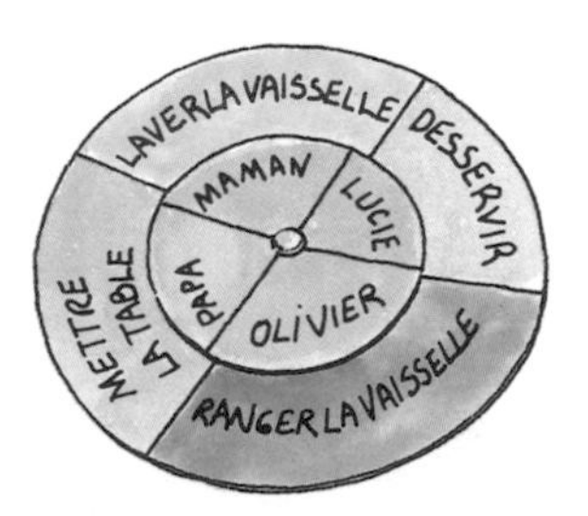

Attention au syndrome du patron. Dès qu'un enfant se tire bien d'une tâche, laissez-le en prendre l'entière responsabilité. Résistez à la tentation de vérifier « s'il fait bien ça ».

PAS TROP D'EXIGENCE

Laissez au groupe le soin d'effectuer les contrôles de qualité. Si quelqu'un fait mal son travail, n'intervenez pas tout de suite. Attendez que les autres se manifestent et trouvent une solution.

Mettez un frein à vos exigences. Lorsqu'il existe un véritable partage des tâches, chaque membre du groupe a le droit de faire valoir ses propres critères de qualité. Si vous êtes la seule personne à vous plaindre qu'un travail est mal fait, faites votre autocritique et au besoin modifiez votre attitude.

Vous ne réussissez pas à vous faire aider ? Voyez si vous n'exigez pas trop des autres. Mettez un peu d'eau dans votre vin : les choses iront peut-être mieux.

LES AIDES-MÉNAGÈRE

Si vous n'arrivez pas à bout de toutes vos tâches ménagères dans un délai raisonnable, cherchez une aide-ménagère. Vous serez étonné de la quantité de travail que vous pouvez abattre quand quelqu'un vient vous aider, ne serait-ce que trois heures par semaine.

Autrement, faites preuve d'imagination. Demandez à un étudiant ou à une voisine de vous donner un coup de main ; cela vous coûtera beaucoup moins cher qu'une aide-ménagère qualifiée. Confiez à cette personne une tâche précise : le ménage, le repassage ou encore le marché hebdomadaire.

LE CONCOURS DES ENFANTS

Invitez le benjamin à vous aider. Le travail sera sans doute moins vite fait, mais vous créerez ainsi un esprit familial essentiel.

Balayez ou époussetez avec lui. L'enfant sera fier d'être traité comme un grand et, plus tard, il se sentira plus enclin à vous aider.

QUELQUES TÂCHES POUR UN ENFANT DE 5 ANS

1. Faire son lit. Ce ne sera pas parfait au début, mais l'enfant apprendra.
2. Ranger ses vêtements dans le placard ou dans le tiroir de sa commode.
3. Ranger ses jouets.
4. Arroser les plantes.
5. Donner à manger au chien, au chat ou au poisson rouge (en le lui rappelant).
6. Mettre la table.
7. Desservir, une assiette à la fois.

Enseignez-lui étape par étape comment exécuter un travail. Ne vous contentez pas de le faire sous ses yeux. Insistez sur les détails, demandez-lui d'essayer.

Lorsque l'enfant est suffisamment initié, laissez-le prendre des initiatives. Ne soyez pas toujours là à le surveiller. Quand il a terminé, examinez son travail et félicitez-le.

Indiquez clairement à quel moment les travaux doivent être exécutés : avant l'école, après l'école ou avant le souper. Ne laissez pas l'enfant les remettre au soir.

En fin de semaine, rédigez la liste de ce qu'il y a à faire et au petit déjeuner, attaquez le sujet. S'il s'agit d'un gros travail, fractionnez-le et ne confiez à un enfant que ce que son âge ou sa maturité lui permettent d'exécuter.

Partez du principe que chacun, garçon ou fille, doit participer aux travaux de la maison. Répartissez les tâches dans cette optique.

Ne refaites pas ce qu'un enfant vient de terminer. Si vous voulez à tout prix que le travail soit exécuté à votre manière, faites-le vous-même. Il n'y a rien de plus frustrant pour quiconque, enfant ou adulte, que de voir ses efforts anéantis. Pensez à l'époque où vous étiez enfant.

N'exigez pas d'un enfant qu'il travaille pour vous une journée entière. Une heure de travail attentif, voilà à quoi se limite l'apport raisonnable d'un enfant de 8 ans. A 14 ans, l'adolescent a autant d'énergie qu'un adulte, mais peut-être moins de motivation.

TRAVAUX MÉNAGERS POUR UN ADOLESCENT

En plus des travaux d'un jeune enfant (p. 17), l'adolescent peut :

1. Vider corbeilles et cendriers.
2. Sortir les ordures.
3. Passer l'aspirateur.
4. Laver le plancher de la cuisine.
5. Repasser ses vêtements, les serviettes et les nappes.
6. Polir l'argenterie et les cuivres.
7. Entrer du bois et allumer le feu.
8. Passer l'aspirateur dans la voiture.
9. Laver la voiture.

CHAMBRES D'ENFANT

Montrez aux enfants qu'il leur suffit de 10 à 15 minutes par jour pour garder leur chambre en ordre. Par contre, s'ils attendent au samedi, il leur faudra une heure ou deux de travail et cela n'ira pas sans plaintes ni ronchonnements.

Organisez les chambres d'enfants pour qu'ils puissent en prendre soin. Mettez-y une commode basse dont les tiroirs se manipulent bien ; dans le placard, posez une tringle à leur hauteur.

Une fois les chambres organisées, effacez-vous. Ce qui s'y trouve, les pièces elles-mêmes appartiennent aux enfants. Occupez-vous-en le moins possible. Autrement, ils auront l'impression que leur chambre est en réalité à vous et ils auront moins le goût de s'en occuper.

Dès l'âge de 5 ans, un enfant peut faire son lit, même si ce n'est pas impeccable. Achetez-lui une couette ou une courtepointe ; vous lui faciliterez la tâche.

La chambre d'un adolescent est sacrée pour lui. L'adulte n'a pas à y intervenir, à moins que l'état des lieux ne dépasse les bornes. Si le désordre est tel qu'il menace toute la maison, alors, il faut agir. Mais le principe idéal demeure : surveillance, mais non ingérence.

OÙ METTRE LES CHOSES

Le vieil adage n'a rien perdu de son actualité : une place pour chaque chose et chaque chose à sa place. C'est la meilleure façon de ne pas perdre un temps fou en vaines recherches.

Avant d'acheter un objet, demandez-vous où vous allez le placer et ne vous racontez pas d'histoires.

Une boîte fourre-tout vous rendra avec le temps de précieux services. Vous y rangerez les chaussettes dépareillées, les gants orphelins et toutes les petites pièces qui paraissent essentielles à un appareil de la maison, mais qu'on n'arrive pas à identifier. De temps à autre, passez en revue ce qui s'y trouve et jetez ce qui est irrécupérable.

Gardez ensemble les choses qui vont ensemble : les raquettes avec les balles et les chaussures de tennis. Rangez un article là où vous vous en servez ou, sinon, là où logiquement vous le chercherez.

LUTTEZ CONTRE LA MANIE DE TOUT GARDER

De temps à autre, passez la maison au peigne fin et jetez (ou donnez) ce qui ne sert plus. Voulez-vous un critère ? Lorsque vous ne remarquez plus un objet décoratif, comme une affiche, l'heure est venue de vous en défaire.

Pensez à un système d'équilibre : chaque fois que vous introduisez un objet, vous en sortez un.

Mais attention ! Ne jetez pas ce qui appartient aux autres. Suggérez, incitez, mais ne prenez pas la décision. Ce principe vaut pour vos parents, votre conjoint et tous vos enfants de plus de quatre ans.

Soyez sans pitié pour vos propres affaires. Jetez tout ce qui ne sert plus. Vous avez un doute devant un objet ? Jetez ! Vous en viendrez là de toute façon après l'avoir déplacé et replacé cent fois.

PLACARDS EN DÉSORDRE

Quand la fièvre du rangement vous prend, travaillez du dehors vers le dedans. Mettez la pièce en ordre avant d'attaquer le placard. Commencer par le placard, c'est doubler le désordre de la pièce.

Si l'un de vos placards est plein à craquer, prenez note d'y mettre de l'ordre. Allouez-lui une heure sur votre liste hebdomadaire de travaux. Mais ne prévoyez pas tout faire en une séance. Le temps écoulé, arrêtez. Fixez une autre heure à votre horaire et si, après cela, vous n'avez pas terminé, remettez le placard au programme.

Pour réduire les risques de confusion, posez près de vous quatre boîtes libellées : « donner », « poubelle », « déplacer » et « douteux », et mettez-y les articles qui ne retourneront pas dans le placard.

Attaquez le placard section par section. Ne sortez pas tout d'un coup, surtout s'il est très encombré. Vous ne sauriez plus où donner de la tête.

S'il vous est insupportable de jeter un article, donnez-le à votre paroisse, à l'Armée du salut, à une société de bienfaisance ou à une vente d'objets usagés.

QUESTIONS QUAND VOUS VIDEZ UN PLACARD

Considérez chaque article en particulier et posez-vous ces questions :

1. Ai-je utilisé cet article cette année ? Si oui, gardez-le ; sinon, jetez-le.
2. Cet objet a-t-il une valeur sentimentale ou monétaire ? Oui ? Gardez-le.
3. Peut-il me servir un jour ? Si votre réponse est « oui », sans que vous puissiez définir à quoi il pourra bien vous servir, mettez l'article au rebut ou donnez-le, à moins que vous n'ayez à votre disposition beaucoup d'espace de rangement dans le grenier ou la cave.

Organisez une vente d'objets usagés dans votre garage ; c'est une idée formidable pour faire maison nette. Demandez l'aide de quelqu'un qui en a déjà fait.

« VENTE DE GARAGE » : SEPT ÉTAPES

1. Vérifiez auprès de la municipalité s'il vous faut un permis.
2. Réunissez les objets à vendre. Si vous n'en avez pas assez, proposez à vos voisins de se joindre à vous.
3. Annoncez la vente dans le journal local, les supermarchés et au coin des rues si c'est permis. Donnez l'adresse, la date et l'heure.
4. Inscrivez les prix sur des affichettes ou du ruban (une couleur par propriétaire). Ne soyez pas ambitieux.
5. Groupez les vêtements sur un support, les livres dans des boîtes, les petits articles sur des tables.

6. Soyez prêt à accepter de marchander. Pensez à commencer les rabais deux heures avant la fin de la vente.
7. Donnez ce qui reste à une société de bienfaisance. Otez les affiches.

Profitez d'un déménagement pour vous débarrasser des articles inutiles. Au moment de l'emballage, décidez où iront les objets dans votre nouveau logement et groupez-les dans les caisses. Avec un marqueur, écrivez en grosses lettres la destination des caisses : grenier, garage, placard à manteaux, etc.

« MIEUX VAUT PRÉVENIR QUE GUÉRIR »

Plutôt que de passer des heures à faire disparaître les graffiti sur les murs, gardez les marqueurs hors de portée des enfants. Pensez aussi à restreindre l'usage des crayons de couleur, des petits pots de peinture, de l'argile. Réservez un coin aux arts graphiques.

Vous nettoierez moins souvent la cuisinière et le four si vous utilisez des casseroles assez grandes pour que l'aliment qui y cuit ne déborde pas en bouillant.

Ne laissez pas les enfants boire et manger partout dans la maison. Aux adultes, fournissez des dessous-de-verre, de petites assiettes à goûter. Ne remplissez pas jusqu'au bord les verres et les tasses. Quand vous recevez des amis, servez des aliments qui ne s'émiettent pas ou qui ne salissent pas les doigts.

LES PETITS OBJETS

Déposez une corbeille dans un endroit passant pour recevoir les petits objets que vous ne savez pas encore où placer. Ils ne s'égareront pas partout dans la maison.

Prévoyez des endroits où ranger de façon permanente les petits articles d'usage quotidien. Par exemple, fixez un clou près de la porte et accrochez-y les clés ; posez un petit bol sur une table pour recevoir la monnaie ou des boucles d'oreilles ; rangez les crayons et les stylos dans un boc sur la table de travail.

Placez une corbeille à papier dans chaque pièce. Mettez un panier à buanderie dans les chambres et les salles de bains : le linge sale ne s'accumulera pas sur le plancher.

DOSSIERS PERSONNELS

Parmi les documents les plus importants pour vous, il y a sans doute des lettres personnelles, des photographies, des articles de journaux, des diplômes ou des programmes de spectacles. N'ayez pas honte de cet attachement ; n'en soyez pas non plus l'esclave. Défaites-vous de tout ce qui perd de son intérêt à mesure que le temps passe.

Pour mettre ces précieux souvenirs à l'abri du feu ou des inondations — et les réunir en un même lieu —, rangez-les dans un coffre-fort.

Gardez un duplicata de tous les actes de naissance, mariage, divorce et décès. Les actes de l'état civil, à savoir les naissances, mariages et décès, sont enregistrés au bureau du protonotaire du district judiciaire où l'événement a eu lieu. Les jugements de divorce sont enregistrés au Bureau d'enregistrement des actions en divorce, à Ottawa, Ont.

Pour obtenir copie d'un acte de l'état civil, adressez-vous au protonotaire de la Cour supérieure du district judiciaire où l'événement a eu lieu ou au prêtre qui a célébré l'événement. Pour obtenir copie du jugement de divorce, adressez-vous au greffe de la Cour supérieure du district judiciaire dans lequel le divorce a été prononcé ou au Bureau d'enregistrement des actions en divorce, à Ottawa. Faites venir plusieurs copies de ces actes. Vous en aurez besoin pour obtenir des rentes de retraite, une hypothèque ou un passeport.

VOTRE CLASSEUR

Des rayons sur une étagère, des boîtes à chaussures en carton peuvent vous servir de classeur, mais il est plus sûr d'utiliser une boîte ou un classeur à tiroirs en métal.

Mettez dans ce classeur les documents relatifs à votre propriété : l'acte d'acquisition, l'acte d'hypothèque et le certificat de localisation.

Conservez également toute facture ou compte de travaux ou rénovations de votre immeuble : ces documents vous seront d'une grande utilité au cas où le fisc vous demanderait des comptes, en particulier lors de la vente.

Dans le classeur iront aussi les testaments, les procurations, les polices d'assurance-vie. N'oubliez pas cependant de jeter ces documents, s'ils sont périmés.

Ouvrez un dossier pour chacun de vos enfants. Gardez-y ce qui se rapporte à leurs études ; ils vous en sauront gré plus tard.

QUOI CLASSER

Dotez-vous d'un système de classement ou corrigez celui que vous avez.

1. Réunissez tous les documents à classer.
2. Ayez à portée de la main une corbeille, des chemises, des étiquettes et des stylos.
3. Prenez le premier document (ou la première chemise si vous êtes en train de réaménager votre classeur). Décidez si vous voulez le garder. Si c'est non, jetez-le ; si c'est oui, passez à l'étape suivante.
4. Sous quel nom allez-vous le classer ? La réponse trouvée, étiquetez une chemise et glissez-y le document. Voici des exemples d'étiquettes : réparations, maison, lettres personnelles, santé, taxes, garanties.
5. Passez au document suivant et refaites les mêmes opérations, sauf que vous devrez décider si vous le rangez dans un dossier déjà existant ou si vous en ouvrez un nouveau. Ne multipliez pas inutilement les dossiers.
6. La pile de documents épuisée, classez les chemises alphabétiquement.
7. Rangez-les dans un tiroir du classeur ou une boîte de carton.
8. Chaque fois que vous consultez un dossier, passez rapidement au travers et jetez tout ce qui a perdu son utilité.

DOSSIERS DIVERS

Ouvrez un dossier pour chaque compte d'épargne, chaque fonds mutuel, chaque véhicule de placement. Vérifiez leur rendement tous les trois ou six mois.

Conservez les chèques payés (si la banque vous les renvoie) ; ils vous seront utiles si l'on vous réclame un jour un compte déjà payé.

Conservez les factures et garanties dans une chemise spéciale pour les retrouver rapidement s'il devenait nécessaire de faire réparer ou de remplacer un appareil.

Conservez les reçus et les bons de caisse pour vérifier les états de compte que vous recevez chaque mois et retourner sans difficulté un achat ou le faire réparer pendant que sa garantie est encore valide.

Qui n'a pas perdu, un jour, ses cartes de crédit ! L'incident sera moins pénible si vous avez en dossier des photocopies de toutes les cartes que vous gardez dans votre porte-monnaie ou dans votre sac à main.

Prenez note des numéros de vos chèques de voyage. Ne classez pas cette liste au même endroit que les chèques.

Rangez dans une même chemise tous les guides qui accompagnent vos appareils ménagers ou faites-y des trous et réunissez-les dans une reliure à anneaux.

Si vous avez beaucoup de documents de cette nature, mettez-les dans un tiroir spécial. Dans la cuisine, peut-être.

Gardez dans un dossier les factures des travaux de réparation ou d'entretien de votre voiture, ainsi que des photocopies de votre permis de conduire, de l'enregistrement de la voiture et de l'assurance, en cas de perte ou de vol de votre porte-monnaie.

DOSSIERS MÉDICAUX

Réunissez dans un dossier tous les documents nécessaires à une demande de règlement d'assurance-santé ou de soins dentaires : instructions, formules en blanc, factures admissibles, dates de naissance, numéros d'assurance sociale, etc.

Si vous déménagez ou changez de médecin ou de dentiste, demandez un résumé de votre dossier médical ou dentaire.

Lorsqu'un enfant quitte la maison pour aller au collège, se marier ou prendre un logement, donnez-lui une liste de renseignements utiles : vaccins, rayons X, maladies infantiles, etc. Ils lui seront utiles s'il a un jour besoin d'assistance médicale.

INVENTAIRE DES BIENS

Faites des photos de vos objets précieux et gardez-les dans un coffre-fort, à la maison ou à la banque. En cas de perte par vol ou autrement, vous pourrez prouver que vous en étiez propriétaire.

Autre méthode : demandez qu'on vous filme avec une caméra de magnétoscope pendant que vous faites la description des biens de votre maison ; donnez les prix au mieux de votre connaissance.

UN FICHIER PRATIQUE

Votre carnet d'adresses est-il surchargé de ratures ? Utilisez des fiches et rangez-les dans un petit fichier. Notez aussi les dates importantes dans la vie de vos amis ainsi que les noms de leurs enfants. Si vous devez modifier une adresse ou un renseignement, il vous suffit de faire une nouvelle fiche.

Inscrivez les numéros de téléphone d'urgence sur une fiche de couleur et rangez-la à l'avant du fichier pour la trouver sans perte de temps.

Utilisez un code de couleurs pour identifier les plombiers, les électriciens, les gardiennes d'enfants, bref tous les services auxquels vous faites fréquemment appel.

OÙ RANGER LES DOSSIERS IMPORTANTS

Gardez les documents importants ou papiers officiels que vous ne pouvez vous procurer facilement — actes de mariage, de naissance, de divorce, d'adoption, de décès ou autres documents administratifs ou juridiques — dans un coffre de sûreté à la banque.

Il n'est pas conseillé de placer des polices d'assurance-vie (ou des testaments) dans un compartiment de coffre bancaire. En effet, si un juge demande la pose de scellés sur le coffre au décès du propriétaire, cela pourrait retarder le paiement des prestations.

QUOI GARDER DANS UN COFFRE-FORT BANCAIRE

Les cambriolages se multipliant et les primes d'assurance augmentant, beaucoup de gens préfèrent maintenant louer un compartiment de coffre à la banque ou dans une entreprise spécialisée. Mettez-y tous vos objets précieux, ceux qui sont difficiles ou impossibles à remplacer. Gardez-en la liste dans un endroit sûr à la maison. Voici quelques articles à garder dans un compartiment de coffre.

Une *photocopie* de votre testament, mais non l'original.

Tous les certificats d'obligations ou d'actions et les certificats de dépôt bancaires (mais non vos livrets).

Toutes les polices d'assurance *sauf* celles d'assurance-vie.

Les documents concernant votre propriété : contrat d'hypothèque, acte d'achat, titres, mais *non* l'acte d'achat du lieu de votre sépulture.

Des documents personnels comme les actes de naissance, de mariage, de divorce, les avis de démobilisation, les passeports.

Un inventaire des biens précieux que vous conservez à la maison : fourrures, bijoux, équipement électronique, tableaux, collections. Notez la date d'achat et le prix. Joignez des photos si c'est possible.

De petits articles de valeur : pièces de monnaie, bijoux, argenterie.

Les billets d'avion achetés longtemps avant le départ.

Certains dossiers peuvent être rangés sans problème dans le grenier, la cave ou une pièce de rangement. Une fois faite votre déclaration d'impôt, réunissez tous les documents pertinents dans une grande enveloppe ou une boîte. Certains jettent les rapports d'impôt qui remontent à plus de six ans, mais il vaut mieux les garder.

QUAND ON TRAVAILLE À LA MAISON

Achetez vos fournitures de travail en double pour ne pas avoir à sortir d'urgence en plein milieu d'un projet absorbant.

Pour bien distinguer votre vie d'affaires de votre vie domestique, habillez-vous pour travailler. Ne restez pas en robe de chambre.

Rendez-vous à pied à votre bureau. C'est une façon de parler ! Faites « le tour du carré » avant de vous mettre au travail. Un peu d'exercice est salutaire le matin.

Si tout est en désordre, personne ne le verra mais votre efficacité en sera diminuée. Jetez les plantes mortes ; fermez les placards ; chassez le chat de votre table de travail.

Ne vous laissez pas déranger. Votre travail n'est pas moins sérieux parce que vous l'effectuez à la maison.

Quand on vous interrompt, faites comme si vous étiez au bureau — dites à quel moment vous serez disponible. Si des amis vous appellent durant vos heures de travail, résistez à la tentation de causer. Promettez de rappeler.

BUREAU À DOMICILE

Il vaudrait mieux que vous disposiez d'une pièce fermée. Si vous n'en avez pas, installez-vous dans un coin qui n'appartiendra qu'à vous. Montez des cloisons pour vous séparer psychologiquement du reste de la maison.

Pouvez-vous y loger un bureau, un classeur, etc. ? Les prises de courant sont-elles commodes, y a-t-il une prise pour le téléphone ? Pouvez-vous en faire poser ?

A défaut d'un vrai bureau, choisissez une table de travail robuste, dont la hauteur vous permettra d'écrire sans vous donner mal au dos. Une porte creuse montée sur deux classeurs vous fournira une bonne surface de travail et plusieurs tiroirs où ranger vos choses.

BANQUE ET COMPTES EN BANQUE

La gestion du budget familial se fait aisément si vous avez un compte pour les dépenses. Certains couples choisiront un compte conjoint. Même si l'un des conjoints s'occupe des finances, l'autre doit pouvoir, à l'occasion, faire un chèque.

Si votre compte en banque ne porte pas d'intérêt, mieux vaudrait en changer. Comparez ce qu'offrent les banques. Même si l'intérêt n'est pas élevé, c'est autant d'enlevé sur les frais de gestion.

EN COMBIEN DE TEMPS UN CAPITAL DOUBLE-T-IL ?

Combien d'années faut-il à un capital pour doubler de valeur ? Il existe une méthode très simple pour le calculer, la méthode du 72. En divisant 72 par le taux d'intérêt, vous obtenez un chiffre qui correspond au nombre d'années que prend le capital à doubler s'il est placé à ce taux.

Taux d'intérêt	Délai
5 %	72 divisé par 5 = 14,4
6	72 divisé par 6 = 12
7	72 divisé par 7 = 10,3
8	72 divisé par 8 = 9
9	72 divisé par 9 = 8
10	72 divisé par 10 = 7,2
11	72 divisé par 11 = 6,5
12	72 divisé par 12 = 6

Note : Cette méthode s'applique dans les cas où l'intérêt est composé annuellement. Lorsque l'intérêt est payé deux fois par an, quatre fois par an, tous les mois ou tous les jours, le capital double plus rapidement. Ces chiffres ne tiennent pas compte non plus de l'impôt.

Avec vos cartes de crédit, évitez les soldes élevés ; ne les utilisez pas non plus pour faire de gros achats. Cela peut vous coûter un taux d'intérêt très élevé. Pour acheter des articles chers ou consolider les soldes importants, obtenez un prêt bancaire car le taux d'intérêt des banques se maintient en règle générale autour de 12 p. 100.

Si vous avez de la difficulté à effectuer un choix entre tous les comptes bancaires que vous offrent maintenant banques et sociétés de fiducie, rappelez-vous que plus l'institution peut compter sur votre argent longtemps, plus l'intérêt qu'elle peut vous payer sera élevé.

Pour un emprunt, vous obtiendrez de meilleurs taux si vous pouvez déposer des valeurs en garantie de la totalité du prêt. Cela pourrait être l'objet même de votre emprunt : une nouvelle voiture, par exemple.

Devant une annonce de taux d'intérêt alléchant, examinez les faits. On peut vous enlever d'une main ce qu'on vous donne de l'autre.

Choisissez une banque qui vous offre le dépôt direct de la paie, l'acquittement des factures de services publics, un guichet automatique de 24 heures ainsi que de longues heures d'ouverture.

COMMENT LIBELLER UN CHÈQUE

Ecrivez-le avec soin. Calligraphiez lisiblement le nom du bénéficiaire pour que le caissier puisse le comparer à la signature de la personne qui endossera le chèque.

Assurez-vous que le montant inscrit en chiffres à côté du nom du bénéficiaire, sur la première ligne, est le même que celui écrit en toutes lettres sur la ligne du dessous. En droit, s'il y a divergence entre les deux, c'est le second qui fait autorité. En fait, votre chèque vous serait probablement retourné.

Pour vous mettre à l'abri des fraudes, remplissez toutes les lignes du chèque. S'il reste des blancs, barrez-les. Les espaces vides sont tentants pour les falsificateurs. Faites un trait avant et après les chiffres et les mentions écrites.

RELEVÉS DE COMPTE

Dès sa réception, vérifiez le relevé que la banque vous envoie avec votre chéquier. S'il y a une erreur, vous la dépisterez assez vite pour ne pas émettre de chèques alors que vous n'avez pas les provisions nécessaires en banque.

Si vous ne savez pas comment faire la conciliation de vos comptes, demandez l'aide de votre gérant de banque ou suivez les instructions au dos du relevé. Enfin, voici une formule qui peut vous tirer d'embarras ; copiez-la et servez-vous-en.

CONCILIATION DE VOTRE COMPTE EN BANQUE

ÉTAPES	SOMMES
Votre chéquier	
1. Inscrivez le solde de votre chéquier	____________
2. Ajoutez les intérêts gagnés (s'il y a lieu)	____________
3. Soustrayez les frais de gestion	____________
4. Nouveau solde	____________
Relevé de la banque	
1. Inscrivez le solde du relevé	____________
2. Inscrivez les chèques émis mais non encore payés	____________

Numéro du chèque	Montant
____________	____________
____________	____________
____________	____________

Soustrayez les chèques émis mais non encore payés	____________
3. Total	____________
4. Ajoutez les dépôts non crédités sur le relevé	____________
5. Votre chéquier devrait afficher ce solde	____________

Ne vous obstinez pas à découvrir l'origine d'un déficit ou d'un surplus de quelques cents : ajoutez ou soustrayez simplement la somme.

LE BUDGET

Au moins une fois par an, révisez et modifiez au besoin votre budget, selon que vos revenus ont augmenté ou diminué, que vous avez éteint une dette payée par mensualités ou annuités ou que vos priorités ont changé. Votre budget doit s'adapter à vos besoins et à vos moyens.

Si vous êtes mécontent de votre budget quand vous l'avez par écrit sous les yeux, examinez vos priorités. Par exemple, vous pouvez décider de consacrer moins d'argent à vos vêtements ou de manger au restaurant moins souvent. Les dépenses au poste des réceptions et des sorties sont les plus faciles à comprimer.

Les coupures se décident en famille. S'il faut que tout le monde se serre la ceinture, invitez vos grands enfants à participer aux discussions.

Ouvrez un compte d'épargne ou de placement dans lequel vos dépôts serviront à payer de grosses factures : les acomptes provisionnels d'impôt pour les travailleurs autonomes, les taxes foncières, les frais de scolarité, les dépenses de vacances. Additionnez les montants requis, divisez-les par 12 et faites un dépôt mensuel équivalent.

Ne soyez pas trop sévère dans le calcul de vos dépenses ; c'est la meilleure façon de défoncer un budget. Pendant quelques mois, prenez note de toutes les sorties d'argent, puis fixez-vous un plafond réaliste, en tenant compte de l'inflation... et de vos illusions.

LES ÉTAPES D'UN BUDGET

1. Etablissez le revenu annuel total de la famille : salaires, bonis, dividendes, intérêts, allocations familiales.
2. Groupez les dépenses sous deux rubriques : les dépenses fixes, comme le loyer et les impôts, et les dépenses variables ou celles que vous pouvez comprimer, comme l'alimentation.
3. Additionnez les dépenses fixes.
4. Additionnez les dépenses variables.
5. Additionnez les deux totaux. Si le total de vos dépenses ne dépasse pas le total de vos revenus, bravo ! Vous vivez selon vos moyens.
6. Pour établir un budget mensuel, divisez le total des deux types de dépenses par 12.

Budget mensuel

REVENUS
Total des salaires ________
Intérêts ________
Dividendes ________
Autres ________

Revenu total ________

DÉPENSES
Dépenses fixes majeures
Taxes et impôts
  fédéraux ________
  provinciaux ________
  municipaux ________
  d'automobile ________
Loyer ou hypothèque ________
Frais de scolarité ________
Assurance
  soins médicaux ________
  soins dentaires ________
  -vie ________
  -biens ________
  -automobile ________
Remboursement d'emprunt
  automobile ________
  autres ________
Epargnes ________

Total des dépenses fixes ________

Dépenses variables
Aliments et boissons ________
Services publics ________
Entretien de la maison ________
Fournitures et équipement ________
Garderie ________
Vêtements ________
Toilette ________
Entretien de l'auto ________
Transports publics ________
Médicaments
  (non remboursés) ________
Soins dentaires
  (non remboursés) ________
Loisirs ________
Cadeaux et contributions ________

Total des dépenses variables ________

Total des dépenses ________

SOLDE FINAL
Total des revenus ________
Moins total des dépenses ________
Solde ________

Mettez au budget un montant supplémentaire pour les imprévus : cadeaux, gros électroménager à remplacer, traitements dentaires. Il est certain qu'il en surviendra.

Comme vous ne toucherez pas souvent à ce montant, vous aurez intérêt à le placer dans un compte spécial — une sorte d'investicompte — qui rapporte davantage que les comptes courants ou les comptes d'épargne ordinaires.

RESPECTEZ VOTRE BUDGET

Profitez des aubaines saisonnières dans les magasins. Achetez les décorations et les papiers d'emballage de Noël le lendemain de la fête.

Les soldes saisonniers offrent des rabais importants sur les articles de saison. Les soldes de liquidation, qui viennent après le fort de la demande, sont encore plus avantageux, bien évidemment.

Les meilleurs jours pour profiter d'un solde sont le premier et le dernier. Le premier, parce que le choix est meilleur ; le dernier, parce que les rabais sont meilleurs.

Les achats par catalogue vous protègent contre les tentations suscitées par les étalages dans les magasins. A la maison, vous faites des choix sereins, en fonction de vos besoins et de vos moyens.

De toute manière, consultez les catalogues avant d'effectuer un achat en magasin ; vous aurez ainsi des points de comparaison.

Prenez vos précautions contre les achats par impulsion. N'emportez pas toujours sur vous votre chéquier ou vos cartes de crédit.

PROFITEZ DES SOLDES

La prolifération des soldes saisonniers et des minimarges a multiplié les rabais, tout comme la concurrence féroce que se livrent les grands magasins. Autrefois, on savait d'avance qu'il y aurait des ventes de blanc en janvier et en août. Les choses ne se passent plus ainsi. Si vous avez besoin de serviettes ou de draps, vous avez presque la certitude de trouver ces articles en solde quelque part. Cherchez-vous un modèle ou une marque en particulier ? Vous devrez peut-être attendre un peu — mais le délai sera court. Modèles et marques arrivent en solde à tour de rôle.

PAIEMENT DES FACTURES

Vérifiez les dates d'échéance des factures. Pour ne pas être pénalisé, payez-les quelques jours avant l'échéance. Si vous les réglez dès leur réception, vous perdrez la jouissance de votre argent et les intérêts courus.

Au lieu de prendre note des différentes dates d'échéance, consacrez deux jours dans le mois, espacés de deux semaines, près du jour de la paye, au paiement des factures.

Réglez toutes les dépenses fixes, telle l'hypothèque. Etablissez la pertinence des divers relevés mensuels que vous recevez en comparant les montants qui y sont inscrits aux factures et bordereaux de débit.

Si vous ne pouvez payer un compte à la date d'échéance, téléphonez à la société émettrice de la carte de crédit pour qu'elle n'engage pas de frais de recouvrement. Expliquez votre cas ; dites quand vous pourrez payer au moins une partie du compte.

Si vous fournissez un rapport détaillé de vos déductions à l'impôt, groupez les factures et les relevés selon les postes pertinents : frais médicaux, dons de charité, intérêts sur prêts, impôts sur le revenu.

Les comptes étant payés, ne jetez pas les factures sans une dernière vérification. Gardez celles qui établissent la date d'achat d'un produit protégé par une garantie. Glissez-les dans un dossier spécial.

COMMENT FORMULER UNE RÉCLAMATION

Q : Quels sont mes droits si le produit est défectueux ?
R : La loi accorde une certaine protection au consommateur. Lorsqu'un produit est défectueux, le vendeur ou le fabricant doit le réparer à condition que vous l'ayez utilisé convenablement. Si le produit est toujours défectueux après plusieurs tentatives de réparation, vous pouvez obtenir son remplacement ou un remboursement.

Q : Comment présenter une réclamation pour mettre les chances de mon côté ?
R : Commencez par donner un coup de fil au commerçant. Dites de quoi il s'agit : « Je vous appelle au sujet du lave-vaisselle que vous m'avez vendu. » Demandez à parler à une personne capable de prendre la décision que vous souhaitez, par exemple le directeur des ventes. Exposez la situation. Présentez votre demande avec diplomatie, mais fermeté. Précisez le délai : « Pouvez-vous m'envoyer le réparateur aujourd'hui ? » Attendez la réponse. Un peu de patience au bon moment peut vous valoir satisfaction. Vous devrez parfois exercer des pressions, mais en général on vous donnera satisfaction pour conserver votre clientèle.

Q : Quoi faire si le magasin fait la sourde oreille ?
R : Ecrivez au service à la clientèle du fabricant. Exposez calmement les faits : description précise du produit, numéros du modèle et de série, lieu et date de l'achat, la raison de votre réclamation, votre nom, votre adresse et votre numéro de téléphone à la maison et au bureau. Envoyez votre lettre par courrier recommandé et gardez-en copie au cas où vous auriez à pousser les choses plus loin. Joignez une copie de la facture et des autres pièces pertinentes. Indiquez ce que vous souhaitez obtenir et dans quel délai. Si vous n'obtenez pas de réponse, communiquez avec le président ou le vice-président. Les bibliothèques publiques possèdent des annuaires spécialisés où vous trouverez les indications nécessaires.

Q : Puis-je obtenir l'aide de services spécialisés ?
R : Si un commerçant de votre localité ne vous donne pas satisfaction, écrivez au Bureau d'éthique commerciale (BEC) en exposant votre cas et envoyez une copie de votre lettre au commerçant. Même si le bureau n'a pas de pouvoir coercitif, aucun commerçant ne souhaite figurer sur ses « listes noires ».

Q : Y a-t-il des organismes gouvernementaux qui peuvent m'aider ?
R : Si vous n'obtenez aucune réponse, mettez-vous en rapport avec l'Office de la protection du consommateur de votre province ou avec Consommation et Corporations Canada. Les organismes provinciaux s'occupent des questions de crédit et des contrats. Mais la publicité, les emballages et les produits dangereux sont du ressort du fédéral. Vous pouvez donc prendre contact avec un organisme provincial (voir les pages bleues de l'annuaire du téléphone) ou écrire à Consommation et Corporations Canada, Ottawa, Ont., K1A 0C9.

Classez, chaque mois, les factures et les chèques non déductibles d'impôt, les coupons de caisse sans validité de garantie et les relevés vérifiés de la banque. Réunissez tout dans l'enveloppe qui contenait le relevé bancaire et inscrivez dessus la date du relevé.

En réglant ponctuellement les relevés de cartes de crédit, vous évitez de payer de l'intérêt et des frais de gestion. Vous économisez de l'argent et vous disciplinez vos achats.

CARTES DE CRÉDIT PERDUES OU VOLÉES

Faites deux photocopies de toutes vos cartes de crédit. Laissez-en une à la maison ; apportez l'autre en voyage. Si vous perdez votre carte, vous saurez quel numéro signaler.

Avisez sans délai la société émettrice de la disparition de votre carte. Un numéro de téléphone sans frais d'interurbain apparaît en général sur le relevé mensuel ; autrement, on vous indique quoi faire en cas de perte ou de vol. Une fois la société avisée, vous êtes dégagé de toute responsabilité.

N'attendez pas : votre responsabilité peut aller jusqu'à 50 $ tant que vous n'avez pas avisé la société.

Dans le cas d'une carte pour guichets automatiques, votre responsabilité se limite à 50 $ si vous avisez la banque sans délai de la perte ou du vol de la carte. Sinon, votre responsabilité est illimitée. Une fois la perte déclarée, la banque émet une nouvelle carte.

Vous pouvez souscrire une assurance carte de crédit auprès des sociétés émettrices ou des banques. Contre de légers frais annuels, le service communiquera avec les émetteurs dès que vous lui aurez signalé la perte ou le vol. Il paie aussi les sommes dont vous seriez responsable après déclaration.

BON USAGE DU CRÉDIT

Quand vous avez fini de rembourser un emprunt important, continuez à déposer le même montant dans un compte d'épargne tous les mois. Vous ne vous en rendrez pas compte, habitué que vous êtes à vous passer de cette somme.

Il est plus économique de faire un paiement comptant important et d'amortir le reste de la dette dans le plus bref délai possible. Ne renouvelez pas un emprunt pour une longue durée à des taux d'intérêt élevés sans y penser à deux fois.

Quelle est votre capacité d'emprunt ? Plusieurs conseillers financiers estiment que le total de vos dettes, à l'exception du loyer ou de l'hypothèque, ne doit pas dépasser 20 p. 100 de votre revenu net.

Ne signez pas un contrat de crédit sans avoir bien lu *toutes* les clauses et les avoir bien comprises. Si des détails vous échappent, posez des questions tant et aussi longtemps que les réponses ne vous donnent pas satisfaction.

ÉTABLISSEMENT DU CRÉDIT

Lors du mariage, la femme peut décider de porter son propre nom seul (Morin) ou réuni à celui de son mari par un trait d'union (Morin-Tremblay). Dans le deuxième cas, elle doit en aviser par écrit ses créanciers. Mais il faut se souvenir que c'est seulement sous le nom attribué à la naissance que les actes importants peuvent être passés.

Quand la femme mariée a sa propre comptabilité, elle prend l'habitude de voir à ses affaires et de gérer ses dettes ; c'est un atout si un jour elle divorce ou perd son mari.

Même si l'épouse ou l'époux paie ses factures et rembourse ses emprunts à l'échéance, le créancier peut exiger la signature du conjoint lorsque la demande de crédit porte sur un montant considérable.

Un créancier ne peut faire enquête sur votre conjoint ou votre ex-conjoint lorsque vos propres revenus vous justifient de faire une demande de crédit, à moins que ces revenus ne proviennent d'une pension alimentaire pour vous ou vos enfants.

Le créancier ne peut vous refuser une demande de crédit simplement parce que vous êtes séparé, veuf ou divorcé. Cependant, il a le droit d'examiner votre solvabilité si votre situation financière risque d'avoir été modifiée par les circonstances de votre nouvel état civil.

Si vous vous estimez victime de discrimination, rappelez la loi à votre prêteur. S'il ne change pas d'attitude sans motif raisonnable, communiquez avec l'Office de protection des consommateurs.

LE CHOIX D'UN EXPERT

Il est sage de choisir son médecin avant d'être malade et son avocat avant que se produise une crise.

Demandez aux personnes en qui vous avez confiance le nom de l'avocat ou du médecin qui leur a rendu des services professionnels compétents ; c'est encore la façon la plus sûre de procéder au choix d'un expert.

Si vous indiquez brièvement la nature de votre problème juridique, le barreau de votre province peut également vous fournir une liste d'avocats spécialisés.

Cherchez-vous un comptable ? Communiquez avec l'association locale des comptables agréés. Ou consultez votre avocat, votre directeur de banque ou votre employeur. Demandez-leur de vous indiquer des bureaux ou des comptables agréés (CA) dont ils ont été eux-mêmes satisfaits.

Renseignez-vous auprès de vos amis ou des gens d'affaires de votre région sur les agents d'assurance de qui ils ont obtenu des services professionnels de qualité. Insistez pour que l'agent d'assurances vous donne des références avant de lui accorder votre clientèle. En cas de refus, méfiez-vous.

Un seul facteur compte dans le choix d'un courtier en valeurs mobilières : vous fera-t-il faire de l'argent ? Demandez des références avant de fixer votre choix : essayez d'obtenir de ces personnes qu'elles vous parlent franchement des talents du courtier en matière de placements. C'est votre argent que vous mettrez entre ses mains. Ses pertes seront les vôtres.

Rompez vos relations avec un professionnel en qui vous n'avez plus confiance ou qui ne vous donne pas les services que vous attendez de lui. Ces relations sont fondées sur la compatibilité et un respect mutuel. Prenez le temps de trouver quelqu'un avec qui vous vous sentirez à l'aise.

VALEUR NETTE

Le calcul de sa valeur nette est une opération réjouissante. Vous valez sans doute beaucoup plus que vous ne le pensez.

La meilleure façon d'avoir une idée précise de ce que représentent vos avoirs sur le plan financier est de préparer un état de votre valeur nette chaque année à la même date, avant Noël par exemple.

ASSURANCE-VIE

Avez-vous besoin d'assurance-vie ? Son principal objet est de fournir un capital à votre famille dans l'éventualité de votre décès.

Un célibataire a-t-il besoin d'assurance-vie ? Seulement dans le cas où ce célibataire a des personnes à sa charge, à savoir : un enfant, un parent âgé ou tout autre membre de sa famille.

COMBIEN VALEZ-VOUS ?	
Valeur nette de (inscrire le nom)	________
Le (inscrire la date)	________
Liquidités	
Argent comptant	________
Compte de chèques	________
Compte d'épargne	________
Fonds du marché monétaire	________
Dépôts à terme	________
Assurance-vie (valeur de rachat)	________
Obligations d'épargne (valeur actuelle)	________
Obligations municipales (valeur actuelle)	________
Obligations de sociétés (valeur actuelle)	________
Actions (valeur actuelle)	________
Fonds mutuels (valeur actuelle)	________
Acomptes d'impôt versés	________
Paiement anticipé d'assurance	________
Autres	________
Autres actifs	
Régime privé de retraite	________
Régime enregistré d'épargne-retraite	________
Participation différée aux bénéfices	________
Résidence principale (valeur actuelle)	________
Autres propriétés (valeur actuelle)	________
Véhicules (valeur actuelle)	________
Embarcations	________
Meubles, gros électroménagers	________
Biens personnels (argenterie, bijoux, etc.)	________
Autres biens personnels (collection de timbres, etc.)	________
Antiquités, œuvres d'art (valeur actuelle)	________
Prêts consentis	________
Autres	________
Total de l'actif	________
Passif	
Taxes et impôts à payer	________
Factures non payées	________
Paiements échelonnés (solde) pour meubles, voiture, etc.	________
Prêts hypothécaires	________
Prêts personnels	________
Autres	________
Total du passif	________
VALEUR NETTE (le total de l'actif moins le total du passif)	________

Pour quel montant devriez-vous souscrire une assurance-vie ? Les courtiers en assurances vous diront qu'une famille a besoin d'une assurance-vie égale à au moins quatre ou cinq fois son revenu annuel.

Cette évaluation est faite par les courtiers et leur intérêt est en jeu. Vous feriez mieux d'établir vous-même ce montant d'argent, selon les biens que vous laisserez à votre décès, le besoin de sécurité de votre famille, l'âge de vos enfants.

PLACEMENTS

Avant d'investir de l'argent dans un véhicule à risques, voyez si vous possédez assez d'assurances et d'économies pour vous protéger en cas de crise. Vos épargnes devraient être égales à trois mois de revenu net.

Mettez de côté un montant fixe chaque mois et placez ce capital.

Ne mettez pas tous vos œufs dans le même panier. Achetez des certificats d'épargne, des obligations d'épargne du Canada ou de votre province, des rentes, des fonds mutuels très diversifiés.

N'attendez pas sous prétexte que vous voulez acheter au plus bas ou vendre au plus haut. C'est un pari impossible à tenir.

ASSURANCE SOCIALE

Etes-vous inquiet de votre participation au Régime de rentes du Québec (RRQ) ou au Régime de pension du Canada (RPC) ? Indiquez votre numéro d'assurance sociale et demandez le détail de vos contributions à la Régie des rentes du Québec et au Régime de pension du Canada, Programme de la sécurité du revenu, ministère Santé et Bien-être social Canada.

Les demandes de pension de sécurité de la vieillesse doivent être présentées au moins six mois avant votre 65e anniversaire ou dès que vous devenez admissible. La pension de sécurité de la vieillesse et les rentes des divers régimes sont assujetties à l'impôt sur le revenu. Si vous n'avez aucun revenu ou s'ils sont minimes, vous pouvez avoir droit au Supplément de revenu garanti, non assujetti à l'impôt.

RETRAITE

Il n'est plus temps de préparer votre retraite le jour de vos 65 ans. Renseignez-vous maintenant sur les rentes auxquelles votre régime de retraite vous donne droit ; cela vous évitera des surprises désagréables.

Pour jouir d'une retraite sans souci, vous devez compter sur un montant équivalant à 55-75 p. 100 de votre revenu d'avant retraite. Additionnez les rentes de votre propre régime, celles des régimes canadien ou québécois, la pension de sécurité de la vieillesse et vos économies. Où en serez-vous ?

Si vous ne comprenez pas bien les modalités du régime de retraite de l'entreprise où vous travaillez, adressez-vous au service du personnel de votre employeur.

COMBIEN VAUDRA CE QUI COÛTE AUJOURD'HUI 100 $?

Si vous mettez de l'argent de côté en vue d'objectifs à long terme, le taux d'inflation peut diminuer la valeur de vos épargnes avec le temps. Combien vaudra ce qui coûte aujourd'hui 100 $? Voyez par vous-même.

Taux annuel d'inflation	10 ans	20 ans	30 ans
2%	122$	149$	181$
4	148	219	324
6	179	321	574
8	216	466	1 006

TESTAMENT

Le testament n'est pas que pour les riches. Il vous permet de léguer vos biens aux personnes de votre choix et de nommer un exécuteur testamentaire qui administrera votre succession jusqu'à ce que vos enfants soient en âge de le faire.

Si vous n'avez pas de testament ou que vous désiriez en changer, voyez un avocat ou un notaire. Vous pouvez aussi faire votre testament vous-même, mais il est alors essentiel de vous conformer aux modalités prescrites par la loi, à défaut de quoi votre testament pourra faire l'objet d'une contestation.

Au cas où votre situation financière changerait, il est sage de formuler vos legs en termes de pourcentages plutôt que de montants.

Réexaminez périodiquement votre testament ; le moment de la retraite est bien choisi. Tenez compte des modifications apportées à la loi de l'impôt : vous aurez peut-être intérêt à reformuler certains legs.

Si vous changez de province, assurez-vous que votre testament est conforme aux lois du lieu où vous habitez. Il sera assujetti aux lois en vigueur dans la province de résidence au moment de votre décès.

QUOI GARDER EN PLUS D'UN TESTAMENT

Vous devriez garder une liste de vos proches parents, de vos associés et de vos documents personnels importants. Remettez cette liste à jour une fois par an. Faites-en plusieurs copies. Dites aux membres de votre famille où vous les gardez. Voici quoi inclure dans cet inventaire :

Vos nom, adresse et date de naissance, ceux de votre famille.

Où sont vos actes de naissance et de citoyenneté, vos déclarations d'impôt.

Le numéro de votre assurance sociale, l'endroit où se trouve la carte.

L'endroit où vous gardez votre acte et contrat de mariage et votre jugement de divorce s'il y a lieu. Dans le cas d'un second mariage, donnez le nom du premier conjoint.

Là où se trouve l'original de votre testament.

Le nom et l'adresse des exécuteurs testamentaires, des fiduciaires et des bénéficiaires.

Le nom et l'adresse de votre médecin, avocat, comptable, employeur, gérant de banque, agent d'assurances, courtier et propriétaire.

Où sont vos polices d'assurance.

L'endroit où se trouvent la liste et les certificats de vos actions, obligations et autres valeurs.

Une liste complète de vos actifs, y compris vos comptes en banque, propriétés, commerces et bijoux.

Une liste complète de vos dettes et autres obligations.

L'endroit où se trouvent votre coffre-fort bancaire et la clé y donnant accès.

Vos volontés à l'égard de votre dépouille et les dispositions funéraires déjà prises.

Il serait souhaitable de préciser ce qui doit être fait en cas de décès ou d'invalidité totale : appeler votre bureau, suspendre l'abonnement au journal, appeler l'évaluateur pour qu'il apprécie la valeur de votre propriété.

Le tout-ranger bien pensé

GÉNÉRALITÉS

Organisez l'espace de rangement dont vous disposez avant de l'augmenter. Multiplier les éléments, c'est ouvrir la porte au désordre et souvent aux articles inutiles.

Pour rationaliser le rangement, relevez le plan des pièces et inscrivez ce que vous voulez mettre dans chacune ; au besoin, faites passer des articles d'une pièce à une autre pour mieux utiliser l'espace.

Rien de plus ennuyeux qu'un objet à déplacer pour atteindre un espace de rangement. Ménagez-vous un accès direct aux tiroirs, aux placards et aux rayonnages.

Pensez à l'avenir. Dotez les étagères de rayons réglables pour y loger livres, disques, vidéocassettes ou nouveaux accessoires électroniques. Pensez à des éléments modulaires que vous pouvez séparer, compléter ou regrouper facilement au fur et à mesure de vos besoins.

DE LA CAVE AU GRENIER

L'espace manque rarement. Examinez la vignette ci-dessous, puis passez votre maison au peigne fin. Mettez à profit les coins dérobés ; recherchez les endroits que vous pouvez utiliser sans augmenter l'encombrement.

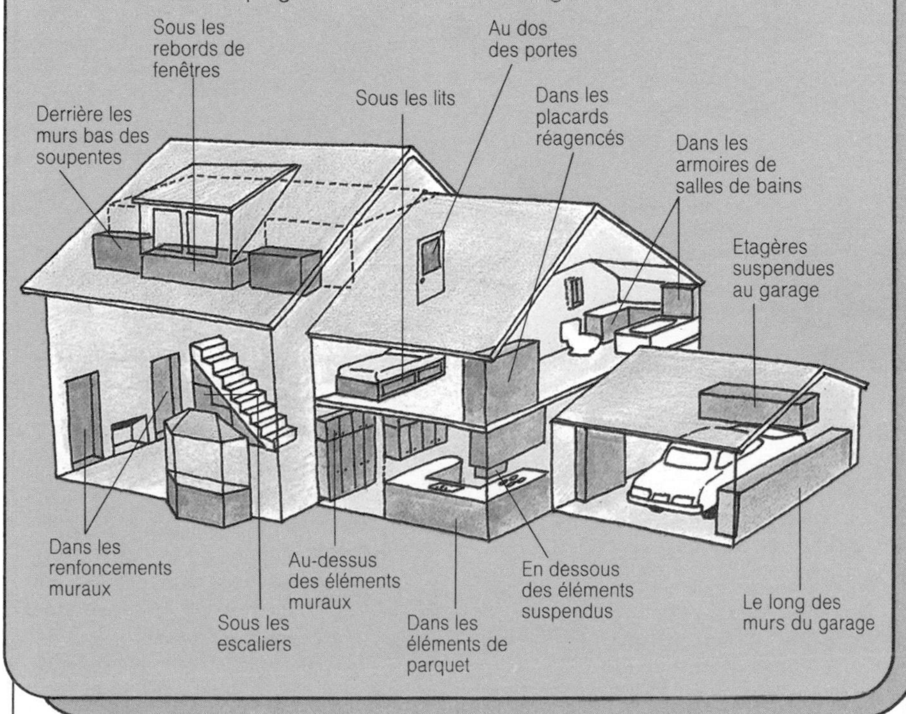

Ne vous en tenez pas à un seul usage. Un coffre, par exemple, peut changer de pièce et servir à ranger des éléments très différents, selon vos besoins.

Aux grands espaces de rangement, préférez les rayonnages ou les caissons de petites dimensions qui favorisent l'ordre et le classement.

AVANT...

APRÈS...

Evitez d'empiler. On recommande de ne pas superposer plus de trois articles qui ne vont pas ensemble.

Dans une petite pièce, pensez à des espaces de rangement ouverts peu encombrants, comme des rayonnages ou des clayettes.

Si l'espace manque, n'achetez pas une commode avant d'avoir examiné si rayons, clayettes ou paniers ne font pas tout aussi bien l'affaire.

UNE SOLUTION À TOUT

Quand vient le moment de ranger, abordez le problème avec lucidité et sans caprice. N'établissez pas vos priorités en fonction de vos goûts ou de vos sentiments.

Vous saurez où ranger utilement un objet si vous le posez d'abord à l'endroit où vous vous en servez le plus souvent. C'est là, ou en tout cas près de là, qu'il doit aller.

Placez les articles d'usage courant au moins à hauteur de genoux et au plus à 10 po au-dessus de votre tête ; les autres peuvent aller au-dessous ou au-dessus.

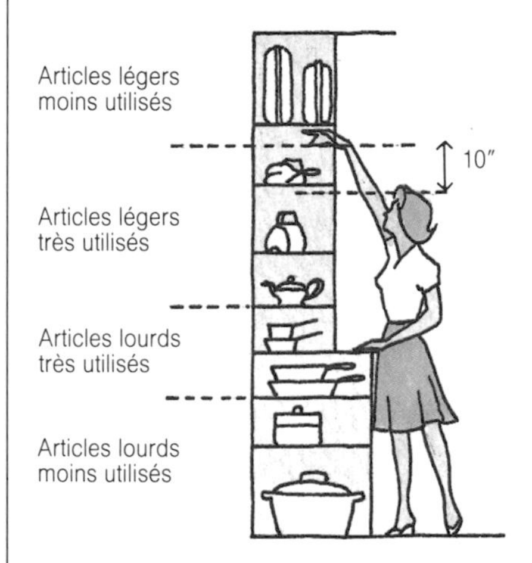

La prudence recommande de ranger un objet lourd souvent utilisé pas plus bas ni plus haut que 12 po au-dessous ou au-dessus de la ceinture. Assurez-vous de pouvoir le retirer sans bousculer ce qui l'entoure et vérifiez la solidité du support.

Pour augmenter l'espace de rangement consacré aux articles d'usage courant, placez les objets peu utiles ou d'usage saisonnier dans des boîtes ou des sacs clairement identifiés que vous logerez dans des endroits moins accessibles.

DÉPARTS PLUS RAPIDES

Rangez gants, foulards et chapeaux dans un meuble à tiroirs près de l'entrée ou dans de petits paniers suspendus derrière la porte du placard à manteaux.

Placez les autres accessoires de sortie dans un bloc de rangement à cases identifiées, posé sur la tablette du placard. Des boîtes à chaussures font très bien l'affaire.

Tendez une corde garnie d'épingles à linge derrière la porte du placard à manteaux pour les gants d'hiver des enfants. Posez-la bas pour qu'ils les rangent eux-mêmes.

Si votre placard d'entrée est petit, fixez une jolie patère au mur ou installez un portemanteau sur pied près de la porte d'entrée. Vous y accrocherez commodément les manteaux de vos invités.

ÉCHEC À L'EAU ET À LA BOUE DANS L'ENTRÉE

Près de l'entrée, placez un panier ou un bac garni au fond d'un sac à ordures en plastique pour recevoir bottes et couvre-chaussures.

Près de la porte de service, prévoyez un rangement pour les équipements de sport des enfants. Installez un banc pour que vos jeunes athlètes épuisés pensent à enlever leurs chaussures boueuses.

Pour empêcher l'eau de s'accumuler dans le porte-parapluies, mettez dans le fond un morceau d'éponge. Vous n'aurez qu'à l'essorer de temps à autre les jours de mauvais temps.

DANS LE SÉJOUR

Faites double usage de la table à café. A environ 5 po sous la surface, posez une tablette pour recevoir revues, jeux, casse-tête, etc.

Cela ne suffit pas ? Remplacez la table par un joli coffre à l'antique ou un coffre en osier.

Près du fauteuil où vous vous asseyez pour regarder la télévision, clouez ou accrochez au mur un panier pour recevoir les petits travaux d'aiguille ou autres.

Une pochette à longue patte fixée avec du velcro sous le coussin du fauteuil de lecture vous permettra de dissimuler à la vue les journaux du jour ou les revues d'actualité. Taillez-la dans le même tissu d'ameublement que celui qui recouvre le fauteuil, de préférence.

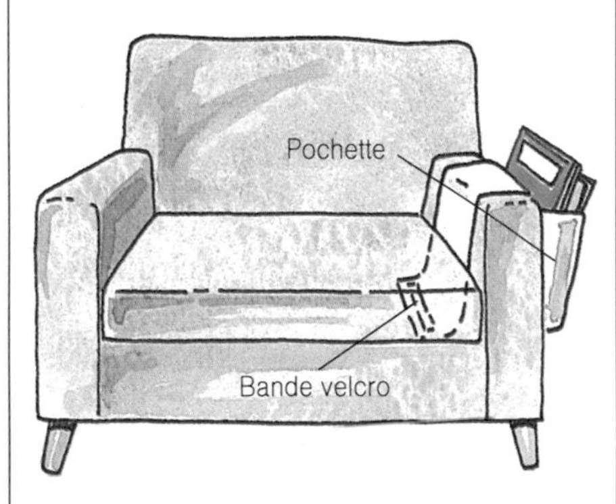

D'un rangement bas, faites un siège d'appoint. Garnie d'un coussin, une boîte devient un pouf. Des coussins transforment en banquette un coffre logé sous la fenêtre.

Tirez ainsi parti du renfoncement d'un mur ou d'une fenêtre. Découpez dans du contre-plaqué un couvercle et un panneau avant et fixez-les sur des tasseaux cloués au mur. Mettez des charnières au couvercle. Couvrez d'un coussin.

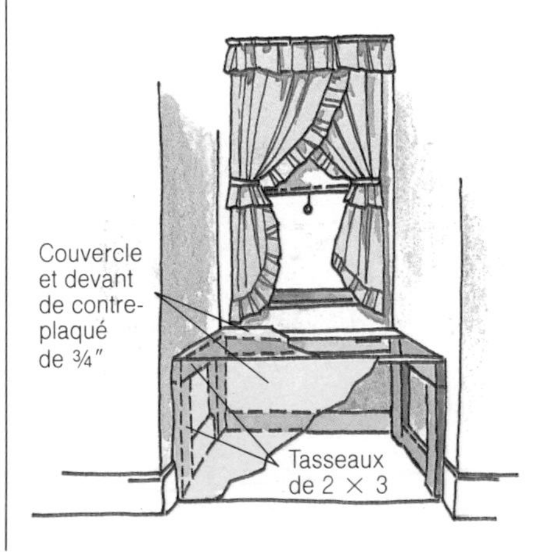

POUR LES ACCESSOIRES AUDIO-VISUELS

Rangez disques, cassettes et rubans à portée de la vue ; placez la table tournante ou le lecteur de cassettes à portée de la main.

Vous pouvez installer deux rangées de cassettes ou de disques compacts sur un même rayon de 12 po si vous faites une étagère surélevée à l'arrière pour avoir plus facilement accès au fond.

Laissez environ 2 po de jeu autour de vos appareils électroniques pour la circulation d'air.

Comptez 1 po d'espace pour loger les fils à l'arrière des tablettes où vont vos appareils électroniques. Ne les faites pas courir jusqu'à une prise murale ; installez plutôt une rallonge à prises multiples que vous fixerez au niveau des appareils.

DE L'ORDRE DANS LA CUISINE...

Il y a de tout partout ? Passez en revue tiroirs et tablettes et retirez les articles que vous avez inutilement en double : avez-vous vraiment besoin de trois ouvre-boîtes ?

Mettez de côté les accessoires peu utilisés : coupe-œufs, pinces à homard, emporte-pièce pour biscuits ; rangez-les dans un tiroir moins accessible ou dans une boîte logée dans le haut d'une armoire.

Procurez-vous des articles de rangement peu chers et utiles : un casier de métal pour la pellicule plastique et le papier d'aluminium, des bacs superposables pour les pommes de terre et les oignons.

...MAIS AUSSI DE L'EFFICACITÉ

Dans la mesure du possible, gardez à portée de la main les petits appareils électriques, comme le grille-pain ou le presse-jus, dont vous vous servez tous les jours.

Pour les soustraire à la vue, dissimulez ces appareils derrière de petites cloisons à charnières placées à l'arrière du comptoir.

Disposez bocaux pleins, boîtes de conserve et d'épices en une seule rangée pour les retrouver plus facilement. Pensez à installer d'étroits rayons sur un mur dérobé à la vue ou à l'intérieur d'une armoire.

L'EFFICACITÉ DU PLATEAU TOURNANT

Un carrousel met tout à votre portée. Il est simple à fabriquer : un peu de contre-plaqué de ¾ po, un roulement de 4 po (à acheter dans les magasins d'accessoires pour automobiles), des clous à finir 6d, de la colle blanche et du ruban métallique de finition.

Le découpage des cercles de contre-plaqué est délicat. Demandez au vendeur de le faire pour vous ; si vous avez une scie sauteuse, reportez-vous à la technique expliquée page 188. Pour une armoire de 24 po de profondeur, il faut prévoir deux cercles de 22 po de diamètre. Mesurez toujours l'armoire d'abord ; laissez ½ po de jeu tout autour du plateau tournant. Une des traverses sera égale au diamètre du cercle ; l'autre sera faite de deux pièces chacune égale à la moitié du diamètre moins ⅜ po.

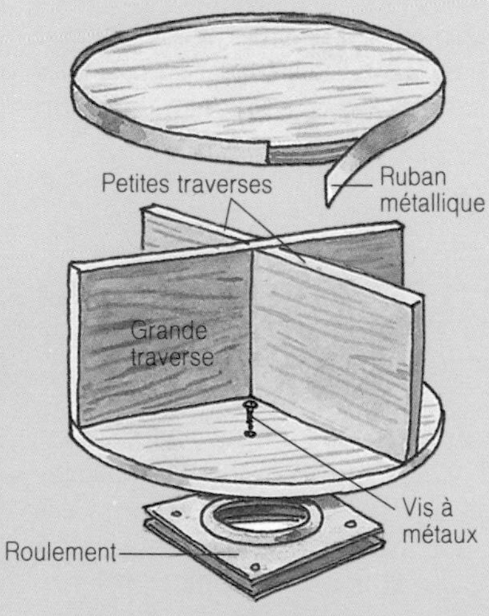

Commencez par percer des avant-trous dans l'un des cercles en contre-plaqué en utilisant comme guide les trous qui se trouvent sur le roulement. Ensuite, vissez le roulement au plancher de l'armoire et fixez-y le cercle en contre-plaqué avec des vis à métaux. Ne les serrez pas à fond tout de suite ; vérifiez d'abord si elles sont de la bonne longueur.

Fabriquez un petit plateau pour unité murale avec du contre-plaqué de ½ po et un roulement de 3 po.

Finis les bagues, montres et bracelets égarés. Vissez un support dans le mur près de l'évier pour les recevoir pendant que vous faites la cuisine ou la vaisselle.

Séparez les ensembles de napperons avec des cartons. Vous pourrez les retirer sans froisser ceux qui sont au-dessus ou au-dessous.

LIBÉRER LE COMPTOIR

Rangez la vaisselle sitôt qu'elle est propre : le comptoir sera libre à l'heure de préparer le repas.

Vous pouvez placer certains articles sous les placards suspendus. Il existe des clayettes escamotables qui s'abaissent pour recevoir des épices ou des couteaux. Vous pouvez aussi suspendre des tiroirs ainsi que certains appareils.

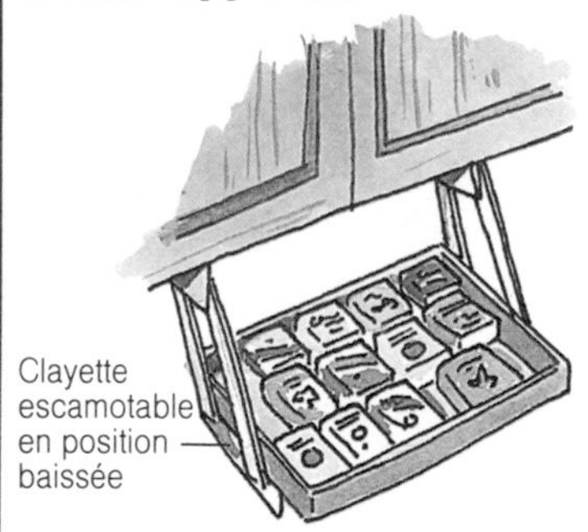

Pour les gros appareils comme le mixer ou le robot culinaire, utilisez des tablettes ascensionnelles. Vous en trouverez du format qui vous convient ; installez-les selon les instructions qui les accompagnent.

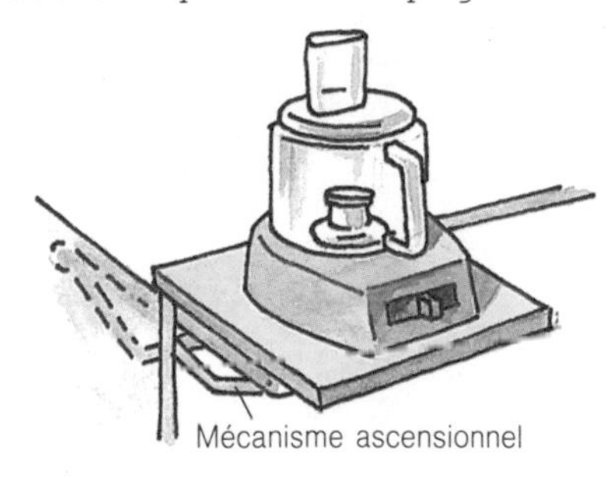

Un support métallique à vaisselle suspendu au-dessus de l'évier fait office d'égouttoir ; l'eau tombe directement dans l'évier et vous libérez le comptoir. On en trouve dans les magasins spécialisés.

LA PORCELAINE

Rien ne vous oblige à ranger ensemble la porcelaine. Si vous êtes quatre à la maison avec un service pour 12 personnes, rangez quelques morceaux dans le haut du vaisselier ou dans une autre pièce.

Intercalez ici et là une tablette entre deux autres. Fixez-la au meuble avec des tasseaux (p. 64) ou taillez-lui des pieds dans des restes de planche ou de contre-plaqué.

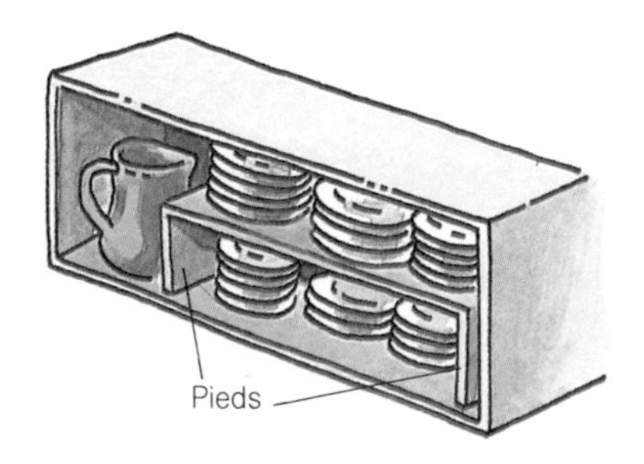

Rangez assiettes et soucoupes debout dans des supports métalliques. Accrochez les tasses ou posez-les sur une tablette coulissante.

LES USTENSILES

Pour ranger les couteaux, pratiquez des encoches espacées de 1½ po dans un 2 × 3 et clouez ce support dans le fond du tiroir.

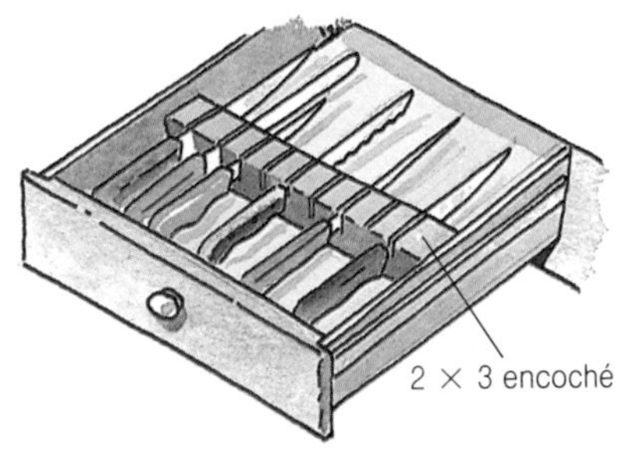

Rangez près de la cuisinière les spatules et articles de cuisson, près de la surface de travail les fouets et cuillers. Accrochez-les à un panneau perforé (p. 55) ou à un râtelier.

Groupez en bouquet dans un boc les petits ustensiles de cuisine et fixez ceux qui sont en métal à un support aimanté.

Percez un trou dans le manche d'un article de cuisine pour le suspendre. S'il est trop épais pour le crochet, glissez-y une ficelle ou un lacet de cuir et faites un nœud.

Pour ranger les casseroles, pensez à des tablettes coulissantes ou à des bacs sur roulettes (pp. 68-69), près de la cuisinière ou sous la surface de cuisson si elle est autonome.

Un panneau perforé monté à la verticale sur roulettes permet de loger dans un espace peu pratique les casseroles les plus utilisées.

Il ne reste plus de place le long des murs ni dans les armoires ? Installez un support de métal au plafond et accrochez-y les articles les plus en demande. On peut se procurer ce type de supports dans les magasins d'articles pour restaurants.

Rangez à la verticale plaques, planches et plateaux dans l'armoire au-dessus du réfrigérateur. Découpez des cloisons verticales dans du contre-plaqué de ¼ po ; insérez-les entre des pièces de même matière fixées dans le haut et le bas.

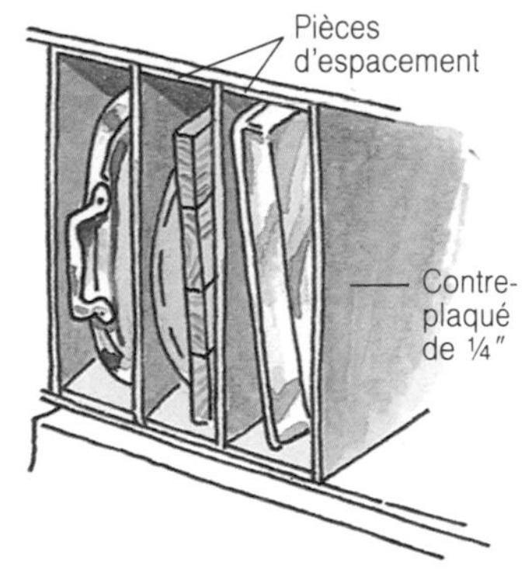

Pensez à vous servir de goujons (p. 63) pour les séparations verticales, en particulier pour ranger les couvercles de casseroles.

UNE CUISINE PLUS LOGEABLE

Utilisez l'intérieur des portes d'armoires pour y accrocher tasses et cuillers à mesurer ou installez de petites étagères pour les épices et autres menus articles. Mais faites attention de ne pas bloquer la fermeture des portes.

Montez un rayonnage peu profond pour les épices et les bocaux à l'arrière du plan de travail.

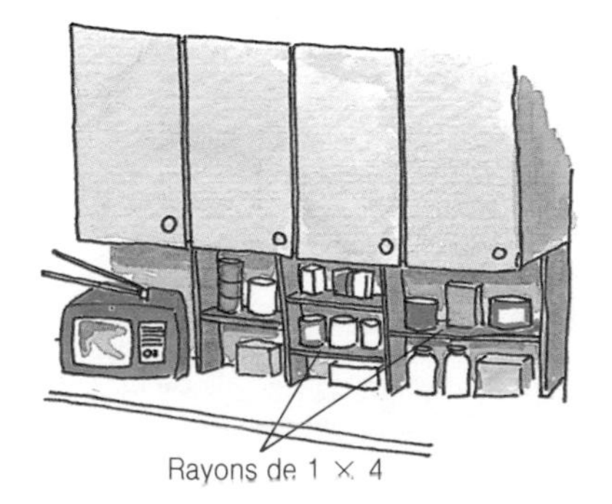

L'espace étroit près du réfrigérateur peut recevoir un élément de rangement monté sur roulettes, si la circulation d'air demeure suffisante autour de l'appareil. Un cadre solide (p. 64) sur deux paires de roulettes fait l'affaire.

Construisez un joli rayonnage à épices avec des 1 × 4 et des goujons de ¼ po. Percez les trous des goujons dans les deux 1 × 4 à la fois. Collez les goujons.

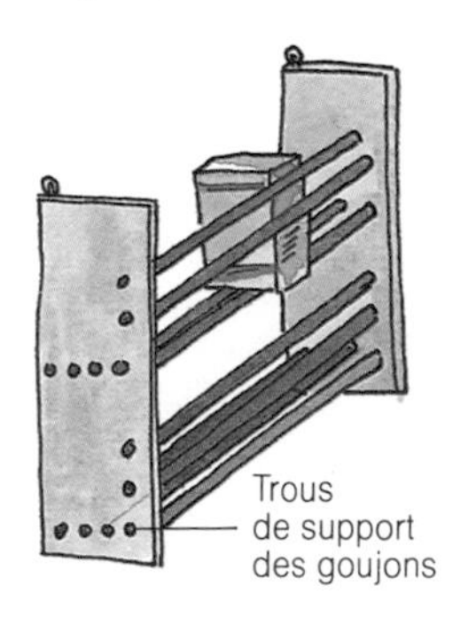

Installez une étagère pour y ranger vos livres de cuisine et un jeu de boîtes à farine, sucre, etc. Pour en faire une surface de travail, recouvrez-la de papier peint vinyle.

Autre addition utile, une table roulante. Elle va de la table à l'évier en passant par la cuisinière et augmente votre surface de travail.

Pour convertir un élément en casier à vin, retirez les tablettes et posez en croix deux grands morceaux de contre-plaqué, chacun fendu jusqu'au milieu.

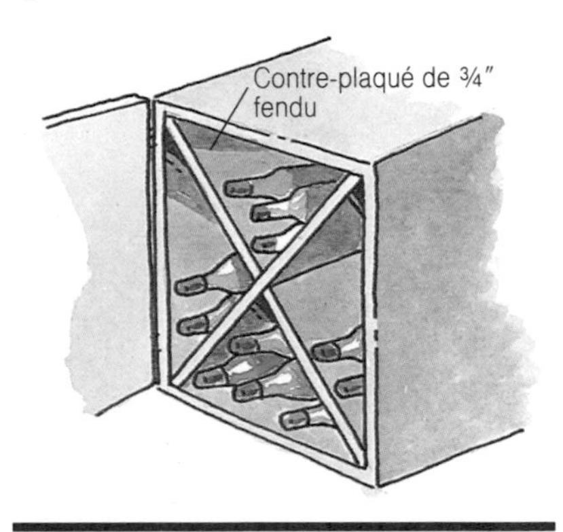

ARTICLES D'ENTRETIEN

À l'intérieur de l'armoire, posez les produits de nettoyage sur un plateau amovible. Ils seront plus faciles à sortir, à transporter et à ranger.

Lorsque vous disposez votre matériel de nettoyage dans une armoire, pensez à vous ménager un accès facile aux gros articles encombrants, comme l'aspirateur ou les seaux.

DANS LA BUANDERIE

Tendez une corde à linge ou installez une tringle sous une haute tablette pour y pendre les vêtements fraîchement repassés ou y mettre à sécher ceux en tissu synthétique.

Procurez-vous une jeannette, fort utile pour repasser les manches des chemises et des blouses.

Avec des tablettes ou des tasseaux, construisez un meuble très simple pour recevoir les paniers à linge des membres de votre famille. Demandez à chacun d'apporter son panier dans la buanderie le jour du lavage et de le reprendre, plein de linge propre, par la suite.

DANS LE PLACARD DE LA CHAMBRE À COUCHER

Accrochez tous les cintres de façon que les crochets pointent vers le fond du placard. Cela vous permet d'en retirer plusieurs à la fois.

Suspendez ensemble tous les vêtements courts, à une extrémité du placard. Il y aura assez de place dessous pour installer un support à chaussures, un petit meuble à tiroirs ou une deuxième tringle.

Les tringles parallèles au mur doivent être à environ 12 po de celui-ci pour que les cintres aient le dégagement voulu. Si le placard n'est pas suffisamment profond, vous pouvez acheter une tringle extensible qui se pose dans l'autre sens.

Mettez un peu de cire en pâte sur les tringles de bois ; les cintres glisseront plus facilement.

Dès que vous retirez un vêtement du placard, placez le cintre libéré à l'extrémité de la tringle. Plus tard, quand vous viendrez raccrocher le vêtement, vous trouverez le cintre tout de suite et sans que les autres cintres s'emmêlent.

Si les cintres s'emmêlent souvent, retirez la tringle et, avec une scie, faites de petites entailles sur le dessus tous les ½ po.

Pensez à des tablettes coulissantes (pp. 68-69) plutôt qu'à des tiroirs pour ranger des vêtements. Elles sont polyvalentes et peuvent s'installer plus haut que des tiroirs ordinaires.

Si votre placard n'est pas éclairé, procurez-vous des lampes à piles qui s'installent au mur ou au plafond ; elles ne coûtent pas cher.

RÉAMÉNAGEMENT D'UN PLACARD

Maximisez l'utilité d'un placard de chambre à coucher en y installant deux tringles superposées pour y pendre des vêtements courts.

Commencez par retirer les tringles et les tablettes du placard actuel. Pour loger les articles qui se plient et les accessoires, montez sur toute la hauteur un rayonnage étroit en contre-plaqué de ¾ po. Fixez-le aux montants du mur et aux solives du plancher avec des supports en équerre (p. 49) ; installez-y rayons et tiroirs (pp. 64-67).

Comme tringle à vêtements, utilisez un goujon de 1 po logé aux deux bouts dans des supports métalliques posés sur des tasseaux de 1 × 4. Le centre de ces supports doit être à 11 po du mur. Si une tablette doit reposer sur le tasseau, posez le support dans le bas du tasseau ; vous aurez ainsi assez d'espace pour manipuler les cintres. Fixez d'abord un des deux supports ; insérez-y la tringle, puis déterminez l'emplacement de l'autre support à l'aide d'un niveau.

Les tablettes peuvent avoir 22 po de profondeur. Toutefois, si les portes du placard ne vont pas jusqu'au plafond, posez dans le haut des tablettes plus étroites pour en faciliter l'accès. Prenez du contre-plaqué de ¾ po pour ces tablettes et montez-les sur des tasseaux de 1 × 2 fixés aux montants des murs. Maquillez les extrémités du contre-plaqué avec une moulure de ¼ po ; ou bouchez les trous avec de la pâte à bois avant de peindre.

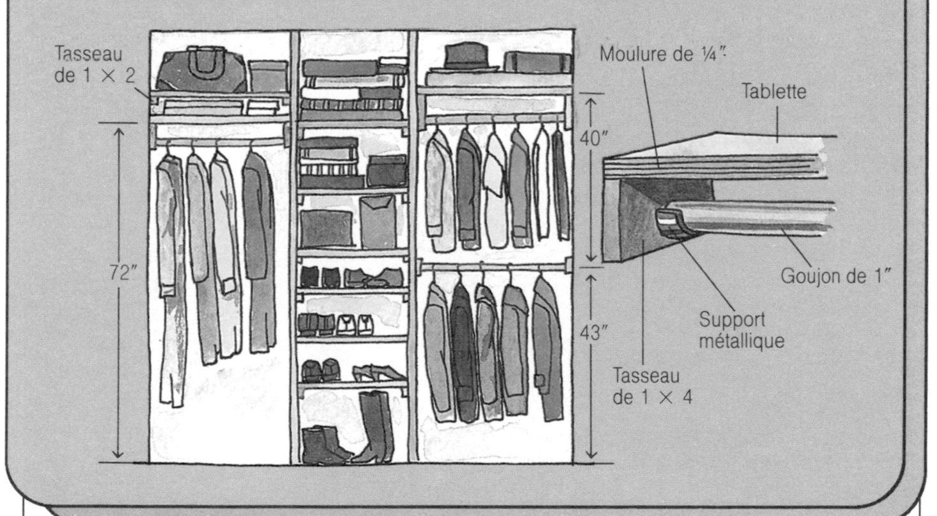

UTILISATION DE L'ESPACE-PLACARD

La pièce-placard gaspille l'espace ; l'armoire-placard, au contraire, l'utilise rationnellement.

Aux portes coulissantes, préférez les portes pliantes ou en accordéon qui donnent accès à tout le placard et demandent moins de dégagement que les portes ordinaires qui pivotent sur leurs charnières.

Posez des portes pliantes ou en accordéon allant du plancher au plafond devant un renfoncement mural profond, ou posez-en sur toute la largeur dans le fond d'une pièce, et transformez l'espace ainsi délimité en placard avec tringles, tablettes et tiroirs.

Si le degré d'humidité est élevé, facilitez la circulation d'air en utilisant des clayettes et des portes persiennes ; au pire, isolez le mur du fond.

LES ACCESSOIRES

Pour les cravates et les ceintures, percez des trous dans une planche et enfoncez-y en la collant la pointe de tés de golf en guise de chevilles.

Pour ranger les chaussures, pensez à des supports métalliques ou à des porte-chaussures à pochettes. Vous pouvez aussi construire quelques tablettes pour les recevoir.

Boîtes ou tiroirs en plastique transparent empilés sur une tablette laissent voir ce qu'ils contiennent : gants, foulards, chandails.

Si votre placard n'a pas de tablettes, accrochez vos accessoires. Les magasins à rayons vendent toutes sortes de supports pour chaussures, sacs à main ou cravates.

LA CHAMBRE D'ENFANT

Tenez compte de la taille de l'enfant. Choisissez des éléments en largeur plutôt qu'en hauteur.

Si ces éléments sont mobiles, vous pourrez leur faire suivre la croissance physique de l'enfant. Pensez à des tablettes réglables, à des modules, à des tiroirs empilables. Evitez les structures permanentes.

RANGEMENT DES JOUETS

Le petit enfant ne sait pas très bien où ranger ses choses. Fournissez-lui de grands bacs, des paniers qui lui serviront de fourre-tout.

A mesure qu'il grandit, rangez ses jeux sur des étagères pour qu'il les retrouve plus facilement. Conservez la boîte fourre-tout pour les jeux à plusieurs pièces, comme les jeux de construction.

Prévoyez des tablettes assez larges pour recevoir les jouets encombrants, des crochets pour suspendre ceux qui ne se posent pas.

Confectionnez des éléments de rangement avec des boîtes de carton recouvertes de papier peint. Empilez-les pour former une étagère. Remplacez-les quand elles donnent des signes d'affaissement.

Les boîtes modulaires en plastique ou les cubes en bois peuvent servir de bacs ou d'étagères à jouets, mais aussi de sièges d'appoint si vous les renversez.

Des plats à vaisselle en plastique, des bacs à légumes font de jolis éléments de rangement pour les jouets. Montez-les sur des tasseaux (p. 67) ou suspendez-les avec des coulisses sous une tablette.

Fixez une piste d'autos de course sur un contre-plaqué de ½ po entouré d'un cadre en 1 × 2. Montez-la sur roulettes pour pouvoir la ranger sous le lit.

Si vous possédez deux meubles à tiroirs solides, vous pouvez installer une table de jeu sur crémaillères entre les deux (p. 67). À mesure que l'enfant grandit, la table monte.

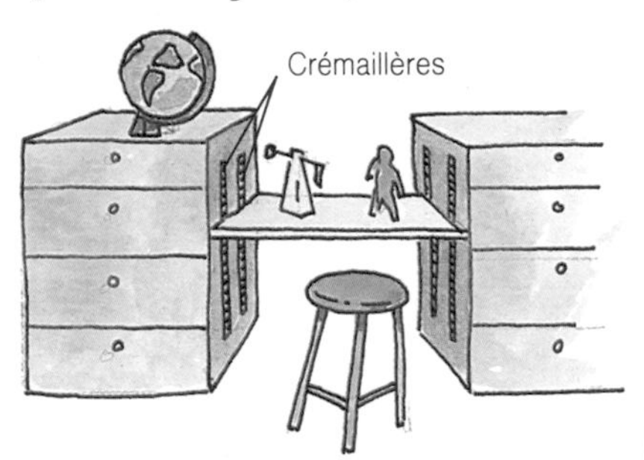

VÊTEMENTS D'ENFANT

Pour que l'enfant ait accès à ses vêtements, posez une seconde tringle à sa hauteur dans le placard avec des supports sur tasseaux muraux (p. 43) ou suspendez-la avec des chaînes à la tringle supérieure. Rangez sur celle-ci le linge hors saison.

BOÎTE DE RANGEMENT SOUS LE LIT

Avec ses 6 po de hauteur, cette boîte se glisse sous n'importe quel lit et loge commodément chaussures, couvertures ou jouets. Prenez les mesures du lit en largeur et en longueur et retranchez 4 à 6 po à l'avant pour le retrait. S'il s'agit d'un grand lit, faites plutôt deux boîtes, une de chaque côté.

Ajoutez aux 1 × 6 qui forment l'arrière et l'avant de la boîte 3 po de plus que le fond en contre-plaqué. Donnez aux 1 × 4 des côtés et aux tasseaux de 2 × 2 la même longueur que la profondeur du fond en contre-plaqué.

Avant l'assemblage, vérifiez que, une fois les roulettes installées, le fond sera à ½ po du sol. A défaut, ou si vous avez un tapis à poils longs, placez les tasseaux plus bas.

Montez l'élément avec des vis à bois nº 8 de 2 po (p. 66) et de la colle blanche en travaillant comme ceci :

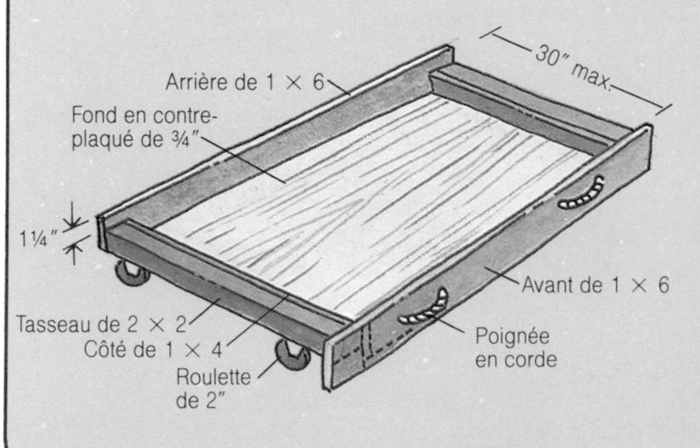

1. Fixez les tasseaux aux côtés.
2. Fixez les côtés au fond.
3. Montez le devant et l'arrière.
4. Posez les roulettes.
5. Percez des trous pour les poignées ; faites des nœuds au bout des cordes.

Dans un tiroir peu profond, un enfant trouve plus rapidement l'article qu'il cherche. Pour rendre plus pratique un tiroir profond, ajoutez-y des séparations (p. 68).

L'enfant est peu habile à déplacer du linge d'une pièce dans une autre. Dans sa chambre, placez un panier à linge près du placard pour qu'il puisse y jeter son linge sale au moment où il se déshabille.

LE RANGEMENT DANS LA SALLE DE BAINS

Posez une tablette au-dessus du lavabo pour y ranger les produits de maquillage et de toilette les plus usuels. N'oubliez pas de laisser l'espace qu'il faut pour ouvrir et fermer les robinets.

Utilisez l'espace sous un lavabo ouvert. Autour des tuyaux, construisez des tablettes accessibles de tous les côtés.

Vous aimez la menuiserie ? Construisez sous le lavabo un élément semblable au rangement tout-aller en contre-plaqué (p. 64). Supprimez le fond et le dessus ; fixez les parois à des tasseaux au mur. Enlevez les pieds qui supportent le lavabo et faites-le reposer sur l'armoire.

Près de la baignoire, installez une tablette porte-serviettes avec des 1 × 6 et un goujon de 1 po de diamètre. Vous percerez les trous pour le goujon avec une perceuse électrique (p. 188).

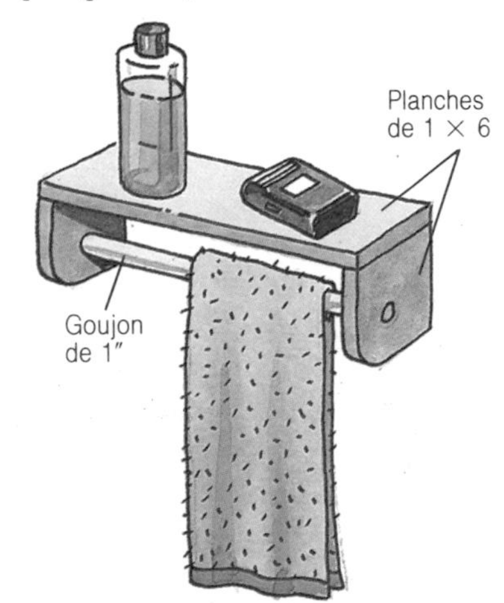

Utilisez l'espace qui est libre autour du cabinet d'aisance. Construisez des rayonnages comportant une échelle porte-serviettes. N'oubliez pas de dégager l'accès au couvercle du réservoir.

Pour conserver sa beauté au bois de la salle de bains, donnez-lui au moins deux couches d'un émail ou d'un vernis à l'uréthane.

CASIER MOBILE SOUS UN ESCALIER

Logez un casier mobile sous l'escalier. Vous trouverez cet espace précieux pour ranger les bottes ou les équipements sportifs, par exemple. Il s'agit en fait d'une boîte en contreplaqué de ¾ po montée sur roulettes. Assemblez-la avec des vis nº 8 de 1¼ et 2 po et de la colle blanche ; renforcez les angles avec une moulure quadrangulaire de ¾ po (p. 64). Pour couper les pièces au bon angle, reportez la pente de l'escalier sur du carton. Faites-en un gabarit pour tailler le contre-plaqué du casier et la pièce d'angle. Comptez ¼ po de dégagement au-dessus du casier, ½ po en dessous. La pièce d'angle, fixe, remplit tout l'espace.

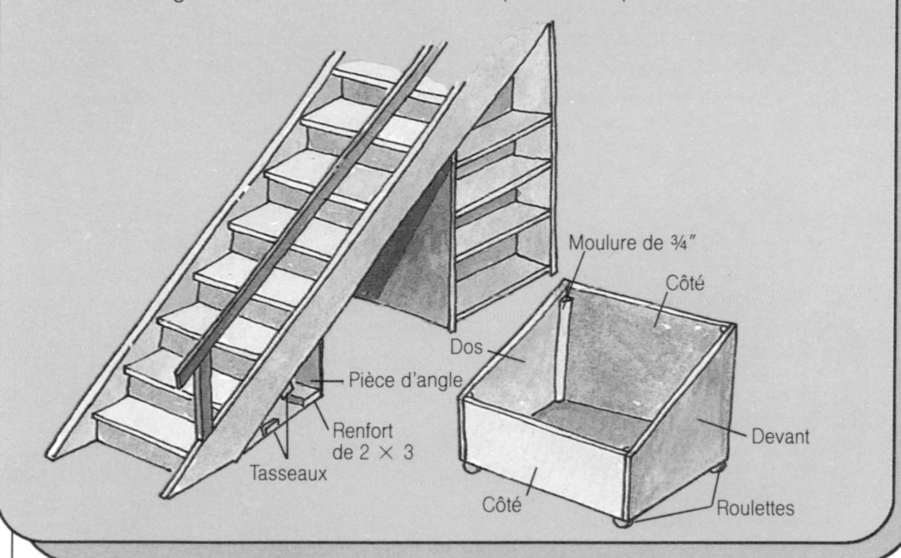

N'encombrez pas l'armoire de séchoirs à cheveux, fers à friser, rasoirs électriques et autres petits articles peu logeables. Vous pouvez les suspendre à un panneau perforé ou à des crochets fixés sous une tablette, ou les ranger dans un panier sur une clayette.

Attention : N'utilisez pas un appareil électrique près du lavabo ou de la baignoire : il pourrait y tomber. Débranchez-le après usage.

PENSEZ AU HALL D'ENTRÉE

Même une petite pièce d'entrée peut loger des étagères. Couvrez un mur de rayonnages pour recevoir votre collection de bibelots.

Dans le fond du hall ou au-dessus de l'escalier, installez des tablettes en hauteur pour recevoir des articles légers comme des valises.

SOUS L'ESCALIER

Vous aménagerez facilement l'espace sous l'escalier si vous le traitez comme un grand triangle. Vous avez le choix entre diverses solutions, dont celle d'y loger un grand casier mobile (p. 47).

Mais vous pouvez aussi y installer des tablettes. Posez les séparations verticales, près de l'escalier, dans le prolongement des marches. Aménagez l'espace derrière les tablettes en portemanteau.

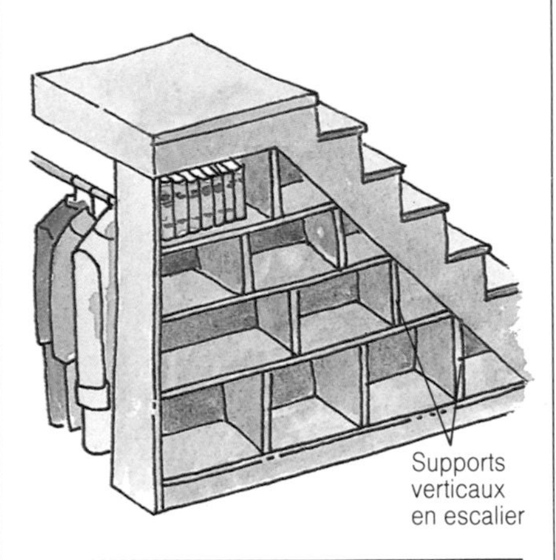

DANS LE GRENIER

Même si le grenier est bas et rempli d'éléments de charpente, vous y trouverez sans nul doute un peu d'espace de rangement. Autour de la trappe d'accès, faites un parquet avec du contre-plaqué de ¾ po. N'y rangez rien de lourd s'il y a plus de 16 po entre les solives.

Si la trappe est trop étroite pour que le contre-plaqué du parquet y passe, coupez les panneaux en morceaux de dimensions appropriées et rassemblez-les par la suite.

Le repérage des articles rangés au grenier est plus facile si vous découvrez tout depuis l'entrée. Mettez ensemble les articles apparentés et identifiez les boîtes avec de grosses lettres.

Protégez les petits articles de la poussière en les logeant dans des boîtes bien fermées ou scellées. Recouvrez de plastique les gros articles comme les meubles.

Utilisez un mur de pignon en y installant des tablettes avec supports en équerre ou avec crémaillères et supports (p. 60). Les tablettes seront de plus en plus courtes pour suivre la double pente du toit.

Pour des tablettes dans l'avant-toit, posez des montants entre les chevrons et les solives (ou le parquet). Puis fixez des traverses entre les montants et les chevrons. Vous pouvez utiliser la même technique sous les escaliers à limon exposé.

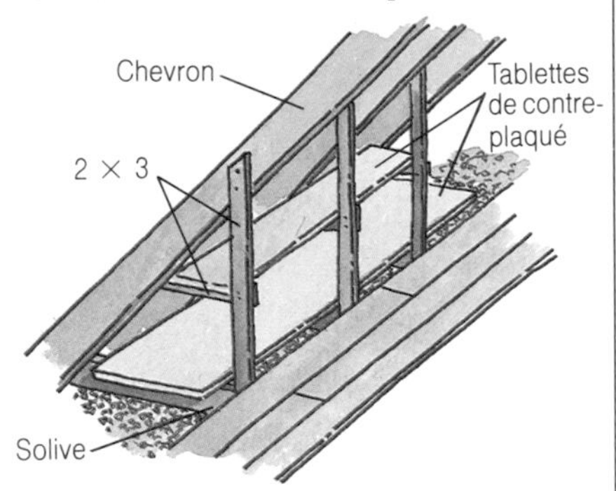

FIXATION AUX MONTANTS

Il vaut mieux fixer sur les montants (poteaux qui supportent les murs) les éléments muraux de rangement. Utilisez des clous ou des vis qui pénètrent d'au moins 1 po dans le montant. L'encadré qui suit montre comment repérer les montants.

Dans un mur de placoplâtre, on peut aussi promener une boussole de haut en bas et de gauche à

REPÉRAGE DES MONTANTS

La distance de centre à centre entre deux montants est généralement de 16 po, parfois de 24 po ou quelque part entre les deux. Dans les vieux immeubles, l'écart peut être irrégulier. Voici comment repérer les montants.

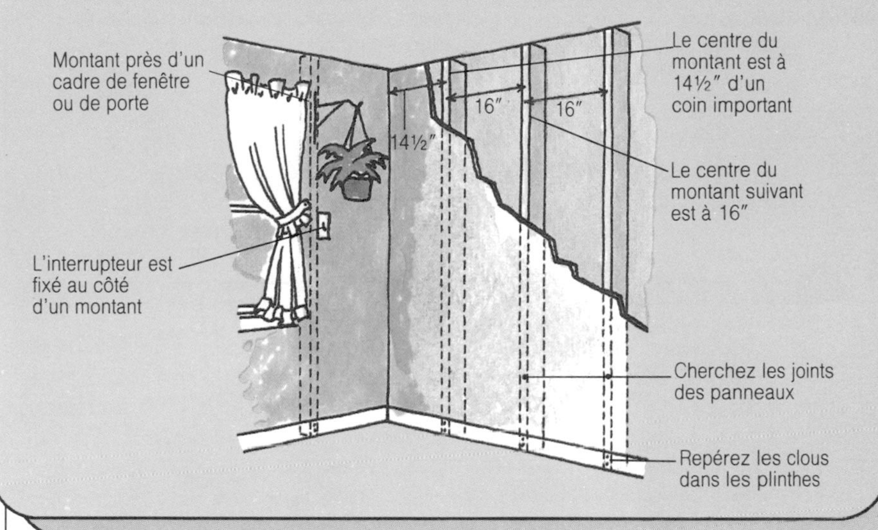

droite le long du mur jusqu'à ce qu'un mouvement de l'aiguille attirée par le fer des clous signale la présence du montant. On fait de même avec un aimant ou un repéreur magnétique.

Si tout échoue, percez un petit trou de biais. Introduisez une tige métallique — un cintre. Quand vous rencontrez le montant, pincez la tige entre vos doigts et retirez-la. Faites une marque à la même distance sur le mur. Le centre du montant se trouve à ¾ po de la marque, mais faites un autre essai.

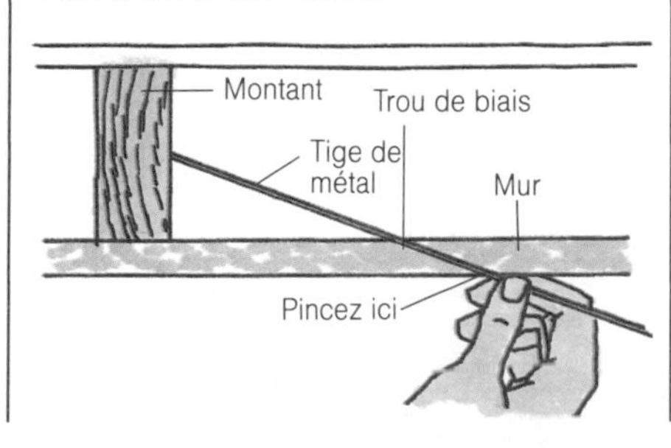

Dans la mesure du possible, pratiquez les trous de repérage là où l'élément de rangement les dissimulera. Autrement, faites-les près du plancher ; il suffira d'un peu de plâtre et de peinture pour les dissimuler. Utilisez le fil à plomb pour transférer la marque plus haut, près du plafond, sans risque d'erreur.

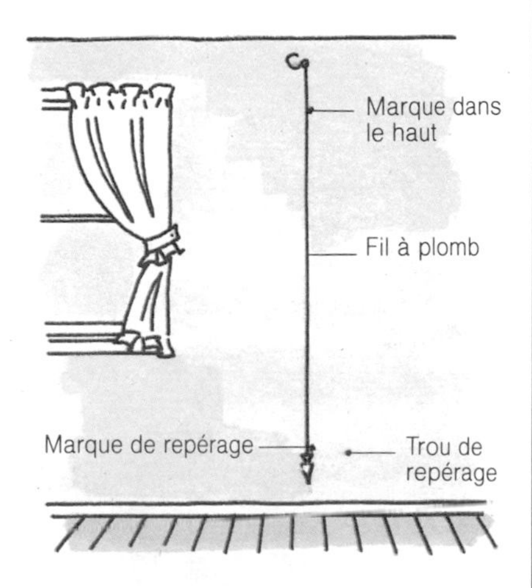

DE QUOI VOS MURS SONT-ILS FAITS ?

Quand vous percez un trou...	vous obtenez...
dans un mur en	
placoplâtre ou plâtre seul	poussière blanche, percement rapide
plâtre épais	poussière blanche, percement laborieux
plâtre mince sur lattis de bois	poussière blanche, puis grise, percement
avec ossature à	
montants de bois	résistance modérée, bran de scie
montants de métal	résistance marquée, rognures argentées
blocs de ciment ou de béton	résistance très marquée, poussière brunâtre
briques pleines ou creuses	résistance marquée, poussière rouge
mortier entre briques ou blocs	résistance modérée, poussière grise

Fixez un objet lourd, comme un placard suspendu, sur une planche vissée dans les montants avec des tire-fond (voir tableau, page suivante). Pour chaque tire-fond, forez dans la planche un avant-trou un peu plus gros que le diamètre du tire-fond et dans le montant un avant-trou un peu plus petit.

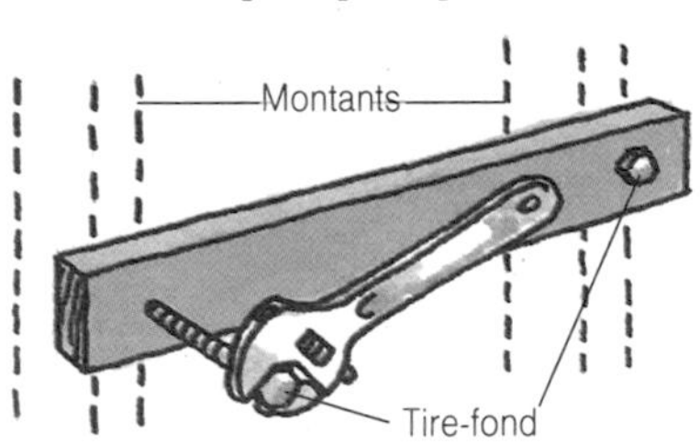

Vous pouvez aussi utiliser des vis de suspension. Vous les vissez dans le montant et vous y fixez l'objet avec un écrou. Pratiquez un avant-trou et insérez la vis en la tenant avec la partie non dentée d'une pince-étau verrouillable.

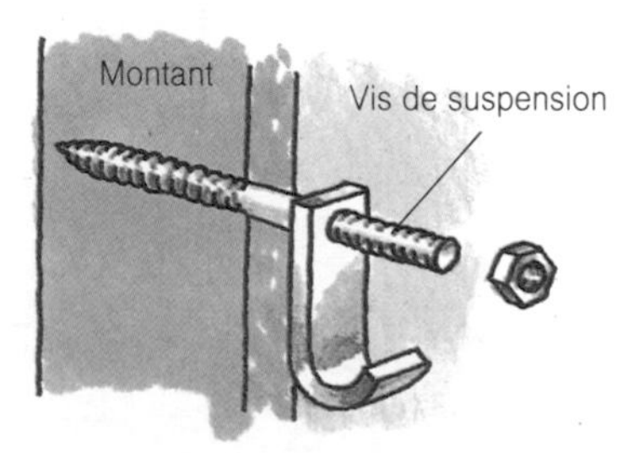

Dans les édifices modernes, on trouve des montants en métal. Dans ce cas, employez des vis à métaux. Percez un trou jusqu'au montant. Entaillez-le avec un gros clou et percez un trou égal à la moitié du diamètre de la vis. Employez une vis n° 4 pour un objet léger et montez jusqu'au n° 8 pour des objets lourds (voir calibres, p. 66).

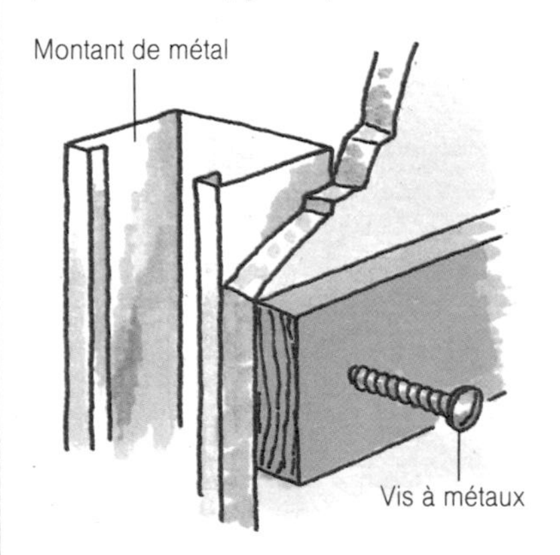

FIXATIONS POUR MURS CREUX

Accrochez un objet léger entre les montants d'un mur de plâtre ou de placoplâtre avec un tampon expansible ou un crampon à ailettes. La cheville de plastique ne vaut que pour les articles très légers.

FIXATIONS MURALES

Fixation	Emploi
Cheville de plastique	Pour objet très léger sur mur creux ou plein ; avec vis à métaux ou à tête ronde
Vis à métaux	Pour objet de léger à lourd sur montant en métal ; à visser dans le montant.
Tampon expansible	Pour objet léger sur mur creux ; est muni de son propre boulon.
Crampon à ailettes	Pour objet léger sur mur creux, objet lourd sur mur de blocs de ciment ; est muni de son propre boulon.
Tire-fond	Pour objet lourd sur mur à montants en bois ; à visser dans le montant.
Clou rond	Pour objet léger sur mur de béton ; pénètre à travers un panneau dans le mur.
Clou à maçonnerie	Pour objet léger sur mur de brique ou de pierre ; pénètre à travers un panneau dans le mur.
Cheville de fibre	Pour objet léger sur mur plein ; avec vis à métaux ou vis à bois ; se fait aussi en plastique.
Cheville de plomb	Pour objet de poids moyen sur mur plein ; avec vis à bois (voir tableau p. 66).
Tampon d'ancrage	Pour objet lourd sur mur plein ; est muni de son propre boulon.

Plus vous multipliez le nombre de fixations pour suspendre un objet dans un mur creux, plus petit est le poids que chacune supporte. Si l'objet n'est pas très léger, mettez toujours au moins deux fixations.

C'est l'épaisseur du plâtre ou du placoplâtre qui détermine la longueur du tampon expansible ou du crampon à ailettes à utiliser. Pour connaître cette épaisseur, percez un petit trou dans le mur et introduisez-y une fine tige de métal recourbée en crochet. Ramenez le bout de la tige contre le dos du revêtement mural et faites une marque là où elle sort du mur. Retirez-la et mesurez la distance entre l'extrémité du crochet et la marque.

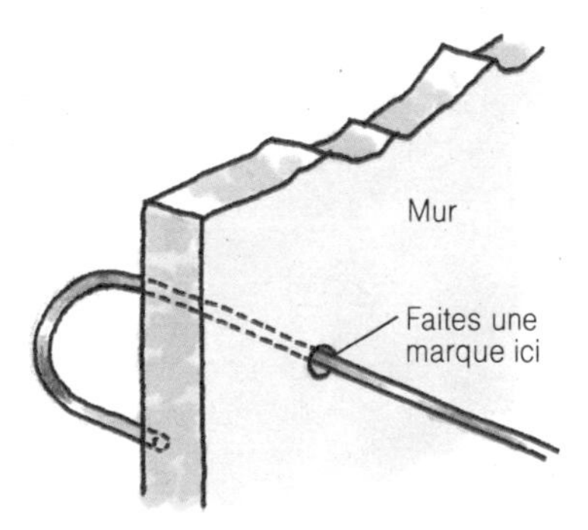

Pour poser un tampon expansible, percez dans le mur un trou du diamètre du tampon ; insérez-le dans le trou et vissez le boulon jusqu'à ce que le tampon s'aplatisse contre la face intérieure du mur. Vous pouvez alors retirer et remettre le boulon aussi souvent que vous voulez.

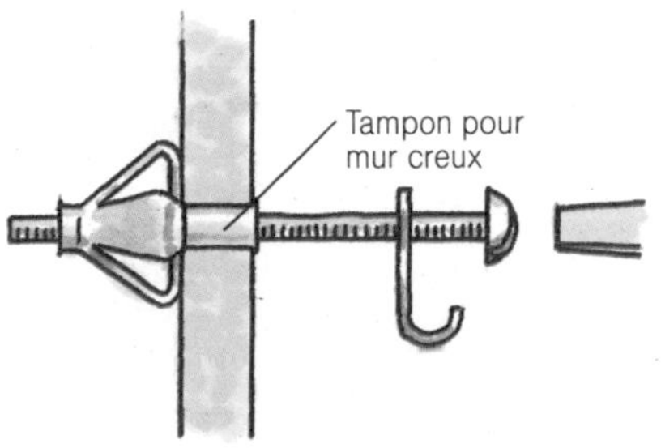

Sur le plan de la sécurité, le crampon à ailettes est supérieur au tampon expansible, mais il est plus difficile à poser et moins commode. Vous devez en effet percer dans le mur un trou assez grand pour laisser passer les ailettes repliées. Une fois que le crampon est installé, vous ne pouvez plus enlever le boulon puisque les ailettes se trouveraient à tomber à l'intérieur du mur.

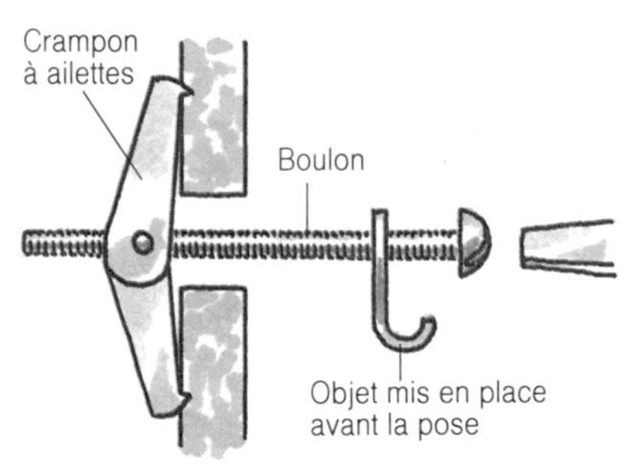

Pour enfoncer une cheville de plastique, il suffit de faire un avant-trou dans le mur avec un gros clou ordinaire d'un diamètre correspondant à celui de la cheville.

Les portes intérieures sont souvent creuses. Pour y accrocher un objet, procurez-vous un tampon expansible un peu plus court, spécialement vendu à cette fin.

Si vous avez un objet inusité à suspendre au mur ou si celui-ci présente un revêtement inhabituel, demandez conseil au quincaillier ; comme il existe un très grand nombre de fixations, il trouvera très certainement une solution qui vous conviendra.

FIXATIONS POUR MURS PLEINS

Pour installer une fixation dans un mur de béton, de ciment ou de brique, commencez par percer un trou. Employez une cheville de plomb dans la plupart des cas, un tampon d'ancrage si l'objet est très lourd, une cheville de plastique ou de fibre s'il est très léger (tableau, p. 51).

Utilisez une perceuse électrique à vitesse variable qui vous permettra de travailler lentement et armez-la d'une mèche au carbure. Ne percez pas le trou d'un coup ; adoptez plutôt un mouvement de va-et-vient. Si la perceuse se bloque, relâchez le bouton de commande pour ne pas brûler le moteur.

Attention : Quand vous percez dans la maçonnerie, portez des lunettes de protection et des gants.

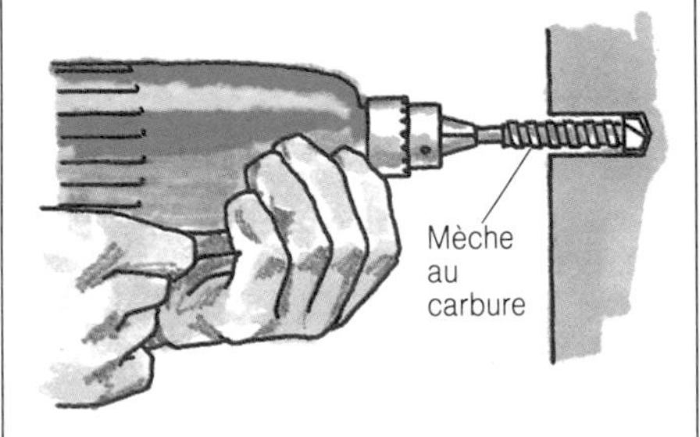

Si votre perceuse n'est pas assez puissante pour percer un gros trou dans la brique ou le béton, commencez par faire un petit trou et augmentez peu à peu le diamètre de la mèche. Ou louez une perceuse de ½ po à vitesse variable.

Le crampon à ailettes convient aux murs en blocs de ciment ou en briques creuses. Percez un trou avec une mèche au carbure et posez le crampon comme s'il s'agissait d'un mur creux. Faites d'abord un essai pour voir si l'espace intérieur est assez grand pour loger les ailettes.

Vous pouvez fixer avec des clous à maçonnerie (p. 51) les planches destinées à recevoir des objets légers. Pour ne pas faire éclater le bois, percez d'abord des avant-trous un peu plus petits que le diamètre du clou. Si le mur est très dur, percez-y aussi des avant-trous.

Les clous à maçonnerie peuvent enlever des éclats de métal au marteau à panne fendue. Prenez plutôt un marteau à panne ronde ou une petite masse. Portez des lunettes de protection et des gants.

Si la fixation doit supporter un objet lourd, prenez soin de ne pas la poser dans le mortier entre les blocs de maçonnerie ; il s'effrite trop facilement pour qu'on puisse s'y fier.

FIXATIONS RAPIDES

Dans un mur de placoplâtre, vous pouvez enfoncer avec un marteau un tampon expansible spécial à bout pointu. Ensuite, vous procédez comme s'il s'agissait d'un tampon expansible ordinaire (p. 51).

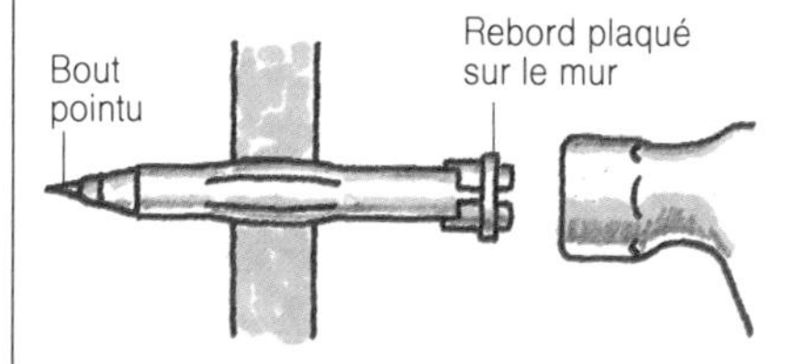

Vous pouvez aussi utiliser des fixations à segments qui ressemblent à des rivets. Elles se posent avec un accessoire monté sur une agrafeuse ou avec une sorte de pince à riveter peu coûteuse. Dans le plâtre ou la maçonnerie, percez un avant-trou.

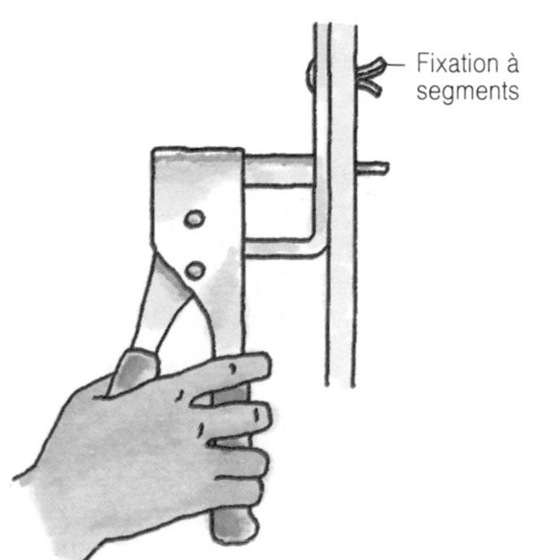

CROCHETS ET SUPPORTS

Dans les rangements ouverts, de jolis supports constituent par leur forme et leur couleur un élément décoratif, surtout si vous les harmonisez les uns aux autres. On en trouve dans une vaste gamme de styles et de matériaux.

Dans les endroits à l'abri des regards, les crochets à vis et les porte-vêtements en fil de métal sont tout à la fois économiques et pratiques. Comme la plupart sont munis de vis, ils se posent facilement.

Les brides à ressort sont à juste titre populaires depuis longtemps. Elles acceptent en règle générale des manches de ¾ à 1¼ po de diamètre et se fixent avec une seule vis. On en trouve qui coulissent sur une tringle, d'autres qui se montent sur un panneau perforé.

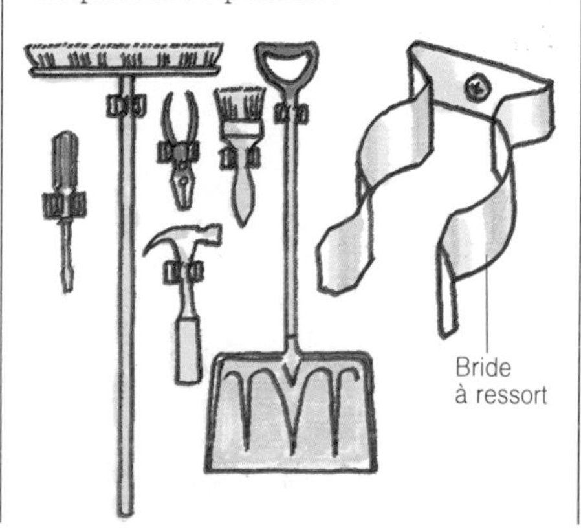

Suspendez les articles difficiles à ranger à cause de leur forme. Le batteur manuel à œufs n'encombrera pas un tiroir si vous l'accrochez à un panneau à chevilles. Vous pouvez même suspendre au mur ou au plafond avec un piton approprié un gros article relativement facile à soulever comme une bicyclette.

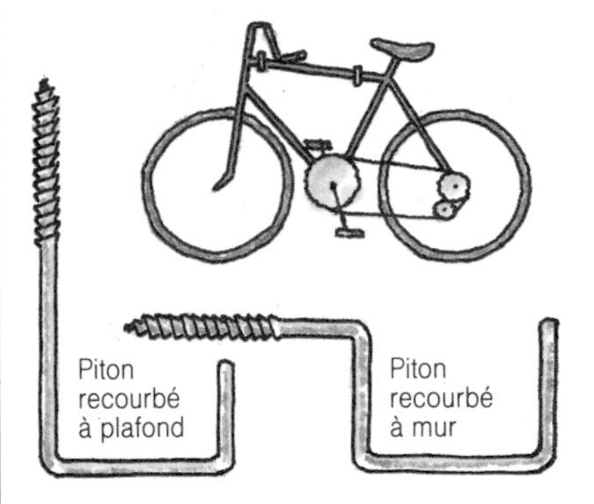

Il est facile de fabriquer un panneau à chevilles. Dans une planche, percez des trous d'un diamètre égal à celui du tenon des chevilles et fixez celles-ci avec de la colle blanche. Assujettissez la planche aux montants du mur avec des fixations murales ou des vis.

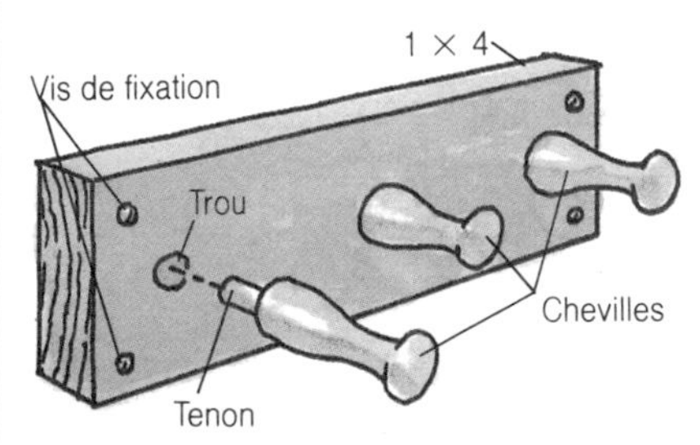

Crochets ou chevilles de rangement vont bien derrière une porte, tout comme un porte-chaussures à pochettes dans lesquelles vous pouvez mettre aussi bien des gants que des objets de toilette.

Rien ne vous empêche non plus d'installer de jolis accessoires de rangement, crochets ou chevilles, sur la face externe d'une porte.

INSTALLATION DES CROCHETS ET SUPPORTS

Dans du bois plein, percez toujours un avant-trou. Pour tous les crochets sauf les très gros, un simple tournevis va-et-vient (p. 184) fera l'affaire. Un clou ou un poinçon à glace suffiront pour percer un petit trou.

Si vous avez du mal à visser le crochet, insérez dedans un tournevis et servez-vous-en comme d'un levier. Saisissez le crochet avec une pince-étau verrouillable s'il est trop gros pour qu'un tournevis vous soit utile.

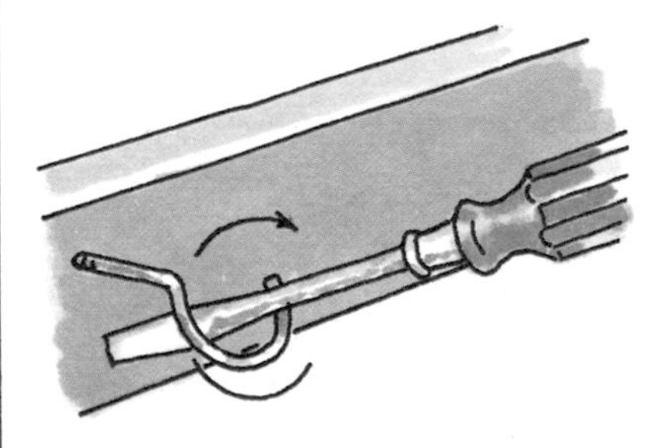

Utilisez de même un tournevis ou une pince-étau verrouillable pour enlever les crochets que la rouille ou la peinture rendent récalcitrants.

Si vous suspendez un objet lourd au mur, assurez-vous que le crochet pénètre dans un montant (p. 49). Si c'est au plafond, peu importe le poids de l'objet, fixez toujours le crochet dans une solive.

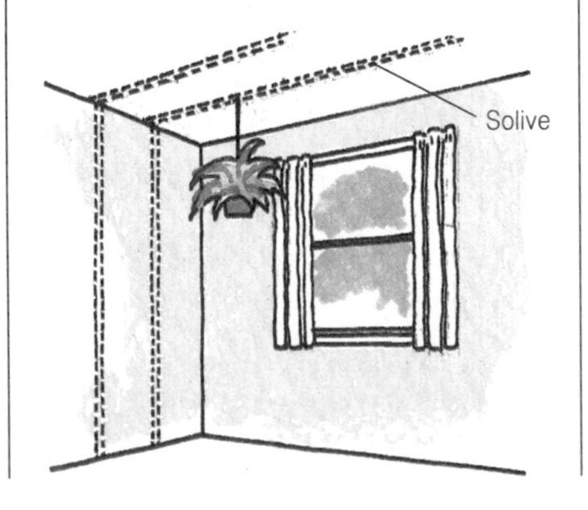

Si vous voulez fixer un crochet pour objet léger dans un mur de plâtre ou de placoplâtre, choisissez-en un qui comporte une vis pour pouvoir l'assujettir dans une cheville existante (p. 51). Autre méthode : fixez le crochet à une planche et vissez-la dans les montants du mur.

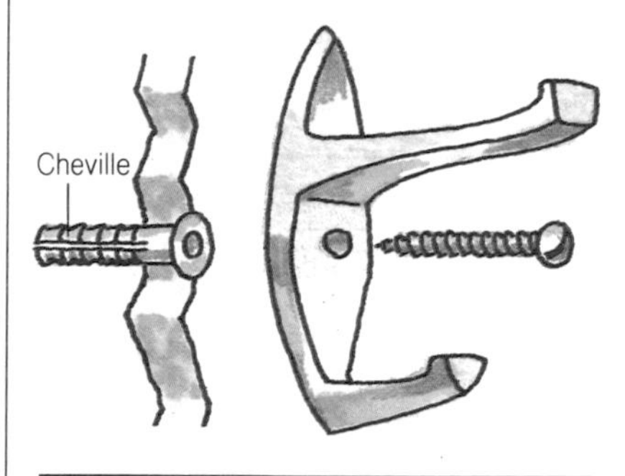

LE PANNEAU PERFORÉ, UN AMI SÛR

Le panneau perforé demeure l'accessoire de rangement le plus simple et le plus facile à installer, le plus économique et le plus commode pour recevoir les objets légers que vous voulez à portée de la main.

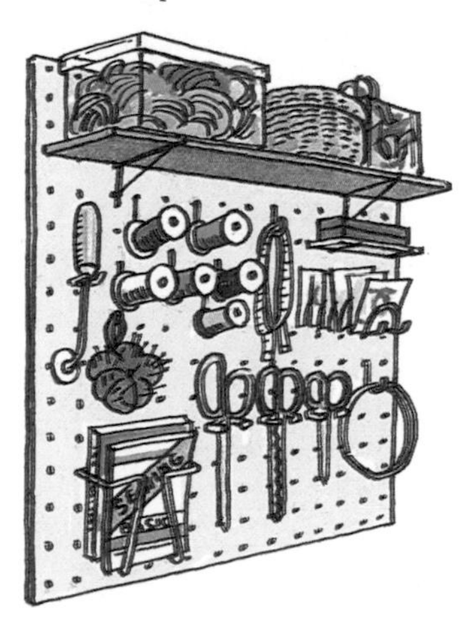

Le panneau de ⅛ po d'épaisseur suffit s'il va supporter des outils à main, des articles de cuisine et d'autres objets légers. Autrement, il vaut mieux acheter le panneau de ¼ po. Le plus résistant est le panneau trempé.

Avant d'acheter les accessoires de suspension, n'oubliez pas de vérifier s'ils correspondent au panneau. Certains ne font que sur le panneau de ⅛ po ou de ¼ po d'épaisseur ; certains s'adaptent aux deux.

Le panneau perforé brun non fini convient dans l'atelier ou le garage. Partout ailleurs, vous le préférerez peint ; il se vend en blanc et dans d'autres couleurs. Le panneau prépeint en usine est plus durable que si vous le peigniez vous-même et il se nettoie d'un coup de torchon.

Si vos projets de décoration prévoient un panneau d'une couleur qui ne se fait pas dans le commerce, achetez un panneau non fini et un émail très résistant à l'uréthane. Appliquez-le au rouleau en évitant de boucher les trous.

Les panneaux perforés se vendent en plusieurs dimensions et jusqu'à 4 pi sur 8 pi pour les grandes surfaces. Si vous avez besoin d'un format spécial, achetez votre panneau chez un marchand qui peut le couper à vos dimensions.

Pour éviter d'endommager le panneau ou sa finition si vous le taillez vous-même, fixez-le entre des planches que vous posez sur la ligne de coupe et utilisez une scie à tronçonner à 12 ou 15 pointes fines. Le panneau a tendance à rebondir ; supportez-le bien en dessous.

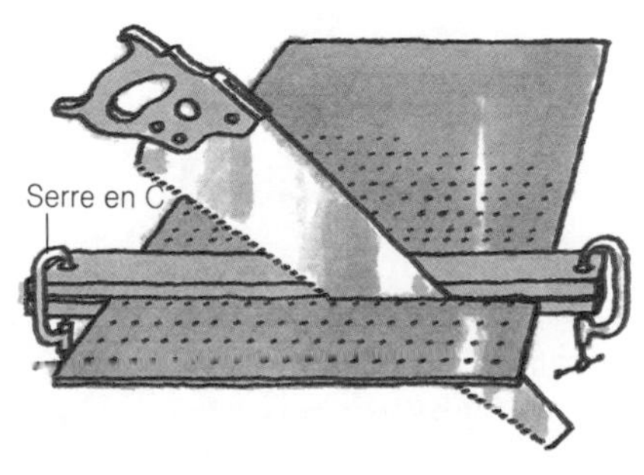

MONTAGE DU PANNEAU

Utilisez des chevilles de plastique, de longues vis et des rondelles d'espacement (tampons) de ⅜ po. Marquez la position du panneau sur le mur à travers ses trous. Faites des marques aux quatre coins et tous les 16 po le long des côtés. Posez des chevilles de plastique dans le mur à ces endroits-là (p. 51). Installez le panneau en faisant passer les vis à travers les tampons.

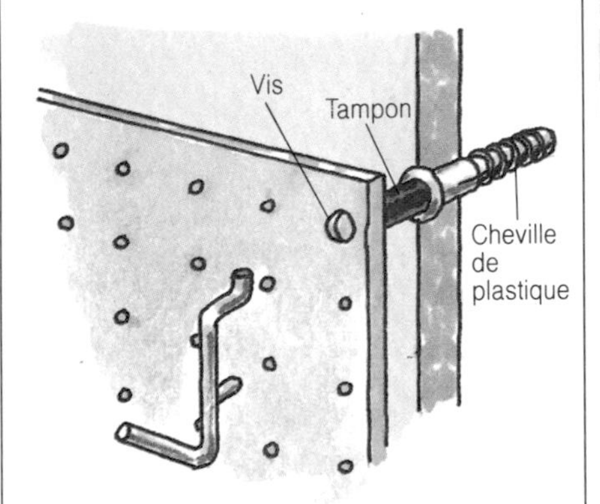

Collez les tampons aux chevilles si vous avez du mal à les faire tenir pendant que vous vissez. Maintenez avec du ruban-cache pendant que la colle sèche. Mieux encore, achetez des chevilles spéciales à panneau perforé avec tampon.

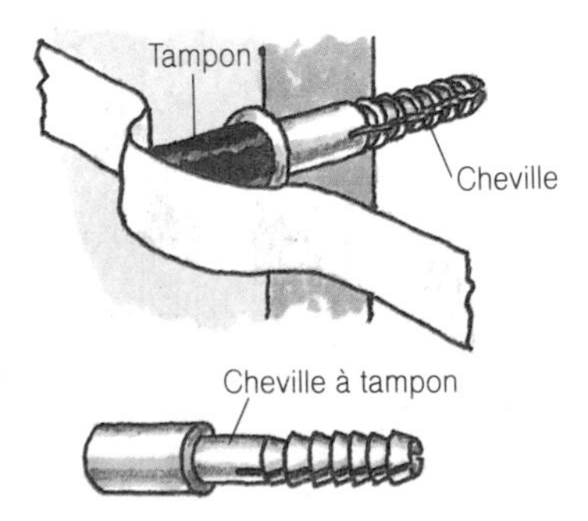

Le panneau robuste de ¼ po et les grandes pièces de ⅛ po exigent plus de support. Remplacez les tampons par un cadre de fourrures de ¾ po que vous clouerez sur les montants. Fixez le panneau dessus. Posez aussi des fourrures sous le panneau, là où il y a des montants dans le mur. Placez le panneau de façon que les fourrures tombent entre des rangs de trous.

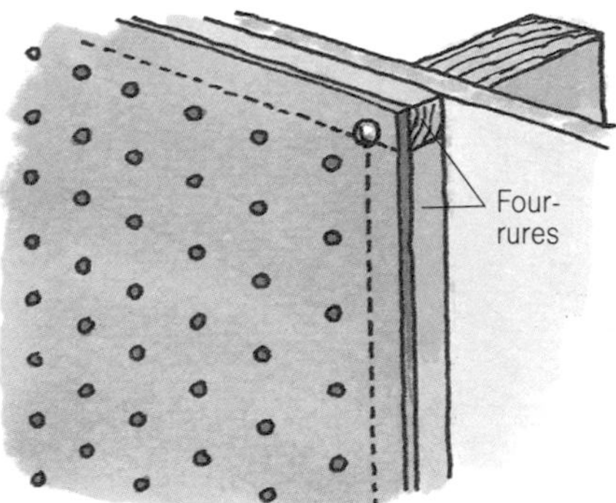

Utilisez aussi des fourrures pour monter un panneau perforé sur les murs de maçonnerie non lisses ou inégaux. Fixez-les avec des clous à maçonnerie (p. 51), en les calant avec des bardeaux, s'il y a lieu.

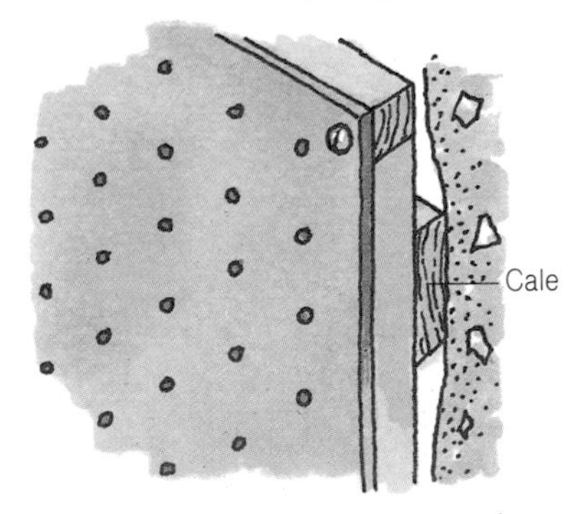

Là où les murs ne sont pas finis, comme dans un garage, vissez directement sur les montants.

Si les montants ou les fourrures se voient à travers les trous du panneau, peignez-les en noir.

Pensez à poser un panneau perforé au dos d'une bibliothèque ouverte et vous aurez un meuble doublement utile pour diviser une pièce avec des rayons d'un côté et des crochets de l'autre.

LES RAYONNAGES

La planche de bois tendre d'une épaisseur normalisée de 1 po convient aux étagères de moins de 12 po de profondeur ; c'est un matériau robuste et bien rigide, facile à couper, à clouer et à finir.

Pour empêcher les longues pièces de s'incurver au centre, examinez les couches de croissance et posez l'étagère pour que le côté cœur, c'est-à-dire celui le plus près du centre de l'arbre, soit sur le dessus. Le poids des articles sur l'étagère fera obstacle au gauchissement.

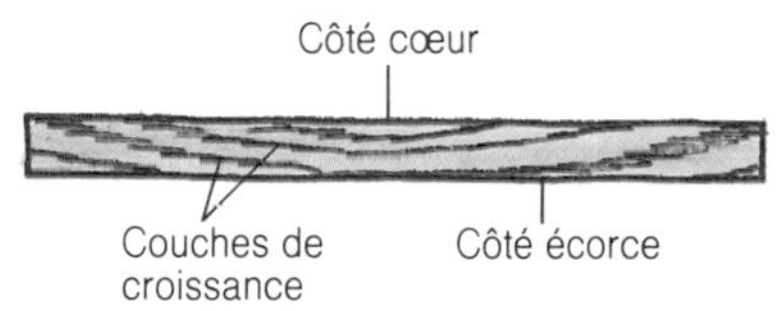

Le contre-plaqué de ¾ po (voir l'encadré, p. 58) est un matériau qui convient aux tablettes larges ou à celles dont les dimensions ne correspondent pas aux largeurs habituelles des planches. Il est aussi plus économique s'il y a plusieurs rayons à construire.

Pour ne rien perdre, prévoyez des largeurs qui entrent exactement dans un panneau de 48 po sur 96 po, soit 8, 12, 16, 24, 32.

Retranchez ⅛ po de chaque tablette de contre-plaqué pour le trait de scie. Le schéma ci-dessous montre comment obtenir 12 tablettes à partir d'une seule feuille.

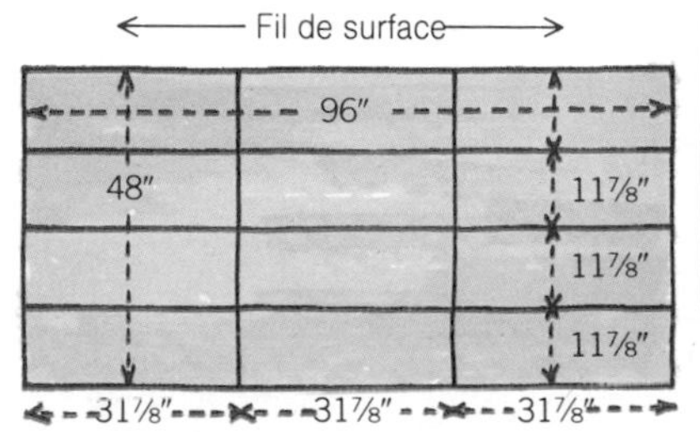

ACHAT DU BOIS

L'épaisseur et la largeur normalisées d'une planche sont toujours supérieures aux dimensions réelles : le 1 × 8 mesure en réalité ¾ po sur 7¼ po. Cependant, vous obtenez la longueur que vous commandez. La planche de 8 pi est la plus usuelle, mais il existe d'autres longueurs. Moyennant un supplément, le marchand vous la coupera aux dimensions qu'il vous faut.

Le bois de construction se vend en une ou deux qualités « Meilleur choix » : vous aurez là des planches sans nœuds ou presque qui conviennent aux tablettes visibles et qui sont destinées à recevoir une finition naturelle. Si le bois va dans le fond d'un placard ou si vous voulez le peindre, prenez du bois noueux, moins beau mais moins cher. Demandez à l'examiner et assurez-vous que les planches ne sont pas gauchies en mirant les tranches.

DIMENSIONS STANDARD DU BOIS

Normalisées	Réelles
1 × 2	¾ × 1½
1 × 3	¾ × 2½
1 × 4	¾ × 3½
1 × 6	¾ × 5½
1 × 8	¾ × 7¼
1 × 10	¾ × 9¼
1 × 12	¾ × 11¼
2 × 2	1½ × 1½
2 × 3	1½ × 2½
2 × 4	1½ × 3½
2 × 6	1½ × 5½
2 × 8	1½ × 7¼
2 × 10	1½ × 9¼
2 × 12	1½ × 11¼

ACHAT DU CONTRE-PLAQUÉ

Le contre-plaqué se vend en panneaux de 4 pi sur 8 de ¼, ½ ou ¾ po d'épaisseur, mais on peut acheter la moitié ou le quart d'un panneau.

Il est constitué de minces feuilles de bois collées les unes aux autres sur une âme de placage, d'aggloméré ou de bois. Les couches — ou plis — sont disposées de façon à croiser leur fil ; cette structure donne au contre-plaqué beaucoup de résistance et de rigidité. Il s'emploie comme parement et comme substitut du bois plein.

Il existe deux types de contre-plaqué, un à faces en bois tendre dit de construction et un autre à faces en bois franc dit décoratif. Chacun est classé selon la qualité de ses plis extérieurs. Dans le premier cas, on trouve le G2S (bon des deux côtés), le G1S (bon d'un côté), le SEL TF (face de choix, aucun défaut ouvert), le SELECT (défauts mineurs) et le SHG (revêtements, qualité inférieure).

Exposez vos projets au marchand ; il vous indiquera le contre-plaqué qui convient et acceptera de le couper pour vous. Fournissez des mesures précises et indiquez dans chaque cas dans quel sens doit aller le fil de surface. La pièce est plus rigide si ce fil va dans le sens de la plus longue dimension, parallèlement au mur dans le cas d'une tablette.

Sur la tranche du contre-plaqué, posez du ruban de placage (étape 6, p. 64) ou des moulures de bois de ¼ po si les étagères sont exposées aux coups.

Faites les étagères non visibles avec de l'aggloméré de ¾ po ; il se fait en panneaux comme le contre-plaqué. Réservez-les aux objets légers ou multipliez les supports.

Les rayons préfabriqués sont pratiques et vite posés. La plupart cependant ont une âme en aggloméré peu robuste ; n'y rangez que des objets légers ou augmentez le nombre des supports.

RENFORTS

Pour augmenter la rigidité des tablettes, fixez un 1 × 2 sur la tranche. Si les supports le permettent, faites de même sur la tranche du dos ou rajoutez un renfort vertical.

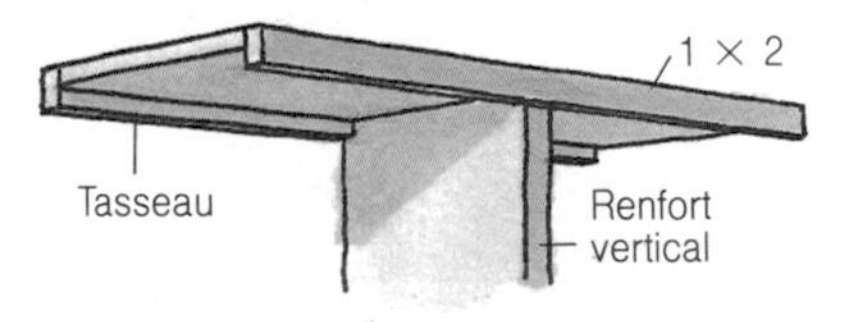

Si la tablette doit être plus longue que ce qui est recommandé (p. 60), employez du bois de 2 po ou collez deux pièces de contre-plaqué de ¾ po l'une sur l'autre et dissimulez la tranche en y collant et clouant des 1 × 2.

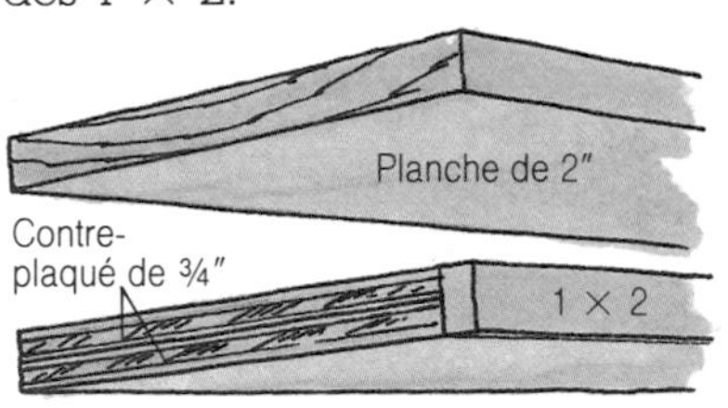

TABLETTES SUR SUPPORTS INDIVIDUELS

Quand les tablettes vont recevoir des objets légers, elles peuvent reposer sur des consoles posées à l'envers sur le mur. Objets et bibelots se chargeront de dissimuler les branches verticales des consoles.

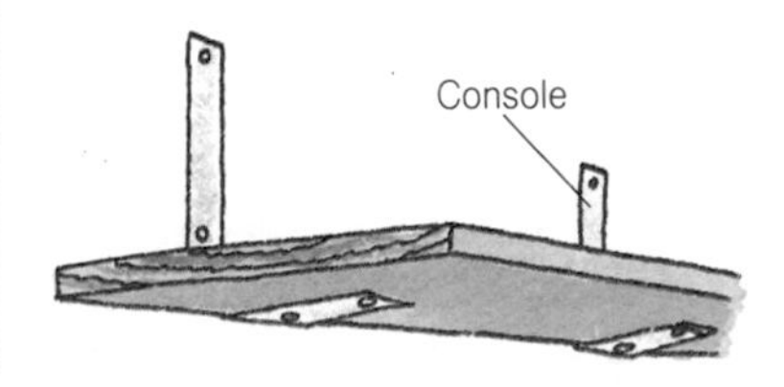

Lorsque vous posez ces mêmes consoles à l'endroit, mettez toujours sur le mur la branche la plus longue. Pour les objets lourds, choisissez des consoles à gousset.

ÉTAGÈRES SUR CRÉMAILLÈRES

Pour couvrir un mur de rayonnages vite posés et peu coûteux, choisissez la suspension à crémaillères. Il en existe plusieurs modèles dont certains en métal robuste et d'autres plus décoratifs en bois. Ils se posent tous de la même façon (p. 60).

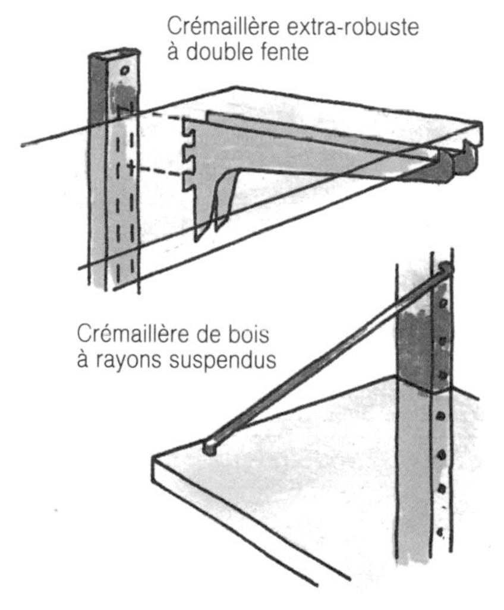

Quand vous adoptez ce système, pensez à des supports porte-revues inclinés et ajustables et à d'autres, plus grands, pour tablette-écritoire ou élément à portes ou tiroirs.

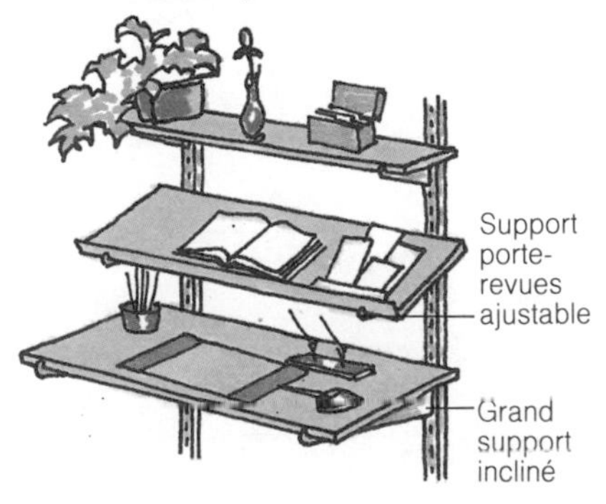

POSE DE CRÉMAILLÈRES

Si vous n'avez pas de niveau, vous pouvez quand même poser des crémaillères bien droites. Vissez à demi la vis du haut et laissez la crémaillère osciller librement. Quand elle s'arrête, posez la vis du bas et serrez celle du haut.

Comment reconnaître l'extrémité supérieure des crémaillères ? C'est celle qui n'a pas de fentes. L'étagère inférieure peut donc être montée au bas des crémaillères.

Dans les murs pleins, il n'est pas facile d'aligner les chevilles de plomb avec les trous des crémaillères. Mieux vaut alors fixer au mur des 1 × 3 avec des clous à maçonnerie et y visser les crémaillères.

QUELQUES TYPES D'ÉTAGÈRES

Articles	Profondeur (en po)	Hauteur (en po)
Matériel audio-visuel		
Cassettes	3¼	5
Disques compacts	6¼	5½
Long jeu	13½	13½
Vidéocassettes	5¾	9
Livres et revues		
Livres d'art	12	13
Romans, autres	8-12	10
Revues	9½	12
Livres de poche	6	8
Vêtements		
Chemises d'homme	15	10
Chaussures d'homme	13	6
Chandails d'homme	15	12
Chemisiers	14	10
Chaussures de femme	10½	8
Articles de cuisine		
Boissons	6	13
Bols	8-12	5
Aliments en boîtes	6-8	8-12
Aliments en conserve	4½	5½
Tasses et verres	10	6-10
Assiettes (empilées)	12	5-7
Casseroles	9-12	5-9
Plateaux (debout)	11	16
Lingerie		
Serviettes	16-24	14
Draps	16-24	12
Objets de toilette	4-8	4-10

ÉCARTEMENT DES SUPPORTS D'ÉTAGÈRE

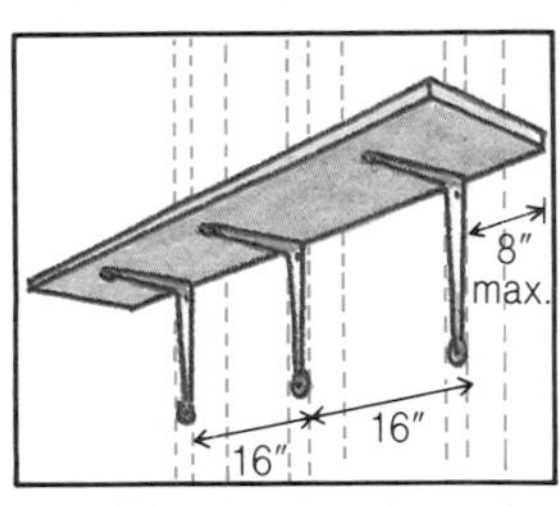

Les objets lourds exigent des supports maintenus par de longues vis qui pénètrent loin dans les montants. Fixez un support à chaque montant. La plupart du temps, ceux-ci sont espacés de 16 po (voir l'encadré, p. 49). Comptez tout au plus 8 po de saillie aux deux extrémités.

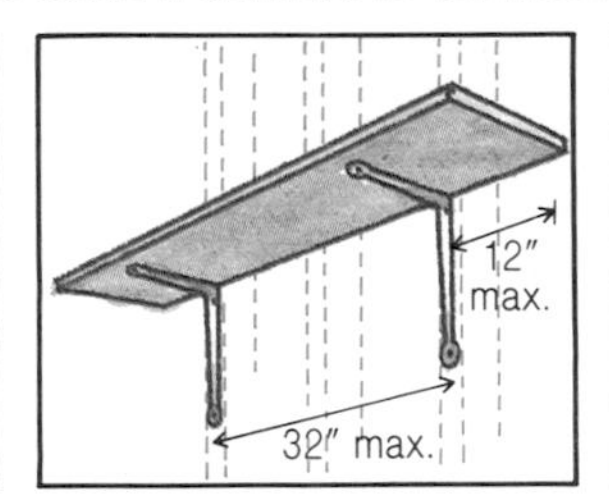

Les objets légers demandent un support tous les deux montants. La saillie peut atteindre 12 po. Quand l'intervalle entre les montants est de 24 po, mettez un support à chaque montant. Si le rayon est destiné à des objets très légers, de simples fixations murales suffiront (p. 51).

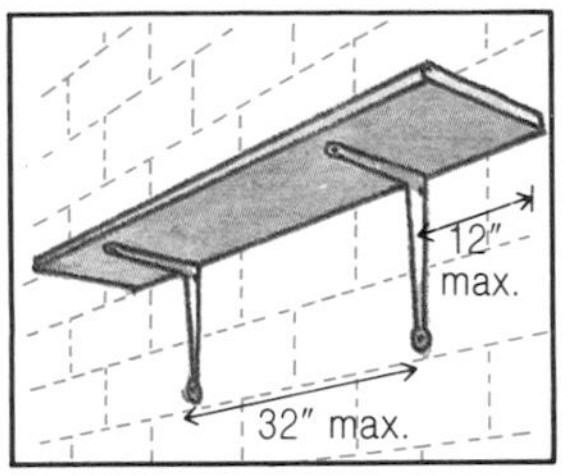

Les murs pleins exigent ou des tampons d'ancrage ou des chevilles de plomb (p. 52). Pour des objets lourds, mettez des supports au moins tous les 16 po et calculez 8 po de saillie. Comptez des intervalles de 32 po et une saillie d'au plus 12 po si les objets sont légers.

SUPPORTS POUR UNE TABLETTE

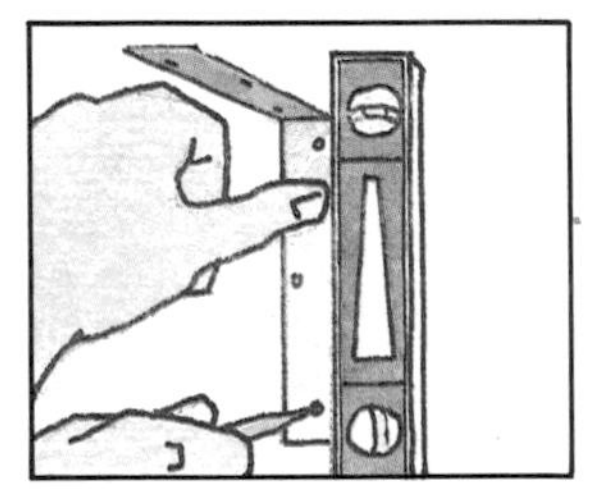

1. Marquez la position d'un des supports sur le mur. Avec un niveau ou une équerre, vérifiez s'il est bien vertical. Marquez les trous des vis. Percez des avant-trous dans le mur avec une mèche un peu plus petite que la vis. Vissez le support au mur.

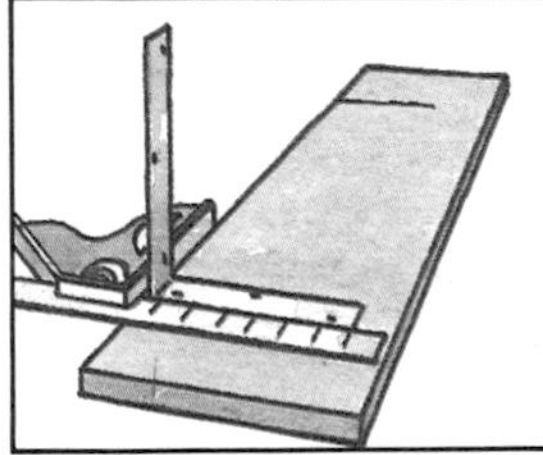

2. Mesurez et marquez la position des deux supports sur la tablette. Percez des avant-trous dans la tablette sans passer à travers et posez-y l'autre support. Mais attention : il doit être à angle droit et en ligne avec la tablette.

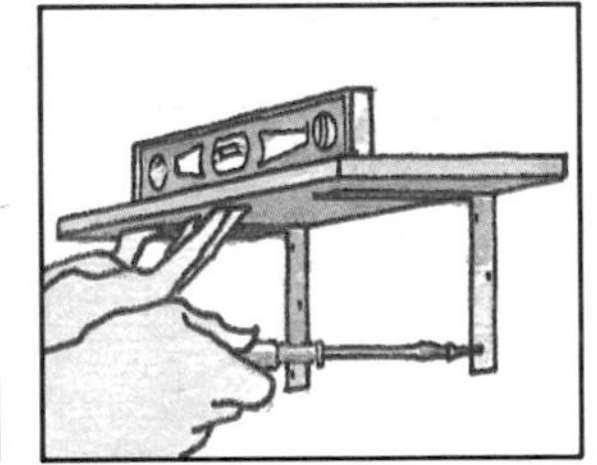

3. Appuyez la tablette contre le mur en vous assurant qu'elle est droite. Vissez au mur le support déjà fixé à la tablette et à la tablette celui qui est déjà vissé au mur. Marquez les trous des vis et faites des avant-trous comme aux étapes précédentes.

ÉTAGÈRES SUR CRÉMAILLÈRES

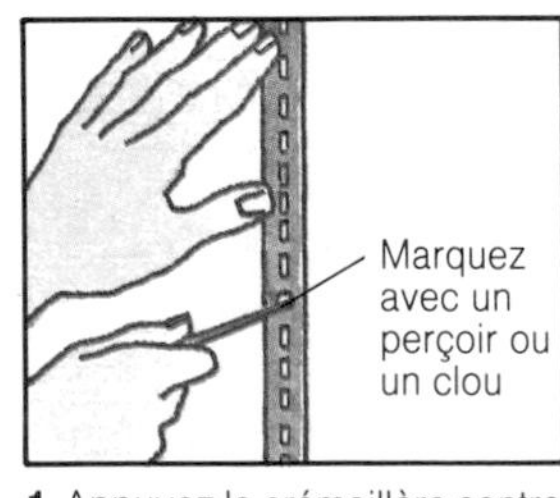

1. Appuyez la crémaillère contre le mur. Faites une marque à travers le trou de vis qui se trouve au milieu de la crémaillère. Percez un avant-trou avec une mèche un peu plus petite que la vis. Posez la crémaillère sans la visser serré.

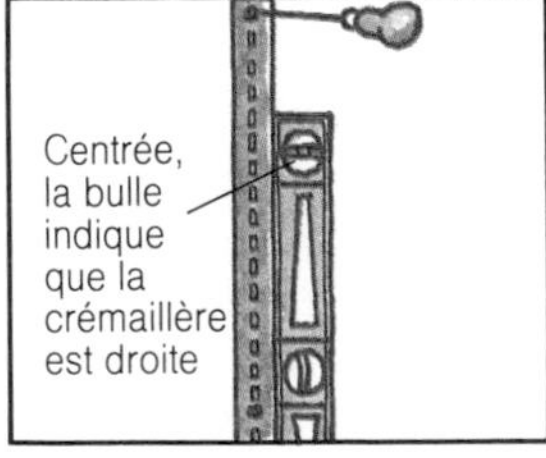

2. Ajustez la crémaillère jusqu'à ce que la bulle du niveau soit centrée. Marquez les trous de vis ; percez des avant-trous et vissez toutes les vis à fond. Faites pivoter la crémaillère autour de la première vis pour percer plus aisément les avant-trous.

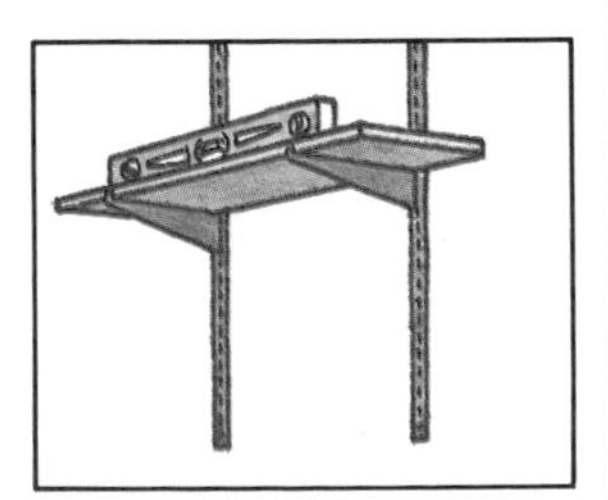

3. Insérez un support dans les fentes de la crémaillère ; faites de même avec une crémaillère non posée et installez un rayon sur les deux supports. Vérifiez l'horizontalité avec le niveau. Marquez et posez la deuxième crémaillère comme la première.

POUR DISSIMULER LES SUPPORTS

Peignez les crémaillères et les supports d'une tablette unique de la même couleur que le mur.

Pour dissimuler les supports sur crémaillères, prenez-les 1 po moins longs que la largeur des tablettes. Camouflez le bout de chaque support dans un avant-trou percé sous la tablette. Un 1 × 2 cloué à l'avant des tablettes complète le travail.

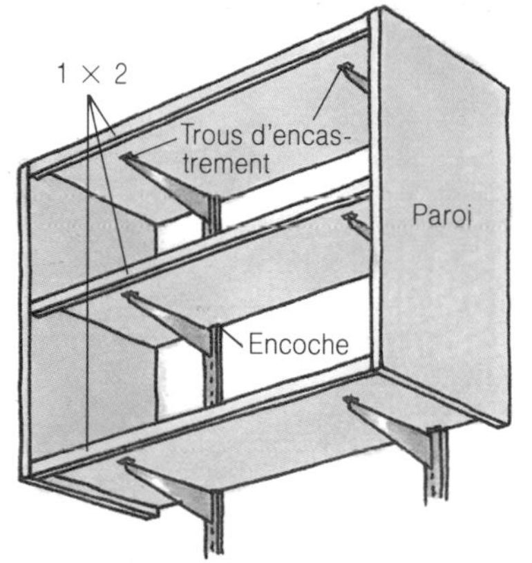

Pour intégrer au mur des étagères montées sur crémaillères et supports, fixez des pièces latérales sur celle du haut et celle du bas ; les autres demeureront réglables. Autre méthode : encochez les tablettes pour y encastrer les crémaillères.

RAYONS SUR POTEAUX

Les poteaux à ressort qui s'ajustent entre le parquet et le plafond permettent de couvrir facilement un mur avec des rayonnages ou de diviser ainsi une pièce. Ils sont faits pour des dégagements de 8 pi ; on peut leur ajouter des rallonges si la pièce est plus haute.

Posez-les en dirigeant taquets ou supports vers le mur pour dissimuler les fentes et les supports et donner meilleur aspect au rayonnage.

Si c'est possible, installez un des poteaux sous une solive du plafond. Même méthode de repérage que pour les montants (p. 49).

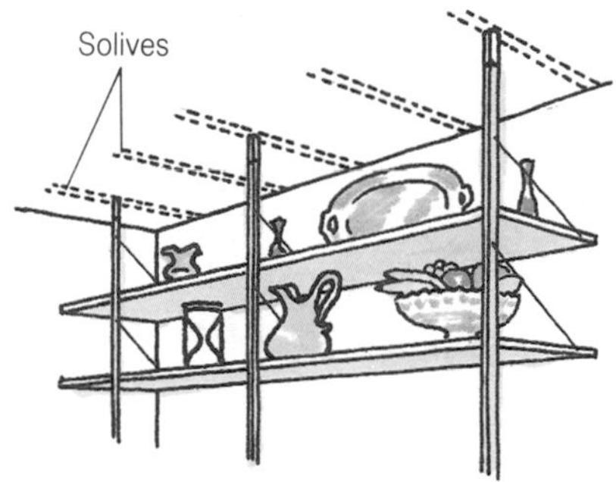

Construisez vous-même les poteaux avec des 2 × 4 sur lesquels vous fixez une crémaillère. Donnez-leur 1 po de moins que la hauteur de la pièce. Sur le dessus, percez un trou et vissez-y un vérin réglable pour pieds de meubles que vous verrouillerez avec un écrou. Fixez les 2 × 4 au sol avec des équerres.

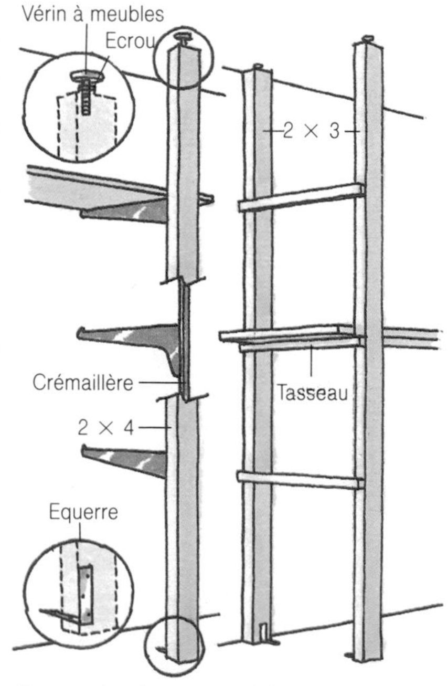

Pour de larges tablettes, montez deux par deux des poteaux de 2 × 3 et posez des tasseaux, ou des taquets sur crémaillères (p. 67).

Là où l'esthétique importe peu, coiffez les poteaux de capuchons métalliques à ressort, faits pour des 2 × 3. Assurez-vous que la tension est suffisante et posez chaque poteau sous une solive.

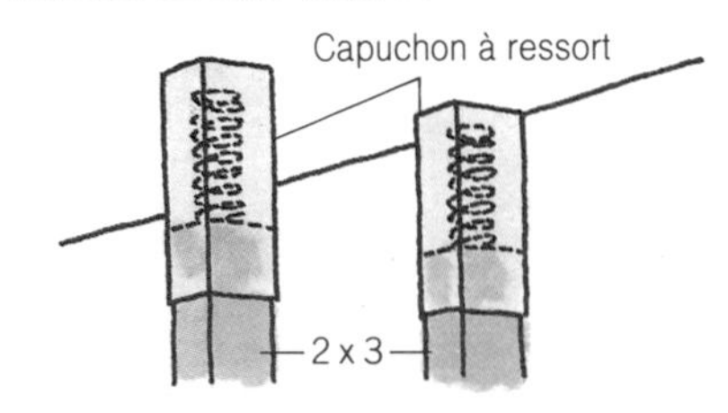

RAYONNAGE INDUSTRIEL

Pensez à vaporiser une peinture en aérosol sur du rayonnage en tôle d'acier. Dans une salle de bains, garnissez-le de boîtes en plastique ou en fil de métal coloré. Dans un salon, rangez-y les grands livres et les vases.

Le rayonnage en fil d'acier est aussi très commode et il peut recevoir des objets lourds. Vous en trouverez des modèles chromés dans les quincailleries et d'autres, plus sobres, dans des magasins pour entreprises commerciales.

RAYONNAGE IMPROVISÉ

Vous pouvez créer un très joli effet en empilant contre un mur des cubes en bois ou en plastique ou en les combinant avec des rayons. Mettez les gros cubes sur le parquet ; fixez les plus hauts les uns aux autres ainsi qu'au mur. Pour créer l'unité, peignez-les tous de la même couleur.

Briques, blocs de ciment, tuyaux de grès, blocs de bois et blocs de béton décoratifs font de bons supports d'étagères. Empilez-les bien droit. Si le rayonnage monte haut, appuyez-le contre le mur en y fixant les tablettes supérieures.

On peut suspendre des tablettes pour objets légers avec de la corde, des chaînes ou des tiges de métal filetées et des bandes de nylon pour chaises de jardin ou de jute pour rembourrage. Fixez les supports aux solives ou aux montants.

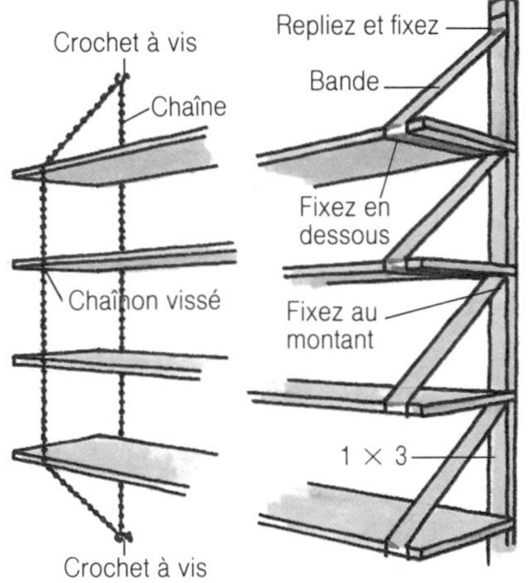

Autre possibilité : les rayonnages sur échelles. Fixez un côté des échelles à un montant, dans le mur ; posez les tablettes sur les échelons.

ACCESSOIRES

Pour empêcher les objets de tomber par terre à l'extrémité des étagères, installez un butoir de bois.

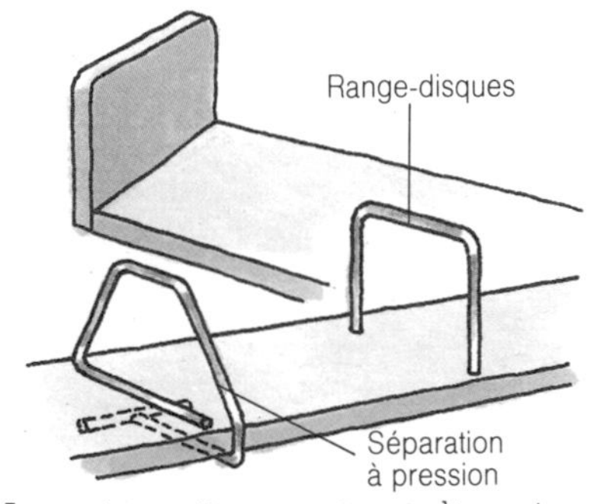

Les séparations qui se glissent sur les tablettes et s'y accrochent peuvent rendre le même service, tout comme les supports à disques en fil de métal qu'on pose dans des trous sur les rayons ou à leurs extrémités.

Les goujons font de bonnes séparations verticales. Calculez ½ po de plus que l'espace entre deux étagères. Percez un trou de ½ po dans la tablette supérieure et un autre de ¼ po dans la tablette inférieure ; donnez-leur un diamètre égal à celui du goujon. Introduisez celui-ci dans le trou du haut ; déposez-le dans celui du bas.

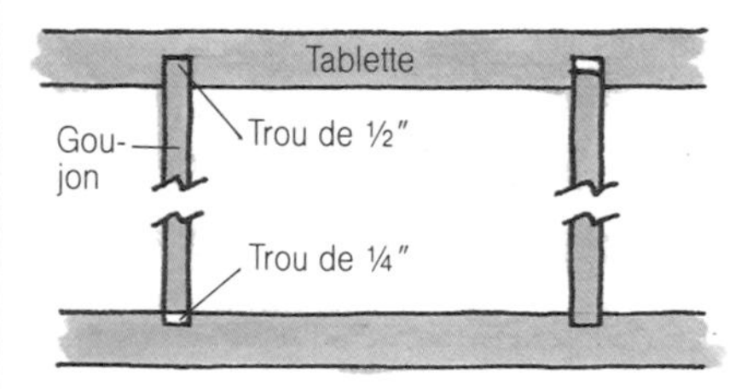

SYSTÈMES EN FIL DE MÉTAL

Le panneau en fil de métal enduit de vinyle est plus pratique dans la cuisine et la salle de bains que le panneau perforé. Les accessoires, paniers, crochets, sont nombreux.

Il se vend également des tablettes de même nature, utiles dans la cuisine, la salle de bains, la dépense, les chambres d'enfants, la salle de lavage ou le garage. Elles se vendent en longueurs variées et se coupent avec une scie à métaux. Posez-les avec le rebord sur le dessus pour empêcher les articles de basculer.

Certaines sont munies d'une tringle pour recevoir des cintres ; vous les trouverez pratiques pour réaménager des placards.

Installez ce type de rayonnage avec des chevilles de plastique assez rapprochées les unes des autres ou avec des fixations pour murs creux. Comme les points d'attache sont incorporés, ils ne coïncident pas toujours avec les montants.

ELÉMENTS DE RANGEMENT

Avant de construire un meuble ou un casier, voyez ce qu'offre le marché du meuble non peint. Le coût d'une étagère est parfois à peine plus élevé que celui des matériaux nécessaires à sa construction.

Evitez les erreurs cuisantes : dessinez le meuble sur papier avant la coupe. Mesurez l'endroit auquel vous le destinez et faites des croquis à l'échelle montrant votre projet de face, de côté et en plongée.

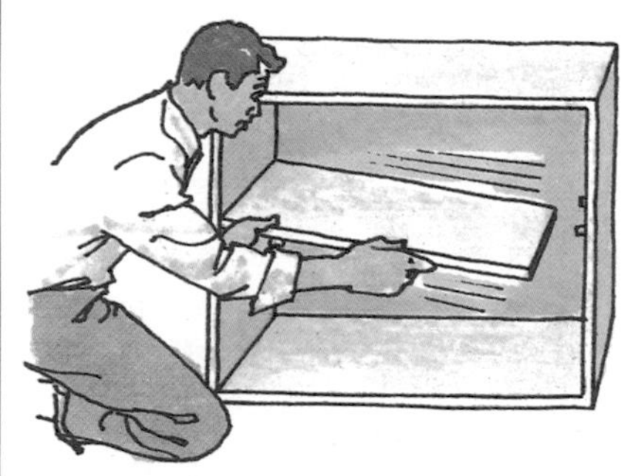

Si le meuble doit entrer dans un espace restreint, laissez-vous un peu de jeu. Une marge de ⅛ po sur chaque côté vous permettra de l'introduire sans difficulté.

Quand l'espace à utiliser mesure plus de 32 po de largeur, installez un support vertical ou pensez à mettre deux éléments côte à côte.

RANGEMENT EN CONTRE-PLAQUÉ

Voici un ouvrage facile à adapter. Cadre et rayons sont en contre-plaqué de ¾ po. Le panneau de fond en contre-plaqué de ¼ po mesure ¼ po de moins sur la hauteur et ¼ po de moins sur la largeur que l'ensemble de l'ouvrage. Il vous faudra un 1 × 3 pour le retrait, des moulures quadrangulaires de ¾ po pour les tasseaux, de la colle blanche, des clous à finir de 3d et 6d et du ruban de placage pour la finition des tranches.

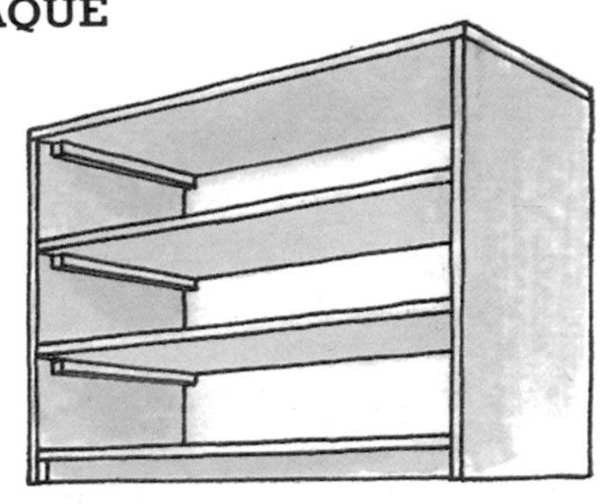

Consultez les pages 183-192 pour les outils et l'assemblage du bois, les pages 443-445 pour la finition.

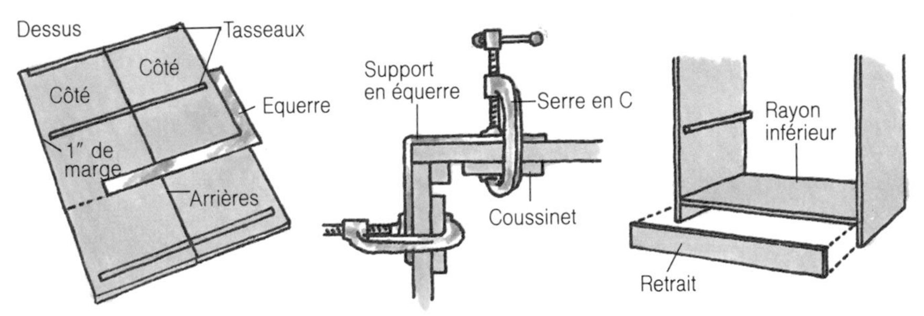

1. Mettez les deux montants côte à côte et marquez la position des tasseaux d'un trait de crayon. Celui du bas sera à la hauteur du retrait, celui du haut au sommet des pièces. Donnez-leur 1 po de moins que la profondeur des rayons et coupez. Collez et clouez les tasseaux avec des clous 3d tous les 2 po.

2. Assemblez le dessus et les côtés avec de la colle et des serres posées à angle droit. (Ici, pour que l'angle soit droit, on a utilisé un support en équerre sous les serres ; on trouvera d'autres méthodes pp. 191-192.) Fixez le dessus aux côtés avec des clous 6d et aux tasseaux avec des clous 3d.

3. Installez le rayon inférieur. Collez et mettez des serres dans les angles. Clouez le rayon inférieur aux tasseaux avec des clous 3d et aux côtés avec des clous 6d. Posez alors le retrait avec de la colle et des clous 6d.

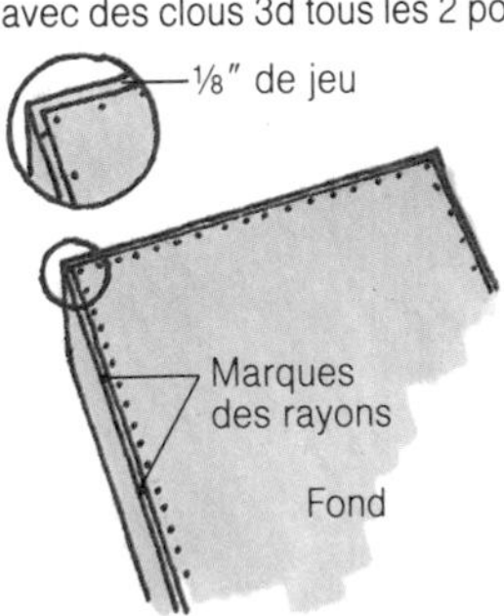

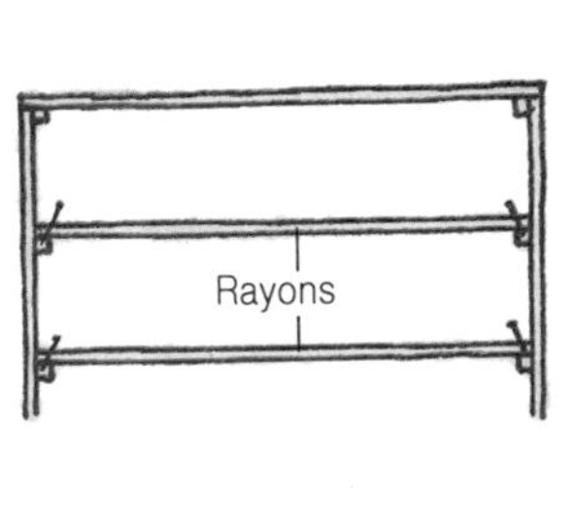

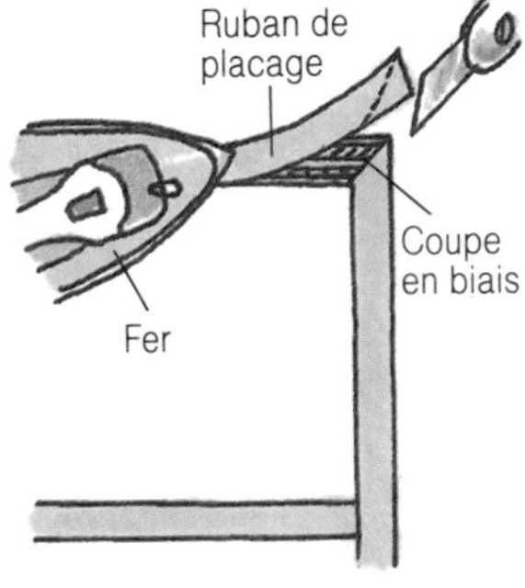

4. Retournez l'ouvrage. Calculez ⅜ po à partir du dessus de chaque tasseau et faites une marque sur la tranche arrière pour indiquer où tombe le centre de chaque tablette. Etalez de la colle. Posez le fond en dégageant une marge de ⅛ po sur tous les côtés et enfoncez des clous 3d tous les 2 po.

5. Mettez les rayons en place. Etalez de la colle sur leurs tranches arrière et sur le dessus des tasseaux. Fixez les rayons aux tasseaux avec des clous 3d. Retournez l'ouvrage. A l'aide des marques faites antérieurement, tracez un trait sur le panneau de fond au milieu de chaque tablette et clouez le long de ce trait.

6. Maquillez toutes les tranches de face avec du ruban de placage. Passez un fer à repasser réglé à chaud et sec sur chacune des tranches et rectifiez l'extrémité du ruban avec un couteau universel. Faites ensuite les côtés et le dessus. Taillez le ruban en biais dans les angles supérieurs.

CONSTRUIRE UN MEUBLE

Après avoir assemblé le cadre du meuble, mesurez les deux diagonales. Si les mesures d'un angle à l'autre sont identiques, les angles sont droits. Sinon, faites jouer les pièces pour rectifier l'ajustement.

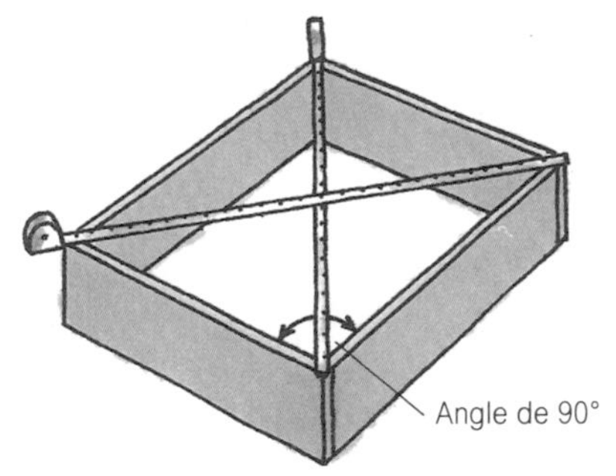

Assemblez les éléments avec des boulons et des écrous si vous souhaitez défaire le meuble éventuellement. Fixez alors le fond avec des vis et posez des tablettes amovibles.

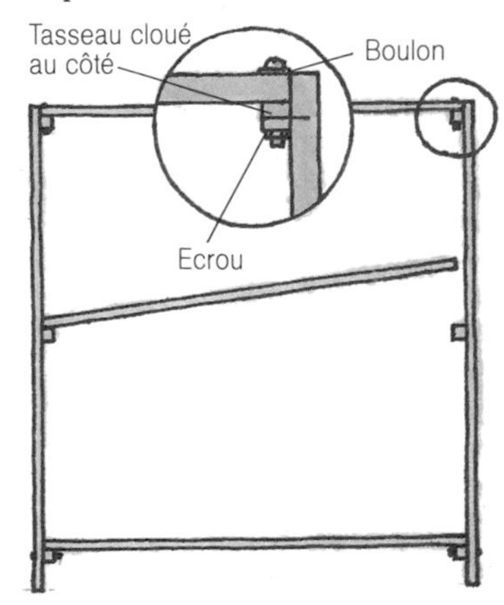

Pour donner une meilleure prise aux tasseaux, plantez les clous de biais dans les parois du meuble.

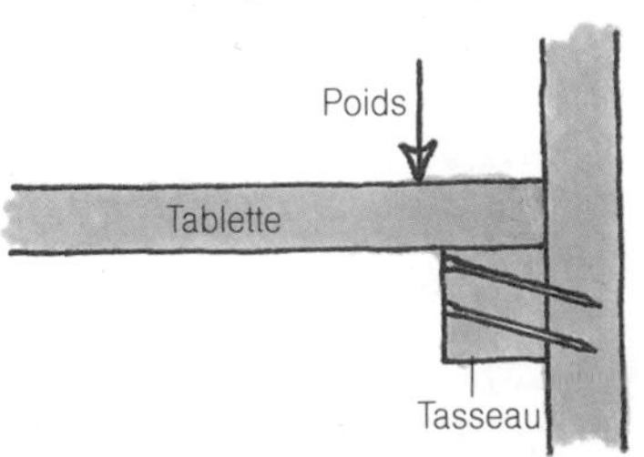

ACHAT DES CLOUS

Vous pouvez presque tout construire avec des clous communs ou des clous à finir. Les premiers ont une tête grosse et plate ; on les prend pour les travaux de structure. Les autres, plus fins, conviennent aux travaux de finition ; noyez-les avec un chasse-clou, puis mettez de la pâte de bois.

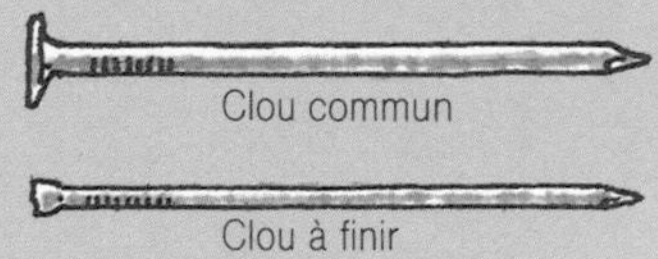

Les dimensions des clous sont données en d (pour *penny*, en anglais, ou *denarius*, en latin). Pour faire la conversion, jusqu'à 10d, divisez le chiffre avant le d par quatre et ajoutez ½ po. Un clou 8d, par exemple, mesure 2½ po. Rappelez-vous que les clous coûtent beaucoup moins cher au poids qu'en boîtes.

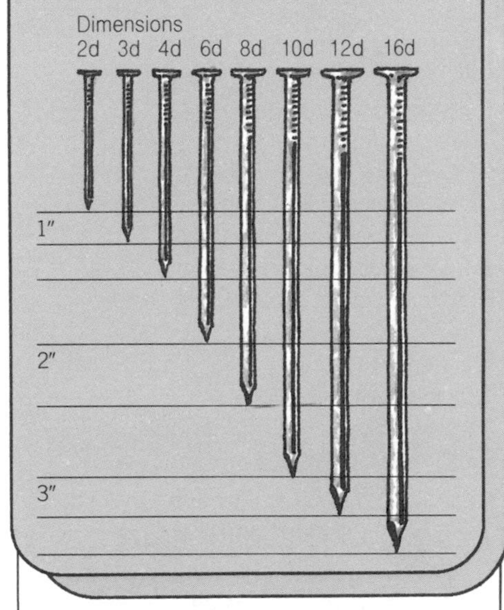

Dans le cas de meubles modulaires, supprimez le retrait à la base de l'élément (décrit ci-contre) et fixez l'étagère inférieure à des tasseaux.

Des tasseaux de 1 × 2 fixés avec de la colle et des vis (p. 88) donnent du corps au meuble. Renforcez le bord des tablettes (p. 58).

Des tablettes clouées à quatre poteaux d'angle en équerre — 1 × 4 collés et cloués à des 1 × 3 — vous font un joli meuble ouvert.

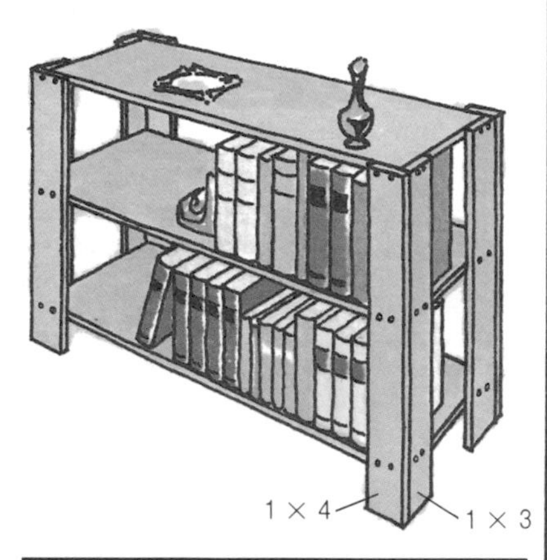

QUELQUES VARIANTES

Comme les rayons d'une bibliothèque sont peu profonds, vous pouvez utiliser des planches de 1 × 10 ou de 1 × 12 ; suivez les instructions pour le contre-plaqué (p. 64).

Pour une bibliothèque haute, faites dépasser un peu les parois latérales au-dessus du panneau supérieur et clouez-les à mi-hauteur dans une tablette pour renforcer le meuble.

S'il s'agit d'un meuble pour la salle de bains ou la cuisine, dotez-le à la base d'un retrait. Pour cela, entaillez les parois latérales et clouez-y un 1 × 4.

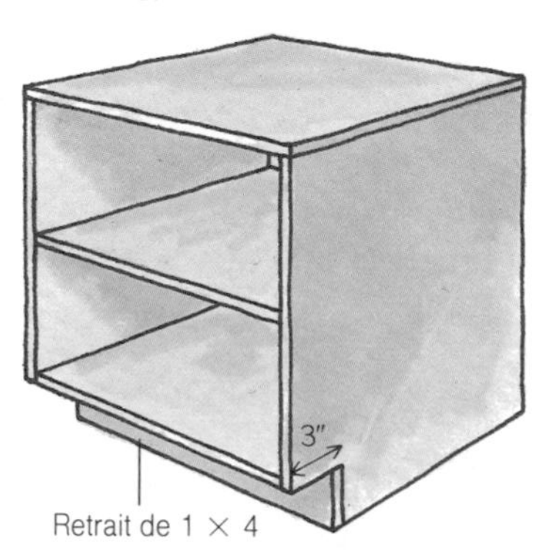

ACHAT DES VIS À BOIS

Choisissez les vis en fonction de l'ouvrage. La plupart du temps, la vis à tête plate suffit pour joindre des pièces. Enfoncez-la jusqu'à égalité avec le bois ou noyez-la et dissimulez-la avec de la pâte de bois ou une cheville (p. 191). La vis à tête ovale est plus jolie à voir et s'enlève sans abîmer la surface. La vis à tête ronde sert à fixer une pièce mince, comme du métal ou une cheville, sur du bois.

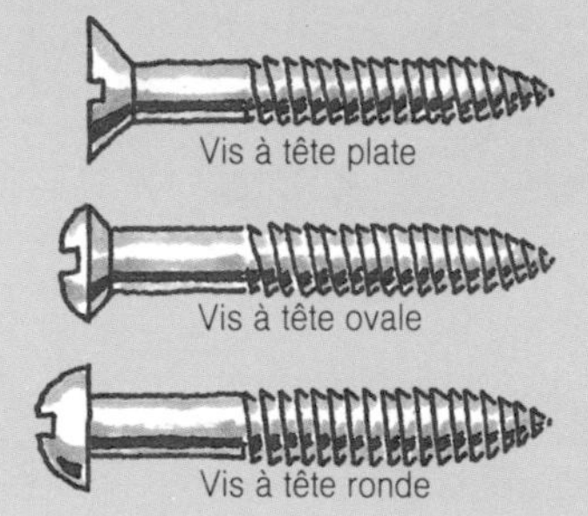

Les longueurs des vis varient de ¼ po à 3 po ; les diamètres sont calibrés. Le même diamètre s'achète en différentes longueurs. Lors de l'achat, précisez la longueur et le diamètre ; demandez, par exemple, une vis n° 7 de 1¼ po. Prenez des vis en acier inoxydable ou en aluminium si l'ouvrage peut être exposé à l'humidité. Choisissez-les en laiton pour un effet décoratif. Les vis en acier ordinaire, plaqué ou galvanisé, sont les moins chères. Comme pour les clous, achetez-les au poids plutôt qu'en boîtes.

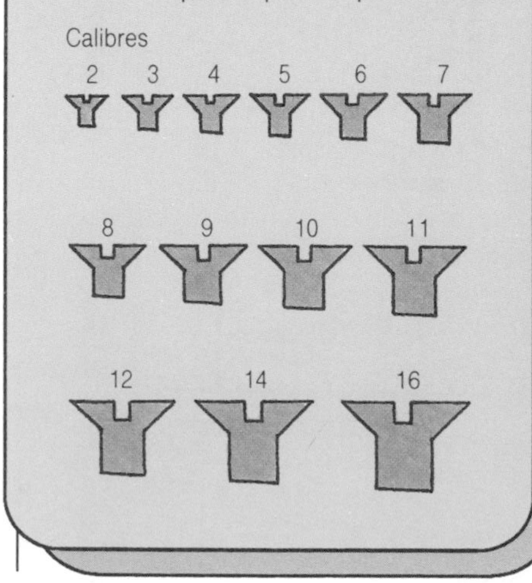

Dans une étagère suspendue au mur, remplacez le panneau arrière par des planches de fixation : un 1 × 4 collé et cloué sous la tablette du haut et deux 1 × 2 sous la tablette du bas, en arrière et en avant.

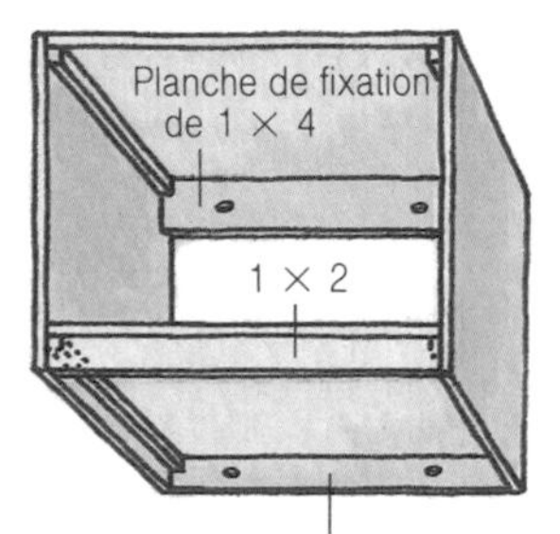

Supportez une tablette amovible avec des pitons à œil fermé. Ajoutez de la même façon une tablette à une étagère déjà construite.

Installez des tablettes réglables sur des taquets, dans des trous forés sur les panneaux latéraux.

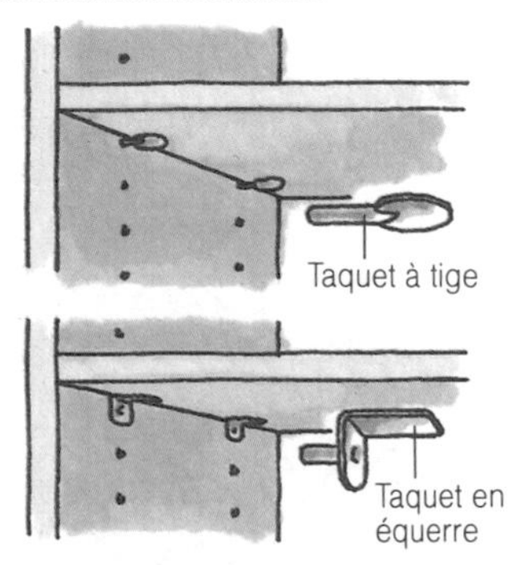

Percez les trous avant d'assembler le meuble. Pour bien les aligner, servez-vous d'un panneau perforé.

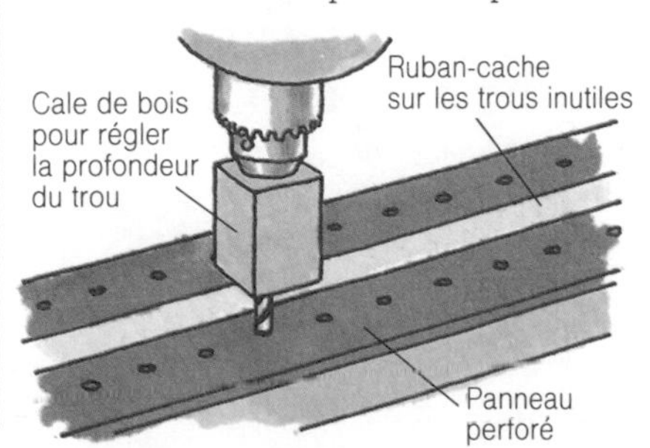

Fabriquez aussi des étagères réglables avec des taquets et des crémaillères. Posez celles-ci avant le montage et entaillez les tablettes pour qu'elles s'y ajustent bien.

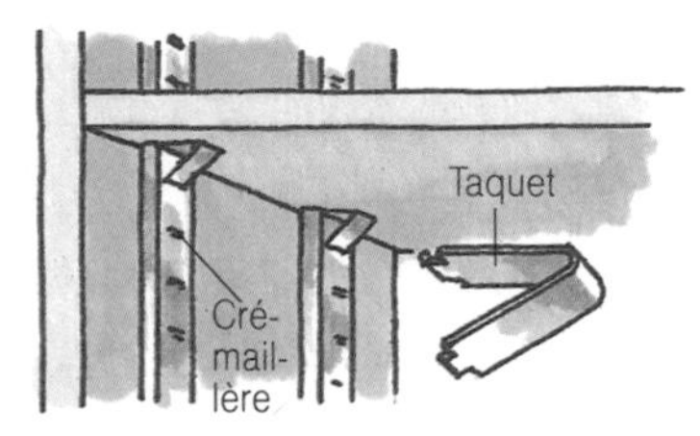

Si le taquet est récalcitrant, insérez-le avec une pince.

Mettre des portes à un meuble est une tâche délicate. Mieux vaut construire le meuble en fonction de portes préfabriquées. Montez des volets à lattes d'une épaisseur de ¾ po sur des 1 × 2 cloués au bâti. Mettez de jolies charnières.

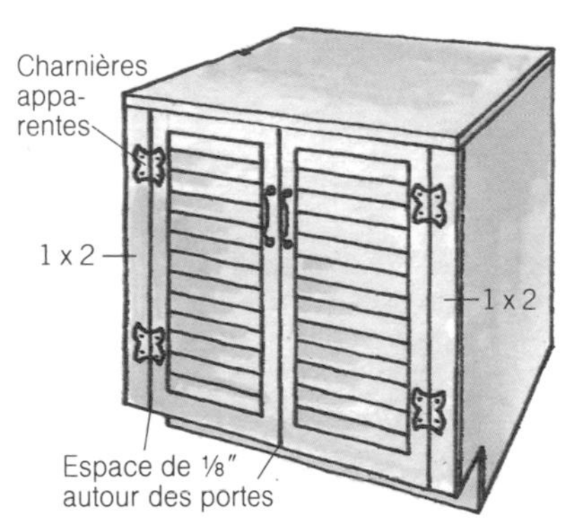

Pour des tiroirs, pensez à utiliser des articles préfabriqués tels que des bacs en plastique, que vous ferez reposer sur des tasseaux, ou des paniers en fil métallique que vous monterez sur coulisses.

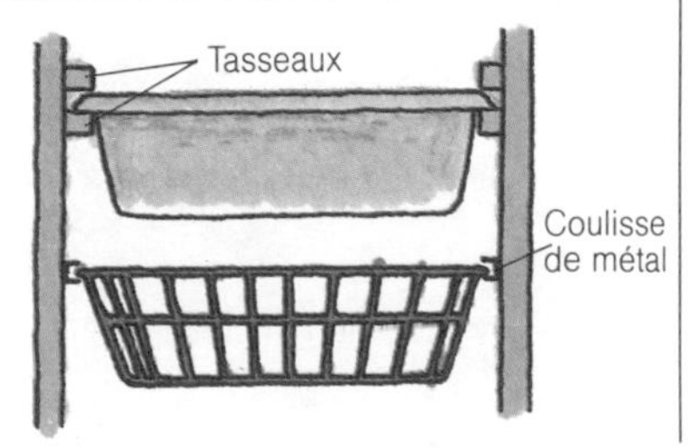

Pour intégrer les éléments suspendus, posez des moulures entre le meuble et les murs, le plafond et le plancher ainsi qu'entre les éléments. Réunissez plusieurs unités avec des tablettes ou de faux panneaux : une bonne façon de tirer parti des éléments déjà en place.

AMÉNAGEZ LES TIROIRS

Dans un tiroir très profond, installez un plateau coulissant fait d'une boîte en contre-plaqué de ½ po montée sur coulisseaux de bois franc.

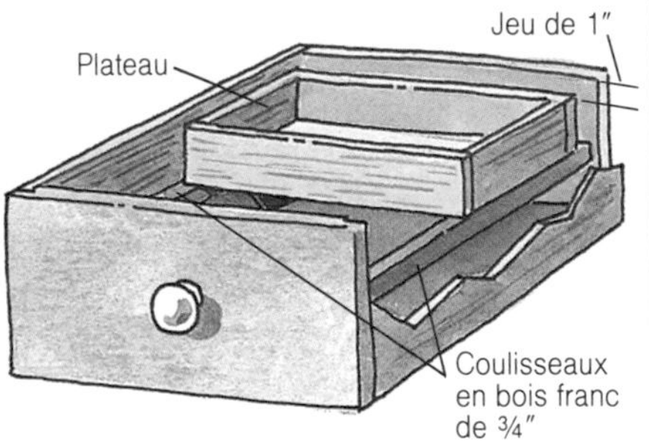

Donnez à ce plateau la moitié de la largeur ou de la profondeur du tiroir pour avoir accès à la partie inférieure. Ou dotez-le de poignées pour l'enlever sans difficulté.

Le cloisonnement illustré ici permet de tirer plein parti des tiroirs larges ou profonds. Collez et clouez la cloison transversale aux cloisons longitudinales. Insérez des cales d'espacement à l'avant du tiroir et collez entre elles l'extrémité des cloisons. Clouez la pièce centrale sur les côtés du tiroir.

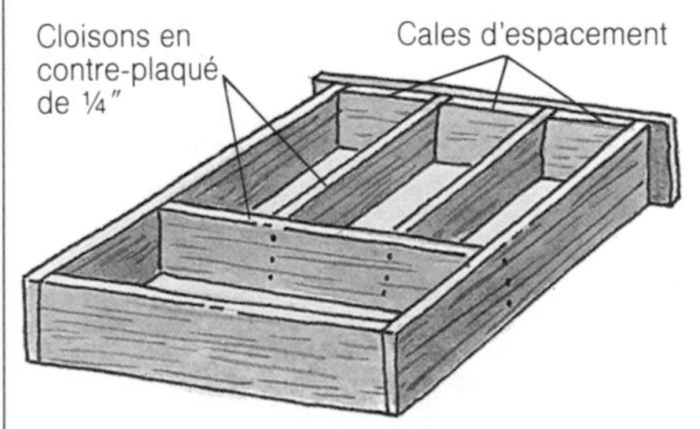

Avant d'exécuter le travail, faites quelques essais. Pliez des morceaux de carton en leur ménageant des pattes dans le fond et aux extrémités. Utilisez ces pattes pour fixer les pièces les unes aux autres et au tiroir avec du ruban gommé.

Les plateaux cloisonnés en plastique, dont on se sert dans la cuisine et le bureau, peuvent être utiles ailleurs et recevoir bijoux, cosmétiques, accessoires de couture, outils, clés ou petite monnaie.

On peut également cloisonner un tiroir peu profond avec des lattes encochées. Mettez toutes les lattes entre serres et exécutez les encoches d'un même trait pour qu'elles soient identiques. On achète les lattes chez un marchand de bois.

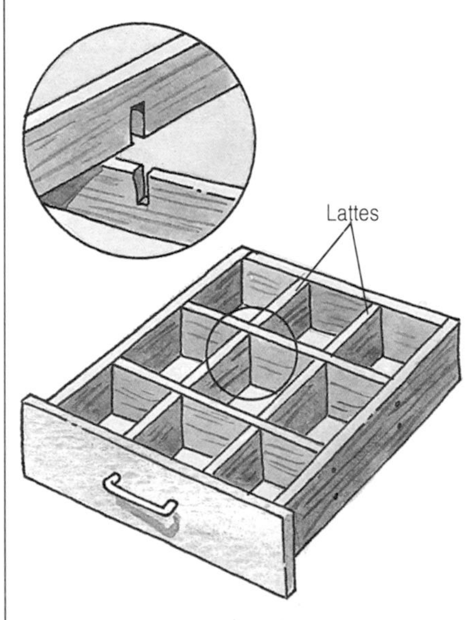

ÉLÉMENTS MOBILES

Ce sont des accessoires utiles et peu encombrants. Comme ils sont sur roulettes ou sur glissières, vous n'avez pas à prévoir d'espace pour avoir accès à ce qui y est rangé ; et vous pouvez atteindre les gros objets sans tout déranger devant.

Pour obtenir une tablette qui coulisse, faites glisser une pièce de contre-plaqué entre des tasseaux de bois franc ; posez des tasseaux dessous comme guides. Au besoin, dégagez le bâti du meuble en posant des cales derrière les tasseaux.

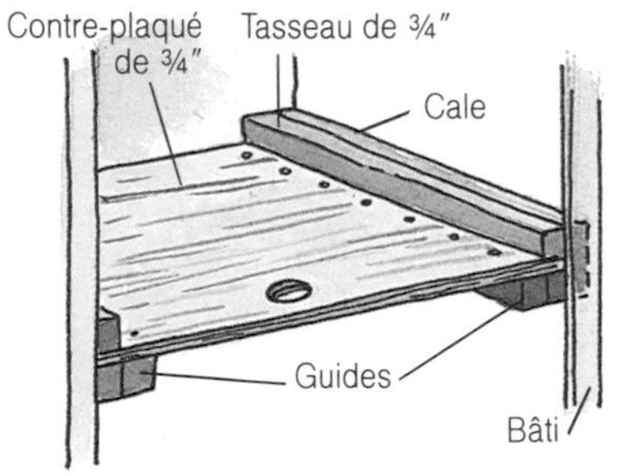

Dans le cas d'un plateau coulissant, collez et clouez des 1 × 4 tout autour d'une pièce de contre-plaqué de ¾ po d'épaisseur. Montez le plateau dans le bas d'un élément en le dotant de glissières.

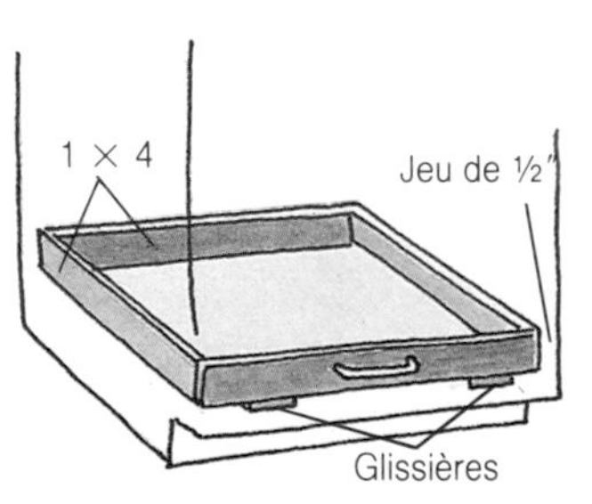

Construisez sur mesure des éléments montés sur glissières, dans une armoire, avec du contre-plaqué de ¾ po, des 1 × 4 et du ruban de placage pour la finition.

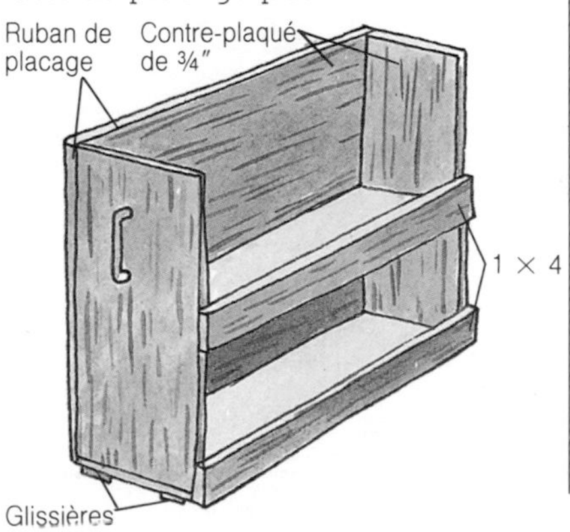

Vous pouvez donner toutes les formes que vous voulez à un élément mobile. Pensez à une cloison centrale avec tablettes des deux côtés ou remplacez les tablettes par des goujons pour suspendre des vêtements ou de la lingerie.

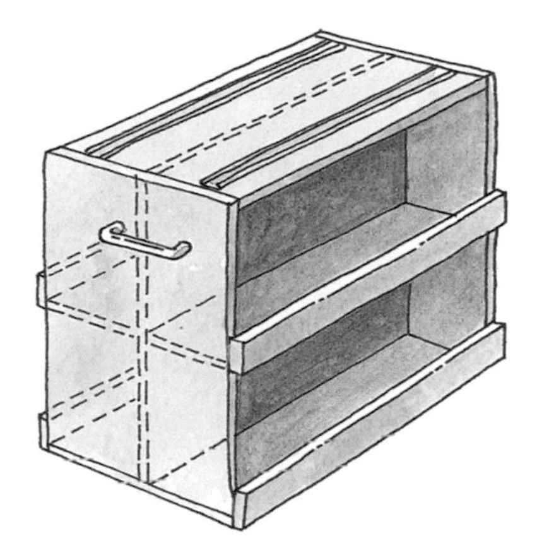

Un tel élément mobile peut se suspendre ou se fixer latéralement. Si le mur de l'armoire est mince, posez la glissière sur un tasseau robuste.

CHOIX DES GLISSIÈRES

Montrez votre plan au quincaillier et faites-vous indiquer les glissières qui conviennent. Si lui-même ne les tient pas, vous les trouverez chez des marchands spécialisés en quincaillerie d'ameublement.

Les glissières ne réclament pas toutes le même dégagement. Achetez-les *avant* de couper les pièces. Comptez qu'elles seront un peu plus courtes que la profondeur de votre meuble.

Les glissières à extension limitée sont moins chères et plus faciles à poser que celles à extension totale. Prenez cependant ces dernières si vous voulez avoir accès à des articles lourds logés dans le fond de l'armoire.

CHAPITRE DEUX

DANS LA MAISON

D'abord, quoi faire pour que votre maison soit propre de la cave au grenier. Puis, nous passerons au choix et à l'entretien des électroménagers.

De la cave au grenier

Page 71

Comment planifier et faciliter le nettoyage; les étapes du ménage; choix et emploi des produits et équipements; règles de sécurité; lavage des murs et plafonds; nettoyage des revêtements muraux; entretien de la céramique; lavage et cirage des parquets; remplacement des carreaux de vinyle; nettoyage des rideaux; entretien des toiles et des stores vénitiens; lavage des vitres; remplacement d'une vitre brisée; réparation d'une fenêtre à guillotine; entretien des moustiquaires; isolation des fenêtres; portes qui ferment mal; portes coulissantes; portes récalcitrantes; choix d'un aspirateur et de ses accessoires; entretien et réparation d'un aspirateur; entretien des tapis; comment les rapiécer; comment réparer une brûlure; tapis d'Orient; entretien des meubles et des lampes; nettoyage du foyer; télé, stéréo, vidéo; quoi faire avant d'appeler le technicien du téléphone; entretien de la salle à manger; fleurs coupées et plantes vertes; entretien des chambres à coucher; l'hygiène dans la cuisine; sécurité dans la cuisine; entretien de la cuisinière et du four à micro-ondes; nettoyage de la hotte; entretien du réfrigérateur et des petits électroménagers; nettoyage des comptoirs; entretien de l'évier; ordures ménagères; comment déboucher un renvoi d'eau; lavage de la vaisselle; bouteilles isolantes, verrerie et casseroles; aiguisage des couteaux; sécurité et hygiène dans la salle de bains; entretien de la douche et du cabinet d'aisances; le grenier; lutte contre l'humidité et les débordements d'eau dans la cave; fuites et infiltrations; tuyaux qui fuient; tuyaux gelés; conservation de l'énergie; problèmes de chauffage; chaudière à mazout; ventilateurs de grenier et de pièces; conseils sur la climatisation; réparation d'un climatiseur bruyant; contrôle des bêtes nuisibles; pesticides; systèmes d'alarme.

Ces merveilleux appareils

Page 131

Espérance de vie d'un appareil; quoi vérifier avant de faire venir un technicien; comment tirer plein parti du réfrigérateur et du congélateur; remplacement du joint d'étanchéité de la porte du réfrigérateur; choix d'une cuisinière; réglage du thermostat du four; odeur de gaz; réglage de la flamme de la veilleuse; choix et remplissage du lave-vaisselle; le détergent à lave-vaisselle; achat et branchement d'une machine à laver; ménager l'eau chaude; entretien du chauffe-eau; installation et entretien d'une sécheuse; grille-pain et fours grille-pain; cuisson aux micro-ondes; mélangeurs, mixers et robots; cafetières et percolateurs; fers à vapeur; humidificateurs et déshumidificateurs; broyeurs et compacteurs d'ordures; lampes, prises de courant et cordons électriques; comment vérifier et remplacer le cordon d'un appareil; remplacement d'une prise de courant; interrupteurs; fusibles et disjoncteurs; comment couper le courant électrique.

De la cave au grenier

COMMENT, QUAND ET OÙ NETTOYER

Déterminez ce que vous entendez par « maison propre » et planifiez votre travail en conséquence. Nettoyez quand c'est nécessaire et non parce que c'est le temps. Si la différence ne se voit pas, arrêtez.

Certaines personnes préfèrent remettre à l'automne le grand ménage du printemps ; il fait plus frais et du même coup on peut enlever la poussière qui est entrée par les fenêtres ouvertes en été.

D'autres, au contraire, souhaitent nettoyer et aérer la maison au printemps, après la longue réclusion de l'hiver.

Peu de tâches sont vraiment saisonnières. En dehors des moustiquaires et des contre-fenêtres, des couvertures d'hiver qu'on veut laver avant de les ranger, le calendrier du nettoyage demeure à votre entière discrétion. (Pour savoir quand exécuter les travaux à l'extérieur, voir p. 166.)

LES ÉTAPES DU MÉNAGE

Organisez votre calendrier de travail par étapes que vous déterminerez en fonction de vos activités et de vos besoins, mais aussi des dimensions de votre maison et du nombre de personnes qui y vivent.

Etape 1. C'est le travail quotidien : laver la vaisselle, balayer, sortir les ordures, faire les lits, mettre de l'ordre ; une demi-heure de travail devrait suffire pour un plein pied à une chambre. Ajoutez 10 minutes par chambre et par étage supplémentaires.

Etape 2. Ce sont les tâches hebdomadaires ou semi-hebdomadaires : passer l'aspirateur, arroser les plantes, nettoyer les poubelles, laver la salle de bains, nettoyer le cabinet d'aisances, épousseter.

Etape 3. Nous voici au grand ménage hebdomadaire : laver les planchers, polir les meubles, nettoyer le réfrigérateur, changer les draps et les serviettes. Comptez plusieurs heures pour cette étape. Ou ajoutez une de ces tâches par jour à l'étape 1.

Etape 4. Entrent ici les travaux spéciaux : laver les fenêtres, passer un produit sur les boiseries, nettoyer le four, polir l'argenterie, laver les couvertures d'hiver, nettoyer les moustiquaires et les contre-fenêtres. Ou vous consacrez d'office deux heures par semaine à ces tâches, ou vous les ajoutez au programme de l'étape 3 à mesure qu'elles s'imposent.

FACILITEZ-VOUS LA TÂCHE

Commencez par les pièces qui se font le plus rapidement : le salon, la salle à manger et l'entrée. Elles sont moins encombrées et moins sales et les résultats y sont visibles.

Pour ne rien oublier quand vous entreprenez une pièce, commencez près de la porte et faites le tour en progressant dans un sens donné.

Il suffit souvent de mettre de l'ordre pour donner l'air qu'on a fait le ménage. Une pièce propre où tout traîne semble plus sale qu'une pièce moins propre où tout est rangé.

Le travail vous prendra moins de temps si vous concentrez vos efforts. Faites tout ce qu'il y a à faire dans une pièce avant d'en entreprendre une autre.

CHOIX ET UTILISATION DE L'ÉQUIPEMENT

Pourquoi retourner au placard chaque fois qu'il vous faut un objet ? Procurez-vous un panier sur roulettes et mettez-y tout votre matériel ; vous n'aurez qu'à le déplacer avec vous de pièce en pièce.

Installez des rouleaux d'essuie-tout aux endroits stratégiques, soit là où il faut nettoyer quotidiennement : dans le garage, l'atelier, la chambre du bébé, la salle de bains et, bien entendu, la cuisine.

Choisissez de bons chiffons. Prenez du coton : serviettes, couches ou sous-vêtements usagés. Rejetez les articles en tissu synthétique : ils absorbent mal.

Epoussetez toujours avec un chiffon propre, sec ou humide ; un linge sale risque d'égratigner.

Pour empêcher les saletés de voler hors de la pelle à poussière, mouillez celle-ci.

Si le bord de la pelle est inégal, prenez le temps de le redresser ; autrement la poussière s'échappera par les dentelures et vous perdrez beaucoup de temps à la réunir.

Après avoir fait le ménage, il faut nettoyer ses instruments. Si vous ne pouvez pas secouer le balai à franges par la fenêtre, agitez-le dans un sac de papier ou de plastique ou nettoyez-le avec l'aspirateur.

CHOIX DES PRODUITS DE NETTOYAGE

Ne cédez pas à la tentation d'acheter tous les produits de nettoyage annoncés. Plus vous les multipliez, plus vous augmentez les risques que des enfants ou des adultes les utilisent mal.

Lisez attentivement les instructions avant de vous servir d'un produit. N'en utilisez pas deux ou plus ensemble à moins qu'on ne le recommande clairement sur l'étiquette.

EMPLOI ET ENTRETIEN DES ARTICLES DE NETTOYAGE		
Article	**Emploi**	**Entretien**
Chiffons	Pour les époussetages délicats à sec, utilisez un chiffon doux ; humectez un chiffon avec de l'eau ou un liquide à polir pour enlever la poussière, les marques de doigts, les taches ou la suie. Suivez le fil du bois.	Lavez à l'eau chaude savonneuse après chaque usage. Faites sécher sur la corde. Ne mettez pas dans la sécheuse les chiffons imprégnés de cire parce qu'ils peuvent renfermer encore des substances volatiles et inflammables.
Balai	Pour les parquets. Appuyez le balai contre le sol et balayez lentement, toujours dans la même direction. Ramassez les poussières avec la pelle.	Lavez à l'eau chaude savonneuse, rincez et laissez sécher en mettant une bande élastique autour des soies pour les remettre en forme. Rangez suspendu.
Balai à franges	Pour dépoussiérer les sols entre les nettoyages à l'aspirateur. Passez le balai à franges sans le soulever en suivant le fil du bois.	Secouez dans un sac ou nettoyez à l'aspirateur. Lavez dans l'eau chaude savonneuse, rincez et laissez sécher à l'air et à l'ombre. Rangez suspendu.
Vadrouille	Pour nettoyer les sols lavables. Mouillez à fond avec de l'eau et un produit tout usage ou un détergent ; essorez bien avant usage pour que l'eau ne dégoutte pas.	Lavez dans l'eau chaude savonneuse, rincez en séparant les franges et faites sécher à l'envers, au soleil si possible. Gardez au frais et au sec. Ne laissez pas humide sur le sol ou dans le seau.
Balai-éponge	Pour nettoyer de petites surfaces. Plongez dans une solution savonneuse, puis essorez. Nettoyez par petits coups fermes. Rincez et recommencez.	Lavez et rincez après chaque usage ; laissez sécher à l'envers. Humectez de temps à autre pour empêcher de durcir. Si l'éponge s'enlève, suivez les instructions du fabricant.
Brosse à crins	Pour nettoyer les surfaces rudes, très sales ou les sols extérieurs. Donnez de longs coups ; employez de l'eau chaude et un détergent.	Lavez dans l'eau chaude savonneuse après chaque usage. Rincez, secouez et laissez sécher à l'endroit. Rangez la brosse quand elle est bien sèche.
Eponge	Pour toutes surfaces lavables. Plongez dans l'eau chaude ou tiède et savonneuse, essorez légèrement et nettoyez par coups fermes.	Lavez dans l'eau chaude savonneuse après chaque usage. Rincez et essorez. Lavez à la machine en ajoutant de l'eau de javel si l'éponge sent fort.
Eponge sèche	Pour nettoyer les murs peints mats et les plafonds, le papier peint, les abat-jour, etc. Repliez souvent pour mettre une partie propre en contact avec l'objet à nettoyer.	Les éponges sèches ne sont pas réutilisables. On les jette lorsqu'elles sont très sales.
Seau	Pour tous les nettoyages à l'eau. Employez-en deux, un pour le lavage, l'autre pour le rinçage. Dotez-les d'une essoreuse à vadrouille.	Rincez après chaque usage. Laissez sécher à l'air ceux en caoutchouc ; essuyez les seaux en métal pour qu'ils ne rouillent pas.

De nombreuses personnes préparent elles-mêmes leurs produits de nettoyage. Encore faut-il que le coût de revient soit avantageux et qu'ils soient aussi efficaces et sûrs que les produits du commerce, ce qui est rarement le cas.

LA SÉCURITÉ

Mettez les produits de nettoyage dans une armoire qui ferme bien et à laquelle les enfants et les animaux de compagnie n'ont pas accès. Ne les rangez pas avec des aliments. Remettez-les dans l'armoire aussitôt après usage. Si vous devez les poser à portée d'un petit enfant, ne quittez pas la pièce, ne serait-ce qu'une minute.

Conservez les produits d'entretien dans leur contenant d'origine. Ne les placez surtout pas dans des contenants normalement destinés à recevoir des aliments. Jetez bidons et boîtes vides ; ne les utilisez pas pour conserver d'autres produits.

Avant de jeter aux ordures un produit de nettoyage, examinez l'étiquette. Si vous y lisez les mots : « Attention », « Danger », « Avertissement » ou « Poison », défaites-vous-en conformément aux instructions.

MÉTHODES DE NETTOYAGE

Epargnez-vous des efforts inutiles ; suivez les instructions du fabricant. Si l'étiquette dit : « une tasse », n'en mettez pas plus : ce serait du gaspillage et le rinçage se ferait mal.

Découvrez seulement la moitié des trous des saupoudroirs contenant de la poudre à récurer ; elle durera plus longtemps.

Lorsque vous utilisez un produit de nettoyage dissous dans de l'eau, changez de solution sitôt qu'elle devient sale. Autrement, vous salissez au lieu de nettoyer.

SUCCÉDANÉS DE NETTOYAGE

Remplacez le lave-vitre commercial par un volume d'ammoniaque dissous dans trois volumes d'eau ; mettez la solution dans un vaporisateur et servez-vous-en pour nettoyer vitres, appareils et comptoirs de cuisine. Non diluée, l'ammoniaque enlève la cire des parquets et nettoie les fours qui ne sont pas très sales. **Attention :** Portez des gants de caoutchouc lorsque vous utilisez de l'ammoniaque. Si ce produit n'est pas dilué, travaillez dans un endroit bien aéré.

Une demi-tasse de vinaigre additionnée d'une cuillerée à soupe de sel remplace bien les produits spécialisés pour nettoyer le cuivre et le laiton.

L'huile de pin non diluée nettoie et désodorise rapidement les poubelles ainsi que les sols de cuisine et de salle de bains. Diluée, elle vous épargne la corvée du rinçage.

Le bicarbonate de soude est plus doux que les poudres à récurer pour les accessoires de cuisine et de salle de bains. Il détache et désodorise les réfrigérateurs, congélateurs, cafetières, théières, seaux à couches et bacs du chat.

Saupoudrez du bicarbonate sur les tapis avant de passer l'aspirateur et vous les désodoriserez aussi bien qu'avec un produit commercial.

MURS ET PLAFONDS

Avant de laver une surface peinte, essuyez-la avec une flanelle attachée au bout d'un balai. Changez la flanelle quand elle est sale.

Pour nettoyer les coins difficiles d'accès, enfilez une vieille chaussette sur un manche à balai et fixez-la avec une bande élastique.

Les toiles d'araignée sont souvent collantes ; elles peuvent tacher le mur ou le plafond. Dégagez-les avec une flanelle au bout d'un balai ou la brosse de l'aspirateur.

Pour épousseter sans les marquer moulures, plâtres ou boiseries, fixez une bande de caoutchouc mousse en guise de pare-chocs autour du suceur plat de l'aspirateur ; faites-la tenir avec une bande élastique.

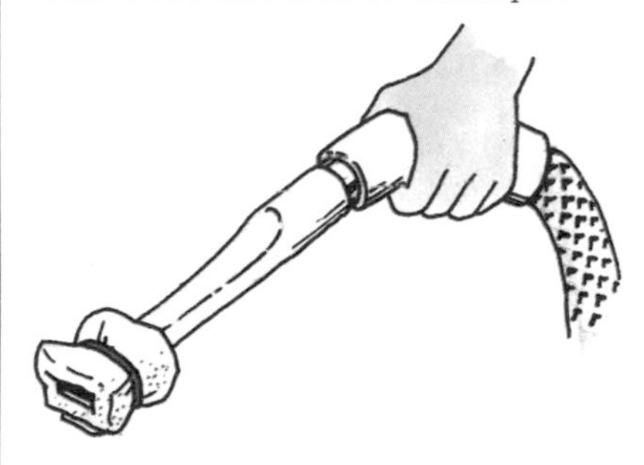

LAVAGE DES MURS

Il est plus rapide et plus économique de laver les murs peints que de les repeindre. Même si vous vous adressez à des spécialistes, ils vous demanderont moins que des peintres de profession.

Entourez votre poignet d'une bande de coton éponge pour absorber les gouttes d'eau. Celles qu'on vend pour les sportifs sont parfaites.

Travaillez avec deux seaux pour ménager votre solution nettoyante. Rincez et essorez l'éponge dans une eau propre avant de la plonger dans l'eau savonneuse. (Cette technique est aussi recommandée pour les planchers.)

Si vous commencez à laver les murs par le bas, l'eau sale dégoutte sur la partie lavée à mesure que vous montez vers le plafond. Par contre, si vous commencez par le haut, les gouttes d'eau sale en glissant peuvent tacher le mur. Il vaut mieux aborder le travail section par section en travaillant rapidement de bas en haut. Employez une éponge ou un chiffon bien essoré.

Pour laver murs et plafonds, utilisez exclusivement des éponges ou des chiffons blancs, blanc cassé ou bon teint ; certaines teintures peuvent laisser des marques indélébiles.

Si le mur est très sale, il faudra que vous le rinciez. Vos enfants peuvent vous aider en vous apportant de l'eau propre.

Eliminez les marques d'eau en essuyant le mur après le lavage. Les serviettes en coton éponge, séchées par culbutage, sont particulièrement absorbantes.

C'est toujours sur les plinthes qu'atterrissent les poils de chien, la poussière ou la mousse. Aussi sont-elles généralement très sales. Lavez-les en dernier, une fois que vous avez lavé et asséché les murs avec des chiffons propres. Mouillez ces mêmes chiffons et passez-les sur les plinthes ; épongez et asséchez avec une serviette.

REVÊTEMENTS MURAUX

Nettoyez les revêtements muraux en tissu ou en matière pelucheuse à l'aspirateur. Mais les tissus particulièrement délicats, comme la soie, peuvent demander l'intervention d'un spécialiste.

Rendez les papiers peints lavables quand ils ne le sont pas en les enduisant d'un apprêt spécial et de gomme laque incolore.

Le revêtement non lavable est déjà souillé ? Frottez doucement la tache avec une gomme à effacer ou avec de la mie de pain frais.

Voici une autre façon de nettoyer les revêtements muraux lavables. Mélangez ¼ tasse de détergent liquide pour vaisselle dans une tasse d'eau tiède et faites mousser avec un batteur à œufs manuel. Avec un chiffon ou une éponge, appliquez seulement la mousse.

TACHES SUR LES PAPIERS PEINTS

Ne laissez pas les taches s'incruster. Voyez-y tout de suite. Epongez les corps gras avec du papier absorbant. Mettez ensuite une nouvelle serviette de papier absorbant sur la tache et passez par-dessus un fer à repasser tiède (non chaud). Changez le papier dès qu'il est souillé.

Faites disparaître les marques de crayon avec du détachant à vêtements. Si elles ne partent pas, lavez-les avec une tasse d'eau additionnée d'une cuillerée à thé d'eau de javel. (N'oubliez pas d'essayer la solution dans un coin dissimulé, pour vérifier qu'elle n'endommagera pas le motif ou le papier.)

Les marques de crayon sur les revêtements de vinyle s'enlèvent avec une crème pour l'argenterie. Non dilué, le détergent liquide pour la vaisselle donne aussi de bons résultats dans ce cas-là.

Utilisez de l'eau de javel diluée pour enlever les taches d'encre sur un revêtement lavable. Frottez-les avec un coton-tige ou un coin de chiffon imbibé d'eau chlorée ; rincez à l'eau claire. Mais d'abord faites un test dans un coin dissimulé, car l'eau chlorée peut altérer les couleurs de certains revêtements.

CARREAUX DE CÉRAMIQUE

Faites disparaître la pellicule laissée par le savon sur les carreaux des sols et des murs. Utilisez un produit de nettoyage domestique (dilué ou non) ou une solution faite de 1 volume de vinaigre pour 4 volumes d'eau. Rincez et asséchez pour enlever les marques d'eau.

Lavez le mortier sale ou moisi avec une solution à blanchir (¾ tasse d'eau de javel dans 4,5 litres d'eau) et un chiffon, une éponge ou une brosse à dents. (Portez des gants de caoutchouc.) Rincez bien.

Frottez le mortier avec une gomme pour machine à écrire.

MURS LAMBRISSÉS

Pour nettoyer et faire reluire les murs lambrissés finis au vernis ou à la gomme laque et non cirés, appliquez un mélange de ½ tasse de térébenthine, ¾ tasse d'huile de lin bouillie et 1 c. à soupe de vinaigre. Attendez 15 minutes, puis essuyez avec un linge propre. Vérifiez avec le bout du doigt qu'il ne reste plus de traces du produit.

Dissimulez des égratignures dans le bois en appliquant un peu de cire transparente dans le sens du fil avec un coton-tige ou un chiffon. Sur du bois sombre, vous devrez peut-être appliquer un peu de teinture et cirer tout le pan de mur.

Pour empêcher les tableaux de laisser des marques foncées sur les lambris, collez des bouchons de liège dans les coins inférieurs des cadres, au dos, pour que l'air circule. Taillez-les pour que les cadres s'appuient parallèlement au mur.

ENTRETIEN GÉNÉRAL DES SOLS

Avant d'acheter des produits d'entretien, vérifiez la nature de vos sols. Si vous êtes dans le doute, consultez l'ancien propriétaire ou un spécialiste en revêtements de sols.

Quand vous faites installer un nouveau couvre-sol, conservez la documentation dans un dossier. Ou encore, écrivez le mode d'entretien sur une fiche et collez-la à l'intérieur de la porte de l'armoire où vous gardez les produits de nettoyage.

En passant le balai à franges ou l'aspirateur tous les jours, vous enlevez la fine suie qui, à la longue, s'incruste sur les couvre-sols. Vous espacez d'autant les grands ménages.

Le balai à franges ramasse mieux la poussière que le balai dur ; il est très efficace sur les finitions luisantes ou satinées des parquets en bois et sur tous les sols sans cirage. Pour accélérer le travail, achetez un balai à franges commercial de 45 cm.

Le balai à franges traité à l'huile peut abîmer un plancher ciré. Utilisez-en un non traité et aspergez-le d'eau s'il fait très sec dans la pièce. (Quelques gouttes suffisent.)

Si vous n'arrivez pas à nettoyer un sol avec le balai ou l'aspirateur, vous pouvez le laver à l'eau claire et tiède s'il est revêtu d'une finition protectrice. (Les pores des parquets en bois doivent être bien bouchés ; autrement, l'eau marque.)

LAVAGE DES SOLS

Utilisée en trop grande quantité, l'eau endommage les sols plus sûrement que l'usure. Elle pénètre dans les joints du parquet ou entre les carreaux, dissout les couches de finition, fait lever le fil du bois. Essorez la vadrouille jusqu'à ce qu'elle soit presque sèche.

En guise de seau, prenez la poubelle de cuisine. Vous la nettoierez du même coup.

Rincez avec une autre vadrouille que celle du lavage ; il y reste toujours un peu de solution nettoyante.

CIRAGE DES SOLS

Il est préférable d'appliquer sur les sols une couche de cire ou un produit quelconque de finition. Le parquet ciré s'entretient plus facilement que celui qui ne l'est pas ; il suffit d'y passer fréquemment la vadrouille humide et de le laver à fond de temps à autre seulement.

Donnez la préférence aux cires et finitions à base d'eau pour traiter les sols qui supportent l'eau (cela exclut le bois et le liège). Les cires à base de solvant conviennent à toutes les surfaces sauf aux dallages en caoutchouc.

Humectez le tampon ou le chiffon d'application avant de l'enduire de cire ; il en absorbe moins, étend mieux la cire et vous demande moins d'efforts.

Lorsque le parquet perd de son lustre — en règle générale, après six à huit cirages ou une fois par an —, il faut enlever la vieille cire.

Utilisez une raclette pour enlever la cire. Après avoir mouillé et bien frotté le sol avec un détergent ou un décapant à cire, raclez le liquide vers une pelle à poussière et videz-le dans un seau. Rincez la partie ainsi raclée à l'eau claire avec une vadrouille.

Si vous n'avez pas l'habitude de cirer les parquets, rappelez-vous qu'il est toujours préférable d'étendre peu de cire à la fois.

Pour éviter que la cire ne s'accumule le long des plinthes et sous les meubles, n'en mettez à ces endroits que tous les deux cirages.

Suivez cette méthode pour repérer les endroits que vous ne voulez pas cirer : par exemple, si vous ne voulez pas mettre de cire sous un meuble, après l'avoir déplacé, couvrez l'endroit de papier journal et cirez tout autour.

Les cires sans polissage durcissent vite. Lavez l'applicateur tout de suite après usage.

Pour rafraîchir la finition des parquets entre les cirages, glissez un morceau de papier ciré sous le balai à franges et passez-le tout autour de la pièce, mais après avoir bien enlevé la poussière : en collant au papier ciré, les particules de saleté risqueraient de faire des égratignures.

Les entrées ou les bas d'escalier sont des endroits qui s'usent vite. Donnez-leur le traitement suivant une ou deux fois par mois. Appliquez une mince couche de cire en pâte avec une étamine ; laissez sécher 15 minutes ; faites reluire. Répétez l'opération une ou deux heures plus tard.

PROTECTION DES SOLS

La maison demeure propre si vous stoppez la saleté dès l'entrée. Placez un essuie-pieds à l'extérieur de la porte d'entrée, un autre à l'intérieur. C'est très efficace.

Posez de petits tapis sur la moquette ou le parquet ciré dans les endroits très passants : dans la salle à manger, les corridors, le vivoir.

Collez des patins aux pieds des fauteuils et des meubles ; vous pourrez les déplacer sans égratigner la finition des sols.

Si vous devez déplacer un meuble lourd, montez-le sur une chute de tapis, poils dessous ; le déplacement se fera plus facilement et sans aucun danger pour les parquets.

Autre méthode, enfilez des chaussettes sur les pieds du meuble ou chaussez-le de quatre fonds de cartons de lait, propres.

COUVRE-SOLS SOUPLES

Au moment de choisir un nouveau revêtement de sol, rappelez-vous que les tons unis conservent plus difficilement leur beauté, tandis que les motifs à relief souligné ramassent la saleté.

Inutile de remplir un seau de solution nettoyante seulement pour laver le parquet de la salle de bains : vaporisez de désinfectant ; essuyez avec un chiffon ou un essuie-tout.

La teinte jaunâtre des produits à base de solvant peut modifier la couleur des revêtements souples pâles. Essayez le produit dans un coin pour vérifier qu'il n'endommage pas le couvre-sol et ne masque pas son coloris.

Si le revêtement est en mauvais état, appliquez deux fines couches de cire sans polissage à base d'eau ; laissez sécher au moins huit heures entre les couches.

Si le plancher craque sous les carreaux de céramique, vous pouvez vous débarrasser de ce son irritant en donnant des coups de marteau sur les carreaux là où vous entendez le craquement. Pour ne pas abîmer ceux-ci, mettez un tampon de bois entre le marteau et la céramique. Les coups de marteau peuvent suffire à assujettir les clous devenus lâches avec le temps.

Même si le revêtement est de qualité sans cirage, il aura plus belle allure si vous le traitez avec une cire à vinyle spéciale. Pour empêcher le produit de s'accumuler dans les creux, ne le versez pas sur le plancher. Mettez-en dans un contenant plat et trempez-y la vadrouille.

Enlevez de légères brûlures sur les sols de vinyle en les frottant avec une laine d'acier très fine.

Les carreaux de vinyle ont-ils tendance à lever sur les bords ? Appliquez un fer chaud sur ceux qui ont ce défaut pour ramollir l'adhésif au-dessous. Etalez de l'adhésif frais et laissez sécher en posant un objet lourd sur le carreau.

Les dalles de couvre-sol souple se posent bien plus facilement s'il fait au-dessus de 21°C (70°F) dans la pièce. En effet, exposées à la chaleur, elles s'assouplissent et se manipulent plus aisément. Laissez-les dans la pièce au moins 24 heures avant de procéder à la pose. Gardez la température au même degré durant la semaine qui suit.

REMPLACEMENT D'UN CARREAU DE VINYLE

1. Posez un fer chaud sur le vieux carreau pour ramollir le vieil adhésif. Décollez-le et enlevez-le avec un couteau à mastic en allant d'une fente au centre vers les bords.

2. Raclez le vieil adhésif. Essayez le nouveau carreau. Au besoin, taillez-le avec un couteau universel ou sablez-le pour qu'il s'ajuste bien. Etendez de l'adhésif frais sur le plancher.

3. Réchauffez le nouveau carreau avec le fer à repasser pour l'assouplir. Mettez-le en place sur l'adhésif frais. Posez dessus un objet lourd et laissez sécher.

TACHES (COUVRE-SOLS)

Enlevez les marques noires de talons de chaussures avec une gomme à effacer de machine à écrire.

Une forte solution d'eau chlorée peut faire disparaître la marque laissée par un tapis sur un couvre-plancher souple. (Faites un essai préalable.) En cas d'échec, frottez la tache avec de la fine laine d'acier et cirez.

ENTRETIEN DES PARQUETS DE BOIS

Pour empêcher une chaise berçante d'abîmer la finition du parquet, posez du ruban adhésif sous les lames de bois recourbées.

Enlevez la moisissure qui peut se former sur le bois du parquet avec du détachant à tissu ; si la moisissure s'est incrustée, employez un agent de blanchiment ou du désinfectant. Cirez pour redonner au bois son lustre. La moisissure étant causée par l'humidité, aérez la pièce fréquemment.

L'accumulation de vernis ou de cire donne souvent aux vieux parquets de bois une teinte jaune foncé. Pour restaurer leur beauté, il faut refaire la finition (pp. 446-448).

Les polis nettoyants à base de solvant enlèvent la cire en même temps que la saleté. Changez de tampon ou de chiffon d'application dès qu'il est sale.

NETTOYAGE DES PARQUETS DE BOIS

Pour nettoyer rapidement un parquet, essuyez-le avec une vadrouille humide bien essorée. Asséchez tout de suite. Si le parquet est en bois sombre, naturel ou teint, remplacez l'eau par du thé froid.

Pour nettoyer un parquet à fond, frottez-le avec une cire nettoyante liquide renfermant un solvant comme de la térébenthine ou un détachant non toxique. Aérez bien la pièce pendant l'opération.

TACHES SUR LE BOIS

Frottez les taches d'alcool, sur un parquet de bois, avec de la crème à argenterie ou un chiffon imbibé d'ammoniaque. Cirez.

Souhaitez-vous éliminer les points blancs qui apparaissent sur les parquets après le cirage ? Frottez-les avec de la cire liquide et de la laine d'acier très fine ; polissez avec un linge propre.

SOLS DE MAÇONNERIE

Pour faciliter l'entretien des sols de pierre, de brique ou de béton, recouvrez-les d'un apprêt spécial vendu dans les quincailleries. En effet, ces matériaux sont poreux ; ils absorbent les solutions nettoyantes.

Après avoir étendu le scellant, appliquez plusieurs couches d'un produit de finition (vernis liquide à l'acrylique ou cire en pâte) pour donner au sol un fini lisse et lustré.

Les planchers de maçonnerie ne sont pas à l'épreuve des produits corrosifs ; ils s'égratignent facilement. Lavez-les avec de l'eau et du bicarbonate de soude ou du détergent bien dilué.

Balayez-les avec les produits pour édifices commerciaux (on en trouve dans les quincailleries).

Pourquoi ne pas cirer le plancher de béton du garage ? Il se balaiera plus facilement et vous entrerez moins de saleté dans la maison. N'oubliez pas la couche d'apprêt au préalable.

Quand il y a des taches grasses sur le béton du patio, mouillez-les avant de les saupoudrer généreusement de détergent pour le lave-vaisselle. Après quelques minutes, rincez à l'eau bouillante.

Mouillez les sols de pierre à l'eau avant de les laver avec une solution nettoyante. Rincez-les bien ; en séchant sur place, la solution risque de faire lever des éclats.

Lavez les sols de brique ou de béton avec une vadrouille ; ils sont trop rugueux pour le balai-éponge.

Quand le mortier entre les carreaux de céramique est devenu sale, frottez-le avec du papier de verre.

NETTOYAGE DES RIDEAUX ET TENTURES

Lavez dans la baignoire les rideaux en fibre de verre. Vous vous épargnerez la tâche déplaisante de retirer de la machine à laver les petites fibres qui se détachent au lavage puisque la baignoire se rince à l'eau courante.

Pour rectifier la chute des rideaux après lavage, enfilez une tringle dans l'ourlet pour quelques jours.

N'oubliez pas de laver les tringles et de les cirer : crochets et rideaux glisseront comme un charme.

Avant d'envoyer rideaux ou tentures au nettoyage, marquez l'emplacement des crochets. Un petit trait de vernis à ongle coloré sur l'envers fait très bien l'affaire.

Quand les rideaux doivent être remis en place dans un certain ordre, identifiez les panneaux avec un fil de couleur sur l'envers, à hauteur de l'ourlet : un point pour le premier, deux pour le second, etc.

STORES À ENROULEUR

Pour nettoyer des stores lavables, étalez-les sur une surface propre et lavez-les avec une brosse ou un chiffon et de l'eau chaude additionnée de détergent. Rincez-les avec un chiffon propre et asséchez-les à fond avant de les enrouler.

Essayez de nettoyer les stores tachés et non lavables avec une gomme à effacer d'artiste.

Si la tension de l'enrouleur est trop grande, le store claque à la remontée. Pour corriger ce défaut, retirez le store, déroulez-le en partie et reposez-le. Recommencez au besoin.

Par contre, si la tension de l'enrouleur est insuffisante, il faut retendre le ressort. Retirez le rouleau de ses supports et enroulez le store à la main. Remettez le rouleau en place. Si la tension est encore insuffisante, répétez l'opération.

On peut retourner la toile d'un store usée ou tachée. Fixez la partie du bas au rouleau et faites un ourlet sur l'ancien haut.

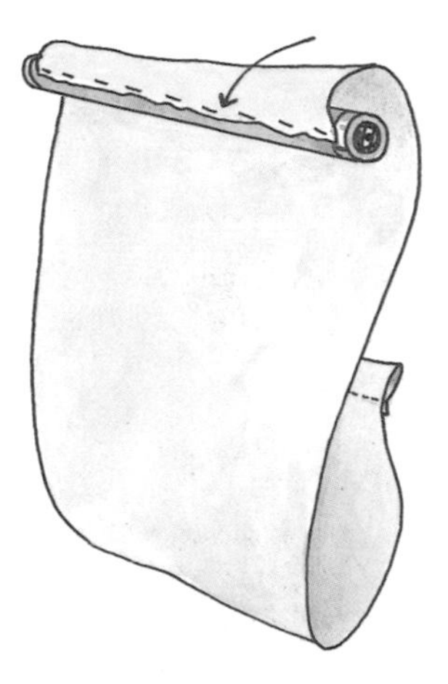

LE NETTOYAGE DES STORES VÉNITIENS

Pour nettoyer un store vénitien, il faut l'enlever de sa monture et le plonger dans une eau tiède additionnée de détergent dans la baignoire. Frottez si nécessaire. Lorsque les lames sont propres, rincez bien le store à l'eau claire et mettez-le à sécher sur la tringle du rideau de douche en étendant de vieilles serviettes par terre. Attendez que toutes les lames soient bien sèches avant de reposer le store.

Vous pouvez aussi étendre le store vénitien à plat sur une pièce de jute (de préférence dehors). Lavez-le d'un côté puis de l'autre avec du détergent bien dilué. Mettez-le sur la corde à linge et rincez-le au tuyau d'arrosage. Reposez-le quand il est bien sec.

STORES VÉNITIENS

Si vous n'avez pas l'accessoire spécial pour épousseter ces stores, mettez des gants de coton et passez la main sur les lames.

Retouchez les rubans blancs tachés avec du cirage liquide pour chaussures blanches.

LE REMPLACEMENT DES CORDONS ET RUBANS

1. Descendez le store vénitien, mettez les lames à l'horizontale, retirez les capuchons et la pièce métallique de la barre inférieure.
2. Dénouez, enlevez les glands, dégagez les cordons des lames sans les sortir des poulies. Renouez.
3. Retirez les lames une à une.
4. Détachez les rubans des agrafes qui les retiennent aux barres du haut et du bas et remplacez-les.
5. Installez le nouveau cordon sur les poulies en suivant l'ancien ; tirez-le.
6. Remettez les lames en place et enfilez-y le nouveau cordon en alternant d'un côté à l'autre des échelons.

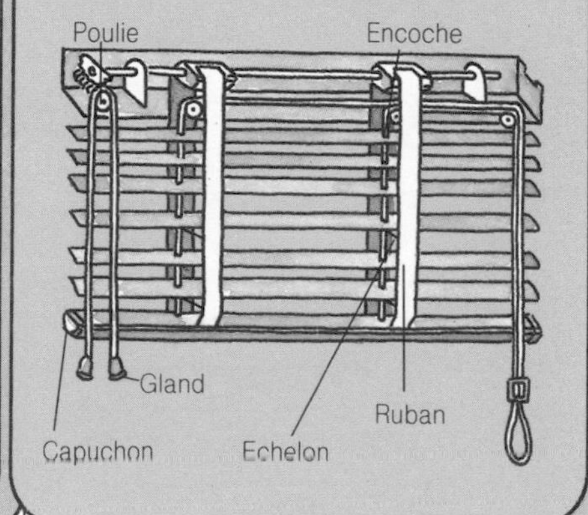

AVANT DE LAVER LES FENÊTRES

Choisissez une journée nuageuse mais sans pluie. Le soleil fait sécher la solution nettoyante avant que vous ayez le temps de l'essuyer.

Nettoyez à l'aspirateur les cadres et les rebords des fenêtres. Enlevez la poussière, la suie, les toiles d'araignée et les insectes morts.

Si vous vivez dans une maison à étages ou dans les étages supérieurs d'un immeuble, vous ferez peut-être bien de recourir aux services d'une maison spécialisée. Laver vous-même les fenêtres vous exposerait à des risques inutiles.

Lorsque vous en êtes rendu à laver l'extérieur des fenêtres à guillotine, ne vous assoyez pas sur le rebord. Levez et baissez les deux parties de façon à nettoyer le cadre extérieur de l'intérieur.

Les spécialistes utilisent de l'eau tiède et claire. Si vos vitres sont très sales, mettez 2 ou 3 c. à soupe de vinaigre ou d'ammoniaque dans 4,5 litres d'eau. L'un ou l'autre ; ensemble, ils se neutralisent.

La mousse d'ammoniaque laisse des marques sur les vitres. Utilisez plutôt de l'ammoniaque ordinaire.

Le meilleur produit pour nettoyer les carreaux de fenêtres se trouve dans votre pharmacie. C'est l'alcool à friction ; il enlève facilement la saleté et laisse les vitres claires comme du cristal.

Si vous avez beaucoup de fenêtres à laver, achetez une raclette de professionnel à support d'acier inoxydable ou de laiton. Quand la lame de caoutchouc est usée, retirez-la et enfilez-la dans l'autre sens.

Les petits carreaux se lavent plus facilement si vous vous fabriquez une raclette de la bonne grandeur. Retirez la lame de caoutchouc de son support métallique et taillez-la pour qu'elle soit à peine plus grande que la largeur du carreau. Avec une scie à métaux, coupez le support pour lui donner la même largeur que le carreau.

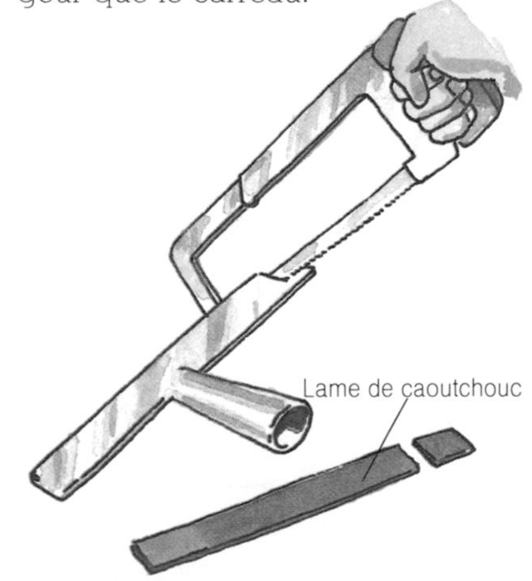

LAVAGE ET SÉCHAGE DES CARREAUX

Voici un petit truc pratique pour savoir si les taches qui restent sur la vitre sont en dehors ou en dedans. Passez votre chiffon à l'horizontale sur l'une des deux surfaces, à la verticale sur l'autre.

Employez un coton-tige imbibé de solution nettoyante pour laver les coins des petits carreaux.

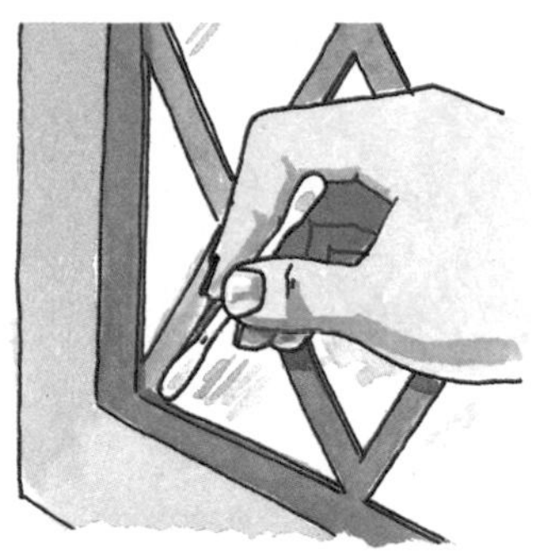

Des journaux chiffonnés assèchent aussi bien les vitres que des serviettes de papier et ne coûtent rien. Portez des gants de caoutchouc pour ne pas vous tacher les mains.

Si les carreaux sont très sales, ajoutez 1 c. à soupe d'alcool méthylique à l'eau du lavage. Par temps froid, cet alcool empêche aussi l'eau de geler avant que vous ayez terminé le travail.

CAS SPÉCIAUX

Vous avez du mal à enlever la peinture séchée sur les vitres ? Ramollissez-la avec de l'eau savonneuse ou du vinaigre tiède. Puis grattez-la avec une lame de rasoir introduite dans un grattoir.

LAVAGE D'UNE FENÊTRE À LA RACLETTE

Avec un vaporisateur, une éponge propre ou une brosse à soies souples, étalez la solution nettoyante sur toute la vitre. Essuyez la lame de la raclette avec un chiffon ou un chamois humide : elle glissera plus facilement.

1. Placez la raclette à angle droit. Appuyez-la dans un coin du carreau et promenez-la à l'horizontale vers l'autre côté.

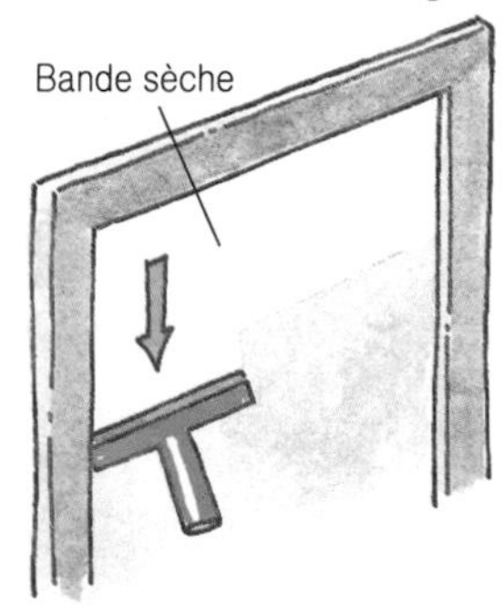

2. Essuyez la lame. Placez la raclette à l'extrémité de la bande sèche mais dans l'autre sens et raclez à la verticale.

3. Répétez en empiétant toujours un peu sur la partie sèche. Épongez les gouttelettes d'eau avec un chiffon propre.

Pour enlever l'oxydation déposée sur les vitres par les cadres de fenêtre en aluminium, employez de la poudre à récurer, un détergent doux ou de la laine d'acier fine. Terminez avec de la cire en pâte pour automobile. Recirez chaque année.

Si vous voulez faire disparaître les dépôts laissés par l'eau calcaire sur vos fenêtres, servez-vous de vinaigre non dilué. Frottez les taches doucement en vous aidant d'un tampon non abrasif en nylon. Et terminez le lavage avec une raclette.

POSE D'UN CARREAU

Enfilez des gants épais et ôtez les débris de vitre. Enlevez le vieux mastic (après l'avoir ramolli avec un sèche-cheveux au besoin) et arrachez les pointes de vitrier avec une pince. Poncez toutes les surfaces. Achetez un nouveau carreau en prévoyant un jeu de 3 mm dans les deux sens. Posez sur les feuillures de l'huile de lin ou de la peinture à l'alkyde diluée pour empêcher le bois d'absorber l'huile du mastic.

1. Posez une mince assise de mastic sur les quatre feuillures pour bien asseoir le carreau et combler tous les vides.

2. Installez le carreau dans le mastic et enfoncez les pointes de vitrier à mi-chemin dans les feuillures en les espaçant de 10 à 15 cm.

3. Façonnez des cordons de mastic de 1 cm de diamètre environ et pressez-les dans les feuillures autour de la vitre.

4. En tenant le couteau à mastic de biais, passez-le sur les cordons de mastic pour les façonner en biseau.

5. Laissez le mastic sécher une semaine avant d'appliquer la peinture. Débordez de 1 mm sur la vitre pour bien l'étanchéiser.

En bordure de mer, lavez les dépôts de sel sur les fenêtres avec de l'alcool dénaturé.

S'il s'est accumulé de la peinture dans les rainures d'une fenêtre à guillotine, passez un large couteau à mastic (jamais un tournevis) entre le séparateur et le châssis pour briser la résistance. Il vous faudra peut-être donner quelques coups de marteau pour le faire entrer.

Enlevez la peinture séchée sur des vitres à texture rugueuse avec du décapant. N'en mettez pas sur le rebord de la fenêtre ni dans les coulisseaux. Essuyez tout de suite.

Frottez les coulisseaux des fenêtres à guillotine qui glissent mal avec de la laine d'acier. Retirez les débris et graissez les coulisseaux avec du savon, de la paraffine ou un produit à la silicone.

MOUSTIQUAIRES

Pour laver les moustiquaires, mettez-les à plat sur une table couverte d'un vieux drap. Brossez-les doucement ; rincez-les au boyau d'arrosage et secouez-les pour enlever l'excès d'eau.

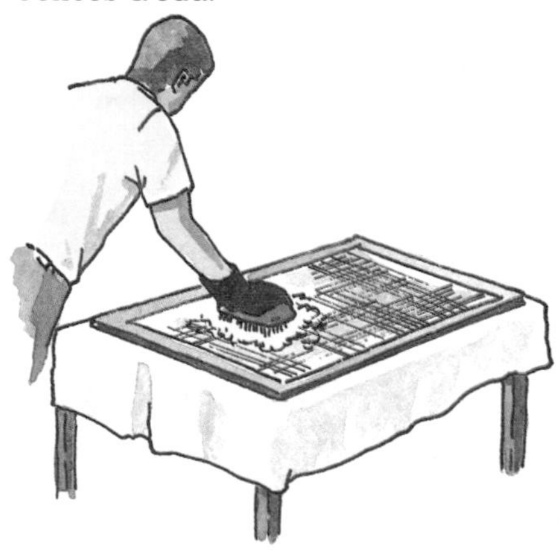

RÉPARATION D'UNE CORDE DE COULISSEAU

Si, dans une fenêtre à guillotine, vous remplacez la corde d'un coulisseau par un dispositif à contrepoids vendu en quincaillerie, vous éliminez les problèmes de cordes ou de chaînes brisées. Installez le dispositif dans l'alvéole de la poulie après avoir retiré celle-ci. Pour choisir un ressort de la bonne dimension, consultez le tableau qui accompagne le dispositif.

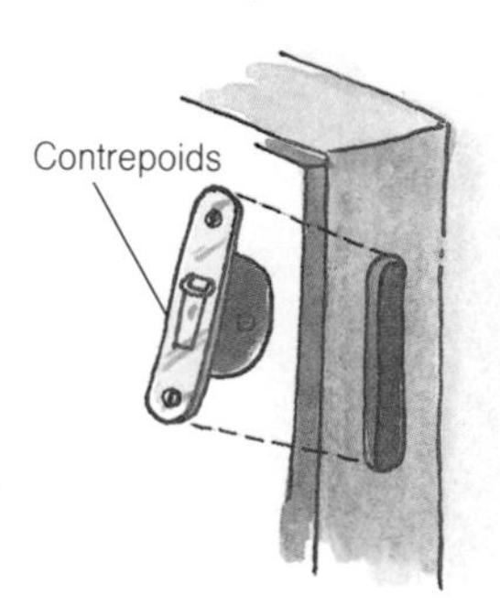

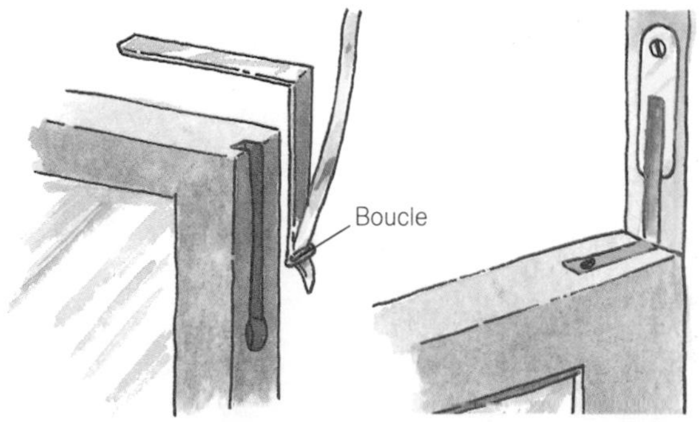

1. Insérez et vissez le dispositif à contrepoids à l'intérieur de l'alvéole de la poulie.

2. Attachez la boucle à l'extrémité du ruban sur le crochet de l'équerre de fixation.

3. Fixez la branche horizontale de l'équerre sur la traverse du haut, avec des vis à tête plate.

Quand les moustiquaires sont sales, elles font obstacle à la lumière et tachent les vitres quand il pleut. Sans les enlever, brossez-les ou nettoyez-les à l'aspirateur de temps à autre.

Si vous découvrez un petit trou, il n'est pas nécessaire d'y poser une pièce. Obstruez-le avec de la colle à base de caoutchouc ou du vernis à ongles incolore. (Autres suggestions, pp. 173-174.)

FENÊTRES ET ÉNERGIE SOLAIRE

Dès que le froid prend, laissez entrer le plus de soleil possible. Retirez et rangez les moustiquaires. Quand il fait beau, remontez les stores, ouvrez les rideaux, écartez les tentures. Taillez arbres et arbustes pour laisser passer les rayons du soleil.

Les rideaux de teinte claire conservent mieux la chaleur d'une pièce que ceux de teinte foncée, parce qu'ils réfléchissent la lumière du soleil à l'intérieur. Doublez-les d'acétate ou d'acrylique pour qu'ils empêchent l'air chaud de sortir par les fenêtres.

Pour retenir l'air, coiffez les tentures d'une pièce du même tissu fixée au cadre de la fenêtre, plusieurs centimètres au-dessus de la tringle.

PORTE RÉCALCITRANTE

Avant de réparer une porte trop serrée, attendez que le temps soit frais et sec, car le problème peut être causé par l'humidité ambiante.

Si la porte frotte en tout temps, voyez s'il n'y a pas lieu de resserrer les vis des charnières ou de rajuster la gâche (p. 190).

Avant de repeindre une porte, sablez le pourtour pour éviter les accumulations de peinture. C'est très souvent ce qui la rend récalcitrante.

Rabotez toujours dans le sens du fil et toujours des extrémités vers le centre, en haut comme en bas. Quand vous avez terminé, posez une règle sur le bord de la porte et sablez toutes les irrégularités.

PORTES COULISSANTES

Achetez des portes coulissantes en vitre munies d'un cadre isolant en aluminium qui empêche le froid d'entrer dans la maison.

Quand une porte coulissante grince, vérifiez les guides inférieurs et remplacez-les si nécessaire.

PORTE QUI COINCE

Des charnières lâches, le renflement du cadre ou l'affaissement de la maison peuvent rendre les portes récalcitrantes. Pour localiser l'endroit où une porte coince, fermez-la et glissez un carton léger entre la porte et le chambranle. Temporairement, mettez du savon aux endroits où elle frotte.

Pour rectifier une charnière mal posée, insérez un coin sous la porte, du côté de la serrure, pour la stabiliser. Si la porte coince dans le haut, retirez les vis qui fixent la patte de la charnière du bas dans le chambranle, glissez une cale de carton sous la charnière et revissez. Si elle coince dans le bas, retirez les vis qui fixent la charnière du haut dans le chambranle ; glissez une cale sous la charnière et revissez.

Si la porte continue de frotter dans le haut ou dans le bas une fois que la charnière jugée fautive a été rectifiée, poncez ou rabotez le point de friction (il aura perdu sa peinture). Nouvel échec ? Il ne reste plus qu'à enlever la porte et à en raboter tout le côté.

Avec un crayon à mine, tracez une ligne sur le côté qui frotte à 3 mm du bord de la porte. Si c'est dans le haut ou sur le dessus que ça frotte, calez la porte quand vous la raboterez jusqu'à la ligne. Si elle coince dans le bas du chambranle ou sur le dessous, retirez-la de ses charnières pour raboter. Dans les deux cas, appliquez un apprêt sur le bois mis à nu et refaites la peinture pour protéger de l'humidité.

Si la porte pliante qui ferme votre penderie frotte sur le parquet, desserrez la vis de réglage derrière le galet et remontez ou abaissez la porte pour que son bord soit parallèle au plancher. Revissez.

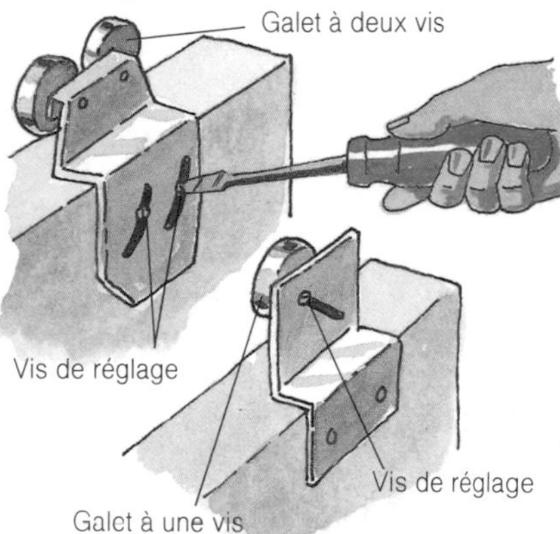

Pour nettoyer le rail, vaporisez un produit de nettoyage domestique sur un chiffon de coton éponge ; gainez-en un vieux tournevis que vous promènerez dans le rail.

Lubrifiez les portes coulissantes en vitre avec de la poudre de graphite ou un produit à la silicone (pas d'huile, car elle retient la poussière).

AUTRES PROBLÈMES

Pour rectifier une porte qui s'incurve légèrement au centre, posez-la à plat sur des tréteaux et déposez des objets lourds sur sa partie renflée. Laissez-la ainsi tant qu'elle n'est pas redevenue droite.

Pour retirer la fiche d'une charnière, soulevez-la avec un tournevis en donnant quelques légers coups de marteau. Retirez en premier la fiche de la charnière du bas. Mettez de l'huile pénétrante si la fiche est rouillée.

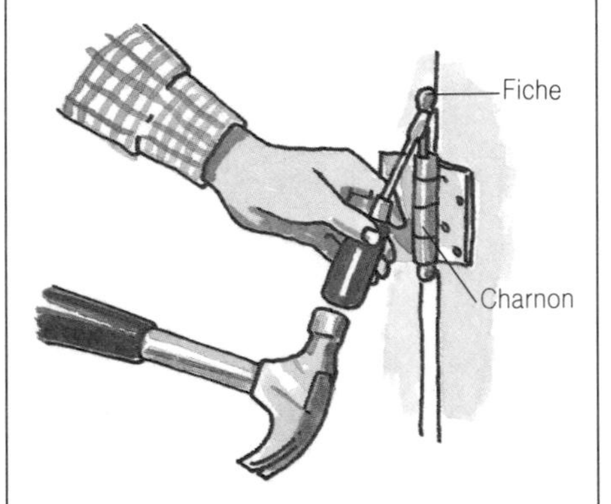

Voulez-vous faire taire une porte qui grince ? Retirez la fiche de la charnière fautive, lubrifiez les charnons avec de l'huile ordinaire ou un produit à la silicone et remettez la fiche. Faites jouer la porte pour que l'huile se répande.

Voici comment régler le cas d'une porte légèrement gauchie sans la démonter. Ajoutez une troisième charnière là où la porte s'incurve. La pression finira par la rectifier.

ACHAT D'UN ASPIRATEUR

Avant d'aller au magasin, faites la liste des articles que vous aurez à nettoyer : tapis, parquets de bois franc, fauteuils, divans, tentures. Choisissez un modèle comportant les accessoires nécessaires (p. 93).

LE CHOIX D'UN ASPIRATEUR

Type	Usages	Avantages	Défauts
Traîneau	Combiné balai-brosse ; planchers ; tapis à poils courts	La meilleure aspiration hors sol ; accessoires multiples	Dépourvu d'une brosse à double effet pour les tapis
Traîneau à électro-balai	Combiné balai-brosse ; extirpe la saleté des tapis	La meilleure aspiration hors sol et sur sol	Accessoires à installer selon la tâche
Balai avec accessoires	Idéal pour moquettes et tapis robustes ; petits travaux hors sol	Meilleure brosse à double effet pour tapis ; s'adapte à la hauteur des poils ; efficace pour travaux hors sol	Accessoires à installer selon la tâche
Système central (intégré)	Combiné balai-brosse ; nettoyage des tapis	Silencieux ; pas d'appareil lourd à traîner	Système coûteux ; parfois dépourvu de brosse à double effet
D'atelier	Combiné balai-brosse ; tapis ; capable d'aspirer des liquides	Très polyvalent ; comporte un accessoire spécial pour les travaux difficiles	Bac à vider, à laver et à assécher après usage
Mini-aspirateur	Petits travaux de nettoyage ; atteint les coins difficiles	Pratique et peu encombrant ; vendu sans fil	Non recommandé pour les grandes surfaces et les gros travaux ; modèles sans fil à recharger

Pour vérifier la puissance d'un aspirateur, voyez s'il peut aspirer une substance granuleuse comme du sable ou du sel répandu sur un tapis. Assurez-vous que les grains n'ont pas tout simplement passé au travers du tapis : regardez dessous.

Plus l'aspirateur offre de commodités, plus il économise du temps et de l'énergie. Donnez la préférence à un appareil léger pourvu d'un long cordon, de commandes simples, de plusieurs accessoires et dont le sac se change facilement.

L'aspiration ne suffit pas à retirer d'un tapis la poussière qui s'y est incrustée ? Il vous faut un aspirateur muni d'une brosse à battes rotative.

ASPIRATEUR : ENTRETIEN ET RÉPARATION

L'aspirateur dont le sac est plein perd beaucoup de sa puissance. Changez-le ou videz-le sans retard.

La mousse, les cheveux, les fils qui se prennent dans les soies des brosses en limitent l'efficacité. Nettoyez-les avec le tuyau de l'aspirateur. Coupez les fils emmêlés avec des ciseaux ou démêlez-les après avoir débranché l'appareil.

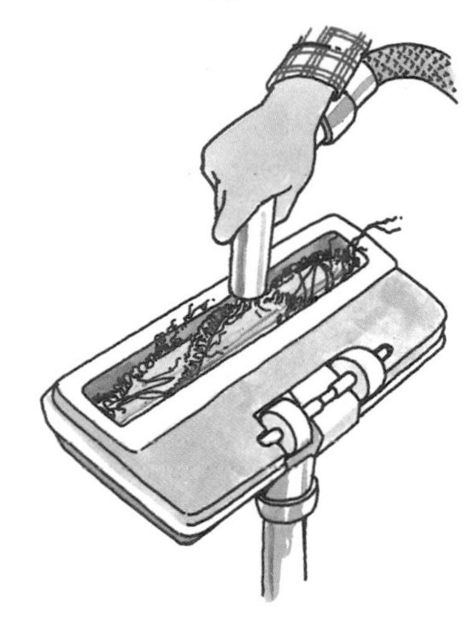

Il y a un trou dans le tuyau ? Enroulez du ruban gommé isolant pardessus la perforation.

PROBLÈMES D'ASPIRATEUR : QUOI FAIRE AVANT D'APPELER LE RÉPARATEUR

Attention : Avant de faire quoi que ce soit, débranchez l'appareil.

Problème	Cause possible	Solution
Le moteur tourne mais l'aspiration est insuffisante	Sac plein	Changer ou vider le sac
	Filtre encrassé	Le nettoyer ou le remplacer
	Tuyau mal branché	Rebrancher le tuyau
	Tuyau, tubes ou accessoires obstrués	Enlever ce qui bloque
	Tuyau, tubes ou accessoires qui fuient	Poser du ruban gommé isolant
	Ventilateur bloqué	Enlever l'objet qui bloque
L'aspirateur fait sauter les fusibles	Circuit surchargé	Eteindre autres appareils
	Court-circuit cordon ou fiche	Remplacer le cordon (p. 160)
	Court-circuit cordon du manche	Remplacer le cordon du manche

Problème	Cause possible	Solution
Le moteur ne marche pas	Cordon mal branché	Le rebrancher fermement
	Pas de courant à la prise	Remplacer le fusible ou réenclencher le disjoncteur
	Interrupteur défectueux	Remplacer l'interrupteur
	Cordon défectueux	Remplacer le cordon (p. 160)
	Cordon du manche défectueux	Remplacer le cordon du manche
	Ventilateur bloqué	Enlever l'objet qui bloque
L'aspirateur est bruyant	Pièces lâches dans l'électro-balai	Régler ou remplacer les pièces
Chocs électriques	Cordon détérioré	Remplacer le cordon (p. 160)

Ne pliez pas le tuyau pour le ranger : vous risquez d'endommager les fibres de la gaine ou l'armature métallique. Installez-le à cheval sur deux crochets dans un placard.

AVANT LE MÉNAGE

Ramassez les petits objets durs — épingles, boutons, pièces de monnaie — qui peuvent obstruer le tuyau et le filtre ou endommager le ventilateur et le moteur.

Sortez les chaises, les poufs et les corbeilles à papier ou posez-les sur les gros meubles pour limiter les déplacements d'objets.

Réglez la hauteur des brosses de l'aspirateur-balai de façon à leur assurer un contact étroit avec le tapis. Trop basses, elles rendent l'aspirateur difficile à déplacer. Trop hautes, l'aspiration se fait non pas au travers des poils mais au-dessus d'eux et les brosses n'atteignent pas la saleté incrustée dans le tapis.

NETTOYAGE DES TAPIS

On avait coutume autrefois d'étendre les tapis sur la corde à linge pour les battre. Cette méthode abîme le support des tapis. Nettoyez-les plutôt à l'aspirateur.

Passez l'aspirateur une fois par semaine, le mini-aspirateur tous les jours là où l'on marche beaucoup.

Vous profiterez de toute la puissance de votre appareil si vous travaillez lentement dans un mouvement de va-et-vient parallèle, en passant plusieurs fois au même endroit.

Le tapis est généralement plus sale devant un divan ou un fauteuil qu'ailleurs. En s'assoyant, les gens se frottent les pieds, détachent la saleté collée à leurs chaussures et l'incrustent dans les poils du tapis.

LES ACCESSOIRES DE L'ASPIRATEUR

Fini l'alpinisme pour nettoyer les plafonds. Prenez les tubes rallonges et la brosse de l'aspirateur pour gober toiles d'araignée et araignées.

Le suceur plat est idéal pour passer autour des pieds des chaises et nettoyer la base des meubles difficiles à déplacer.

Passez la brosse à parquets sur les tapis d'extérieur ou d'intérieur à poils courts. Passez-la aussi sur les tapis tressés ou cousus que pourraient endommager les brosses mobiles de l'électro-balai.

LAVAGE DES TAPIS

Gardez une chute de vos moquettes. Comparez les couleurs. Quand la moquette est plus foncée que la chute, pensez à la laver.

Si vous avez beaucoup de tapis à nettoyer, louez un appareil à vapeur (p. 94) dans un supermarché. Il est plus efficace que les petits appareils domestiques et moins coûteux que les services des maisons spécialisées. Préparez les pièces de manière à n'avoir à louer l'appareil que pour une seule journée.

Avez-vous un petit enfant qui se traîne à quatre pattes dans la maison ? Attendez qu'il sache marcher pour laver les tapis, car vous devez employer des produits chimiques qui sont irritants et toxiques.

Utilisez une mousse sèche de préférence aux shampooings liquides qui, parfois, tachent les tapis délicats ou à mèches.

ACCESSOIRES D'ASPIRATEUR

Accessoire	Usages	Remarques
Brosse à tapis	Tapis usés ou à poils courts	S'articule pour aller autour des meubles ou dessous
Brosse à parquets 	Bois franc, maçonnerie, planches	La remplacer quand elle s'use pour ne pas égratigner le bois franc
Suceur à meubles 	Meubles en tissu, tentures, vêtements, matelas, intérieurs d'auto, tapis d'escalier, murs	Le couvrir d'un chiffon doux pour épousseter les surfaces délicates
Brosse à épousseter 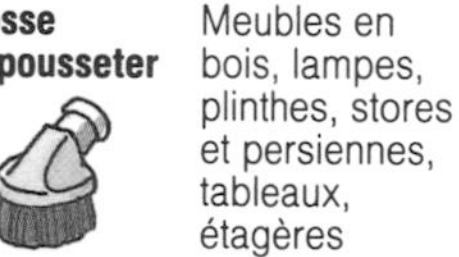	Meubles en bois, lampes, plinthes, stores et persiennes, tableaux, étagères	La couvrir d'un chiffon doux pour épousseter les surfaces délicates
Suceur plat 	Radiateurs, bords de tapis, coussins, coulisseaux de fenêtres, grille de réfrigérateur	L'essuyer après usage
Electro-balai 	Moquettes et tapis robustes	Les brosses mobiles doivent couvrir la largeur du balai

Certaines maisons spécialisées consentent des rabais lorsque vous acceptez de sortir vous-même tous les meubles de la pièce.

Voici comment rafraîchir un tapis qui n'est pas en laine sans lui donner un shampooing. Passez l'aspirateur. Mettez ½ tasse d'ammoniaque claire dans 1 litre d'eau ; essayez la formule sur un coin du tapis. S'il ne se produit pas de décoloration, imbibez un balai-éponge de solution, exprimez l'excès de liquide et passez-le sans appuyer sur toute la surface du tapis.

Si vous devez rentrer les meubles dans la pièce alors que le tapis est encore humide, posez des dessous-de-verre sous les pieds pour ne pas tacher ou écraser les poils.

TAPIS : SHAMPOOING

Les tapis petits ou peu souillés se nettoient avec une mousse en aérosol.

Commencez par ouvrir les fenêtres pour aérer la pièce et accélérer le séchage. Enlevez tous les meubles ; si vous en laissez, protégez leurs pieds avec du papier d'aluminium. Passez le tapis à l'aspirateur. Prétraitez les taches et les endroits sales (voir nettoyage des taches, pp. 282-283).

Secouez vigoureusement le bidon et faites un essai dans un coin habituellement dissimulé. Si les couleurs ne changent pas, tenez le bidon à l'envers et déposez une couche fine et uniforme de mousse sur tout le tapis. Laissez-la sécher. Mettez un sac neuf dans l'aspirateur et passez-le.

NETTOYAGE DES TAPIS EN PROFONDEUR

Chacune des méthodes présentées ici a ses avantages et ses inconvénients. Les renseignements qui suivent vous permettront de faire un choix éclairé. Commencez toujours par passer le tapis à l'aspirateur, de préférence avec un électro-balai .

Méthode	Technique	Remarques
Brosses rotatives avec shampooing	Déplacez constamment l'appareil en mouillant le tapis ; laissez sécher plusieurs heures ; enlevez les résidus de shampooing à l'aspirateur	Les brosses rotatives peuvent abîmer laine, coton ou acrylique, tapis tressés ou cousus ; trop de liquide peut décolorer ou faire rétrécir les fibres
Nettoyage à sec	Saupoudrez les granules et brossez-les dans le tapis ; attendez une heure ; passez l'aspirateur	Efficace contre la saleté graisseuse ; moins efficace pour la saleté sèche ; facile à utiliser
Nettoyage à la vapeur	Déplacez constamment l'appareil en W ; relâchez de la vapeur à l'aller, enlevez l'humidité au retour ; pour les tapis très sales, recommencez dans l'autre sens	Efficace pour laine, longues mèches et tapis très sales ; à 65°C (150°F), l'eau peut faire rétrécir la laine ; trop de liquide endommage les planchers et favorise la moisissure

NETTOYAGE SAISONNIER

Roulez les tapis et sortez-les pour les aérer. Roulez les tapis délicats sur l'envers pour ne pas abîmer les poils ; les autres, sur l'endroit.

Dehors, étendez les tapis sur une surface plane, comme une terrasse ou une entrée de garage. Choisissez un endroit ombragé ; au soleil, les coloris se fanent.

Deux fois par an, nettoyez à l'aspirateur la thibaude et le plancher. Comme cela ne peut se faire dans le cas d'une moquette, balayez celle-ci plus souvent et plus soigneusement à l'aspirateur.

PRÉSERVATION DES TAPIS

Tournez périodiquement les tapis pour qu'ils s'usent et se salissent de façon égale.

Les produits chimiques contenus dans les polis à meubles font parfois virer au vert ou au bleu les coloris rouges des tapis. Avant de les appliquer, étalez des journaux autour des pieds ou à la base des meubles.

Pour empêcher les coutures et les bords de s'effilocher, brossez-les avec de la résine liquide vendue dans les boutiques de tissus ou de matériel d'artiste. En séchant, elle fixe les fibres.

C'est toujours à la périphérie que s'use d'abord un tapis tressé. Pour le protéger, posez un biais autour.

Voici comment prolonger la durée d'un tapis d'escalier. Au moment de l'installation, ménagez un pli de 30 cm sous une ou deux contremarches dans le haut de l'escalier. Quand les girons commencent à s'user, déplacez le tapis de 2 à 5 cm vers le bas. Repliez l'excédent sous la dernière contremarche, au pied de l'escalier, ou coupez-le.

PROBLÈMES SPÉCIAUX

Conservez toujours l'étiquette du fabricant : vous pourrez préciser au vendeur la marque du tapis, le numéro du modèle, la qualité et la nature des fibres. (Voir suggestions sur le choix des tapis, pp. 424-425.)

En cas d'accident sur un tapis, il faut agir rapidement. Epongez tout de suite la tache avec des serviettes de papier ou des linges blancs. Ramassez les dépôts solides avec une cuiller. Couvrez la tache d'une serviette blanche et d'une pellicule de plastique ou de papier d'aluminium. Posez des livres par-dessus. Si l'endroit est encore humide le lendemain, répétez l'opération avec une serviette sèche.

Quand il s'agit d'un liquide coloré, plongez une serviette blanche dans une solution de 1 c. à soupe de détergent liquide pour la vaisselle ou ½ tasse de vinaigre blanc et ½ tasse d'eau tiède. Imbibez et épongez la tache à plusieurs reprises, tant que le tapis n'a pas retrouvé sa couleur. Etalez ensuite une serviette blanche et propre sur la tache pendant qu'elle sèche. (En cas d'échec, consultez le tableau sur le traitement des taches, pp. 282-283.)

Une mauvaise odeur persistante sur le tapis sans raison apparente ? Pensez à votre animal de compagnie. Regardez sous les fauteuils, les divans et les lits. (Voir p. 248 quelques conseils à ce sujet.)

Les désodorisants parfumés pour tapis ont un double effet ; ils donnent bonne odeur aux tapis et à l'aspirateur.

Faites disparaître les laines tirées et effilochées en les coupant à ras aux ciseaux. Ne tirez pas : vous pourriez endommager le tissage.

COMMENT RÉPARER UN TROU DANS UN TAPIS

1. Otez la partie endommagée en découpant tout autour un carré ou un rectangle avec un couteau universel. Prenez soin de faire une coupe nette et droite, sans reprise. Passez à travers l'envers, mais n'entamez ni la thibaude, ni le parquet.

2. En vous servant de la pièce abîmée comme modèle, découpez une pièce identique à la première en respectant le sens du poil et le motif. (S'il ne vous reste pas de chutes, achetez un peu de tapis là où vous avez obtenu le premier.)

3. Etalez une couche mince de colle à tapis sous la pièce et sur les bords du tapis et de la pièce. Mettez en place, appuyez et peignez les poils avec vos doigts pour faire disparaître les joints. Laissez sécher plusieurs heures et passez l'aspirateur.

Pour éliminer les marques laissées par les pieds des meubles, posez une serviette de bain humide sur le creux et repassez doucement au fer. Quand la serviette est sèche à cet endroit, le creux a disparu.

Les faux plis dans les moquettes peuvent avoir plusieurs causes. S'il s'agit d'un défaut dans la pose, faites revenir les installateurs. Si vous avez traîné sur le tapis des meubles lourds, soulevez-les et lissez les plis du tapis vers une partie intacte. Si les faux plis proviennent d'un excès d'eau durant le nettoyage du tapis, humidifiez la région et posez un objet plat et lourd dessus pendant qu'elle sèche.

Les tapis traités contre l'électricité statique attirent la poussière facilement. Mieux vaut garder un humidificateur dans la pièce durant les mois d'hiver.

Pour prévenir les accidents, fixez les tapis et les carpettes au parquet. Posez du ruban encollé sur les deux faces sous les coutures et les bords.

Ne glissez pas les cordons électriques des lampes sous les tapis. Faites-les courir le long des murs et dissimulez-les avec des couvre-cordons vendus dans les boutiques d'accessoires électriques.

BRÛLURES DANS LES TAPIS

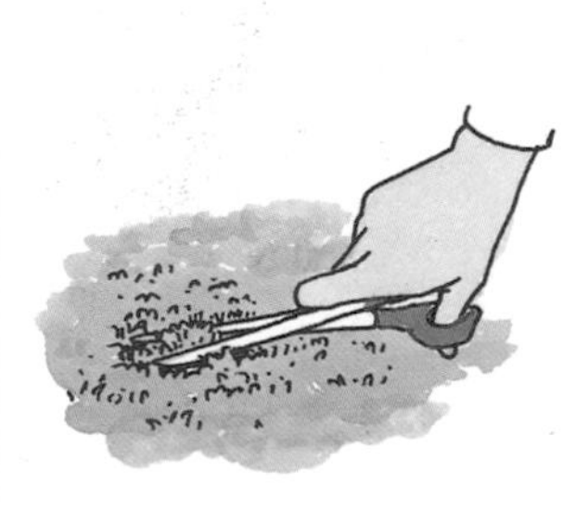

1. Coupez les fibres noircies avec des ciseaux; mettez de la colle au caoutchouc dans le fond du trou avec un coton-tige.

2. Coupez quelques touffes de poils dans un coin peu visible; enduisez de colle leurs extrémités et entoncez-les dans le trou.

3. Redressez les poils avec une épingle. La colle sèche, peignez-les avec l'épingle pour qu'ils se fondent aux autres.

Même si l'électro-balai d'un aspirateur ne paraît pas indiqué pour nettoyer le tapis d'escalier, c'est ce qu'il y a de mieux pour enlever la saleté incrustée au centre des marches. Les côtés sont moins sales ; utilisez le petit suceur, le mini-aspirateur ou un linge humide.

Nettoyez les franges des tapis avec la brosse à épousseter en mettant l'intensité de la succion de l'appareil au minimum. Le mini-aspirateur est encore mieux indiqué.

Voici comment redresser un tapis sans l'aide de personne. Placez-vous au centre, à une extrémité, et roulez le tapis sur lui-même uniformément. Surveillez la thibaude, elle doit demeurer à plat sans changer de position. Soulevez et laissez tomber le tapis, une extrémité à la fois, jusqu'à ce qu'il soit en ligne avec la thibaude. Déroulez-le partiellement. Lorsqu'il est bien en place à un bout, posez dessus des objets lourds et continuez à le dérouler lentement.

TAPIS D'ORIENT

S'ils ont besoin d'être nettoyés, n'essayez pas de faire le travail vous-même. Adressez-vous à une maison spécialisée.

Ne coupez pas les franges abîmées ; vous risqueriez de défaire tout le tapis. Réunissez-en quelques-unes à la fois avec un seul nœud laissé lâche. Quand toutes les franges ont été ainsi réunies, resserrez les nœuds à la même hauteur.

Ne rangez pas un tapis de valeur sans qu'il soit propre et sec. Roulez-le et enveloppez-le dans du papier brun. Rangez-le dans un endroit sombre et bien aéré dont la température se maintient entre 5° et 16°C (41°-60°F). Autrement, confiez-le à une entreprise d'entreposage.

AVANT DE PASSER L'ASPIRATEUR

Commencez par mettre de l'ordre dans la pièce que vous allez nettoyer. Armez-vous d'un sac en plastique pour vider corbeilles et cendriers. Puis, mettez dans un panier à linge ou dans une boîte de carton les objets à ranger ; vous vous en occuperez après le ménage.

Effectuez en premier lieu les travaux qui soulèvent de la poussière ; adoptez l'ordre suivant : plafond, murs, fenêtres, portes, stores, tentures, lampes, radiateurs, étagères, divans et fauteuils, parquet, tapis.

SOIN DES MEUBLES

Prenez une bonne provision de chiffons propres et doux, vieux draps ou étamine, pour épousseter les meubles. Repliez-les souvent, car il suffit d'un grain de poussière pour égratigner les surfaces. Humectez-les d'un produit spécial qui retient la poussière.

Frottez les meubles en bois avec le mélange suivant : 10 gouttes d'extrait de citron dans un litre d'huile minérale. Utilisez-en peu à la fois ; puis, polissez avec un chiffon doux. (Voir aussi l'entretien des meubles, pp. 449-451.)

Les housses en plastique ne sont pas seulement froides, désagréables et laides ; elles attirent et affichent la poussière plus que les meubles eux-mêmes. Traitez ceux-ci avec un produit qui les rend réfractaires à la saleté.

Posez des roulettes ou des patins sous les pieds des meubles pour les déplacer plus facilement au moment du nettoyage. Ils abîmeront moins ainsi le parquet ou le tapis.

LES LUMINAIRES

Epoussetez simplement les pieds des lampes ou nettoyez-les avec un chiffon humide. Ne les plongez pas dans l'eau, vous endommageriez les fils. Nettoyez les pièces métalliques avec un produit approprié (voir p. 435).

Essuyez les ampoules avec une éponge humide pour ôter la poussière. Assurez-vous auparavant qu'elles sont froides et que les lampes ont été débranchées.

Quand le plafonnier est froid, desserrez les vis et plongez le globe ou les diffuseurs en verre ou en plastique dans l'eau chaude savonneuse. (Lavez à l'ammoniaque le luminaire de la cuisine, toujours gras.) Rincez à l'eau chaude, laissez sécher et remontez le plafonnier.

S'il y a des dépôts de suie sur les contacts, le courant passe mal et les ampoules clignotent. Coupez alors le courant du luminaire (p. 163), retirez les ampoules et sablez tous les contacts au papier fin.

OBJETS SPÉCIAUX

Pour enlever la poussière, envoyez un jet d'air sur les fleurs séchées ou en soie avec un sèche-cheveux. Dans les cas récalcitrants, utilisez un pinceau à soies souples.

Vaporisez les figurines de porcelaine et les céramiques avec du lave-vitre. Essuyez avec du papier ou un chiffon.

Si vous voulez épousseter les petits objets avec l'aspirateur sans que celui-ci les avale, introduisez l'extrémité du tuyau dans un bas de nylon.

Comment nettoyer rapidement plusieurs petits bibelots de verre ou de porcelaine ? Placez-les dans l'évier de la cuisine et vaporisez-les généreusement de lave-vitre. Laissez-les sécher sur une serviette.

Pour épousseter le clavier de la machine à écrire, les portes persiennes, tous les creux et reliefs des meubles, utilisez un pinceau propre et souple, légèrement humide.

Les cendriers en céramique, en cuivre ou en porcelaine (pas en verre) s'entretiennent mieux si vous les enduisez d'un poli liquide à meubles.

ENTRETIEN DU PIANO

Enlevez les marques de doigts sur la finition luisante avec un chamois légèrement humide ; asséchez et lustrez avec un chamois sec.

Quand un piano ne sert pas, rabattez le couvercle de la table d'harmonie, mais laissez le clavier exposé à la lumière. L'ivoire des touches jaunit à l'obscurité.

Quand les touches sont jaunes, frottez-les avec un chiffon doux enduit d'une des pâtes suivantes : pâte dentifrice ; 2 volumes de sel et 1 volume de jus de citron ; bicarbonate de soude délayé dans l'eau. N'en mettez pas entre les touches. Rincez avec un linge humide et polissez avec un chiffon sec.

CHEMINÉE ET FOYER

Nettoyez le foyer et l'âtre au moins une fois par semaine durant les mois où vous vous en servez beaucoup. Enlevez les cendres avec un balai ou l'aspirateur et passez une éponge ou un chiffon humide.

Pour nettoyer les parois de l'âtre, prenez une brosse raide et sèche ou la brosse à épousseter de l'aspirateur. (Lavez celle-ci avant de vous en servir ailleurs.) Ne grattez pas le revêtement en blocs de béton ou en briques réfractaires avec de l'eau ; vous pourriez diminuer la rétention de chaleur.

Ramonez la cheminée une fois par an (davantage si le foyer sert beaucoup). Si vous ne craignez pas de monter sur le toit, vous pouvez le faire vous-même. Il se vend des brosses spéciales à long manche dans les quincailleries et les boutiques d'accessoires de foyer. Autrement, faites appel à un ramoneur.

Essuyez le pare-étincelles ainsi que les accessoires en cuivre ou en fer. Lavez de temps à autre les cuivres dans l'eau savonneuse. Si les instruments en fer sont collants, frottez-les avec un chiffon humecté de kérosène. Mais asséchez-les avant de les remettre auprès du feu.

Avant d'enlever les cendres, jetez dessus des feuilles de thé mouillé pour rabattre la poussière.

Toutes les six semaines, lavez et séchez les foyers en ardoise et enduisez-les d'huile de citron.

CHAÎNE AUDIO-VISUELLE ET ORDINATEUR

Débranchez la télé, le stéréo, le magnétoscope et l'ordinateur avant de les nettoyer. Pour ne pas endommager les fils de ces appareils ou obstruer la ventilation ou le treillis des haut-parleurs, ne dirigez pas sur eux le jet du vaporisateur ; humectez plutôt un chiffon. L'écran de la télé fait cependant exception.

Les coffrets et les socles d'appareils haute-fidélité sont généralement en plastique ou en placage de bois. Dans le premier cas, nettoyez-les avec un chiffon imbibé d'eau tiède savonneuse et bien essoré. Epoussetez les seconds avec un chiffon doux et propre, à peine humide.

Les coffrets et les socles en métal, les chromes, les garnitures en métal brillant se nettoient avec un chiffon humecté d'alcool à friction, de vinaigre blanc ou de lave-vitre.

PROBLÈMES D'ANTENNE

Quand, en dépit d'une antenne sur le toit, les signaux de votre télévision sont faibles, branchez des oreilles de lapin à titre expérimental sur votre appareil et mettez-le en marche. Si la réception s'améliore, c'est que l'antenne est défectueuse.

Le câble d'entrée qui relie l'antenne au téléviseur est souvent responsable de la mauvaise réception des signaux. Vérifiez les contacts du téléviseur, le séparateur (si la radio FM est branchée sur l'antenne) et l'antenne elle-même.

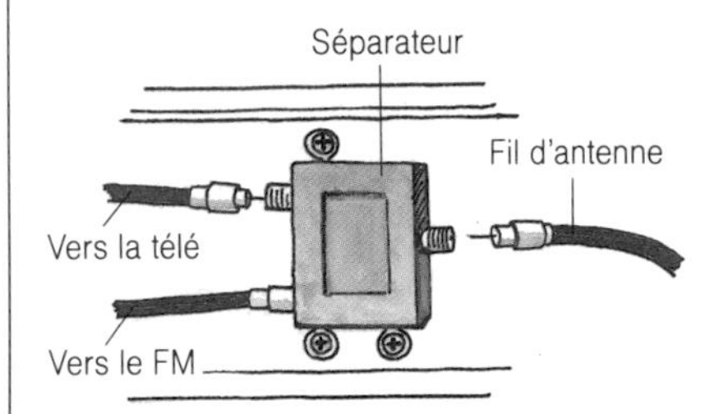

Lorsque le fil d'antenne ballotte au vent, les signaux que reçoit le téléviseur s'en ressentent. Assurez-vous que le fil est maintenu près du mur, de l'antenne jusqu'au récepteur.

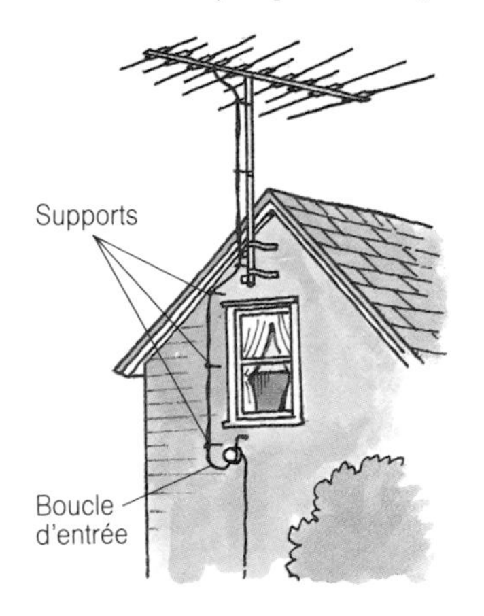

SYSTÈMES STÉRÉO

Conservez aux haut-parleurs leur beauté et leur efficacité ; nettoyez périodiquement les prises d'air et les grilles. En s'y accumulant, la poussière peut faire chauffer les appareils. Couvrez-les quand vous ne vous en servez pas.

Raccordez les divers éléments de votre chaîne stéréo avec des fils courts qui vont directement d'un appareil à l'autre, sans traîner sur le plancher. C'est un moyen de prévenir le ronflement et de repérer facilement les contacts défectueux.

Agrafez les fils des haut-parleurs au mur pour éviter qu'on ne s'y prenne les pieds. Si les haut-parleurs se trouvent loin du tourne-disque, employez un fil à résistance plus faible (un calibre 14 plutôt que 16 ou 18) ; le son sera meilleur.

Pour prévenir les plaintes de vos voisins, placez votre chaîne stéréo dans une pièce où il y a beaucoup de tapis et des tentures épaisses. Ou achetez un coussinet qui amortit les sons dans une boutique d'équipement stéréophonique.

MAGNÉTOSCOPE

Nettoyez périodiquement les têtes de magnétoscope. Vous savez que le moment est venu quand apparaissent sur l'écran des stries ou des points qu'aucun réglage ne peut éliminer. Consultez le manuel d'instruction sur la façon de nettoyer.

N'exposez pas les vidéocassettes au soleil, à la chaleur, à l'humidité ou à un champ magnétique puissant, comme il s'en trouve sur le téléviseur ou les enceintes stéréo.

SALLE À MANGER

Aussi souvent qu'il le faut, lavez le dessus des napperons coussinés avec un chiffon propre trempé dans l'eau tiède savonneuse et bien essoré. Brossez les dessous en feutre avec la brosse ou le suceur de l'aspirateur, une brosse à soies souples ou un chiffon sans mousse.

Quand un invité fait un dégât sur la nappe au cours d'un dîner, épongez tout de suite avec une serviette propre ou des essuie-tout. Dès la fin du repas, nettoyez la tache selon sa nature, en vous reportant aux méthodes des pages 282-283.

LE TÉLÉPHONE : QUOI FAIRE EN CAS DE PANNE

Si vous éprouvez des difficultés avec votre appareil, voici ce qu'il faut vérifier avant d'appeler un spécialiste.

1. Débranchez tous les accessoires téléphoniques comme, par exemple, un répondeur. Vérifiez le cordon qui va du mur à l'appareil de téléphone ainsi que le cordon du combiné. Sont-ils bien branchés ?
2. Vous avez un deuxième appareil ? Voyez s'il fonctionne. Si c'est le cas, ce n'est pas la ligne qui est en mauvais état, mais le premier appareil.
3. Si vous avez un système à prises multiples, branchez l'appareil dans une autre prise. Si le téléphone fonctionne, la défectuosité se situe à l'intérieur de la première prise.
4. Vous n'avez qu'une prise ? Prenez votre appareil et allez l'essayer chez un voisin. Tout va bien ? C'est donc la prise ou la ligne qui est en défaut.
5. Lorsque vous louez l'appareil de téléphone et que de toute évidence celui-ci, ou son fil, présente un défaut, appelez le locateur. Si l'appareil est à vous, consultez votre garantie ou communiquez avec la boutique où vous l'avez acheté.
6. Par contre, si la panne se produit dans la ligne ou dans les fils internes des prises, communiquez avec le service de réparations de la société de téléphone.
7. Une fois tout vérifié, s'il y a encore un problème, appelez le service de réparations de la société de téléphone.

NETTOYER UN LUSTRE

Evitez de démonter un lustre en cristal pour le nettoyer en procédant ainsi : par terre, sous le lustre, étendez quelques serviettes et plusieurs épaisseurs de journaux. Pour que l'eau n'atteigne pas les fils, encapuchonnez chaque ampoule d'un petit sac de plastique attaché avec un lien. Vaporisez beaucoup de lave-vitre sur les pendeloques de cristal pour que le liquide les baigne et emporte la saleté en tombant sur le journal. Laissez-les sécher ainsi ou essuyez-les avec un linge doux pour les faire briller.

DÎNER AUX CHANDELLES

Pour enlever les dépôts de cire sur les chandeliers, mettez-les dans le congélateur au moins une heure. La cire lèvera d'un bloc. Lavez ensuite les chandeliers.

Si vous n'avez pas le temps d'attendre, passez les chandeliers sous l'eau la plus chaude du robinet ; quand la cire est molle, enlevez-la avec le doigt et un chiffon.

Une bougie a-t-elle pleuré sur votre table de salle à manger ? Grattez la cire avec votre ongle ou une spatule de plastique. Faites entrer dans le bois la cire qui reste en polissant avec un chiffon doux.

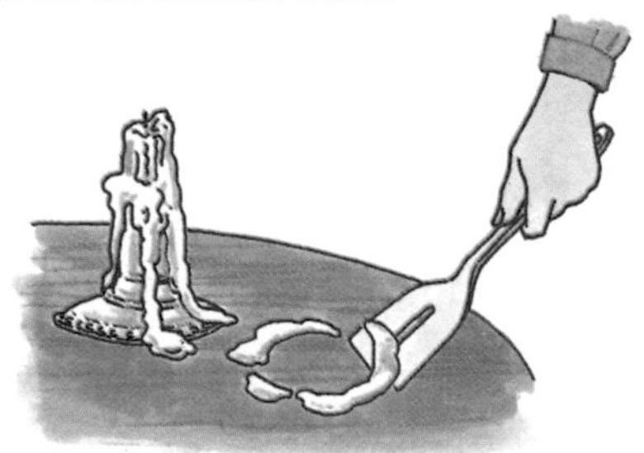

Sur la nappe, frottez la tache avec un cube de glace pour solidifier la cire et enlevez-la avec une spatule de plastique. Mettez la tache entre des épaisseurs de serviettes de papier et appuyez dessus un fer tiède. Changez les serviettes dès qu'elles s'imprègnent de cire. Terminez le nettoyage avec un détachant à vêtements, toujours en épongeant, et frottez ensuite avec un peu de détergent liquide concentré. Lavez la nappe sans tarder.

BOUQUETS DE FLEURS

Pour remplacer la masse spongieuse verte dans laquelle les fleuristes disposent les fleurs coupées, mettez des billes de verre dans un filet et déposez celui-ci dans un vase ou un bol ; glissez-y les fleurs.

Lorsque vous devez disposer des fleurs à longue tige dans un vase à col large, collez un réseau de rubans transparents à l'intérieur du col et insérez les fleurs dans les trous du quadrillage ainsi formé.

Si le vase est opaque, mettez dans le fond des bigoudis de plastique attachés ensemble avec une bande élastique ; insérez les queues des fleurs dans les bigoudis.

DES FLEURS FRAÎCHES PLUS LONGTEMPS

Cueillez les fleurs à l'aube ou au crépuscule. Mettez du papier absorbant mouillé autour des tiges durant la cueillette ou plongez-les immédiatement dans un contenant rempli d'eau.

De retour à la maison, coupez les tiges en biseau avec un couteau tranchant (les ciseaux écrasent les tiges, empêchant l'eau de monter). Disposez les fleurs dans de l'eau qui est à la température ambiante.

En disposant les fleurs dans un pot ou un vase propre, supprimez toutes les feuilles sous le niveau de l'eau.

Pour prévenir la déshydratation, gardez les bouquets loin des courants d'air et des ventilateurs ou climatiseurs ; ne les mettez pas au soleil. (Parfois, les sujets fanés se raniment si on les plonge dans l'eau chaude.)

PLANTES VERTES

Rempotez quand c'est nécessaire. Dépotez la plante une fois par an et examinez la motte ; si les racines sont enroulées serré, la plante est à l'étroit dans son pot.

Choisissez un pot bien propre et d'une taille seulement au-dessus du précédent ; il y a trop d'humidité dans un plus grand pot et la plante peut en mourir prématurément.

Vous partez en vacances ? Voici comment garder vos plantes environ un mois. Arrosez-les généreusement ; mettez le pot dans un sac de plastique transparent ; attachez-le dans le bas et le haut. Exposez la plante à une lumière qui vient du nord. À votre retour, défaites les nœuds mais attendez 24 heures avant de retirer la plante du sac.

Si votre plante suspendue n'a pas de soucoupe, accrochez un bonnet de douche dessous pendant l'arrosage. L'eau en trop s'y accumulera sans rien endommager autour.

Les feuilles lisses se couvrent de poussière. Lavez-les doucement avec du détergent à vaisselle dilué.

Si par malchance une de vos plantes se trouve infestée de parasites, jetez-la sans tarder ; autrement elle contaminera vos autres plantes.

INSECTES RAVAGEURS DES PLANTES D'INTÉRIEUR

Insecte	Description	Remède
Puceron	Insecte de 1,5 mm, vert, noir ou rouge, à corps piriforme et longues pattes	Savon insecticide ; pulvérisations de pyréthrines ou de resméthrine
Moucheron des champignonnières	Mouche de 1,5 mm	Pulvérisations de pyréthrines
	Larve	Rempoter en terre stérile après avoir nettoyé les racines à l'eau
Cochenille farineuse	Insecte lent de 3 mm, couvert d'un duvet blanc	Savon insecticide ; pulvérisations de resméthrine ou d'acéphate ; enlever main ou avec coton-tige et alcool
Cochenille	Insecte à carapace de 3 mm blanc, brun ou noir ; peu mobile	Pulvérisations de resméthrine ou d'acéphate
Limace	Mollusque jaune, orange, gris, brun ou noir, sans coquille, de 1,5 à 12,5 cm	A enlever à la main
Araignée rouge	Petite araignée noire, blanche ou rouge à peine visible	Dicofol ; pulvérisations de resméthrine ou d'acéphate
Mouche blanche	Insecte blanc, volant, de 1,5 mm	Pulvérisations de roténone, resméthrine ou acéphate ; huit fois aux 5 jours

CHAMBRES

Ne faites pas votre lit en vous levant ; attendez 20 minutes. Tirez les couvertures vers le pied pour exposer le drap du dessous ; il s'aère et l'humidité laissée par votre corps s'évapore. En effet, il faut savoir que le corps perd environ trois tasses d'eau par nuit.

Pour rafraîchir le couvre-lit, les couvertures et les oreillers, mettez-les dans la sécheuse avec un morceau d'assouplisseur à tissu ou avec une débarbouillette plongée dans de l'eau additionnée d'assouplisseur liquide et bien essorée. Laissez-les 20 minutes dans la sécheuse.

Le lit se fait mieux s'il est monté sur roulettes ; on peut alors l'éloigner du mur ou le sortir facilement d'un angle. Si la chambre est spacieuse, tirez-le au centre de la pièce pour pouvoir circuler tout autour. Quand le lit ne peut pas être bougé, mieux vaut le placer de façon à laisser au moins 60 cm de dégagement de chaque côté.

MATELAS

Nettoyez les matelas et les sommiers tapissiers sales ou souillés avec du shampooing mousseux pour capitonnage. Laissez-les sécher complètement avant de refaire le lit.

Tous les quinze jours environ, tournez le matelas : tête au pied une fois ; sens dessus dessous la fois suivante. De cette façon, le matelas s'use uniformément.

Pour enlever la poussière qui finit par s'accumuler sur le matelas, une fois de temps à autre, aspirez avec le suceur à meubles partout, dessus comme dessous. Quand le temps le permet, exposez le matelas au soleil : cela élimine les odeurs.

LINGE DE LIT

Mettez sous la pile des draps, dans la lingerie, ceux qui reviennent de la buanderie. Pour faire les lits, prenez ceux du dessus ; cette rotation des draps et taies d'oreiller répartit également l'usure entre tous.

Bien des gens préfèrent les couvertures isolantes qui emprisonnent la chaleur du corps dans leurs mailles quand on les surmonte d'un couvre-lit. D'autres, cependant, trouvent cela moins confortable que la couverture de laine traditionnelle.

Voulez-vous redonner de la légèreté à votre édredon de duvet ? Mettez-le dans la sécheuse (réglée à doux) en même temps qu'une paire d'espadrilles propres.

OREILLERS

Choisissez-les en fonction de l'usage auquel vous les destinez. Pour lire au lit, prenez un oreiller ferme ; pour dormir, prenez-en un souple.

Dans la station couchée, l'oreiller sert à placer la tête dans le prolongement des épaules et de la colonne vertébrale, comme dans la station debout. C'est ce qui détermine son épaisseur.

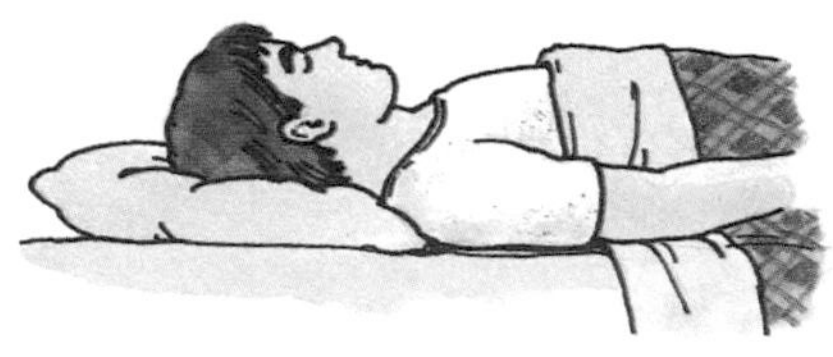

Les personnes souffrant d'allergies préfèrent les oreillers de polyester. Leur degré de souplesse varie, mais ils ne peuvent rivaliser, pour le moelleux et le gonflant, avec les oreillers de plume ou de duvet, plus allergènes cependant.

Pour restaurer un oreiller de plume ou de duvet, lavez-le à la machine, à cycle délicat, avec de l'eau tiède et la moitié de la quantité normale d'un détergent très doux. Séchez à la sécheuse réglée à doux. Accumulez la plume ou le duvet à un bout en secouant l'oreiller ; ouvrez la couture à l'autre bout et rajoutez de la plume ou du duvet. Refermez.

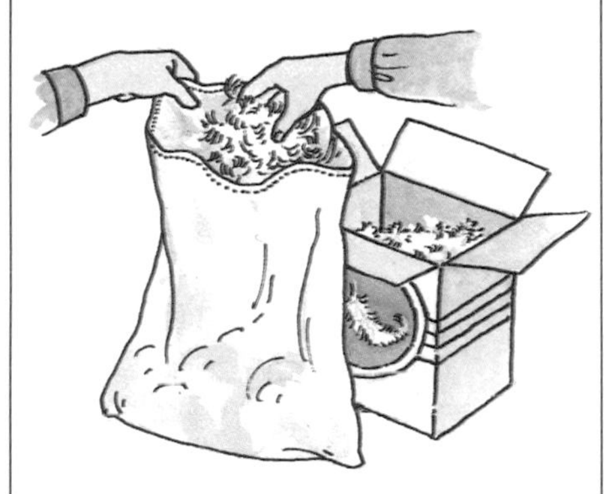

CUISINE : GÉNÉRALITÉS

La règle de base demeure : tremper, dissoudre. Mais pensez à vous servir d'une raclette à glace en plastique pour pare-brise d'auto pour décoller les aliments tombés sur le plancher, les comptoirs ou la table.

De temps à autre, lavez dans le panier supérieur du lave-vaisselle les éponges, les tampons de plastique et les petites brosses de cuisine. Ils en sortiront propres et sentant bon.

CUISINE ET SÉCURITÉ

Installez un détecteur de fumée près de la cuisine, mais assez loin des électroménagers pour qu'il ne se déclenche pas inutilement.

Ne débranchez pas le détecteur de fumée parce qu'une opération culinaire risque de le faire partir. Il y a fort à parier que vous oublierez de le rebrancher, le travail terminé.

Ne perdez pas la tête si le feu prend dans une poêle. Eteignez le rond ; reculez-vous et jetez à grandes poignées du bicarbonate de soude sec à la base des flammes.
Attention : Cette méthode ne vaut pas pour la grande friture ; en provoquant des éclaboussures, elle aggraverait la situation. Posez un couvercle métallique sur la casserole.

Si vous avez de jeunes enfants, ne rangez pas les produits dont ils raffolent — bonbons, biscuits — dans l'armoire au-dessus de la cuisinière. Chaque année, des centaines d'enfants se brûlent en grimpant sur la cuisinière pour aller les chercher.

Ayez des poignées souples et rondes pour saisir les manches ou les couvercles de casseroles, des mitaines ou de grandes poignées avec pochette pour retirer des plats du four. Les poignées carrées et raides sont dangereuses ; elles peuvent toucher à l'élément chauffant.

ÉLECTROMÉNAGERS

Vos électroménagers brilleront de propreté si vous les essuyez avec un chiffon trempé dans de l'eau chaude savonneuse et bien essoré ; rincez et asséchez pour effacer les marques d'eau. De temps à autre, appliquez une cire en crème.

Frottez les parties chromées avec un chiffon souple humecté d'alcool à friction.

Si des éléments chromés ont rouillé, voici comment leur redonner leur éclat. Enroulez du papier d'aluminium autour de votre doigt, côté brillant à l'extérieur, et frottez la tache de rouille. Quand elle a disparu, polissez avec un linge humide.

Balayez derrière et dessous un appareil électroménager avec la longue brosse à neige de votre voiture. Débranchez l'appareil avant d'effectuer ce nettoyage.

CUISINIÈRE ÉLECTRIQUE

Essuyez les aliments répandus et les éclaboussures de gras sur la table de cuisson pendant qu'elle est tiède avec une éponge ou un chiffon imbibé d'eau chaude savonneuse.

Vous n'avez pas besoin de nettoyer les éléments chauffants tubulaires. Allumez-les au plus fort : les déchets brûleront. S'il s'agit d'un vrai dégât, ramassez ce que vous pouvez quand l'élément est froid. Le reste brûlera au prochain usage.

Si votre four n'est pas autonettoyant, empêchez-le de s'encrasser en l'essuyant de temps à autre avec du papier ou une éponge imbibée d'eau savonneuse. Le gras répandu durcit avec le temps et fait des bulles quand vous allumez le four.

LE VENTILATEUR

Les pales du ventilateur mural de la cuisine sont généralement couvertes de graisse et de poussière ; aussi faut-il les nettoyer régulièrement. C'est plus simple qu'il n'y paraît. Faites-le tous les six mois à peu près et en suivant les instructions du fabricant. Si vous les avez égarées, adoptez la méthode ci-dessous.

1. Coupez le courant au panneau de distribution. Si la grille s'enlève, plongez-la dans de l'eau additionnée de détergent doux à vaisselle. Sinon, lavez-la à l'éponge avec la même solution.

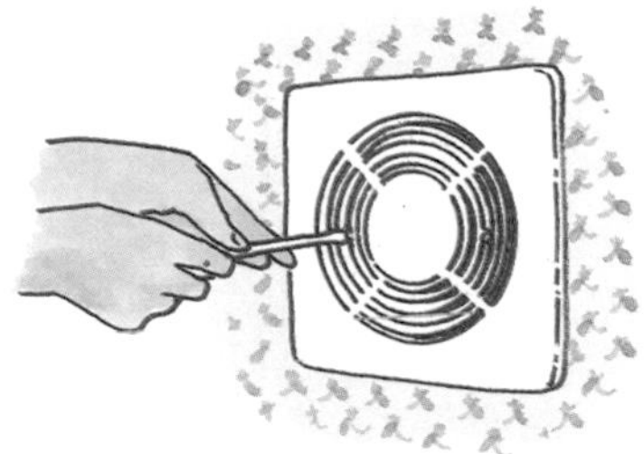

2. Débranchez et retirez le groupe ventilateur-moteur ; déposez-le sur un journal. Enlevez la graisse accumulée avec un chiffon sec et doux. (Ne plongez pas ces pièces dans l'eau.)

3. Essuyez le logement du ventilateur avec un chiffon doux et sec (n'employez pas d'eau). Remontez et branchez le ventilateur. Asséchez et posez la grille s'il y a lieu. Remettez le courant.

4. Si vous ne pouvez retirer le ventilateur, comme dans une hotte de cuisinière, enlevez les filtres à graisse. Plongez-les dans de l'eau additionnée de détergent. Nettoyez le ventilateur avec le suceur plat de l'aspirateur. Lavez la hotte avec un chiffon et remettez le filtre en place.

La garniture aux pommes s'est répandue dans le four ? Ramollissez-la avec une éponge ou du papier mouillé. Ou laissez sécher et grattez avec une lame de rasoir à un seul tranchant, insérée dans un grattoir, sans abîmer la finition du four.

Posez les grilles du four sur une vieille serviette de bain et mettez-les dans la baignoire avec de l'ammoniaque dissoute dans de l'eau.

Nettoyez le cadre du four autonettoyant et le pourtour du joint d'étanchéité sur la porte avant le cycle de nettoyage. Ils reçoivent assez de chaleur durant le cycle pour faire cuire les débris d'aliments qui s'y trouvent, rendant le nettoyage ultérieur plus difficile.

Lorsque la cuisinière est munie d'un tiroir, il suffit de l'enlever pour avoir facilement accès sous l'appareil. Dans la cuisinière au gaz, le gril repose souvent sur un plateau dans le bas du four ; il faut alors le retirer.

RÔTISSOIRE ET GRIL

La rôtissoire se nettoie mieux si, avant de vous en servir, vous y versez quelques tasses d'eau.

Pour la nettoyer, retirez la rôtissoire du four pendant qu'elle est chaude et videz ce qui s'y trouve. Mettez la grille à l'envers dedans et remplissez d'eau additionnée de détergent pour la vaisselle. Laissez tremper. Par la suite, frottez l'ensemble avec un tampon saponifié.

Frottez le gril avec une brosse métallique et de l'eau additionnée de détergent ou de bicarbonate de soude. Rincez et asséchez. Avant de vous en servir pour la cuisson, enduisez-le d'huile pour empêcher les aliments d'y adhérer.

FOUR À MICRO-ONDES

Essuyez tout de suite avec une serviette de papier mouillée les aliments qui s'y sont répandus. Ne les grattez pas avec un ustensile métallique ; le métal endommagerait gravement l'intérieur du four.

De temps à autre, désodorisez et nettoyez le four à micro-ondes. Quand il est éteint et froid, lavez les surfaces intérieures avec 4 c. à soupe de bicarbonate de soude délayées dans 1 litre d'eau chaude.

Deux choses à ne pas faire : n'utilisez jamais un nettoyeur à four ordinaire dans un four à micro-ondes et n'enlevez jamais la partie supérieure du four pour la nettoyer.

RÉFRIGÉRATEUR

Y a-t-il une pellicule de poussière graisseuse sur le dessus du réfrigérateur ? Traitez-la avec un produit concentré à tout usage ou diluez 1 volume d'ammoniaque dans 10 volumes d'eau. Quand la pellicule s'est dégagée, essuyez avec des serviettes de papier. Terminez avec une couche de cire pour rendre le nettoyage plus facile par la suite.

Pour désodoriser et nettoyer l'intérieur, utilisez une solution composée de 1 litre d'eau tiède additionné de 1 c. à soupe de bicarbonate de soude. Rincez et asséchez.

Si vos enfants ont pris la porte du réfrigérateur pour une planche à dessin, vous enlèverez leurs graffiti avec de l'essence à briquet. Lavez ensuite la porte au savon, rincez et asséchez.

PETITS APPAREILS

Vous devez nettoyer au moins une fois par mois la cafetière-filtre électrique dont vous vous servez tous les matins. Versez dans le boîtier à eau une solution composée en volumes égaux d'eau et de vinaigre distillé. Faites faire à la cafetière un cycle complet. Pour rincer, répétez l'opération avec de l'eau claire.

Quand il reste des miettes dans le grille-pain après que vous l'avez secoué, délogez-les avec un jet d'air comprimé. (On en trouve en canette dans les boutiques d'accessoires pour photographie.)

Mettez de l'eau tiède et du détergent à vaisselle dans le mélangeur, couvrez et faites fonctionner. Videz le bol, rincez-le et asséchez-le.

COMPTOIRS DE CUISINE

Frottez les taches de moutarde, de thé ou de jus de fruits avec du bicarbonate de soude et un chiffon ou une éponge humide. En cas d'échec, répétez l'opération mais cette fois-ci avec de l'eau de javel.

Enlevez avec de l'alcool à friction les marques mauves que laissent les étiquettes des produits sur les comptoirs de la cuisine.

De temps à autre, mais surtout après avoir découpé de la viande et du poulet, lavez les comptoirs à l'eau chaude savonneuse pour éliminer les bactéries. Rincez soigneusement et asséchez.

SURFACES EN BOIS

Raclez soigneusement, après chaque usage, le comptoir de bois ou la planche à découper ; frottez-les de temps en temps avec du sel ou une pâte de bicarbonate de soude.

Pour neutraliser l'odeur d'ail ou d'oignon, frottez la planche avec du jus de citron. Rincez et asséchez.

Certaines personnes accordent une valeur décorative aux petites stries laissées par les couteaux sur le bois. Il faut cependant poncer et huiler les entailles profondes.

ENTRETIEN DE L'ÉVIER

On détache un évier en émail cuit en le remplissant d'eau tiède additionnée d'un peu d'eau de javel. Si après une heure environ les taches n'ont pas disparu, videz l'évier et foncez-le de serviettes de papier imbibées d'eau de javel pure ; laissez en place 8 à 10 heures.

Ne mettez pas d'eau de javel sur l'émail vieux, poreux ou fissuré. En atteignant la base en fer, la javel la ferait rouiller et provoquerait ainsi de nouvelles taches.

Evitez les poudres abrasives pour nettoyer l'acier inoxydable. Prenez plutôt de l'eau chaude savonneuse. Asséchez ensuite pour enlever les marques de doigts ou d'eau.

Pour faire briller davantage l'évier en inox, nettoyez-le de temps à autre avec du lave-vitre ou une pâte de bicarbonate de soude.

L'acier inoxydable de l'évier est-il éraflé ou légèrement piqué ? Frottez-le doucement avec de la laine d'acier très fine, puis faites-le reluire avec un chiffon doux.

ORDURES MÉNAGÈRES

Empêchez les mauvaises odeurs de se répandre. Installez un sac de plastique dans le bac de la poubelle ; égouttez toutes les ordures avant de les jeter. Lavez fréquemment la poubelle avec un désinfectant ou de l'eau chaude savonneuse additionnée d'un peu d'eau de javel ou d'ammoniaque (l'un ou l'autre). Laissez sécher à l'air.

Si le broyeur sent mauvais, mettez-le en marche et jetez-y des écorces d'orange, pamplemousse ou citron en laissant couler l'eau chaude.

RENVOIS D'EAU

Gardez-les propres en faisant couler de l'eau très chaude après chaque usage. Une fois par semaine environ, jetez-y une poignée de bicarbonate de soude ; faites suivre d'eau bouillante. Autre méthode : versez une tasse de vinaigre, attendez 30 minutes, puis laissez couler de l'eau très chaude.

Versez l'huile de cuisson dans une boîte de conserve vide ou un litre de lait ; jamais dans le renvoi d'eau. Faites-en autant avec le marc de café ou les déchets en petits grains.

COMMENT DÉBOUCHER UN RENVOI

1. Enlevez le bouchon et la crépine. Retirez tout ce qui peut obstruer le haut du tuyau ou la crépine. L'eau ne s'écoule pas? Mettez un chiffon mouillé dans le trop-plein (s'il y en a un) et remplissez à moitié l'évier d'eau.

2. Posez une ventouse sur le renvoi et pompez vigoureusement 10 fois. Au dernier coup, retirez la ventouse d'un coup sec. Si l'eau s'écoule vite, le renvoi est débouché. S'il y a encore des signes d'obstruction, recommencez l'opération.

3. Quand cette méthode ne donne pas satisfaction, force vous est de passer par le siphon sous l'évier. Dévissez le bouchon du siphon et recueillez l'eau dans un seau.

4. S'il n'y a pas de bouchon, enlevez le siphon entier en dévissant les deux écrous de raccord, celui du haut en premier. Nettoyez le renvoi à la main ou avec du fil de métal. Remettez le bouchon ou le siphon.

5. C'est toujours l'échec? Procurez-vous un débouchoir à la quincaillerie. Introduisez-le avec un mouvement de torsion vers la droite, puis tirez et poussez dans le renvoi de manière à déloger ce qui l'obstrue.

6. Si le renvoi est toujours bouché, faites venir un plombier. N'utilisez sous aucun prétexte un produit chimique. Vous risqueriez de vous brûler gravement la peau et de compliquer la tâche du plombier.

Allez à la pêche des épingles à cheveux ou des bijoux qui sont tombés dans le renvoi. Attachez un petit aimant au bout d'une corde raide. Si la méthode échoue, ouvrez le siphon sous l'évier et retirez les objets qui l'obstruent (voir p. 110).

Pour dégager les renvois paresseux, employez d'abord une ventouse. N'utilisez un nettoyeur chimique que si l'eau s'écoule un peu. Ne faites jamais l'inverse, car ces produits très caustiques sont dangereux pour la peau (voir p. 110). Suivez les instructions à la lettre.

LAVAGE DE LA VAISSELLE

Le lave-vaisselle se lave de lui-même sauf près du joint d'étanchéité, autour de la porte. Nettoyez cette partie avec un chiffon mouillé avant de faire partir la machine pour que les aliments ne s'y incrustent pas.

Vous n'épargnerez pas d'eau chaude à laver la vaisselle à la main si vous la laissez couler sans arrêt. Utilisez un bassin ou bouchez l'évier. Rincez à l'eau froide.

Les pièces suivantes se lavent à la main : la fine porcelaine peinte, l'aluminium de couleur, les objets en bois, les couteaux à manche creux, l'étain, la fonte, les verres à lait, certains plastiques. Vous trouverez d'autres détails sur la porcelaine et les métaux pages 431-434.

Mettez à tremper à l'eau froide les assiettes qui ont contenu des œufs, des céréales cuites ou dans lesquelles des aliments ont séché. Si vous avez négligé de le faire, plongez-les dans de l'eau additionnée de détergent à vaisselle. Le lendemain matin, grattez avec une spatule de caoutchouc.

Il y a de vilaines taches sur les articles en plastique ? Mélangez à volumes égaux de l'eau de javel et du bicarbonate de soude. Enduisez la tache et attendez 5 minutes. Lavez et rincez soigneusement.

BOUTEILLES ISOLANTES

Lavez et brossez à l'eau chaude et au détergent à vaisselle les bouteilles isolantes à ampoule en verre. Rincez et laissez sécher à l'envers. Ne les plongez pas dans l'eau.

Si elles ont gardé des odeurs de boissons ou sentent le renfermé, remplissez-les d'eau chaude avec 1 c. à soupe de bicarbonate de soude. Laissez reposer 20 minutes, brossez, rincez et laissez sécher.

POÊLES ET CASSEROLES

Empilez les ustensiles en fonte entre des serviettes de papier. Ne les couvrez pas pour éviter rouille, moisissure et odeurs de renfermé.

Avec les antiadhésifs, utilisez des ustensiles de bois ou de plastique. Ne les exposez pas à des températures supérieures à 230°C (450°F).

L'aluminium retrouve son éclat si vous y faites cuire un aliment acide : tomates, rhubarbe, pommes ou vinaigre. Faites disparaître taches et décoloration en y laissant bouillir 1 litre d'eau additionné de 2 c. à soupe de crème de tartre.

Lisez les instructions du fabricant avant de mettre dans le lave-vaisselle les casseroles émaillées. Si des aliments y ont collé, enlevez-les avec des produits non abrasifs. Faites tremper la fonte émaillée blanc qui est tachée dans de l'eau chaude avec un peu d'eau de javel.

Les taches de café ou de thé disparaissent si vous faites tremper tasses, cafetière ou théière dans une solution composée de 2 c. à soupe d'eau de javel par tasse d'eau. Autre méthode, faites-les tremper 12 heures dans un litre d'eau chaude additionnée de 2 c. à soupe de détergent à lave-vaisselle.

Vos poêlons antiadhésifs sont tachés ? Faites-y bouillir une tasse d'eau avec 2 c. à soupe de bicarbonate de soude. Ensuite, enduisez-les d'un peu de graisse végétale ou d'huile comestible.

COUTEAUX : ENTRETIEN

Ne remuez pas des aliments très chauds avec un couteau : la chaleur endommage certaines lames.

Si le fabricant n'indique pas clairement que vous pouvez mettre les couteaux dans le lave-vaisselle, lavez-les à la main tout de suite après usage. Ne les laissez pas tremper ; l'eau endommage et relâche les manches en bois. Asséchez bien.

Les couteaux à scie tirent leur coupant des entailles entre les dents de la lame. Faites-les aiguiser par des spécialistes seulement — ou ne les aiguisez pas.

L'AIGUISAGE DES COUTEAUX

Pour aiguiser les couteaux, rien ne vaut la pierre à affûter à grain fin d'un côté et à grain dur de l'autre. Mettez une bonne quantité d'huile végétale sur la pierre. Si la lame du couteau est très émoussée, passez-la sur la pierre, d'abord sur le grain dur, puis sur le grain fin. S'il s'agit simplement de rafraîchir la lame, n'utilisez que le grain fin. Ensuite, essuyez la pierre et rangez-la enveloppée dans un chiffon propre.

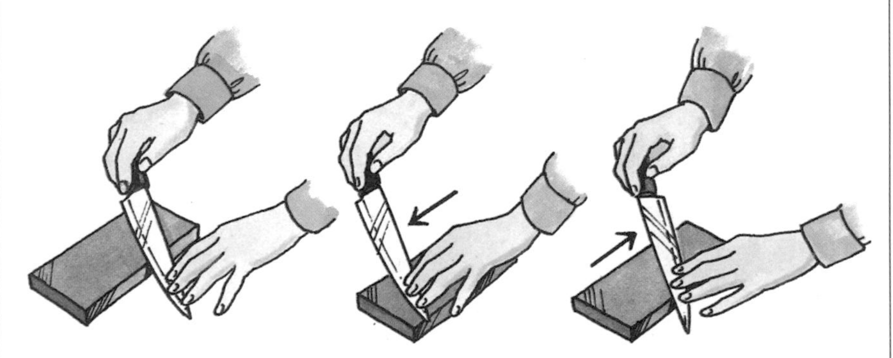

1. Posez le plat du couteau sur la pierre en faisant un angle avec elle.

2. Glissez toute la lame à travers la pierre en l'éloignant de vous. Répétez quatre fois.

3. Tournez le couteau et refaites le même geste en sens inverse. Répétez quatre fois.

SÉCURITÉ DANS LA SALLE DE BAINS

Avec des enfants et des vieillards, si l'on choisit des poignées de porte qui verrouillent, il faut pouvoir les ouvrir de l'extérieur.

Posez des carpettes à envers caoutchouté sur le plancher et un tapis à ventouses ou des motifs antidérapants dans la baignoire.

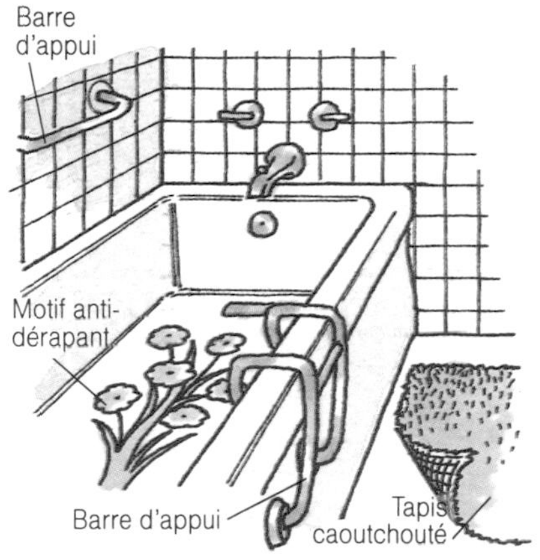

Installez des barres d'appui dans la baignoire ou la douche et près de la toilette ; fixez-les sur les montants des murs.

Pour éviter les chocs mortels, n'utilisez pas d'appareils électriques comme des radiateurs, des sèche-cheveux ou des postes de radio près de l'eau. Ayez des prises de courant munies d'un disjoncteur de fuite de terre. Même alors, prenez toutes les précautions nécessaires.

QUAND UN ROBINET FUIT

Si l'eau goutte du bec d'un robinet fermé, il faut remplacer la rondelle, le siège ou peut-être les deux. Fermez d'abord le robinet d'arrêt sous le lavabo ou l'évier, ouvrez le robinet qui goutte et protégez le chrome avec du ruban d'électricien.

(Si le robinet comporte une rotule, une cartouche ou une rondelle monobloc, remplacez la pièce ; on en trouve dans les quincailleries ou les magasins d'articles de plomberie. Sinon, appelez le fabricant.)

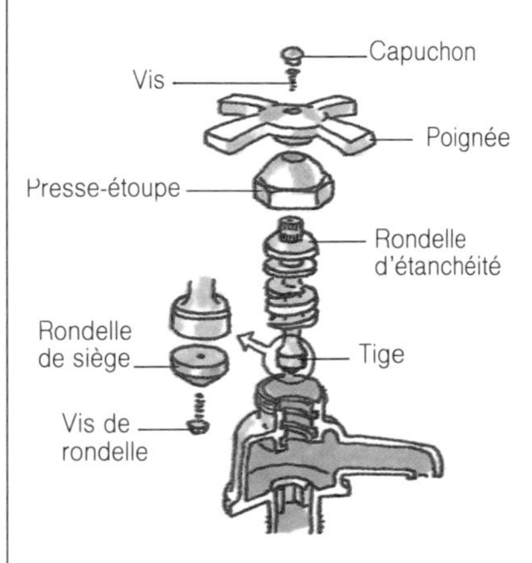

1. Enlevez le capuchon, la vis et la poignée. Dévissez le presse-étoupe avec une clé à molette et retirez la tige. Remplacez la rondelle de siège.

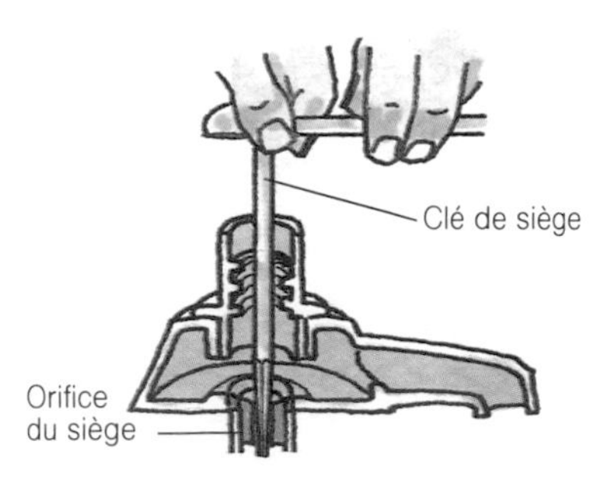

2. Passez le petit doigt autour du siège pour voir s'il y a des éclats ou s'il est endommagé. Si c'est le cas, enlevez-le avec une clé de siège appropriée (à bout carré ou hexagonal, selon le type de siège) et remplacez-le.

3. Avant de remonter le robinet, enduisez toutes les pièces internes d'une graisse à l'épreuve de la chaleur et de l'eau ; elle assure l'étanchéité et facilite le remontage.

Evitez de vous brûler quand vous prenez un bain ou une douche ; ouvrez l'eau froide en premier, fermez l'eau chaude en premier.

L'eau dans la douche devient-elle brûlante si quelqu'un ouvre un robinet d'eau froide ou actionne la chasse d'eau ailleurs dans la maison ? Installez un mélangeur qui règle la température et la pression.

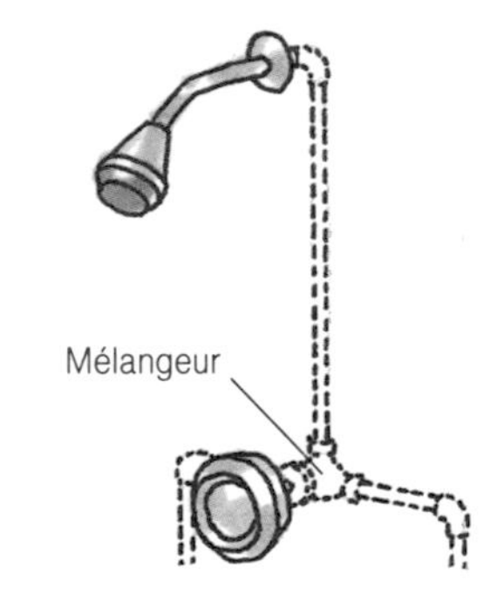

PROPRETÉ DANS LA SALLE DE BAINS

Il ne faut que quelques minutes par jour pour garder la salle de bains propre. Avec un désinfectant en vaporisateur, une éponge et des serviettes de papier, essuyez toutes les surfaces. Allez du plus propre (le miroir) au plus sale (le plancher).

Si vous n'avez pas le temps de nettoyer la salle de bains tous les jours, essuyez la baignoire, la douche, la toilette et le lavabo avec un désinfectant liquide une fois par semaine au moins.

Enlevez les dépôts de sels calcaires et de savon sur les robinets et les renvois en chrome avec un chiffon humecté de vinaigre. Asséchez et polissez avec un linge doux.

Avec la moisissure, il vaut mieux, une fois de plus, prévenir que guérir. Après la douche, déployez le rideau de douche sur sa tringle pour qu'il sèche rapidement. Nettoyez la salle de bains fréquemment avec un produit désinfectant et aérez-la le plus souvent possible.

Les ventilateurs qui donnent à l'extérieur et les lampes chauffantes (placées au plafond) ont tôt fait de dissiper la vapeur. Lorsque le temps est au sec dehors, ouvrez la fenêtre et tirez le rideau.

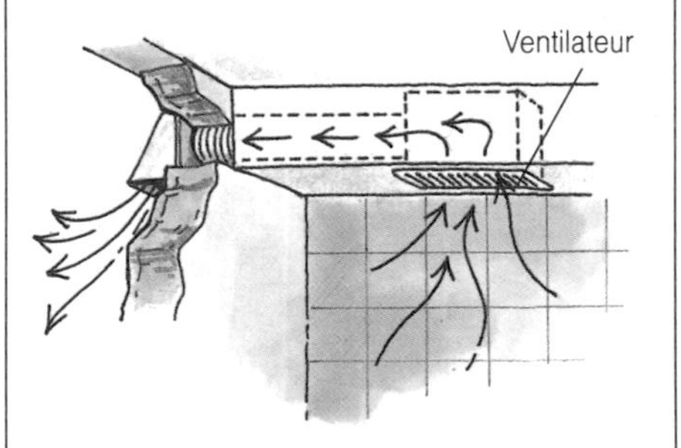

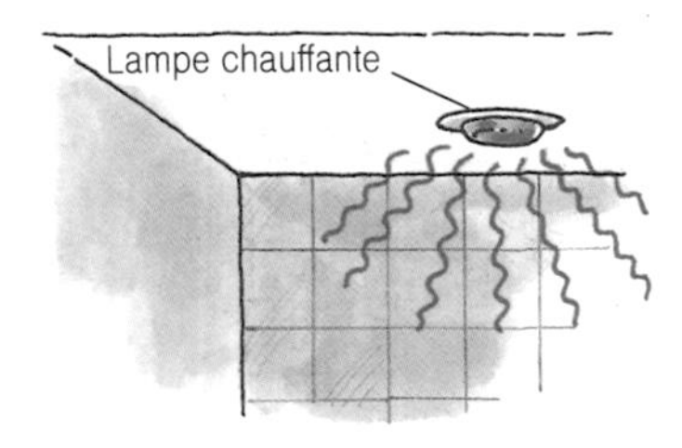

Lavez à la machine (cycle doux, eau tiède) les rideaux de douche et de fenêtre en plastique bon teint. S'il y a des traces de moisissure, ajoutez ¾ tasse d'eau de javel au lavage. Contre les dépôts de savon, mettez du conditionneur d'eau. Accrochez et laissez sécher.

BAIGNOIRE ET CÉRAMIQUE

Pour faire disparaître la moisissure et les taches sur les carreaux de céramique et la baignoire, mouillez les surfaces, puis vaporisez-les avec une tasse d'eau de javel diluée dans un litre d'eau. Aérez bien la pièce durant l'opération.

Pour éliminer les taches dans la baignoire ou le lavabo, couvrez-les d'une pâte faite de crème de tartre et de peroxyde d'hydrogène. Brossez légèrement. Quand la pâte est sèche, essuyez ou rincez.

Redonnez leur éclat aux carreaux de céramique avec un mélange d'eau et d'adoucisseur d'eau ou de 4 volumes d'eau pour 1 volume de vinaigre. Rincez et asséchez.

Lavez le mortier taché avec du vinaigre pur plutôt qu'avec un nettoyeur pour salle de bains.

Nettoyez la salle de bains après avoir pris un bain ou une douche, au moment où elle est pleine de vapeur. Vous n'aurez qu'à tout essuyer avec une serviette de papier.

Eliminez les taches de sels calcaires faites sur l'émail des vieilles baignoires par un robinet qui goutte — c'est fréquent — avec du jus de citron ou de l'acide citrique.

Lorsque le mortier est bien sec, hydrofugez-le avec un produit commercial à la silicone.

Les fentes entre la baignoire et le mur s'ouvrent davantage quand celle-ci est pleine d'eau. Ne travaillez pas inutilement ; avant de les boucher, remplissez la baignoire.

Voulez-vous enlever les motifs antidérapants dans le fond de la baignoire ? Grattez-les avec un grattoir à lame de rasoir et de l'eau savonneuse. Enlevez les restes d'adhésif avec de l'acétone ou du dissolvant pour vernis à ongles.

Les parquets de lino ternis par l'âge dans la salle de bains ont besoin d'un nettoyage énergique pour retrouver leur éclat. Brossez-les avec 1 volume d'ammoniaque dissous dans 4 volumes d'eau. Asséchez et étalez une fine couche de cire.

DOUCHE

Vous désembuerez rapidement le miroir de la salle de bains, après la douche, en dirigeant sur celui-ci le jet d'air chaud de votre sèche-cheveux réglé à « faible ».

Quand les pano-douches en verre se ternissent, essuyez-les avec un chiffon imbibé de vinaigre blanc distillé ou d'adoucisseur d'eau dilué. Polissez-les ensuite avec un chiffon doux et sec.

Il peut arriver que des dépôts de sels calcaires bouchent les orifices de la pomme de douche. Dans ce cas dévissez-la, démontez les pièces et faites-les tremper dans un bol de vinaigre. Brossez les dépôts tenaces. Remontez la pomme.

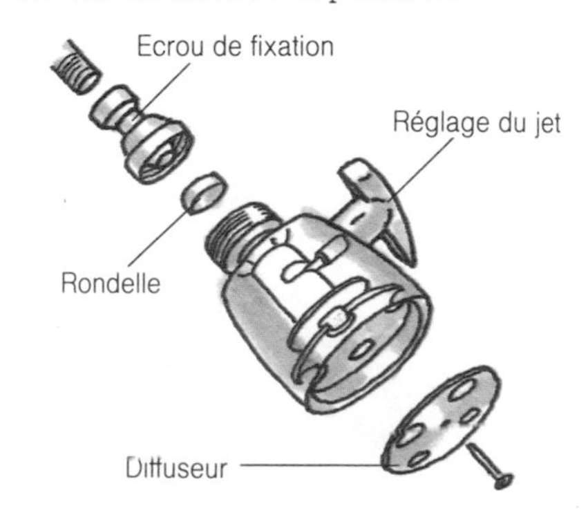

Les économiseurs d'eau pour robinets et pommes de douche réduisent notablement la consommation d'eau. Avec une clé à molette ou une pince, installez-les vous-même selon les instructions du fabricant.

Et puisque vous y êtes, pourquoi ne pas poser une douchette téléphone pour les shampooings ? Installez un inverseur entre le tuyau et la pomme de douche et fixez un crochet au mur pour le « téléphone ».

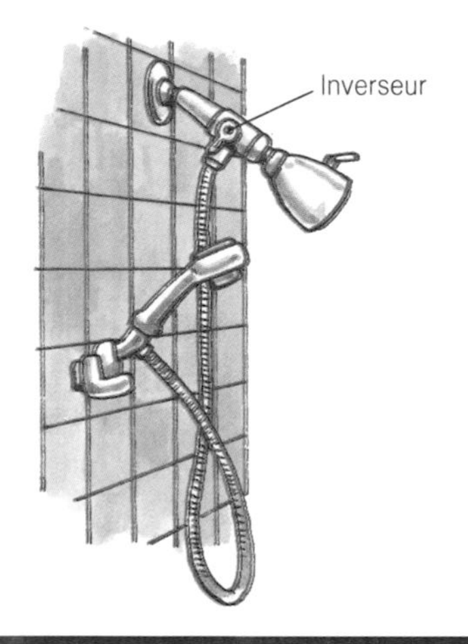

TOILETTE

Mettez de la vaseline sur la poire de soupape, elle s'ajustera mieux sur son siège.

Nettoyez la partie située sous le rebord de la toilette, dans la cuve. Les sels calcaires finissent par boucher les orifices qui s'y trouvent et le jet d'eau est moins efficace. Pliez l'extrémité d'un cintre et introduisez-le dans chaque trou.

L'eau de javel non diluée donne la plupart du temps d'aussi bons résultats que les produits commerciaux de nettoyage de cuvette. Elle détruit la moisissure et fait disparaître les taches, sauf celles produites par la rouille. Dans ce dernier cas, utilisez un nettoyeur à cuvette.

Empêchez la cuvette du cabinet d'aisances de se tacher et de se décolorer en y passant chaque jour la brosse à cuvette.

Contre les dépôts accumulés de calcaire, actionnez la chasse d'eau et saupoudrez ½ tasse d'adoucisseur d'eau dans la cuvette au-dessus du bouchon d'eau. Frottez les cernes tenaces à la pierre ponce ou au papier de verre.

TOILETTE À DÉBOUCHER

Si la cuvette se remplit sans se vider, elle est bouchée. Avant de la déboucher, videz-la à moitié pour ne pas tout éclabousser quand vous utiliserez la ventouse ou le débouchoir.

Assoyez la ventouse bien d'aplomb sur l'orifice de chute et pompez rapidement une douzaine de fois. Si l'opération ne déloge pas l'obstruction, attendez une heure et recommencez.

La ventouse ne donne pas de résultats ? Servez-vous d'un débouchoir. Faites-le pénétrer dans l'entrée du siphon et tournez la manivelle vers la droite jusqu'à ce que la pointe attaque le bouchon. Tournez encore un peu, puis sortez le débouchoir tout en continuant le mouvement de torsion.

Nouvel échec ? L'obstruction est logée dans le tuyau de chute et vous devrez peut-être retirer la cuvette. Il vaut mieux alors faire venir un plombier.

Avant de réparer la chasse d'eau, retirez avec soin le couvercle en porcelaine du réservoir et déposez-le sur le sol en mettant une serviette, une chute de tapis ou des épaisseurs de journaux dessous.

Voici une façon rapide de vérifier si la poire ou le siège de soupape fuient. Mettez quelques gouttes de colorant alimentaire dans le réservoir et n'actionnez pas la chasse. Si l'eau de la cuvette se colore, c'est qu'il y a une fuite.

CHASSE D'EAU DÉFECTUEUSE : QUOI RÉGLER

L'eau coule sans arrêt : flotteur ou tige

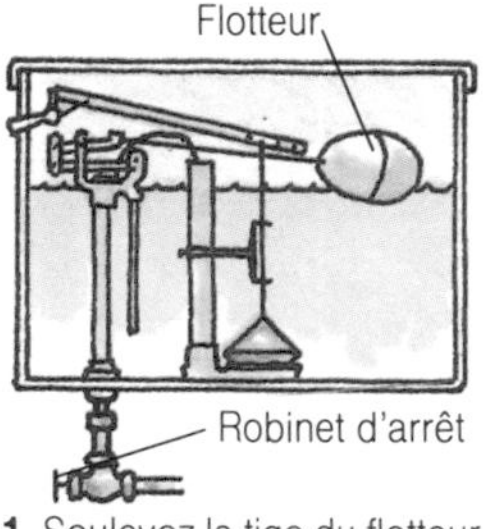

1. Soulevez la tige du flotteur. Si l'eau arrête de couler, dévissez le flotteur, secouez-le et remplacez-le s'il contient de l'eau.

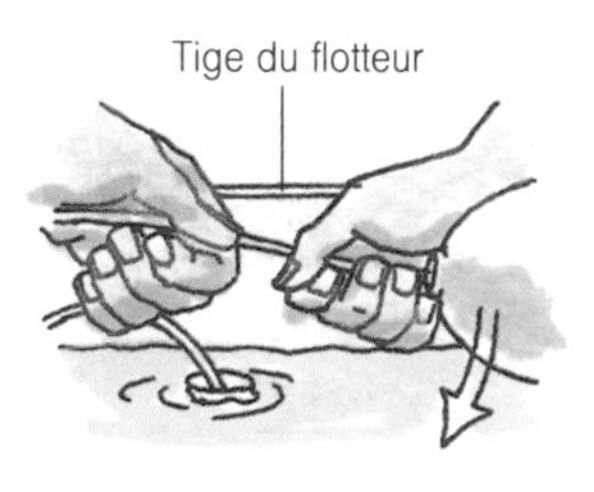

2. Si le flotteur paraît en bon état, courbez légèrement sa tige vers le bas. Actionnez la chasse d'eau : l'eau doit s'arrêter à environ 2 cm du sommet du tube du trop-plein.

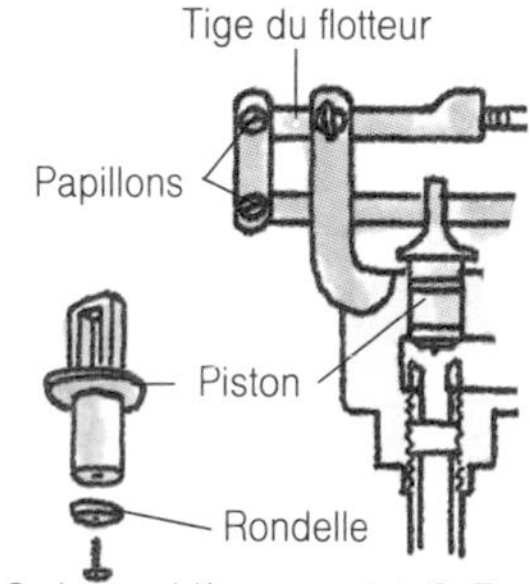

3. Le problème persiste ? Fermez le robinet d'arrêt sous le réservoir ; retirez la tige du flotteur, en dévissant les papillons et le piston. Changez la rondelle et, au besoin, le siège de soupape. Ou remplacez l'ensemble.

Chasse incomplète ou lente : poire de soupape

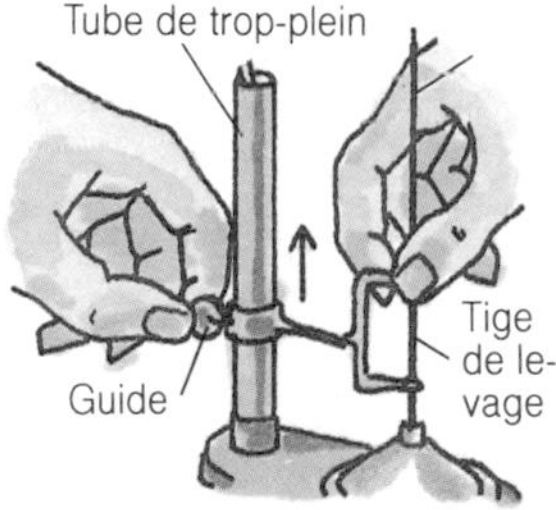

1. La poire de soupape retombe trop vite sur son siège. Dévissez les papillons du guide. Relevez celui-ci d'environ 1,5 cm sur le tube de trop-plein de façon que la poire flotte plus longtemps.

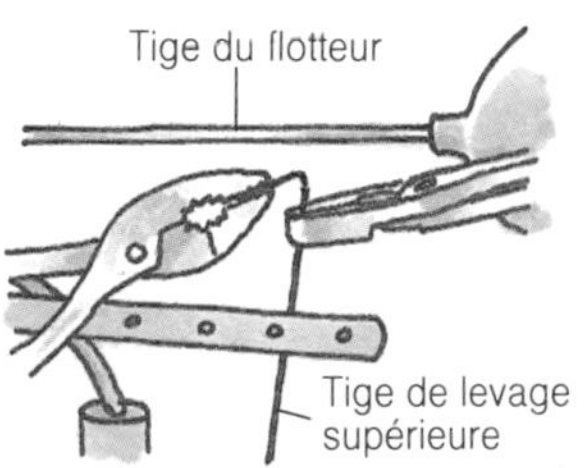

2. Pour que la poire monte plus haut, dégagez la tige supérieure de levage du levier de commande ; cintrez-la un peu et rengagez-la dans le même trou du levier de commande. Vous l'aurez ainsi raccourcie.

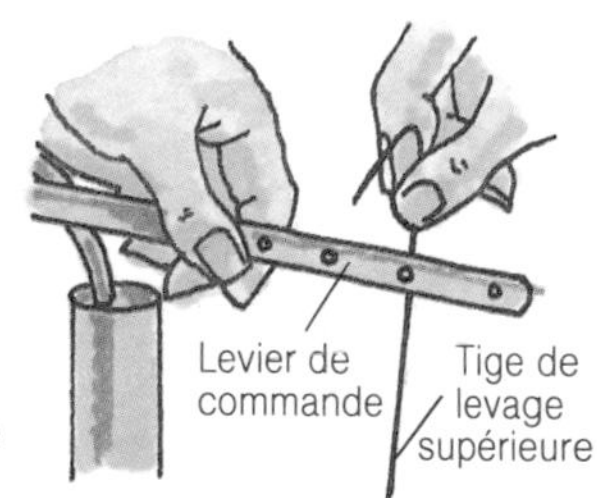

3. Si les résultats ne sont pas satisfaisants, essayez d'accrocher la tige supérieure de levage à un autre trou dans le levier de commande.

Borborygmes, réservoir à demi rempli : siège de soupape

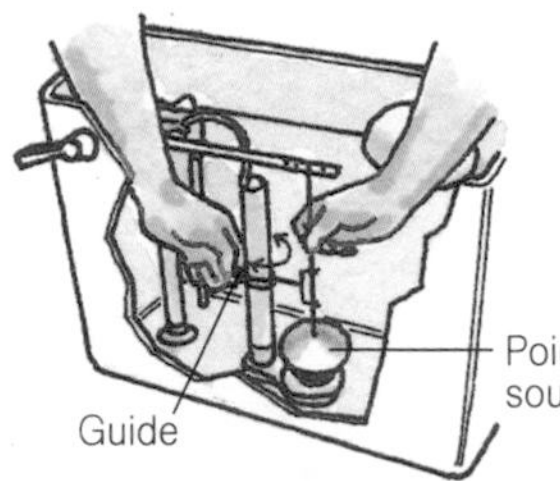

1. Examinez la poire de soupape. Si elle n'est pas centrée au-dessus de son siège, fermez le robinet d'arrêt et actionnez la chasse. Dévissez les papillons du guide et bougez celui-ci jusqu'à ce que la poire soit bien centrée. Revissez les papillons.

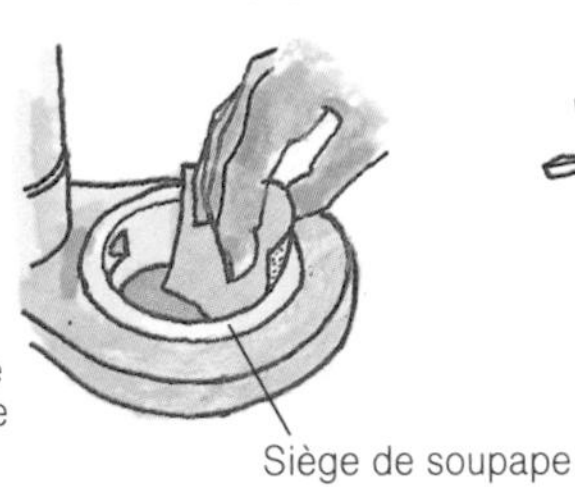

2. Tâtez du doigt le siège de soupape. S'il est rude ou endommagé par la corrosion, grattez-le avec du papier de verre.

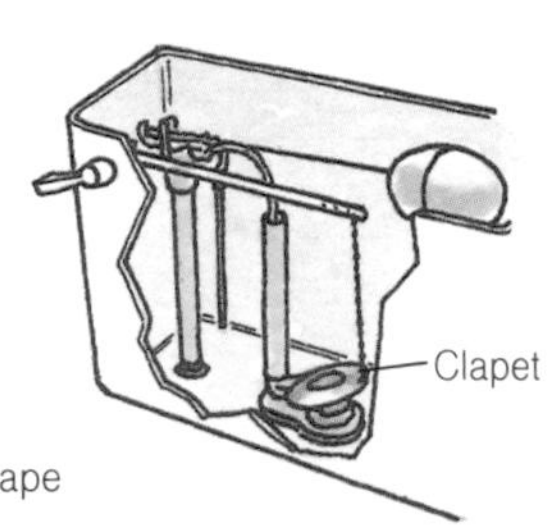

3. Si le réservoir ne se remplit pas et que les borborygmes continuent, remplacez la poire par un clapet. Vous en trouverez dans les quincailleries ou les magasins spécialisés ; suivez les instructions pour l'installer.

COMBLES

Sombres, humides, isolés, les combles sont le paradis des insectes et des petits animaux nuisibles. Inspectez de temps à autre ; cherchez des nids, des excréments, des débris d'aliments, tout ce qui peut signaler la présence d'un hôte indésirable (voir aussi pp. 126-128).

Si vous déposez des boîtes sur des tablettes, devant les lucarnes, ne bloquez pas les évents à lattes ; les combles ont besoin d'être ventilés.

Songez-vous à aménager les combles en grenier à louer ? Renseignez-vous en premier lieu sur le règlement de zonage et le code de la construction. Tout en vous permettant de louer un grenier, la loi peut vous imposer des restrictions.

S'il y a du vide autour des tuyaux et des conduites à leur entrée dans les combles, bouchez-le avec du métal laminé, de la laine d'acier ou une matière ignifuge. Vous empêcherez ainsi un éventuel incendie de gagner rapidement le toit.

La ventilation des combles élimine les problèmes de condensation en hiver et de trop grande chaleur en été dans une maison bien isolée. Si vous n'avez que des évents de pignon, faites poser des évents sur le toit ou sous les soffites.

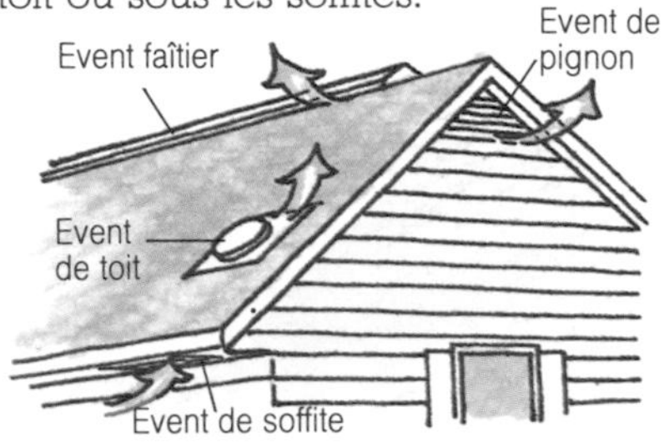

SOUS-SOL

Posez des balustres dans l'escalier qui descend au sous-sol, surtout si vous avez de jeunes enfants. A chaque marche, vissez un 2 × 4 dans le limon et la main courante.

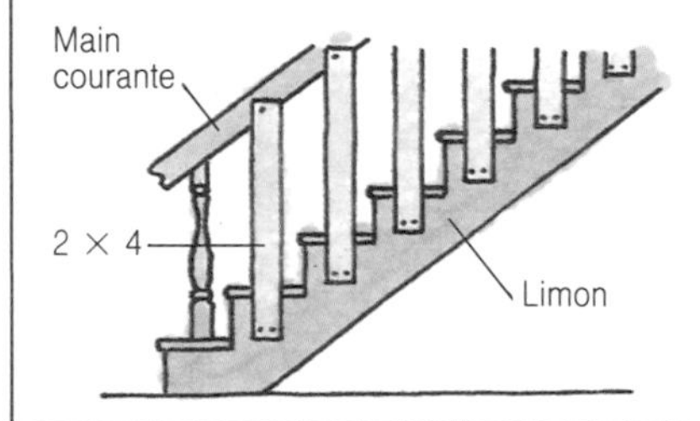

COMMENT RENDRE LE SOUS-SOL MOINS HUMIDE

Pour savoir si l'humidité du sous-sol provient d'infiltrations ou de la condensation, fixez des carrés de 25 cm de papier d'aluminium en divers endroits sur le plancher ou les murs en mettant du ruban adhésif tout autour. Si, quelques jours plus tard, il y a de l'humidité sous le papier, imperméabilisez les murs. Si l'humidité se condense sur le papier, voici quoi faire.

Fermez les fenêtres quand il pleut.

Installez un ventilateur à une fenêtre.

Dotez la sécheuse d'un conduit d'évacuation à l'extérieur.

Débouchez drains et gouttières.

Enrobez les tuyaux d'eau froide de fibre de verre ou de mousse plastique.

En été, utilisez un déshumidificateur.

Appliquez sur les murs une peinture imperméabilisante à base d'époxyde.

Si le sol est en terre battue ou en gravier, recouvrez-le d'une feuille de plastique et faites couler une dalle de béton de 10 cm.

Installez drains ou pompe de puisard si le sous-sol est souvent inondé.

Rectifiez la déclivité du terrain autour de la maison pour évacuer les eaux de pluie vers l'extérieur.

Pour parer aux inondations, placez les étagères de rangement en hauteur ; pour favoriser la ventilation, posez des 2 × 4 sur des blocs de béton et rangez-y les boîtes.

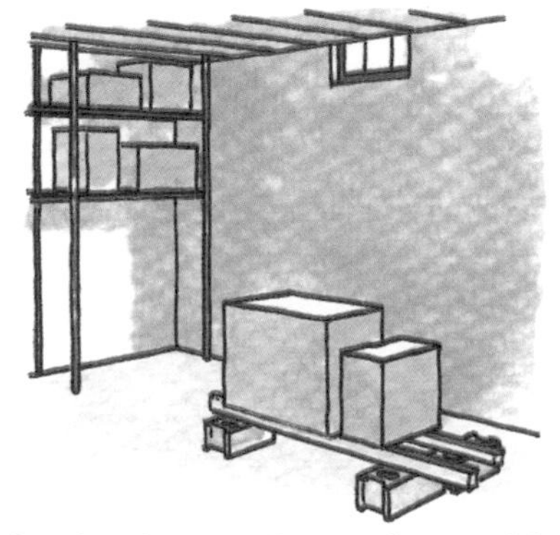

Gardez les produits inflammables (peintures à l'huile ou térébenthine) dans des contenants de métal à l'écart des sources de chaleur comme la chaudière ou le chauffe-eau.

Si le sous-sol sent mauvais, saupoudrez de la chaux chlorinée (poudre à blanchir) sur les sols de maçonnerie. L'odeur disparue, balayez, mettez la poudre dans un sac de plastique, attachez celui-ci et jetez-le. Evitez tout contact avec la peau.

AU SECOURS ! LE SOUS-SOL EST INONDÉ

Evacuez l'eau dès que possible. Coupez l'arrivée d'eau si un tuyau a crevé et videz le sous-sol avec des seaux et une vadrouille ou un aspirateur d'atelier s'il n'y a que 2 ou 3 cm d'eau.

Dans les cas graves, appelez un plombier, un entrepreneur ou les pompiers. Si personne n'est disponible, louez une pompe électrique submersible dans une quincaillerie. Installez le tuyau d'arrosage sur la pompe et faites-le courir jusqu'à un égout pluvial ou une pente. Posez la pompe à plat sur le plancher et branchez-la chez un voisin avec un cordon d'alimentation de grande puissance. Enlevez les débris qui pourraient faire surchauffer le moteur.

Attention : L'eau est conductrice d'électricité. Faites débrancher le système électrique de votre maison. Si vous devez le faire vous-même, enfilez des bottes et des gants de caoutchouc épais. Montez sur un objet en bois et servez-vous d'un morceau de bois (un manche à balai, par exemple) pour enlever le disjoncteur principal ou fermer l'interrupteur général. Ne touchez à rien tant que le courant n'est pas coupé (p. 163).

UNE FISSURE LATENTE DANS LE SOUS-SOL

Lorsqu'une fissure dans un mur du sous-sol s'agrandit, il peut s'agir d'un problème de structure ; consultez un technicien. Les fissures latentes, produites par le tassement du sol, se réparent bien. Pour différencier les fissures croissantes des fissures latentes, voir page 167.

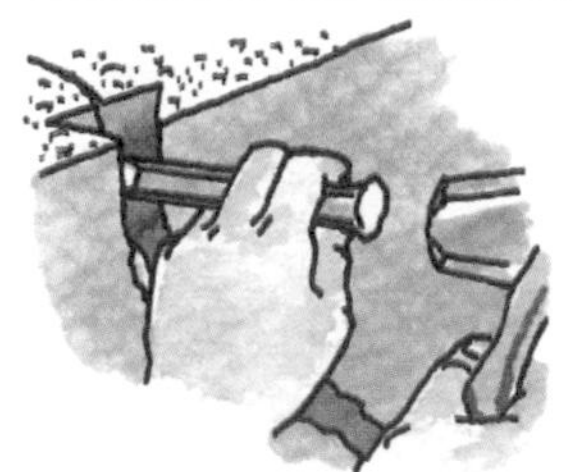

1. Avec un ciseau et une masse, entaillez la fissure pour que le fond soit plus large que l'ouverture. Enlevez les débris à la brosse, nettoyez à l'aspirateur et mouillez.

2. Si la fissure est large, utilisez 1 volume de ciment Portland mélangé à 3 volumes de sable fin. Si elle est petite, employez un époxyde dans la demi-heure qui suit le mélange.

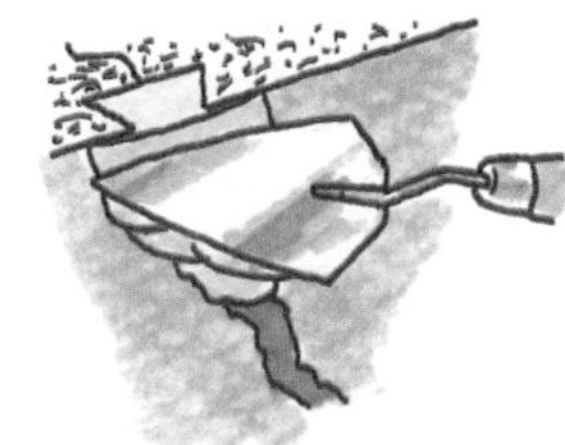

3. Remplissez complètement la fissure de ciment ou d'époxyde à la truelle. Egalisez le ciment sans tarder ; attendez une demi-heure avant d'égaliser l'époxyde avec une truelle mouillée.

FUITES ET INFILTRATIONS

Enlevez les feuilles mortes qui s'accumulent près des fenêtres encaissées du sous-sol ; elles favorisent les infiltrations ou les inondations. Mettez du gravier au fond de la dénivellation pour améliorer le drainage.

Si les inondations sont fréquentes, confiez à un plombier le soin d'installer un système de tuyaux de drainage raccordé à une pompe de puisard. La fosse de celle-ci doit avoir de 45 à 60 cm de diamètre.

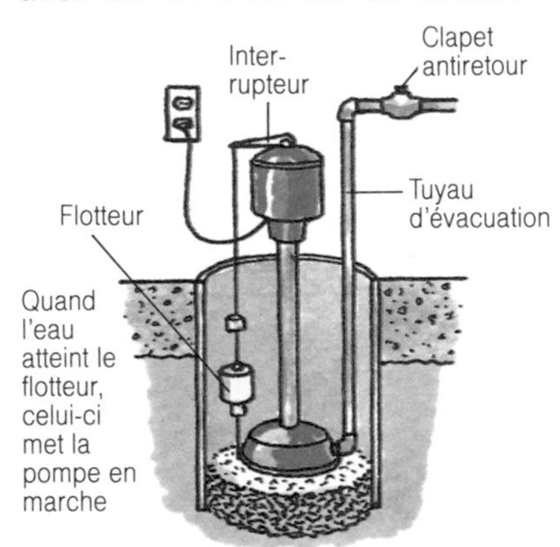

Il est bien plus efficace d'imperméabiliser un sous-sol de l'extérieur que de l'intérieur, mais le travail est plus coûteux puisqu'il faut dégager les fondations. C'est une solution de dernier recours.

TRAVAUX DE PLOMBERIE

Avant tout, coupez l'arrivée d'eau en fermant le robinet principal ou celui qui est le plus près de l'appareil à réparer. Dans les endroits où il y a un aqueduc municipal, le robinet principal se trouve près de l'arrivée de celui-ci, à côté du compteur d'eau s'il y a lieu. Si la maison s'alimente à un puits, le robinet est à côté du réservoir d'eau froide.

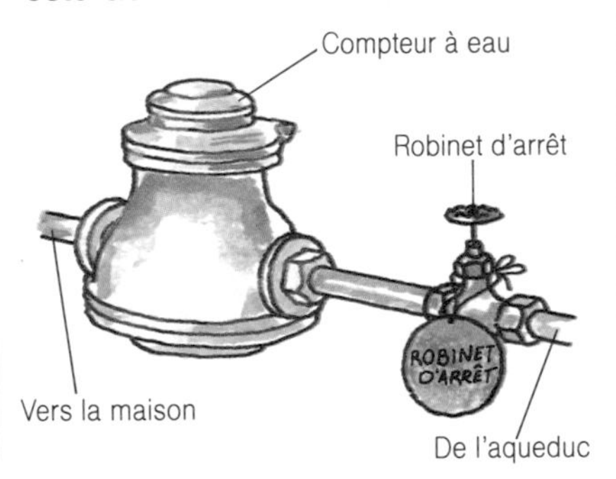

RÉPARATION SOMMAIRE D'UN TUYAU FISSURÉ

Les fuites d'eau peuvent abîmer le plâtre, la peinture et le papier peint, et faire naître des risques de chocs électriques ; appelez un plombier sans tarder. Mais avant son arrivée, bouchez temporairement la fuite. Coupez l'arrivée d'eau au tuyau qui fuit. Enlevez la rouille avec de la laine d'acier. Essuyez et asséchez la partie endommagée.

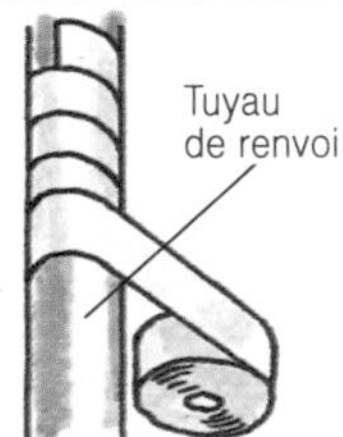

Pour boucher une petite fissure, enroulez du ruban d'électricien sur la partie qui fuit pour bien la recouvrir.

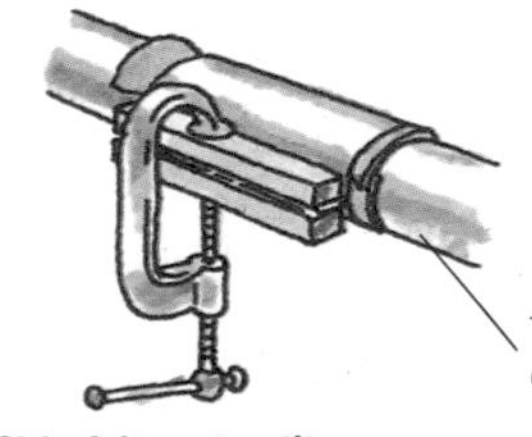

Si la fuite est petite, posez sur la fissure un coussinet de caoutchouc maintenu par un collier de serrage ou recouvrez d'une boîte en fer blanc ouverte, maintenue en place par une serre en C et deux tampons de bois.

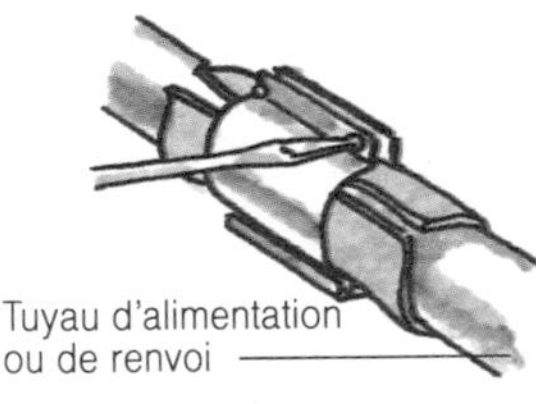

Si la fuite est importante, posez un coussinet de caoutchouc, couvrez avec une bride en deux morceaux réunis par des boulons. La bride doit être en plein sur la fissure.

Attachez une étiquette au robinet d'arrêt principal pour que tous les membres de la famille le trouvent facilement en cas d'urgence.

Lorsque vous entendez un coup sourd en ouvrant rapidement un robinet, c'est que la pression monte indûment dans le tuyau. Ces vibrations peuvent endommager les tuyaux. Installez alors une colonne d'air sur le tuyau qui mène au robinet fautif. S'il se produit un coup de bélier dans un tuyau doté d'une colonne d'air, vidangez le tuyau et dans la majorité des cas vous rétablirez ainsi le coussin d'air.

TUYAU GELÉ

Avant toute intervention, coupez l'eau au robinet d'arrêt pour qu'il ne se produise pas d'inondation si le tuyau était fendu. Ouvrez les robinets d'eau chaude que ce tuyau alimente pour réduire la pression de la vapeur et empêcher un éclatement. Fermez-les quand la situation est redevenue normale.

S'il n'y a pas d'eau aux robinets de la maison, le gel s'est produit près du compteur à eau. Mettez la main sur le compteur et les tuyaux adjacents. S'ils sont très froids, le tuyau gelé n'est pas loin.

Lorsque l'eau coule seulement dans une partie de la maison, il se peut qu'un tuyau situé dans un mur extérieur ou un vide sanitaire non isolé soit gelé. Augmentez le chauffage, ouvrez les armoires de l'évier et du lavabo pour laisser entrer la chaleur ou réchauffez les tuyaux à leur sortie du mur.

Dans le cas d'un tuyau partiellement gelé, ouvrez à fond le robinet qui ne coule pas. Ouvrez également tous les robinets d'eau chaude de la maison pour faire monter la température du tuyau à moitié gelé. Quand l'eau chaude coule abondamment partout, n'en laissez plus sortir qu'un filet. Vous refermerez les robinets seulement lorsque le tuyau sera complètement dégelé.

Dès que vous avez identifié la partie du tuyau qui est gelée, réchauffez-la lentement, en partant du robinet, avec un sèche-cheveux ou une lampe infrarouge. Mais ne le chauffez pas au point de ne pouvoir le tenir.

Pour dégeler un tuyau, n'utilisez ni torche à propane, ni eau bouillante, ni flamme nue. Réchauffé trop brutalement ou avec excès, le tuyau pourrait éclater.

EMPÊCHEZ LE GEL DES TUYAUX

Protégez contre le gel les tuyaux de métal (non ceux de plastique) en les enroulant d'un câble électrique chauffant ; il les réchauffera durant les vagues de froid intense.

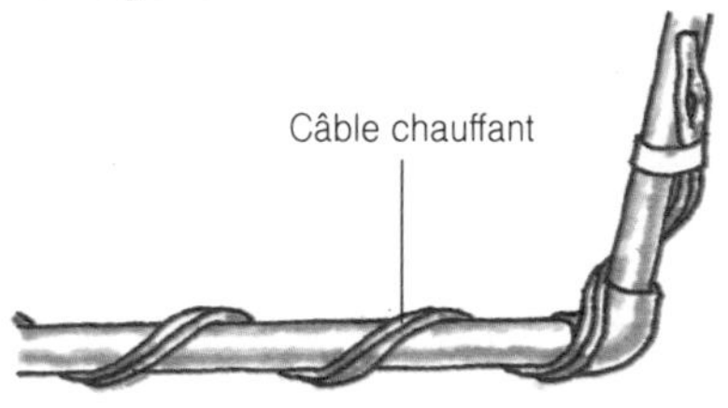

Si vous prenez de longues vacances en hiver, demandez à un plombier de vidanger tout le système. Vous pourrez partir tranquille.

ÉCONOMISEZ L'ÉNERGIE

Voulez-vous réduire vos factures de chauffage de 7 à 12 p. 100 par an ? Installez un thermostat programmable qui abaisse la température le jour quand personne n'est à la maison ou la nuit quand tout le monde dort, la remonte avant le retour à la maison ou le réveil.

Posez des réflecteurs de chaleur derrière les radiateurs et les plinthes chauffantes. Prenez un morceau de panneau isolant et fixez-y du papier d'aluminium résistant avec du ruban adhésif.

La poussière et la saleté qui s'accumulent dans les radiateurs et les plinthes chauffantes en diminuent souvent l'efficacité. Tous les deux mois, éteignez-les et, quand ils sont froids, nettoyez-les à l'aspirateur en utilisant le suceur plat. Ensuite, essuyez-les avec un chiffon humide.

Isolez les tuyaux qui mènent aux radiateurs ou aux bouches d'air chaud pour ne pas perdre de chaleur inutilement.

Vous perdez de la chaleur et de l'argent quand vous ouvrez les fenêtres dans une pièce surchauffée par un radiateur à vapeur. Faites poser des thermostats de radiateur qui régulariseront la température. Les prix varient ; renseignez-vous.

CHAUFFAGE À AIR PULSÉ

Si les tentures font obstacle à l'air chaud qui sort des bouches de chauffage, devant les fenêtres, installez des déflecteurs.

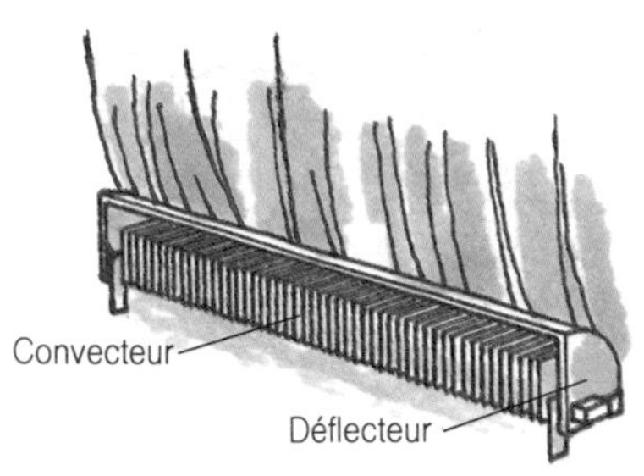

Réduisez la quantité de poussière qu'un système de chauffage à air pulsé ou un système central de climatisation fait entrer dans les pièces. Enlevez les grilles chaque mois et brossez-les avec de l'eau et un détergent doux. Passez l'aspirateur dans les bouches de chaleur en allant aussi loin que le permet le tube.

Faut-il changer souvent le filtre du système à air pulsé ? Pour le savoir, posez un nouveau filtre et examinez-le une fois par mois : mirez-le devant une source de lumière ; si vous voyez mal au travers, c'est qu'il est obstrué par des saletés. Il est temps de le changer.

BRÛLEUR À MAZOUT

Les factures de mazout sont élevées ? Le brûleur peut en être la cause. Demandez à un technicien de mesurer la quantité de gaz carbonique (CO_2) qui s'échappe par la cheminée. S'il y en a entre 10 et 13 p. 100, le brûleur est en bon état ; entre 8 et 10 p. 100, la situation est acceptable. Au-dessous de 8 p. 100, faites vérifier la chambre de combustion. Fuites d'air, ventilation insuffisante ou excessive, mauvais mélange air-mazout augmentent tous la consommation.

QUE VÉRIFIER LORS D'UNE PANNE DE CHAUFFAGE

Le thermostat. Réglez le thermostat à cinq degrés au-dessus de la température ambiante pour faire démarrer le chauffage. Si le thermostat est muni d'un réglage jour/nuit, assurez-vous que les cycles n'ont pas été inversés.

Si les points de contact du thermostat sont exposés, il faut les nettoyer de temps à autre. Coupez le courant (p. 163) et ôtez le couvercle. Abaissez le réglage pour que les points s'écartent et passez une carte d'affaires plusieurs fois entre eux. Remontez le thermostat pour que les points se referment et répétez l'opération.

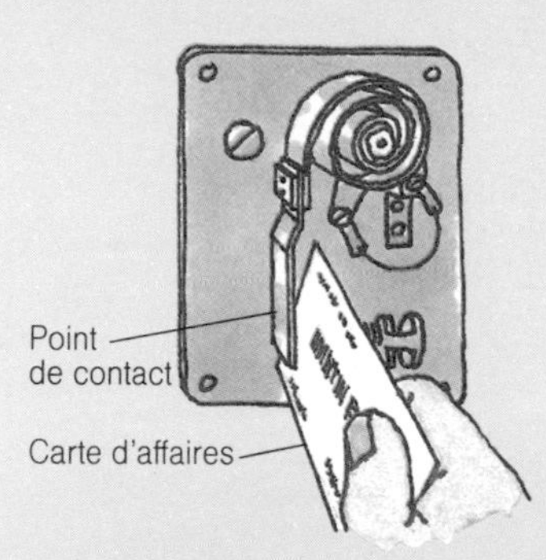

Pour un thermostat rond, coupez le courant et retirez le cadran de réglage. Nettoyez les points avec un coton-tige trempé dans du vinaigre coupé d'eau en volume égal.

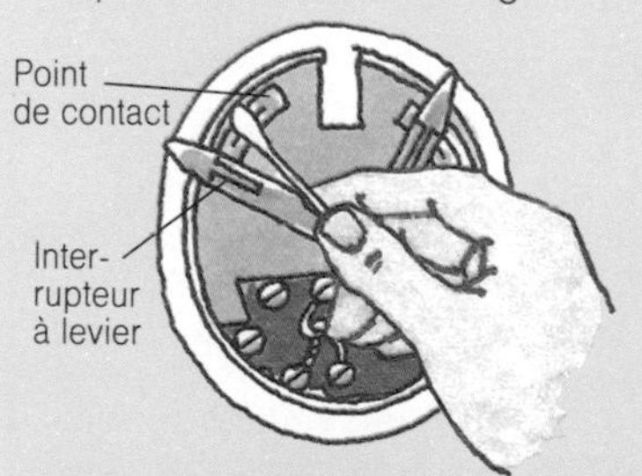

Avant d'examiner la chaudière. Vérifiez le fusible ou le disjoncteur qui commande le chauffage (p. 163).

Assurez-vous que l'interrupteur de sécurité n'a pas été déclenché.

Si le brûleur fonctionne au mazout, vérifiez le niveau du réservoir. En l'absence de jauge, ouvrez le tuyau de remplissage et plongez-y une tige.

La chaudière. Vérifiez la position de l'interrupteur de sécurité.

Si vous avez un brûleur à mazout, appuyez d'abord sur le relais de protection qui se trouve sur le moteur, puis sur le relais de puissance situé sur la cheminée ou le brûleur.

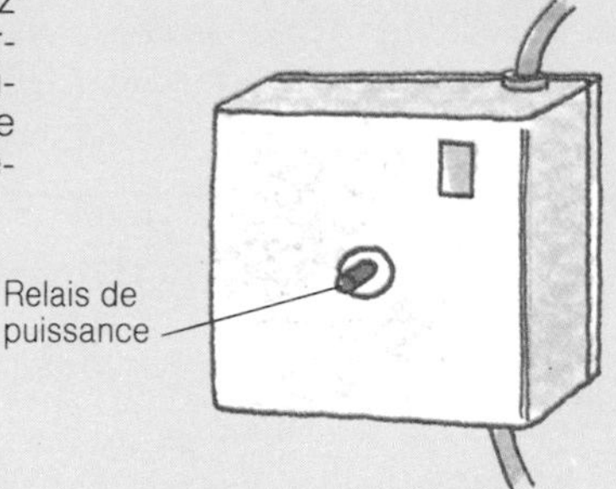

Si le brûleur à mazout est contrôlé par cellule photoélectrique, assurez-vous que celle-ci n'est pas encrassée. Fermez l'interrupteur de sécurité; enlevez les vis qui retiennent le transformateur sur le carter du ventilateur et rabattez-le. La cellule se trouve sous le transformateur ou sur le carter. Essuyez-la avec un chiffon propre.

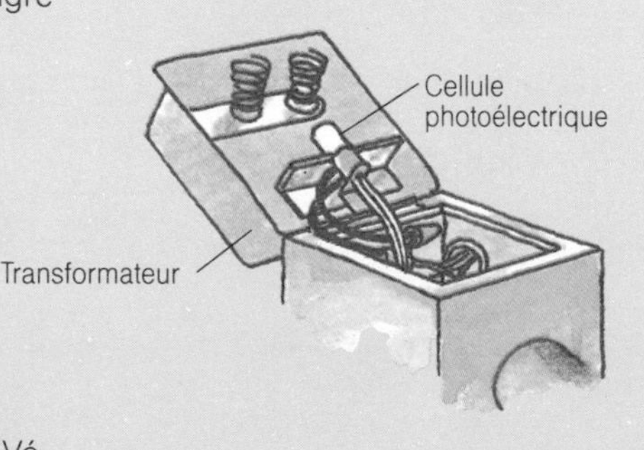

Dans le cas d'un brûleur à gaz, vérifiez la veilleuse. Au besoin, rallumez-la selon les instructions du manuel ou de la plaque. Elle s'éteint constamment? Demandez à un technicien de vérifier le thermocouple. Si le système fonctionne, mais donne moins de chaleur, voyez page 124.

Il faut parfois huiler les paliers du moteur d'un brûleur à mazout ; consultez le guide d'utilisation. Si le brûleur actionne un système à air pulsé, le moteur de la soufflerie peut exiger le même entretien. Lubrifiez les godets de graissage.

Le filtre des brûleurs à mazout doit être remplacé deux fois par an — au moment de l'entretien annuel et au milieu de l'hiver. Votre fournisseur de mazout vous indiquera comment le changer.

VENTILATEURS DE MAISON

L'hiver, la bise entre-t-elle dans la maison par les lattes fermées du ventilateur des combles ? Fixez une contre-fenêtre en plastique sur les lattes ou couvrez-les d'un panneau isolant rigide.

Tirez toute l'efficacité possible du ventilateur central. N'ouvrez que les portes et fenêtres des pièces que vous utilisez pendant qu'il marche.

LE SYSTÈME NE DONNE QUE PEU DE CHALEUR

Système à eau chaude. Appuyez sur le bouton de contrôle de la pompe s'il y en a un.

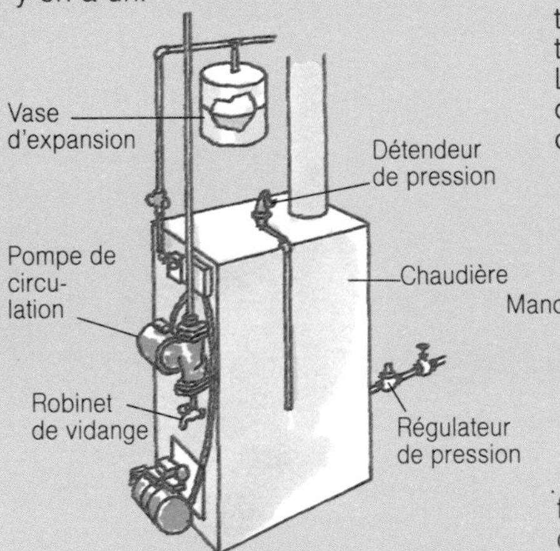

Examinez la soupape qui régularise automatiquement la pression de l'eau dans le système. Si la pression qu'elle indique est inférieure à l'indice minimal, appelez le fournisseur.

Si le vase d'expansion est chaud et que le détenteur de pression crachote de l'eau, le réservoir manque d'air. Consultez le guide du fabricant.

Il faut purger les radiateurs qui restent froids. Ouvrez le purgeur qui se trouve sur le radiateur. Quand il en jaillit de l'eau (elle sera très chaude), refermez-le rapidement.

Système à vapeur. Voyez si l'eau arrive à mi-hauteur dans l'hydromètre. Les chaudières modernes s'alimentent automatiquement en eau. Si la vôtre est ancienne, consultez le guide. Laissez la chaudière refroidir : ajouter de l'eau froide quand la chaudière est chaude pourrait la faire fendre.

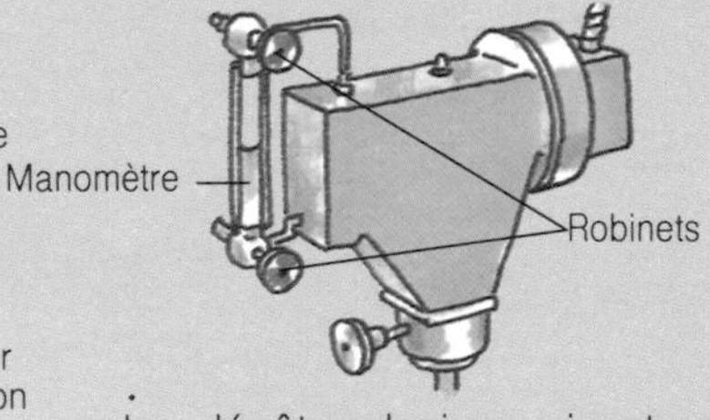

Les dépôts calcaires nuisent au bon fonctionnement de la chaudière. Vidangez-la de temps à autre. Mettez un seau sous le robinet (attention : l'eau est très chaude) ; ouvrez. Retirez un seau d'eau ; remplissez la chaudière.

Si la chaudière se remet constamment en marche alors que le niveau d'eau est correct, ajoutez un produit antirefoulement.

Système à air chaud. Un filtre encrassé nuit au passage de l'air chaud. Palpez les conduites ; le filtre se trouve dans celle du retour d'air frais. Ouvrez le panneau d'accès ; remplacez un filtre en fibre de verre ; lavez un filtre en plastique ou en aluminium.

CLIMATISEUR

Le climatiseur programmable vous épargne argent et ennuis, celui par exemple d'arriver le soir dans une maison étouffante. Réglez-le pour qu'il arrête 15 minutes après votre départ le matin et reparte 15 minutes avant votre retour le soir.

Il se vend des chronomètres que vous pouvez monter sur vos climatiseurs. Programmez le chronomètre selon vos besoins, branchez-le sur une prise de courant, puis branchez le climatiseur au chronomètre.

GARDEZ LA MAISON FRAÎCHE

Bloquez l'entrée de l'air au niveau du sol. Fermez les bouches d'air chaud et rendez-les étanches avec de la pellicule de plastique. Posez des coupe-bise dans le bas des portes qui donnent sur l'extérieur.

Veillez au bon fonctionnement du climatiseur. Une fois par mois, retirez la grille et lavez le filtre dans l'eau tiède avec un détergent doux ; reposez le filtre quand il est bien sec. Dans l'intervalle, nettoyez les pièces accessibles à l'aspirateur.

Faussées, les ailettes de l'évaporateur nuisent à l'efficacité du climatiseur. Retirez la grille et le filtre et redressez les ailettes avec une spatule de caoutchouc.

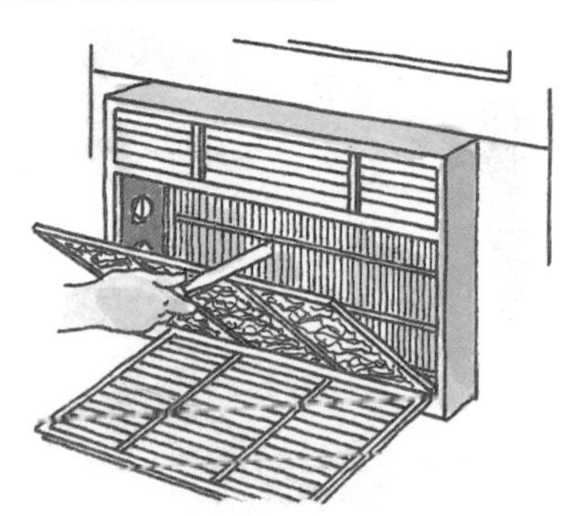

CLIMATISEUR BRUYANT : QUE FAIRE

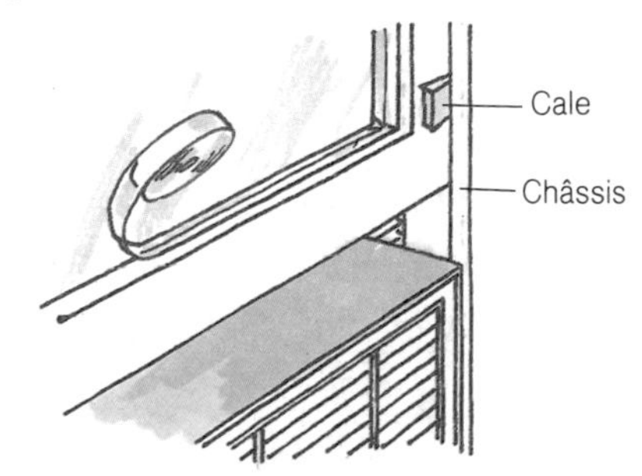

1. Les vibrations de l'appareil peuvent se communiquer à la fenêtre et la faire vibrer à son tour. Le climatiseur en marche, appuyez la main sur le châssis de la fenêtre, puis sur la vitre. Si la vibration change de timbre dans le premier cas, coincez la fenêtre avec des cales de bois. Dans le second cas, mettez du ruban de cellophane entre la vitre et le cadre ou rajoutez du mastic.

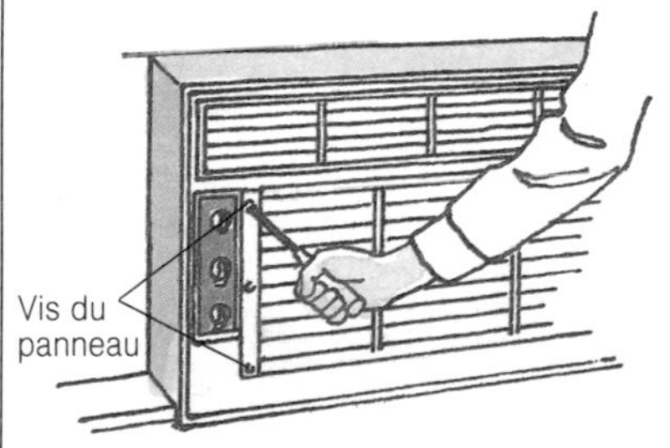

2. Si le bruit se modifie quand vous appuyez les deux mains sur la grille, resserrez les vis du panneau. En cas d'échec, mettez du ruban de plombier pour maintenir le panneau contre l'appareil.

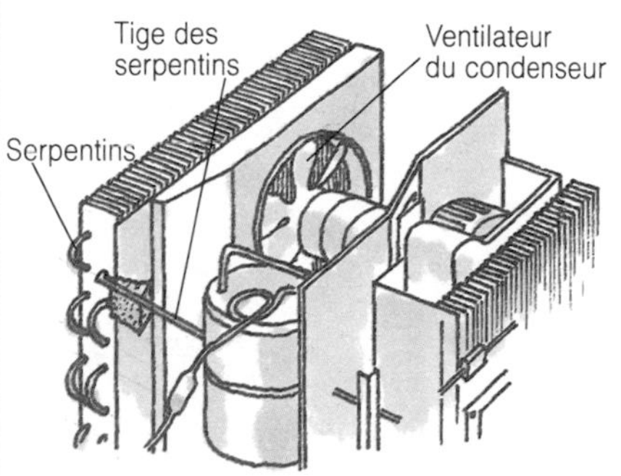

3. Débranchez l'appareil ; soulevez son châssis et glissez-le à demi hors du boîtier ; calez-le avec un tabouret ou un escabeau pour qu'il soit d'aplomb. S'il faut sortir tout le climatiseur de la fenêtre pour en retirer le châssis, demandez de l'aide. Tournez le ventilateur à la main. S'il présente une pale faussée qui heurte les ailettes du condenseur, redressez-la. Remuez le châssis ; si la tige du serpentin du condenseur frappe le carter du ventilateur, glissez un coussinet de caoutchouc mousse entre les deux.

INSECTES ET VERMINE

Refusez-leur nourriture, eau, abri : vous les éloignerez. Conservez les aliments dans des bocaux fermés en verre ou en plastique. Ramassez les miettes ; essuyez les liquides. Gardez les comptoirs, les armoires et les éviers impeccables. Lavez les poubelles ; assujettissez leur couvercle. Bouchez les fissures et les fentes. Obturez les trous dans les moustiquaires. Mettez des pare-étincelles aux cheminées.

Les appareils à vibrations électriques sont inefficaces contre la majorité des insectes qui mordent ou piquent : abeilles, guêpes et maringouins. Mais ils éloignent d'autres insectes ailés aux abords de la piscine et de la terrasse le soir.

Ne pendez pas de plaque insecticide dans une pièce où se trouvent un bébé, un animal de compagnie, une personne âgée ou malade, ni dans les endroits où l'on prépare des aliments.

INSECTES DOMESTIQUES COMMUNS (grandeur non nature)

Insecte	Habitat	Remarques	Remèdes
Fourmi gâte-bois	Vit dans le bois humide ou pourri	Peut endommager sérieusement la charpente	Diazinon ou propoxur en solutions pour la maison
Fourmi commune	Est attirée dans les maisons par les aliments sucrés ou gras	La colonie se trace un chemin, facile à suivre pour vous, du nid à la source alimentaire	Barrez la route avec un insecticide ; vaporisez du diazinon ou du propoxur pour la maison sur les cadres de fenêtres, les plinthes, les fentes et les fissures
Punaise de lit	Infeste matelas, sommiers, fentes dans les murs et parquets, meubles, papier peint	Se nourrit de sang humain ; plate et brune à jeun, ronde et rouge repue ; nocturne	Traitez les lits avec une formule appropriée de malathion ; laissez sécher les matelas avant de refaire les lits ; dans les cas graves, appelez des spécialistes de l'extermination
Pou de bois	Endroits chauds et humides	Se nourrit de champignons microscopiques ; transparent	Aérez et déshumidifiez les endroits infestés ; dégagez les armoires ; vaporisez-les avec du malathion pour la maison ; remplacez le papier sur les tablettes
Anthrène	Tapis, plume, fourrure, poils, soie, capitonnage, laine	Se nourrit de charpie et d'insectes morts	Vaporisez tapis et penderies de diazinon ou de malathion pour tapis, meubles et tissus ; passez souvent l'aspirateur là où il y a de la charpie ou de la poussière et jetez le sac aussitôt ; enlevez les insectes morts ; à titre préventif, utilisez des boules ou des cristaux à mites
Cafard	Endroits humides, chauds, sombres	Se nourrit de colle, fécule, aliments et ordures ; nocturne	Mettez du chlorpyrifos, du diazinon ou du propoxur dans les fentes et les fissures ; posez des pièges contenant de l'amidinohydrazone ; saupoudrez de la poudre d'acide borique dans les armoires de cuisine et de salles de bains hors de l'atteinte des enfants ou des animaux

Egrenez quelques feuilles de laurier sur les rebords des fenêtres pour empêcher les fourmis d'entrer. Si elles s'assemblent autour des pots à farine ou à sucre, mettez des feuilles de laurier à l'intérieur de ceux-ci et changez-les tous les mois.

N'employez pas d'insecticide tout usage. Il peut être inefficace dans le cas qui vous préoccupe. Renseignez-vous dans un centre d'horticulture ou à un bureau du ministère provincial de l'Agriculture.

Si vous n'avez pas d'insecticide au moment où un insecte volant vous attaque, pulvérisez du fixatif à cheveux : vous immobilisez ainsi ses ailes, ce qui vous permet de l'écraser.

INSECTES DOMESTIQUES COMMUNS (grandeur non nature)

Insecte	Habitat	Remarques	Remèdes
Escarbot de la farine	Farine, céréales, graines d'oiseaux, nourriture pour animaux domestiques	Jetez les aliments infestés ; gardez les nouveaux dans des contenants de métal ou de plastique qui ferment bien	Nettoyez les armoires à fond ; enlevez aliments et ustensiles de cuisine ; brossez ou vaporisez les coins et les fentes avec du diazinon, du malathion ou du propoxur pour la maison
Mouche commune	Aliments, ordures, matières organiques en décomposition comme fumier ou déchets de tonte du gazon	Propage des maladies dangereuses pour les hommes et les animaux	Vaporisez du pyrèthre ou de la resméthrine ; suspendez des plaques insecticides à enduit chimique selon le mode d'emploi ; utilisez le tue-mouches ; posez des moustiquaires dans les portes et les fenêtres ; fermez bien les poubelles
Maringouin	Eau stagnante	Les femelles adultes se nourrissent du sang des bêtes et des hommes ; certaines transmettent des maladies	Vaporisez du pyrèthre ; suspendez des plaques insecticides à enduit chimique selon le mode d'emploi ; drainez les eaux stagnantes ; appliquez des insecticides sur la peau ; posez des moustiquaires dans les fenêtres et les portes
Lépisme	Endroits frais et humides comme les sous-sols	Se nourrit de farines et fécules, de colle et de pâte ; nocturne	Mettez du diazinon, du malathion ou du propoxur pour la maison dans les fentes et les ouvertures autour des tuyaux
Araignée	Tisse sa toile dans les coins et les fentes	Se nourrit d'insectes ; inoffensive sauf la veuve noire et la fileuse brune	Enlevez les toiles avec un balai ou l'aspirateur ; vaporisez du diazinon, du malathion ou du propoxur pour la maison si les araignées vous dérangent beaucoup. Autrement, évitez de les tuer ; elles sont très utiles
Guêpe	Combles, plafond des entrées, avant-toit, arbres ; parements à déclin ; trous dans le sol	Dangereuse pour les personnes allergiques	Vaporisez les nids le soir par temps frais avec un insecticide spécial ou une formule de carbaryl, malathion ou propoxur pour la maison ; suspendez des plaques insecticides à enduit chimique dans les endroits fermés selon les instructions

Les chiens et les chats peuvent introduire dans la maison des tiques qui vont se loger dans les fentes et les plinthes. Le cas échéant, vaporisez du malathion ou du diazinon pour la maison.

Garnissez de moustiquaires toutes les ouvertures de plus de 6 mm de diamètre pour empêcher les chauves-souris d'entrer. Eparpillez des paillettes de naphtaline dans les endroits fermés. S'il entre une chauve-souris dans une pièce, ouvrez fenêtres et portes extérieures, s'il y a lieu, le soir et éteignez les lampes. Refermez quand elle est sortie.

AVEC LES INSECTICIDES

IL FAUT

Lire les instructions et les suivre bien scrupuleusement.

Faire les mélanges dans un endroit bien aéré.

Porter des gants de caoutchouc.

Garder les insecticides dans leurs contenants bien fermés et étiquetés.

Les conserver dans un local aéré et fermé à clé, frais et sans soleil.

Envelopper les contenants dans du papier journal avant de les jeter.

Faire sortir le gaz des bidons pressurisés avant de les jeter aux ordures.

Enlever aliments, ustensiles, animaux et mangeoires avant de vaporiser.

IL NE FAUT PAS

Employer des insecticides là où il y a des enfants ou des animaux.

Fumer, manger, boire ou mâcher de la gomme pendant la vaporisation.

Respirer les jets, vapeurs ou poudres.

Jeter les insecticides là où ils peuvent nuire à l'environnement.

Les ranger avec les aliments.

Entrer dans une pièce traitée avant qu'une demi-heure se soit écoulée.

Si un écureuil ou un tamia a élu domicile chez vous, éparpillez des cacahuètes dans un piège pour petit animal vivant. Libérez votre capture dans les bois.

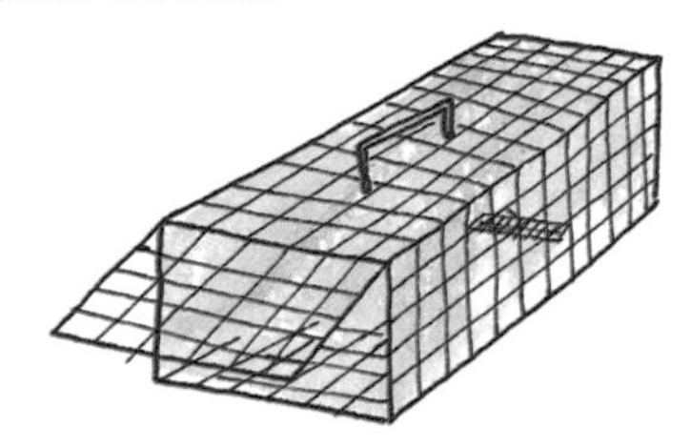

Pour vaincre la résistance des souris à utiliser vos pièges, appâtez-les deux ou trois jours, sans les armer, avec du gras de bacon, du beurre d'arachide, des raisins secs ou du fromage. Puis armez-les et, avec un crayon pour ne pas vous faire prendre les doigts, mettez-les en place.

PROTÉGEZ-VOUS DES VOLEURS

Installez un judas qui donne un champ de vision aussi large que possible, de 180° de préférence, ou pendez un miroir concave sur un mur ou un arbre en face du judas.

Les serrures ont la résistance de la matière dans laquelle vous les posez. A l'extérieur, installez des portes pleines ou métalliques. Quand vous mettez des serrures aux fenêtres, utilisez des vis assez longues pour atteindre les montants qui se trouvent derrière les cadres.

Les fenêtres du sous-sol sont souvent dissimulées à la vue des passants et elles donnent accès à un endroit généralement désert. Aussi les cambrioleurs les affectionnent-ils. Verrouillez-les en tout temps.

Les cambriolages perpétrés alors qu'il y a des gens dans la maison ne sont pas rares. Gardez vos portes fermées à clé même si vous êtes là.

Sur les portes extérieures de la maison, mettez une ou deux serrures antivol de bonne qualité plutôt qu'une demi-douzaine de serrures standards ou médiocres : ce sera plus efficace et plus pratique.

Posez des serrures sur les portes intérieures qui mènent au garage ou au sous-sol. Préférez les serrures à pêne dormant aux serrures à bouton. Le pêne doit avoir une épaisseur et une projection de 2,5 cm.

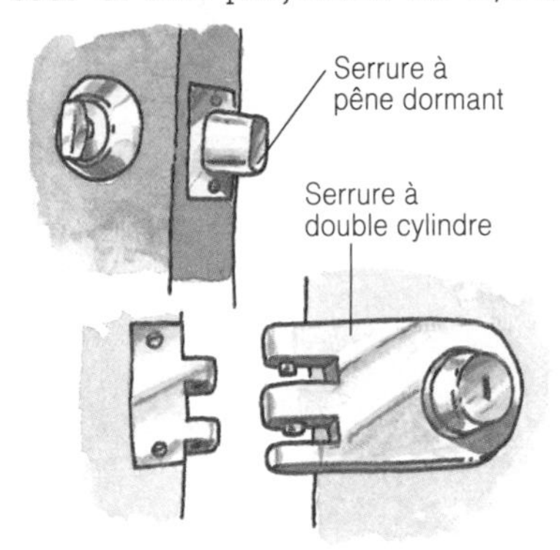

Sur les portes à fenêtre ou à fente postale, posez une serrure à double cylindre qui, à l'intérieur, s'ouvre également avec une clé.

La porte extérieure du garage ou du porche doit être elle aussi munie d'une bonne serrure. Le cambrioleur qui réussit à les franchir peut tout à loisir forcer les autres portes puisque personne ne peut le voir.

Pour empêcher qu'on puisse enlever une porte coulissante en vitre en la soulevant, installez des cales ou des vis à tête protubérante dans le cadre sous le rail supérieur. Introduisez un tuyau ou un manche à balai dans le rail inférieur pour empêcher la porte de coulisser.

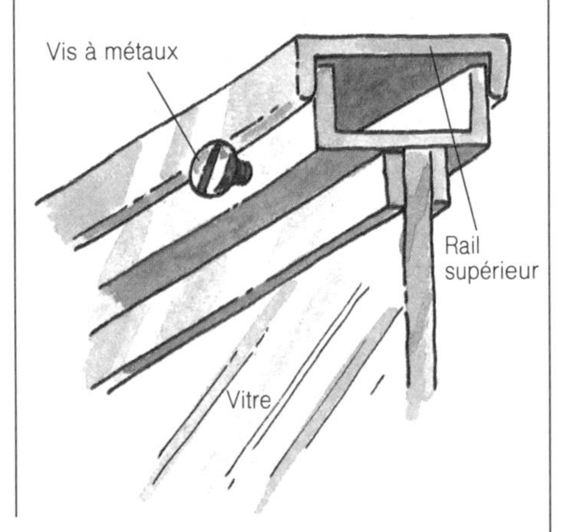

SYSTÈMES D'ALARME ANTIVOL

Les systèmes d'alarme antivol ne sont pas infaillibles. Ils se déclenchent parfois sans raison et ne suffisent pas seuls à protéger la maison. Ils n'en restent pas moins le meilleur dispositif de protection.

Genre	Fonctionnement	Avantages	Inconvénients
Système			
Périmétrique (protège les accès)	L'alarme se déclenche quand il y a interruption du champ magnétique dans le circuit qui protège portes et fenêtres	Peu coûteux ; facile à installer ; visible ; décourage les voleurs	Facile à déjouer pour un cambrioleur d'expérience
Détecteur de mouvement (protège les pièces)	Œils à rayon infrarouge, détecteurs à ultrasons, microphones sensibles ou paillassons-avertisseurs percevant le mouvement	Difficile à détecter et à déjouer	Animaux, enfants ou climatiseurs peuvent le déclencher
Alarme			
Locale	Sonnerie ou clignotants	Le bruit et la lumière font fuir l'intrus	Inutile si la maison est isolée ; se déclenche souvent sans raison
Centrale	Un standardiste communique avec la police, le bureau, le propriétaire	Moins de fausses alertes	Donne à l'intrus le temps d'accomplir son méfait
Reliée à la police	Un standardiste communique l'information	Secours rapides	Fausses alertes parfois passibles d'amende

Voici un truc pour rendre ultra-sécuritaire une fenêtre à guillotine. Fermez-la et percez un trou dans les coins des traverses. Introduisez dans les ouvertures un clou dont la tige est aussi longue que l'épaisseur des deux traverses, mais assez petite pour que vous puissiez retirer le clou sans difficulté quand vous voulez ouvrir la fenêtre.

SOYEZ PRÉVOYANT

Avant d'entrer dans une maison ou un appartement nouveaux, faites changer les cylindres des serrures.

Les haies hautes, les massifs d'arbustes protègent votre intimité mais soustraient les cambrioleurs aux regards des passants. Taillez-les pour qu'on ne puisse s'y cacher derrière.

Elaguez les branches, enlevez les treillages qui peuvent donner accès aux fenêtres de l'étage.

Dans un immeuble à appartements, mettez des serrures aux fenêtres et portes qui donnent sur des balcons, des escaliers de sauvetage ou le toit. Aux étages inférieurs, verrouillez les fenêtres quand vous sortez.

Avec une aiguille électrique, gravez votre numéro d'assurance sociale sur tous vos objets de valeur ; les cambrioleurs auront de la difficulté à les vendre et la police les identifiera facilement.

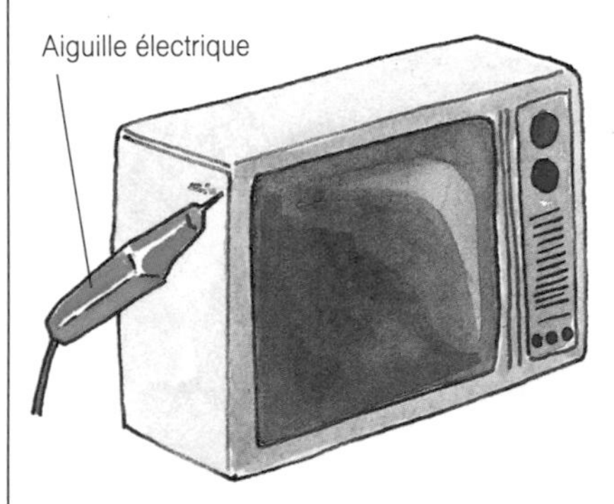

Si votre poste de téléphone est branché à un répondeur, ne laissez pas de message qui précise votre emploi du temps. Identifiez-vous par votre numéro de téléphone et dites simplement que vous rappellerez dès que possible.

Le chien de compagnie est à lui seul un système antivol irremplaçable. Ses aboiements bruyants et frénétiques suffisent souvent à mettre les cambrioleurs en déroute et à donner l'alarme au voisinage.

Procurez-vous des minuteries pour donner l'illusion qu'il y a quelqu'un dans la maison, même si votre absence est de courte durée. Les minuteries peuvent allumer et éteindre des lampes, des téléviseurs et des postes de radio, donnant l'impression que la maison est habitée.

Si vous devez vous absenter pour plusieurs semaines, demandez à un ami, à un parent ou à un voisin de stationner sa voiture dans votre entrée, de tondre le gazon ou pelleter la neige et de sortir des ordures les jours de cueillette. Interrompez les livraisons de courrier ou de journaux jusqu'à votre retour.

Ces merveilleux appareils

RÉFRIGÉRATEUR ET CONGÉLATEUR : CHOIX

Pour votre réfrigérateur, prévoyez une capacité de 224 litres (8 pi^3) pour deux personnes ; ajoutez 28 litres (1 pi^3) par personne supplémentaire et 56 litres (2 pi^3) si vous recevez beaucoup.

Avant d'arrêter votre choix, examinez la disposition et la nature des clayettes. Celles en verre se lavent bien mais se brisent ; en métal, elles sont durables mais les aliments passent à travers. Les demi-clayettes permettent de loger des articles de dimensions peu courantes.

Le compartiment de congélation du réfrigérateur loge davantage en position latérale qu'en position supérieure. Ses clayettes sont cependant plus étroites et cela peut présenter des inconvénients. En outre, une telle disposition consomme de 15 à 20 p. 100 plus d'électricité.

Il y a différent types de dégivrage. Dans le dégivrage cyclique, le réfrigérateur se dégivre automatiquement, mais vous dégivrez le congélateur. Dans le dégivrage intégral avec évaporation de l'eau, l'appareil entier se dégivre automatiquement mais consomme plus d'électricité : c'est le modèle sans givre.

Le congélateur le plus pratique est celui qui répond à vos besoins. Un coffre consomme moins d'énergie, car l'air froid, plus lourd que l'air chaud, ne sort pas quand vous l'ouvrez. Mais un congélateur vertical est moins encombrant. Et comme vous avez facilement accès à ce qu'il contient, vous l'ouvrez moins longtemps.

QUELLE EST LA LONGÉVITÉ D'UN APPAREIL ?

Quand vous connaissez la longévité d'un appareil, vous pouvez établir entre les divers modèles une comparaison plus juste que si vous vous basez uniquement sur le coût initial. Dans le cas d'un gros appareil, évaluez la consommation d'énergie par an. Vous trouverez ce renseignement dans le guide. Multipliez ce coût par le nombre d'années que peut durer l'appareil. Ajoutez le résultat au prix d'achat et vous aurez une bonne idée du coût réel de l'appareil.

Longévité approximative d'un appareil neuf en années

Batteur	8	Congélateur	15	Lave-vaisselle	11
Broyeur	10	Cuisinière	15	Machine à laver	12
Cafetière percolateur	6	Fer à repasser	9	Mélangeur	9
Cafetière-filtre	3	Four grille-pain	9	Réfrigérateur	13
Chauffe-eau électrique	12	Four à micro-ondes	11	Robot culinaire	8
Chauffe-eau à gaz	10	Grille-pain	8	Sécheuse électrique	13
Compresseur à déchets	10	Humidificateur	8	Sécheuse à gaz	14

RÉFRIGÉRATEUR, CONGÉLATEUR : INSTALLATION

Pensez à un réfrigérateur sur roulettes : vous économiserez des efforts et épargnerez votre plancher de cuisine. Mais évitez les roulettes si le couvre-sol est en vinyle souple ; elles laisseraient des marques.

Placez le réfrigérateur ou le congélateur loin des sources de chaleur : soleil, cuisinière, lave-vaisselle ou bouche à air chaud.

Ne mettez pas le réfrigérateur dans une pièce non chauffée. Si la température ambiante est inférieure à 16°C (60°F), l'appareil ne fonctionne pas assez souvent pour maintenir la température intérieure voulue.

Ne risquez pas de perdre des aliments à cause d'un fusible grillé ou d'un disjoncteur déclenché. Branchez réfrigérateur et congélateur sur un circuit de 15 ampères que n'utilise aucun autre appareil. La prise doit être à trois fiches. Si vous avez besoin d'un cordon de rallonge, choisissez-en un à trois fils.

Posez un niveau de menuisier sur le dessus de l'appareil. S'il n'est pas d'aplomb, inclinez-le vers l'arrière en le bloquant avec des cales de bois. Puis, donnez quelques tours de plus ou de moins aux pattes réglables. Enlevez les cales et revérifiez l'aplomb. Consultez le guide du fabricant pour ajuster des roulettes ou d'autres types de pieds.

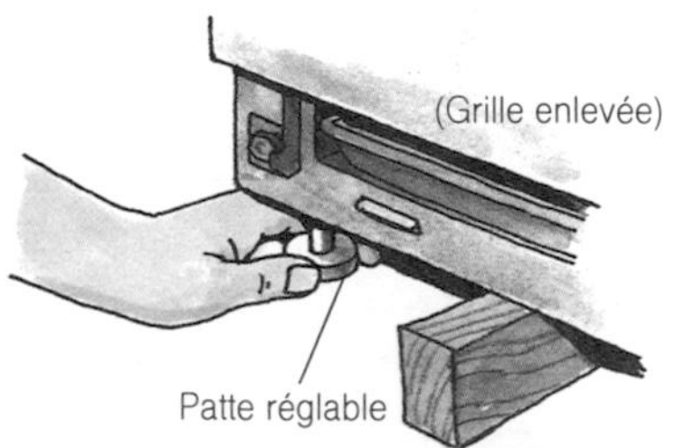

Ouvrez la porte du réfrigérateur selon un angle de 45° et laissez-la se refermer : elle devrait le faire toute seule. Sinon, ajustez les pieds pour incliner l'appareil vers l'arrière.

Eteignez le réfrigérateur ou le congélateur la veille du jour où vous devez le déplacer. Retirez les pièces amovibles. Fixez la porte avec des cordes. Transportez l'appareil debout, jamais couché.

Pour déplacer un réfrigérateur qui n'a pas de roulettes, glissez du tapis à l'envers sous les pieds.

Si le réfrigérateur est doté d'un moule à glaçons automatique, le tube d'alimentation en eau limite les déplacements de l'appareil.

Avant de jeter un réfrigérateur ou un congélateur, enlevez les portes pour éviter qu'un enfant ne s'y enferme par accident.

Attachez les portes avec du ruban robuste ou des cordes avant d'entreposer les appareils, mais maintenez-les entrouvertes avec une cale de bois pour éviter la moisissure.

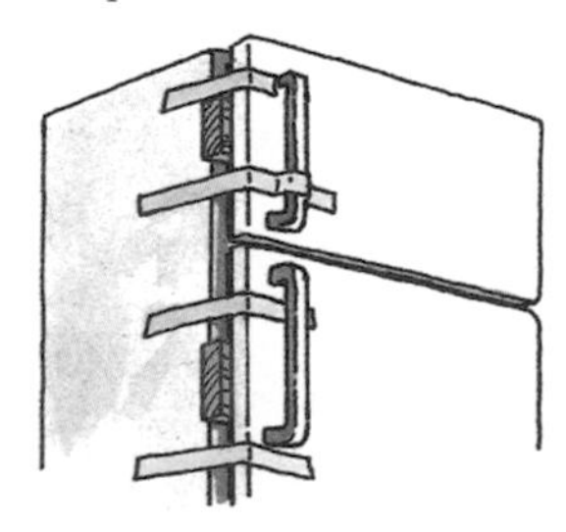

DU BON USAGE DE CES APPAREILS

Le réfrigérateur et le congélateur fonctionnent mieux s'ils sont pleins et si l'air circule entre les articles. Dans le compartiment à congélation du réfrigérateur, ne couvrez pas les bouches qui envoient de l'air froid au réfrigérateur.

La température du réfrigérateur se situe entre 1 et 4°C (34°F-40°F) ; celle du congélateur, autour de – 17°C (0°F). Pour vérifier le réfrigérateur, mettez-y un thermomètre spécial dans un verre d'eau pour la nuit. Dans le congélateur, placez le thermomètre dans la crème glacée ou entre des paquets de surgelés.

Si le lait est froid sans présenter de cristaux et si la crème glacée est ferme mais non très dure, les températures sont correctes.

Y a-t-il de la buée sur le congélateur ? Vérifiez sa température ; elle peut être trop basse. A – 17°C (0°F), elle est correcte. Par temps humide, envoyez l'air d'un petit ventilateur au-dessus. Si le problème est chronique, causé par l'humidité ambiante d'un sous-sol par exemple, pensez à utiliser un déshumidificateur.

Certains réfrigérateurs ont un interrupteur qui économise l'énergie. Il commande de petits éléments électriques qui empêchent la formation de buée sur l'appareil. Faites-les marcher quand il fait humide ; éteignez-les par temps sec.

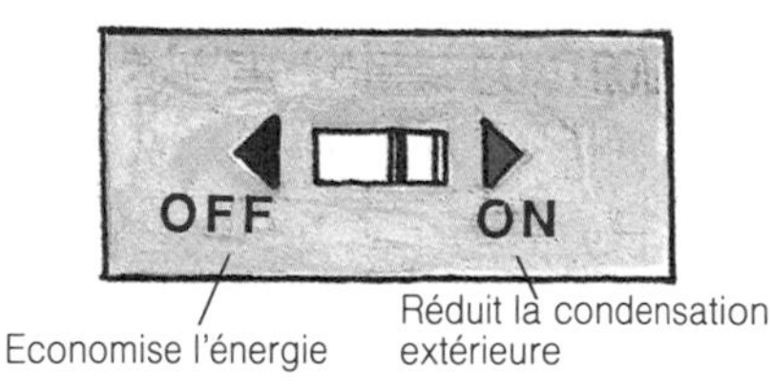

BIEN RANGER LES ALIMENTS

Empêchez les odeurs de se répandre dans le réfrigérateur. Emballez les aliments avec soin ou couvrez-les, sauf les fruits et légumes rangés dans les bacs. Mais dans un réfrigérateur sans givre, il faut aussi les emballer pour qu'ils ne sèchent pas.

Réfrigérez les liquides dans des contenants hermétiques en plastique. L'évaporation d'un produit à l'intérieur de l'appareil fait fonctionner celui-ci plus souvent.

Refroidissez les aliments à congeler ; plongez les plats chauds dans de l'eau glacée. Enveloppez et congelez sans tarder.

Quand vous voulez remplir un congélateur vide, faites-le par étapes : 1,5 kg d'aliments par 28 litres (1 pi^3) de capacité seulement tous les jours, jusqu'à ce qu'il soit plein. De cette façon, les aliments congèleront rapidement et sans risque de contamination bactérienne.

Faites la liste de ce qu'il y a dans le congélateur. Vous l'ouvrirez moins longtemps et pourrez consommer d'abord les aliments les plus anciens (voir p. 358).

DÉGIVRAGE

Dégivrez l'appareil quand le givre atteint 6 mm d'épaisseur.

Ne grattez pas avec un instrument pointu. Prenez un grattoir en plastique et ne vous en servez pas sur les pièces métalliques.

Après le dégivrage, imbibez un chiffon de glycérine et passez-le sur les serpentins. Le givre s'enlèvera mieux la fois suivante.

Pour libérer les glaçons, posez un linge mouillé chaud pendant quelques secondes sur le moule.

PROBLÈMES

Le joint d'étanchéité peut être usé. Mettez un réflecteur de 150 watts dans le réfrigérateur de façon qu'il éclaire la porte d'un côté, le cordon sortant de l'autre. Fermez la porte et éteignez la pièce. Si vous voyez de la lumière, le joint est défectueux.

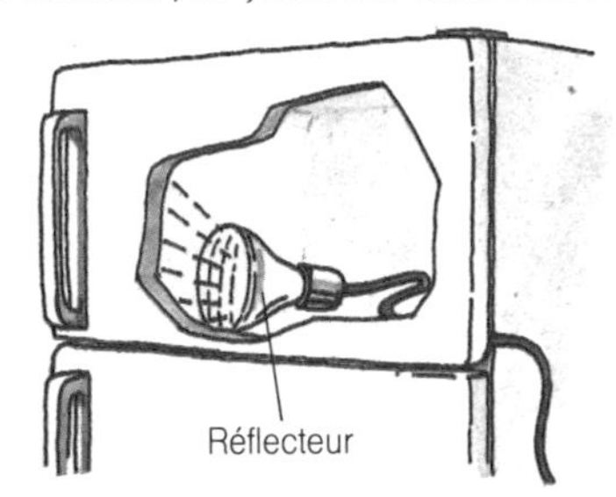

REMPLACEMENT DU JOINT DE LA PORTE

Il faut remplacer le joint de la porte du réfrigérateur lorsqu'il est tordu ou très usé et qu'il n'assure plus l'étanchéité de l'appareil. La tâche n'est pas facile, car les vis qui maintiennent ce joint en place assujettissent également le panneau intérieur de la porte et l'isolant. Pour ne pas démonter la porte complètement, faites le travail section par section et dégagez les vis à moitié seulement. Si la porte est gauchie, répétez à quelques reprises l'étape 3 décrite ci-dessous.

Achetez un nouveau joint chez un fournisseur de pièces. Ou achetez un joint par sections en L à la quincaillerie. Vous les coupez à la longueur voulue et installez dans leur pli les bandes magnétiques de l'ancien joint. Faites tremper le joint dans de l'eau chaude pendant quelques minutes pour le rendre souple et défaire les faux plis.

Le joint illustré ici est le plus courant. Si le vôtre diffère, demandez au fabricant comment l'installer. La plupart sont assujettis au moyen de vis à tête hexagonale que vous enlevez avec un tournevis approprié.

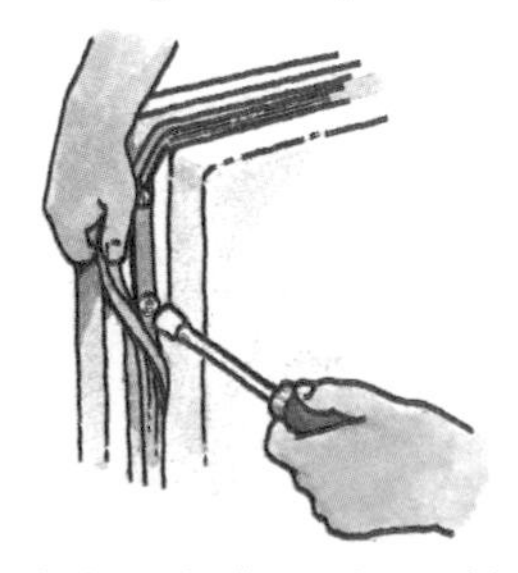

1. A partir d'un coin supérieur, dépliez le vieux joint et desserrez les vis du porte-joint seulement dans la moitié du haut et la moitié du côté. Ne les enlevez pas. Dégagez-les juste assez pour retirer le vieux joint.

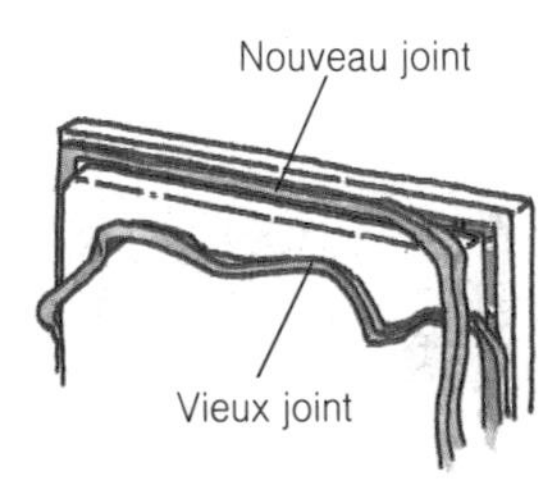

2. Défaites la partie libérée du joint et commencez à installer le nouveau en faisant entrer son rebord sous le porte-joint. Revissez partiellement le porte-joint et faites la même chose dans les trois autres coins.

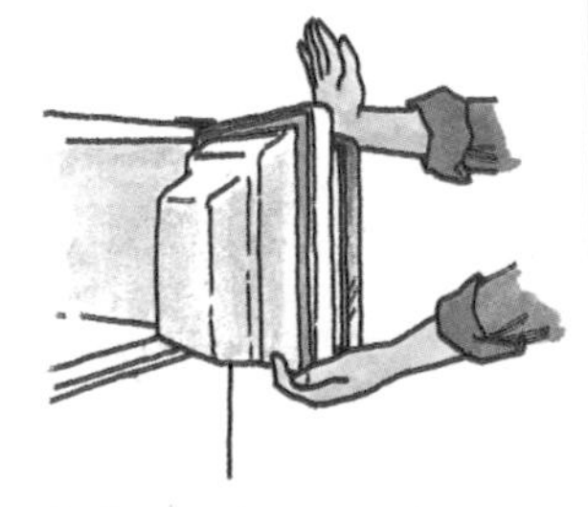

3. Fermez la porte. Assurez-vous qu'elle n'est pas faussée. S'il y a de l'espace entre le joint et le cadre, relâchez les vis et rectifiez la porte en la poussant dans le haut et en la tirant dans le bas ou vice versa.

Il suffit souvent de régler le vérin des pieds pour rendre le joint d'étanchéité plus efficace (p. 132).

Y a-t-il des parcelles noires dans les cubes d'un moule à glaçons automatique ? Cela indique que l'enduit du moule se détériore. L'eau calcaire produit souvent cet effet. Remplacez le moule.

Si vous trouvez de l'eau colorée dans le bac d'un frigo sans givre, ne vous inquiétez pas. Un liquide s'est sans doute répandu et l'eau du dégivrage l'a emporté.

Si la porte est de travers, desserrez les vis de la charnière supérieure avec un tourne-écrou. Soulevez la porte pour la réaligner et resserrez les vis.

RÉFRIGÉRATEUR : CE QU'IL FAUT D'ABORD VÉRIFIER EN CAS DE PANNE

Problème	Cause probable	Solution possible
L'appareil ne fonctionne pas ; la lumière ne s'allume pas	Cordon non branché	Branchez le cordon
	Fusible brûlé ou disjoncteur sauté	Remplacez le fusible ou réenclenchez le disjoncteur
	Cordon défectueux	Débranchez la fiche. Enlevez la plaque arrière. Au besoin, enlevez les vis qui retiennent le cordon et vérifiez-le (étape 2, p. 160). Remplacez-le s'il est défectueux. Branchez aussi le fil de masse
L'appareil ne fonctionne pas ; la lumière s'allume	Commande de température à « OFF »	Vérifiez et réglez la commande
L'appareil est bruyant	Clayette mal fixée ; contenants qui se heurtent	Ouvrez la porte ; quand l'appareil se met en marche, voyez ce qui fait du bruit
	Vibrations du bac de dégivrage	Enlevez la grille. Recollez les coussinets de feutre qui sont tombés
	Appareil instable	Mettez un niveau dessus ; ajustez les pieds (p. 132)
	Papier pris dans les lames du ventilateur du condenseur	Débranchez la fiche ; retirez le papier
L'appareil fonctionne plus longtemps que d'habitude	Temps chaud et humide ; aliments chauds dans l'appareil	Dans ces conditions, il est normal que l'appareil fonctionne plus
	Porte ouverte trop souvent	Soyez prévoyant ; sortez tous les aliments en une fois
	Encrassement des serpentins du condenseur	Nettoyez les serpentins à l'aspirateur
	Défectuosité du joint de la porte	Remplacez le joint d'étanchéité
	La lumière reste allumée quand la porte est fermée	Ouvrez et appuyez sur l'interrupteur de la lumière. Si la lumière ne s'éteint pas, enlevez l'ampoule et faites remplacer l'interrupteur
L'appareil n'est pas assez froid	Commande mal réglée	Réglez-la ; consultez le guide ou la plaque d'instructions
	Manque d'air autour des serpentins à l'arrière	Il doit y avoir 10 cm entre le mur et l'appareil ; enlevez les objets pris dans les serpentins

Quand l'eau s'accumule dans le fond d'un réfrigérateur sans givre, il est possible que le tube d'évacuation soit bloqué. Avec une poire à jus, envoyez-y de l'eau chaude. S'il est bouché, nettoyez-le. S'il y a lieu, lavez le bac de dégivrage.

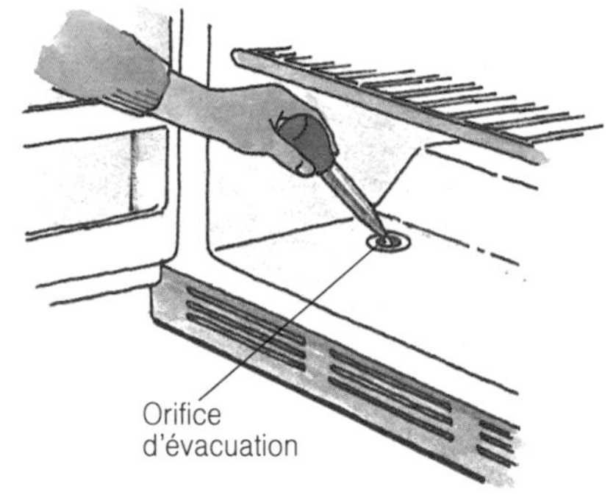

Du givre dans votre frigo sans givre ? Vérifiez la minuterie de dégivrage derrière la grille. Mettez l'appareil en marche et, avec un tournevis, tournez le bouton vers la droite : l'appareil s'arrête avec un déclic. Cinq minutes plus tard, il devrait couler de l'eau dans le bac. Si le givre ne fond pas, si le problème se répète, appelez un technicien.

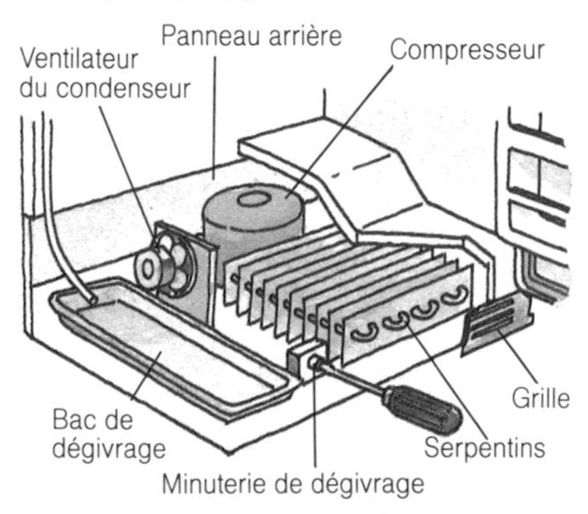

CHOIX D'UNE CUISINIÈRE

Gaz ou électricité ? La cuisinière à gaz coûte moins cher en énergie, tombe en panne moins souvent et permet un meilleur contrôle des brûleurs. La cuisinière électrique est plus propre, plus efficace ; les pertes de chaleur sont réduites.

Cuisinière autonome ou éléments encastrables ? La cuisinière autonome est moins coûteuse à installer, plus facile à déplacer. Par contre, le four et la table de cuisson encastrables facilitent la planification de la cuisine, mais exigent la construction de nouvelles armoires.

Pensez aux détails pratiques. Une table de cuisson à rebord empêche les aliments renversés de couler sur le devant ou les côtés de l'appareil ; une table qui se relève ou s'enlève simplifie le nettoyage.

Par contre, certains accessoires peuvent augmenter inutilement le prix d'achat d'une cuisinière si vous n'en avez pas besoin : par exemple, une horloge, des voyants lumineux, un four à hublot, un gaufrier, un tournebroche, un grilloir.

Choisissez une hotte à ventilateur à vitesse variable qui évacue fumées et odeurs vers l'extérieur par un évent. Si vous ne pouvez utiliser une telle hotte, prenez-en une munie d'un filtre au charbon de bois et remplacez le filtre tous les ans.

Connaissez-vous les tables de cuisson à aspiration ? Un ventilateur incorporé aspire la fumée vers le bas avant de la chasser à l'extérieur. C'est un choix avisé lorsque vous ne pouvez pas installer une hotte.

FOUR À NETTOYAGE CONTINU OU AUTONETTOYANT

Ces deux types de four à nettoyage automatique évitent la tâche pénible et salissante de récurer le four de la cuisinière électrique ou à gaz. Mais chacun agit à sa façon. Le four à nettoyage continu est revêtu à l'intérieur d'un émail catalytique grenu. Les aliments renversés s'y étalent et brûlent peu à peu, tandis que vous vous servez du four. La finition mouchetée dissimule les taches, mais le four n'est peut-être pas aussi propre qu'on souhaiterait. Et quand les taches se sont incrustées, il faut chauffer le four à 200°C (400°F) à vide. Prenez toujours la précaution d'enlever les coulures sitôt que le four est froid, surtout celles de féculents ou de sucre : le système est moins efficace pour ces taches que pour le gras. Etant donné que les récurants ou la laine d'acier égratignent l'émail, plusieurs fours à nettoyage continu ont dans le fond et sur la porte une finition ordinaire que vous pouvez nettoyer de façon conventionnelle.

Le four revêtu d'émail pyrolytique est doté d'un cycle spécial de nettoyage qui fonctionne pendant une heure et demie environ et fait grimper la température à près de 450°C (900°F) pour carboniser tous les débris d'aliments. Quand il est froid, vous enlevez avec un chiffon humide la fine couche de cendre qui s'est déposée dans le fond. Dans certains cas, les cuvettes et éléments de la table de cuisson peuvent se mettre dans le four pendant le cycle de nettoyage.

Un tel four ne consomme guère plus d'électricité qu'un autre parce qu'il est très bien isolé. Le cycle de nettoyage coûte à vrai dire moins cher que les produits chimiques utilisés pour nettoyer les fours ordinaires. Grâce à l'isolation supplémentaire, vous dépensez moins d'électricité durant la cuisson et vous ne surchauffez pas la cuisine ; par contre, le four est plus petit. Et vous ne pouvez l'utiliser durant le cycle de nettoyage.

CUISINIÈRE À GAZ

Le système d'allumage électrique, sans veilleuse, fait appel à une étincelle ou à un serpentin pour enflammer le gaz. Il gaspille 30 p. 100 moins d'énergie que la veilleuse.

Si vous déménagez dans une région où il n'y a pas de gaz naturel, rappelez-vous qu'il est possible de convertir votre cuisinière au gaz de pétrole liquide (propane).

Avant d'acheter une cuisinière à gaz, vérifiez si le fond du four est amovible ; le nettoyage en devient beaucoup plus facile.

Vous réussirez à la perfection les soupes et les ragoûts avec des brûleurs commandés par thermostat parce qu'ils permettent de régler la flamme pour le mijotage.

CUISINIÈRE ÉLECTRIQUE

Voyez si les éléments chauffants de surface sont amovibles et si l'élément de sole, dans le four, se soulève. Le nettoyage en est facilité.

Si vous faites beaucoup de cuisson au four, vous auriez intérêt à avoir un thermostat électronique. Il ne tolère qu'un écart de 3°C (5°F) environ entre la température réelle du four et celle du thermostat. Dans un four normal, l'écart peut aller jusqu'à 12°C (25°F).

Un four à convection est encore supérieur aux autres parce qu'il est doté d'un ventilateur qui assure une diffusion uniforme de la chaleur. Ce système accélère de ce fait la cuisson. N'oubliez donc pas de respecter les temps de cuisson donnés dans le guide d'utilisation.

ÉCONOMISEZ L'ÉNERGIE À LA TABLE DE CUISSON

Réglez le brûleur à gaz pour que la flamme lèche à peine le fond de la casserole. Il y a gaspillage de gaz si la flamme s'enroule autour.

L'élément électrique sera d'un diamètre égal ou inférieur à celui du fond de la casserole. Pour que le contact entre les deux soit parfait, débosselez les fonds de casseroles.

Commencez la cuisson à feu vif ; terminez-la à feu doux. Eteignez l'élément électrique une minute ou deux avant la fin de la cuisson ; la chaleur qui reste dans l'élément prolonge la cuisson le temps voulu.

Dans la cuisinière électrique, le conduit d'évacuation du four débouche sous un élément de surface. Utilisez cet élément comme réchaud quand vous vous servez du four. Repérez le conduit à la chaleur qui en émane quand le four est chaud.

L'autocuiseur coupe les temps de cuisson de 50 à 70 p. 100 et se révèle supérieur au four à micro-ondes pour apprêter des viandes dures ou de grandes quantités d'aliments. Il est très utile en altitude où l'on doit prolonger les temps de cuisson pour compenser le manque de pression atmosphérique.

ÉCONOMISEZ L'ÉNERGIE DANS LE FOUR

Disposez les grilles avant d'allumer le four ; vous économisez de l'énergie et risquez moins de vous brûler.

Quand un plat doit cuire une heure ou plus, mettez-le dans le four froid et ne modifiez pas le temps de cuisson. Quand il doit cuire moins d'une heure, laissez-le au four un peu plus longtemps. Préchauffez pour la pâtisserie seulement.

Cuisez au four à micro-ondes plutôt qu'au four ordinaire de petites quantités d'aliments : un tel four consomme de 30 à 50 p. 100 moins d'énergie. Gardez le four ordinaire pour les grandes quantités.

RÉGLAGE DU THERMOSTAT DU FOUR

Pour vérifier le thermostat, réglez-le à 180°C (350°F) et faites marcher le four 20 minutes après avoir placé un thermomètre à four au centre ; un thermomètre à colonne de mercure est plus précis et très utile en cuisine. Il se vend dans les rayons d'articles culinaires.

Pour régler certains thermostats, retirez le bouton et regardez dessous. Desserrez les vis ou les agrafes et modifiez la position du disque. Chaque encoche représente 5°C (10°F) environ. Si vous devez déplacer le disque de plus de deux encoches, changez le thermostat.

Autres cas : Enlevez le bouton du thermostat et modifiez la position de la vis montée sur son axe. Vers la droite, vous diminuez la température ; vers la gauche, vous l'augmentez. Si vous devez le rectifier de plus de 12°C (25°F), soit un huitième de tour environ, changez-le.

Pensez à faire cuire plusieurs plats en même temps. S'ils doivent cuire à des températures différentes, par exemple 160°C, 180°C et 190°C (325°F, 350°F et 375°F), réglez le four à 180°C. Retranchez quelques minutes de cuisson dans le cas du premier plat et prolongez un peu la cuisson du dernier. Laissez 2 à 5 cm d'espace entre eux.

Dans le cas des plaques à biscuits que vous ne pouvez mettre au four en même temps, enfournez-les l'une après l'autre, sans attendre.

Surveillez la cuisson avec une minuterie pour ne pas ouvrir le four à plusieurs reprises ; chaque fois, vous faites tomber la température de plusieurs degrés.

Si possible, utilisez le cycle de nettoyage quand le four est encore chaud, après la cuisson d'un plat.

NE JOUEZ PAS AVEC LE FEU

Prenez les plats chauds avec des gants secs ; l'humidité est conductrice de chaleur.

Attention aux vêtements. Avec des manches larges, vous pouvez accrocher les queues des casseroles ; un foulard qui pend peut prendre feu sur un brûleur. Portez un tablier.

Dirigez les manches des casseroles vers le fond ou les côtés de la cuisinière. Ne les placez pas au-dessus d'un élément chaud pour ne pas vous brûler la main ; ne les dirigez pas vers l'avant de la cuisinière ; vous risquez de les accrocher.

ODEUR DE GAZ

Si vous sentez une forte odeur de gaz, éteignez tout de suite les veilleuses, ouvrez portes et fenêtres et faites sortir tout le monde. Si le robinet d'arrivée du gaz n'est pas d'accès facile, fermez celui qui se trouve près du compteur ou près du réservoir de gaz. N'actionnez aucun interrupteur, ne décrochez pas le téléphone, ne branchez pas d'appareil électrique, car la moindre étincelle peut produire une explosion. Eclairez-vous avec une lampe de poche. Signalez la fuite à votre fournisseur, de chez un voisin.

Le robinet d'arrivée, sur une cuisinière à gaz, est situé près du tuyau d'amenée, en général sous la table de cuisson. Si vous ne l'y trouvez pas, consultez le guide du fabricant ou appelez le vendeur.

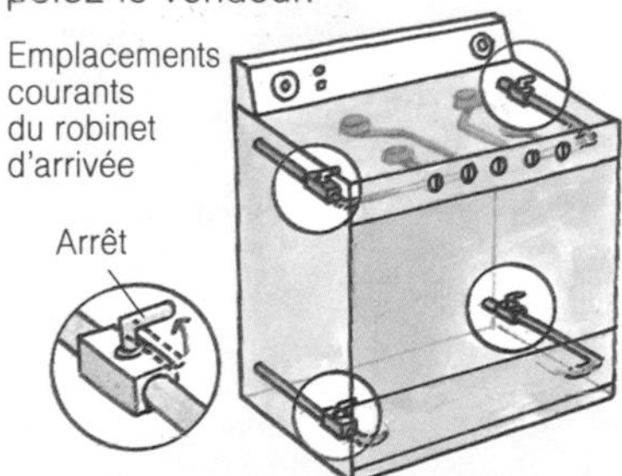

Si l'odeur de gaz est légère, examinez les brûleurs et les veilleuses ; la flamme peut s'être éteinte. Vérifiez aussi le four. Eteignez toutes les flammes et aérez la maison. Attendez que l'odeur ait disparu pour rallumer la veilleuse ou le brûleur. Si l'odeur persiste une fois la maison aérée, coupez l'arrivée du gaz au robinet principal et appelez le fournisseur.

N'oubliez pas que le gaz naturel, plus léger que l'air, monte vers le plafond, tandis que le gaz propane, plus lourd, descend vers le plancher.

Gardez dans la cuisine un extincteur homologué pour les feux de classe B (pour liquides inflammables comme la graisse) et de classe C (pour système électrique).

CUISINIÈRE : PROBLÈMES

Avant de réparer le four électrique, coupez le courant. Otez les fusibles ou fermez le disjoncteur (p. 163).

Pour enlever un élément chauffant, soulevez-le pour le dégager de la cuvette et tirez-le droit vers vous.

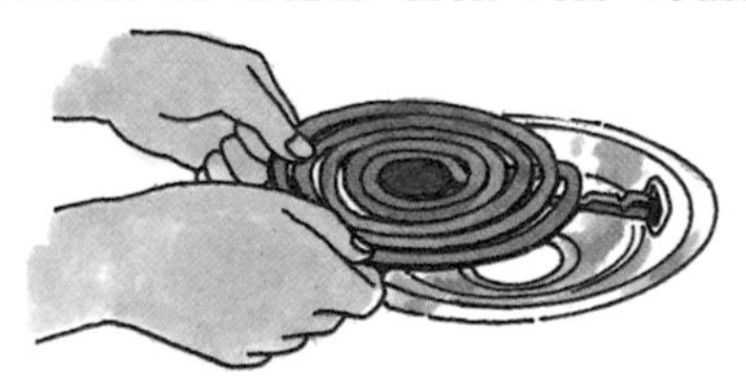

Si la table de cuisson se lève, ouvrez-la et fermez-la avec soin pour ne pas coincer un des fils électriques qui alimentent les éléments.

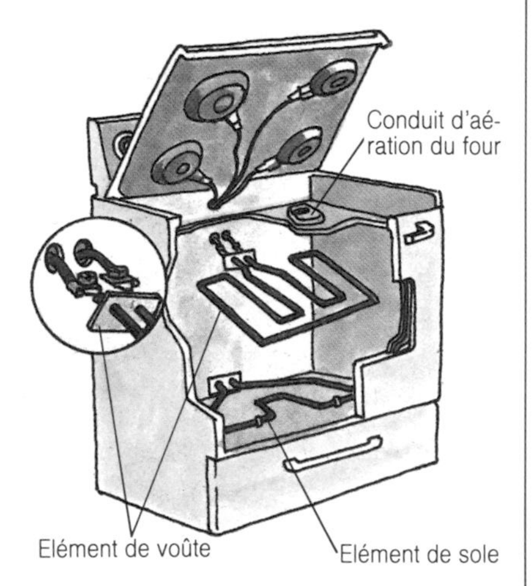

Pour remplacer un des éléments chauffants du four, coupez le courant (p. 163), enlevez les vis qui le retiennent aux supports à l'avant et à l'arrière (à l'arrière seulement dans certains cas). Tirez l'élément vers l'avant pour avoir accès aux bornes et débranchez les fils.

CUISINIÈRE ÉLECTRIQUE : CE QU'IL FAUT D'ABORD VÉRIFIER EN CAS DE PANNE

Attention : Avant de réparer la cuisinière, coupez le courant. Enlevez les fusibles ou déclenchez les disjoncteurs (p. 163). Laissez refroidir les éléments avant de les toucher.

Problème	Cause probable	Solution possible
Rien ne s'allume	Pas de courant à l'appareil	Remplacez le fusible ou réenclenchez le disjoncteur (p. 163)
Un élément de surface ne chauffe pas	Elément défectueux	Branchez l'élément dans un autre support ou faites-le vérifier
	Support défectueux	Retirez l'élément ; nettoyez-en les contacts s'ils sont noirs et brûlés. Examinez le support avec une lampe de poche ; remplacez-le s'il est noir et brûlé
Un des deux éléments du four ne chauffe pas	Elément défectueux	Retirez l'élément (voir ci-dessus) ; faites-le vérifier à l'atelier
Le four ne s'allume pas	Four réglé à automatique	Passez le sélecteur de réglage « automatique » à réglage « manuel »
Les aliments cuisent mal	Thermostat réglé trop haut ou trop bas	Vérifiez la température et le temps de cuisson de la recette
	Thermostat déréglé	Rectifiez le thermostat (p. 138)
	Plats trop rapprochés les uns des autres	Laissez au moins 2,5 cm entre eux

CUISINIÈRE À GAZ : CE QU'IL FAUT D'ABORD VÉRIFIER EN CAS DE PANNE		
Problème	**Cause probable**	**Solution possible**
Un brûleur de surface ne s'allume pas	Veilleuse éteinte	Rallumez la veilleuse (voir ci-dessous). Si la cuisinière est exposée aux courants d'air, essayez de protéger la veilleuse
	Pas de gaz	Vérifiez les autres brûleurs. Si aucun appareil à gaz ne fonctionne dans la maison, appelez le service de gaz
	Allumage électrique encrassé	Nettoyez l'allumage électrique
Flamme inégale	Brûleur encrassé	Nettoyez les trous du brûleur
Flamme jaune et dépôt de suie sur ustensiles	Manque d'air dans le réglage gaz-air	Ouvrez le volet d'air au besoin (voir ci-dessous)
Flamme sifflante et trop ardente	Excès d'air dans le réglage gaz-air	Fermez le volet d'air au besoin (voir ci-dessous)
Seul le four ne s'allume pas	Veilleuse éteinte	Rallumez-la selon les instructions
	Allumage électrique défectueux	Vérifiez l'alimentation en électricité
	Four réglé à « automatique »	Réglez à « manuel »

Si un élément de surface rougit davantage par endroits, il est en voie de tomber en panne. Remplacez-le avant que ces points de surchauffe n'endommagent vos ustensiles. Le même phénomène peut se produire sur les éléments du four.

Quand les trous du brûleur à gaz s'encrassent, nettoyez-les avec un fil métallique ou un cure-pipe. Evitez les cure-dents qui cassent.

Lorsqu'une panne d'électricité déconnecte la cuisinière à gaz de son relais d'allumage, frottez une allumette et approchez-la d'un brûleur ouvert au maximum.

Si un bouton ne s'enlève pas, glissez simplement un bout de tissu dessous et tirez.

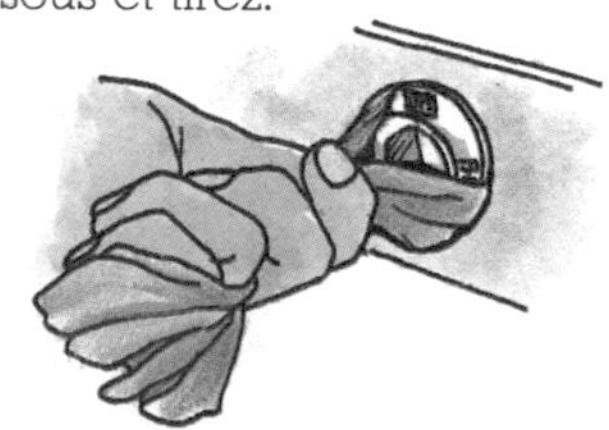

L'huile est-elle inégalement répartie dans la poêle ? La cuisinière n'est pas d'aplomb. Posez dessus un niveau à bulle d'air. Les pieds de la cuisinière électrique sont réglables, comme ceux du réfrigérateur (p. 132) ; faites régler ceux de la cuisinière à gaz par un technicien.

RÉGLAGE DE LA FLAMME D'UN BRÛLEUR À GAZ

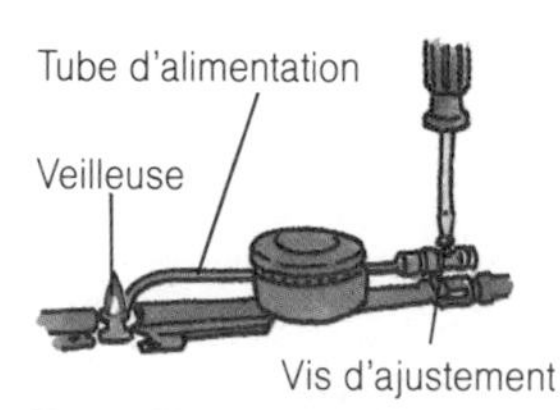

Pour rallumer la veilleuse, tournez la vis d'ajustement sur le tube d'alimentation de gaz vers la gauche. Approchez une allumette de la veilleuse et tournez la vis vers la droite jusqu'à ce que la flamme ait 6 mm.

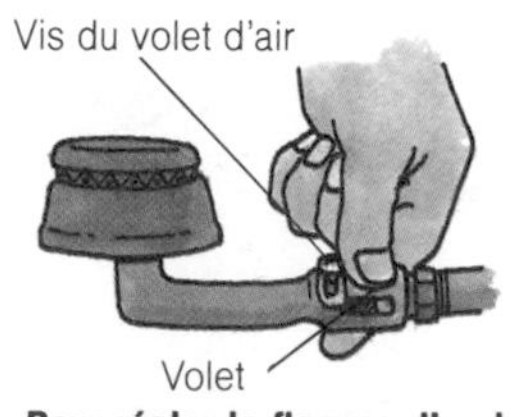

Pour régler la flamme d'un brûleur doté d'un volet d'air en forme de barillet, desserrez la vis qui retient le volet. Ensuite ouvrez ou fermez le volet en le faisant pivoter sur lui-même. Resserrez la vis.

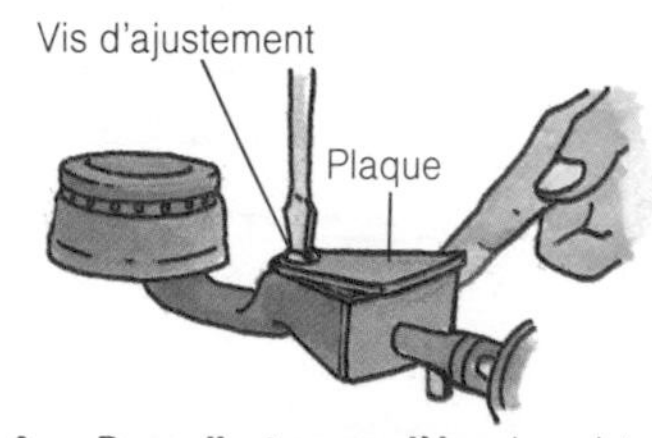

Dans d'autres modèles, le volet d'air est triangulaire et couvert d'une plaque. Pour régler la flamme du brûleur, desserrez la vis qui maintient la plaque et faites-la pivoter d'un côté à l'autre. Puis, resserrez la vis.

LAVE-VAISSELLE : CHOIX

Si l'achat et l'installation d'un lave-vaisselle encastré vous paraissent trop onéreux, choisissez un modèle sur roulettes, facile à utiliser, surtout si vous disposez d'un endroit commode où le ranger. Atout supplémentaire, il passe sans problème d'une cuisine à une autre.

Retardez-vous l'achat d'un lave-vaisselle parce que vous pensez déménager ou rénover la cuisine ? Choisissez un modèle convertible : vous le transformerez à votre guise.

Pour économiser l'énergie, choisissez un appareil muni d'un élément chauffant qui amène l'eau à la température voulue. Vous pouvez ainsi régler la température du chauffe-eau à un degré inférieur. En outre, si vous vivez dans un appartement où l'eau n'est pas assez chaude, vous n'avez pas besoin pour autant de vous priver d'un lave-vaisselle.

COMMENT LE CHARGER

Inutile de rincer la vaisselle : le jet d'eau est assez puissant pour déloger les débris d'aliments. Mais un lave-vaisselle n'est pas un broyeur ; jetez les os et les restes laissés dans les assiettes. Videz tout simplement les verres et les tasses.

Mettez les ustensiles de cuisson contenant des restes d'aliments collés dans le panier inférieur, juste au-dessus du gicleur. Assurez-vous que les queues des casseroles ne risquent pas de bloquer la rotation des bras du gicleur.

Placez les grands plats de service ou de cuisson sur les côtés ou dans le fond. Devant, ils peuvent empêcher l'eau d'atteindre les distributeurs de détergent ou les couverts.

Tout ne va pas au lave-vaisselle. Les casseroles dans lesquelles des aliments ont brûlé se lavent à la main.

Dans le panier supérieur, disposez les articles petits ou légers ainsi que les plastiques lavables à la machine. Posez tasses et verres entre les tiges ou par-dessus, à condition qu'ils touchent le fond du panier. Ne mettez pas les verres ou les objets fragiles dans le panier inférieur.

Pour empêcher les articles légers comme des tasses de plastique de se renverser, placez-les dans les coins du panier supérieur, là où le jet est moins fort. Coincez-les entre des articles plus lourds ou enfilez-les sur deux tiges.

Les couverts se lavent mieux si vous les posez manches en bas. Pour des raisons de sécurité, faites l'inverse pour les couteaux. Mais assurez-vous que les couteaux à lame fine ne peuvent bloquer la rotation des bras du gicleur.

ÉCONOMISEZ L'ÉNERGIE

Remplissez le lave-vaisselle. La quantité d'eau et de détergent utilisée est la même, que l'appareil soit plein ou non. Sélectionnez le programme de trempage lorsque la vaisselle reste en attente.

Laissez la vaisselle sécher à l'air. Si votre appareil n'est pas doté d'un bouton à cet effet, attendez la fin du rinçage, dégagez le loquet de la porte et tournez le bouton de la minuterie à « OFF ». Laissez passer quelques minutes pour que la vapeur à l'intérieur se dissipe, puis ouvrez la porte et coincez-la en sortant à demi le panier supérieur.

COMMENT TIRER PLEIN PARTI DU DÉTERGENT

Remplissez le distributeur juste avant le lavage. Laissé en attente, le détergent se charge d'humidité, durcit et perd de son efficacité.

Pour savoir quelle quantité de détergent utiliser, faites quelques expériences. Remplissez le godet à demi si vous vivez dans un endroit où l'eau est douce, aux trois quarts si l'eau est modérément dure. Remplissez-le complètement si l'eau est vraiment dure. Pour en savoir davantage sur l'eau calcaire, reportez-vous à la page 281.

VAISSELLE MAL LAVÉE ?

Vérifiez la température de l'eau chaude. Remplissez un verre dans l'évier et plongez-y un thermomètre à bonbons ou à viande. Si la température de l'eau ne se situe pas entre 60°C et 70°C (140°F-160°F), réglez le chauffe-eau en conséquence.

Si le chauffe-eau n'est pas proche de la cuisine, faites couler l'eau chaude dans l'évier avant de démarrer le lave-vaisselle.

La vaisselle est-elle moins propre en hiver ? Il se peut que la température de l'eau baisse en se rendant du chauffe-eau au lave-vaisselle. Isolez les tuyaux exposés et augmentez la température du chauffe-eau.

Il n'est pas recommandé de prendre une douche, de faire marcher la machine à laver ou d'arroser la pelouse pendant que le lave-vaisselle fonctionne. En effet, quand la pression diminue, le lave-vaisselle se remplit insuffisamment et la vaisselle se nettoie moins bien.

MARQUES ET TACHES

Si des ustensiles de métal frottent contre la porcelaine durant le lavage, celle-ci portera des marques noires ; séparez-les. Coincez les contenants en aluminium léger entre des plats plus lourds pour éviter qu'ils ne soient ballottés.

Reste-t-il une pellicule sur la vaisselle ? Assurez-vous que l'eau est chaude, mettez plus de détergent ou changez-en la marque. Pour éliminer cette pellicule, ouvrez l'appareil après le rinçage, retirez les articles en métal et posez un bol contenant deux tasses de vinaigre blanc dans le panier du bas. Répétez le lavage et le rinçage.

Si vos verres sont ternes et brouillés, le dommage est permanent. Mais pour éviter d'en tacher d'autres de la même façon, diminuez la quantité de détergent et lavez moins de vaisselle à la fois. Si la pression de l'eau est basse, l'appareil ne se remplit peut-être pas suffisamment.

Pour empêcher l'argenterie de se piquer, rincez-la si elle doit attendre dans le lave-vaisselle. Ne l'aspergez pas de détergent.

S'il y a des taches d'eau sur la vaisselle, utilisez un produit mouillant qui fait glisser l'eau en nappe sur les assiettes au moment du rinçage. Si votre lave-vaisselle n'a pas de distributeur de liquide, accrochez un pain de conditionneur de rinçage au panier supérieur.

PROBLÈMES SPÉCIAUX

Des marques brunes ou jaunes à l'intérieur de l'appareil et sur la vaisselle indiquent que l'eau est ferrugineuse. Pour enlever ces taches, arrêtez l'appareil quand il est plein d'eau, avant le lavage, et ajoutez ½ tasse de cristaux d'acide citrique. Ou utilisez un produit spécial vendu pour mélanger à des adoucisseurs d'eau. Mais il vous faudra peut-être installer un filtre.

LAVE-VAISSELLE : CE QU'IL FAUT D'ABORD VÉRIFIER EN CAS DE PANNE

Problème	Cause probable	Solution possible
Le lave-vaisselle ne fonctionne pas	Pas de courant	Remplacez le fusible ou réenclenchez le disjoncteur (p. 163) ; voyez si le modèle mobile est branché
	Porte mal fermée	Assurez-vous que le loquet est mis
	Loquet défectueux	Ouvrez et fermez la porte plusieurs fois
	Bouton du sélecteur non enfoncé	Appuyez sur le bouton jusqu'au fond
Le lave-vaisselle ne se remplit pas	Robinet d'arrivée d'eau fermé	Ouvrez le robinet d'arrivée, sous l'évier, sur le tuyau qui mène au lave-vaisselle
	Contact à flotteur bloqué	Débloquez le flotteur
Le lave-vaisselle ne se vide pas	Crépine obstruée	Nettoyez la crépine (p. 145)
La vaisselle n'est pas propre	L'eau n'est pas assez chaude	Vérifiez la température de l'eau (p. 143) et modifiez le réglage du chauffe-eau
	Gicleur ou crépine obstrués	Nettoyez le gicleur ou la crépine (p. 145)
	Distributeur de détergent bloqué	Enlevez les plats qui gênent. Enlevez le panneau de la porte (voir le guide) et vérifiez le mécanisme du distributeur : ressort ou levier cassé, corrosion
La vaisselle sèche mal	L'eau n'est pas assez chaude	Vérifiez la température de l'eau (p. 143) et modifiez le réglage du chauffe-eau
	La vidange se fait mal	Nettoyez la crépine au besoin (p. 145)
L'eau fuit par les évents de la porte	Lave-vaisselle mal chargé	Modifiez le chargement en suivant le mode d'emploi
L'eau fuit par le bas de la porte	Excès de mousse	N'employez pas un détergent ordinaire pour la vaisselle ; ne prérincez pas la vaisselle avec du détergent liquide
	Joint endommagé ou fendu	Remplacez le joint d'étanchéité ; dans certains cas il est enfoncé dans une rainure, dans d'autres, il est fixé par des attaches
Le lave-vaisselle est bruyant	Le gicleur frappe la vaisselle	Chargez l'appareil en suivant le mode d'emploi ; le gicleur doit pouvoir tourner sans rien heurter
	Pression d'eau insuffisante	Evitez de faire couler un robinet dans la maison quand l'appareil est en marche
	Couvert ou débris de porcelaine dans le fond	Retirez l'objet lorsque l'élément chauffant est froid
	Assiettes qui bougent	Durant le chargement, coincez les articles légers

Y a-t-il un dépôt crayeux dans le lave-vaisselle ? Commandez le cycle du trempage et démarrez l'appareil sans vaisselle, ni détergent. Durant le remplissage, ajoutez 1 tasse de vinaigre blanc. Une fois le cycle terminé, mettez du détergent et faites marcher l'appareil durant un cycle complet.

Si les galets du panier se coincent, faites-les bouger à la main pour les dégager. S'ils sont usés et déformés, remplacez-les. Certains se dévissent, les autres se tirent.

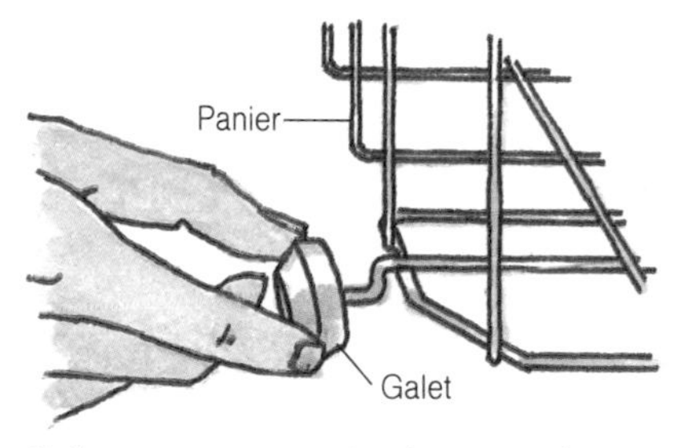

Si le panier est gauchi, remplacez-le. Dans la plupart des cas, il suffit de le tirer et de le soulever de l'avant. Dans les autres, vous devez retirer les goupilles qui maintiennent le panier sur les glissières.

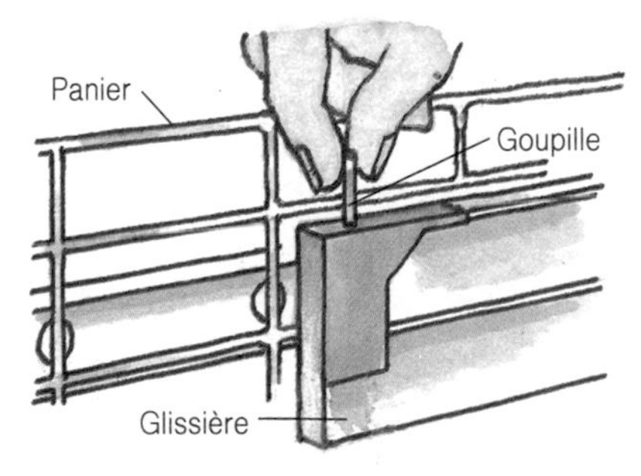

Les tiges sont-elles écaillées ? Les détaillants vendent des trousses de réparation avec des capuchons en caoutchouc à coller sur les tiges.

Pour savoir si un gicleur tourne bien, notez sa position et faites marcher l'appareil. Arrêtez-le et voyez si le gicleur a changé de place.

Pour nettoyer le gicleur, retirez les paniers, enlevez le capuchon qui maintient le gicleur en place et soulevez-le. Avec un fil de fer, débouchez les trous. Rincez.

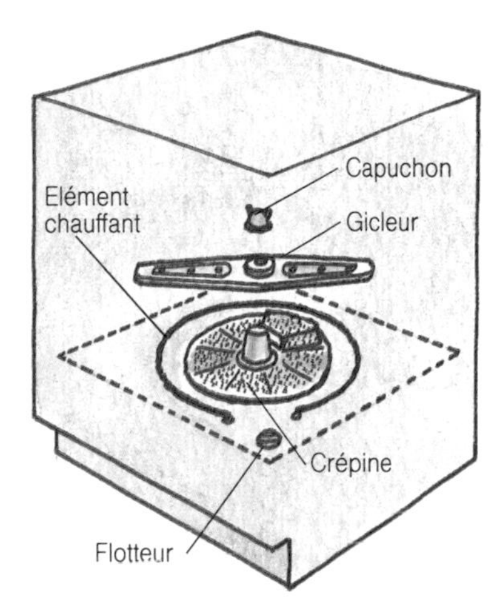

Pour nettoyer la crépine, retirez le gicleur et défaites les attaches qui retiennent la crépine. Frottez la crépine avec une brosse dure et à l'eau courante.

ACHAT D'UNE MACHINE À LAVER

Si vous ne pouvez pas, faute d'espace, loger la machine à laver et la sécheuse côte à côte, achetez des appareils qui se superposent ou un appareil combiné.

Le chargement par le devant vous permet d'utiliser le dessus de la machine comme table de travail. Le linge s'y lave par culbutage, comme dans une sécheuse. Il s'use moins et l'essorage est plus stable. Mais la capacité d'une telle machine est moindre que celle d'une machine à chargement par le dessus, qui nettoie d'ailleurs mieux le linge.

Il est normal que la machine à laver vibre quand elle fonctionne. Laissez un peu de jeu tout autour.

Si la fiche de la machine n'atteint pas la prise, déplacez la prise ou installez un cordon plus long.
Attention : N'utilisez pas de rallonge, car si l'eau s'infiltre dans la connexion entre les deux, vous pourriez vous électrocuter.

N'installez pas la machine à laver dans une pièce non chauffée. L'eau qui peut rester dans l'appareil risque de geler. Si vous laissez une machine dans un chalet non chauffé en hiver, faites-la vidanger par un technicien à la fin de l'été.

FAITES TOUS LES RACCORDS AVEC SOIN

Un tuyau qui se débranche peut inonder la maison. Prenez la précaution de fermer les robinets après le lavage. Accrochez un avis au mur pour le rappeler à tous les usagers. Ne quittez pas la maison pendant que la machine est en marche.

Tous les mois environ, ouvrez les robinets et palpez les tuyaux d'arrivée d'eau. Si vous sentez un renflement dans l'un, remplacez-les tous deux.

Les tuyaux faits par les fabricants de machines résistent mieux à la pression et à la chaleur que ceux vendus sans marque à bon marché.

Les crépines des tuyaux d'arrivée d'eau doivent être nettoyées de temps à autre. Dans les cas simples, fermez les robinets, débranchez les tuyaux et retirez les crépines. Dans les autres cas, détachez les tuyaux de la machine et, avec un tournevis ou une pince à long bec, retirez les crépines des clapets d'arrivée d'eau. Brossez-les à l'eau courante.

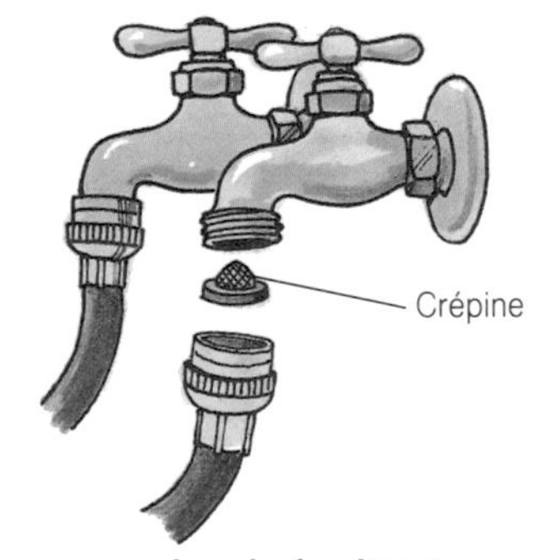

Vous aurez plus de facilité à remplacer le tuyau de vidange si vous mettez des brides à vis sans fin à la place des anciennes brides à ressort. Prenez soin toutefois de ne pas trop les serrer.

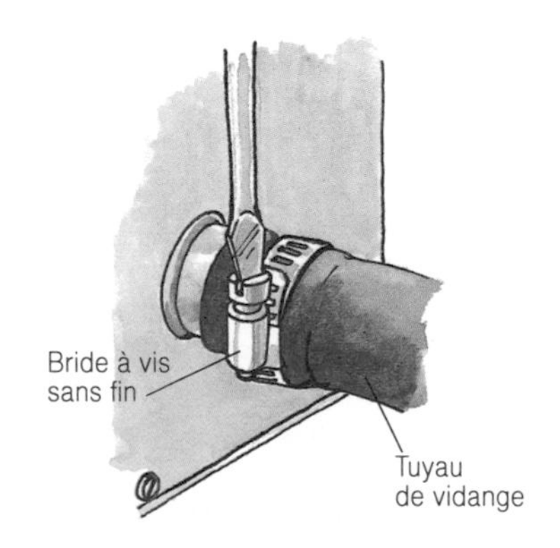

BRUITS ET VIBRATIONS DANS LA MACHINE

La machine est-elle très instable durant l'essorage ? Il s'agit souvent d'une mauvaise répartition du chargement : un article de grande dimension s'est entassé d'un côté seulement. Arrêtez l'appareil et redistribuez le linge.

Il y a des vibrations normales. Elles arrivent parfois à déplacer l'appareil et à le déstabiliser. De temps à autre, arrêtez la machine durant le remplissage et examinez le niveau de l'eau par rapport à une rangée de trous sur le panier. Les pieds de l'appareil se règlent comme ceux d'un réfrigérateur (p. 132).

Si, quoique de niveau, l'appareil produit de fortes vibrations, vérifiez l'amortisseur ; sa tâche est précisément d'amortir les vibrations. Examinez le ressort ; nettoyez et poncez doucement la plaque de frottement si l'amortisseur colle dessus. Au besoin, remplacez la plaque.

Attention : Enlevez le courant de la machine avant d'entreprendre des réparations. Débranchez les tuyaux si vous devez la déplacer.

Pour enlever le dessus, mettez du ruban-cache autour de la lame d'un couteau à mastic et glissez-la dans la fente entre le dessus et la carrosserie, à quelques centimètres d'un coin. Frappez sur le manche pour ouvrir les attaches à ressort à chaque coin. Soulevez le dessus.

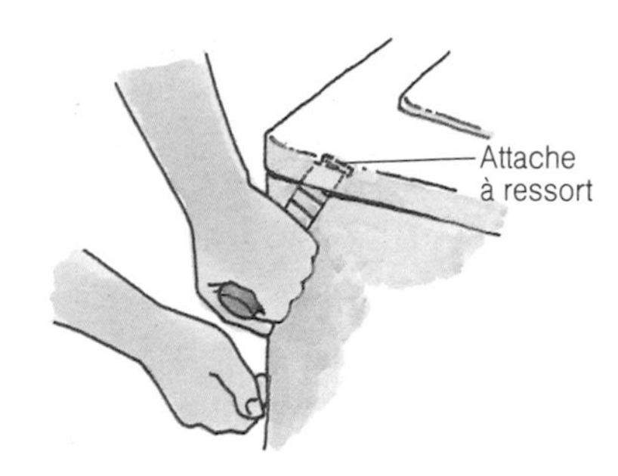

Avant d'effectuer cette opération, débranchez tout tuyau qui est fixé au dessus de la machine à laver.

AUTRES PROBLÈMES

Si l'agitation ou l'essorage ne vous donnent pas satisfaction, examinez la courroie d'entraînement. Défaites le panneau d'accès, à l'arrière de la machine à laver, et appuyez sur la courroie. Si elle cède de plus de 2 cm, resserrez-la ou remplacez-la.

Pour resserrer la courroie d'une machine à chargement par le dessus, desserrez l'écrou de montage du moteur et déplacez légèrement celui-ci le long de la fente, pour augmenter la tension. Resserrez l'écrou.

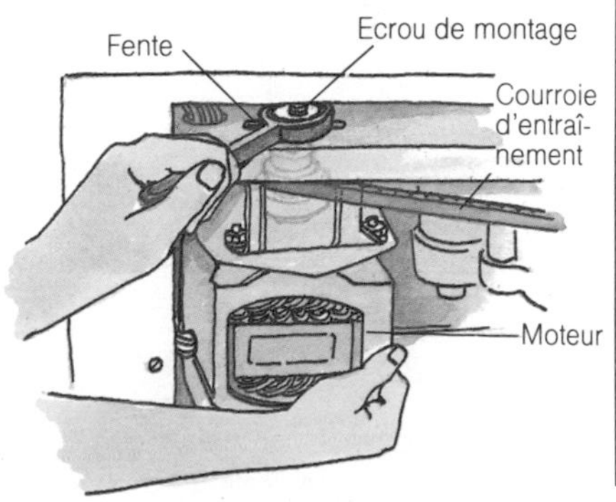

Quand vous remarquez des fuites, examinez les tuyaux. Sans y mettre de linge, faites fonctionner l'appareil. S'il fuit au remplissage, vérifiez les tuyaux et les clapets ; s'il fuit durant la vidange, examinez le tuyau de vidange durant l'essorage.

Les aspérités des surfaces dans le panier peuvent déchirer le linge. Enfilez un vieux bas de nylon sur votre main et passez-la sur le panier et l'agitateur. Si vous trouvez des aspérités, poncez-les au papier fin.

Avez-vous remarqué qu'une pale de l'agitateur était fissurée ou brisée ? Remplacez la pièce au complet, car elle peut endommager gravement des vêtements auxquels vous tenez.

Pour démonter l'agitateur, enlevez le distributeur d'assouplissant s'il y a lieu et dévissez le capuchon. Si l'agitateur ne se déloge pas facilement, remplissez le panier d'eau chaude. En cas de nouvel échec, dégagez-le à coups de marteau en le protégeant avec un bloc de bois.

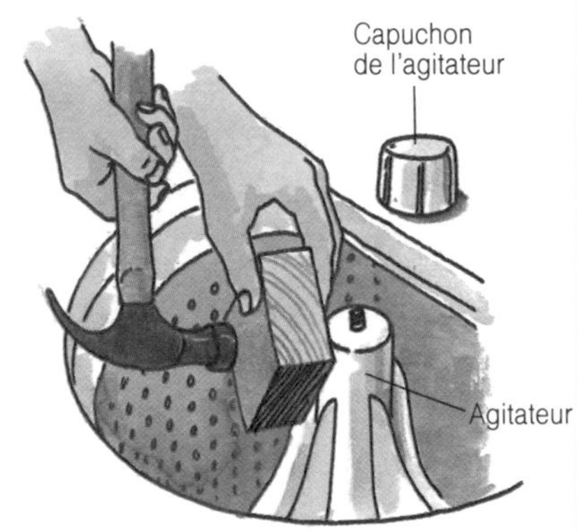

MACHINE À LAVER : CE QU'IL FAUT D'ABORD VÉRIFIER EN CAS DE PANNE

Problème	Cause probable	Solution possible
La machine ne part pas	Pas de courant	Branchez l'appareil, remplacez le fusible ou poussez le disjoncteur
	Appareil trop chargé : interrupteur de sécurité déclenché	Retirez du linge ; appuyez sur l'interrupteur (voir le guide)
La cuve ne se remplit pas ou se remplit lentement	Robinets d'arrivée d'eau fermés	Ouvrez les robinets
	Crépines des clapets d'arrivée d'eau encrassées	Nettoyez les crépines (p. 146)
	Tuyaux d'arrivée d'eau comprimés	Redressez les tuyaux ; remplacez-les si les coudes ont durci
L'eau n'est pas chaude	Robinet d'eau chaude fermé	Ouvrez le robinet d'eau chaude
	Tuyaux d'arrivée d'eau inversés	Vérifiez le branchement ; corrigez-le au besoin
	Crépine de clapet d'arrivée d'eau chaude encrassée	Nettoyez la crépine (p. 146)
	Absence d'eau chaude ; chauffe-eau mal réglé	Examinez le chauffe-eau ; montez le thermostat au besoin
Le moteur marche mais l'agitateur ne bouge pas	Courroie d'entraînement relâchée	Resserrez la courroie d'entraînement (p. 147)
La machine essore mais l'eau ne s'écoule pas	Trop de mousse dans la cuve	Ajoutez de l'eau froide ; réduisez la quantité de détergent à l'avenir
	Tuyau de vidange bouché ou comprimé	Débouchez ou redressez le tuyau de vidange ; remplacez-le si le coude a durci
La machine n'essore pas ou essore mal	Chargement mal équilibré ou excessif ; interrupteur de sécurité déclenché	Répartissez mieux ou diminuez le chargement ; appuyez sur l'interrupteur (voir le guide)
	Chargement mal équilibré ou excessif ; panier freiné	Répartissez mieux ou diminuez le chargement
	Courroie d'entraînement relâchée	Resserrez la courroie (p. 147)

CHAUFFE-EAU : ÉCONOMISEZ L'ÉNERGIE

Mis à part les appareils de chauffage et de climatisation, le chauffe-eau est, dans une maison, l'appareil le plus vorace en énergie. Si vous n'avez pas de lave-vaisselle, réglez le chauffe-eau à 50°C (120°F) et éteignez-le lorsque vous vous absentez pour plusieurs jours.

Posez la main dessus. Sentez-vous de la chaleur ? Vous gaspillez de l'énergie. Couvrez-le d'une housse isolante en fibre de verre en dégageant les commandes. Ne couvrez pas le dessus d'un chauffe-eau à gaz ni le volet d'air dans le bas.

Pour un nouveau chauffe-eau, pensez à acheter un modèle à isolation spéciale, qui économise l'énergie.

ENTRETIEN DU CHAUFFE-EAU

Si la tuyauterie n'est bruyante que lorsque l'eau chaude coule, c'est qu'il y a de la vapeur dans les tuyaux. Baissez le thermostat.

L'eau chaude est-elle sale ? Est-elle lente à chauffer quand il n'en reste plus ? Pensez à des dépôts calcaires dans le réservoir.

Si le chauffe-eau électrique ne vous donne pas d'eau chaude, vérifiez d'abord le fusible ou le disjoncteur. Si le problème est ailleurs, coupez le courant (p. 163), retirez le panneau d'accès à l'élément chauffant supérieur. Appuyez sur le disjoncteur de surchauffe, remettez le panneau et rétablissez le courant.

Pour purger le réservoir, coupez le gaz ou le courant, fermez le robinet d'arrivée d'eau froide et ouvrez un robinet d'eau chaude à l'étage. Branchez un tuyau sur le robinet de purge et videz le réservoir dans un renvoi. L'opération peut prendre quelques heures. Lorsque le réservoir est vide, rouvrez le robinet d'arrivée d'eau froide et rincez jusqu'à ce que l'eau ressorte propre par le robinet de purge.

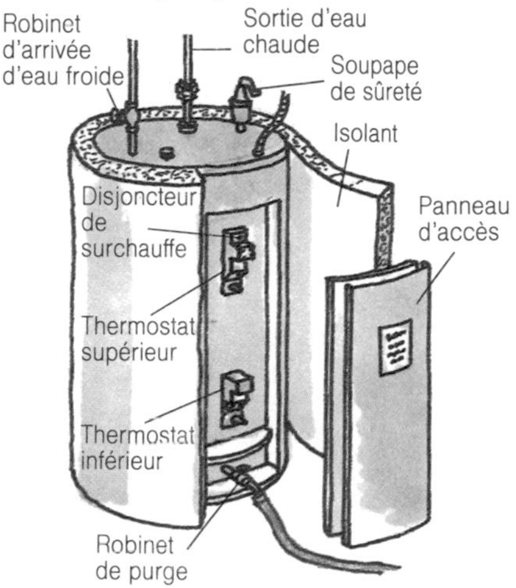

Soyez prévoyant. Deux à quatre fois par an, si l'eau est dure, videz le réservoir dans un seau ou dans un renvoi et lavez-le à grande eau jusqu'à ce que l'eau sorte propre.

Pour connaître la capacité de récupération de votre chauffe-eau, voyez sur la plaque le nombre de litres chauffés en une heure.

Si vous manquez souvent d'eau chaude, c'est peut-être que vous en consommez trop et trop vite. La plupart des gens n'ont qu'une vague idée de la capacité de leur chauffe-eau. Environ 70 p. 100 seulement de l'eau atteint la température voulue ; le tiers inférieur du réservoir reste plus froid. C'est ainsi qu'un réservoir de 180 litres ne donne que 128 litres d'eau chaude, soit 14 cm d'eau dans le fond de la baignoire. Lorsque cette réserve est épuisée, il faut parfois une heure pour réchauffer le réservoir.

SÉCHEUSE : INSTALLATION

Placez la sécheuse dans un endroit où la température ambiante est au moins de 7,5°C (45°F) pour abréger les délais de séchage.

Avant d'acheter une sécheuse, vérifiez l'emplacement de sortie d'air et voyez si là où vous voulez placer l'appareil, vous pourrez faire déboucher le conduit de sortie d'air à l'extérieur. Selon le modèle de la sécheuse, l'évacuation peut se faire par l'arrière, par les côtés ou par le dessous de l'appareil.

Le conduit de sortie ne doit pas déboucher dans la cheminée, dans un vide sanitaire ou dans les combles. La charpie est inflammable.

Les tuyaux flexibles d'évacuation en vinyle ne sont guère efficaces. Prenez plutôt des conduits en métal rigide ou souple. A l'extérieur, la bouche doit avoir au moins 10 cm de diamètre pour être efficace.

Lorsque le conduit d'évacuation est très long, il rallonge le délai de séchage du linge. Ne dépassez pas une longueur totale de 8 m. Soustrayez 1,5 m pour chaque coude, sauf à la sortie de la sécheuse.

SÉCHEUSE EFFICACE

Nettoyez toujours le filtre à charpie.

Séchez séparément les tissus légers et les tissus lourds.

Evitez de charger trop ou trop peu de linge : cela gaspille l'énergie.

N'ajoutez pas des articles mouillés à un chargement déjà à demi sec.

Ne faites pas de pause entre deux chargements ; vous profiterez ainsi de la chaleur accumulée.

ENTRETIEN DE LA SÉCHEUSE

Lorsque le tuyau est obstrué par de la charpie, le linge sèche mal. Pour le vérifier, sortez de la maison ; mettez la main devant la bouche extérieure d'évacuation pendant que l'appareil est en marche. Si vous sentez un fort débit, tout va bien.

Nettoyez le conduit d'évacuation de la sécheuse une fois par an pour empêcher que la charpie ne s'y accumule. Retirez-le et secouez-le. Passez un tampon à l'intérieur.

A l'extérieur, introduisez un cintre dans le conduit pour débarrasser l'évent et le volet de toute charpie.

Assurez-vous que le conduit est droit. L'eau et la charpie s'accumulent dans les coudes et bloquent le débit d'air. Si le conduit traverse un espace non chauffé, le froid peut aggraver le problème.

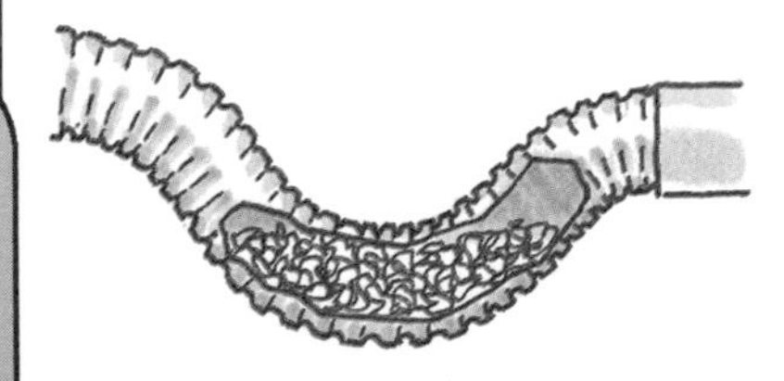

Pour couper le courant qui parvient à la sécheuse électrique, vous devez retirer deux fusibles ou fermer deux disjoncteurs au tableau de distribution de la maison (p. 163). Les deux commandent ensemble l'élément chauffant tandis qu'un seul des deux alimente le moteur.

Votre sécheuse est-elle anormalement bruyante ? Faites tourner le tambour à la main. Un cognement sourd qui varie avec la vitesse de rotation du tambour indique une courroie défectueuse ou usée.

Pour vérifier les galets, faites tourner le tambour à la main. S'ils cognent à une cadence plus rapide qu'un coup par tour de tambour, l'un des galets est usé. Consultez le guide ou faites venir un technicien.

Le joint d'étanchéité est-il défectueux ? Regardez s'il y a de la condensation sur la porte. Ou passez un mouchoir de papier léger le long de la fente pendant que la sécheuse est en marche : s'il est aspiré, le joint doit être remplacé.

Si le joint d'étanchéité est simplement collé sur la porte, enlevez-le et collez-en un autre. Procurez-vous une colle spéciale ininflammable en achetant le joint de rechange. Si le joint est monté entre l'ouverture du tambour et la carrosserie de l'appareil, faites-en poser un neuf par un technicien.

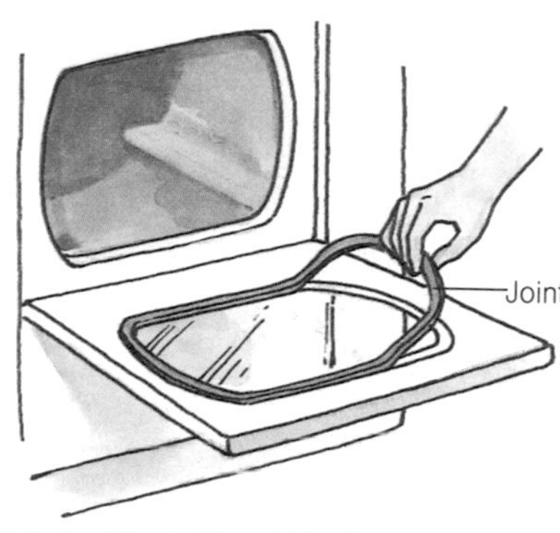

SÉCHEUSE : CE QU'IL FAUT D'ABORD VÉRIFIER EN CAS DE PANNE

Problème	Cause probable	Solution possible
La sécheuse ne fonctionne pas	Pas de courant	Branchez l'appareil, remplacez le fusible ou réenclenchez le disjoncteur (p. 163)
	Porte mal fermée	Fermez bien la porte
	Sélecteur de cycle non réglé	Réglez le sélecteur en position de séchage
	Interrupteur de démarrage non réglé	Appuyez sur l'interrupteur de démarrage
Les vêtements prennent du temps à sécher	Sécheuse surchargée	Réduisez le chargement
	Erreur dans le choix du cycle	Consultez le guide
	Conduit d'évacuation bouché	Nettoyez le filtre à charpie, le conduit et l'évent d'évacuation (voir ci-contre)
	Dernier rinçage de la machine à laver à l'eau froide	Le linge rincé à l'eau froide prend plus de temps à sécher
	Linge trop mouillé	Vérifiez le chargement de la machine à laver et l'efficacité de l'essorage et de la vidange
	Joint défectueux	Vérifiez le joint (voir ci-dessus) ; remplacez-le au besoin
La sécheuse ne chauffe pas	Fusibles ou disjoncteurs fautifs	Remplacez les fusibles ou réenclenchez les disjoncteurs (p. 163)
	Sélecteur de température réglé sur air et non sur chaleur	Modifiez la position du sélecteur
La sécheuse est bruyante	Corps étranger dans les trous du tambour	Avec une lampe de poche, cherchez clou, vis ou crochet à rideau coincé ; retirez avec une pince au besoin
	Choc d'objets durs, comme boutons ou fermetures éclair, contre le tambour	Bruit normal
	Vibration des garnitures ou des panneaux extérieurs	Resserrez les vis

Si votre sécheuse s'éteint automatiquement quand le linge atteint un certain degré de séchage, utilisez le type d'assouplisseur recommandé pour ce type d'appareil : certains produits laissent sur les détecteurs d'humidité une pellicule qui les empêche de fonctionner.

Le cas échéant, lavez les détecteurs dans de l'eau chaude savonneuse. Vous les trouverez à l'intérieur de la porte ou sur les déflecteurs du tambour (voir le guide).

GRILLE-PAIN ET FOUR GRILLE-PAIN

Les toasts restent coincés ? Achetez une pince à toasts en bois dans une boutique spécialisée. Lorsqu'une tranche de pain se coince, débranchez le grille-pain et faites sortir doucement le toast avec la pince. Prenez garde d'endommager les éléments chauffants.

Le four grille-pain n'a pas son pareil pour les muffins et les bagels. Mais le grille-pain fait de meilleurs toasts, car les tranches sèchent moins en grillant ; si vous aimez les toasts épais, achetez un appareil à larges fentes ou à écartement variable.

Voulez-vous réchauffer votre assiette ? Installez-la sur le four grille-pain pendant qu'il est en marche.

L'entretien périodique de votre four grille-pain à l'extérieur comme à l'intérieur en prolonge la durée. Mais ne nettoyez pas les éléments chauffants : vous abrégeriez la leur. Ils se nettoient d'eux-mêmes.

La porte du four grille-pain ou du grilloir s'ouvre-t-elle avec difficulté ? Débranchez l'appareil et lavez fiches et pivots avec un coton-tige trempé dans de l'eau additionnée de détergent liquide pour vaisselle. Quand les pièces sont sèches, enduisez-les d'un lubrifiant à la silicone résistant à la chaleur avec un autre coton-tige. Ouvrez et fermez la porte pour répandre le lubrifiant.

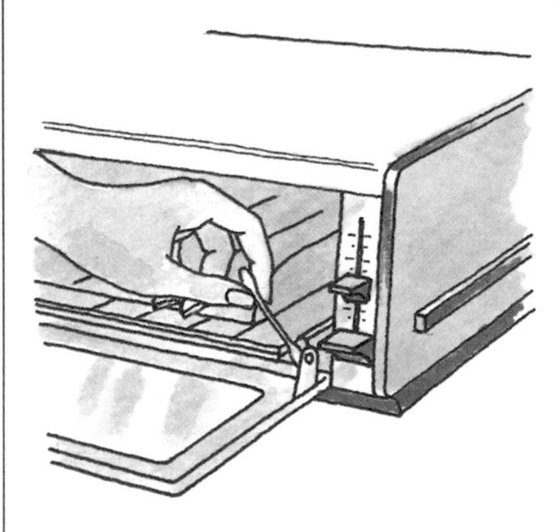

EMPLOI SÉCURITAIRE

Habituez-vous, vous et les vôtres, à débrancher le four grille-pain ou le grilloir après chaque usage. Les risques de laisser l'appareil fonctionner après vous en être servi en seront diminués d'autant.

Prenez soin de ne pas mettre un plat en métal ou un contenant en aluminium en contact avec l'élément chauffant supérieur d'un four grille-pain, ce qui pourrait produire un court-circuit et faire brûler l'élément. Et si vous touchez au métal, vous risquez de prendre un choc et même de vous électrocuter.

QUE RECHERCHER DANS UN FOUR À MICRO-ONDES

Des commandes électroniques programmables vous permettent de choisir différents degrés de cuisson pour différentes périodes de temps. Par exemple, vous pouvez régler le four pour trois cycles consécutifs : décongélation, cuisson et maintien de la chaleur du plat. Pensez à choisir un modèle avec plateau tournant pour uniformiser la cuisson.

Autre accessoire utile : une sonde à température. Vous l'insérez dans l'aliment comme s'il s'agissait d'un thermomètre à viande. Quand le plat atteint la température voulue, le four émet un signal sonore. Certains s'éteignent d'eux-mêmes tout en gardant l'aliment chaud.

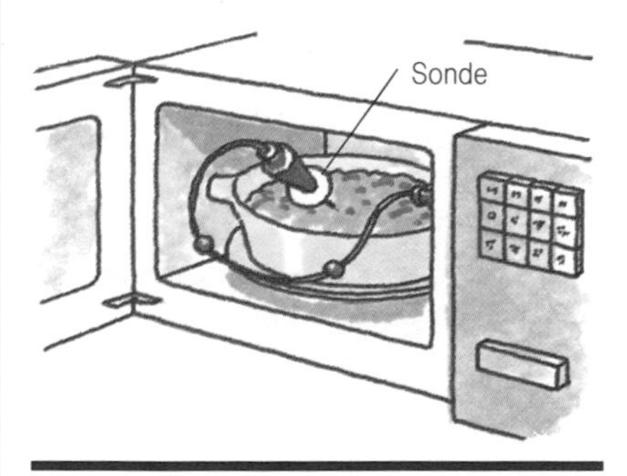

OÙ INSTALLER UN FOUR À MICRO-ONDES

Quelle est la hauteur idéale d'un four monté sur le mur ? Posez le four à la hauteur de la poitrine de l'adulte le plus petit de la maison et qui est appelé à s'en servir.

Avant d'encastrer le four à micro-ondes ou de le suspendre sous une armoire, vérifiez avec le détaillant ou le fabricant si c'est faisable. Ils pourront peut-être aussi vous procurer les supports latéraux ou verticaux nécessaires. En installant l'appareil, prenez garde de ne pas bloquer les évents.

Il est peu recommandé de placer le four à micro-ondes au-dessus de la cuisinière ; de celle-ci montent sans cesse de la chaleur, de la graisse et de la vapeur ; en outre, vous devez passer au-dessus des éléments chauffants pour y avoir accès. Si vous n'avez pas le choix, installez un micro-ondes muni d'une hotte.

EMPLOI DU MICRO-ONDES

Pour obtenir les meilleurs résultats, observez les délais de cuisson donnés dans le livre de recettes qui est fourni avec l'appareil. Dans les revues, les délais sont généralement établis pour des fours de 600 ou 700 watts. Pour obtenir les mêmes résultats avec un four de 400 watts ou de 1 000 watts, vous devez, dans le premier cas, allonger le temps de cuisson ou le raccourcir dans le second. Les réglages identifiés par « High » ou « Medium » ne sont pas normalisés.

Même si vous possédez un plateau tournant dans votre four, il est préférable de remuer de temps à autre les ragoûts et les légumes pour que la cuisson se fasse également.

Etincelles ou éclairs indiquent la présence de métal dans le four, matière qui ne doit jamais être utilisée dans un micro-ondes. Mettez l'aliment dans un plat recommandé pour les fours à micro-ondes.

Evitez d'utiliser des sacs d'emballage en papier brun ou de prolonger inutilement la cuisson du maïs soufflé. Et surveillez la cuisson des plats sucrés. Ce sont tous des éléments qui prennent feu facilement.

Si le feu prend dans le four à micro-ondes, gardez la porte fermée et débranchez l'appareil. N'ouvrez que lorsque le feu s'est éteint.

USTENSILES POUR MICRO-ONDES

Voulez-vous savoir si un plat va au micro-ondes ? Mettez-le au four micro-ondes avec une tasse à mesurer en verre à demi remplie d'eau. Allumez au plus fort pour une minute. Puis, avec prudence, touchez au plat et à l'eau. Si l'eau est chaude et le plat froid, il va au micro-ondes.

Plusieurs articles inusités conviennent au micro-ondes. Réchauffez les restes dans une assiette de carton, faites cuire du bacon sur une serviette de papier et chauffez des petits pains enroulés dans une serviette dans la corbeille en osier.

Les aliments cuisent mieux dans un plat rond que carré, dans un plat peu profond que dans un plat creux. La cuisson est plus lente au centre que sur les côtés. Préférez les plats dont les bords sont droits.

Avant d'enfourner un aliment, couvrez-le d'une pellicule de plastique ou d'un couvercle de verre. (Le plastique ne doit pas toucher l'aliment.) La cuisson sera plus rapide et plus uniforme.

N'allez pas acheter une nouvelle batterie de cuisine pour micro-ondes. Vos ustensiles courants en verre ou en céramique conviennent.

Conservez les plats en plastique spéciaux pour le micro-ondes qui contiennent certains aliments surgelés. Ils vous serviront à réchauffer des portions individuelles ; de plus, ils vont au lave-vaisselle.

Si vous achetez des plats pour le micro-ondes, choisissez-en qui vont aussi au congélateur. Vous pourrez ainsi faire passer le plat directement du congélateur au four.

BATTEUR ÉLECTRIQUE

Si le batteur électrique ne vous sert qu'à fouetter de la crème ou à monter des blancs en neige, prenez un modèle à main. Mais si vous vous en servez pour des tâches exigeantes, comme celle de pétrir de la pâte, achetez un modèle sur socle fourni avec différents bols en métal.

Les fouets sont-ils difficiles à enlever ? Mettez une goutte d'huile légère dans chaque manchon.

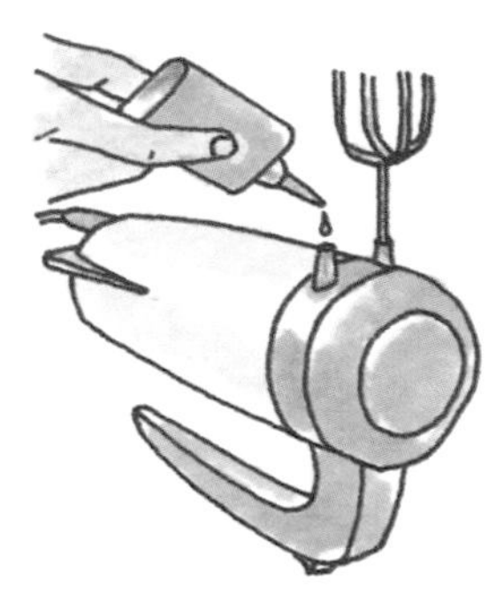

Si une pale s'est déformée, posez le fouet sur une planche de bois pour que la pale soit appuyée et redressez-la avec une cuiller.

Le bol du batteur électrique sur socle ne tourne pas ? Faites basculer ou soulevez la tête de l'appareil et réglez la hauteur des fouets en ajustant une vis placée généralement sur le dessus du socle. Les fouets ne doivent pas frotter. Mais si l'un d'eux est muni d'un bouton de plastique, il doit toucher le fond du bol.

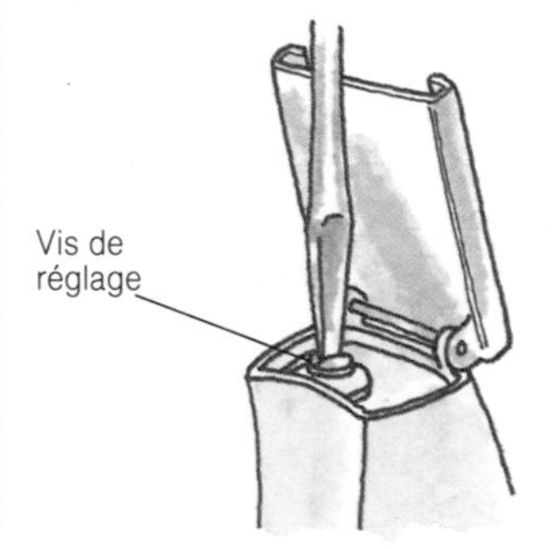

MÉLANGEUR

Combien de vitesses doit avoir un mélangeur ? Quatre ou cinq répondront sans doute à tous vos besoins ; au-delà, l'appareil vous coûtera inutilement cher.

Certains appareils sont munis d'une commande de survitesse qui permet de donner des impulsions distinctes à l'appareil. Dans l'intervalle qui les sépare, l'aliment a le temps de se redistribuer et le mélange est plus uniforme. Si votre appareil en est dépourvu, vous obtiendrez le même effet en appuyant alternativement sur un bouton de commande de vitesse et sur l'interrupteur.

Si l'un des boutons-poussoirs est bloqué, procurez-vous une canette de nettoyeur à contacts électriques dans une quincaillerie. Débranchez le mélangeur et vaporisez un peu de nettoyeur de chaque côté du bouton récalcitrant. Attendez, puis faites jouer le bouton.

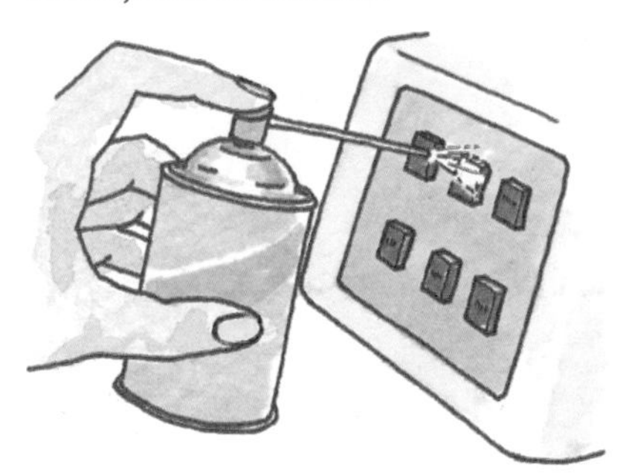

Si le moteur du mélangeur a du mal à traiter l'aliment que vous avez mis dans le bocal, diluez celui-ci avec un peu d'eau. Ou faites le travail en deux temps.

Laissez refroidir les liquides très chauds avant de les verser dans le mélangeur. La vapeur en s'accumulant peut projeter l'aliment hors du bocal quand vous l'ouvrez en cours de broyage.

ROBOT CULINAIRE

Choisissez un modèle de robot culinaire doté d'un disjoncteur de sûreté incorporé qui arrête le moteur si un aliment se coince ou si le chargement est excessif. Tous les robots dont le moteur est garanti à vie pour le premier propriétaire possèdent normalement cet accessoire.

Si le robot s'arrête inopinément, pensez qu'il a pu y avoir surcharge, déclenchant ainsi le disjoncteur de sûreté. Eteignez l'appareil et corrigez la situation. Attendez 5 minutes avec de rallumer l'appareil.

Jugez-vous incommodant le bruit que fait votre robot culinaire en fonctionnant ? Posez l'appareil sur un coussinet épais en plastique caoutchouté vendu dans les papeteries pour les machines de bureau. Avant d'acheter un robot culinaire, essayez-le dans le magasin pour voir s'il est bruyant.

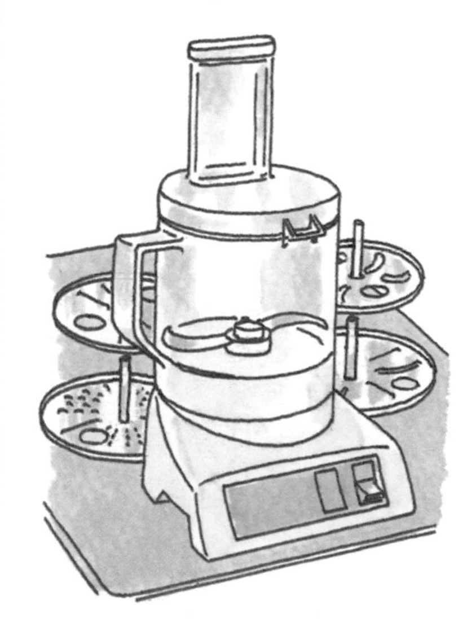

Vous êtes-vous déjà demandé à quoi servent les grands trous qui se trouvent sur les disques du robot ? A les manipuler sans toucher aux surfaces coupantes.

CAFETIÈRE OBSTRUÉE

Vous mettez deux tasses d'eau dans votre cafetière-filtre électrique à gravité et il n'en sort qu'une tasse ! Examinez le trou d'égouttement. S'il est obstrué, nettoyez-le avec un fil de métal. Si la gouttière bimétallique est corrodée ou brisée, remplacez le réservoir par un autre identique acheté chez le fabricant.

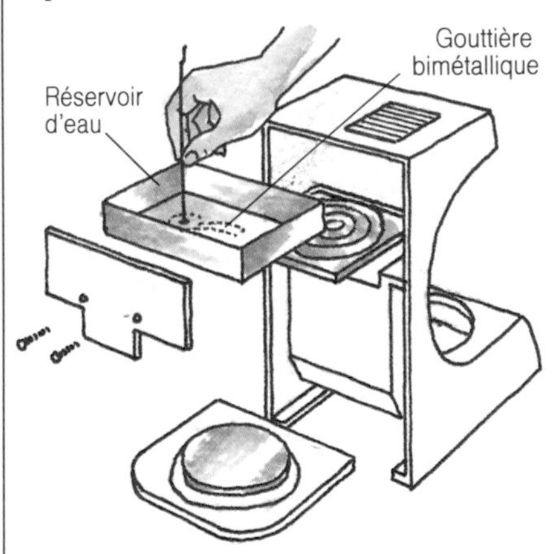

Le bec de la cafetière-filtre à pompe est propre mais rien ne sort du tube d'écoulement ? L'obstruction peut être provoquée par de l'entartrage. Débranchez l'appareil, dévissez le socle et retirez le coude de caoutchouc du réservoir. Enlevez la soupape et brossez-la à l'eau chaude additionnée de détergent. Reposez-la ; elle devrait fonctionner (voir, p. 108, le nettoyage complet).

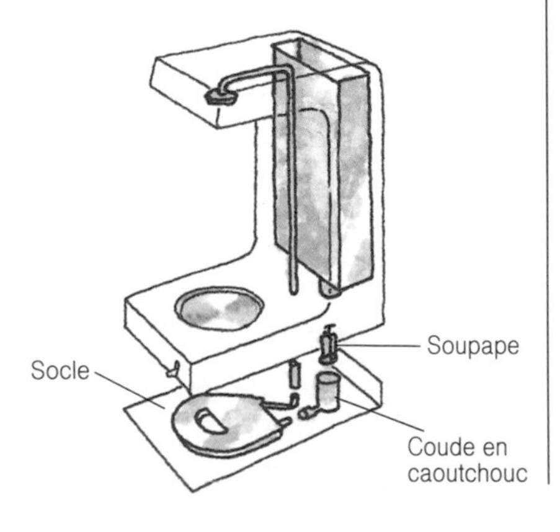

PERCOLATEUR

Si votre percolateur vous donne de l'eau chaude et non du café, assurez-vous que le tube est bien en place. Faites un nouvel essai. Si vous obtenez encore de l'eau chaude, remplacez le tube.

Lorsqu'il se produit des fuites autour du robinet d'un gros percolateur, vérifiez d'abord la rondelle. Le perlocateur vidé, enlevez les vis qui maintiennent le robinet et retirez-le. Sortez la rondelle et remettez-la à l'envers sur le robinet. Posez celui-ci et resserrez les vis. Si l'inversion ne donne pas de bons résultats, remplacez la rondelle.

FER À REPASSER

Si votre fer donne peu de vapeur, les orifices de la semelle sont peut-être entartrés. Essayez de les nettoyer avec un trombone redressé ou une épingle à cheveux lorsque le fer débranché est froid.

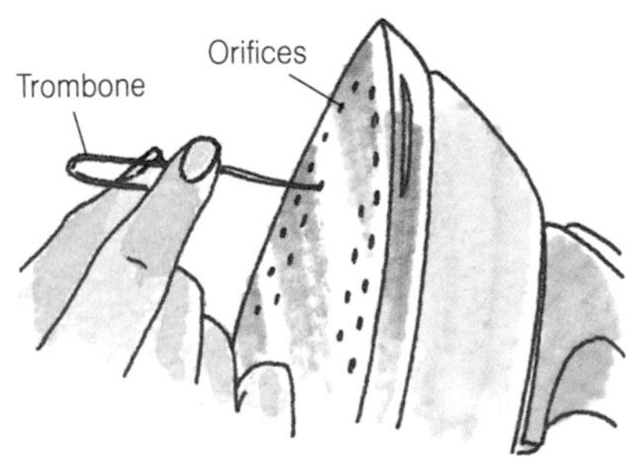

En cas d'échec, remplissez le réservoir d'un mélange moitié vinaigre blanc, moitié eau. Réglez le fer à vapeur, tenez-le à l'horizontale et laissez sortir la vapeur tout en utilisant le dispositif de pulvérisation. Il faut parfois répéter l'opération.

Certains fabricants affirment qu'on peut sans danger mettre de l'eau du robinet dans le réservoir d'un fer. Pourquoi risquer des ennuis ?

Prenez de l'eau déminéralisée : il s'en vend dans les pharmacies et les supermarchés. Faites fondre le givre du congélateur : vous aurez de l'eau distillée. Ou passez l'eau du robinet à travers un filtre spécial vendu en quincaillerie.

ENTRETIEN DU FER

Lorsque la semelle du fer à repasser colle et tache les vêtements, débranchez le fer et laissez-le refroidir. Nettoyez la semelle avec un chiffon humecté d'alcool à friction ; essuyez avec un tissu doux. Si la semelle est revêtue d'un antiadhérent, frottez-la avec du papier ciré quand elle est tiède ou tout doucement avec de la laine d'acier extra-fine.

Remplacez vous-même le cordon du fer à repasser, s'il est en mauvais état, dans le cas où les bornes se trouvent sous une plaque maintenue par une vis. Retirez la fiche de la prise, enlevez la vis et la plaque et détachez les fils des bornes. Posez un cordon identique, serrez les bornes et remettez la plaque.

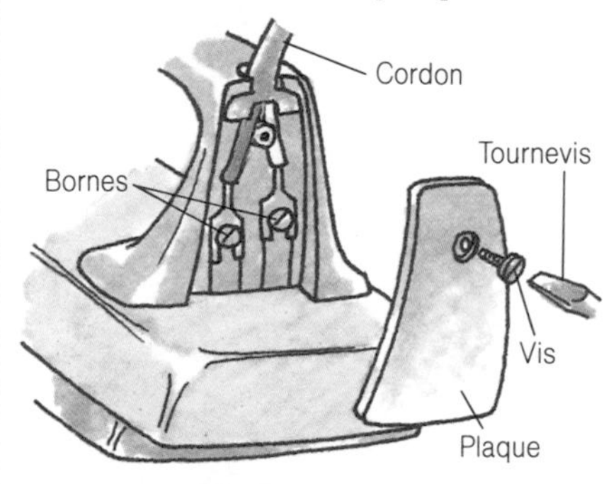

VERTUS DE L'HUMIDITÉ

Prenez-vous un choc électrostatique quand vous touchez à quelque chose dans la maison ? Avez-vous la peau sèche, les voies nasales sensibles ? Pensez à un humidificateur pour vos animaux, vos plantes, vos meubles et vous-même.

L'humidificateur donne les meilleurs résultats lorsque l'isolant de la maison comporte un coupe-vapeur (pp. 176, 178). Sans coupe-vapeur, l'humidité peut affaiblir l'isolation de la maison et faire renfler le bois présent dans les murs. Dans une maison non isolée, l'humidité qui pénètre dans les murs peut finalement faire pourrir le bois.

Si votre système de chauffage est à air pulsé, vous pouvez vous en servir pour humidifier toute la maison. Branchez sur le système un humidificateur relié à un tuyau d'alimentation en eau froide. N'effectuez ce travail vous-même que si le guide de votre appareil le recommande.

Lorsque vous chauffez votre maison avec des radiateurs ou avec des plinthes, achetez un humidificateur mobile. Les modèles à ultrasons sont silencieux, sûrs et plus efficaces que ceux à évaporation.

Choisissez un humidificateur dont le réservoir ouvre grand ; il est plus facile à nettoyer et à remplir. Un rinçage quotidien (1 c. à soupe d'eau de javel dans un demi-litre d'eau) empêche la croissance des bactéries et des champignons néfastes aux personnes souffrant d'allergies respiratoires.

Distribuez bien la vapeur. Placez l'humidificateur au centre de la pièce si c'est possible.

HUMIDIFICATEUR À ULTRASONS

La poussière blanche qui sort d'un humidificateur peut nuire au bon fonctionnement des appareils électroniques. Mettez-le aussi loin que possible du téléviseur, de l'ordinateur ou du magnétoscope. Ou utilisez de l'eau distillée.

Votre humidificateur émet-il moins de vapeur ? Des sels minéraux peuvent obstruer le nébuliseur, ce disque dont les vibrations créent un fin brouillard. Essuyez-le avec un pinceau souple imbibé de vinaigre blanc ou trempé dans le solvant recommandé par le fabricant.

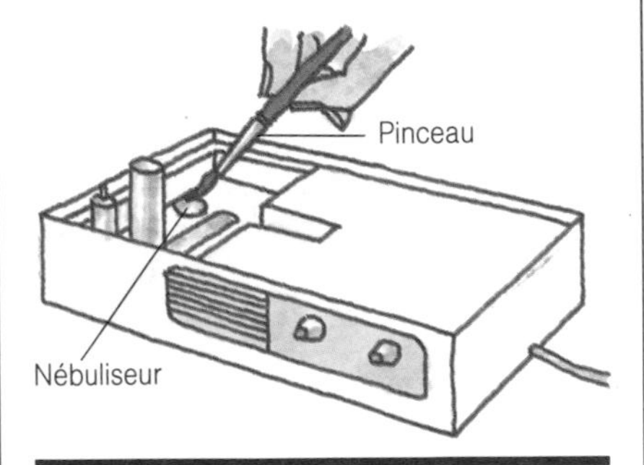

HUMIDIFICATEUR CLASSIQUE

Les sels minéraux qui se déposent sur la courroie, les rouleaux ou le tambour coussiné de l'humidificateur en restreignent l'efficacité. Débranchez l'appareil et nettoyez ces pièces avec un mélange moitié vinaigre blanc, moitié eau. Remplacez-les si elles se nettoient mal.

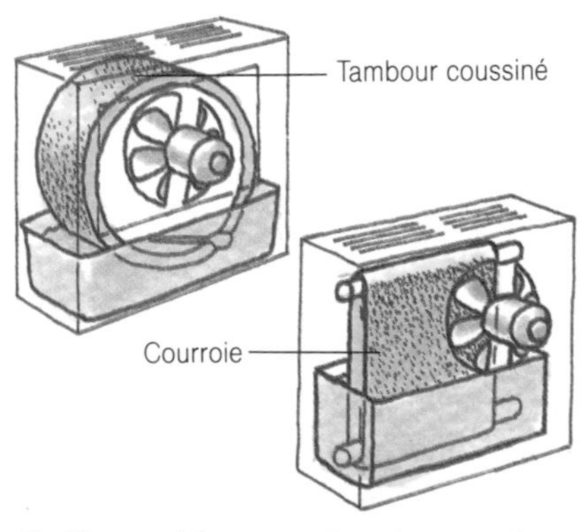

Si l'humidificateur fonctionne toujours mal après un bon nettoyage, examinez la courroie. Elle doit céder de 1,5 à 2 cm sous la pression du doigt. Ajustez-la selon le mode d'emploi si elle vous paraît trop lâche ou trop serrée. Remplacez-la si elle est usée ou fendue.

DÉSHUMIDIFICATEUR

Achetez un déshumidificateur doté d'un dégivrage automatique (pour empêcher la formation de givre sur le serpentin), d'un contact de trop-plein (pour empêcher la cuvette de déborder) et d'un hygrostat (pour en régulariser le fonctionnement).

Le déshumidificateur ne fonctionne parfaitement que si vous gardez fermées les portes et les fenêtres de la pièce où il se trouve.

S'il est encrassé, le système de réfrigération du déshumidificateur ne donne pas satisfaction. Pour le tenir en bon état de fonctionnement, débranchez l'appareil chaque saison et laissez sécher les serpentins de condensation. Enlevez alors la plaque arrière de l'appareil (ou tout le boîtier si c'est nécessaire) et, avec le suceur plat de l'aspirateur, nettoyez toutes les surfaces accessibles.

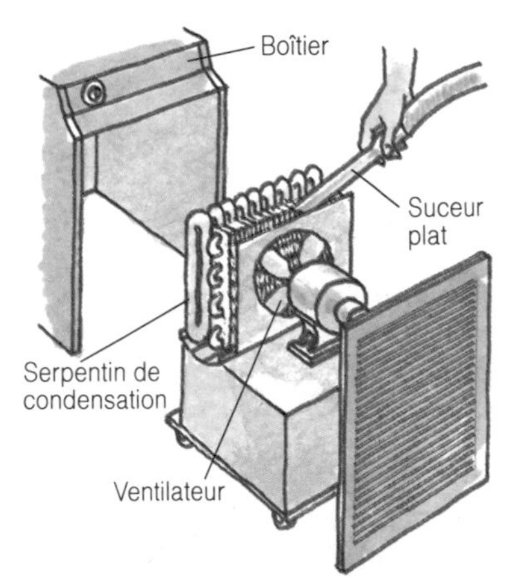

En avez-vous assez de vider la cuvette du déshumidificateur tous les jours ? Retirez-la et placez le déshumidificateur au-dessus du puisard du sous-sol. Ou faites courir un tuyau depuis la sortie de l'appareil jusqu'au puisard ou jusqu'à un renvoi d'évier ou de baignoire (si l'appareil est plus haut que le renvoi).

COMPRESSEUR À DÉCHETS

Evitez les ennuis : couchez les bouteilles en verre et ne jetez jamais de produits en aérosol dans le compresseur à déchets.

Un désodorisant interne, si bon soit-il, n'arrivera pas à combattre l'odeur tenace des boîtes de sardines ou de thon ni celle des écorces de melon. Rincez les boîtes de conserve avec soin avant de les jeter dans le compresseur. En outre, doublez le bac de papier journal pour absorber les odeurs et protéger le fond des éclats de verre.

Le compresseur à déchets ne fonctionne pas ? Vous pouvez peut-être réparer la panne vous-même. Ouvrez le tiroir et poussez-le pour le fermer en vous assurant que le loquet s'enclenche. C'est lui qui, par le jeu d'un interrupteur, met le moteur en marche. La panne persiste ? Posez sur l'appareil un niveau de menuisier ; s'il n'est pas d'aplomb, le tiroir fermera mal. Si le mal est ailleurs, appelez un technicien.

Pour éviter les mauvaises odeurs, nettoyez le bras de compression chaque semaine. Débranchez l'appareil, ouvrez le tiroir et sortez-le de ses rails. Brossez le bras avec de l'eau chaude et un détergent. Vaporisez au besoin d'un désinfectant.

BROYEUR À DÉCHETS

Songez-vous à acheter un broyeur à déchets ? Assurez-vous d'abord que la municipalité où vous vivez en autorise l'emploi et, ensuite, que l'appareil est capable de broyer des déchets volumineux comme des épis de maïs ou des os. Si vous avez une fosse septique, vous devrez la faire vider plus souvent.

Si le broyeur se grippe, débranchez-le, introduisez-y un goujon ou un manche en bois et débloquez le volant en vous appuyant sur une masselotte et en tournant vers la gauche. Si vous avez reçu avec l'appareil une clé en forme de L ou de Z, servez-vous-en selon le mode d'emploi donné dans le guide.

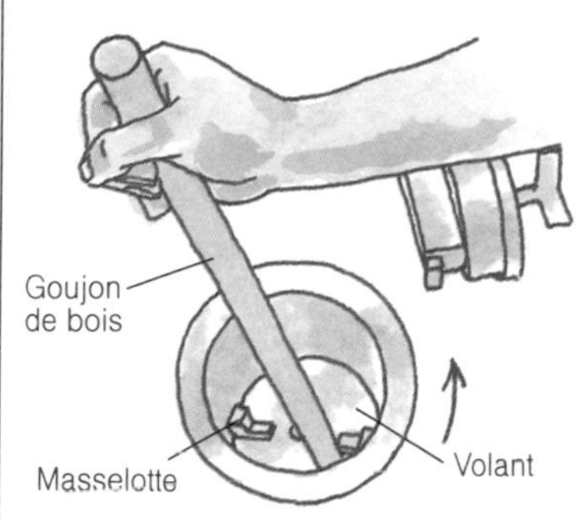

Si ce sont des aliments gras qui bloquent le broyeur, jetez-y des cubes de glace et faites-le démarrer. Le gras ayant figé, le broyeur pourra alors le déchiqueter en petites parcelles éliminables.

LAMPES, FICHES ET CORDONS

Lorsqu'une ampoule se brise dans sa douille, débranchez la lampe ou le circuit qui l'alimente (p. 163). Enfilez un gant épais et, avec un tampon de papier journal, agrippez la partie supérieure de la douille et tournez vers la gauche.

Pour remplacer la fiche à trois broches d'un cordon de grande puissance, dénudez les fils de leurs gaines isolantes et nouez ensemble les trois fils (étapes 1, 2 et 4, page suivante). Glissez les extrémités des fils sous les bornes métalliques ou dans les trous et serrez les vis. Serrez les vis de blocage pour empêcher le cordon de se défaire.

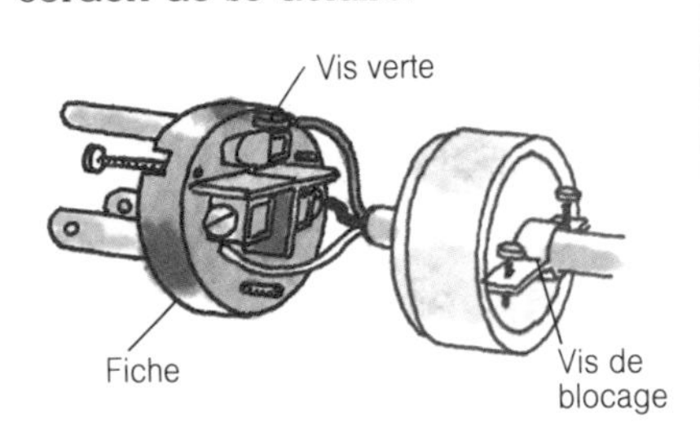

S'il s'agit du cordon à fils plats d'une lampe légère, utilisez une fiche à montage rapide pour laquelle vous n'avez pas besoin de dénuder les fils. Quand vous refermez la fiche sur le cordon, de petites tiges pointues traversent les gaines isolantes, assurant ainsi le contact.

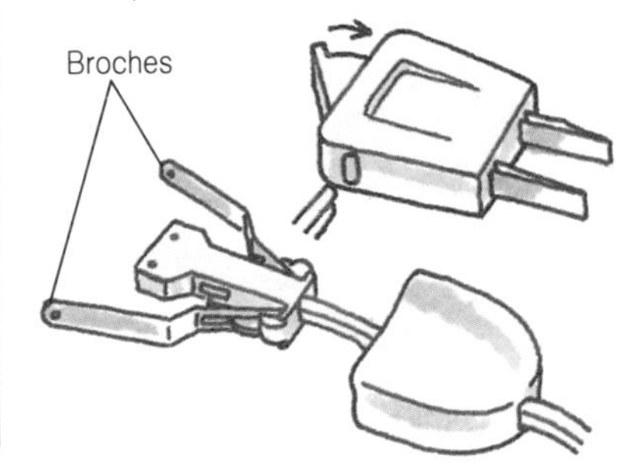

VÉRIFICATION ET REMPLACEMENT D'UN CORDON

Un cordon est endommagé dès lors que l'isolant s'effiloche ou que vous voyez un fil nu ou une fiche en mauvais état. Faites un test avec un vérificateur de continuité ; c'est un instrument à piles peu coûteux. Si le test de l'étape 2 est positif, c'est l'appareil qu'il faut réparer.

Achetez un cordon identique à l'ancien. Enlevez le cordon abîmé et posez le nouveau en refaisant les mêmes opérations en sens inverse. Au moment de l'achat, apportez le cordon défectueux avec vous et achetez le cordon, la fiche et les cosses correspondants. Assurez-vous que le nouveau cordon a la même capacité et la même isolation que l'ancien. Un dénudeur et une sertisseuse peuvent vous rendre service.

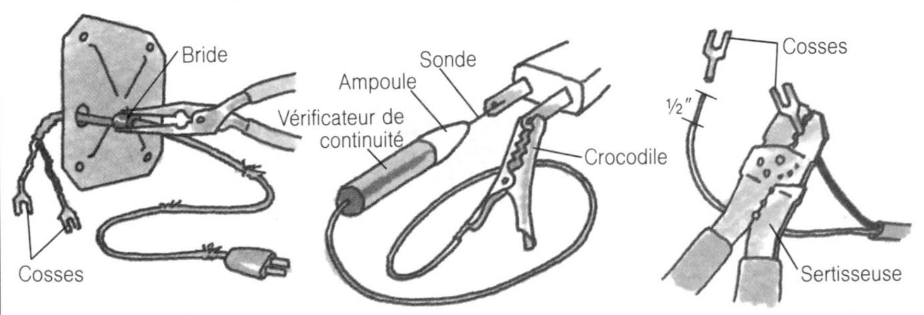

1. Pour défaire le cordon de l'appareil, débranchez celui-ci et ouvrez-le selon les instructions du manuel d'entretien. Avec des pinces, saisissez la bride qui serre le cordon à son entrée dans l'appareil, donnez-lui un quart de tour et retirez-la de l'appareil. Dévissez ou détachez le cordon de l'appareil.

2. Voyez s'il y a un court-circuit dans le cordon débranché en attachant le crocodile d'un vérificateur à l'une des broches de la fiche et en touchant l'autre avec la sonde. Si l'ampoule s'allume, il y a court-circuit. Pour vérifier l'état des fils, fixez le crocodile à la cosse d'un fil ou au fil, puis touchez à la broche correspondante avec la sonde. Si l'ampoule ne s'allume pas, le fil est cassé ; vérifiez l'autre fil.

3. Pour remplacer le cordon, posez une fiche à deux ou à trois broches à une extrémité (voir ci-dessus). Si les fils nus de l'ancien cordon étaient fixés sous les vis des bornes, dénudez et fixez les nouveaux de la même façon. Si les fils étaient à cosses, dénudez l'extrémité des fils sur 1,5 cm de leur isolant et sertissez les fils dans les manchons des cosses.

REMPLACER LA FICHE D'UN CORDON ÉLECTRIQUE

Achetez une fiche compatible avec le cordon que vous devez réparer. Les vignettes ci-dessous montrent comment remplacer une fiche à cordon rond pour petits appareils et rallonges de moyenne puissance. La fiche illustrée est complètement fermée ; elle est dite de sécurité parce que vous n'avez pas directement accès aux fils dénudés. Elle est supérieure à la fiche à bouclier de carton.

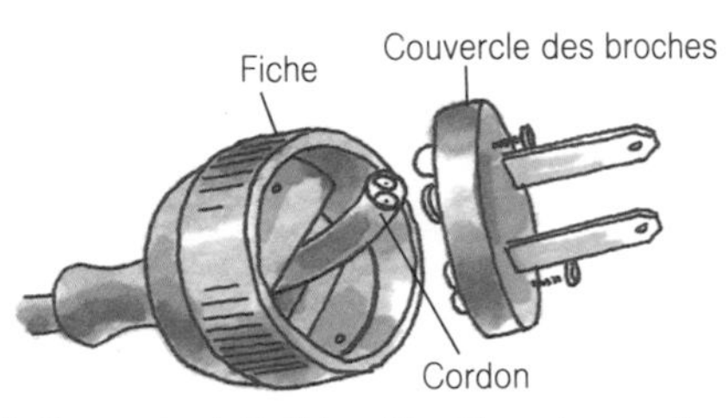

1. Coupez la vieille fiche et les fils endommagés avec des ciseaux robustes ou une pince coupe-fil. Dévissez et retirez les broches de la nouvelle fiche et insérez le cordon dans la fiche.

2. Dénudez le cordon sur 4 cm. Fendez la gaine isolante avec un couteau universel ou un canif et enlevez-la comme un gant. Incisez la gaine en longueur si elle vient mal. Prenez garde d'abîmer les fils à l'intérieur. Le cas échéant, coupez la section endommagée et recommencez.

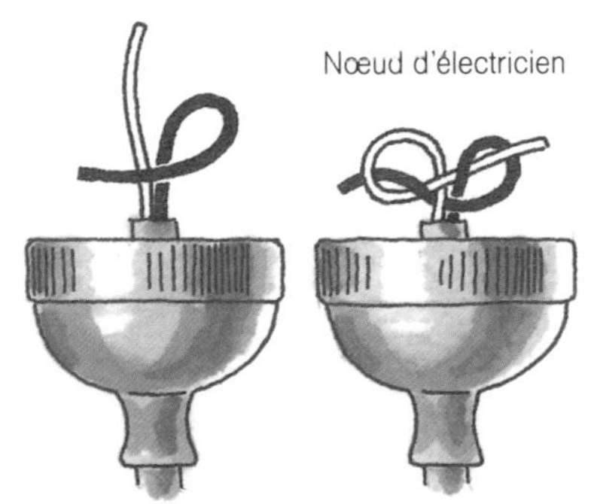

3. Attachez les deux fils avec un nœud d'électricien. Tordez un fil vers la droite ; tordez l'autre par-dessus le premier et faites-le passer dans sa boucle. Resserrez le nœud. Ce nœud empêche les fils de sortir des vis des bornes.

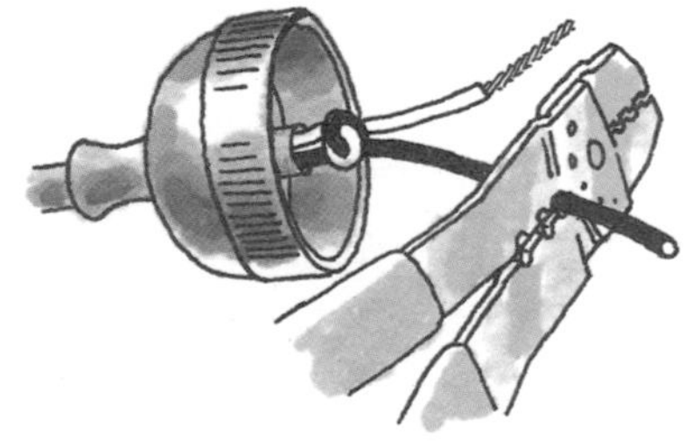

4. Dénudez chaque fil sur 1,5 cm avec un dénudeur ou sectionnez la gaine avec un couteau et enlevez-la. Prenez soin de ne couper aucun des brins qui composent le fil. Tordez ces brins ensemble vers la droite.

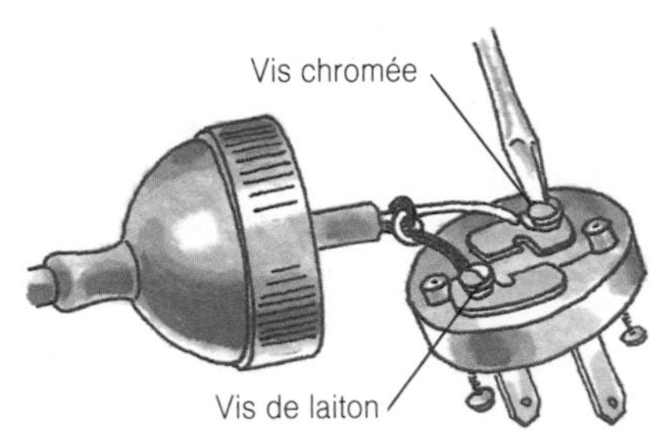

5. Desserrez les vis des bornes sous les broches. Enroulez le fil blanc vers la droite autour de la vis chromée. Assurez-vous que les brins entourent bien toute la vis et que la gaine va jusqu'à la vis mais sans entrer dessous. Resserrez cette vis. Enroulez l'autre fil autour de la vis de laiton. Si les deux vis sont en laiton, enroulez le fil blanc autour de la vis de la broche la plus large.

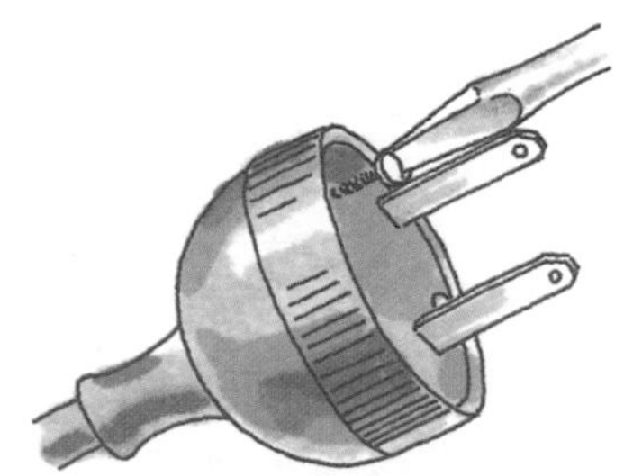

6. Tirez sur le cordon pour bien asseoir le nœud dans la fiche. Faites entrer le couvercle qui porte les broches dans la fiche et resserrez-en les vis. Pour remplacer des fiches différentes de celle-ci, lisez les conseils donnés dans le haut de la page précédente.

INTERRUPTEURS

Etes-vous obligé de chercher l'interrupteur de vos luminaires à tâtons dans le noir ? Posez des interrupteurs dotés à l'intérieur d'une petite ampoule qui reste allumée. Vous y verrez clair même de nuit.

Si l'interrupteur de la lumière n'est pas à côté de la porte extérieure, installez une minuterie qui éteindra le luminaire 45 secondes après que vous aurez actionné l'interrupteur.

Avez-vous souvent les mains pleines quand vous entrez dans la cuisine, la chambre du bébé ou la buanderie, ou en sortez ? Posez un interrupteur à bascule que vous pouvez actionner avec le coude.

FUSIBLES ET DISJONCTEURS

Si un appareil électrique (un climatiseur par exemple) fait griller un fusible en s'allumant, procurez-vous des fusibles à retardement capables de supporter des surcharges temporaires ; ils grilleront néanmoins s'il se produit un court-circuit ou si la surcharge se prolonge.

Remplacez toujours un fusible par un autre de même ampérage. Un fusible d'une intensité supérieure, en tolérant une surcharge, pourrait provoquer un incendie.

On trouve trois sortes de fusibles sur le marché et les trois portent le sceau de l'Acnor (CSA). Ils sont identifiés par les lettres « C », « P » et « D ». Le fusible « C » est du type courant. Les fusibles « P » et « D », plus sensibles à la chaleur, grillent avant que la température n'atteigne 200°C (400°F). Le fusible de type « D » est aussi capable de supporter des surcharges brèves produites lors de la mise en marche d'un appareil, climatiseur, réfrigérateur, congélateur, sécheuse ou autre. Bien que plus chers, les fusibles de types « P » et « D » offrent une protection accrue contre les incendies.

Le coupe-circuit à réenclenchement entre dans le logement du fusible et diffère en ceci : vous n'avez pas à le remplacer. Quand il saute, le bouton sort. Une fois la situation corrigée, vous appuyez sur le bouton. Avant d'adopter cette solution, cependant, assurez-vous que votre code local d'électricité le permet.

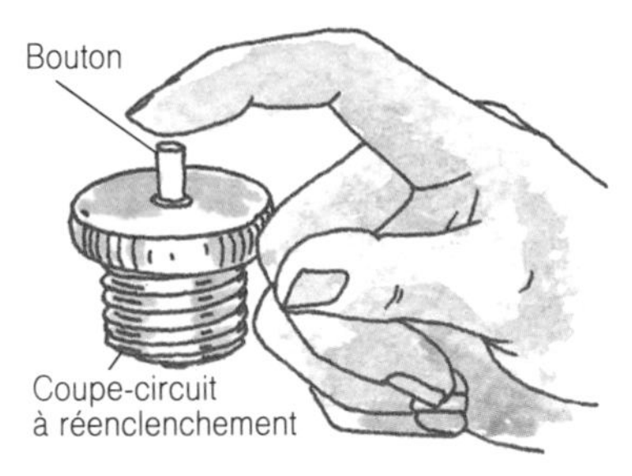

En examinant de près un fusible, vous pouvez deviner pourquoi il a sauté. Si la bande métallique s'est brisée, c'est qu'il y a eu surcharge. Si le verre s'est noirci, vous pouvez conclure à un court-circuit.

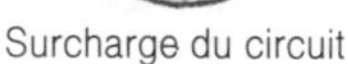

Surcharge du circuit

Court-circuit

COMMENT COUPER LE COURANT

Le tableau de distribution de la maison se trouve dans le sous-sol, le garage ou une pièce de rangement, près de là où le courant du secteur pénètre dans la maison. Il existe quatre types de tableaux ; ils sont illustrés ci-dessous. Quand vous débranchez un circuit, faites toujours une vérification. Branchez une lampe dans une prise du circuit ou actionnez l'interrupteur du plafonnier : ni l'un ni l'autre ne doivent s'allumer.

Attention : Il est imprudent de toucher au tableau de distribution s'il y a de l'eau sur le sol. En cas d'urgence, tenez-vous sur une planche sèche. Si vous pensez que le filage est mouillé, demandez à la compagnie d'électricité ou à un électricien de couper le courant. S'il le faut absolument, actionnez l'interrupteur général avec un manche à balai sec.

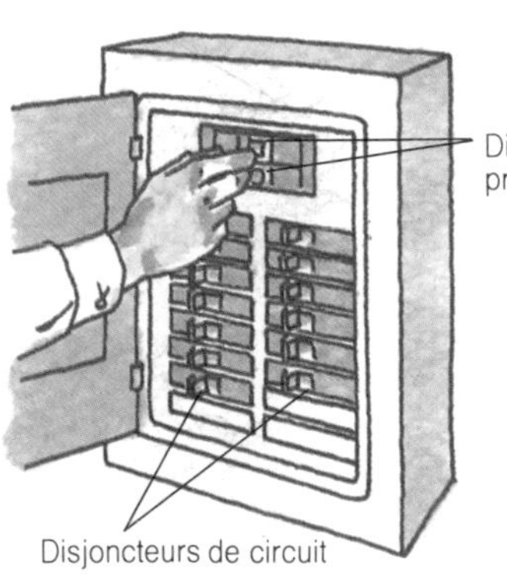

Dans un tableau à disjoncteurs, il y a en règle générale un ou deux disjoncteurs principaux que vous devez déclencher pour couper le courant. Pour les réenclencher, amenez le levier de chacun au-delà de la position d'arrêt avant de le remettre en position de marche.

Disjoncteurs
de circuit

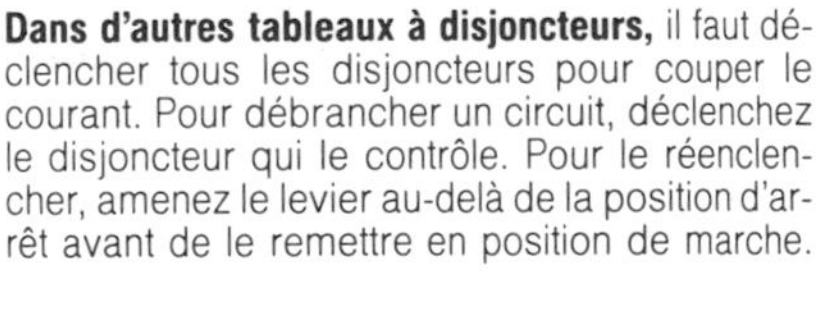

Dans d'autres tableaux à disjoncteurs, il faut déclencher tous les disjoncteurs pour couper le courant. Pour débrancher un circuit, déclenchez le disjoncteur qui le contrôle. Pour le réenclencher, amenez le levier au-delà de la position d'arrêt avant de le remettre en position de marche.

Interrupteur
général
OFF
ON
Fusibles

Dans une boîte à fusibles, mettez l'interrupteur général en position d'arrêt pour couper le courant. Pour débrancher un circuit, dévissez le fusible qui le contrôle. Avant d'enlever ou de remettre un fusible, fermez l'interrupteur général.

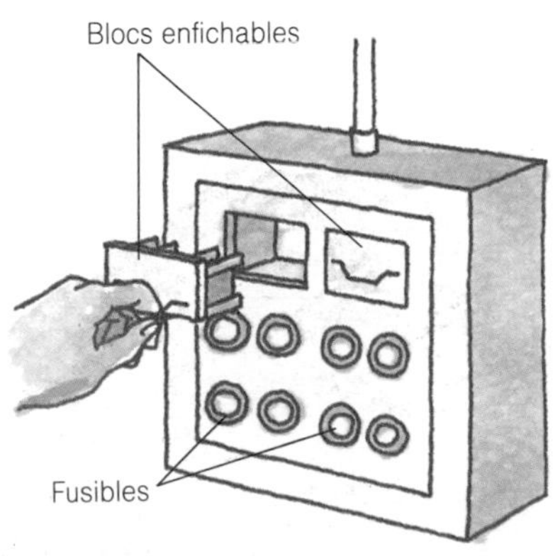

Dans un tableau à cartouches, enlevez les blocs enfichables pour couper le courant au complet. Pour débrancher un circuit, dévissez le fusible qui le contrôle. Avant d'enlever ou de remettre un fusible, enlevez les blocs enfichables.

CHAPITRE TROIS

AUTOUR DE LA MAISON

Une maison soignée. Un atelier sur mesure. Outils et techniques pour travaux de construction et réparations. Entretien de la voiture. Un jardin qui met de la beauté dans votre vie et de bonnes choses sur votre table.

L'extérieur de la maison

Page 165

Les petits et grands problèmes qui peuvent se poser; nettoyage et réparation du stuc et des parements; comment reconnaître la présence des termites et s'en débarrasser; entretien des galeries et des terrasses; nettoyage des gouttières et des descentes; achat et utilisation d'une échelle; réparation de toiture; quand remplacer la toiture; comment poser une moustiquaire sur un cadre de métal ou de bois; contre-fenêtres; utilisation des pâtes à calfeutrer; isolation des portes et fenêtres; questions et réponses sur l'isolation de la maison; l'art de la peinture bien faite; peinture au latex ou peinture à l'alkyde; des combinaisons chromatiques intéressantes; préparation des surfaces; quand, où et comment appliquer la peinture; le mot de la fin, les garnitures.

Atelier

Page 183

Comment l'aménager; outils de base utiles dans une maison; la sécurité et les outils; rangement des outils et fournitures; l'art de mesurer; comment détecter des irrégularités dans des surfaces; sciage d'une planche; clouage et déclouage; trous à percer dans le bois et le métal; vis et tournevis; quoi faire avec les vis lâches; choix des colles; serres improvisées.

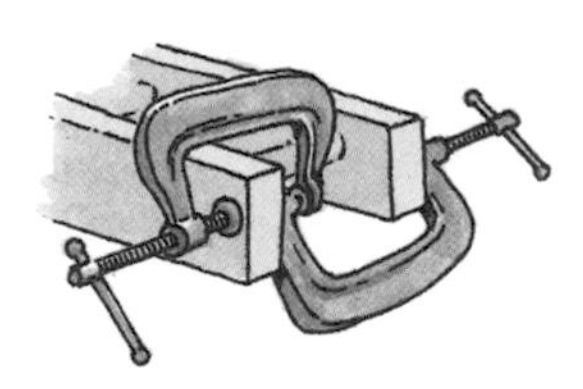

Garage et voiture

Page 193

Lavage et cirage; calendrier d'entretien; rouille; remplacement du filtre à huile; économie de carburant; urgences; remplacement des bougies; changer un pneu; surchauffe et pannes; conduite dans la neige, la pluie ou le brouillard; serrures gelées; pneus d'hiver.

Côté cour, côté jardin

Page 203

Plan d'aménagement du jardin; élimination de l'herbe à la puce; l'art d'exploiter les beautés des saisons; corriger les perspectives; protection des arbres durant les travaux d'aménagement; analyse du pH du sol; choix des plantations en fonction de l'espace; bien planter les jeunes arbres; arrosage et fertilisation; émondage des arbres; attention aux prédateurs; haie trop haute; entretien de la pelouse; élimination des mauvaises herbes; rapiéçage du gazon; enrichir la terre à jardin; double tranchée; techniques et méthodes de compostage; massifs de fleurs; plantation des bulbes; plate-bande surélevée; repiquage des jeunes plants en pleine terre; achat, plantation et entretien des rosiers; multiplication des vivaces; légumes et fruits; paillis; ravageurs: comment les éliminer; entretien et rangement des outils et meubles de jardin.

L'extérieur de la maison

ENTRETIEN DU PAREMENT

Lavez un parement sans éclat. Vous devrez le faire avant de le repeindre et il se peut que cela suffise.

Un bon lavage une fois par an protège le parement et sa finition. S'il est en bois ou en aluminium, ajoutez 1 tasse de détergent et 4 tasses d'eau de javel pour 15 litres d'eau. Vous trouverez le détergent voulu dans les magasins de peinture et les quincailleries. Portez des gants de caoutchouc et des lunettes de protection. Rincez bien.

Pour rafraîchir le parement de vinyle, arrosez-le, puis lavez-le avec un détergent liquide doux. Rincez au boyau d'arrosage.

Il est préférable de laver le parement à partir du bas, même si cela paraît curieux. En coulant sur une paroi sale, le détergent risquerait plus sûrement de la marquer.

POINTS À EXAMINER SUR LA MAISON

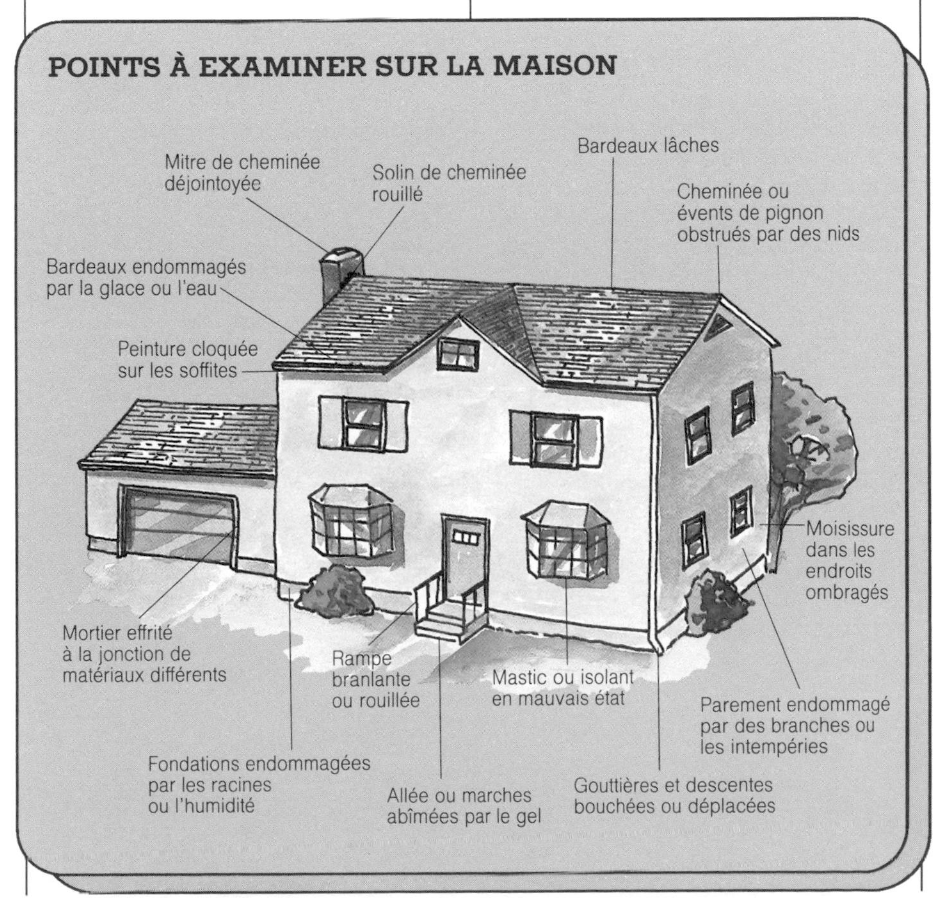

Lavez le parement en utilisant une brosse à auto au bout d'un tuyau.

PAREMENT TACHÉ

Les taches vertes de cuivre s'enlèvent facilement. Faites dissoudre 350 g de cristaux d'acide oxalique dans 5 litres d'eau chaude. Badigeonnez, attendez 5 minutes et essuyez. Répétez au besoin.
Attention : Portez toujours des gants de caoutchouc, des lunettes de protection et de vieux vêtements quand vous vous servez d'acide oxalique, d'acide muriatique, d'eau de javel ou de détachant.

Faites dissoudre 1 volume de cristaux de citrate de sodium dans 6 volumes d'eau et appliquez un chiffon imbibé de solution pendant 15 minutes sur les taches de rouille.

Si vous vous apprêtez à repeindre un parement, poncez au papier moyen les têtes de clou rouillées et les taches de même nature. Mettez de la pâte à calfeutrer sur les clous noyés (p. 175) et recouvrez d'une peinture antirouille.

Tache de saleté ou de moisissure ? Badigeonnez la tache d'eau de javel. Si elle s'émiette et se détache, c'est de la moisissure.

CALENDRIER D'ENTRETIEN

Le printemps et l'automne sont les saisons qui se prêtent le mieux aux travaux à l'extérieur. Au printemps, vous réparez les dégâts causés par le froid et l'humidité. En automne, vous vous préparez à la venue de l'hiver.

Printemps
Toit : réparez bardeaux et solins

Gouttières, descentes et tuyaux d'écoulement : débouchez-les, lavez-les à l'eau courante ; redressez-les. Resserrez les crochets

Parements et moulures : reclouez les pièces détachées ; calfeutrez ; retouchez la peinture ; lavez toutes les surfaces extérieures

Maçonnerie : bouchez les fentes et les points de jonction ; remplacez le mortier qui s'effrite

Fenêtres : lavez-les ; réparez le mastic (p. 86, étapes 3-5) ; enlevez les contre-fenêtres. Décoincez les fenêtres à guillotine récalcitrantes. Posez moustiquaires et auvents

Fer forgé : ôtez la rouille ; repeignez si besoin

Vermine : repérez les galeries de termites dans le sous-sol. Examinez évents à lattes, cheminées et autres endroits protégés où oiseaux ou insectes peuvent nicher

Cheminées : nettoyez et examinez les conduits

Eté
Allées : réparez trous et fissures dans l'asphalte ; appliquez un enduit protecteur

Gouttières, descentes et tuyaux d'écoulement : nettoyez-les au milieu de l'été

Automne
Gouttières, descentes et tuyaux d'écoulement : nettoyez-les et lavez-les à l'eau courante

Robinets extérieurs : coupez l'arrivée d'eau et purgez les tuyaux ; laissez ces robinets ouverts

Parements, moulures, fondations : mastiquez les fissures. Bouchez les ouvertures par où peuvent entrer des animaux. Fermez les évents des vides sanitaires non chauffés

Portes et fenêtres : installez contre-portes et contre-fenêtres. Lavez et réparez les moustiquaires. Examinez et réparez l'isolant

Hiver
Cheminées : nettoyez et examinez les conduits au milieu de l'hiver si vous avez un poêle à bois ou un foyer

Gouttières : enlevez la glace s'il s'en forme

Brossez la croûte blanche ou la pellicule farineuse sur la brique ou sur le béton avec 1 volume d'acide muriatique dilué dans 10 volumes d'eau. Si les dépôts sont tenaces, vous pouvez aller jusqu'à 2 volumes d'acide muriatique. Rincez.

PAREMENT : RÉPARATION

Aplanissez un parement de bois qui a bougé en y enfonçant des vis à bois de 5 cm pour qu'il s'appuie sur la planche du dessous. Percez des avant-trous et noyez les vis (p. 191) ; maquillez-les avec de la pâte de bois ou une pâte à calfeutrer.

Quand un parement en bois s'est fissuré dans le sens du fil, écartez la fente avec un tournevis et enduisez-en les deux bords de colle à la résorcine (p. 192). Refermez la fente et clouez le bas du parement.

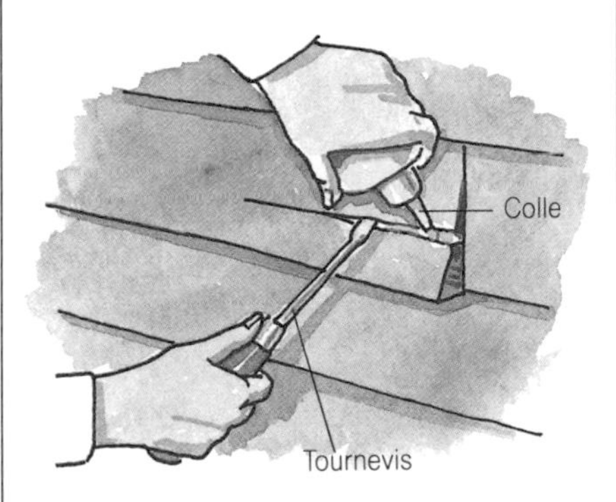

Utilisez toujours des clous galvanisés ou en aluminium pour empêcher la formation de rouille.

Une petite lézarde dans un mur de stuc se répare avec une pâte à calfeutrer au latex que vous enduisez de peinture au latex. Si la fissure est plus importante, détachez le stuc friable et bourrez avec une pâte de vinyle-béton : elle adhère mieux que le mélange ciment et sable et ne requiert pas de cure humide.

Pour réparer un creux dans un parement d'aluminium, percez un petit trou au milieu. Enfoncez-y une vis à métaux de quelques tours et tirez. Otez la vis et bouchez le trou avec une pâte de plastique à l'aluminium. Quand la pâte est dure, poncez et appliquez de la peinture.

FONDATIONS SOLIDES

Une lézarde croissante peut être le symptôme d'un problème de structure. Pour en avoir le cœur net, bouchez la fissure avec du plâtre de Paris. Attendez quelques mois. Si le plâtre se fendille, voyez un expert.

Pour entrer dans la maison, les termites se font des galeries de boue. Examinez les murs des fondations de temps à autre, surtout là où tuyaux et conduits les traversent.

L'accumulation d'ailes translucides de 1,5 cm près des murs indique aussi la présence de termites ; faites affaire avec une maison spécialisée.

Vous ne savez pas reconnaître un termite d'une fourmi ? Les termites ont des corps sans rétrécissement à la taille et quatre ailes de mêmes dimensions. Les fourmis ont un étranglement au milieu du corps, une paire de grandes ailes et une paire de petites ailes ; elles sont foncées.

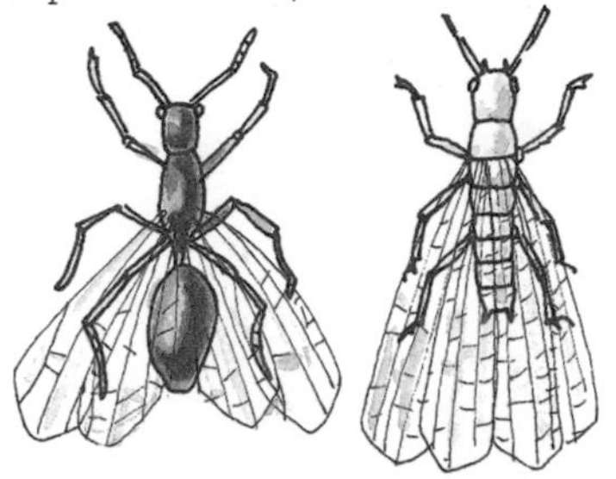

(dimensions agrandies)

La fourmi gâte-bois est aussi redoutable que le termite. Si vous apercevez du bran de scie sur le sol, le mur ou le plancher, sans en connaître la provenance, ou si vous voyez des fourmis noires de 1,5 cm près du bois exposé à l'humidité, appelez un spécialiste.

GALERIES ET TERRASSES

La plupart des problèmes proviennent de l'humidité qui émane du sol au-dessous. Etendez sur celui-ci des bandes de polyéthylène en rouleau ou du feutre asphalté pour toiture et recouvrez de 5 cm de sable.

Si la peinture n'arrête pas de lever, l'humidité venue du sol en est probablement responsable. Posez un papier coupe-vapeur ou appliquez sous les planches la peinture que vous avez étendue dessus.

Lorsqu'une solive plie, vous pouvez sans doute glisser un support pardessous pour la redresser, si la galerie est petite et légère. Installez sur le sol une assise solide. Mesurez la distance entre l'assise et le dessous de la solive en tenant compte du redressement voulu ; coupez un 4 × 4 et faites-le entrer de force sous la solive.

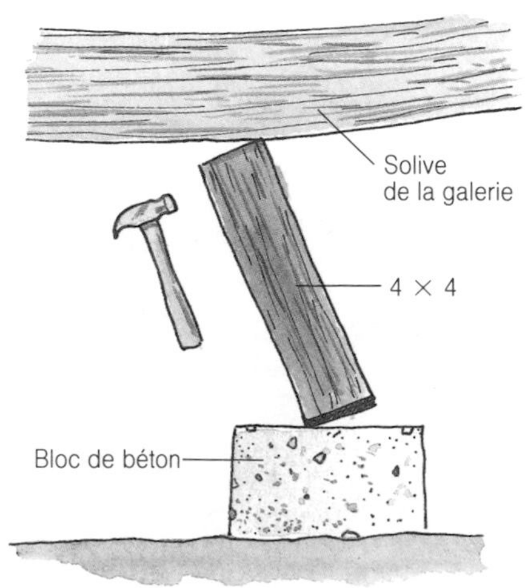

Voulez-vous renforcer une solive ? Redressez-la avec un 4 × 4 ou un cric, puis doublez-la d'une nouvelle solive de même dimension.

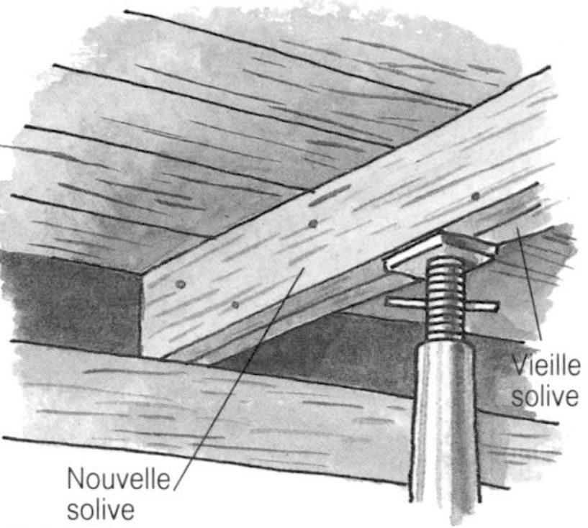

Si les marches d'un escalier en bois sont très usées, enlevez-les avec beaucoup de soin et reposez-les à l'envers.

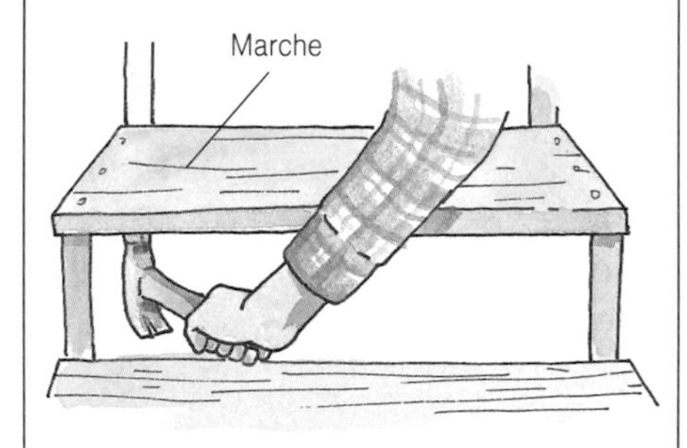

Pour enlever une marche, frappez dessous avec un marteau. Puis donnez un bon coup dessus, pour faire sortir les clous que vous retirerez avec la panne fendue du marteau.

GOUTTIÈRES ET DESCENTES

Y a-t-il un creux dans le sol sous la gouttière ? Cet indice ne trompe pas : la gouttière évacue mal. Videz les tuyaux de descente et examinez la dénivellation de la gouttière.

Des glaçons suspendus au larmier vous signalent aussi que la gouttière fonctionne mal.

Pour vérifier la gouttière, envoyez-y de l'eau avec un boyau d'arrosage. Si l'eau stagne en certains endroits, redressez les brides ou les crochets qui sont trop lâches. Mirez la gouttière d'un bout à l'autre pour vous assurer que sa pente est régulière.

N'appuyez pas une échelle sur la gouttière ; vous pouvez endommager celle-ci et c'est peu sûr pour vous. Employez plutôt un escabeau ou appuyez votre échelle sur un étai pour la maintenir loin du mur.

Lorsque la gouttière est maintenue par des brides, vous pouvez en rectifier la position simplement en tordant les brides avec une pince.

Si vous êtes incapable de déboucher un tuyau de descente avec le tuyau d'arrosage, utilisez un déboucheoir, puis lavez à l'eau courante.

CHOIX D'UNE ÉCHELLE

Dans une maison, on a normalement besoin d'un escabeau et d'une échelle à coulisse. Essentiel à l'intérieur et souvent utile à l'extérieur, l'escabeau le plus utile mesure 1,5 ou 2 m. Mais vous devez pouvoir atteindre le plafond de l'avant-dernière marche.

Si votre maison est basse, une échelle à un pan suffit. Mais en règle générale, il vaut mieux acheter une échelle à deux pans qui coulissent. Vérifiez sa hauteur maximale utile ; elle est spécifiée sur l'étiquette et inférieure à la hauteur nominale puisque, pour des raisons de sécurité, les deux tronçons se chevauchent sur 1 m au moins. C'est dire qu'une échelle à coulisse de 6 m aura une hauteur utile de 5 m environ et cette hauteur doit dépasser de 1 m environ le point le plus élevé que vous aurez à atteindre.

L'aluminium est plus léger et plus durable que le bois, mais plus dangereux pour les travaux électriques ; les outils électriques doivent être isolés et bien mis à la masse. A l'extérieur, surveillez toujours les fils électriques : y toucher, c'est vous électrocuter à coup sûr. Il en va de même avec une échelle en bois mouillée.

La robustesse de l'échelle importe plus que sa matière. Le bois ne doit présenter ni fente, ni nœud, ni autre imperfection ; l'aluminium sera sans bosses, sans aspérités. Assurez-vous que l'escabeau a des marches et des sabots antidérapants, et des entretoises métalliques sous la marche inférieure. Les marches de bois seront renforcées par des tiges de métal. Pour vérifier la stabilité de l'escabeau, ouvrez-le, montez sur la première marche et ébranlez-le latéralement.

L'échelle à coulisse doit, elle aussi, présenter des sabots antidérapants qui pivotent, un pan inférieur à entretoises ou tiges de renfort et un pan coulissant à dispositif de blocage. Une poulie et une corde de tirage sont presque indispensables. Achetez une échelle homologuée Type I (robuste) ou Type II (moyenne), supérieures au Type III (légère).

Vous trouverez à la page 171 des conseils sur la façon d'utiliser une échelle en toute sécurité.

Le sous-sol sera moins humide et les murs de fondation s'endommageront moins si l'eau des gouttières s'évacue loin de la maison. Au besoin, installez des déflecteurs sous les descentes.

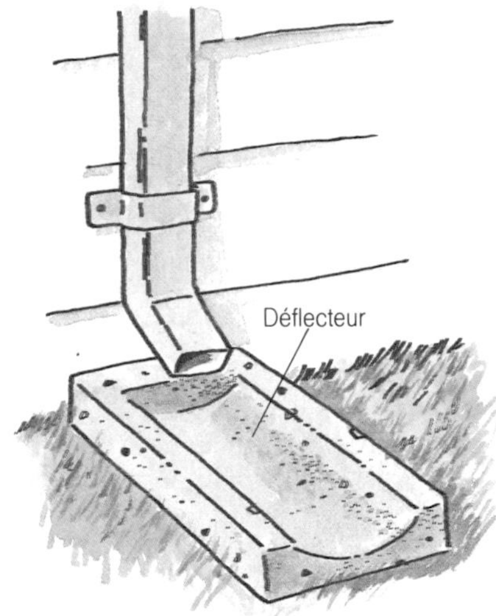

Il peut sembler ingénieux de recouvrir les gouttières d'une moustiquaire pour empêcher qu'il s'y dépose des débris ; mais elle risque d'être encore plus compliquée à nettoyer. Posez plutôt des crépines à l'embouchure des tuyaux de descente.

Si la gouttière est trouée, procurez-vous de l'enduit de fibre de verre. N'appliquez la résine que sur des parties propres et bien sèches en suivant le mode d'emploi.

Lorsqu'un joint de gouttière fuit, posez un mastic adhésif élastique sur les pièces à rabouter. Egalisez bien pour que les débris n'aient pas tendance à s'agglomérer sur le mastic.

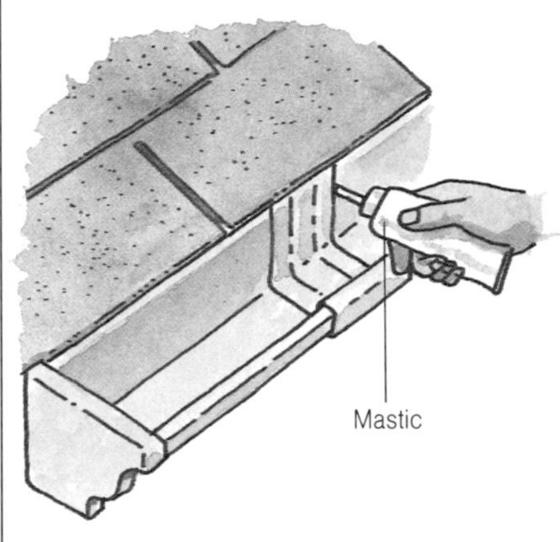

FAUT-IL REFAIRE LA TOITURE ?

Il n'est pas nécessaire de refaire entièrement une toiture qui fuit. Si elle a moins de 15 ans, bouchez la fuite.

Par temps chaud, vérifiez l'état des bardeaux d'asphalte. Pliez-en quelques-uns vers l'arrière. S'ils sont durs et s'émiettent, il est sans doute temps de refaire la toiture.

Voyez-vous le fond noir des bardeaux à travers les granules colorés de surface ? Il est préférable de faire poser de nouveaux bardeaux.

Si le faîte du toit n'est pas horizontal, si les pans ne sont pas droits, il y a un problème de structure qu'il faut faire évaluer par un spécialiste. Faites ensuite réparer la toiture.

Avant de poser de nouveaux bardeaux d'asphalte, soulevez-en quelques-uns à 1 m environ du bord et voyez s'il n'y aurait pas dessous une autre couverture de bardeaux. Si c'est le cas, il faudra tous les arracher et repartir à zéro.

LA SÉCURITÉ SUR UNE ÉCHELLE

Commencez par examiner votre échelle : fentes, mauvais coups, gondolement. Resserrez les écrous des tiges métalliques si l'échelle branle. Vérifiez l'état des sabots antidérapants mobiles d'une échelle à coulisse. Si le sol est en pente, assoyez le pied de l'échelle qui est le plus bas sur une assise ferme. Sur un sol mou, placez sous les pieds une longue planche de bois.

Pour dresser une échelle, appuyez ses pieds contre le mur et redressez-la en superposant vos mains sur les montants.

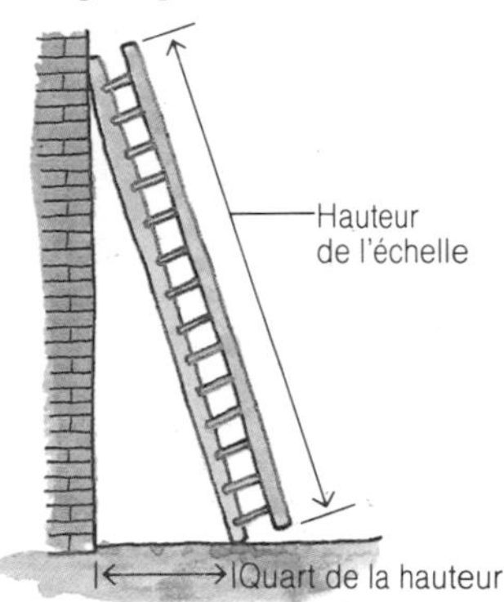

Placez une échelle droite de sorte qu'il y ait entre le mur et le pied de l'échelle une distance égale au quart de la hauteur de celle-ci.

Pour monter et descendre, faites face à l'échelle et tenez-vous des deux mains. Portez vos outils à la taille ou hissez-les après.

Pour monter sur le toit, assurez-vous que l'échelle dépasse le bord de la toiture d'un mètre au moins. Ne grimpez pas par un pignon.

Quand vous travaillez, gardez vos hanches entre les montants. Ne vous penchez pas de côté. Ne montez pas sur les derniers échelons.

Ouvrez complètement l'escabeau et vérifiez le verrouillage. Ne dépassez pas l'avant-dernière marche. Plus haut, c'est dangereux.

FUITES DANS LA TOITURE

Lorsque vous constatez que la toiture fuit, n'incriminez pas tout de suite le matériau de couverture ; examinez les solins des cheminées et des noues, les lucarnes, les tuyaux d'évent et tout ce qui fait saillie.

Ne mettez en péril ni votre vie ni l'un de vos membres pour faire cet examen. Servez-vous de jumelles.

Les fuites se situent rarement exactement là où l'eau coule. Un jour de pluie, inspectez le toit de la galerie et cherchez des coulisses d'eau venues de plus haut.

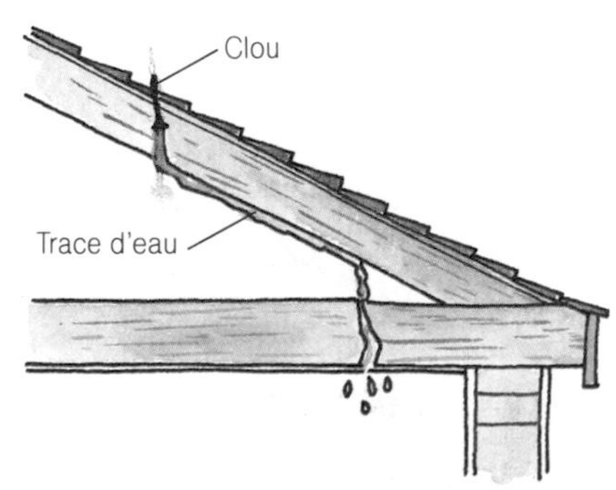

Une fuite dans les combles ? Enfoncez-y un clou ou du fil de métal pour la repérer de l'extérieur.

Vous n'avez pas trouvé la fuite ? Montez dans les combles par temps ensoleillé, éteignez et, une fois que vos yeux se sont faits à l'obscurité, cherchez des points lumineux.

Si le toit est en bardeaux de bois, un rai de lumière n'est pas nécessairement synonyme d'une fuite d'eau. Il est normal que les fentes entre les bardeaux rétrécissent en séchant, mais la pluie fait gonfler le bois et elles se bouchent d'elles-mêmes.

TOITURE : RÉPARATION

Vous pouvez boucher n'importe quel trou dans la toiture ou les solins avec du goudron si le trou n'a pas plus de 1,5 cm de diamètre.

Pour rapiécer un bardeau d'asphalte, découpez un rectangle dans de la tôle de cuivre ou d'aluminium, enduisez-le de goudron d'un côté, glissez-le, goudron dessous, sous le bardeau, puis étalez du goudron dessus et rabattez le bardeau.

Quand un bardeau de bois, par ailleurs en bon état, s'est fendu, mettez du goudron dans la fissure, rapprochez les bords et consolidez-les en posant des clous à bardeaux galvanisés ou en aluminium. Couvrez les têtes de clou de goudron.

Le goudron est l'une des matières les plus collantes et les plus désagréables à utiliser que l'homme ait inventées. Habillez-vous en conséquence ; vous serez peut-être obligé de jeter chaussures et gants.

Si vous vous êtes mis du goudron sur la peau, si vos outils sont sales, employez un chiffon imbibé de diluant à peinture (pas de kérosène).

MOUSTIQUAIRES ET CONTRE-PORTES

Lorsque vous enlevez les moustiquaires et les contre-fenêtres, identifiez-les avec un petit numéro. Réunissez les ferrures dans un sac portant le même numéro. Si le cadre de la fenêtre est en bois, posez des numéros de métal.

Bien entretenues, les moustiquaires métalliques durent longtemps. Quand vous les enlevez à l'automne, lavez-les (p. 87) ; dès qu'elles sont sèches, appliquez une mince couche de vernis de finition dilué.

Pour réparer un trou dans une moustiquaire, découpez une pièce plus grande dans de la moustiquaire identique et défaites quelques brins en périphérie. Recourbez-les, faites-les passer à travers la moustiquaire à réparer et rabattez-les fermement de l'autre côté.

Ne bouchez pas les trous d'évacuation à la base des contre-fenêtres ; ils empêchent l'eau de condensation de faire pourrir le bois. S'il n'y en a pas, percez-en. Trois trous de 3 mm de diamètre suffiront.

MOUSTIQUAIRE SUR CADRE DE MÉTAL

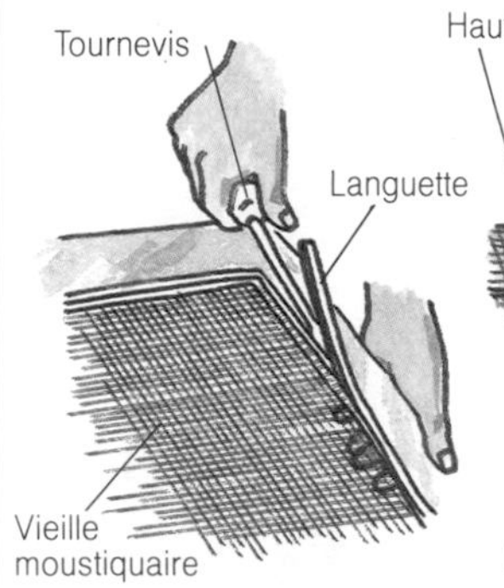

1. Pour remplacer la moustiquaire, faites sauter avec un tournevis les languettes de plastique qui la maintiennent en place dans des rainures. Débutez dans un angle. Si les languettes sont souples, elles peuvent encore servir. Remplacez les languettes durcies ou en métal.

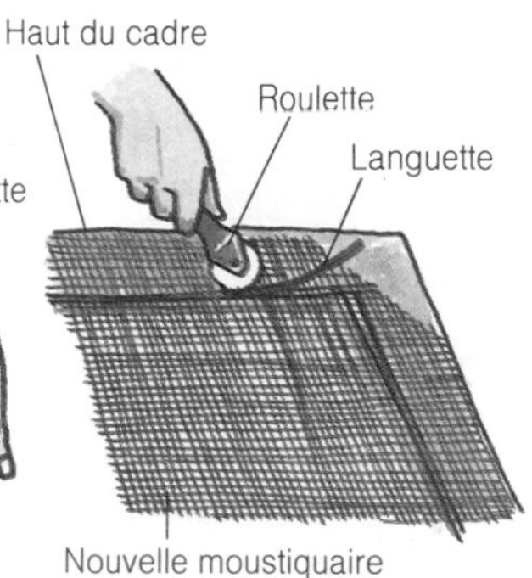

2. Taillez la nouvelle moustiquaire aux dimensions extérieures du cadre. Coupez les coins à 45 degrés. Fixez la moustiquaire en haut. Enfoncez la languette dans un coin et faites-la entrer dans la rainure avec la roulette ou en cognant dessus avec un marteau et un bloc de bois.

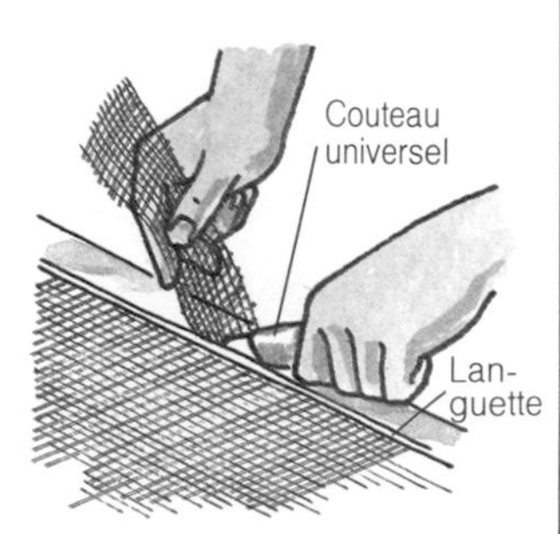

3. Tendez bien la moustiquaire pour fixer le bord opposé, puis mettez en place les deux côtés. Retaillez ce qui dépasse avec un couteau universel.

Lorsqu'une porte à moustiquaire ou une contre-porte commence à gauchir, redressez-la avec un câble de fer et un tourniquet. Faites courir le câble en diagonale depuis le coin supérieur près de la charnière jusqu'au coin inférieur opposé. Tendez-le bien avec le tourniquet.

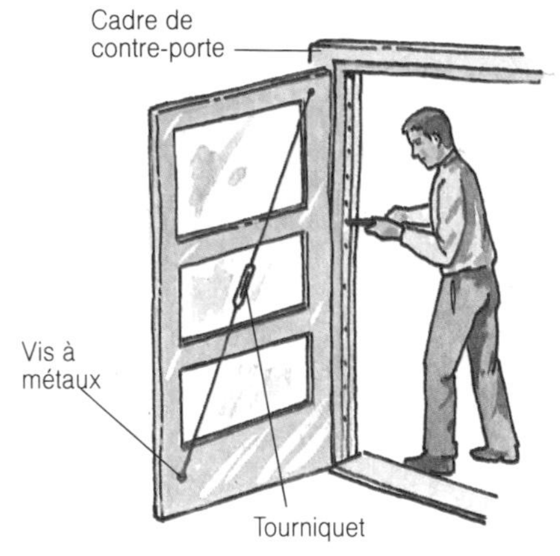

Quand une contre-porte en aluminium ne ferme plus parce qu'elle donne contre le cadre, resserrez les vis qui la maintiennent au jambage, du côté des charnières.

Si la contre-porte ne ferme pas sans pourtant appuyer sur le cadre, essayez de rajuster la vis de prise d'air et la rondelle d'arrêt du ferme-porte pneumatique. Au besoin, remplacez tout le dispositif.

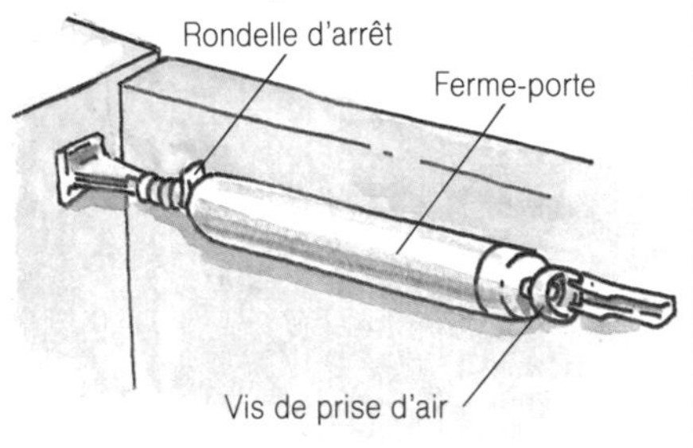

Réparez les cadres en bois des moustiquaires lorsque vous remplacez celles-ci. Consolidez les angles ou les joints centraux avec de la colle, des équerres, des plaques de métal ou de longues vis introduites par les côtés. Refaites la peinture des cadres.

En réparant les moustiquaires, pensez à resserrer les ferrures de montage sur le cadre des fenêtres.

REMPLACER UNE MOUSTIQUAIRE SUR CADRE DE BOIS

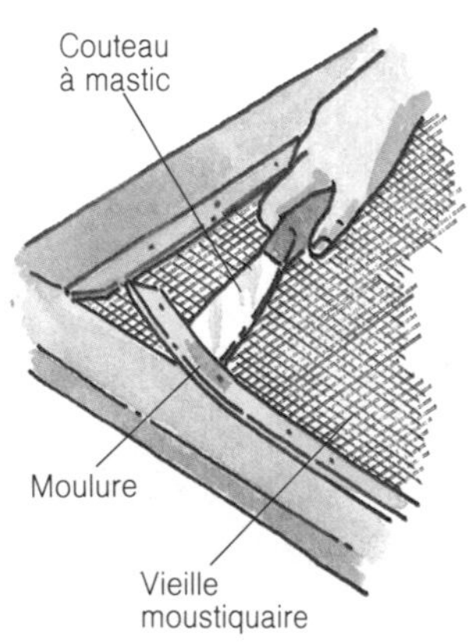

1. Pour libérer la moustiquaire, détachez la moulure avec un couteau à mastic et ôtez les agrafes. Si la moulure est intacte, resservez-vous-en. Avec des ciseaux robustes, coupez la nouvelle moustiquaire en prévoyant 5 cm de plus tout autour.

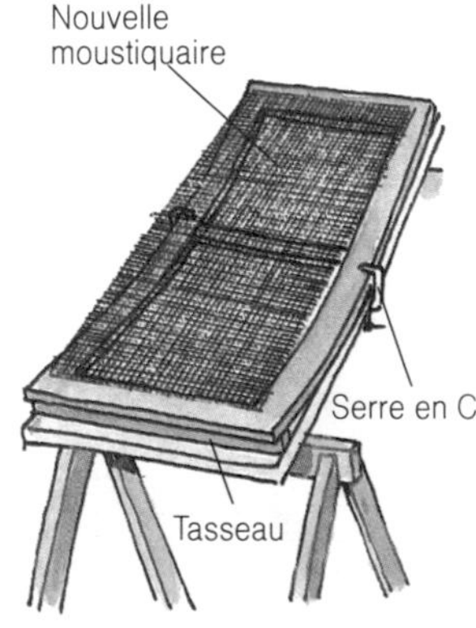

2. Agrafez la moustiquaire au haut du cadre. Cintrez celui-ci en posant un tasseau de bois sous chaque extrémité et en fixant le centre sur une table avec des serres. Tendez la moustiquaire et agrafez le bas. Enlevez serres et tasseaux.

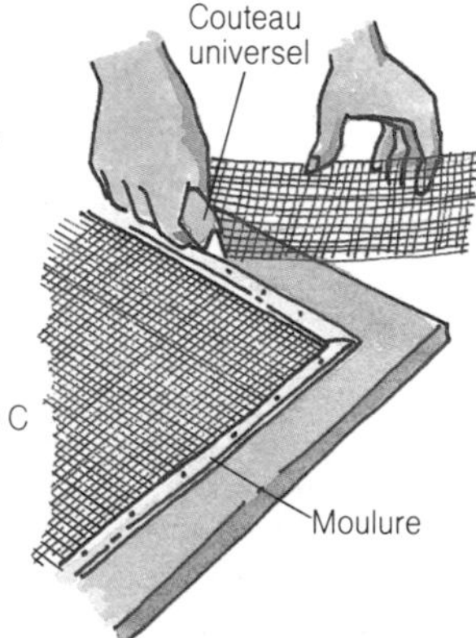

3. Fixez la moustiquaire sur la traverse centrale, s'il y a lieu, puis sur les côtés en partant du milieu. Reclouez la moulure. Avec un couteau universel, enlevez l'excédent de moustiquaire qui dépasse des moulures.

Si l'humidité se condense sur la vitre intérieure de la fenêtre, calfeutrez la fenêtre à l'intérieur et la contre-fenêtre à l'extérieur. Si les résultats ne sont pas concluants, posez du plastique sur la fenêtre intérieure ou sur la face interne de la contre-fenêtre. Ventilez cuisines et salles de bains. Si l'humidité s'accumule entre la fenêtre et la contre-fenêtre, isolez et calfeutrez la fenêtre.

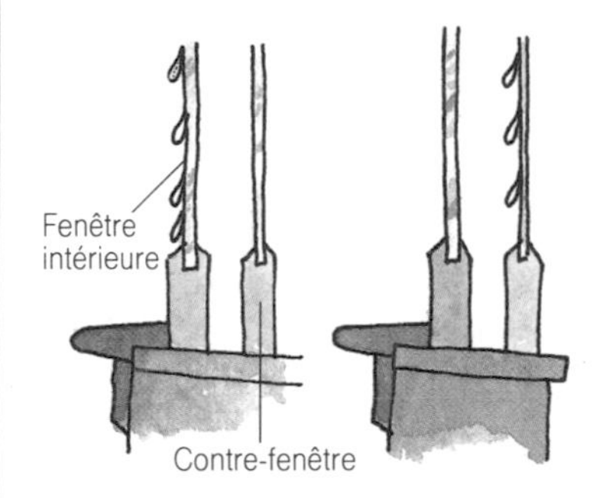

CALFEUTRANT : CHOIX

Les pâtes à la silicone adhèrent mieux et durent plus longtemps ; celles au butyle conviennent au métal. Au latex, elles sont idéales pour les petites fissures. A base d'huile, elles sont peu efficaces.

La peinture ne prend pas sur la pâte à la silicone. Choisissez une couleur qui convient. Si vous voulez une pâte durable que vous pourrez peindre, choisissez-en-une à base d'acrylique et de silicone.

CALFEUTRANT : EMPLOI

Où mettre du calfeutrant ? Partout où deux matériaux différents se rencontrent : entre parement et fondations, balcons, marches, tuyaux, cheminées, garnitures d'angle, de fenêtre et de porte.

Rien de plus facile que de charger le pistolet. Insérez la cartouche dans le pistolet après avoir ramené la tige en arrière. Tournez celle-ci pour engager les dents dans le pistolet. Taillez la buse en biseau et perforez le sceau intérieur.

Pour appliquer la pâte, pressez sur la manette tout en déplaçant le pistolet le long du joint à remplir. Travaillez lentement ; déplacez le pistolet d'un mouvement régulier. Remplissez complètement le joint.

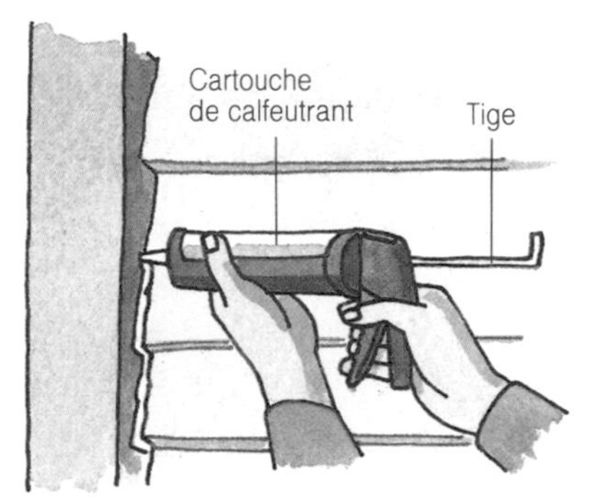

Pour bien remplir le joint, appliquez la pâte en poussant plutôt qu'en tirant le pistolet vers vous.

La pâte continue-t-elle à s'écouler quand vous vous arrêtez ? Désengagez la tige pour ôter la pression.

Le temps qu'il fait modifie la consistance du calfeutrant. Choisissez un jour sec et doux dont la température dépasse 10°C (50°F). S'il fait très chaud, mettez auparavant la pâte une à deux heures au réfrigérateur pour l'empêcher de couler.

Pour garder aux cartouches entamées leur fraîcheur, bouchez le trou avec un clou de 10d.

COUPE-BISE

Si vous climatisez la maison, vous devriez doter vos fenêtres de coupe-bise même en été. Les gains de chaleur sont réduits dans une proportion équivalente à la réduction des pertes de chaleur en hiver.

Avant de poser le coupe-bise, appliquez un ruban de calfeutrant souple. En plus de servir d'adhésif, il empêche l'air de passer.

Etes-vous fatigué des coupe-bise autocollants qui se décollent sans arrêt ? Renforcez-les avec des agrafes ou des broquettes.

Isoler une porte se fait facilement. Clouez des coupe-bise à dos de métal sur les butées des jambages. Puis vissez un balai isolant dans le bas de la porte. Taillez les deux matériaux avec une scie à métaux ; soignez l'ajustement.

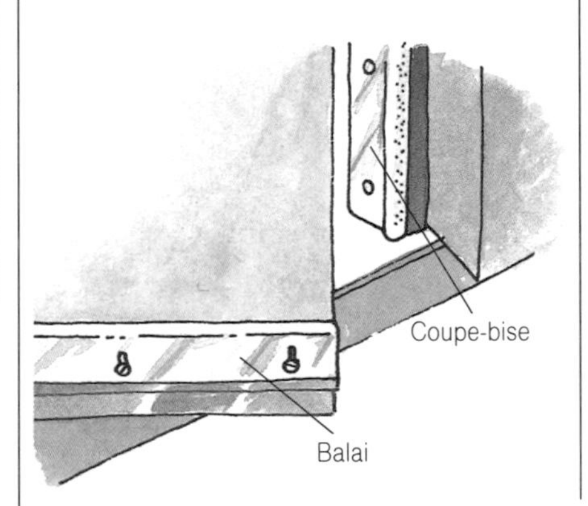

UNE MAISON BIEN ISOLÉE

N'oubliez surtout pas d'examiner les murs ou les planchers qui séparent le reste de la maison d'un garage, d'un sous-sol ou d'un vide sanitaire non chauffés. Un manque d'isolation en ces endroits est presque aussi grave que sur les plafonds ou sur les murs extérieurs.

Ne laissez pas la condensation humidifier ou détremper les matériaux isolants. Posez un coupe-vapeur contre le côté chaud du mur.

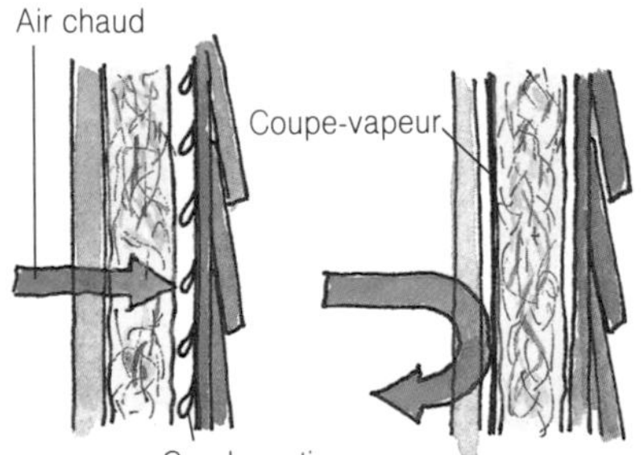

Si vous faites souffler de la matière isolante dans les murs, appliquez sur les murs intérieurs une peinture spéciale à l'épreuve de l'humidité en guise de coupe-vapeur.

CALFEUTRAGE DES FENÊTRES

Les lisières de feutre ou de caoutchouc mousse sont très commodes pour les fenêtres à battants. Clouez-les ou collez-les au châssis du côté des charnières. Fixez-les aux butées des trois autres côtés.

Les coupe-bise en vinyle sont bon marché et faciles à installer. Posez-les sur le cadre extérieur pour qu'on ne les voie pas du dedans. Fixez les lisières verticales aux butées ; les horizontales aux traverses.

Les bandes de métal sont les plus efficaces, les plus durables et les moins apparentes. Clouez les bandes verticales aux coulisseaux en les glissant sous les côtés du châssis, les bandes horizontales sur les traverses.

QUELS SONT VOS BESOINS EN MATIÈRE D'ISOLATION ?

Q : Qu'est-ce que la valeur RSI ou R ?
R : La qualité d'un isolant s'exprime par une valeur RSI — qui mesure sa résistance au passage de la chaleur. La valeur RSI par centimètre d'épaisseur est imprimée à la surface de la plupart des isolants. Vous rencontrerez également des valeurs R calculées au pouce ; elles sont antérieures à l'instauration du système métrique. Plus la valeur RSI ou R est élevée, plus l'isolation est bonne.

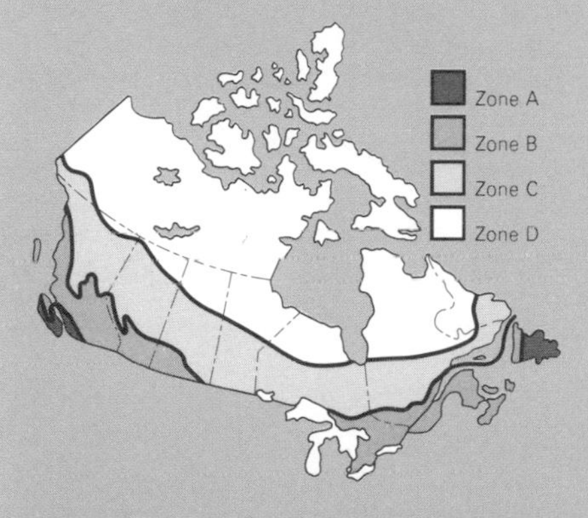

Q : Comment connaître la valeur RSI qui me convient ?
R : La carte ci-dessus, préparée par Energie, Mines et Ressources Canada, illustre les quatre zones climatiques du pays. Pour chaque zone, le gouvernement recommande des valeurs d'isolation pour les plafonds, les toitures, les murs et les planchers. En zone B, il faut utiliser au plafond un isolant de valeur RSI 5,6 ; pour les planchers au-dessus d'un espace non chauffé, la valeur RSI est de 4,7.

Q : Comment déterminer l'épaisseur d'isolant qui convient à ma maison ?
R : Divisez les valeurs RSI recommandées pour votre zone climatique par la valeur RSI de l'isolant que vous vous proposez d'installer. Par exemple, si l'isolant de votre toiture doit avoir une valeur RSI de 5 et que vous achetiez de la laine minérale dont la valeur RSI est de 0,5 au centimètre, vous aurez besoin d'une épaisseur de 10 cm (5 divisé par 0,5).

Q : Comment évaluer l'isolation actuelle de ma maison ?
R : Si les combles ne sont pas finis, mesurez l'épaisseur de l'isolant. Si le plancher est fini, vous serez obligé de lever une planche. Dans un grenier habitable, percez un trou au plafond.

Q : Comment mesurer l'isolant qui se trouve dans les murs ?
R : Coupez le courant qui alimente une prise ou un interrupteur, retirez la plaque et mesurez l'isolant qui apparaît. Parfois, vous devrez enlever un peu de plâtre ou de placoplâtre.

Q : Comment puis-je mesurer l'isolant dans les planchers ?
R : Entre les solives du plancher, dans les vides sanitaires ouverts ou un sous-sol non fini, on voit parfois l'isolant. Dans un vide sanitaire fermé, l'isolant se trouve d'ordinaire à l'intérieur des murs de fondations. Dans un sous-sol chauffé, les murs hors du sol doivent aussi être isolés.

Q : Quels isolants utiliser ?
R : La fibre de verre ou la laine minérale en nattes se posent facilement. Elles ont une valeur RSI de 0,5 au centimètre. L'isolant en vrac — laine minérale, fibre de verre, fibre cellulosique, vermiculite, polystyrène — se verse à la main ou se souffle dans les espaces non isolés. Les valeurs RSI vont de 0,36 pour la vermiculite à 0,6 pour la fibre cellulosique. Les panneaux de polyuréthane ou de polystyrène ont des valeurs RSI très élevées.

Dans les régions chaudes et humides où la climatisation est plus importante que le chauffage, la condensation se fait à l'extérieur. Inversez la règle et installez le coupe-vapeur vers le mur extérieur.

La fibre de verre est une matière irritante. Portez un masque respiratoire, des lunettes de protection, des gants de travail et des vêtements bien fermés. Mettez de la vaseline sur la peau exposée.

Pour faire le travail vite et bien, coupez les nattes avec un sécateur à haie ou un couteau à lame dentée.

Au-dessus d'un vide sanitaire, d'un garage ou d'un sous-sol non chauffés, isolez le plancher en étendant des nattes d'isolant entre les solives, coupe-vapeur vers le haut ; agrafez un grillage pour les maintenir en place.

ISOLER LES COMBLES

Si la neige sur votre toiture fond d'abord en un point, examinez l'isolation des combles.

On oublie trop souvent que la chaleur fuit par la trappe des combles. Etendez de l'isolant dessus et mettez des coupe-bise.

Si vous isolez le plancher des combles pour la première fois, étendez du polyéthylène en guise de coupe-vapeur entre les solives avant de poser de la laine minérale en vrac ou des nattes sans coupe-vapeur.

Au besoin, ajoutez une couche de nattes isolantes sur l'isolant. Cette seconde couche ne doit pas comporter de coupe-vapeur. Si les nattes sont recouvertes de papier d'aluminium d'un côté, tailladez-le en diagonale tous les 30 cm.

Si l'isolant des combles arrive à égalité avec le dessus des solives et que vous vouliez en rajouter, la seconde couche sera plus isolante si vous la posez à angle droit par rapport aux solives.

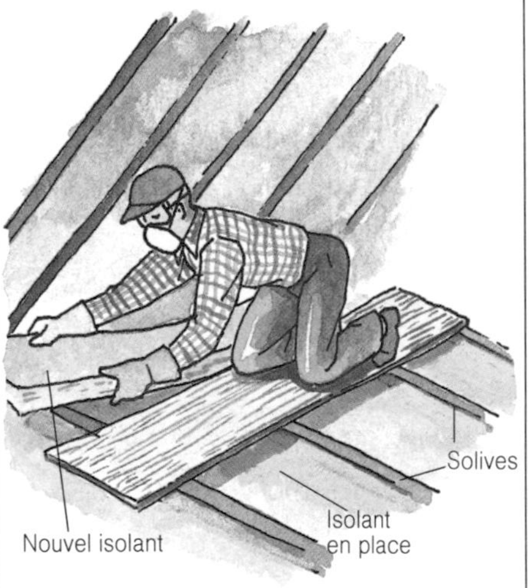

Dans les combles non finis, placez des planches en travers des solives et agenouillez-vous dessus pour travailler. Quelques 1 × 6 ou du contre-plaqué de ¾ po suffisent.

Travaillez du larmier vers le centre quand vous faites l'isolation des combles. Vous pouvez ainsi tailler vos matériaux là où le plafond est le plus haut.

UN PEU DE PEINTURE, ET TOUT BRILLE

Si la maison est basse, accentuez les verticales pour donner un effet de hauteur. Sur les portes extérieures, les contrevents et les poteaux d'angle, appliquez une peinture qui contraste avec le parement.

La maison est-elle haute ? Accentuez les horizontales. Posez une peinture de teinte contrastante sur les appuis de fenêtre, les boîtes à fleurs, les murs de fondations, les bordures de toit et les gouttières.

HEUREUX AGENCEMENTS DE COULEURS

Quand vient le temps de refaire la décoration extérieure, partez de la couleur du toit pour déterminer les coloris des surfaces à repeindre. Refaire la couverture du toit uniquement pour des raisons d'esthétique serait une entreprise coûteuse et superflue.

Toit	Parement	Garnitures
NOIR OU GRIS	Jaune crème	Rouge vif, rouge brique, jaune vif, vert foncé, gris-vert, blanc
	Vert clair	Rouge brique, jaune vif, vert, vert foncé, gris-vert, blanc
	Vert foncé	Rose, crème, jaune vif, vert clair, blanc
	Mastic	Vermillon, rouge brique, vert foncé, gris-vert, gris-bleu, brun, bleu foncé
	Rouge sombre	Rose, crème, vert clair, gris-bleu, blanc
	Gris	Rose, jaune vif, blanc, tous les rouges, tous les verts, tous les bleus
	Blanc	Rose, crème, jaune vif, tous les rouges, tous les verts, tous les bleus
VERT	Jaune crème	Rouge vif, rouge brique, vert clair, vert foncé, gris-vert, brun, blanc
	Vert clair	Vermillon, rouge brique, jaune vif, vert foncé, blanc
	Vert foncé	Rose, vermillon, crème, jaune vif, vert clair, blanc
	Beige	Rouge brique, vert foncé, gris-vert, bleu-vert, bleu foncé, gris-bleu
	Brun	Rose, crème, jaune vif, vert clair, blanc
	Rouge sombre	Crème, vert clair, gris-vert, blanc
	Gris	Vermillon, crème, jaune vif, vert clair, blanc
	Blanc	Rose, crème, jaune vif, brun, tous les rouges, tous les verts, tous les bleus
ROUGE	Jaune crème	Rouge vif, rouge brique, bleu-vert, bleu foncé, gris-bleu
	Vert clair	Rouge vif, rouge brique, blanc
	Rouge sombre	Crème, vert clair, gris-vert, bleu-vert, blanc
	Gris clair	Rouge vif, rouge brique, vert foncé, blanc
	Blanc	Rouge vif, rouge brique, vert foncé, gris-bleu
BRUN	Chamois	Rouge brique, vert foncé, gris-vert, bleu-vert, brun
	Champignon	Rouge brique, vert foncé, gris-vert, brun, blanc
	Jaune crème	Rouge brique, vert foncé, gris-vert, bleu-vert, brun
	Vert clair	Vert foncé, gris-vert, brun
	Brun	Vermillon, crème, jaune vif, blanc
	Blanc	Vermillon, rouge brique, jaune vif, bleu foncé, gris-bleu, brun, tous les verts
BLEU	Jaune crème	Vermillon, rouge brique, bleu foncé, gris-bleu
	Bleu	Vermillon, crème, jaune vif, bleu clair, blanc
	Gris	Vermillon, crème, bleu clair, bleu foncé, blanc
	Blanc	Vermillon, rouge brique, jaune vif, bleu clair, bleu foncé

Peinte en foncé, la maison paraît plus basse si le toit lui aussi est foncé. Une couleur claire la fera paraître plus imposante.

Reportez sur le garage, la remise et les autres dépendances l'agencement de couleurs choisi pour la maison ; vous obtiendrez un ensemble du plus heureux effet. Peignez les clôtures en bois et les lampadaires de la couleur des garnitures.

Lorsque la maison est faite de plusieurs matériaux différents — parement vertical, bardeaux et briques, par exemple —, vous pouvez créer l'unité en adoptant pour tous le même coloris en une ou deux nuances. Les couleurs foncées ont le don de faire disparaître les défauts architecturaux.

Pour dissimuler les solins, peignez-les de la couleur du toit.

CHOIX DE LA PEINTURE

La peinture au latex se pose bien, se nettoie à l'eau et sèche rapidement. Autre atout, elle est durable.

Si vous ne connaissez pas le fond sur lequel vous travaillez, choisissez de la peinture à l'alkyde. Elle adhère à presque toutes les surfaces, même celles qui sont farineuses. Le latex n'est pas toujours compatible avec les anciennes peintures.

Vivez-vous en milieu humide ? Prenez une peinture ou une teinture au latex. Le latex permet à l'humidité de s'échapper et ne renferme pas les huiles végétales dont se nourrit la moisissure.

Sur la maçonnerie, le latex n'exige pas d'apprêt, mais il adhère mieux sur une base légèrement humide.

Sur les blocs de ciment, appliquez de préférence une peinture à base de caoutchouc diluée au solvant. L'eau contenue dans le latex entre dans les blocs et fait rouiller les particules de fer qui s'y trouvent ; en peu de temps la peinture se tache.

Avant d'étendre une teinture, faites un essai sur un coin dissimulé du parement car les échantillons de couleurs sont parfois décevants.

Une couche de peinture de surface peut raviver le parement d'aluminium. Poncez les parties abîmées, lavez et recouvrez tout métal à nu d'un apprêt à base de zinc.

Là où il est essentiel que la peinture dure, sur les portes et les fenêtres par exemple, choisissez une peinture luisante ; on y trouve en plus grande quantité les résines qui donnent du corps et de la durabilité à la peinture.

PRÉPARATION DES SURFACES

Si la maison est très sale à l'extérieur, lavez-la avec un équipement spécial de location dont le jet d'eau est assez puissant pour chasser la peinture cloquée en même temps que la saleté.

Grattez ensuite la peinture qui se détache. Ne vous acharnez pas. Il vaut mieux laisser en place la peinture qui adhère à la surface.

Il est préférable d'utiliser un racloir plutôt qu'un grattoir à lame de rasoir. Achetez des lames de rechange pour le racloir.

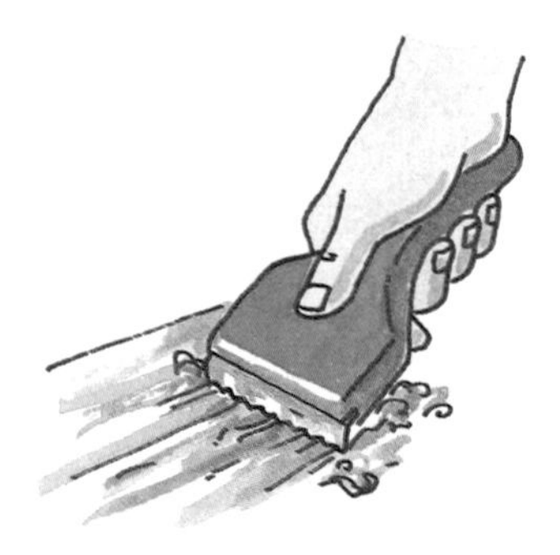

Munissez-vous également d'un décapsuleur à bière. Il vous aidera à enlever la vieille peinture, le calfeutrant ou le mastic dans les fentes et les recoins d'accès difficile.

Après avoir raclé la vieille peinture là où c'est nécessaire, poncez au papier de verre pour uniformiser la surface avant la couche finale.

QUAND PEINDRE ?

Choisissez un jour où il fait entre 10° et 32°C (50°-90°F). Appliquez la peinture à l'alkyde par temps chaud et sec ; le délai de séchage entre les couches sera moins long. Le latex, lui, sèche en quelques heures par tous les temps.

C'est au printemps et en automne qu'il faut exécuter les travaux de peinture. Le temps est frais et les arbres feuillus sont dénudés.

Ne vous mettez pas au travail dès potron-minet. Laissez la rosée sécher. Le soir, arrêtez-vous avant que le serein tombe.

Evitez également le plein soleil ; c'est mauvais pour la peinture et vous risquez une insolation. Faites le côté ouest le matin, le côté est l'après-midi. Attendez pour le côté sud qu'il soit à l'ombre.

L'ART DE PEINDRE

Avec la peinture à l'alkyde, deux fines couches valent mieux qu'une seule épaisse. Avec le latex, la couche doit être épaisse.

Une petite pause de temps à autre, ce n'est pas de refus ! Prenez-la au moment où vous arrivez à une jonction, par exemple là où le parement rencontre une garniture. Le décalage ne se verra pas, non plus que les différences subtiles de coloris qui peuvent en résulter.

Même si vous achetez une peinture déjà préparée, demandez au vendeur de la mélanger à la machine pour vous. Vous vous épargnerez une partie du travail.

Ne vous servez pas d'un bidon plein ; vous en laisseriez tomber, c'est fatal. Versez la moitié de la peinture dans un autre bidon et refermez le contenant initial pour que la peinture ne croûte pas.

Percez des trous dans la rainure qui entoure le couvercle ; la peinture qui s'y accumule retombe dans le bidon. Installez celui-ci dans une assiette maintenue avec du ruban adhésif, pour les débordements.

COMMENT PEINDRE LE PAREMENT

Travaillez de haut en bas. Faites un carré d'environ 1 m et déplacez-vous latéralement. Arrivé au bout du mur, descendez d'un carré de même dimension et refaites la largeur du mur en sens inverse. Cette méthode vaut pour la plupart des parements. Si les parements sont à recouvrement, faites d'abord les rainures et le recouvrement. Si le parement est vertical, peignez les planches de haut en bas et non pas latéralement.

1. Commencez par les bords inférieurs. Remplissez les fentes avec le bout du pinceau.

2. Déposez trois ou quatre taches de peinture en travers de la planche supérieure.

3. Etalez-la en longs coups réguliers. Faites les autres planches de la même façon.

Pour mieux mélanger la peinture, faites quelques trous de 6 mm dans la pelle à remuer.

Aprenez à bien charger le pinceau. Plongez-le dans la peinture à peu près au tiers de la longueur de ses soies ; puis frappez-le légèrement des deux côtés sur le bord du bidon pour le faire dégorger.

S'il y a des grumeaux dans la peinture, n'essayez pas de les défaire ; vous en trouveriez les morceaux sur l'ouvrage. Passez la peinture au travers d'un tamis.

GARNITURES

Arrivé aux garnitures (portes, poteaux d'angle, contrevents, appuis de fenêtres, etc.), enroulez des chiffons en haut de l'échelle pour protéger le parement fraîchement peint. (Voir p. 171, la sécurité.)

Si la porte est à panneaux, faites d'abord le contour de ceux-ci. Passez ensuite au centre des panneaux, puis aux traverses et aux montants. Travaillez de haut en bas.

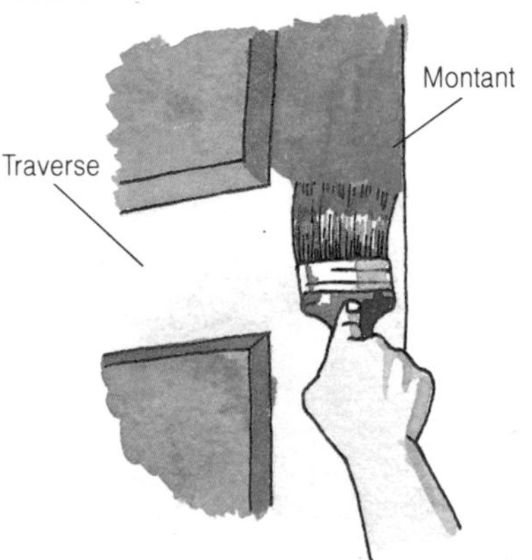

N'oubliez pas les tranches des portes. Il faut les protéger avec une peinture d'extérieur qui résiste aux intempéries. Pour atteindre la tranche inférieure, il faudra sans doute retirer la porte de ses charnières.

Quand vous en êtes rendu aux garnitures qui entourent le parement, pointez les soies du pinceau vers la ligne de démarcation.

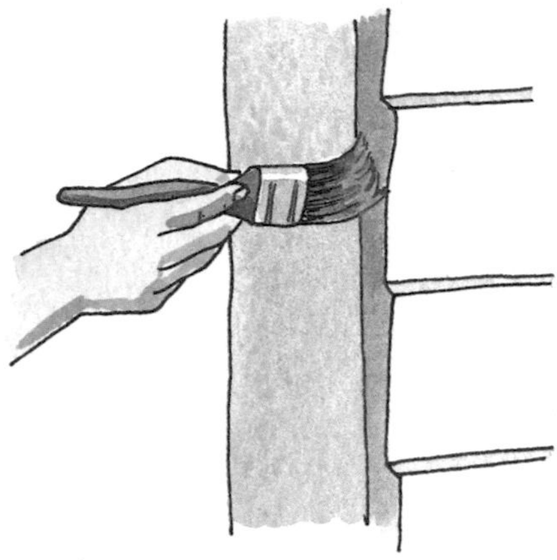

Pour peindre un objet circulaire comme un tuyau de renvoi, travaillez d'abord en diagonale tout autour, puis donnez de longs coups sur la longueur.

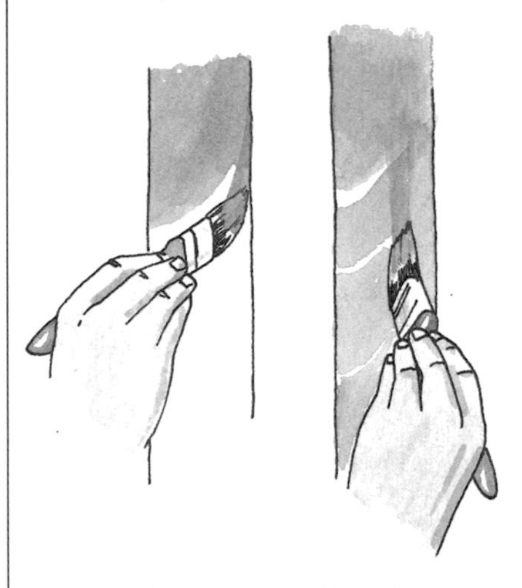

Ne condamnez pas l'escalier que vous devez peindre. Faites une marche sur deux. Laissez sécher et peignez les marches qui restent.

Vous réglerez rapidement le cas des balustres et des ajours avec un vaporisateur. Prenez soin de poser un carton ou un autre écran derrière pour arrêter les éclaboussures.

COMMENT L'ORGANISER

Si, par manque d'espace, vous ne pouvez avoir un atelier, construisez un établi qui se rabat dans le garage. Prenez une porte pleine pour le dessus ; fixez-la au mur avec une charnière à piano. Attachez aussi les pieds avec des charnières.

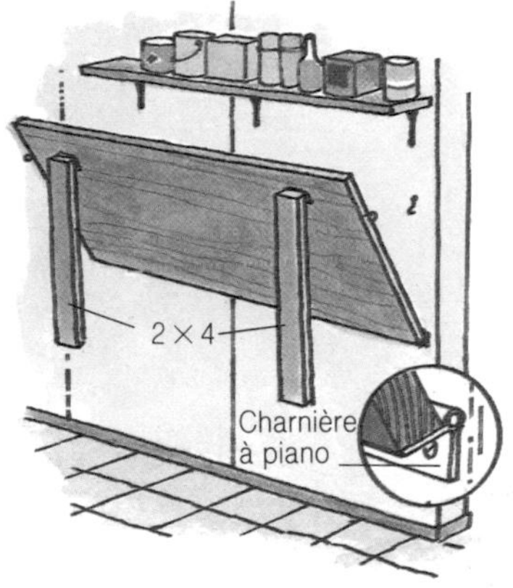

En règle générale, la hauteur idéale d'un établi se situe entre 34 et 36 po. Si cela ne vous convient pas, calculez la hauteur pour que l'établi vous arrive à mi-chemin entre la taille et les hanches.

Le béton est dur pour les pieds et funeste pour les outils qu'on y laisse tomber par accident. Sur le sol de l'atelier, étendez du contre-plaqué, du tapis ou même des boîtes de carton dépliées.

EFFICACITÉ ET SÉCURITÉ

Pour brancher un appareil électrique, qu'il soit léger ou lourd, portatif ou fixe, utilisez un cordon d'alimentation de calibre 14 ou plus, à trois fiches dont une pour la mise à la terre.

L'espace manque dans l'atelier ? Suspendez un râtelier comportant un tiroir au dos de la porte et logez-y les petits articles. Si la porte est pleine : aucun problème. Si elle est creuse, fixez le râtelier aux traverses intérieures.

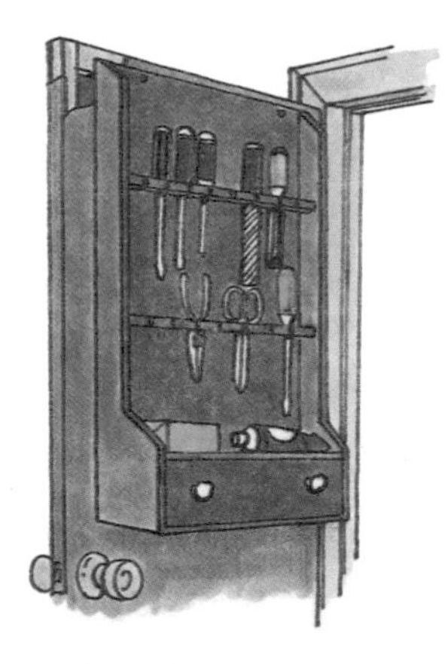

Les cordons électriques sont parfois encombrants. Maintenez-les hors de votre chemin en les accrochant à un long ressort fixé au plafond.

Soignez particulièrement l'éclairage dans l'atelier. Si vous avez l'intention d'y passer de nombreuses heures, posez un rail électrique au plafond. Attention aux reflets ; nulle part la lumière ne doit être trois fois plus intense qu'ailleurs.

BOÎTE À OUTILS DE BASE

Vous n'avez pas besoin de tout un arsenal pour régler les problèmes d'entretien courant ou les urgences ; achetez cependant des appareils de bonne qualité. Les outils manuels et électriques qui suivent vous suffiront si vous n'entreprenez pas de travaux particuliers.

Outil et emploi

Scie à tronçonner
(6 à 8 pointes/1 po)
Couper le bois

Marteau à panne fendue (16 oz) Enfoncer ou retirer les clous ; arracher du bois

Chasse-clou
Noyer les clous dans le bois

Tournevis
(standard et cruciforme)
Poser ou enlever les vis

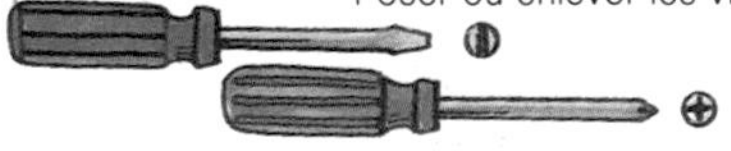

Pince multiprise
Saisir ou tordre le métal

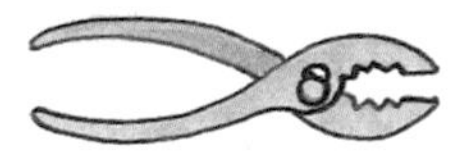

Pince à bec effilé
Saisir ou tordre de petits objets dans peu d'espace

Clé à molette
(réglage à 1¼ po)
Serrer ou desserrer boulons et écrous

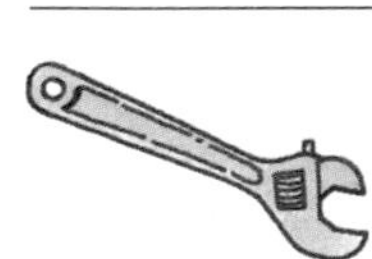

Tournevis va-et-vient
Percer de petits trous dans le bois ou le plastique

Perceuse électrique et mèches Percer des trous, poser ou ôter des vis, poncer ou polir (avec accessoires)

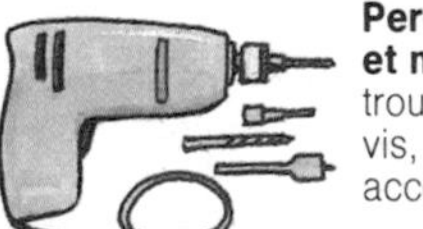

Outil et emploi

Lime plate
Ebarber les bords et les surfaces de métal

Petit rabot
Planer le bois, surtout en bout de fil

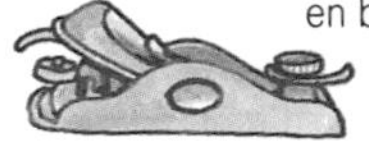

Ciseau à bois
(½ po)
Travailler le bois

Couteau universel
Couper ou parer le bois, le contre-plaqué, l'aggloméré, le carton ou le plastique

Couteaux à mastic
(1 et 3 po)
Etaler le mastic ou le plâtre

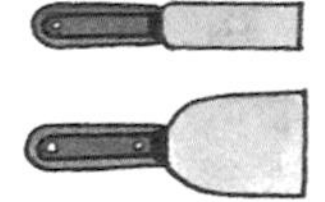

Ruban à mesurer
(10 pi) en acier
Prendre des mesures

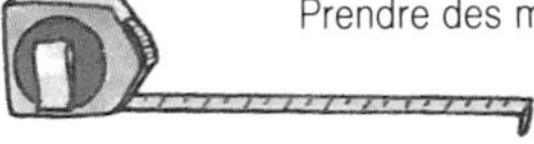

Niveau de menuisier
Vérifier les surfaces horizontales et verticales

Serres en C
(deux de 2, 4 et 6 po)
Immobiliser les pièces de bois et de métal à couper, à percer ou à coller

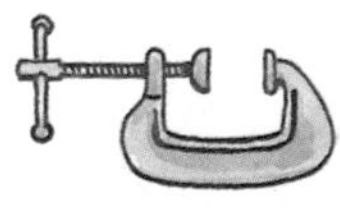

Lunettes de protection
Protéger les yeux contre les éclats de matériaux ou les liquides corrosifs

Comme l'huile de lin est source de combustion spontanée, même par temps froid, défaites-vous des chiffons imprégnés de cette huile ou d'un produit qui en contient.

RANGEMENT DES OUTILS

Peignez vos initiales sur vos outils pour les distinguer de ceux que vous empruntez.

Si vous accrochez les outils au mur, dessinez le contour de chacun d'entre eux pour que tous sachent où les remettre en place.

Gardez les outils dans des armoires ou des tiroirs fermés à clé si vous avez de jeunes enfants. A mesure qu'ils grandissent, enseignez-leur à bien s'en servir, mais gardez sous clé les appareils électriques.

Fabriquez un support utile pour les tournevis et autres petits outils. Percez une série de trous allant de ½ à 2 po dans un 1 × 3. Posez le support au mur avec des consoles.

Rangez les outils tranchants ou pointus dans de la mousse de polystyrène. On en trouve dans les cartonnages d'appareils.

Vous arrive-t-il de faire tomber par terre le tiroir à petits outils ? Montez une patte rectangulaire sur pivot dans le dos du tiroir ; redressez-la pour empêcher le tiroir de tomber ; couchez-la quand vous voulez enlever celui-ci.

Protégez les dents d'une lame de petite scie circulaire en la gaînant d'une pièce de chambre à air de vieux pneu. Pour protéger les dents d'une égoïne, prenez du tuyau d'arrosage fendu.

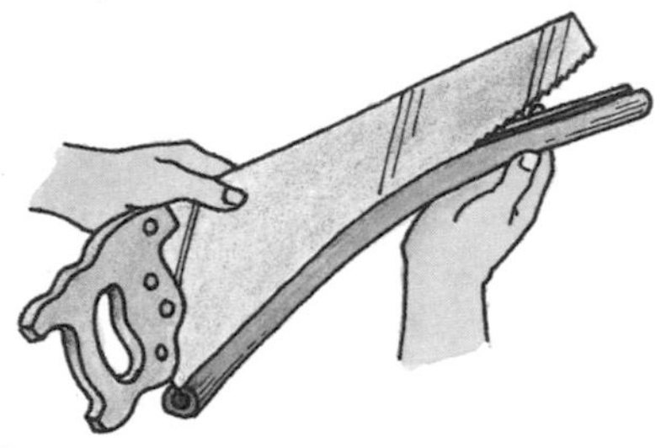

Les outils en métal ne rouilleront pas si vous les rangez dans un caisson en bois bien fermé contenant du camphre et du bran de scie.

RANGEMENT DES MATÉRIAUX

Rangez les pièces de bois et de tuyau entre les solives exposées du garage. Vissez des traverses aux solives pour les recevoir.

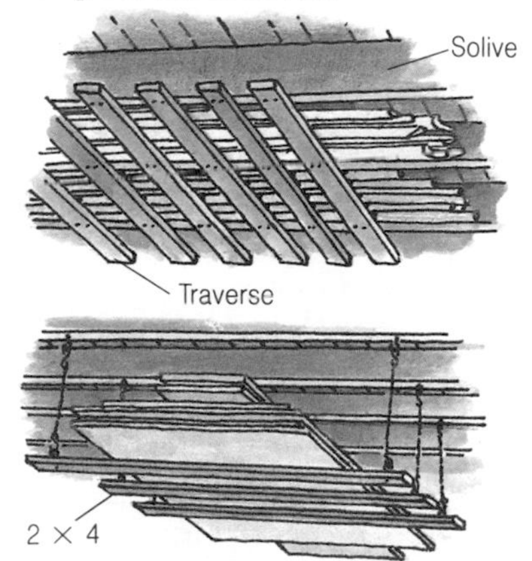

Pour entreposer les panneaux de contre-plaqué, mettez des pitons à œil fermé aux deux extrémités d'au moins trois 2 × 4 de 5 pi pour que le support soit bien solide. Passez un crochet en S dans chaque œil et accrochez-y une chaîne. Fixez l'autre extrémité des chaînes aux solives du plafond.

Avez-vous besoin d'espace de rangement supplémentaire et peu encombrant ? Montez des rayons vite faits en clouant des planches entre les montants apparents de l'atelier.

Vous mettrez vite la main sur la rondelle ou l'écrou que vous cherchez si vous les enfilez par ordre de grandeur sur de grosses épingles de nourrice ou sur des cintres coupés d'un côté, près des crochets.

Rangez dans des bocaux à couvercle vissé toutes sortes de petits articles : clous, vis, écrous et rondelles. Pour gagner de la place, vissez des couvercles sous les rayons. Mettez une rondelle de blocage sous la tête de chaque vis pour que le couvercle reste immobile quand vous dévissez le bocal.

Pour ranger les disques à poncer, prenez une assiette en aluminium ; enlevez-en la moitié ou le tiers et fixez-la au mur, fond vers vous.

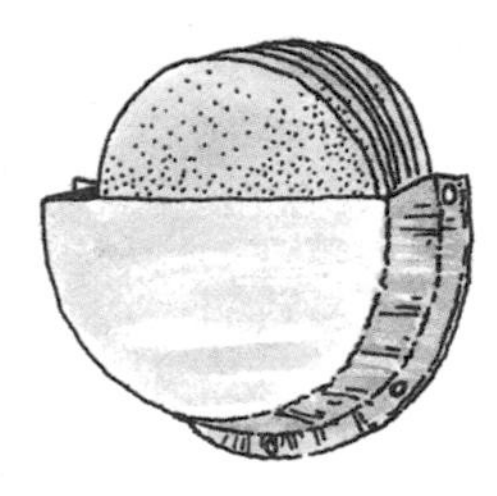

Vous saurez combien il vous reste de peinture dans chaque bidon si vous mettez une bande élastique autour, à la hauteur du contenu. N'oubliez pas de rectifier l'emplacement de la bande chaque fois que vous vous servez de peinture.

MARQUAGE ET MESURES

Pour prendre une mesure, placez-vous devant la règle, vos yeux au-dessus ou à la hauteur du point que vous examinez. Autrement, la lecture pourrait être faussée.

Pour obtenir des mesures encore plus précises, posez la règle de côté et non à plat. Marquez les points avec un V ; vous les retrouverez plus facilement.

Voici une façon rapide et simple de tracer une longue ligne droite. Epinglez en deux points un cordeau de menuisier enduit de craie et bien tendu. Tenez-le au centre, levez-le et laissez-le claquer. La craie fait le tracé.

Pour reporter une ligne ou une arête irrégulière, posez la pointe sèche d'un compas dessus, la branche porte-crayon sur la surface à marquer, et déplacez les deux à la fois.

En sachant la portée de votre main, vous pouvez prendre des mesures approximatives même sans règle. Ecartez vos doigts le plus possible et mesurez la distance qui sépare le bout du pouce du bout du petit doigt. Ensuite voyez combien de fois entre votre main dans la surface à mesurer et multipliez ce chiffre par la portée de votre main. Pour prendre de petites mesures, faites de même avec celle de vos phalanges qui mesure environ 1 po.

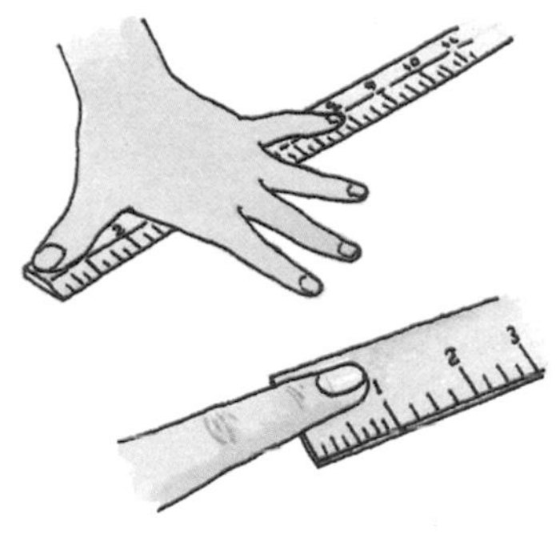

Pour diviser une planche en sections égales, mesurez-la de biais avec une règle. D'un côté, mettez le coin inférieur de la règle sur le bord de la planche. De l'autre, posez sur le bord de la planche un nombre de pouces égal au nombre de sections voulues ou à un multiple de ce nombre. Marquez.

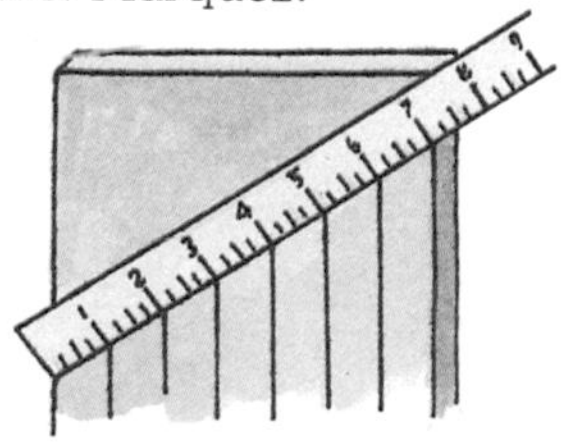

SCIAGE ET COUPAGE

Pour réduire la friction, passez un pain de savon sur la lame de la scie.

Le trait de scie sera plus net dans les coupes transversales si les couches de croissance, dans la planche, s'incurvent vers le bas.

SCIAGE D'UNE PLANCHE

1. Avec un crayon bien pointu et une équerre à combinaison, marquez la ligne de coupe à l'extrémité de la planche.

2. Posez la planche sur deux chevalets, le rebut dépassant à l'extérieur. Laissez plusieurs pouces de dégagement pour le trait de scie.

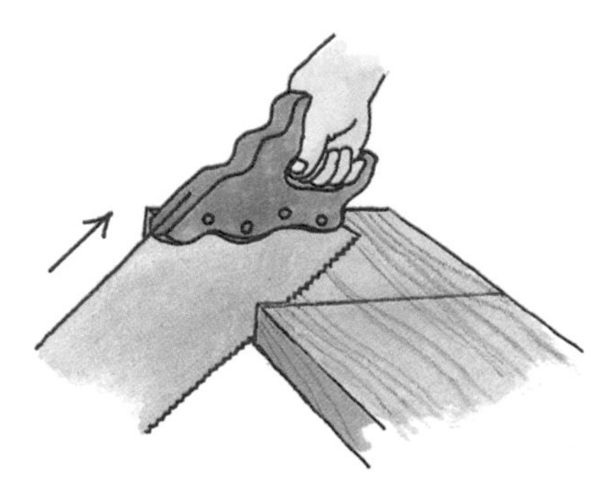

3. Posez le haut de la lame juste à l'extérieur de la ligne de coupe. Faites d'abord un ou deux traits courts vers vous pour entamer le bois.

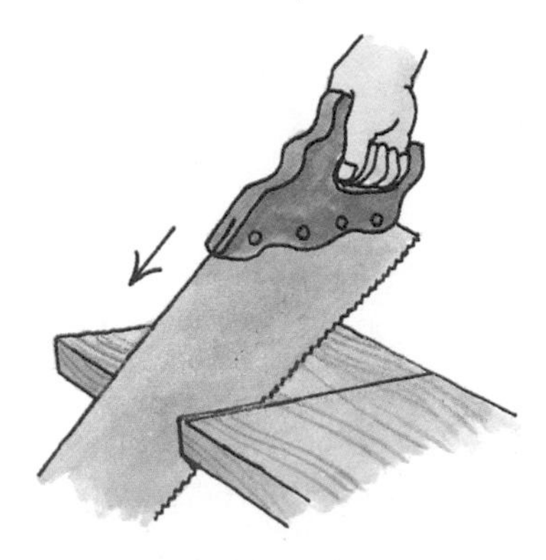

4. Lorsque vous avez rainé le bois, faites de plus longs traits et appliquez plus de pression sur la scie en poussant qu'en tirant.

Faites-vous un guide pour couper droit et au bon angle avec une égoïne. Posez le guide sur l'ouvrage et appuyez la scie contre la pièce verticale, en suivant l'angle.

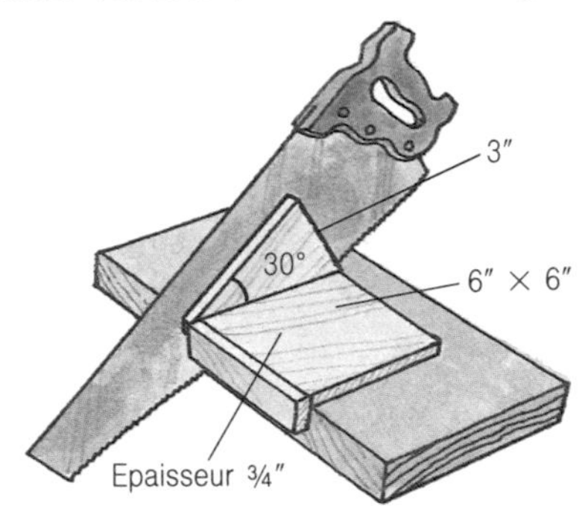

Pour enlever une fine pièce à l'extrémité d'une planche, fixez-y dessous, avec des serres, une longue pièce de rebut et sciez à travers les deux morceaux.

Si la scie bloque et plie quand vous faites une coupe dans le sens du fil, insérez une cale dans le trait de scie pour maintenir la fente ouverte.

Voici comment empêcher la lame d'une scie sauteuse de se briser quand vous découpez un cercle dans du contre-plaqué. Pratiquez quelques coupes droites jusqu'à la circonférence du cercle, à 30° les unes des autres par rapport au diamètre. Puis, découpez le cercle ; les pièces tombent une à une, enlevant la pression sur la lame.

Vous avez du mal à entamer le travail avec une scie à métaux ? Rainez au préalable la ligne de coupe avec une lime.

Lorsque vous vous servez d'une scie à guichet, percez le bois sans le traverser complètement. Quand l'extrémité de la lame se laisse voir sur l'envers de la pièce, tournez l'ouvrage, percez de l'autre côté et terminez le trait de scie.

Vous scierez plus facilement les nœuds du bois en imprimant à la scie un léger balancement pour modifier l'angle d'attaque.

Quand vous vous servez d'une équerre à combinaison ou de menuisier pour vérifier la régularité d'une surface ou la rectitude d'un angle, posez-la sur l'ouvrage et mirez les deux à la lumière. Si vous voyez un jour entre les deux, sablez le bord de la pièce.

CLOUAGE

Pour profiter de tout le poids du marteau, tenez-le le plus loin possible de la tête. Donnez de petits coups pour que le clou tienne en place, puis enfoncez-le en frappant à partir du coude.

On calcule que la longueur du clou doit correspondre à peu près à l'épaisseur combinée de toutes les pièces qu'il doit assujettir.

Si le clou est trop petit pour vos doigts, tenez-le avec une pince à cheveux ou une pince à long bec pendant que vous l'enfoncez.

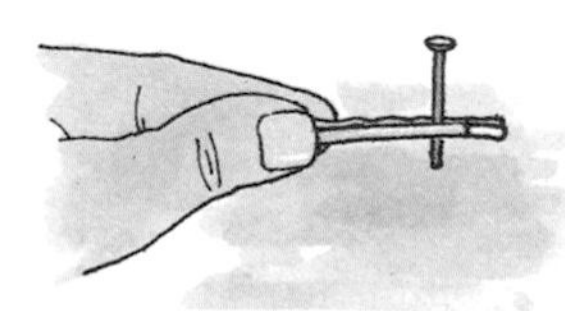

Enfoncez des clous étêtés ou des broquettes de moins de 1 po avec un marteau à tête magnétique.

Il est conseillé de poser votre main à l'envers sur l'ouvrage en tenant le clou entre l'index et le majeur. Si vous manquez votre cible, vous frapperez la partie charnue du doigt, qui est beaucoup moins sensible que le pouce ou l'ongle.

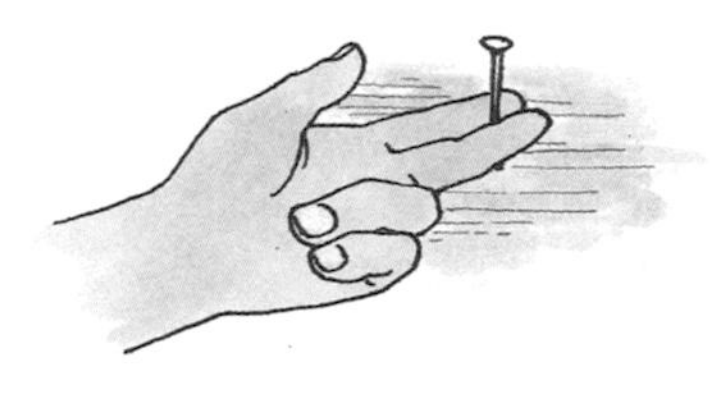

Pour empêcher le bois de fendre, aplatissez la pointe du clou avec le marteau pour qu'elle écrase les fibres au lieu de les écarter.

Truc pour cacher la tête d'un clou : au ciseau, soulevez une lamelle de bois sans l'enlever là où vous devez planter le clou. Enfoncez le clou, rabattez la lamelle et collez-la.

Si vous fixez une moulure avec des clous à finir, protégez la moulure avec une chute de panneau perforé et enfoncez les clous à travers les trous du panneau. Terminez le travail avec un chasse-clou.

Pour enlever un clou dont la tête est enfoncée dans le bois, placez la panne fendue du marteau devant le clou à extirper. Frappez sur la pointe du marteau avec un maillet de caoutchouc pour que la panne pénètre dans le bois.

Si la tête du clou est petite ou brisée, vous enlèverez le clou plus aisément avec une pince coupante.

PERÇAGE

Bien qu'une perceuse électrique de ¼ po à vitesse non variable suffise à percer des trous dans le bois, la perceuse de ⅜ po à vitesse variable et dispositif d'inversion est bien plus pratique. Elle perce les surfaces de maçonnerie, visse et dévisse et s'adapte à plusieurs accessoires pratiques comme les disques à poncer et les brosses métalliques.

Pour travailler avec plus de précision et ménager la mèche, posez la paume de la main sur le dessus du manche, juste derrière le mandrin. Allongez l'index contre le corps de l'outil et avec le majeur ou l'annulaire appuyez sur la gâchette.

Les mèches sont moins vulnérables et elles travaillent mieux si vous les traitez d'abord avec un vaporisateur à la silicone.

Empêchez la mèche de dévier quand vous commencez à percer un trou en pratiquant auparavant un avant-trou avec un clou.

Pour bien voir, fixez une lampe de poche en forme de stylo avec du ruban-cache sur la perceuse.

Pour percer des trous à une profondeur précise, introduisez la mèche dans un bouchon de liège jusqu'à la hauteur voulue. Mais attention : le bouchon doit rester serré sur la mèche pour ne pas monter à mesure que celle-ci s'enfonce.

Quand vous percez une pièce de métal lisse, collez un peu de ruban-cache sur l'emplacement du trou. La mèche aura ainsi moins tendance à dévier.

Voici comment éviter que le bois ne fasse des éclats quand la mèche passe au travers : placez une chute de bois sous la pièce et fixez-la avec des serres.

La perceuse électrique ne sert pas uniquement à faire des trous ; elle a bien d'autres usages. L'appareil peut recevoir une gamme étendue d'accessoires comme des disques à poncer et à polir, des brosses métalliques et des tournevis.

VISSAGE

La lame du tournevis doit remplir la fente de la vis en longueur et en largeur. Trop petite, elle endommage la tête de la vis ; trop grande, elle risque d'abîmer le bois.

Quand vous vissez en surface, utilisez un tournevis à oreilles. Quand vous vissez en profondeur, servez-vous plutôt d'un tournevis sans oreilles, moins susceptible d'endommager le bois.

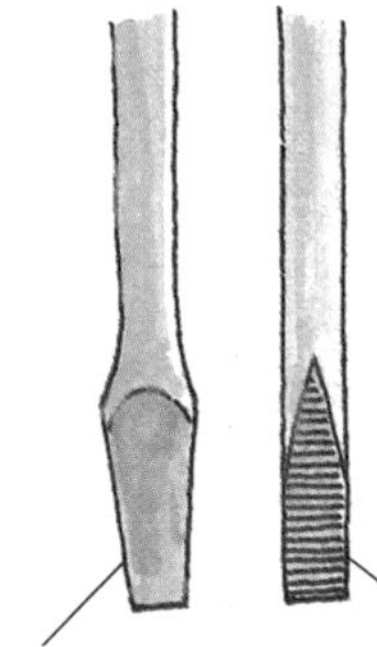

Pour démarrer une vis là où vous pouvez difficilement la tenir, introduisez-la dans du ruban-cache, côté gommé dessus. Placez la lame du tournevis dans la fente de la vis et ramenez le ruban-cache par-dessus. Quand la vis commence à pénétrer, enlevez le ruban-cache.

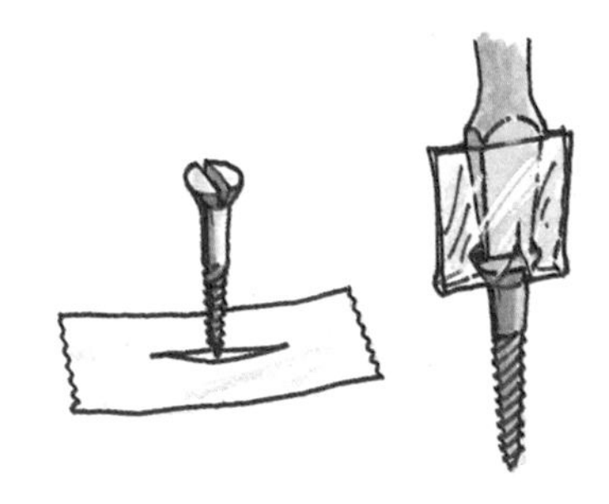

Mettez de la cire ou du savon sur le filetage de la vis si vous avez de la difficulté à la faire entrer.

Si par contre la vis demeure lâche, remplacez-la par une vis plus grosse ou mettez des cure-dents dans le trou pour qu'elle ait quelque chose sur quoi mordre. En cas d'échec, introduisez une cheville de plastique dans l'orifice ou remplissez-le de pâte de bois et posez la vis avant que la pâte n'ait durci.

Comme la vis ne pénètre dans le bois qu'au rythme où son filetage peut entailler celui-ci, il est inutile de faire pression dessus si elle entre mal. Prenez plutôt un tournevis plus long dont la lame occupe toute la fente de la vis.

Pour augmenter la puissance de torsion, prenez un long tournevis à tige carrée et aidez-vous d'une clé à molette.

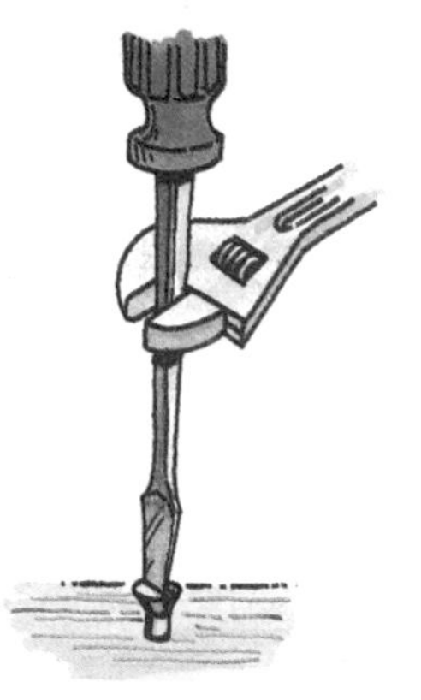

Voulez-vous cacher la tête d'une vis ? Percez un avant-trou puis, sur le dessus, percez un trou de noyure avec une mèche du diamètre de la tête de la vis. Enfoncez la vis. Remplissez ensuite le trou avec une cheville taillée dans le même bois ou avec de la pâte de bois.

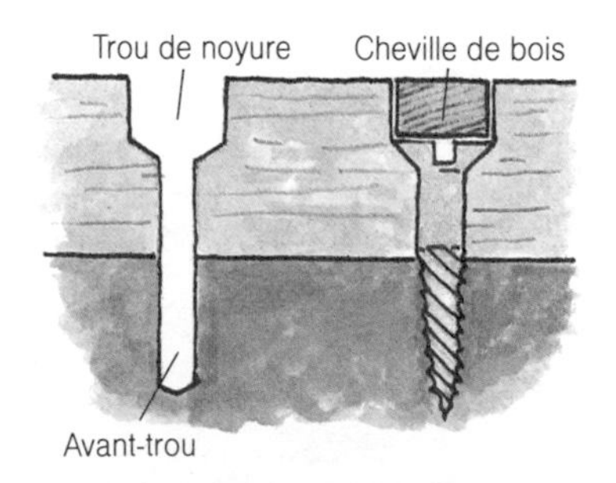

COLLE ET SERRES

Avant d'enduire de colle les pièces que vous voulez réunir, commencez par les mettre une fois sous serres à titre d'essai.

Si vos serres en C sont trop petites pour vos besoins, réunissez les mâchoires fixes de deux serres de manière à former un S, puis serrez leur vis respective.

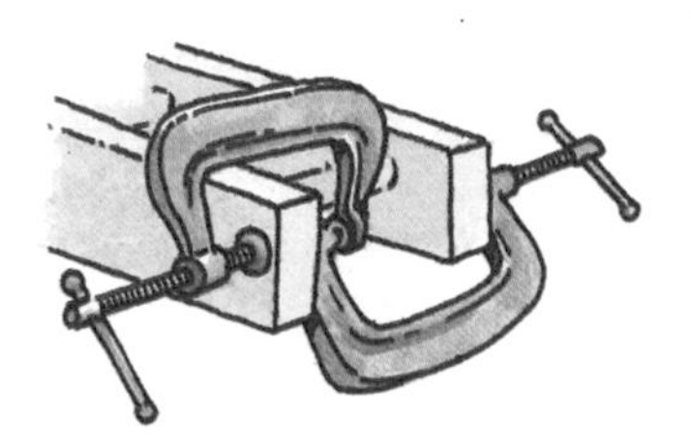

Avec deux serres en C et du câble métallique torsadé, vous pouvez confectionner un serre-joint de la taille qu'il vous faut. Enroulez le câble autour des mâchoires fixes des serres, puis serrez les mâchoires mobiles sur l'ouvrage.

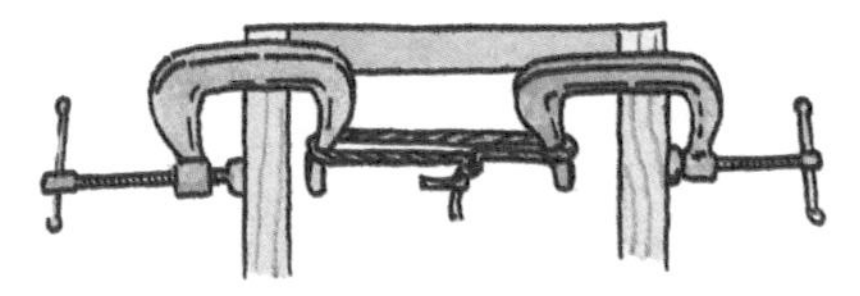

Si vous avez gardé de vieilles bobines de fil, vous pouvez vous en servir en guise de serre-joint. Procurez-vous un boulon qui entre dans les bobines et dont la longueur équivaille à celle des bobines et de la pièce et serrez à une extrémité avec un écrou à oreilles.

Utilisez les colles à bois avec beaucoup de parcimonie : on en met toujours trop. Appliquez-en une mince couche sur chacune des surfaces à réunir et mettez les pièces sous serres le temps voulu (p. 192).

Protégez le bord des surfaces à coller avec du ruban-cache : la colle en sortant du joint pourrait tacher le bois. Lorsque vous avez retiré les serres et que la colle a bien séché, enlevez le ruban-cache.

Vous saurez que les serres ont été suffisamment resserrées lorsqu'un mince filet de colle apparaîtra sur le joint. Ne serrez pas davantage. Une pression trop forte fausse l'ouvrage et affaiblit le joint en exprimant trop de colle.

Fixez avec du ruban des tampons de bois aux mâchoires des serres. L'avantage est double : ces tampons protègent les pièces à joindre et, en répartissant la pression, rendent le joint plus robuste.

Rien de plus vexant que de constater, une fois le travail terminé, que les serres ou les tampons de bois adhèrent à l'ouvrage. Pour éviter cet ennui, mettez des épaisseurs de papier ciré entre les deux.

Si vous devez mettre sous serres un grand cadre ou une pièce de grandes dimensions, fixez des butées sur l'établi et utilisez une paire de coins pour maintenir l'ouvrage.

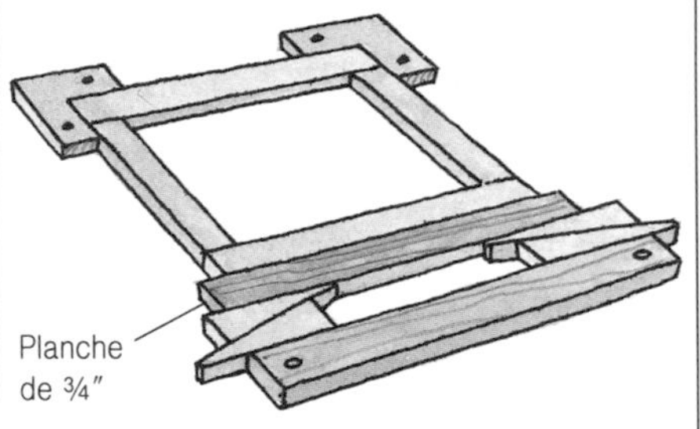

TABLEAU DE COLLAGE

Matériaux	Colle	Mode d'emploi	Observations
Bois sur bois (à l'intérieur)	Acétate de polyvinyle (colle blanche) ou résine aliphatique jaune	Prête à servir ; appliquer une fine couche sur chaque pièce ; garder sous serres de 1 h 30 à 4 heures ; laisser sécher 24 heures à au moins 20°C (70°F)	Acétate de polyvinyle : poser les serres dans les 15 minutes. Résine aliphatique : les poser dans les 5 minutes. Deviennent transparentes ou jaunes ; pas imperméables ; nettoyer à l'eau tiède savonneuse
Bois sur bois (à l'extérieur)	Colle à la résorcine	Mélanger les éléments dans un contenant jetable ; appliquer aux deux surfaces ; laisser prendre 5 minutes ; garder sous serres 16 heures ; laisser sécher 24 heures à au moins 20°C (70°F)	Poser les serres dans l'heure ; devient brune ; imperméable ; nettoyer à l'eau avant que la colle sèche
Stratifié, contre-plaqué ou tissu sur bois ou sous-produits du bois	Colle-contact	Prête à servir ; appliquer aux deux surfaces à joindre et laisser sécher ; ajuster les matériaux l'un sur l'autre en séparant les faces encollées avec du papier brun ; retirer le papier et assurer la liaison en appuyant avec un rouleau ou un tampon de bois ; inutile de mettre sous serres ; laisser sécher 24 heures à au moins 20°C (70°F)	Laisser sécher et joindre les surfaces ; devient ambrée ; résiste à l'eau ; nettoyer avec le diluant recommandé sur l'étiquette
Métal sur métal	Colle époxyde	Mélanger les éléments dans un contenant jetable ; appliquer aux deux surfaces ; garder sous serres 8 heures ; laisser sécher 24 heures à au moins 20°C (70°F)	Mettre sous serres tout de suite après l'encollage ; devient transparente, blanche ou grise ; résiste à l'eau ; nettoyer à l'acétone avant que la colle sèche
Matériaux non poreux (métal, caoutchouc, plastique, céramique et verre)	Colle cyanoacrylate (colle instantanée)	Prête à servir ; en appliquer peu sur une seule surface ; joindre l'autre en exerçant une pression pendant 10 à 30 secondes ; inutile de mettre sous serres ; laisser sécher 12 heures à au moins 20°C (70°F)	Joindre immédiatement les surfaces après l'encollage ; devient transparente ; résiste à l'eau ; nettoyer avec le diluant recommandé sur l'étiquette

Attention : certaines colles dégagent des vapeurs nocives ; travaillez dans un endroit bien aéré, loin de toute flamme ; les colles instantanées adhèrent à la peau ; portez des gants de caoutchouc

Garage et voiture

AMÉNAGEMENT DU GARAGE OU DE L'ALLÉE

Installez des rétroviseurs dans deux angles opposés du garage ou du stationnement. Posez-les à une hauteur qui vous permette de voir si vos feux de recul fonctionnent.

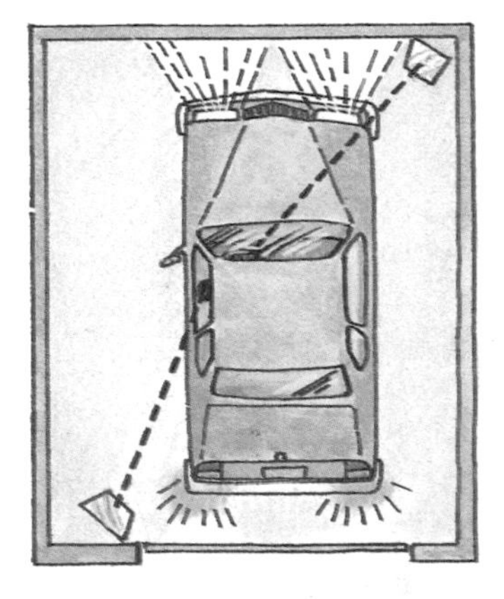

Accrochez un vieux pneu sur un panneau et posez-le contre le mur au fond du garage. Si d'aventure vous entrez trop vite, ou si vos freins font défaut à la dernière minute, il agira comme tampon et vous évitera de heurter de plein fouet une surface très dure.

Sur le sol du garage ou du stationnement, tracez avec de la peinture des lignes qui délimitent la place des voitures, bicyclettes, tondeuses et autres véhicules.

Pour ranger le cordon de rallonge, attachez un lien de cuir ou de la grosse corde près de la prise de courant. Après avoir enroulé le cordon sur lui-même, nouez la corde autour et utilisez une des boucles pour suspendre le cordon.

PROPRETÉ DU SOL

La litière à chat a la propriété d'absorber rapidement les huiles et autres liquides qui s'échappent de la voiture. En cas de fuite, placez des serviettes de papier sous la voiture tant qu'elle n'a pas été réparée.

Pour faire disparaître les taches d'huile sur le sol du garage ou l'allée de béton, répandez dessus du diluant à peinture et couvrez de litière à chat. Laissez la porte du garage ouverte ; quand l'huile a été absorbée, balayez la litière.
Attention : Lorsque vous utilisez du diluant, ne fumez pas, ne frottez pas d'allumette dans les environs ; aérez bien.

Le balai-brosse est idéal pour nettoyer le sol du garage. A la longue, le manche peut se relâcher. Vissez du fil de métal de 6 mm de diamètre ou un bout de cintre métallique dans le manche et la brosse.

NETTOYAGE DU PARE-BRISE

Humectez un chiffon ou une éponge d'alcool à friction ou d'éther et frottez les taches qui ont résisté au lave-vitre ordinaire.

Si les essuie-glaces laissent des stries sur le pare-brise, nettoyez les essuie-glaces et le pare-brise avec de l'alcool à friction. Si ce traitement ne donne pas satisfaction, frottez le pare-brise avec une poudre à récurer douce pour enlever les dépôts cireux qui ont pu s'y accumuler.

Dans une voiture neuve, lavez l'intérieur des glaces avec du vinaigre blanc pour enlever la buée laissée par les vapeurs de plastique. Rincez et asséchez.

LAVAGE ET CIRAGE

Lavez la carrosserie avec du détergent à vaisselle dilué dans de l'eau. Commencez par le toit ; travaillez par sections ; lavez et rincez pour que la solution ne sèche pas sur place. Essuyez avec du coton éponge ; terminez avec un bon chamois pour redonner son lustre à la voiture.

Lorsque la voiture a été lavée à fond et bien cirée, rafraîchissez-la de temps à autre au tuyau d'arrosage ; puis essuyez-la avec une éponge ou des chiffons propres.

Choisissez les bonnes cires. Si vous venez d'acheter votre voiture, procurez-vous une cire pour autos neuves. Si elle a un certain âge, vous aurez besoin d'une cire nettoyante contenant un abrasif doux. Les voitures très endommagées réclament un traitement plus énergique.

ENTRETIEN DE VOTRE VOITURE

En tout temps, si l'une des anomalies suivantes se produit, avisez-en le mécanicien.

Lancement du moteur plus lent

Vibrations

Pédale de frein dure ou lâche ; freins bruyants

Jeu dans le volant de direction

Bruits inhabituels dans le moteur

Transmission automatique bruyante ; vitesses qui glissent ; changement de vitesse récalcitrant

Moteur qui fait des ratés ; manque de puissance

Démarrage ardu

Conduite et tenue de route moins satisfaisantes

Pédale d'embrayage qui vibre ou glisse

Echappement bruyant

Klaxon en panne

Essuie-glaces qui marquent

Forte odeur d'essence ou autres odeurs

Voyants du tableau de bord qui s'allument

Manomètre révélant une anomalie

Au moment du plein :

Contrôle du niveau d'huile

Contrôle du niveau du liquide de refroidissement

Tous les mois ou avant un long voyage :

Contrôle de la pression des pneus (sans oublier le pneu de secours) et examen de la semelle

Examen de tous les feux

Repérage de fuites éventuelles

Contrôle du niveau du liquide dans la transmission

Deux fois par an (printemps et automne) :

Contrôle du niveau du liquide dans la conduite assistée, les freins et la boîte de vitesses

Contrôle du niveau du liquide dans l'embrayage hydraulique

Contrôle du niveau du liquide dans l'arbre de roue

Contrôle de la densité du liquide de refroidissement

Contrôle des courroies d'entraînement

Contrôle des canalisations du radiateur, du chauffage et de la climatisation

Contrôle du circuit d'échappement (rouille) ; resserrer les brides

Rotation des pneus si le kilométrage le justifie (voir le guide)

Dépistage de fissures ou de fuites dans l'arbre de roue de la traction avant

Examen des bornes des câbles de la batterie (risque de corrosion)

Tous les ans :

Examen des canalisations, plaquettes et garnitures de freins (deux fois par an si la conduite s'effectue surtout en ville)

Lubrification des cylindres des serrures, des charnières des portes, des charnières et leviers d'ouverture du capot et du coffre, des charnières de l'accès au réservoir d'essence ; contrôle des garnitures d'étanchéité des portes

Contrôle expérimental du frein de stationnement et de la position P (stationnement) de la transmission automatique

Les flancs blancs des pneus doivent être impeccables. Brossez-les avec du détergent liquide à lessive non dilué ; rincez.

ÉCHEC À LA ROUILLE

Appliquez une fine couche d'un enduit transparent au caoutchouc et à la silicone sur les moulures de la carrosserie pour empêcher l'eau, source de rouille, de s'y infiltrer.

Avec une meule à main électrique et une pierre conique, poncez les petits points de rouille sans toucher à la peinture intacte autour. N'entamez pas le métal. Terminez avec apprêt et peinture.

Dans les coins difficiles d'accès, utilisez un grattoir à joints d'étanchéité pour enlever la rouille, puis une petite brosse métallique. Terminez avec apprêt et peinture.

POINTS À SURVEILLER

Après l'examen des freins à tambour, assurez-vous qu'on a bien remis en place les bouchons qui ferment les orifices d'inspection des plateaux de frein. Sinon, la poussière de la route pénétrera dans les freins, en accélérant l'usure.

Il faut vérifier le niveau du liquide dans les freins tous les 30 000 km environ ; le liquide doit arriver à 1,5 cm du bord. Si ce n'est pas le cas, il peut y avoir une fuite. Signalez-le au mécanicien.

LE FILTRE À AIR

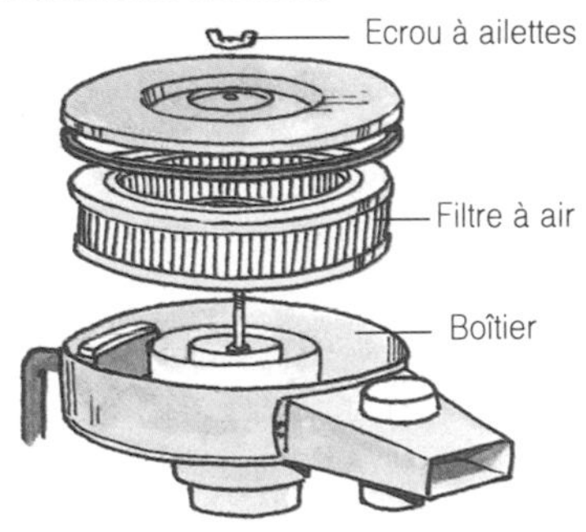

1. Le filtre à air se trouve souvent dans un boîtier, au-dessus du carburateur. Dévissez l'écrou ou défaites les pinces du couvercle pour l'enlever. Débranchez les conduites qui pourraient vous nuire et retirez le filtre.

2. Soulevez la cartouche et vérifiez si elle est sale ou endommagée. Frappez-la sur une surface de bois pour faire tomber la poussière. Placez une lumière au centre ; si vous pouvez voir la lumière et si la cartouche n'est pas encrassée d'huile, inutile de la remplacer.

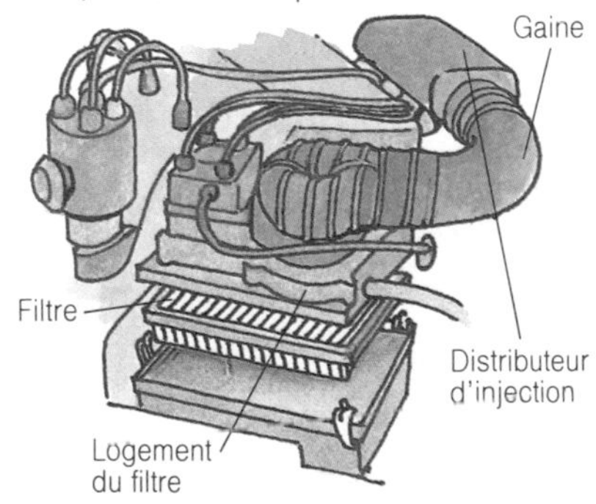

3. Le filtre peut être difficile à trouver. Repérez l'entrée d'air du carburateur ou remontez le long de la gaine, à partir du distributeur. Défaites les attaches et faites comme ci-dessus. Pour remonter le filtre ou le remplacer, reprenez les étapes en sens inverse.

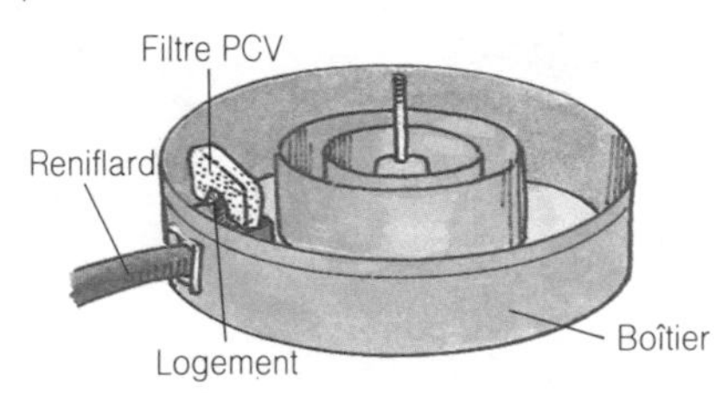

4. Si votre voiture est munie d'un filtre de recyclage des gaz du carter (PCV), examinez-le également. Le couvercle enlevé, retirez le filtre de l'entrée d'air du dispositif de recyclage des gaz du carter. Inutile d'ôter la pince, le logement ou le reniflard. Examinez le filtre. S'il est humide, encrassé ou très sale, remplacez-le.

Pulvérisez une poudre spéciale sur la courroie du ventilateur pendant que le moteur tourne. Si le bruit disparaît, remplacez la courroie. Autrement, poursuivez vos recherches.

Si votre voiture donne des coups quand vous utilisez le contrôle automatique de vitesse, le câble de l'indicateur de vitesse peut être défectueux ou la tubulure du régulateur encrassée (les régulateurs non intégrés n'ont pas cette tubulure).

Le volant de votre traction avant vibre ? Montez la voiture sur chandelles et comprimez le manchon qui recouvre la douille de la biellette de direction, de chaque côté de la voiture, pendant que vous faites tourner les roues dans un sens puis dans l'autre. S'il y a des pièce qui bougent dans le manchon, remplacez les deux douilles.

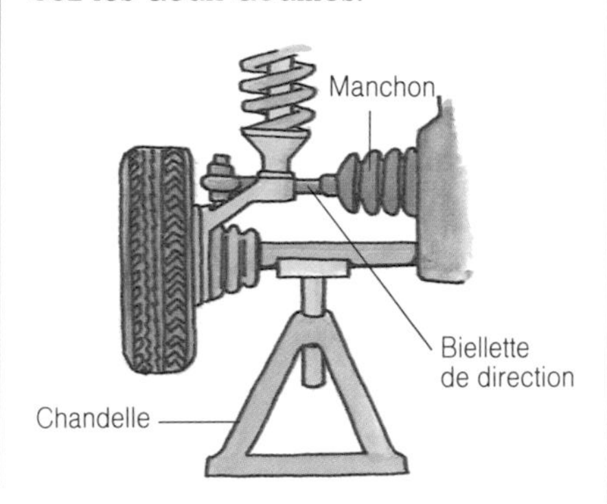

CHANGEMENT D'HUILE ET DE FILTRE À HUILE

1. Réchauffez le moteur; si le dégagement sous la voiture est insuffisant, montez et assujettissez l'avant sur des rampes ou des chandelles. (Il serait imprudent de vous glisser sous une voiture montée sur le cric fourni avec l'auto.) Mettez un bac sous le bouchon de vidange.

2. Desserrez le bouchon avec une clé, dévissez-le et enlevez-le rapidement pour que l'huile ne vous éclabousse pas. La vidange est finie à 15 secondes entre les gouttes. Essuyez le bouchon et l'orifice. Revissez le bouchon à la main; donnez un demi-tour avec la clé.

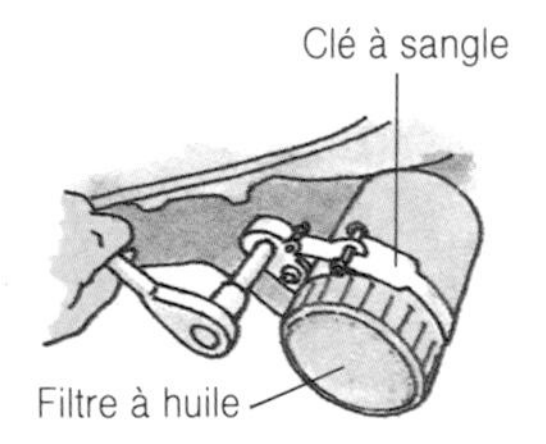

3. Les fabricants recommandent de changer le filtre toutes les deux vidanges. Mieux vaut le remplacer à chaque vidange. Retirez le bac sous le bouchon. Avec une clé spéciale, desserrez le filtre en le tournant vers la gauche, puis achevez de le dévisser à la main.

4. Essuyez les surfaces d'appui sur le filtre et le moteur. Enduisez d'huile à moteur le joint de caoutchouc du nouveau filtre. Vissez le filtre vers la droite jusqu'à ce que le joint touche légèrement au moteur. Puis, donnez au filtre un tour complet avec la clé spéciale.

5. Descendez la voiture. Essuyez l'orifice de remplissage et remplissez le réservoir avec le type d'huile spécifié dans le guide. Laissez tourner le moteur une minute, puis éteignez-le. Assurez-vous que le bouchon ou le filtre ne fuient pas. Vérifiez et rectifiez le niveau d'huile.

6. Versez l'huile usée dans une bouteille de plastique et remettez-la à une station-service qui est équipée d'un réservoir approprié pour recevoir les huiles usées.

QUELQUES BONNES IDÉES

Une mince couche de graisse à la silicone (vendue en quincaillerie) ou de vaseline sur les bornes de la batterie retarde la corrosion.

Pour desserrer un filtre à huile récalcitrant, achetez une clé à filtre ou une pince à chaîne et agrippez le filtre à sa base. Vous aurez moins d'effort à fournir.

N'attendez pas que les durites du radiateur crèvent avant de les changer. Une fois par an, palpez-les. Si elles sont spongieuses, débranchez-les ; introduisez un chiffon dans chacune, puis retirez-le. Si des parcelles de caoutchouc adhèrent au chiffon, remplacez la durite.

Pour prolonger la durée de vos pneus, ne tournez pas le volant lorsque la voiture est immobilisée.

Les vibrations de la voiture peuvent desserrer les écrous des roues. Pour le vérifier, déposez une tache de peinture sur chacun d'eux et une autre sur une pièce adjacente. Si les deux taches ne sont plus en ligne, il faut resserrer l'écrou.

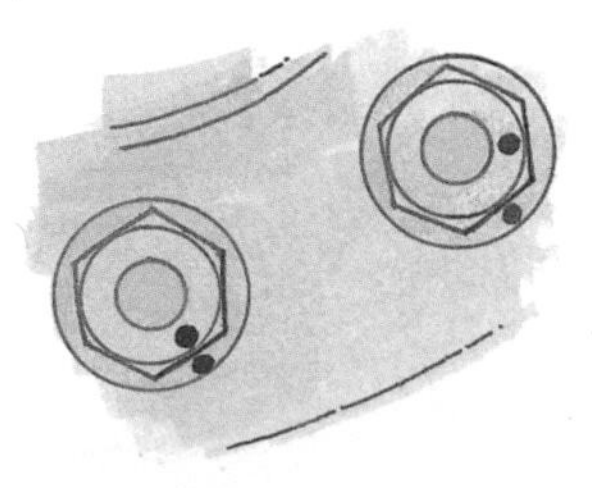

ÉCONOMIES DE CARBURANT

Si le guide du fabricant ne vous recommande pas d'employer du supercarburant, ne le faites pas en croyant économiser ou donner plus de puissance à la voiture. C'est faux, sauf sur les moteurs hautes performances à turbocompresseur. S'il y a un cliquetis dans le moteur, vous pouvez passer au super mais, avant, essayez une autre marque.

Par temps chaud, ne remplissez pas le réservoir. La chaleur fait monter la pression et le réservoir peut déborder — une perte inutile.

Si votre consommation augmente, s'il y a des odeurs d'essence, pensez à une fuite dans le réservoir. Sinon, remplacez le filtre à charbon à la base de la conduite de vapeurs d'essence. Si le filtre est intégré à son logement, remplacez tout le dispositif. Après 45 000 km, ce filtre peut s'encrasser.

Ne soyez ni un « chauffeur du dimanche » ni un « démon de la vitesse ». Pour économiser l'essence, conduisez en douceur et évitez les démarrages et les arrêts brutaux. En douceur, voilà le mot clé.

AUTRES MESURES D'ÉCONOMIE

Au lieu de remplacer le réservoir du liquide de refroidissement s'il fuit, doublez l'intérieur d'un sac à congélation en plastique fort.

Soyez prudent et avisé ; remplacez les amortisseurs deux par deux. Si l'un des deux fuit ou est usé, remplacez celui qui se trouve sur le même essieu que lui, même s'il est en bon état. La stabilité du véhicule risque autrement d'en souffrir.

URGENCES ROUTIÈRES

Tomber en panne n'a rien d'amusant ; en outre c'est dangereux. Signalez-le aux autres automobilistes. Allumez les clignotants de détresse, ouvrez le capot, attachez un chiffon à l'antenne ou à la porte du côté du chauffeur. Posez des feux de Bengale à 3 et à 90 m derrière l'auto, à 30 m devant.

L'accélérateur se coince ? Donnez de légers coups dessus, puis soulevez-le du pied. S'il reste coincé, passez au neutre, freinez pour arrêter la voiture et coupez l'allumage.

Lorsque les freins ne prennent pas, « pompez » la pédale à quelques reprises. Si cela demeure sans effet, rétrogradez et serrez progressivement le frein de stationnement.

REMPLACEMENT DES BOUGIES

Pour que l'allumage soit vraiment efficace, examinez les bougies chaque année ou tous les 15 000 km. Il faut, en règle générale, les remplacer tous les deux ans ou tous les 30 000 km. Toutes les bonnes marques de bougies devraient vous donner satisfaction si vous choisissez le numéro de pièce recommandé par le fabricant pour la marque, le modèle et le moteur de votre voiture et si vous les posez correctement.

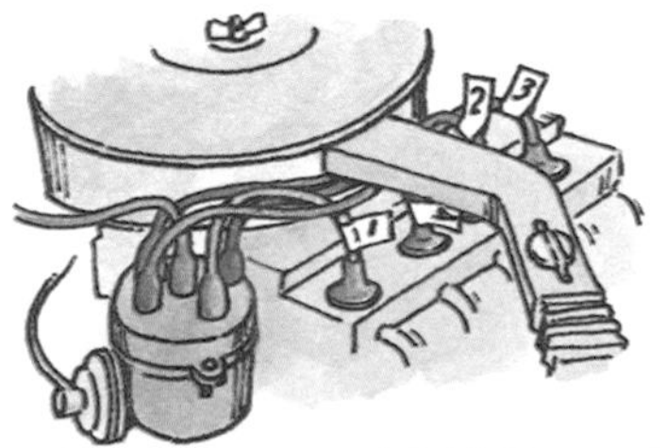

1. Attendez que le moteur soit froid. Marquez les câbles des bougies avant de les débrancher. Tordez le capuchon pour dégager chaque câble. Avec un jet d'air comprimé, nettoyez autour de la bougie. Introduisez une douille sur la bougie et, avec une clé à cliquet, tournez vers la gauche. Si la bougie est d'accès difficile, ajoutez un cardan à la clé.

2. A mesure que vous retirez les bougies, enveloppez-les de ruban-cache et notez leur emplacement ainsi que la présence de dépôts, d'huile ou de carbone pour en aviser le mécanicien.

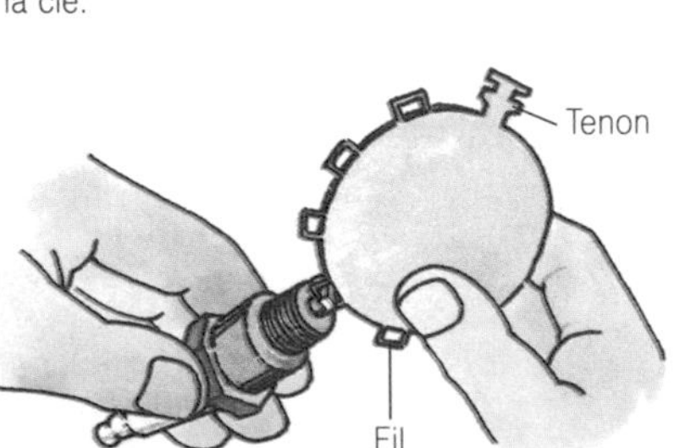

3. Mesurez et réglez l'écartement des électrodes des bougies neuves avec une jauge d'écartement. Consultez le guide du propriétaire ou l'étiquette collée sous le capot pour connaître l'écartement recommandé. Le fil de la jauge devrait tout juste passer dans l'écartement, ni trop facilement ni trop difficilement. Réglez celui-ci en pliant correctement l'électrode de masse avec le tenon de la jauge. Vérifiez de nouveau l'écartement.

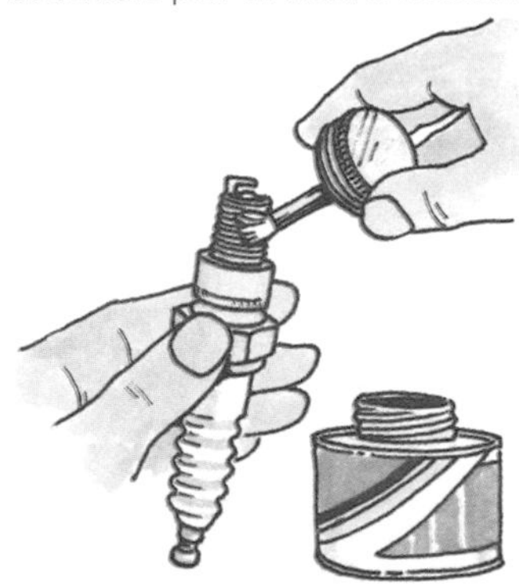

4. Si la culasse est en aluminium, appliquez du composé antigrippage sur les filets avant d'installer les bougies neuves. Vissez celles-ci avec soin en prenant garde de croiser les fils. Vissez jusqu'au bout à la main, puis donnez un quart ou un demi-tour de plus avec le cliquet, un seizième de tour parfois. Appliquez une légère couche d'un lubrifiant à la silicone à l'intérieur du capuchon avant de rebrancher les câbles.

Si les voyants ou quelque autre accessoire ne fonctionnent pas, cherchez un fusible grillé. S'il n'y en a pas, saisissez le fusible du circuit défectueux avec un extracteur et faites-le bouger. Le courant passe ? Retirez le fusible et poncez les contacts du fusible et du porte-fusible. Remettez le fusible en place.

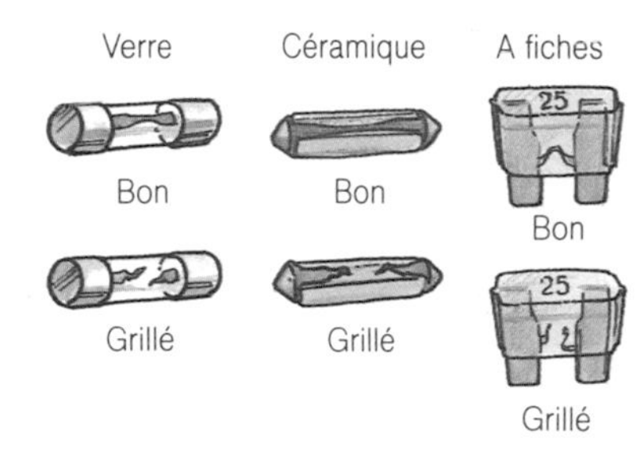

CREVAISON

Il vous faut vos deux mains pour changer un pneu. En cas de crevaison la nuit, achetez une lampe de poche à aimant ou un porte-lampe à succion et joint universel (vendu dans les quincailleries et magasins d'accessoires de photographie).

Si vous n'avez pas d'antirouille ou d'huile pénétrante pour relâcher les écrous, versez du cola dessus et attendez quelques instants.

SURCHAUFFE

Si le voyant de température s'allume ou que l'aiguille du thermomètre frôle le rouge en pleine heure de pointe, mettez le chauffage en marche et faites tourner le ventilateur au maximum. Allez au garage sans délai.

CHANGEMENT D'UN PNEU

1. Allumez les clignotants. Réglez la transmission sur P ou en marche arrière. Mettez le frein de stationnement et coupez le contact.

2. Si la roue de secours est dégonflée, il vous faudra faire venir une dépanneuse. Autrement, calez la roue diagonalement opposée au pneu crevé avec une pierre. Défaites l'enjoliveur avec un levier, puis desserrez les écrous de la roue sans les enlever.

3. Lisez les instructions données dans le manuel du propriétaire ou collées dans le logement du cric et soulevez la voiture jusqu'à ce que la roue se trouve à environ 5 à 8 cm du sol. (Si la voiture est stationnée sur un accotement mou, placez une planche sous le cric pour lui fournir une assise stable.)

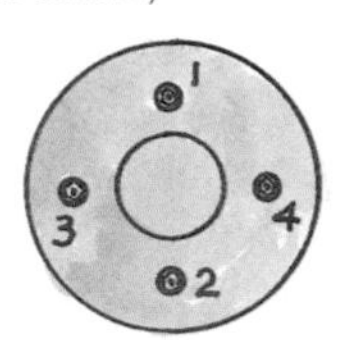

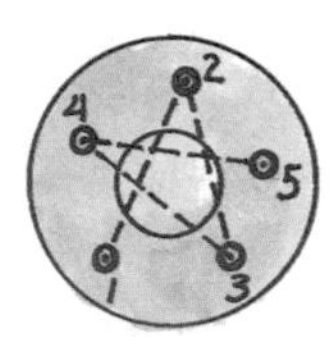

4. Enlevez les écrous et la roue ; mettez en place la roue de secours. Enfilez les écrous à la main. Avec la clé, serrez progressivement les écrous en diagonale, comme l'illustre la vignette. (Mal serrés, ils peuvent déséquilibrer la roue.) Abaissez le véhicule et retirez le cric et la cale. Resserrez de nouveau les écrous en diagonale avec la clé et reposez l'enjoliveur en donnant un coup du plat de la main.

Prévenez les pannes. Remplacez les durites et les courroies tous les quatre ans ou tous les 80 000 km.

BATTERIE

Pour pouvoir recourir au démarrage assisté, il faut que les deux batteries soient de même voltage ; assurez-vous-en. Portez des lunettes de protection. Branchez et débranchez les câbles dans l'ordre ci-dessous.

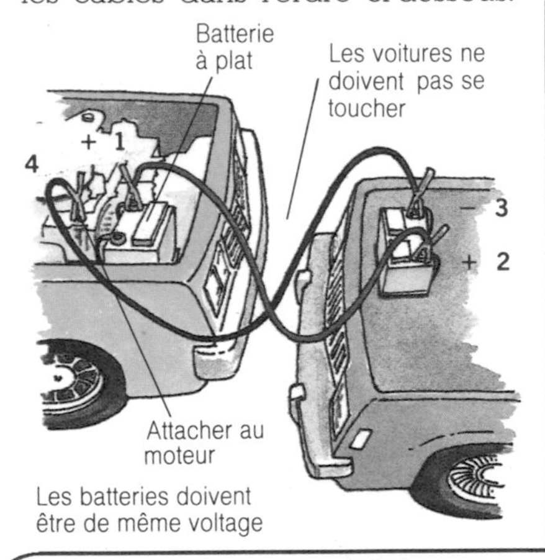

Si votre batterie exige de fréquentes recharges, examinez l'éclairage de l'habitacle. Appuyez sur le bouton qui commande la lumière de la boîte à gants pour voir si elle s'éteint. Ouvrez à peine le capot et le coffre pour voir si d'aventure les ampoules n'y restent pas allumées. Le cas échéant, enlevez l'ampoule et faites réparer les circuits.

LES MÉFAITS DU FROID

Lorsque le garage n'est pas chauffé, la voiture part beaucoup mieux le matin, par temps froid, si vous la dotez d'un chauffe-batterie. C'est un élément chauffant de faible puissance dans un coussin isolant. Même non branché, il est utile car son isolant protège un peu la batterie.

En hiver, si vous n'avez pas de garage, stationnez votre voiture pour que le soleil du matin frappe le capot. Si elle doit passer la journée

LA TROUSSE DE DÉPANNAGE

Voici les outils et les accessoires qu'il est utile de garder dans l'auto en cas de panne. Enveloppez les articles de métal pour qu'ils ne fassent pas de bruit. Mettez les petits articles dans un sac ou un fourre-tout (voir aussi p. 201).

Accessoires de base
Lampe de poche et piles
Lampe à brancher dans l'allume-cigarette ou sur la batterie
Feux de Bengale et chiffons rouges ou blancs
Gants de travail

Fournitures
Siphon pour faire passer l'essence d'une voiture dans une autre
Bidon en plastique de 5 litres pour l'eau ou l'essence
Litre d'huile à moteur
Planche (60 cm sur 30) à poser sous le cric
Coin pour caler une roue
Huile pénétrante
Pâte à sceller pour les pneus
Câbles volants
Fusibles de rechange et extracteur
Vieux fil électrique pour assujettir le capot, le coffre ou le pot d'échappement
Ruban d'électricien
Durite de radiateur
Courroie de ventilateur
Collier

Outils
Clé à molette
Pince multiprise, pince à long bec et pince-étau isolées
Tournevis Phillips et ordinaire
Couteau universel
Cric
Clé à manchon ; tuyau de 60 à 90 cm s'ajustant sur le manchon

dehors, exposez-la au soleil de l'après-midi. La seule chaleur du soleil peut en assurer le démarrage.

Quand le moteur ne cesse pas de caler après le démarrage, examinez la soupape à réglage thermostatique située dans le boîtier du filtre à air. Introduisez la main ou un tournevis dans l'entrée d'air pendant que le moteur tourne (à froid). Si la plaque d'admission n'est pas d'abord fermée et si elle ne s'ouvre pas à mesure que le moteur se réchauffe, voyez un mécanicien.

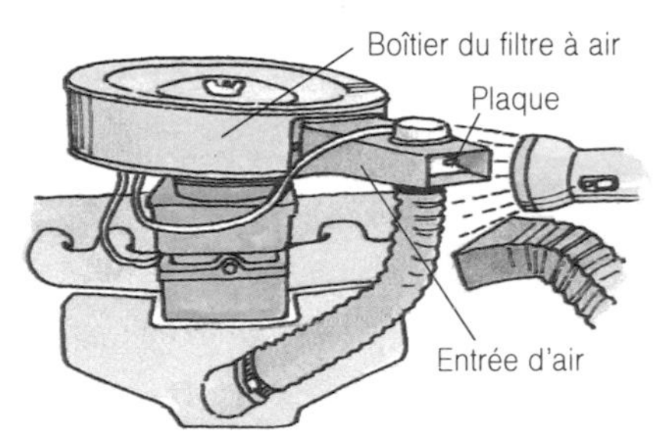

Lorsque le moteur est muni d'un carburateur, la commande de dépression du volet de départ peut provoquer des calages répétés en hiver avant que le moteur se réchauffe. Faites vérifier la pièce.

Si, par une journée douce d'hiver, vous avez abusé de l'accélérateur et, par suite, noyé le moteur (vous percevrez une odeur d'essence) et que votre voiture soit munie d'un carburateur, appuyez à fond sur la pédale d'accélération et, pendant 15 secondes, actionnez le démarreur. Si la voiture refuse de démarrer, coupez le contact et, une minute plus tard, répétez l'opération.

CONDUITE DANS LA NEIGE

Chaussez de pneus d'hiver les quatre roues et pas seulement celles sur lesquelles porte la traction.

EN PRÉVISION DE L'HIVER

Faites exécuter les travaux dont la liste suit avant que le froid prenne.

1. Demandez à un mécanicien de vérifier et de remplacer la batterie si elle ne donne pas toute sa puissance nominale à froid.
2. Faites réviser l'allumage et le circuit d'alimentation. Au besoin, faites remplacer les bougies, examiner les câbles, régler le calage à l'allumage, vérifier le fonctionnement des cylindres, remplacer les filtres à air et à huile, régler les vitesses de ralenti, vérifier le volet de départ et le filtre à air à soupape thermostatique du carburateur, examiner le chapeau et le rotor du distributeur et contrôler le volet de réchauffement de la tubulure.
3. Vidangez, lavez et remplissez le circuit de refroidissement d'un mélange d'antigel et d'eau à raison de 50 à 70 p. 100 d'antigel. Si le liquide de refroidissement a moins de deux ans, vérifiez-le avec un hydromètre pour vous assurer que sa densité convient.
4. Posez les pneus d'hiver; vérifiez leur pression — sans oublier la roue de secours — et l'état de leur semelle.
5. Vérifiez le chauffage, le dégivreur du pare-brise et le dégivreur-désembueur de la lunette arrière.
6. Remplacez les balais usés des essuie-glaces.
7. Remplissez le réservoir du lave-vitre d'une solution pour l'hiver.
8. Vérifiez feux et lampes.
9. Ajoutez un grattoir et une brosse à votre trousse de dépannage (p. 200).
10. Dans les tempêtes, prévoyez un équipement d'urgence : couvertures ou sacs de couchage, pelle, sable, bougies, allumettes, aliments en conserve, couverts de plastique, boîte à café vide de 1 kilo pour recevoir eau ou bougies et sacs en plastique.

Même dans les régions où il neige beaucoup, respectez la pression recommandée par le fabricant pour vos pneus. Vous n'aurez pas une meilleure traction avec des pneus mous, mais la partie externe de la semelle s'usera plus vite.

Mettez des sacs de 20 kg de sable dans le coffre de votre voiture pour avoir une meilleure traction. Et ce sable peut vous aider à sortir d'une ornière ; le cas échéant, répandez-en devant et derrière les pneus.

SERRURES GELÉES

Si une serrure de porte ou de coffre est gelée, chauffez la clé avec une allumette, mettez-la aussitôt dans la serrure et tournez. Portez des gants pour ne pas vous brûler les doigts.

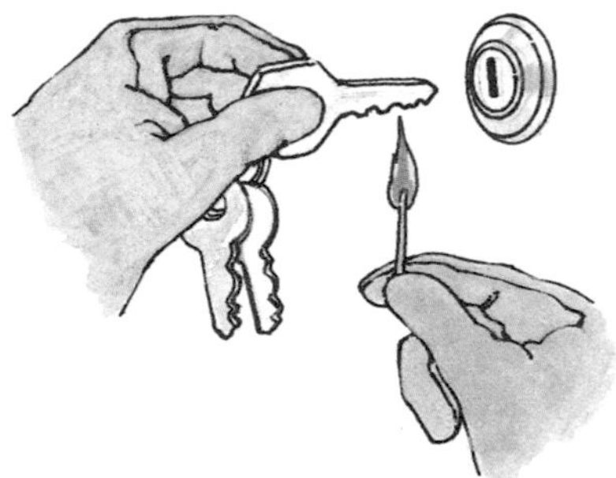

Pour prévenir le gel des serrures, enduisez-les d'un peu de lubrifiant au graphite (jamais à l'huile). Après, faites-les jouer plusieurs fois.

SEL ET ROUILLE

Les éclaboussures de sel dans les logements des roues sont source de rouille. Durant l'hiver et au printemps, lavez-les au tuyau.

Au printemps, lavez également le dessous de la voiture pour éliminer tous les agents de rouille. Stationnez-la sur une rampe d'arrosage à gazon pendant 20 minutes.

Pour empêcher la formation de rouille, la plupart des portes de voiture sont munies de trous pour que l'eau s'en échappe et que l'humidité sèche. Ces trous finissent par s'encrasser. Au moins une fois par an, débouchez-les avec un petit tournevis ou un cintre redressé.

PLUIE ET BROUILLARD

Après avoir traversé une flaque d'eau profonde, vérifiez vos freins pour vous assurer qu'ils prennent. S'ils sont mouillés et ne fonctionnent plus, roulez à environ 30 km/h et appuyez légèrement du pied gauche sur la pédale de frein. En 500 m, la chaleur engendrée par la friction aura séché les freins.

Pour mieux voir dans le brouillard, la meilleure chose est de combiner les phares antibrouillard et les feux de croisement ; ensuite les feux de croisement seuls. Les feux de route ne conviennent pas du tout.

Si vous stationnez sur le bord de la route par temps de brouillard, n'oubliez pas d'allumer les clignotants d'urgence. Les seuls feux de stationnement pourraient faire croire à l'automobiliste qui vous suit que vous avancez et il vous heurterait.

EN ÉTÉ

Avant de ranger les pneus d'hiver, vaporisez-les d'un produit à la silicone (jamais au pétrole) pour protéger le caoutchouc. Faites d'ailleurs la même chose pour les pneus d'été avant de les ranger pour l'hiver. Entreposez-les à plat.

Si le moteur cale ou rechigne, en été, changez de marque d'essence. Certaines contiennent un alcool qui, à la chaleur, peut vous causer des ennuis.

Côté cour, côté jardin

LE JARDIN : RÊVES ET RÉALITÉ

Un beau jardin, c'est une grande source de joie, mais aussi de profits. Arbres, arbustes, plantes florifères, belle pelouse, autant d'atouts qui peuvent augmenter de 10 p. 100 la valeur d'une propriété.

Avant de tracer un plan d'aménagement paysager, renseignez-vous à l'hôtel de ville sur le zonage et les règles concernant la construction, sur celles aussi qui régissent le creusement éventuel d'un terrain.

Ne modifiez pas votre jardin avant d'y avoir vécu pendant un an. Vous saurez ainsi où il est naturel de passer et où s'accumule la neige.

Faites un plan très détaillé de votre aménagement : vous l'imaginerez mieux dans la réalité. Pensez aussi à diviser les travaux par étapes.

Adoptez les dimensions attribuées à votre propriété au cadastre. Si vous n'avez pas ce document, adressez-vous à l'hôtel de ville ou au service pertinent ; on vous indiquera où vous le procurer.

L'AMÉNAGEMENT PAYSAGER

Sur du papier quadrillé, reportez à l'échelle tout ce qui existe déjà : maison, garage, remise, entrée, arbres, arbustes, affleurements rocheux. Indiquez drains, égouts, fils de téléphone et d'électricité, et conduites de gaz pour ne pas les endommager lors des travaux. Notez la direction des vents dominants et l'ensoleillement : vous en tiendrez compte pour installer arbres, haies, massifs et clôture. Notez les endroits mal égouttés pour les corriger. Identifiez les fenêtres : pensez aux points de vue que vous voulez garder ou dissimuler. Sur ce premier plan, placez du papier à décalquer et dessinez-y vos projets. Changez de feuille pour les corrections.

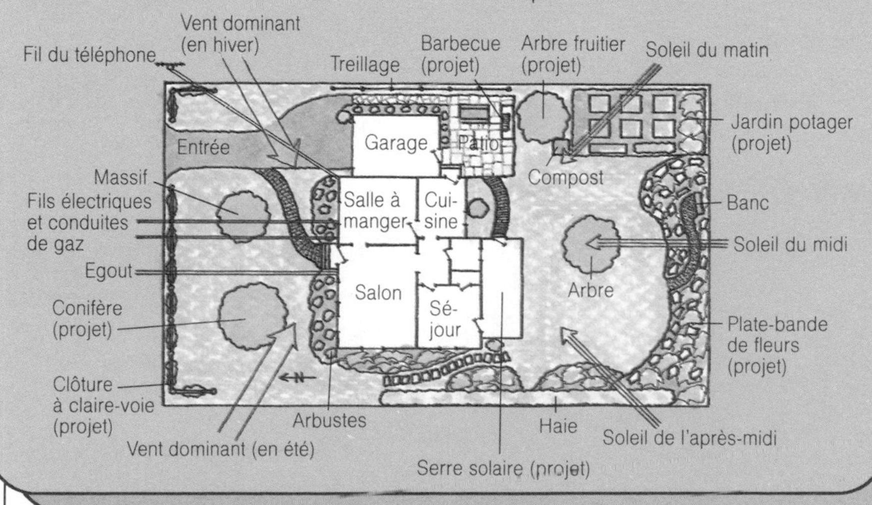

Pour mieux visualiser vos projets, projetez une diapositive des installations déjà existantes sur une grande feuille de papier. Faites un tracé de ces installations et dessinez les éléments que vous pensez ajouter ou modifier. Vous jugerez mieux des résultats.

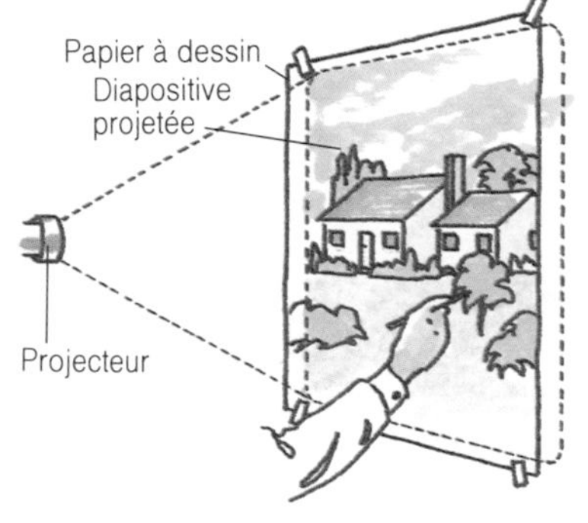

Choisissez un jour sans vent, deux semaines avant les plantations du printemps, pour vaporiser des glyphosphates sur l'herbe à la puce. Portez des gants de jardinage épais en coton autant pour la vaporisation que pour l'arrachage. Jetez ou enfouissez les plants morts dans deux sacs de plastique.

Plantez les arbres en fonction de votre aménagement. Si vous voulez qu'un patio exposé au sud-ouest soit à l'ombre l'après-midi, plantez un petit arbre à 5 m environ au sud-ouest du patio. S'il s'agit d'un arbre qui deviendra gros, augmentez la distance en conséquence.

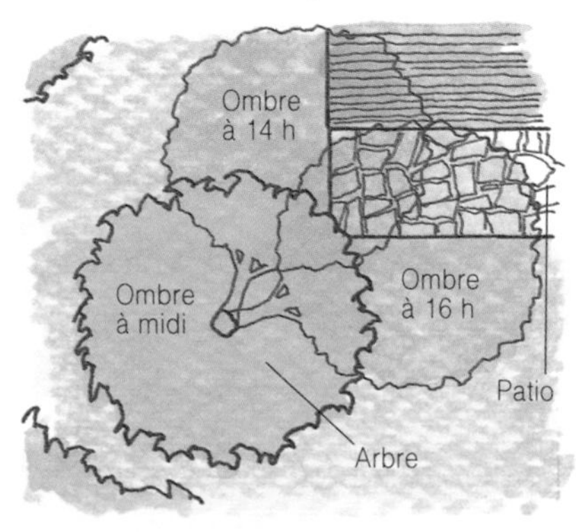

Pensez à la beauté du feuillage des arbres à l'automne au moment où vous choisissez vos espèces. Frênes, ginkgos, bouleaux, hamamélis, érables à sucre et peupliers virent au jaune vif ; chênes rouges, érables rouges, amélanchiers, fusains, au rouge vif ou orangé.

Evitez de planter des arbres ou des arbustes près des drains, des conduites d'eau et des fosses septiques. Leurs systèmes de racines, surtout ceux des saules et des peupliers, friands d'eau, pourraient faire craquer la maçonnerie et endommager ou boucher les tuyaux.

Si vous devez faire passer un égout, une conduite de gaz ou un drain sous un arbre, faites-le au centre du tronc : vous endommagerez moins les racines qu'à la périphérie.

Des plates-bandes latérales font paraître le jardin plus long et plus profond si, de l'avant à l'arrière, vous les élargissez peu à peu de façon qu'elles convergent.

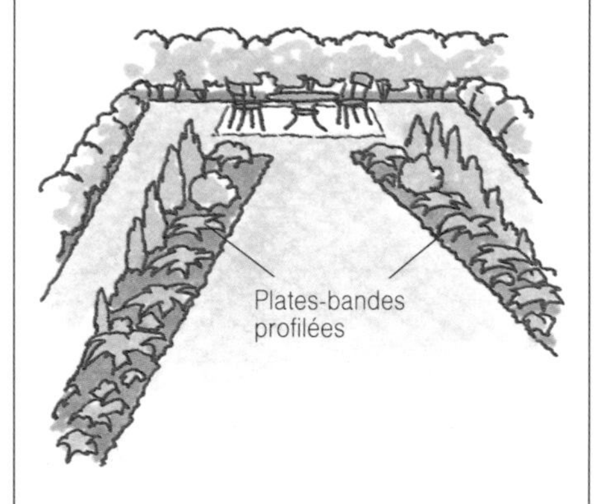

STRUCTURES DU JARDIN

S'il faut hausser le terrain pour les besoins de la construction, protégez les beaux arbres avec un système de drainage et d'aération qui les empêchera de suffoquer. Adressez-vous à un spécialiste.

Soulignez les beautés de votre jardin, la nuit, en installant des projecteurs et des bornes lumineuses. Pour bien les placer, faites des essais avec une lampe de poche puissante. Les entrées bien éclairées découragent les voleurs et évitent les accidents.

Le bois créosoté prolonge la durée des clôtures et des murs de soutènement, mais il est toxique pour certaines plantes. Le bois traité avec un agent de conservation à base de cuivre est plus sûr.

Pour que la pluie ne séjourne pas sur les poteaux de clôture, sciez-les en biseau sur le dessus ou couvrez-les de capuchons métalliques (vendus dans les magasins de bois).

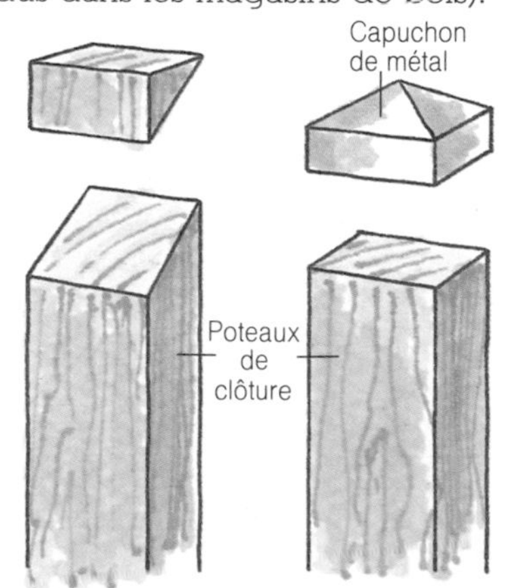

LE pH DU SOL

Mesurez le degré d'acidité ou d'alcalinité du sol. Les trousses d'analyse sont peu fiables. Adressez-vous au service d'agronomie de votre localité, à une ferme expérimentale du ministère de l'Agriculture ou à un entrepreneur paysager. Prélevez des échantillons en divers endroits. Lorsqu'ils sont secs, mettez-les dans des sacs de plastique hermétiques pour les faire analyser. Le prix de ces analyses est peu élevé et les agronomes vous diront également comment amender le sol au besoin.

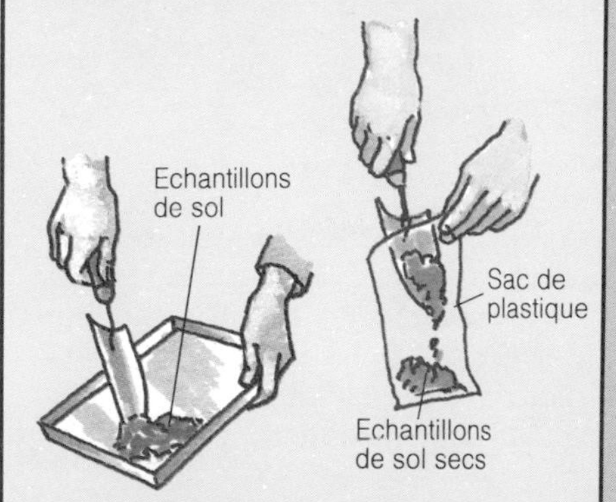

Les tests indiqueront le pH de votre sol. L'échelle va de 1 (très acide) à 14 (très alcalin). La plupart des plantes préfèrent des sols neutres dont le pH est entre 6,5 et 8; certaines, cependant, exigent un sol très acide, à pH entre 4 et 6, et d'autres un sol très alcalin, à pH de 8 et plus. Ainsi, les tests vous permettront de savoir quels arbres et quelles plantes mettre en terre pour avoir de bons résultats, ou comment amender le sol.

Arbres pour sol acide : caryer, chêne, cornouiller florifère, épinette, érable rouge, pin, pruche, sapin.

Arbustes pour sol acide : andromède des tourbières, azalée, bruyère, houx, kalmie, rhododendron.

Arbres pour sol alcalin : érable à sucre, genévrier, robinier.

Arbustes pour sol alcalin : bambou, buddleia, buis, cotonéaster, forsythie, lilas, seringa.

ARBRES ET ARBUSTES

Les vents froids augmentent-ils vos factures de chauffage ? Du côté d'où vient le vent, plantez un écran de verdure : deux rangs de conifères en quinconces.

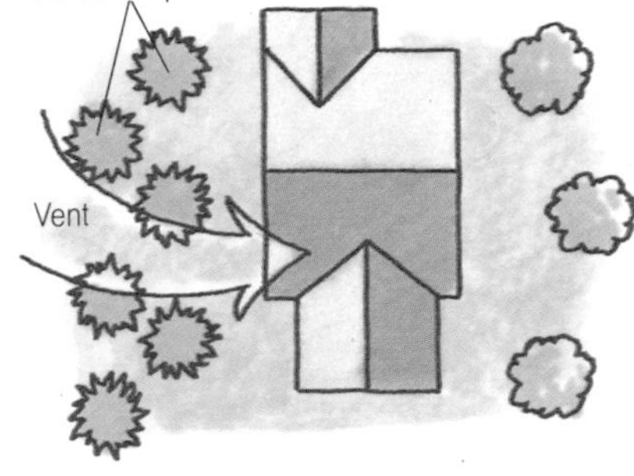

Si vous souhaitez obtenir rapidement cet écran, plantez une rangée de peupliers côté vent, à l'extérieur des conifères. Ils assureront la suppléance et vous les enlèverez lorsque les conifères seront adultes.

Confiez aux arbres et arbustes à feuilles caduques le soin de régulariser la température qu'il fait chez vous. En été, leur feuillage fait de l'ombre et la maison reste fraîche. En hiver, leurs branches dénudées laissent passer le soleil.

Lorsqu'une branche d'arbuste est fendue ou brisée, mieux vaut la rabattre que de l'éclisser.

ACHAT ET PLANTATION

N'achetez pas un conifère dont la motte, enveloppée de toile, est fendue ou s'égrène. Ses feuilles faneront après la plantation. Ou, après une brève période de santé, son feuillage tombera et l'arbre mourra.

Si vous recherchez les aubaines, pensez aux arbres ou aux arbustes à racines nues. Ils coûtent jusqu'à la moitié du prix des spécimens à motte et si vous les arrosez généreusement, ils vous donneront entière satisfaction dans la plupart des cas.

De nombreux arbres se plantent avec succès en automne, mais certains feuillus, comme les bouleaux et les érables rouges et argentés, préfèrent le début du printemps.

Lorsque vous avez à transplanter un gros arbuste, déplacez-le sur une pelle à neige.

ENGRAIS ET ARROSAGE

Fertilisez les arbres en automne, quand le sol est humide ; prenez un engrais à teneur modérée en azote et comptez 1 kg par 3 cm de diamètre du tronc, à hauteur de taille. Mettez l'engrais dans des trous de 60 cm de profondeur, bien espacés, depuis le tronc jusqu'à la périphérie des branches. Il existe des fertilisants à dégagement lent dont l'effet dure de trois à huit ans.

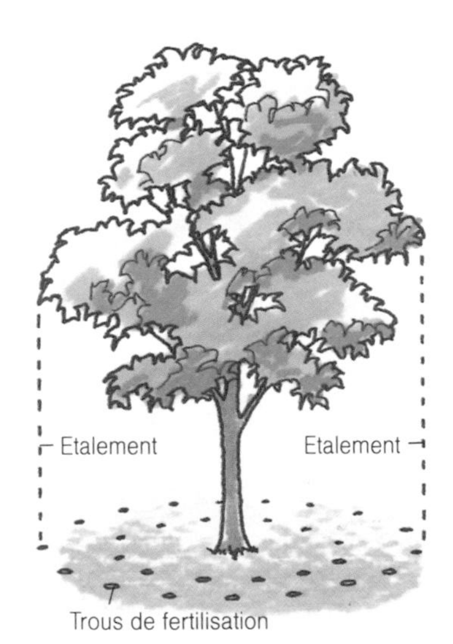

Le hêtre d'Amérique et le pommetier sont très sensibles aux engrais. Pour eux, il faut réduire la dose de fertilisants de moitié.

Vaporisez le feuillage des arbustes avec un engrais liquide. Les feuilles l'absorbent en quelques minutes et les résultats sont plus rapides.

Si les feuilles jaunissent par manque de fer, mettez 1 c. à thé de chélates de fer dans 5 litres d'eau et vaporisez le feuillage.

Arrosez les conifères, les rhododendrons, les kalmies et le houx au début de novembre si le sol est sec. Comme leurs feuilles dégagent de l'humidité, elles ont besoin de cette eau avant l'hiver.

TAILLE

Taillez les érables, les ormes, les cornouillers, les bouleaux et les virgiliers à la fin de l'été ou au début de l'automne ; ils ne couleront pas.

Pour que la blessure cicatrise plus vite, pratiquez l'émondage en vous servant d'un élagueur.

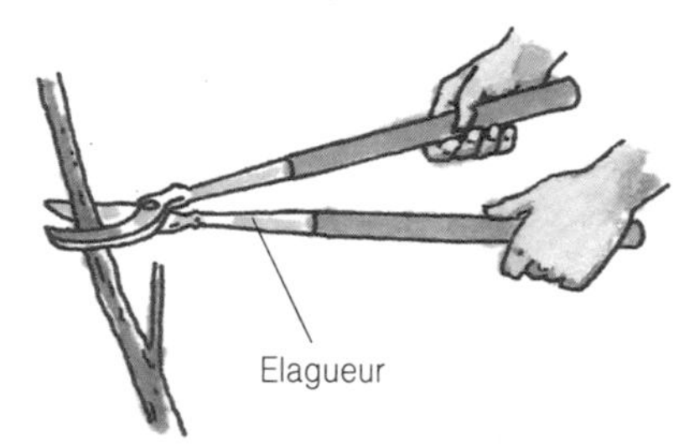

Taillez les arbres tard en automne, lorsqu'ils sont déjà en dormance. Le traumatisme est moindre et vous n'avez pas de feuilles à ramasser.

Rabattez les arbustes qui fleurissent au printemps, comme le forsythie et le chèvrefeuille, après la floraison ; rabattez au printemps ceux qui fleurissent en été, comme l'hydrangée.

PLANTATION D'UN JEUNE ARBRE

Choisissez une journée fraîche, sans soleil ni vent, au début du printemps ou de l'automne. Réunissez vos outils : pelle, pince à long bec, marteau, tuyau d'arrosage, deux tuteurs en bois de 2 m, deux coussinets de caoutchouc (prélevés sur un vieux pneu), du fil de métal robuste, les engrais recommandés pour votre sol et de la mousse de tourbe ou du compost. Mouillez la motte de racines de l'arbre.

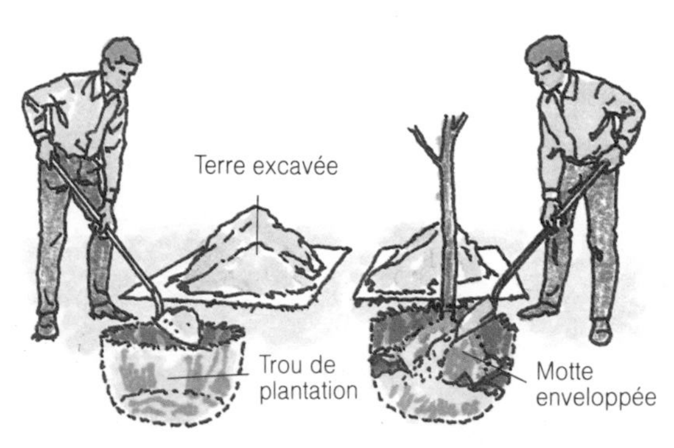

1. Creusez un trou dont le diamètre est le double de la motte de racines et la profondeur, une fois et demie celle de la motte. Au sol enlevé, mélangez mousse de tourbe ou compost et engrais à raison de 2 volumes de terre pour 1 d'additifs.

2. Remplissez le trou de sorte que l'ancienne marque de terre sur le tronc de l'arbre soit au niveau de la surface du sol. Dégagez les racines du sac de toile et enlevez celui-ci prudemment pour ne pas déranger la motte. Achevez de remplir le trou.

3. Tassez la terre avec les pieds en formant une petite cuvette pour retenir l'eau. Arrosez bien. Enfoncez les deux tuteurs à l'extérieur de la motte. Attachez les coussinets de caoutchouc au tronc de l'arbre et ceux-ci aux tuteurs en laissant du jeu.

Evitez d'endommager le collet d'une branche abîmée que vous devez supprimer. Laissez d'abord un moignon, obtenu à partir de deux incisions, puis sciez près du collet. La plaie sera plus nette.

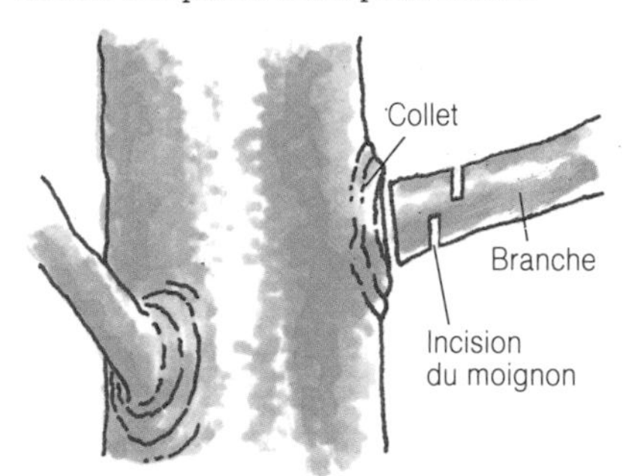

Il vaut mieux laisser une telle plaie se cicatriser d'elle-même plutôt que de l'enduire de produits spéciaux. Ceux-ci entretiennent l'humidité et favorisent le pourrissement.

N'émondez pas sévèrement les pommiers au plus fort de l'été. Leur écorce est fragile : exposée aux rayons brûlants du soleil, elle risque d'en être endommagée.

ATTENTION AUX BÊTES

Protégez les petits arbres contre les lapins et les souris. Entourez le tronc de bandes en fibre de verre.

Contre les lapins, vous pouvez également installer autour des arbustes et des arbres des collets en plastique (vendus en quincaillerie) ou arroser le tronc d'un produit répulsif.

Les chevreuils aussi ont faim. Suspendez aux branches de l'arbuste, pour le protéger, un pain de savon Ivory enfermé dans un filet.

TAILLE D'UNE HAIE TROP HAUTE

Certaines plantes à haie réagissent bien à une taille sévère : troène, prunus, chèvrefeuille. Rabattez-les à 15 cm du sol et bientôt surgiront de nouvelles pousses. Le forsythie, le rosier arbustif et l'épine-vinette reprendront aussi de la vigueur si vous rabattez au sol leurs vieilles branches. Une taille aussi sévère doit se faire tôt au printemps et s'accompagner d'arrosages fréquents et d'une fertilisation généreuse.

Pour la plupart des haies, cependant, il est préférable d'étaler la taille sur une période de trois ans. Voici comment faire.

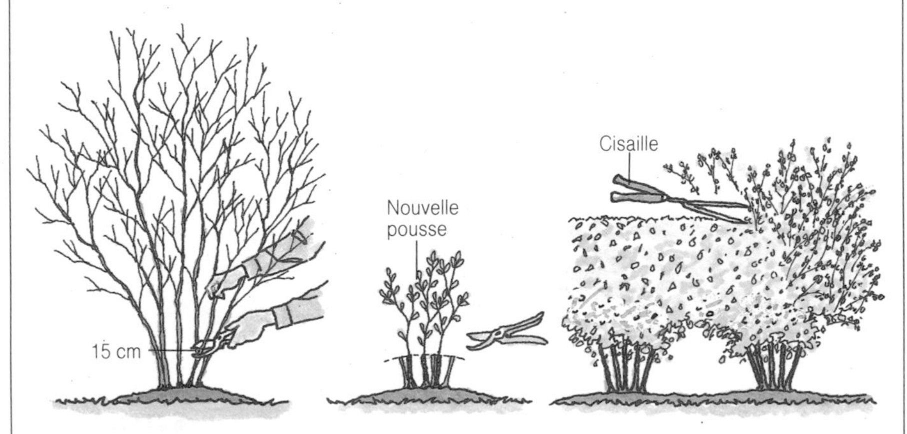

1. Tôt au printemps, rabattez à 15 cm du sol deux ou trois seulement des plus vieilles branches, au centre de l'arbuste.

2. Le printemps suivant, quand vous voyez surgir de ces moignons de nouvelles tiges, taillez les autres grosses branches.

3. Le troisième printemps, rabattez les plus jeunes branches à la hauteur et à la largeur voulues pour votre haie.

Si les écureuils cueillent vos pommes avant vous, percez des trous dans une douzaine d'assiettes à tarte en aluminium et attachez-les une à une aux branches les plus basses des arbres fruitiers. Le bruit terrifiera et écartera vos petits prédateurs sans leur faire de tort.

PELOUSE : PROBLÈMES

L'analyse du sol révèle-t-elle que votre pelouse a besoin d'être chaulée ? Faites-le au début de l'automne et par la suite tous les trois ans, sans plus. Si le sol manque d'acidité à la suite de trop fréquents chaulages, traitez-le au soufre élémentaire : 2,5 kg pour 100 m^2.

Si les taupes creusent des galeries sous la pelouse, c'est qu'il y a des larves. Traitez avec un insecticide (diazinon ou chlorpyrifos) pour tuer les larves ; les taupes s'en iront.

Découvrez-vous le matin qu'un prédateur a retourné des plaques de pelouse ? C'est un raton laveur ou une mouffette à la recherche d'insectes. Etalez des cristaux à mites ; peut-être ira-t-il ailleurs.

PELOUSE : ENTRETIEN

Q : Il y a tant d'engrais sur le marché maintenant, comment savoir lequel choisir pour ma pelouse ?
R : Pensez à la formule et non à la marque. Les trois chiffres sur l'emballage donnent la teneur en azote (N), phosphore (P) et potassium (K), les trois principaux éléments ; ce sont des pourcentages. L'engrais à pelouse doit être riche en azote au printemps. Sa formule sera donc de 10-6-4 : 10 p. 100 d'azote. A l'automne, prenez plutôt du 5-10-5 plus riche en phosphore ; les racines en bénéficieront.

Q : Mon voisin épand de la chaux tous les printemps. Est-ce nécessaire ?
R : Oui, si l'analyse (p. 205) révèle qu'il doit corriger le pH du sol. Un excès de chaux fait pousser la digitaire.

Q : Comment savoir quand arroser ?
R : Si vos pieds laissent leur marque sur la pelouse, il faut arroser. L'herbe sèche n'a plus de ressort.

Q : A quelle fréquence arroser ma pelouse et combien d'eau lui donner ?
R : En règle générale, arrosez deux fois par semaine en calculant 1,5 cm d'eau. Si le sol est sablonneux, faites trois arrosages. Pour calculer la quantité d'eau, placez un récipient gradué près de l'arroseur.

Q : Quand dois-je tondre ?
R : Faites une tonte légère chaque semaine. Ne coupez pas plus de 40 p. 100 de feuille ; une tonte trop rase endommage l'herbe et la fait roussir.

Q : Existe-t-il un moyen pour enlever les feuilles plus facilement ?
R : Louez un aspirateur à feuilles ; vous ferez le travail dans le temps de le dire. Autre solution, balayez les feuilles en descendant une pente. Mettez-les en sac ou broyez-les pour en faire du paillis ou du compost.

Q : Mon engrais renferme de l'azote synthétique. L'azote organique est-il meilleur ?
R : Les matières organiques se décomposent plus lentement ; leur effet est donc plus durable.

La présence de mousse sur l'herbe indique que l'écoulement des eaux se fait mal ou que le sol est trop compact. Epandez du gypse, à raison de 20 kg pour 100 m^2.

Ratissez la pelouse après la tonte si votre tondeuse n'a pas de bac récupérateur. Les débris d'herbe se décomposent lentement. Ils finissent par former une épaisse couche de chaume qui empêche l'eau et les fertilisants de pénétrer dans le sol.

La pelouse sur laquelle on marche beaucoup a besoin de racines robustes. Epandez des superphosphates une fois par an, à raison de 5 kg pour 10 m^2.

Quand les feuilles s'accumulent sur le gazon, elles étouffent l'herbe. Ne les laissez pas former un épais tapis sur votre pelouse ; ratissez-les.

TONTE DU GAZON

Le bout des brins d'herbe blanchit-il après la tonte ? Votre tondeuse coupe mal. Affûtez la lame d'une tondeuse rotative tous les mois, celle d'une tondeuse à hélice, une fois par an.

Pour empêcher le sol sous la pelouse de se tasser, ameublez-le et aérez-le une fois par an avec une fourche à jardin. Vous introduisez la fourche dans le sol et vous la remuez. Autre solution : après une tonte, louez un aérateur mécanique et passez-le sur la pelouse.

La lame des tondeuses rotatives tourne à grande vitesse ; gare aux branches et aux cailloux qu'elle éjecte. Ajoutez à votre tondeuse un sac de récupération monté à l'arrière pour prévenir les accidents.

ÉLIMINATION DES MAUVAISES HERBES

Pour maîtriser ses ennemis, il faut les connaître. Apprenez à identifier les mauvaises herbes et faites-leur subir le traitement qui convient.

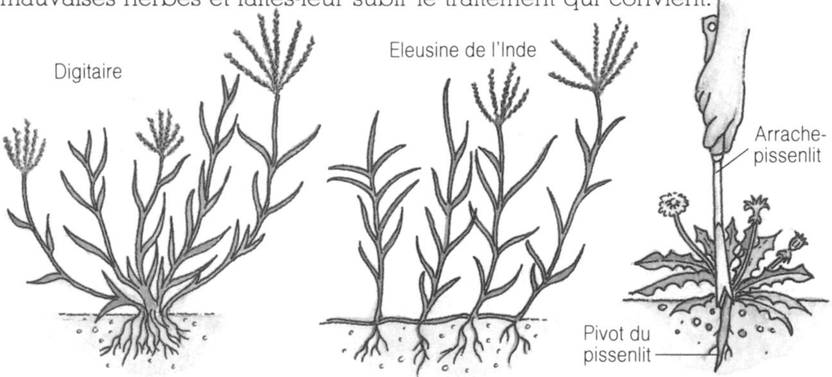

Annuelles. Au printemps, la digitaire et les autres mauvaises herbes annuelles sortent de terre. Elles envahissent le sol et évincent les graminées utiles. Au moment où les crocus sont en fleur, appliquez un herbicide qui agira avant la germination des plantes indésirables sans nuire aux autres : DCPA, amitrole, siduron et bensulide.

Vivaces. Plusieurs graminées robustes enlèvent à une pelouse sa beauté parce qu'elles viennent en touffes. Celles à feuilles linéaires roussissent à la chaleur ou si on les tond trop ras. Les herbicides avant la levée n'ont aucun effet sur ces mauvaises herbes. Il faut donc vaporiser chaque touffe isolément avec un glyphosphate. Dans les cas désespérés, traitez toute la pelouse et ressemez.

Herbes à grandes feuilles. Arrachez avec un transplantoir le plantain et autres plantes à racines fibreuses ; prenez un arrache-pissenlit pour enlever celles qui ont des racines pivotantes. Certaines plantes aux racines tenaces s'éliminent plus facilement si on les traite avec un herbicide chimique comme le 2,4-D au printemps et en automne.

Les roues de la mototondeuse ne laissent pas de traces si vous changez de parcours à chaque tonte.

Si votre tondeuse n'a pas de sac, travaillez du dehors vers le centre en allant vers la gauche. Les débris d'herbe tombent sur une section déjà tondue et ne risquent pas de bloquer l'appareil.

Les mouches adorent se reproduire sur les débris d'herbe qui adhèrent à la tondeuse. Nettoyez-la après chaque tonte, avant de la ranger.

NOUVELLE PELOUSE

Si vous voulez régénérer votre pelouse, faites-le au début du printemps, avant que la chaleur ne s'installe, ou à la fin de l'été, pour que le gazon ait le temps de s'établir avant l'arrivée du froid.

Pour réparer des plaques dénudées, posez des mottes de gazon. Enlevez une tranche de terre de 2 cm d'épaisseur, coupez net les bords et installez la nouvelle motte.

N'achetez rien d'autre que des graines « certifiées ». Cette mention vous permet de croire que les graines ont été inspectées par des représentants du gouvernement et qu'il s'y mélange donc moins de graines de mauvaises herbes.

En achetant du terreau pour amender votre sol, exigez de la terre noire. Autrement, vous pouvez vous retrouver avec une matière presque stérile et donc inutile.

Pour épandre uniformément semences ou engrais, faites l'opération en deux fois : épandez la moitié dans le sens nord-sud et le reste dans le sens est-ouest.

Ratissez légèrement après les semailles pour hâter la germination. Ou traînez sur le sol une section de clôture à mailles de métal.

Le foin de pré salé constitue un paillis idéal pour les pelouses récemment ensemencées. Il est bon marché, sans mauvaises herbes et se décompose rapidement.

Pour empêcher la pluie d'entraîner les semences si le terrain est en pente, chevillez du coton à fromage par-dessus. C'est une matière si frêle que le gazon poussera à travers.

Arrosez les semailles tous les jours, et deux fois par jour si le temps est ensoleillé et venteux. Le sol doit être humide mais non détrempé.

Lorsque vous utilisez une motobineuse, fragmentez les mottes plus grosses qu'une balle de golf, mais ne réduisez pas la terre en poudre. Vous priveriez les graines des abris qu'il leur faut pour se protéger du vent et du soleil.

AMENDEMENT DU SOL

Ne travaillez pas le bon terreau. Labourer ou bêcher le sol chaque année en détruit la structure et inhibe sa fertilité. Si vous voulez enrichir votre terre, ajoutez-lui un bon paillis organique ; il freine la croissance des mauvaises herbes et se transforme en humus.

Le marc de café a de bonnes propriétés. Epandez-le autour des carottes et des melons. En se décomposant, il enrichit la terre.

Vous pouvez cultiver les fleurs et les légumes dans un sol pourtant stérile, caillouteux et mal égoutté. Construisez des plates-bandes surélevées et remplissez-les de bonne terre. Voir page suivante.

Cherchez-vous un paillis bon marché et nourrissant pour vos fleurs ? Pensez aux feuilles mortes. Passez la tondeuse dessus pour les réduire en petits fragments.

DOUBLE BÊCHAGE

Pour protéger la beauté de vos massifs de fleurs ou préparer le sol à recevoir des plantes à longues racines, pratiquez le double bêchage.

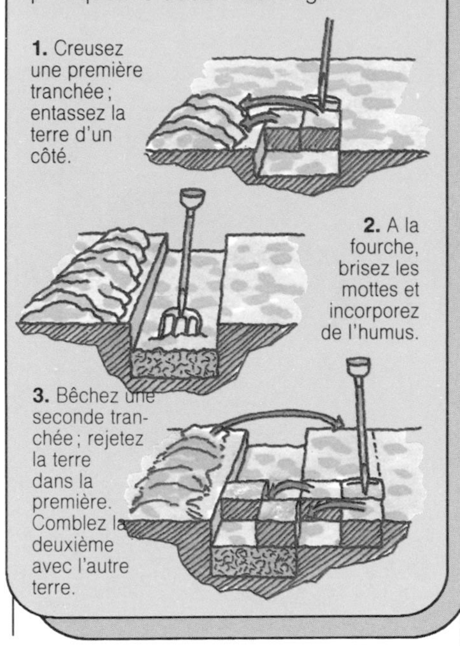

1. Creusez une première tranchée ; entassez la terre d'un côté.

2. A la fourche, brisez les mottes et incorporez de l'humus.

3. Bêchez une seconde tranchée ; rejetez la terre dans la première. Comblez la deuxième avec l'autre terre.

LE TAS DE COMPOST

Dans un coin isolé de votre jardin — un endroit ombragé ou ensoleillé, bien égoutté et en pente légère —, édifiez votre tas de compost. Fabriquez-vous un silo avec du grillage métallique ou des lattes de bois en ménageant un accès ou laissez le compost en tas à l'air libre. Par temps très chaud, le compost peut être prêt en environ six semaines.

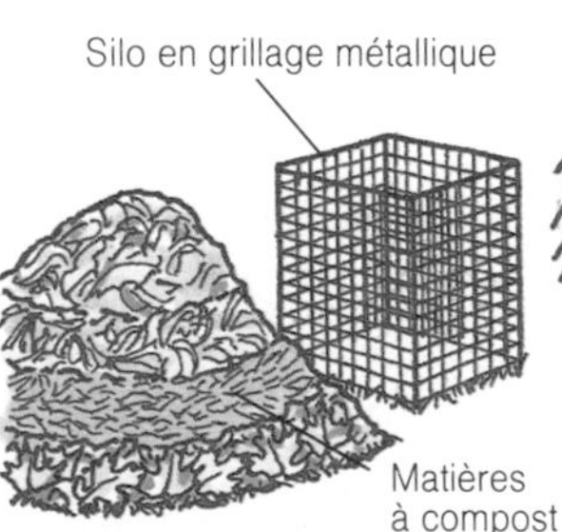

1. Entassez les matières compostables près du silo : feuilles mortes, débris d'herbe, mauvaises herbes, marc de café, pelures de fruits et de légumes. Ecartez les déchets de viande ou de produits laitiers.

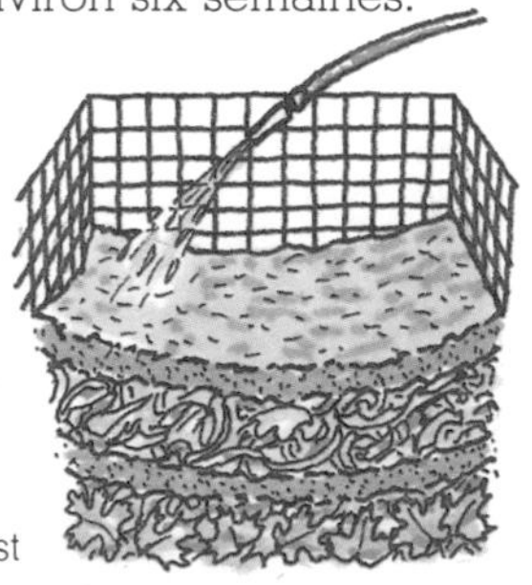

2. Edifiez le tas dans le silo par couches de 12 à 25 cm d'épaisseur. Ménagez une légère dépression au milieu. Saupoudrez de l'engrais 10-10-10 ou du fumier de cheval. Recouvrez de 5 cm de bonne terre à jardin.

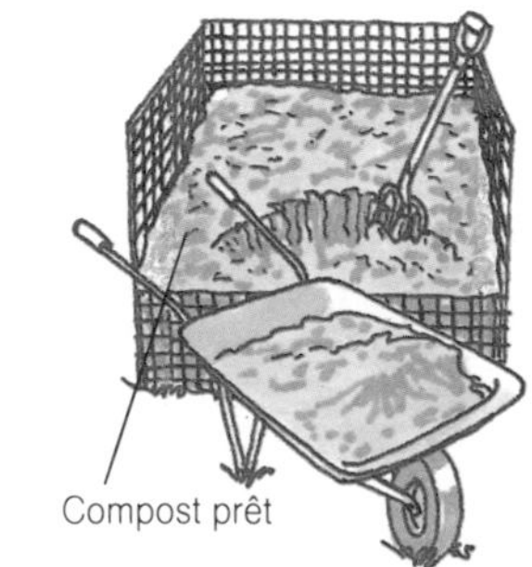

3. Retournez le compost avec une pelle toutes les deux semaines (si vous ne faites pas cela, le compost sera plus lent à se décomposer). Gardez le tas humide. Lorsque le compost est brun et friable, il est prêt à servir.

RÉALISATION D'UNE PLATE-BANDE

Donnez à vos bordures florales une largeur raisonnable, entre 1,5 et 2 m. Prévoyez un petit passage derrière pour faciliter le désherbage.

Pour avoir des massifs superbes, réunissez trois ou quatre sujets de même type et de coloris semblables. Les groupements en vagues sont encore plus spectaculaires.

Si le jardin est à l'ombre, faites de cet inconvénient un défi. De nombreuses plantes florifères très belles préfèrent l'ombre au soleil : c'est le cas de l'heuchère, du pigamon, de la barbe-de-bouc, de l'hémérocalle et du sceau-de-Salomon pour n'en nommer que quelques-unes.

BULBES

Plantez-les à une profondeur égale à deux fois et demie leur diamètre. Un bulbe de jonquille d'un diamètre de 6 cm doit être enfoui à 15 cm de profondeur.

S'il y a des chevreuils dans votre région, plantez des jonquilles et oubliez les tulipes : pour eux, c'est un mets de choix.

Fertilisez les massifs de tulipes avec un engrais à bulbes tôt au printemps avant qu'elles sortent de terre. Etalez l'engrais, ratissez un peu et laissez les ondées faire le reste.

Voulez-vous que vos bulbes printaniers donnent des fleurs plus grosses qui durent plus longtemps ? Gardez les cendres de bois, riches en potassium, de votre poêle à bois ou du foyer et épandez-les au début de la période de croissance. Mais n'oubliez pas que les cendres augmentent l'alcalinité du sol.

PLATE-BANDE SURÉLEVÉE

Les plates-bandes surélevées ont bien des avantages : le sol est plus chaud, le désherbage est plus facile, il y a moins d'érosion. En outre, ces plates-bandes ont belle allure.

Vous pouvez construire une plate-bande de 2,5 m sur 3,75 à deux dormants. Il vous faudra 10 dormants usagés de 2,5 m (deux coupés en deux), 12 barres d'armature de 1 m environ et de 1 cm de diamètre, une douzaine de crampons galvanisés, une pelle et une masse.

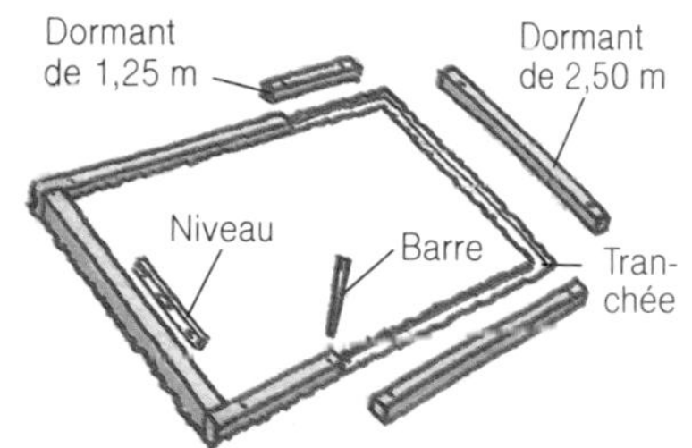

1. Posez la première rangée de dormants (quatre de 2,5 m et deux moitiés) en formant un rectangle de 2,5 m sur 3,75. Au niveau des joints, laissez un espace pour l'égouttement. Marquez le contour à la pelle ; retirez les dormants et creusez une tranchée de 5 cm. Percez un trou vertical de 2 cm à 15 cm du bout des dormants.

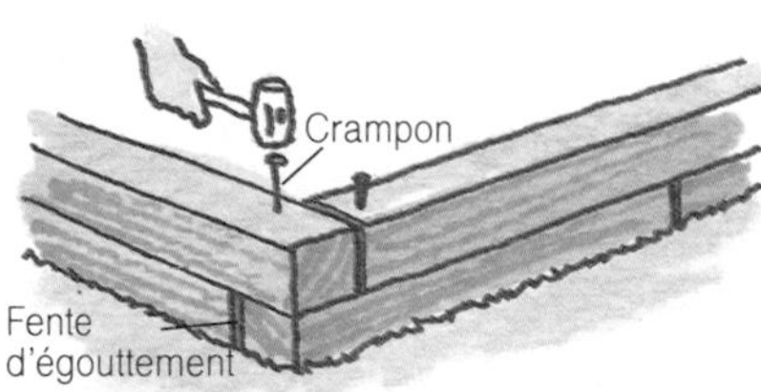

2. Installez les dormants dans la tranchée ; vérifiez leur aplomb, puis assujettissez-les en enfonçant dans le sol les barres d'armature avec la masse. Superposez les autres dormants en décalant les joints. Fixez-les avec des crampons.

3. Remplissez le cadre de la plate-bande avec une terre à jardin enrichie de compost, de fumier ou de feuilles décomposées. Pour remplir une plate-bande de 2,5 m sur 3,75, il faut un total de 0,10 m³ de mélange terreux dont le quart doit être constitué de matières organiques.

Pour dissimuler les feuilles des jonquilles après la floraison, attachez-les avec une bande élastique après les avoir réunies et pliées. Plantez des annuelles ; elles auront vite fait de cacher vos plantes bulbeuses.

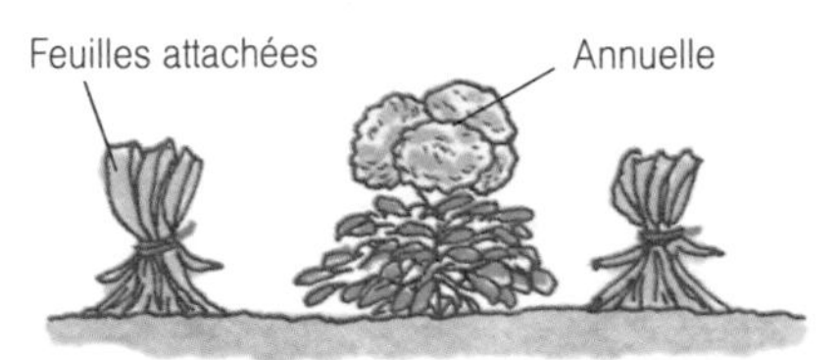

Laissez mourir le feuillage des bulbes plantés dans le gazon avant de tondre. Il nourrit le bulbe et facilite la floraison de l'année suivante.

Plantez à l'automne les bulbes qui fleurissent au printemps. Si l'on vous fait cadeau de bulbes de tulipe ou de jonquille à la fin de l'automne, plantez-les au jardin aussitôt. Ils ne survivraient pas à l'hiver si vous les gardiez dans la maison.

Plantez les bulbes de tulipe à 20 ou 25 cm de profondeur. Autrement, le bulbe se divise en de nombreux caïeux le printemps suivant et ces caïeux donnent des feuilles mais non des fleurs.

Cependant, si vous voulez multiplier vos jonquilles ou vos jacinthes, utilisez les caïeux. En début d'été, au moment où le feuillage est jaune, déterrez les bulbes, détachez les caïeux et remettez-les tous en terre. Il faut attendre un an ou deux avant que les nouveaux plants de jacinthe portent fleurs, deux ou trois ans dans le cas des jonquilles.

MISE EN TERRE DE PETITS PLANTS

Avant de repiquer de jeunes plants en pleine terre, accordez-leur deux semaines d'acclimatation durant lesquelles vous les exposerez progressivement au soleil et à l'air. Posez-les en couche froide dans un bac que vous couvrirez la nuit. Augmentez la durée d'exposition au soleil en découvrant le bac de plus en plus chaque jour. A défaut, sortez les plantules le matin et rentrez-les de plus en plus tard. Avant le repiquage, vos plants auront déjà passé quelques nuits à la belle étoile. Repiquez quand le sol est chaud et que tout danger de gel est écarté. Choisissez une journée nuageuse, un après-midi sans vent ou faites-le en soirée.

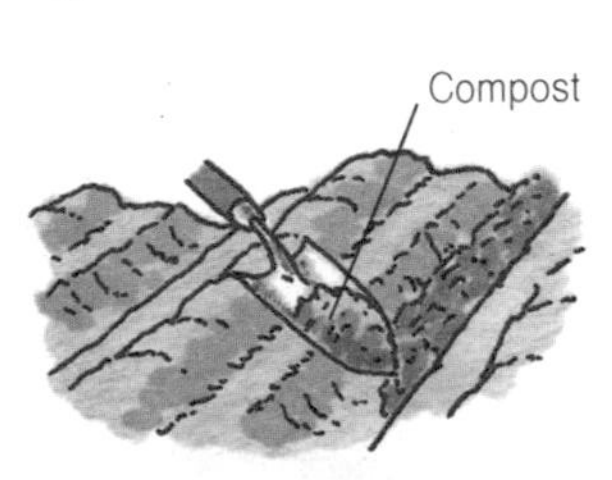

1. Creusez une tranchée ou des trous assez profonds pour que le plant ne soit ni plus ni moins enfoui que dans son pot. Dans le fond, mélangez du compost à la terre ou incorporez 1 c. à thé d'engrais 5-10-10 par plant ; recouvrez de 5 cm de terre pour que les racines des plantes ne touchent pas directement à l'engrais. Remplissez d'eau et laissez-la pénétrer.

2. Arrosez les plants généreusement la veille du repiquage. Introduisez le transplantoir avec précaution dans la terre, sous le plant ; sortez-le en le tenant avec soin de l'autre main. Dans la mesure du possible, gardez la motte de racines et de terre intacte.

3. Contre les vers gris, enroulez 5 cm de papier cartonné ou goudronné autour de chaque plant de légume ; mieux encore, glissez sur la tige un gobelet de styromousse sans fond. Installez les plants pour que ce collet dépasse de moitié ; tassez le sol tout autour. Arrosez généreusement. Maintenez le sol humide tant que les plants ne montrent pas des signes de reprise.

Lorsque vous forcez vos bulbes de crocus ou de jacinthe, mettez du charbon de bois dans l'eau pour éliminer les taches d'algues.

Après la floraison, continuez à arroser et à fertiliser les bulbes forcés. Lorsque le feuillage meurt, faites-les sécher pour les planter ensuite en pleine terre à l'automne.

CHOIX DES ROSIERS

Les amateurs de la culture des roses peuvent demander des renseignements à la Fédération des sociétés d'horticulture et d'écologie du Québec, à Montréal.

Le prix des plants n'est pas toujours synonyme de qualité. Les rosiers n° 1 (les meilleurs) sont plus chers que les ½ et les 2 mais les variétés bien connues le sont moins que les hybrides récemment médaillés.

Le rosier arbustif descend de l'ancien rosier de jardin. Sa floraison est intermittente. La taille est simple : vous n'avez qu'à enlever les tiges les plus vieilles au début du printemps. Certaines variétés ne prospèrent que sur la côte de la Colombie-Britannique ; ailleurs, la plupart des variétés ont besoin d'être protégées. Renseignez-vous chez un pépiniériste.

Le rosier pimprenelle aux épines redoutables empêche les animaux de passer et tolère un sol pauvre.

Dans les régions froides ou près de la mer, les rosiers du Japon, qui sont rustiques, constituent un choix idéal. Ces jolis arbustes supportent les embruns salés, les vents tenaces et des températures de −34°C (−30°F). Ils forment des haies touffues qu'il faut émonder de temps à autre pour en diriger la croissance.

Pensez à transformer un rosier grimpant en couvre-sol original ; étalez ses branches et mettez des arceaux métalliques ici et là.

ENTRETIEN ET MULTIPLICATION DES VIVACES

Certaines vivaces se développent du centre vers la périphérie ; le cœur meurt. La plante perd de sa beauté et dépare vos bordures. Si vous avez de vieux plants de vivaces dans vos massifs, rajeunissez-les en divisant les touffes. Avant de procéder, arrosez-les généreusement et, quelques jours plus tard, déterrez les souches et divisez-les. Ce travail peut se faire au printemps ou à l'automne. Mieux vaut diviser les pivoines en fin d'été, les chrysanthèmes et les grandes marguerites au printemps.

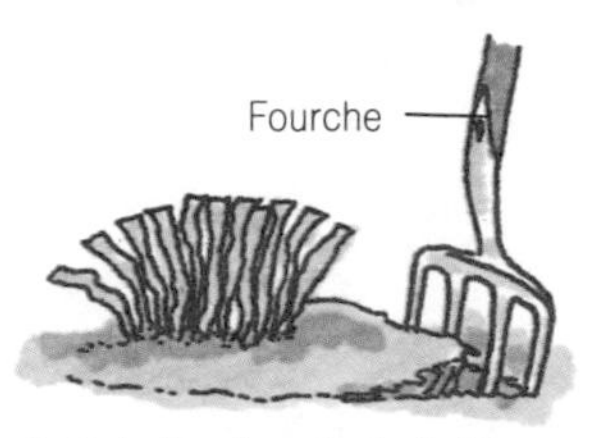

1. Rabattez les plants à 15 cm pour mieux repérer ceux qui ont besoin d'être divisés. Quand vous avez arrêté votre choix, déterrez la touffe entière en prenant garde d'en déranger les racines.

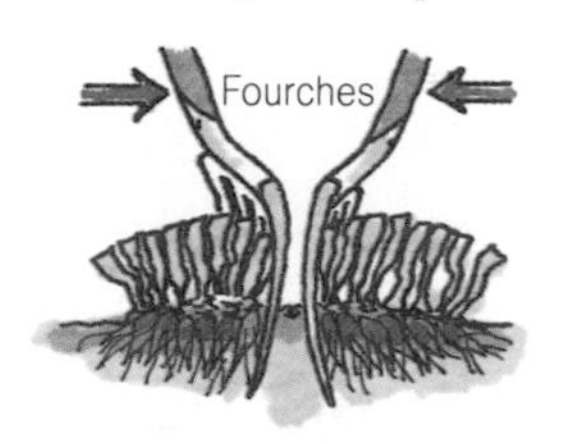

2. Insérez dos à dos en plein centre de la touffe deux fourches et ouvrez lentement la motte en rejoignant les manches. Si le cœur est mort, ne gardez que les parties saines et redivisez-les en plus petits plants.

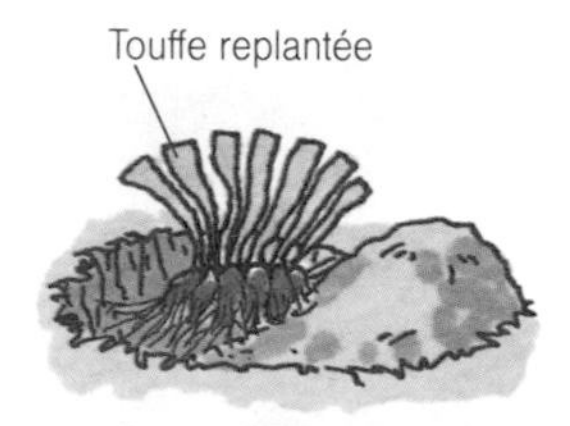

3. Dans le trou de plantation, mélangez au sol de l'humus et un engrais sans azote comme du 0-10-10. Enfouissez une des nouvelles touffes dans l'ancien trou ; plantez les autres en bordure ou au milieu du massif.

ROSIERS : ENTRETIEN ET CARACTÉRISTIQUES

Fertilisez les rosiers avec du 5-10-5 ou un engrais spécial pour rosiers au printemps quand les boutons gonflent, à la fin de la première floraison (pour amener la seconde) et vers la fin de l'été pour obtenir une floraison automnale. Ne fertilisez pas les rosiers l'année de leur plantation.

La plupart des rosiers se classent dans l'un des groupes suivants :

Hybrides de thé. Ils fleurissent sans interruption du printemps au premier gel et se couvrent de belles fleurs doubles (une par tige d'ordinaire) aux coloris spectaculaires. Rabattez les tiges au printemps. La fleur coupée est très belle. Protégé, l'hybride de thé pousse dans de nombreuses régions.

Floribunda. Ils donnent en abondance durant toute la période de croissance des fleurs groupées en bouquets. Plus vivaces et moins vulnérables que les hybrides de thé, les floribunda réclament les mêmes soins. On peut les planter en haie.

Grandiflora. Ce sont de grands buissons majestueux dont les fleurs, groupées en bouquets comme celles des floribunda, ressemblent aux roses des hybrides de thé. Les grandiflora demandent les mêmes soins que les hybrides de thé.

Rosiers anciens. Dans ce groupe, on trouve la rose de Chine, la rose thé et la rose noisette, toutes présentes en Colombie-Britannique. La rose de France, la rose bourbon et d'autres rosiers, antérieurs à l'apparition de l'hybride de thé en 1864, poussent dans les zones les plus froides du Canada. Les trois premières demandent peu d'émondage ou de vaporisations. Dans le cas des autres, il faut rabattre le tiers des tiges au printemps et après la première floraison.

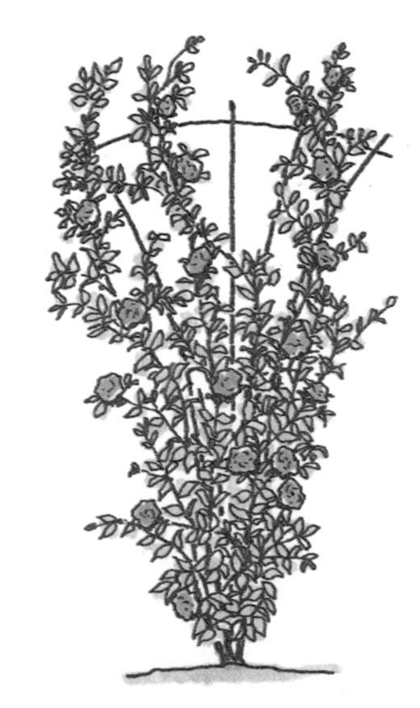

Rosiers grimpants. Ce groupe comprend des remontants et des non remontants. Dans le cas des remontants, on enlève les tiges mortes ou maladives au début du printemps. Lorsque les fleurs se fanent, il faut rabattre les tiges latérales à 6 mm de la deuxième feuille à cinq folioles pour obtenir une nouvelle floraison. Dans le cas des non remontants, on supprime les tiges mortes après la floraison. Ces rosiers exigent une protection hivernale.

ENTRETIEN DES ROSIERS

La taille des rosiers a pour fonction de supprimer le bois mort, blessé ou malade. Terminez en enlevant les branches qui s'entrecroisent.

On remarque parfois des taches noires sur les feuilles des rosiers ; peu après celles-ci tombent. Attention : la plante peut souffrir d'une maladie cryptogamique, la tache noire. Vaporisez la plante chaque semaine avec du bénomyl.

Aimeriez-vous que vos hybrides de thé donnent des fleurs plus imposantes ? Pincez les petits boutons latéraux et ne gardez que le bouton terminal central.

LÉGUMES ET FRUITS

Pour libérer un nouveau jardin des mauvaises herbes, plantez du sarrasin au printemps. Il étouffe les mauvaises herbes et ajoute de l'humus au sol. Mais il faut le retourner avant qu'il monte en graine.

Semés entre des rangs de plantes lentes à venir, comme les carottes, les radis, de croissance rapide, ont une double fonction : ils délimitent les rangs et ils ameublissent le sol d'une part quand ils poussent, d'autre part quand vous les arrachez.

Si votre jardin est petit, plantez des arbres fruitiers nains. Plusieurs portent des fruits avant les variétés standard et vous n'avez pas à grimper dans une échelle pour la taille, les vaporisations et la cueillette.

RÉCOLTES PRODUCTIVES

Tirez plein parti de l'espace dont vous disposez en semant des laitues entre des légumes plus lents à venir : brocoli ou chou.

Vous pouvez aussi planter des légumes ou des petits fruits dans les massifs de fleurs. Les fraises, le persil et la ciboulette font de jolies bordures ; et les vivaces se détachent bien sur le feuillage des plants de carotte ou d'asperge.

PLANTATION DES ROSIERS À RACINES NUES

Commandez par la poste vos rosiers à racines nues ou achetez-les chez un pépiniériste local. Vous devriez les mettre en terre tôt au printemps ou tard à l'automne, selon la zone climatique où vous vivez. Les bons fournisseurs vous les feront parvenir à temps pour la plantation.

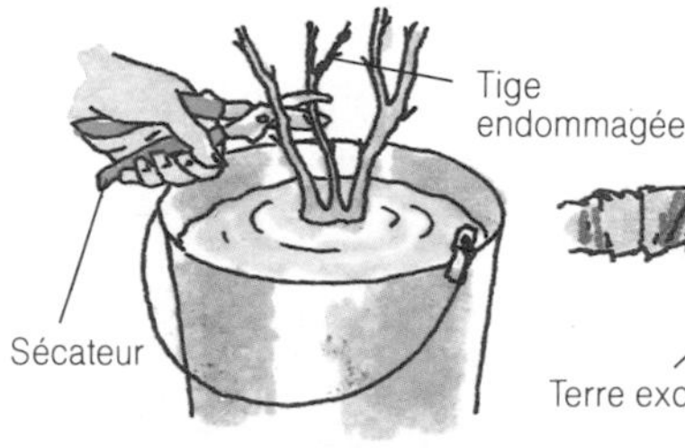

1. Déballez dès leur réception les plants à racines nues et mettez racines et tiges dans un seau d'eau pendant 24 heures. Taillez les racines blessées et les tiges endommagées avant la plantation.

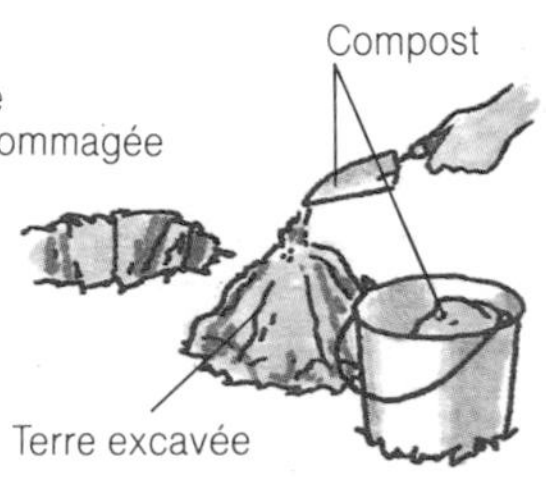

2. Creusez un trou assez grand pour que les racines y soient à l'aise. Ajoutez du compost, de la mousse de tourbe ou du fumier bien décomposé à la terre excavée : 1 volume d'additif pour 3 de terre. Façonnez un petit monticule au fond du trou.

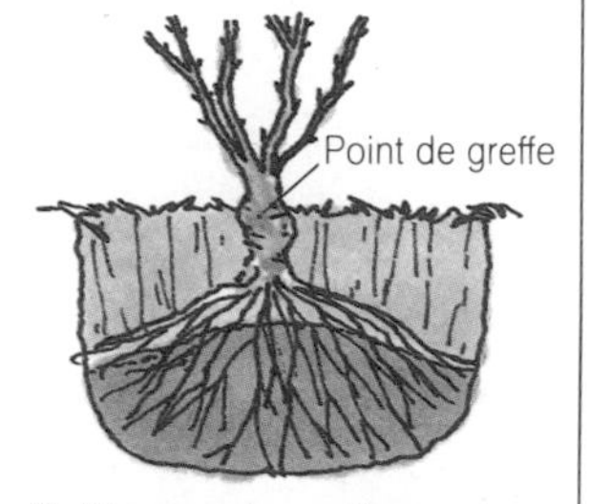

3. Disposez les racines autour du monticule, le plant dessus, en prévoyant que le point de greffe sera juste sous la surface du sol. Remplissez le trou aux trois quarts de terre ; finissez avec de l'eau. Quand elle est absorbée, remplissez de terre.

Vous pouvez obtenir plusieurs récoltes de laitue, d'épinards ou de bettes à carde. Au lieu d'arracher le plant pour le manger, coupez-le à 5 cm du sol. Le plant repousse autant de fois que vous le voulez.

La même chose se produit avec les choux. Lorsqu'ils ont la taille d'une balle de base-ball, retirez la partie centrale en laissant quatre feuilles extérieures sur chaque tige. À l'automne, chacune aura donné un délicieux petit chou.

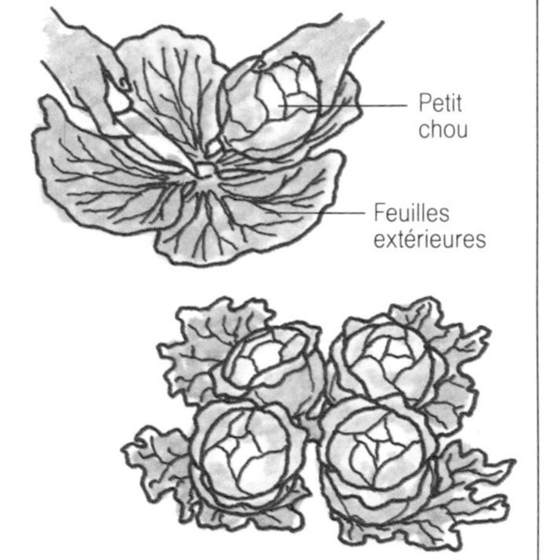

Après avoir récolté les pois, coupez la partie aérienne du plant et jetez-la sur le tas de compost, mais laissez les racines en terre : elles sont une bonne source d'azote. Plantez les haricots verts à quelques centimètres des racines coupées des pois ; ils s'en trouveront bien. Laissez aussi en terre les racines des haricots après la cueillette. Vous pourrez planter les mêmes légumes au même endroit l'année suivante sans ajouter d'azote.

Voulez-vous prendre deux semaines d'avance avec vos melons ? Posez sur les plantules des bidons de lait en plastique, dont vous avez enlevé le fond, en guise de serres miniatures. Quand il fait soleil, ôtez-les pour laisser passer l'air.

Savez-vous que 3 kg de cheveux humains renferment autant d'azote que 100 kg de fumier ? Demandez à votre coiffeur de vous garder les chutes, mais mettez-en très peu.

PAILLIS

Les journaux font d'excellents paillis. Etalez-les entre les rangs à raison de plusieurs pages à la fois maintenues avec des cailloux. Le papier journal conserve l'humidité et est biodégradable. Ecartez les pages où il y a de la couleur ; la teinture renferme parfois du plomb.

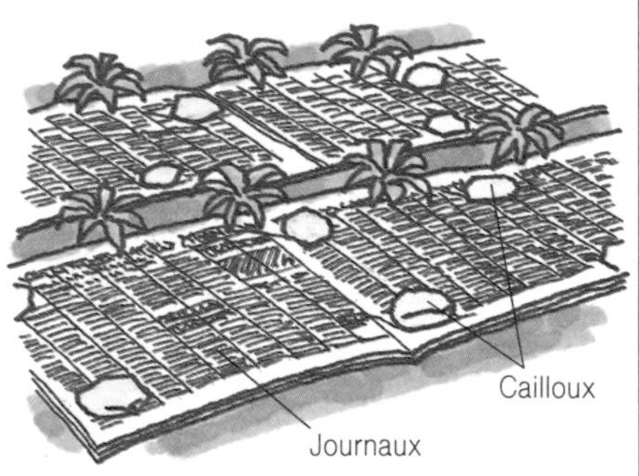

Hâtez la croissance des tomates en mettant du plastique noir autour des plants. Bon capteur solaire, le plastique noir réchauffe le sol et augmente la récolte. Mieux encore, enfilez de grands contenants sans fond en carton ciré (pour le lait ou les jus) sur les plants repiqués. Ils agissent comme des cheminées et permettent à la chaleur captée par le plastique de monter autour du plant.

Pendant la croissance des pastèques, le feuillage de ces plantes peut agir comme paillis naturel autour des oignons, des carottes ou des betteraves. Plantez ces légumes-racines en rangs espacés de 2,50 m et mettez au centre les monticules à melons.

En prévision de l'hiver, recouvrez la fraisière d'un paillis protecteur lorsque le sol a gelé et non avant : le paillis encouragerait la reprise des racines et le plant, à l'arrivée des grands froids, serait sans défense.

CHOIX DES PAILLIS

Les paillis retiennent l'humidité, freinent la croissance des mauvaises herbes, favorisent celle d'organismes bénéfiques et protègent le sol contre le gel et le dégel.

Paillis organiques : fibres de noix de coco, sarrasin, épis de maïs concassés, débris d'herbe, vieux foin, aiguilles de pin, feuilles ou écorce déchiquetées ou hachées. Comme ce sont pour la plupart des sous-produits agricoles, ils ne coûtent pas cher. En se décomposant, ils donnent de l'humus, enrichissent la terre et contribuent à garder le sol frais durant les chaleurs. Etendez 5 à 10 cm de paillis à la mi-printemps ; retournez-le à la fourche à la fin de l'automne pour en chasser rongeurs et insectes.

Paillis inorganiques : cailloutis, gravier, fibre de verre, pellicule de plastique noire et tissus de plastique comme le polypropylène entoilé. Comme ces paillis ne se décomposent pas, ils sont durables mais ils n'amendent pas le sol. Le plastique contribue à freiner la croissance des mauvaises herbes et à réchauffer le sol, accélérant ainsi la croissance des plantes avides de chaleur comme les poivrons, les tomates et les aubergines. A la fin de la période de culture, retirez les paillis inorganiques et conservez-les. Avantage : aucun d'eux n'abrite de rongeurs ou de ravageurs.

Pour doubler les récoltes de courges, de concombres et de maïs, utilisez du papier d'aluminium comme paillis. En réfléchissant la lumière, il chasse les ravageurs et accélère la croissance.

Tous les feuillages ne font pas de bons paillis. Celui des cèdres, des genévriers et des noyers, par exemple, renferme des substances toxiques qui sont nuisibles aux plantes. Quant aux feuilles de chêne, elles sont lentes à se décomposer.

Cherchez-vous des paillis peu coûteux ou gratuits ? Regardez près de chez vous : herbes marines, compost à champignons usé, tiges de houblon, tiges de tabac.

RAVAGEURS

On dit que l'ail écarte les pucerons, les escargots et les chenilles. Ecrasez au mixeur trois aulx dans 6 c. à soupe d'huile minérale. Laissez la pâte 48 heures à la température ambiante, mélangez-la à 5 tasses d'eau chaude additionnée de 1 c. à soupe de savon à base d'huile et réfrigérez. On dit que des vaporisations faites à partir de 2 c. à soupe de cette mixture diluée dans 5 litres d'eau sont très efficaces.

Si vous en avez assez des ravageurs et des maladies, plantez du chou-rave. Ce légume est virtuellement à l'abri des insectes et des maladies. Mis en terre tard, il peut vous donner une récolte même après les premiers gels.

Introduisez des calendules parmi les haricots, les épinards, les tomates et le céleri ; il paraît que leurs racines protègent celles de ces plants contre les nématodes en libérant dans le sol un élément chimique qui leur est néfaste.

Etalez d'anciens voilages de fenêtre sur les arbustes et les vignes à fruits pour les protéger contre les oiseaux. Cette matière ne nuit ni aux végétaux, ni aux animaux.

Les forficules ou perce-oreilles causent-ils du tort à vos plantations, parfois en une seule nuit ? Mouillez du papier journal, roulez-le serré et déposez-le sur le lieu du crime. Le lendemain matin, quand vous le déroulerez, il sera plein de forficules. Jetez-le ou brûlez-le. Répétez l'opération jusqu'à disparition complète du ravageur.

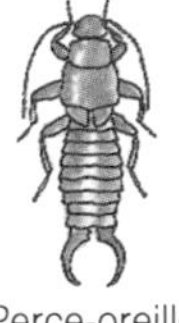

Notez avec soin les avertissements inscrits sur les pesticides. Les différentes mentions : « Danger », « Attention », « Poison » ne doivent pas être prises à la légère. Certains produits peuvent être mortels. Lisez ce qu'il faut faire en cas d'accidents. Gardez-les sous clé. N'employez que des pesticides approuvés par le gouvernement.

Rangez tous les pesticides et les instruments avec lesquels vous vous en servez dans une armoire bien aérée, fermée à clé et étiquetée : « Pesticides — danger ». Cette armoire devrait se trouver dans un endroit à l'abri des grands froids, de l'humidité et de la chaleur.

OUTILS DE JARDINAGE : ENTRETIEN

Rangez le tuyau d'arrosage sur un tambour monté sur roues ; gardez-le dans le garage ou la remise. Les tuyaux en vinyle doivent être protégés des rayons ultraviolets du soleil qui finissent par les endommager.

Y a-t-il de minuscules fuites dans le tuyau d'arrosage ? Chauffez la pointe d'un pic à glace et posez-la sur le trou pour le refermer.

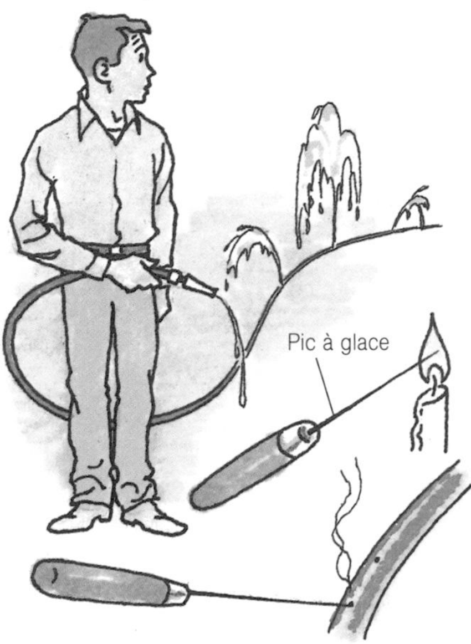

S'il y a un évier dans votre remise, mettez le tambour à tuyau d'arrosage tout à côté pour pouvoir le brancher rapidement et faites sortir le tuyau par la porte ou la fenêtre.

Affûtez votre houe du bon côté, c'est-à-dire sur le tranchant interne, pour pouvoir la traîner plus facilement sur le sol.

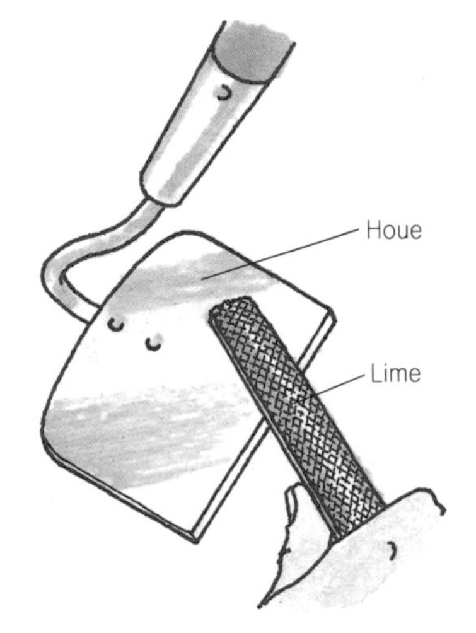

CONTRE LA ROUILLE

Nettoyez et lubrifiez les outils d'excavation avec un mélange de sable et d'huile à moteur à raison de 5 tasses d'huile pour 18 kg de sable. Gardez-en un bac dans la remise. Plongez-y les lames plusieurs fois.

Protégez les pièces mobiles, comme les lames de tondeuse, et tous les outils manuels contre la rouille et la corrosion avec du WD-40 ou un inhibiteur de rouille.

Frottez les outils rouillés avec un tampon saponifié trempé dans du kérosène ou de la térébenthine, puis avec un tampon de papier d'aluminium.

BONNES AUBAINES

Cherchez-vous de l'équipement à bon prix ? Dans les ventes d'objets usagés de votre quartier, vous pouvez trouver des tondeuses ou des brouettes très bon marché.

Prenez des manches de balai, des bâtons de hockey, du vieux bois ou des branches d'arbre comme tuteurs ; de vieux tissus comme liens.

Avez-vous un landau ou une poussette à bébé qui ne sert plus ? Voilà une brouette originale et utile !

Démarrez vos graines dans des boîtes à œufs : la grandeur est parfaite.

RANGEMENT

Vient le moment d'entrer les meubles de jardin légers et pliants, mais le sous-sol est encombré. Que faire ? Pensez aux solives. Percez des trous de 2 cm dans lesquels vous collerez des chevilles. Vous n'avez plus qu'à y accrocher les meubles.

Vous manque-t-il un peu d'espace pour loger vos outils ? Suspendez-les à l'extérieur de la remise si son toit a un larmier. Protégez-les avec des housses de plastique maintenues avec du ruban adhésif.

Accrochez les outils à long manche sur des crochets fixés en hauteur au lieu de les appuyer sur le mur. Ils prennent moins de place, s'identifient facilement et vous ne risquez pas de trébucher dessus.

Pensez au pignon du garage s'il en a un. C'est un endroit de rangement idéal pour les outils et les meubles de jardin.

NETTOYAGE

Les parties en aluminium des meubles de jardin se tachent et se ternissent avec le temps. Le cas échéant, frottez-les avec de l'eau additionnée de détergent. Essuyez-les avec un chiffon sec et enduisez-les d'une cire pour automobile.

Frottez les taches de moisissure sur les meubles de bois avec une solution composée de ¼ tasse de bicarbonate de soude, ½ tasse de vinaigre, 1 tasse d'ammoniaque et 5 litres d'eau. Quand les meubles sont secs, appliquez une couche de peinture résistante à la moisissure, vendue en quincaillerie. Posez un apprêt au latex sur le bois non peint. Laissez-le sécher entièrement avant d'étendre la peinture.

CHAPITRE QUATRE

VOUS ET LES VÔTRES

Vie de famille

Page 223

Le nouveau-né; les relations entre lui et les aînés; comment rendre la maison sécuritaire pour les enfants; le début de l'école; pour quelles raisons manquer la classe; lire et apprendre; conseils sur l'éducation des aînés; participation aux devoirs; garde d'enfant; bonnes manières et esprit sportif; voyages et repas au restaurant; argent de poche; le cas des adolescents; parents au travail et enfants laissés à eux-mêmes; famille monoparentale; remariage des parents; soins des parents âgés; choix d'une maison d'accueil.

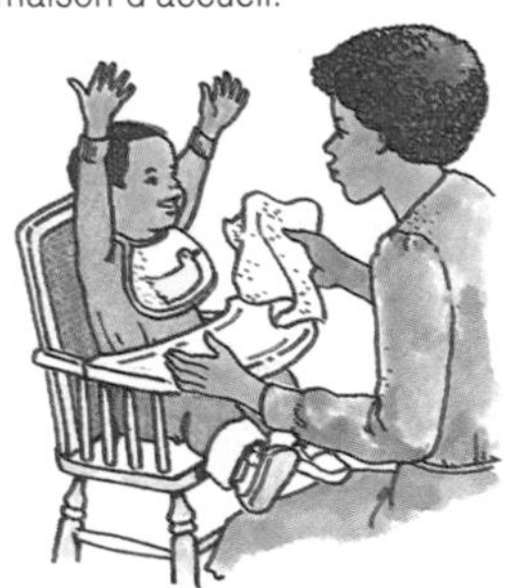

Nos amies, les bêtes

Page 241

En avoir ou non; choix; comment diminuer le surcroît de travail; adaptation de l'animal à son nouvel environnement; adaptation des enfants à l'animal; toilette; puces, tiques et autres parasites; soins quotidiens; prévention des accidents; premiers soins; empoisonnement; alimentation; propreté; dressage; problèmes de comportement; combat de chiens; petits tours; problèmes de chats; autres animaux.

Beauté pratique

Page 253

Shampooing et conditionnement des cheveux; mise en pli et coiffure; coupes; permanentes; traitements spéciaux; quoi faire quand les cheveux s'éclaircissent; barbes, moustaches et rasage; prendre soin de sa peau; traitements spéciaux à donner au visage; comment garder une peau jeune; fond de teint, fard à joues, poudre, maquillage des yeux; lèvres, dents et prothèses; mains, ongles et pieds; soigner son apparence en choisissant les coloris et les lignes de ses vêtements en fonction de sa silhouette.

Vêtements et entretien

Page 267

Avant d'acheter un vêtement; propriétés des fibres; entretien et rangement des vêtements; mites et boules à mites; nettoyage à sec; le jour du lavage; produits de lavage: détergents, agents de blanchiment et assouplisseurs; quoi faire et ne pas faire pour enlever une tache; problèmes spécifiques; séchage du linge; avant de repasser; repassage de certains tissus; matériel de couture et machines à coudre; pose des agrafes; ourlet et reprisage; entretien de la fourrure et des bijoux.

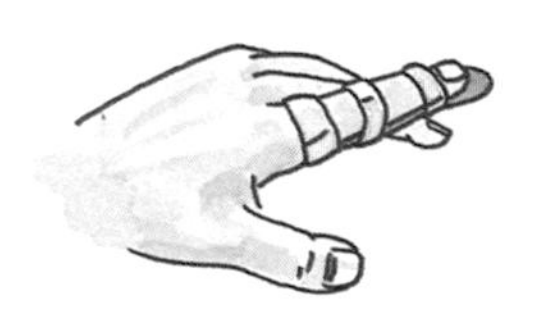

Secourisme et santé familiale

Page 306

En cas d'urgence; trousse de premiers soins; température et pouls; administrer un remède; conseils aux personnes âgées; rhumes et grippes; gouttes dans les oreilles, le nez et les yeux; maux de tête; menstruations et douleurs abdominales; vomissements et diarrhée; fièvre chez les enfants et les adultes; saignements de nez; maux de dents; maux de dos; ampoules et coupures; pour stopper une hémorragie; entorses et fractures; écharpes et attelles; morsures d'insectes et de serpents; brûlures; intoxications; irritations de la peau; état de choc; en cas d'étouffement.

UN NOUVEAU BÉBÉ

Si votre bébé est de mauvaise humeur durant la journée, installez-le dans un sac à bébé porté sur le ventre et faites une promenade ensemble dans la maison.

Pour endormir un bébé capricieux, promenez-le dehors dans sa poussette quelques minutes ou faites-lui faire un petit tour en auto.

Pendant que vous nourrissez le bébé la nuit, installez un coussin chauffant dans son berceau. Vous le retirerez au moment de coucher le bébé. La douce chaleur du matelas le fera dormir plus rapidement.

Certains bébés ont une urine forte ou des selles irritantes et souffrent de l'érythème fessier du nourrisson. Si les crèmes usuelles demeurent sans effet, appliquez un antiacide liquide, comme du lait de magnésie, sur les zones atteintes à chaque changement de couche. Si l'irritation persiste, consultez le médecin.

BÉBÉ ET SES AÎNÉS

Si vos aînés ne vous ont pas vue depuis votre entrée à l'hôpital, ils auront hâte de vous embrasser à votre retour. Demandez à votre mari de tenir le bébé pendant que vous vous occupez d'eux.

Ne vous étonnez pas si vos enfants accueillent le nouveau venu avec réticence. Pensez à la situation où un adulte, même bon ami, s'installe chez vous de façon prolongée : ça dérange vos habitudes.

Essayez plutôt de faire participer les « grands » aux soins donnés au bébé. Intégrez celui-ci aux habitudes de la maison ; ne chambardez pas le programme des aînés pour accommoder le petit. Vous éviterez d'éveiller leur jalousie.

Proposez à un « grand » d'apprendre au bébé à sourire. Ce sera pour l'enfant une satisfaction intense quand le petit lui manifestera ainsi son affection, surtout si vous le félicitez de son succès.

Soulignez concrètement la maturité des aînés par quelque privilège : un plus grand lit, l'usage du téléphone (sous surveillance), le soin de mettre le couvert (en montrant comment faire), le plaisir de manger en même temps que vous.

LES « PRÉSCOLAIRES »

Prenez l'habitude d'appeler les choses par leur vrai nom ; vous aiderez vos enfants à acquérir rapidement un bon vocabulaire.

Les marques d'affection silencieuses — un baiser sans raison, une main sur le bras pendant que vous émettez une critique, un petit massage du dos quand vous êtes assis près de l'enfant, un sourire de loin — sont souvent plus réconfortantes que des compliments avec effusion.

Ne demandez pas à un enfant de 2 ans s'il veut faire quelque chose : il vous répondra non. Dites plutôt : « Pour aller au magasin, est-ce que nous sortons par la porte d'en avant ou par celle d'en arrière ? »

Dites à l'enfant de coucher ses jouets préférés un à un ; de la sorte, il sera le dernier à se mettre au lit.

Quand vous offrez à un enfant le choix entre deux choses, il choisit en général la deuxième parce que c'est la dernière mentionnée. Rappelez-vous-en lorsque vous avez vous-même des préférences.

DES OMBRES LA NUIT

La nuit, les objets font des ombres qui peuvent effrayer un enfant. Pour le rassurer, faites-lui remarquer, le jour, les ombres des arbres ou la sienne. Et apprenez-lui à jouer aux ombres chinoises ; il comprendra mieux le phénomène s'il en est l'auteur.

Pour monter un spectacle d'ombres chinoises, il ne faut qu'une bonne lampe et deux mains. Rappelez-vous votre enfance et mettez votre imagination à l'épreuve.

Le moment du shampooing se passe mieux si vous couchez l'enfant sur le dos, dans la baignoire, en lui supportant la tête et les épaules avec votre bras. Il risque moins de recevoir de l'eau dans les yeux et se sent plus en sécurité. S'il est inquiet, dites-lui qu'il adorait cela quand il était tout petit bébé.

Quand vous triez le linge avant le lavage, amenez l'enfant avec vous. De la sorte, comme par jeu, vous lui apprendrez le nom des couleurs.

REPAS ET GOÛTERS

Voici un joli rituel d'après-repas. D'abord l'enfant vous tend les mains : vous les essuyez. Puis, vous lui dites : « Haut les mains » ; vous lui essuyez la bouche et vous nettoyez le plateau. Vous terminez par une grosse bise, les bras autour du cou.

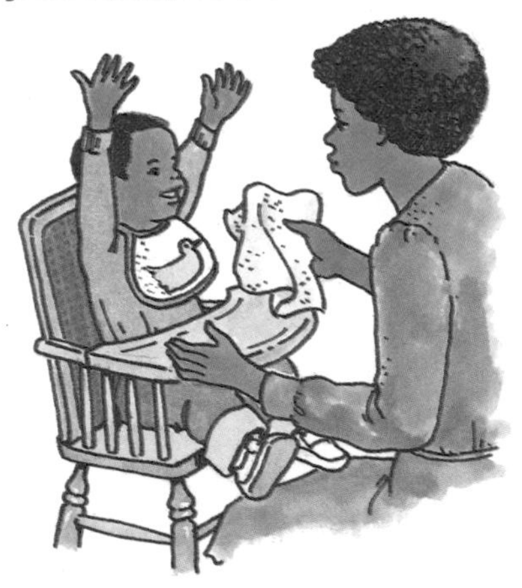

Apprenez à vos enfants à vider leur assiette avant d'en redemander. Mais ne la remplissez pas trop. Voici une règle simple : comptez une cuillerée à soupe d'aliment pour chaque année qu'a l'enfant. Par exemple, à un enfant de 2 ans, donnez deux cuillerées à soupe de pâté de viande et autant de purée de pommes de terre et deux tranches de pomme au dessert.

Pour empêcher les enfants de réclamer bonbons ou biscuits au magasin, faites-leur manger avant d'y aller une pomme ou un yogourt.

PROPRETÉ

Les aînés sont de merveilleux professeurs en matière de propreté. Vos enfants de 3, 4 ou 5 ans seront fiers de montrer leur savoir-faire et, si vous les y invitez, ils se feront une joie de transmettre leurs connaissances à bébé.

La perspective de porter de jolis sous-vêtements plutôt que des couches peut amener un jeune enfant à s'éduquer à la propreté. Quand vous estimez que l'enfant a la maturité voulue, généralement vers 2 ans et demi ou 3 ans, faites-lui remarquer que le petit voisin porte un caleçon de joueur de hockey parce qu'il va à la toilette ou que la cousine Marie a une culotte de dentelle parce qu'elle ne se mouille plus.

SÉCURITÉ

Faites des nœuds dans les sacs de plastique du nettoyeur pour les rendre inutilisables avant de les jeter. Des enfants sont morts en s'enfilant de tels sacs sur la tête pour jouer.

Ne laissez pas des enfants seuls dans une voiture. Ils savent, quasi par instinct, comment enlever le frein à main.

LA MAISON ET LA SÉCURITÉ DES ENFANTS

Quand vous achetez des produits toxiques, regardez-les avec des yeux d'enfant. L'emballage est-il attrayant? Le produit est-il agréable au toucher, à l'odorat, au goût? Si oui, achetez un produit moins séduisant.

Rangez toutes les substances toxiques ou irritantes dans une armoire fermée à clé hors de portée des enfants. On entend par substances toxiques : médicaments, ammoniaque, détergents, agents de blanchiment, détachants, solvants et diluants à peinture, kérosène, essence, pesticides et herbicides, cosmétiques.

Posez des loquets de sûreté sur tous les meubles et les tiroirs contenant des objets dangereux, de la verrerie fragile ou des articles disparates. Toutes les quincailleries en vendent et ils se posent facilement.

Jetez les vieux médicaments. Gardez tous les autres sous clé sans oublier les vitamines.

Rangez les couteaux, les ciseaux et tous les objets coupants dans des tiroirs hors de la portée des petits.

Gardez les allumettes ou les briquets dans un tiroir fermé avec un loquet de sûreté.

Repérez d'un simple regard les objets cassants sur les tables du salon, les buffets et bahuts. Pour vous comme pour eux, rangez-les en lieu sûr.

Posez des bouchons cache-prise sur les prises de courant : les petits enfants aiment bien y introduire toutes sortes d'objets.

Choisissez avec soin les plantes qui décorent votre maison. Plusieurs d'entre elles ont des organes très toxiques : les feuilles, les tiges et les fleurs du philodendron, de la poinsettie, de la digitale pourpre et du cerisier de Jérusalem, par exemple.

Si vous conservez au réfrigérateur des bulbes de plantes ou de fleurs, assurez-vous que les enfants n'y ont pas accès. Ceux des jonquilles et des crocus, en particulier, sont très toxiques.

Verrouillez les portes des combles et du sous-sol.

Si vous avez des fenêtres à guillotine, posez les moustiquaires dans la moitié supérieure. Si c'est impossible, n'ouvrez pas les fenêtres de l'étage pendant que les enfants circulent.

Rangez tondeuse, haches, cisailles à haies et autres outils de jardin dangereux dans des lieux fermés à clé.

N'allumez pas un four ou un grilloir sans regarder ce qui peut se trouver à l'intérieur. S'ils sont à la portée des enfants, on ne peut pas deviner ce qu'ils ont pu y « mettre en sécurité ». Utilisez de préférence les éléments chauffants à l'arrière de la surface de cuisson et tournez vers le fond les queues des casseroles.

Lorsque vous avez installé les enfants dans la voiture et bouclé leur ceinture de sécurité, demandez-leur de se mettre les mains sur la tête. Vous serez sûr de ne pas leur fermer la porte sur les doigts.

Identifiez les robinets d'eau chaude avec de la peinture rouge ou du vernis à ongles et enseignez aux enfants à ne pas les ouvrir. Pensez à mettre un point vert sur les robinets d'eau froide : ils apprendront du même coup la signification des feux de circulation.

VÊTEMENTS

Demandez aux enfants de vous regarder faire pendant que vous leur mettez leurs chaussures ; et faites une marque du côté intérieur. Montrez-leur qu'en mettant les deux marques côte à côte, ils se chausseront du bon pied.

Avez-vous du mal à leur enfiler des bottes de caoutchouc ? Vaporisez l'intérieur d'un enduit à la silicone.

Remplacez les fermetures éclair par des bandes velcro là où elles posent des difficultés à vos enfants quand ils s'habillent.

Glissez un anneau dans l'œillet au bout de la fermeture éclair ; les petits auront la tâche plus facile.

COMMENT ENFILER UN MANTEAU

Fiez-vous à la méthode enseignée dans les écoles de jardinières d'enfants pour apprendre à vos enfants comment enfiler leur manteau. Elle a fait ses preuves. Et vos petits seront tout fiers de leur nouvelle autonomie.

1. Etalez le manteau sur le dos par terre, les manches et le col aux pieds de l'enfant.

2. L'enfant glisse ses bras dans les manches et balance le manteau par-dessus sa tête.

3. Cette méthode demande de l'espace ; la fermeture éclair ou les boutons du manteau peuvent frapper accidentellement quelqu'un en cours d'opération.

JOUETS

Rangez les pièces disparates dans une même boîte ; vous saurez alors où trouver celle qui manque.

Demandez à l'enfant d'âge préscolaire de ranger cinq jouets par jour ; occupez-vous des autres. Petit à petit, augmentez le nombre.

Faites ranger les gros jouets sur des tablettes et les petits, dans des boîtes ou des sacs. Expliquez qu'il est plus commode de ranger ici les poupées, là les cubes, etc. Demandez-leur de dessiner sur le sac ou la boîte le type de jouet qui doit y aller. Quand sonne l'heure du rangement, laissez-leur l'initiative.

L'ENTENTE CORDIALE

Pensez à une sortie ou à une activité spéciale pour chaque enfant. Les sorties en famille sont agréables, mais les petites faveurs équitablement réparties font plaisir aussi.

Si deux enfants se disputent une dernière portion, demandez à l'un d'eux de la diviser en deux et donnez le premier choix à l'autre. Il n'y aura pas partage plus précis.

Utilisez une minuterie pour compter le temps que chaque enfant consacre à une tâche. La minuterie est un juge impartial ; aucun ne s'objectera à ses décisions.

Si une querelle s'envenime, décrétez une trêve entre les belligérants. La minuterie en signalera la fin et le calme sera peut-être revenu.

LE DÉBUT DE L'ÉCOLE

Allez au moins une fois à pied avec l'enfant à l'école ou à l'arrêt de l'autobus avant la rentrée scolaire. Assurez-vous que l'enfant comprend bien toutes les dispositions que vous avez prises concernant son transport. Chaque fois que l'occasion s'y prête, apprenez-lui à bien traverser les rues.

N'oubliez pas de l'emmener dans une salle de toilettes publiques au moins une fois avant le début de l'école. Autrement il se trouvera décontenancé. Apprenez-lui comment demander la permission d'aller aux toilettes. Rappelez-lui de se laver les mains même s'il n'y a pas d'adulte pour le lui dire.

Si l'enfant doit manger à la cafétéria de l'école ou apporter son repas, pratiquez le scénario sur place avec lui pour qu'il sache comment cela se passe. A la maison, faites comme si c'était à l'école.

Il est essentiel que l'enfant connaisse par cœur son nom au complet, son adresse, son numéro de téléphone et le numéro de téléphone de votre bureau. Faites-lui apprendre tous ces renseignements sur un air de chanson. Enfin, donnez à l'école le nom d'une personne à appeler en cas d'urgence au cas où l'on ne pourrait pas vous rejoindre.

Fixez une enveloppe qui ferme avec un lien dans l'un des cahiers de l'enfant. Il y glissera les messages du professeur ou les vôtres et ils ne risqueront pas de tomber en cours de route.

Invitez les enfants à préparer eux-mêmes leur lunch à partir de menus que vous aurez établis au préalable. Quand ils le font, donnez-leur la totalité ou une partie du coût du repas à l'école en argent de poche.

Que faire si un enfant manque régulièrement l'autobus ? 1) Proposez-lui d'aller à pied à l'école même s'il arrive en retard. 2) Gardez-le, mais ne lui faites pas la vie douce : interdisez la télévision et les amis. 3) Conduisez-le en voiture à l'école et, le soir, imposez-lui une tâche qui vous épargne le temps que vous avez perdu pour lui.

JOURS DE MALADIE

L'enfant est trop malade pour aller à l'école ? Parlez-lui et écoutez-le avec attention. Il ne vous dira pas ce qu'il a mais vous le découvrirez peut-être sous des phrases sans lien apparent entre elles. Si vous lui accordez une journée de repos, parlez longuement et calmement avec lui et entourez-le de tendresse.

Lorsque votre enfant manque souvent l'école, la maladie n'en est pas toujours la cause. Il peut avoir peur de ses copains, être inquiet d'une séparation possible entre ses parents, etc. Si vous décidez de garder l'enfant à la maison sans qu'il soit vraiment malade, n'en faites pas une partie de plaisir. Mettez-le au lit puisqu'il n'est pas bien. Et si la fausse maladie persiste, communiquez avec le médecin.

L'ENFANT TIMIDE

L'enfant timide a tendance à rentrer davantage dans sa coquille s'il est en contact avec des enfants envahissants. Organisez des jeux par groupes de deux et placez-le avec un enfant de même âge et de tempérament semblable. S'il joue avec un enfant plus jeune, il prendra peut-être plus d'assurance encore.

L'enfant timide redoute les surprises. Si vous attendez des amis ou si vous sortez, prévenez-le longtemps à l'avance.

Si un enfant timide doit parler en public ou lire un texte à haute voix, faites-le répéter devant vous à quelques reprises. Eloignez-vous un peu plus de lui à chaque fois pour lui apprendre à projeter sa voix et à parler de plus en plus fort.

Si sa timidité le rend malheureux, n'en riez pas, mais faites-lui savoir que vous comprenez ses difficultés. Ce faisant, vous le valorisez.

QUELQUES MOTIFS DE MANQUER L'ÉCOLE

Une fièvre d'au moins 38,3°C (101°F).

Nausées avec ou sans vomissements.

Douleurs abdominales.

Diarrhée.

Un rhume, surtout s'il s'accompagne de fièvre, d'accès de toux fréquents ou d'une forte congestion nasale.

Des quintes de toux qui ne sont pas dues à une allergie ou aux séquelles d'une maladie récente.

Un mal de gorge avec fièvre.

Une éruption cutanée non identifiée ; consultez le médecin sans tarder au cas où il s'agirait de rougeole, de varicelle ou d'une autre maladie contagieuse (voir pp. 317-318.)

Une maladie infectieuse diagnostiquée par le médecin.

Otite.

Conjonctivite.

L'intuition que votre enfant n'est vraiment pas bien.

Fatigue ou nervosité anormales.

LA CROISSANCE

Posez un heurtoir ou un avis portant la mention « Frappez avant d'entrer » sur la porte de chambre de chacun de vos enfants. C'est une marque de respect élémentaire.

Invitez vos enfants à monter une collection : cailloux, cartes postales, insectes, bouchons, boutons, pièces de monnaie, coquillages, timbres, etc. Gardez les collections dans un musée familial.

Aidez vos enfants à développer les talents que la nature leur a donnés, même s'ils ne sont pas tout à fait de votre goût.

Les enfants héritent de leurs parents les valeurs que ceux-ci mettent en pratique tous les jours. Quand un parent déclare qu'on lui a rendu trop de monnaie à l'épicerie et qu'il a été content de l'empocher, quelle leçon peut en tirer un enfant ?

LIRE ET APPRENDRE

Si un enfant a du mal à rester calme pendant que vous lui lisez une histoire, laissez-le crayonner. Et rappelez-lui que sa poupée ou son ourson aiment bien les contes.

Récompensez l'enfant qui aime lire. Laissez-lui quelques minutes de plus, le soir, s'il lit sagement dans son lit. Inventez un système de « banque de temps » pour équilibrer la télévision et la lecture.

Ne tenez pas toujours compte du degré de maturité de l'enfant. S'il fait preuve d'un intérêt très vif pour les dinosaures ou les insectes, achetez des livres et des revues qui traitent du sujet, même s'il ne peut pas tout comprendre. Mais laissez-le lire aussi des livres « pour bébés ».

Dans la bibliothèque, accordez un rayon à chaque enfant pour qu'il y range ses livres. Offrez-lui un livre chaque fois que vous lui faites un autre type de cadeau.

Si un enfant qui ne sait pas écrire vous conte une histoire, écrivez-la pour lui. Notez sur ses dessins les noms qu'il leur donne et la description qu'il en fait.

Quand vous lisez ce qu'un enfant a écrit, oubliez ses fautes et ne pensez qu'à la fantaisie dont il fait preuve.

Laissez une vieille machine à écrire à la portée de tous. Même l'enfant qui ne sait ni lire ni écrire peut inventer des mots. Et pour l'enfant qui sait écrire, voilà une activité créatrice qui développe l'imagination et décuple les moyens d'expression.

LA MUSIQUE

Ecoutez de la musique classique avec vos enfants. Pour stimuler leur intérêt, demandez-leur ce que l'auteur a voulu exprimer. Les réponses vous étonneront parfois.

Variez les genres de musique. Faites jouer de la musique qu'ils aiment le matin, mais le soir proposez de temps à autre des pièces plus calmes pour accompagner les moments de lecture.

LES DEVOIRS

Lorsqu'un enfant est chargé d'un travail de recherche important, faites-en un sujet de conversation générale. Il se rendra compte de la valeur de ses efforts et la discussion lui ouvrira des champs de réflexion nouveaux. Il saura mieux comment travailler et trouvera peut-être des collaborateurs intéressés.

Organisez un coin « études » aussi sérieux qu'un coin « bureau », avec du papier, des crayons, des dictionnaires (préférables aux encyclopédies pour les jeunes), une machine à écrire et un ordinateur personnel s'il y a lieu.

Apportez un peu de travail du bureau et faites-le pendant que les enfants étudient auprès de vous. A vous voir faire « vos devoirs », ils se rendront compte qu'ils ne sont pas les seuls à travailler le soir à la maison et vous pourrez répondre à leurs questions sur-le-champ.

Habituez l'enfant à prendre note des travaux qu'il a à remettre et à s'établir un calendrier de travail. Cela développera son sens des responsabilités.

N'oubliez pas d'informer les professeurs de toute situation qui pourrait modifier le comportement d'un enfant à l'école : une mortalité, la perte d'un emploi, la séparation des parents, des relations difficiles entre frères et sœurs. Les professeurs peuvent être capables de l'aider.

TÉLÉVISION

Dans la mesure du possible, regardez la télévision avec vos enfants. Donnez des explications et des commentaires, surtout au moment des nouvelles ou des annonces publicitaires. Les enfants, même jeunes, sont capables d'esprit critique si on les y forme. Autrement, ils accepteront passivement tout ce qu'ils voient et entendent au petit écran.

Déterminez les moments où les enfants peuvent regarder la télévision. Soyez présent pour analyser avec eux le contenu des émissions. Si vous êtes absent, demandez-leur de vous raconter les émissions qu'ils ont vues. Cela vous permettra d'intervenir au besoin et les aidera à structurer le déroulement des péripéties. La télévision deviendra ainsi un outil éducatif.

Profitez des moments où vous voyez la télévision avec vos enfants pour manifester votre tendresse.

Luttez contre le sexisme en faisant ressortir les qualités que présentent les personnages en eux-mêmes et non en tant que femmes ou hommes. Attirez l'attention des enfants sur les personnages qui ont des préoccupations altruistes ou qui incarnent un certain idéal.

GARDE D'ENFANTS

Communiquez avec le collège, le cégep ou le CLSC de l'endroit où vous résidez. On pourra peut-être vous y donner le nom de babysitters fiables.

GARDIEN : MÉMENTO

Où rejoindre les parents : ________

Heure de retour des parents : ______

Prénoms des enfants : ____________
____

Numéro de téléphone d'un voisin en cas d'urgence : _______________

Où trouver lampes de poche, jouets, vêtements, couches, etc. : ________
____

Histoires ou activités préférées :
____

Où jouent les enfants : ___________

Endroits dangereux ou interdits dans la maison : __________________

Règles pour la télé : _____________

Heures des repas : ______________

Heures et modalités du coucher : __
____

Privilèges du gardien : ___________

Instructions, santé et sécurité : _____
____

MÉDECIN DE FAMILLE : ____________

CENTRE ANTIPOISONS : ___________

POMPIERS : ____________________

POLICE : _______________________

POUR ALLER CHEZ VOUS (adresse et indications pour se rendre chez vous à l'intention du gardien ou des personnes appelées à l'aide) :
____
____

Montez le mémento sur une feuille de papier de 21 cm sur 28 ; inscrivez-y les renseignements qui ne changent pas et tirez-en des photocopies. Ainsi, à chaque sortie, vous n'aurez plus qu'à remplir les blancs selon la situation prévalente.

Les mères du voisinage vous donneront des renseignements précieux sur les gardiens qu'elles utilisent pour leurs enfants. Certaines d'entre elles peuvent avoir des adolescents capables de garder les vôtres. Pensez aux personnes âgées ; elles sont fiables et ne dédaigneront pas un petit revenu de plus.

Dès l'âge de 12 ans, un enfant est capable de rester seul une heure ou deux à la maison, durant la journée, pendant que vous vous libérez d'une course urgente.

Si vous avez plusieurs enfants, confiez la responsabilité des petits à l'aîné. Ou partagez les responsabilités entre tous.

Etablissez des règles et des instructions aussi précises pour vos enfants que pour la personne qui vient les garder. Mettez-les par écrit ou donnez aux enfants le même mémento que celui du gardien.

L'AGRESSIVITÉ

Enseignez à vos enfants à exprimer leur mécontentement avec des mots, mais à ne jamais passer leur colère sur des êtres vivants ou sur des choses, à moins que ce ne soit un ballon de boxe.

L'enfant est en colère ? Comptez jusqu'à 10 pour qu'il ait le temps de se calmer un peu. Ce conseil vaut aussi pour les parents.

Si l'enfant crie, essayez de chuchoter. Il n'est pas facile, quand on crie, d'entendre quelqu'un qui vous parle comme en secret à l'oreille.

Les gestes de tendresse sont efficaces contre la colère. Ils brisent la glace et permettent à l'enfant d'expliquer ce qui le rend furieux.

Ne vous laissez pas entraîner dans des discussions de dernière minute sur l'heure de départ d'un petit copain. A son arrivée, déterminez combien de temps il va rester et faites sonner le réveil à l'heure dite.

Ne mettez pas un enfant dans l'embarras en le réprimandant devant d'autres personnes. Ne vous vengez pas de lui en choisissant un tel moment pour rappeler des erreurs passées ou ridiculiser ses manies.

GROS MOTS

Créez un langage maison auquel vos enfants pourront impunément avoir recours pour exprimer leur mauvaise humeur ou leurs déceptions. En plus de stimuler l'esprit de famille, cette « langue verte » les empêchera de recourir aux gros mots.

N'attachez pas trop d'importance, cependant, à l'emploi de certains mots de mauvais goût. L'enfant, ce faisant, essaie souvent d'attirer votre attention ou de susciter des réactions de votre part.

Si l'enfant persiste à employer des gros mots ou des expressions malséantes, obligez-le à le faire seul dans sa chambre. Ce sera beaucoup moins amusant.

BONNES MANIÈRES

Habituez vos enfants à regarder leurs interlocuteurs dans les yeux et à leur sourire en parlant.

Faites comprendre à vos enfants qu'ils ont le droit d'être impatients et nerveux, mais non pas celui d'infliger aux autres leur impatience et leur nervosité.

Encouragez-les à être sociables. Insistez, cependant, pour qu'ils vous en demandent discrètement l'autorisation avant d'inviter un ami à dîner ou à dormir à la maison.

Les enfants ont l'esprit de groupe ; dans les jeux par équipes, il se forge souvent des amitiés durables. Encouragez leurs initiatives, et ne vous inquiétez pas si garçons et filles font bande à part.

Fournissez à vos enfants un lieu de réunion : ce peut être une petite pièce sans usage précis ou l'espace sous l'escalier du sous-sol.

FÊTES PROLONGÉES

Etablissez clairement que les fêtes où les copains restent à coucher n'ont lieu qu'en fin de semaine, jamais la veille d'un jour de classe.

Limitez le nombre d'invités à cinq ou six ; autrement, les enfants se divisent en petits groupes et risquent de se chamailler entre eux.

Si les enfants dorment sous la tente, dans le jardin, ne vous surprenez pas trop d'assister à un exode vers la maison en pleine nuit, surtout s'ils ont moins de 10 ans.

Attendez-vous aussi à une « razzia » dans le réfrigérateur. Mettez-y ce que vous souhaitez les voir manger.

Sonnez l'extinction des feux une heure avant le moment où vous voulez effectivement les voir se coucher. Et ne comptez pas trop que vous dormirez sur vos deux oreilles.

SPORTS ET ESPRIT SPORTIF

Encouragez vos enfants à pratiquer des sports populaires comme le tennis, le golf ou la natation. Les sports d'équipe sont formateurs, mais c'est surtout à l'école qu'on y joue.

Un de vos enfants peut se prendre de passion pour un sport ou un instrument de musique totalement inconnu dans la maison. C'est le moment d'en profiter pour découvrir quelque chose de nouveau. Lisez des livres ou des revues sur le sujet ; renseignez-vous ; accompagnez votre enfant aux réunions s'il y a lieu.

Faites comprendre à l'enfant qu'on pratique un sport avant tout pour s'amuser et se garder en forme et non pour gagner tout le temps et à tout prix. L'esprit de compétition doit être au second plan.

Mais ne feignez pas de croire qu'une défaite s'accepte de gaieté de cœur. Laissez l'enfant exprimer sa colère et sa déception.

VOYAGES

Les voyages se font plus facilement quand l'enfant a moins de six mois. Profitez de ses longues siestes pour avaler des kilomètres.

Dotez vos jeunes enfants d'un petit fourre-tout, assez léger pour qu'ils puissent le transporter sans aide. Laissez-les y mettre les vêtements et les petits jouets qu'ils désirent emporter en surveillant du coin de l'œil. Ces petits sacs se glissent facilement dans un coin du coffre de l'auto ou sous un fauteuil d'avion.

Quand vous séjournez chez des parents ou des amis, apportez les sacs de couchage de vos enfants. Tout le monde les appréciera s'il manque de lits.

Devez-vous passer une nuit à l'extérieur avec un jeune enfant ? Apportez son ourson préféré ou sa couverture de lit pour lui donner un sentiment de sécurité.

Si vous avez à faire un long trajet en voiture avec un jeune enfant, partez autant que possible une heure ou deux avant le moment où vous le couchez pour la sieste ou la nuit. Il s'endormira au moment où le voyage commence à lui peser. Pour ne pas le réveiller une fois arrivé, passez-lui ses vêtements de nuit avant même de partir : vous n'aurez qu'à le glisser dans son lit.

En cours de route, faites des arrêts là où il y a un parc ou un terrain de jeux. L'enfant aura la chance de se dégourdir les jambes et il dépensera une partie de son énergie.

Apportez des jouets familiers et insolites pour tromper son ennui. Chantez en chœur, faites des jeux de devinettes ou de mots.

Quand un enfant est fatigué, modifiez au besoin votre programme pour le laisser se reposer. Une simple course au supermarché sera beaucoup plus agréable pour vous deux si l'enfant est alerte et souriant, surtout à l'heure de pointe.

Lorsqu'un enfant doit prendre seul l'avion, présentez-lui cet événement comme une aventure. Renseignez-le sur tout, sans oublier le personnel de cabine qui s'occupera de lui et les gens qui viendront le chercher à son arrivée. Sans en faire un drame, mentionnez-lui aussi les détails désagréables : les nausées, le mal d'oreilles au décollage et à l'atterrissage. Donnez-lui de la gomme ou des bonbons à sucer.

RESTAURANTS

Pour habituer l'enfant à manger à l'extérieur, organisez à la maison « des repas de restaurant » où vous ferez tous ensemble la conversation à voix modérée. (Cela vaut pour l'église, le cinéma, tous les endroits où l'enfant doit parler bas.)

Choisissez un restaurant où l'on sert des mets simples et familiers ; si vous voulez faire un repas gastronomique, laissez l'enfant entre les mains d'un gardien. Arrivez avant le moment où l'enfant est affamé ; sinon, donnez-lui quelque chose à grignoter pour le faire patienter.

DÉMÉNAGEMENT

Si vous devez déménager, organisez une petite fête d'adieu et laissez vos enfants inviter leurs meilleurs amis. Echangez de petits cadeaux ; prenez note des adresses et des numéros de téléphone ; lancez des invitations ; vos enfants seront ainsi moins sensibles à la mélancolie des départs et des séparations.

Mettez les choses des enfants en dernier dans le camion ; ce seront les premières à être accessibles.

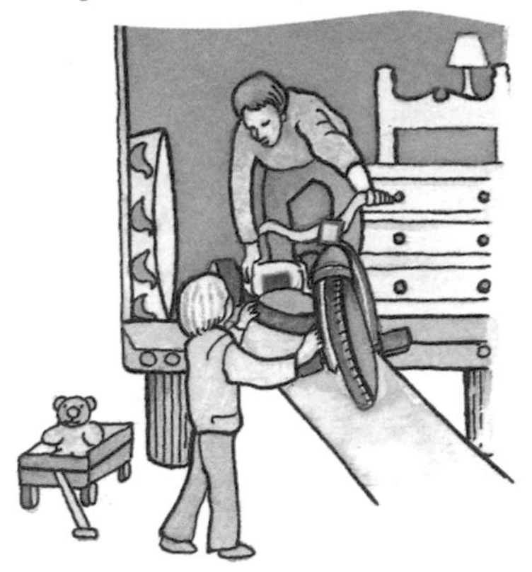

ARGENT DE POCHE

Le comportement de l'enfant ne doit pas servir à justifier l'allocation qu'il reçoit chaque semaine. Serait-il juste que votre conjoint coupe sa part de remboursement de l'hypothèque, simplement parce que vous avez eu un accident d'auto ?

Vous devez exiger que l'enfant assume certaines tâches sans que cela se reflète sur son argent de poche. Etablissez clairement les règles du jeu et assurez-vous qu'elles sont comprises. A mesure qu'un enfant grandit, faites-lui comprendre qu'il doit prendre plus de responsabilités. Chaque année, prévoyez une ronde de négociations.

Faites-vous un point d'honneur de remettre à chaque enfant son argent de poche de façon régulière. Ce peut être deux fois par semaine pour les plus petits qui n'ont pas encore une idée très juste du temps. Portez le délai à une ou deux fois par mois pour vos aînés, le jour de la paye par exemple.

Au début de l'année scolaire, réexaminez le montant des allocations que vous leur accordez.

Comment calculer le montant d'argent de poche ? Renseignez-vous sur ce que donnent d'autres parents à leurs enfants de même âge ; il vaut mieux ne pas créer trop d'inégalités. Avec une allocation, l'enfant apprend à calculer ses dépenses et à administrer son argent.

L'enfant doit vous voir manipuler de l'argent liquide ; de temps en temps, payez comptant devant lui. Avec un chèque ou une carte de crédit, les achats ont l'air gratuits.

Incitez l'enfant à économiser son argent, mais n'en faites pas un boulet. Fixez-lui un objectif séduisant et à court terme : une nouvelle bicyclette, un bâton de hockey.

Ne permettez pas qu'un enfant exerce, avec son argent de poche, une sorte de chantage à l'égard de son père ou de sa mère, surtout s'ils sont séparés. Le parent avec qui vit l'enfant devrait être le seul à lui donner une allocation.

LES ADOLESCENTS

Si vos adolescents semblent souvent mal saisir ce que vous leur demandez, faites-leur répéter vos instructions ; devant témoin, s'il le faut.

Encouragez les adolescents à faire l'expérience du travail, même si c'est bénévolement. S'ils sont rémunérés, cet argent s'ajoutera à l'allocation que vous leur versez et ils pourront s'en servir à leur guise.

Les comptes d'épargne ou de chèques, à la banque, aident les jeunes à mieux gérer leurs avoirs, surtout s'ils gagnent de l'argent à droite et à gauche. Ouvrez-en même pour les plus jeunes ; expliquez ce qui se passe, aidez-les à comprendre les relevés et surtout soyez patient.

GARDER DES LIENS AVEC LA FAMILLE

A mesure que les enfants s'éloignent du nid familial, il est essentiel que vous puissiez tous vous rejoindre rapidement. Faites-en une sorte de tradition chez vous.

Demandez à chacun de faire savoir où on peut le rejoindre. La porte du réfrigérateur est un babillard tout trouvé ; on y fixe des petites notes avec des aimants. Vous pouvez aussi placer un tableau d'affichage près de l'appareil de téléphone.

Gardez près du téléphone une liste de numéros d'urgence comportant ceux des membres de la famille.

Persuadez vos adolescents d'appeler à la maison s'il y a le moindre problème, même la nuit. Dites-leur bien que, dans une famille unie, on aide d'abord, on pose des questions après.

LA DISCIPLINE

Le père et la mère doivent s'entendre et faire bloc sur les questions de discipline. Quand c'est possible, adoptez des sanctions de même nature que l'infraction. Si un enfant rentre passé l'heure permise, il est plus logique de l'obliger à rentrer plus tôt le lendemain que de le priver de télévision.

Ne confiez pas de nouvelles tâches en guise de punition. Autrement dit, n'ordonnez pas à un enfant de laver la voiture parce qu'il n'a pas sorti le chien. Mais demandez-lui de sortir le chien une fois de plus.

Quand d'autres adolescents pressent vos enfants de faire quelque chose qui leur est défendu, ditesleur de répondre simplement : « Je ne veux pas. » Ils donnent ainsi à leurs amis une leçon d'autonomie.

PARENTS AU TRAVAIL

Attendez-vous parfois au pire et faites preuve de souplesse. L'horaire le mieux planifié est toujours à la merci d'une machine à laver qui ne part pas, d'un invité inattendu, d'une voiture qui tombe en panne.

N'oubliez pas de vous garder du temps pour vous-même et quelques moments en tête à tête avec votre conjoint, ne serait-ce qu'un repas par semaine pris au restaurant.

Laissez vos enfants inviter des amis au moment où vous êtes occupé. Attendez d'avoir récupérer liberté et énergie pour goûter avec eux les plaisirs de la vie familiale.

Si votre travail empiète par moments sur votre vie familiale, compensez par la suite en jetant votre emploi du temps par la fenêtre et en proposant une activité qui plaise à tous, quelque chose d'inattendu.

LA CLÉ SUR LA PORTE

Attendez que vos enfants aient acquis de la maturité avant de les laisser sans surveillance après la classe. Demandez à l'école ou à des groupements sociaux de les garder, ou à des voisins de veiller sur eux jusqu'à votre retour.

Si l'enfant doit rester sans surveillance pendant quelque temps, demandez-lui de vous appeler sitôt qu'il rentre de l'école. L'appel n'a pas besoin d'être long. Vous saurez qu'il s'est bien rendu à la maison et il vous dira ce qu'il compte faire du reste de son après-midi.

Laissez l'enfant choisir son porteclés et l'endroit où il veut le cacher. Célébrez ce moment symbolique où vous lui remettez la clé de la maison. Attachez au porte-clés une étiquette portant le nom du chien ou un nom fictif. N'y mettez pas votre adresse au cas où la clé tomberait entre des mains indésirables.

Affichez tous les numéros de téléphone importants dans un endroit bien en vue : numéros de bureau des parents, du centre antipoisons, des pompiers, de la police, d'un voisin à appeler en cas d'urgence.

Affichez également votre adresse et le chemin le plus rapide à suivre, au cas où votre enfant devrait fournir ce renseignement dans une situation d'urgence. Faites des répétitions et dites à l'enfant de ne pas raccrocher avant d'avoir donné toute l'information pertinente.

Soyez ponctuel quand vous rentrez du bureau. Quelques minutes d'attente peuvent faire naître beaucoup d'anxiété chez un enfant. Appelez si vous devez être en retard.

Entendez-vous avec des parents du voisinage pour que votre enfant aille jouer chez eux parfois après l'école. Si vous préférez qu'il n'invite pas d'amis en votre absence, pensez à remettre les politesses en fin de semaine.

FAMILLE MONOPARENTALE

Durant la période qui suit un divorce ou une séparation, il est normal que l'enfant espère une réconciliation. C'est un rêve qui peut durer toute la vie. Ne vous fâchez pas ; expliquez calmement et gentiment que cela risque fort peu d'arriver.

Ne lui donnez pas un rôle de messager entre vous et votre ex-conjoint : vous lui imposeriez un fardeau très lourd, injuste et mauvais pour lui.

Laissez-le se rendre très rapidement dans la nouvelle maison du parent qui est parti, s'il le désire. S'il préfère attendre un peu pour y aller, n'insistez pas. Mais prévoyez d'avance des rencontres régulières.

Modifiez l'environnement du repas du soir si c'était celui que vous preniez tous ensemble. Changez d'heure, de pièce ; et mangez de temps à autre au restaurant. Arrangez-vous pour que la place vide ne se remarque pas trop.

La garde partagée d'un enfant n'est pas une solution de tout repos. Mais si l'enfant s'en porte bien, tirez-en vous aussi des avantages. Mais ne vous étonnez pas d'éprouver certaines difficultés à passer souvent du rôle de parent célibataire à celui de célibataire tout court.

Dites aux autorités de l'école de faire connaître aux deux parents les activités et les problèmes de l'enfant, surtout si celui-ci vit tantôt chez l'un, tantôt chez l'autre.

D'autres personnes peuvent assister à vos rencontres avec vos enfants — il est bon que vous connaissiez leurs amis —, mais n'en faites pas une règle. Vous devez parfois être en tête à tête avec eux.

Essayez de garder une certaine flexibilité dans l'horaire des visites pour ne pas créer de déceptions. Si vous devez annuler ou remettre une visite, donnez-en honnêtement les raisons.

REMARIAGE

Choisissez un terrain neutre — un restaurant ou un parc, par exemple — pour rencontrer les enfants de la personne que vous voulez épouser et pensez à faire une activité précise. La conversation sera difficile ; le jeu aura plus de succès.

Installez votre nouvelle famille dans une maison neuve ou un nouvel appartement — surtout s'il y a des enfants des deux côtés. Les rancœurs seront moins amères.

Faites en sorte que l'enfant qui vient voir son père ou sa mère puisse avoir quelques moments seul avec lui ou elle. Le parent adoptif peut en profiter pour sortir ou même s'absenter quelques jours.

Laissez le parent biologique assurer la discipline ; le parent adoptif ne doit intervenir que peu à peu et plus tard. La situation est parfois plus délicate pour la femme que pour l'homme, car celle-ci peut être amenée à passer beaucoup plus de temps avec l'enfant.

Faites une place à l'enfant de passage dans les tâches ménagères, les activités et les jeux. Il se sentira intégré à la vie familiale et les autres enfants l'accepteront plus volontiers comme membre de la famille.

Modifiez les traditions ou créez-en de nouvelles pour éviter les souvenirs douloureux : des bougies sur la table, des crêpes le matin en fin de semaine, un soir au restaurant.

À MESURE QUE LES TÊTES BLANCHISSENT

N'oubliez pas les anniversaires, les fêtes ou les grands événements de la vie de vos parents.

Renoncer à conduire une automobile, c'est perdre beaucoup de son autonomie. Ne vous hâtez pas de conseiller à vos parents âgés de vendre la leur.

Lorsque vos parents ne sont plus capables de conduire leur voiture, fixez une sortie chaque semaine pour effectuer des courses régulières : achats, coiffeur, médecin, etc. Vous vous y habituerez vite et vos parents s'y ajusteront mieux qu'à des projets de dernière minute.

De temps à autre, demandez à un de vos enfants en âge de conduire d'amener ses grands-parents faire ses courses. La plupart des adolescents en ressentent une sorte de fierté et les aïeuls sont charmés d'avoir leur petit-enfant tout à eux.

PERTE DE L'OUÏE — UNE INFIRMITÉ PÉNIBLE

En touchant les 70 ou les 80 ans, une personne perd souvent une partie de son acuité auditive, surtout à l'égard de certains sons (*f*, *ch*, *s* et *z*). Une personne atteinte de cette surdité partielle entendra : « L'émion que je ere pae le diman oir à ept heures pries », alors que vous dites : « L'émission que je cherche passe le dimanche soir, à sept heures précises. »

Vous pouvez lui simplifier la vie en parlant lentement et clairement près de sa bonne oreille. Une prothèse auditive bien ajustée peut rendre service, mais souvent elle ne réussit pas à éliminer les distorsions.

Si vos vieux parents ont besoin d'aide financière, il est plus simple et plus délicat d'assumer une partie ou la totalité d'une dépense plutôt que de leur donner de l'argent de la main à la main. Pensez à des cadeaux en espèce : des aliments qu'ils aiment mais ne peuvent pas s'offrir, un nouveau téléviseur, des vêtements, des vacances.

Il n'est pas nécessaire que votre mère prenne sa retraite parce que votre père la prend. Elle continue à s'occuper de la maison et à faire les repas. Aidez-la dans ses tâches si vous voyez qu'elles deviennent plus lourdes ; suggérez à votre père de mettre la main à la pâte.

Soyez compréhensif si vos parents trouvent cela difficile d'être soudain ensemble 24 heures par jour.

Avez-vous des monceaux de photographies de famille qui attendent d'être placées dans un album ? Une personne âgée se fera un plaisir de vous rendre ce service et mettra un nom sur bon nombre de têtes que vous ne savez plus identifier.

Demandez à vos parents de faire l'arbre généalogique de la famille ; certaines personnes âgées y prennent un grand plaisir, d'autres ont du mal à écrire. Dans ce cas, faites-les parler et enregistrez leurs souvenirs. Vous les transcrirez plus tard.

Si vos parents ont du mal à lire des caractères normaux, renseignez-vous : certaines bibliothèques de quartier ont des livres imprimés en gros caractères. Plusieurs publications, comme les livres condensés et le magazine de *Sélection du Reader's Digest*, sont imprimées de cette façon. Il est possible maintenant d'emprunter des livres sur cassettes ; l'Institut national canadien pour les aveugles en a plusieurs qu'il vend ou loue.

SÉCURITÉ DES VIEILLARDS

Assurez-vous que les escaliers sont bien éclairés et qu'il se trouve un interrupteur dans le haut et le bas. Si une marche est plus haute ou plus basse que les autres, marquez-la. Voyez si la main courante est solide et facile d'accès ; elle doit faire toute la longueur de l'escalier.

Remplacez les marches usées. Assujettissez le tapis partout. Remplacez les parties usées et évitez les couleurs sombres ou les poils longs qui ne permettent pas de repérer le bord des marches.

Les pantoufles et les chaussures d'une personne âgée doivent être en bon état, lui aller bien et posséder une semelle antidérapante.

Vos parents devraient avoir un téléphone sur leur table de chevet. Laissez une clochette ou un sifflet près de leur lit et dans la salle de bains pour appeler à l'aide.

Passez la maison de vos parents au peigne fin avant d'y amener vos jeunes enfants (p. 225). Verrouillez temporairement les portes d'armoires qui n'ont pas de loquets de sûreté en mettant des bandes de caoutchouc entre les poignées.

Profitez-en pour dépister des causes possibles d'accidents pour vos vieux parents : cordons électriques en travers d'un corridor ou près d'un point d'eau, escalier sans main courante, baignoire sans tapis à ventouses, salle de bains sans barres d'appui.

Faites installer un cadre de sécurité et un siège surélevé sur la toilette pour en faciliter l'usage.

Les carpettes sont une cause fréquente d'accidents. Demandez à vos parents de s'en défaire ou de vous laisser les assujettir.

Pour éviter brûlures et dépenses inutiles, aidez vos parents à régler le chauffe-eau à 50°C (120°F).

S'il n'y a pas de détecteur de fumée ou d'extincteur chimique chez vos parents, offrez-leur-en comme cadeau et aidez-les à les poser. Installez un détecteur de fumée dans le haut de l'escalier, un autre à l'entrée de leur chambre et d'autres là où la fumée ou la chaleur peuvent s'accumuler. N'en mettez pas près de la cuisinière ou du foyer.

MAISONS D'ACCUEIL

Lorsque vous visitez des maisons d'accueil, inspirez-vous du mémento suivant pour vérifier si les pensionnaires sont bien traités.

La maison a-t-elle un permis émis par le gouvernement ?

Y a-t-il des infirmières sur place, un médecin qui vient en cas d'urgence ?

La maison offre-t-elle des services spécialisés, comme des diètes ou de la physiothérapie ?

Y a-t-il des mains courantes dans les corridors et des barres d'appui dans les salles de bains ?

Les sorties de secours sont-elles clairement indiquées et libres d'accès ? Les portes en sont-elles déverrouillées de l'intérieur ?

Les chambres donnent-elles sur un corridor et ont-elles une fenêtre ?

Y a-t-il des odeurs désagréables ?

Les corridors sont-ils assez larges pour laisser passer deux chaises roulantes côte à côte ? Sont-ils munis de mains courantes, peints de couleurs claires et décorés de tableaux ?

Dans la cuisine, les coins pour les ordures, le lave-vaisselle et la préparation des aliments sont-ils isolés les uns des autres ?

Les salles de bains sont-elles faites pour accueillir les personnes en chaise roulante ?

Incite-t-on les pensionnaires à sortir ?

La salle à manger est-elle agréable ? Les chaises sont-elles confortables ? Les tables se déplacent-elles pour les personnes en chaise roulante ?

Y a-t-il une salle commune ? Les pensionnaires peuvent-ils lire, faire des travaux d'aiguille, jouer aux cartes ?

Le personnel est-il cordial et dévoué ? Accueille-t-il avec amabilité pensionnaires et visiteurs ?

Y a-t-il un conseil, dans l'institution, ou un programme de participation des pensionnaires ? Ceux-ci peuvent-ils recommander des changements ?

Installez des extincteurs chimiques près de la cuisinière, du foyer, de la chaudière, partout où il y a des risques d'incendie. Ils doivent convenir aux feux électriques et de matières inflammables ; un vieillard doit pouvoir s'en servir facilement.

LA SANTÉ DE VOS PARENTS

Avez-vous du mal à tenir le compte des médicaments ? Prenez une boîte à œufs, inscrivez les heures de la journée sur les augets et déposez-y les médicaments appropriés.

Assurez-vous que l'armoire aux médicaments est bien éclairée. Etiquetez clairement les remèdes et les produits chimiques d'entretien.

Si vos parents ont du mal à se faire la cuisine, il y a peut-être dans leur quartier une cantine itinérante. Renseignez-vous.

Traitez avec tact les personnes soumises à un régime strict. Ne dégustez pas un gâteau sucré pendant qu'elles grignotent une biscotte.

LES PARENTS ÉLOIGNÉS

Si vous ne pouvez visiter vos parents régulièrement, si l'âge les empêche de venir vous voir, restez en contact. Appelez-les régulièrement et donnez-leur toutes les nouvelles.

Ecrivez souvent. Plusieurs petites lettres valent mieux qu'une seule, même longue. Envoyez des articles de journaux, des coupons de rabais, tout ce qui peut leur être utile.

Réservez-leur des surprises : de petites gâteries sans raison aucune, des cadeaux qui ne soient ni pour Noël, ni pour leur fête et qui prouveront que vous pensez à eux.

Nos amies, les bêtes

EUX ET VOUS

Avant d'acquérir un chiot, rappelez-vous que c'est un être sociable : il a besoin de compagnie. S'il n'y a personne à la maison la majeure partie de la journée, optez pour un chat ou un chien adulte.

A la naissance d'un bébé, s'il y a déjà un chien à la maison, n'oubliez pas de lui donner chaque jour quelques moments d'attention pour lui faire comprendre qu'il n'a pas perdu votre affection.

Songez-vous à donner un toutou à votre enfant ? Un petit de 3 ou 4 ans peut fort bien jouer avec un chien, mais ne lui confiez pas la responsabilité de le nourrir et de le sortir avant l'âge de 10 ans.

Les personnes âgées et celles que la maladie confine à la maison trouvent du réconfort à s'occuper d'un chien ou d'un chat. C'est une façon d'avoir prise sur la réalité.

CHOIX D'UN ANIMAL

Le chiot idéal est âgé de 6 à 10 semaines. Laissé plus longtemps au chenil ou en compagnie d'autres chiens, il aura plus de mal à s'adapter à la vie de la maison.

Avec de jeunes enfants, choisissez une race docile et affectueuse ; observez l'individu. N'adoptez pas un chien de petite taille ; les enfants peuvent le blesser sans le vouloir. **Attention :** Il est dangereux de laisser un jeune enfant seul, même avec le plus gentil des chiens.

Adoptez un chiot qui vient à vous joyeusement et en toute confiance et évitez celui qui est timide, méfiant ou plus petit que les autres.

MOINS DE TRAVAIL

Un animal de compagnie est toujours un peu salissant. Quelques règles réduiront votre travail.

Quand il neige ou qu'il pleut, essuyez les pattes de l'animal dès qu'il entre dans la maison. Si vous lavez votre chien dans la salle de bains, étendez des serviettes par terre. Epongez-le bien et laissez-le se secouer avant d'ouvrir la porte.

Les animaux ne peuvent manger ou boire sans éclaboussures. Mettez du papier journal sous leurs plats. Mais ne laissez pas de journaux par terre ailleurs si vous enseignez au chien à faire ses besoins sur du papier.

Si l'animal transporte sa nourriture ailleurs, remettez-la systématiquement dans son plat. Il comprendra.

Chats et chiens perdent leur poil. Passez une éponge humide ou du ruban-cache enroulé autour de votre main sur les meubles et les vêtements. Epoussetez les plinthes avec du papier essuie-tout humide.

Un chien peut fort bien vous protéger sans être féroce. Le petit toutou tapageur fait vite fuir les voleurs, mais dans la rue le gros chien est plus efficace contre les malfaisants.

L'ARRIVÉE DE L'ANIMAL

A son arrivée, le chat, d'ordinaire, disparaît. Il se cache et observe les environs. Si tout semble calme et rassurant, il sort de sa cachette.

Amenez votre nouvel animal sans tarder chez le vétérinaire pour qu'il lui donne les vaccins nécessaires et vous conseille un régime alimentaire approprié.

Vous pouvez faire châtrer un chat lorsqu'il a entre 8 et 10 mois. Pour ce qui est des femelles, à moins de vouloir avoir des portées, faites également opérer la chatte ou la chienne vers l'âge de 6 mois.

APPRENEZ AUX ENFANTS À JOUER AVEC UN CHIEN

Si l'enfant ignore comment aborder un chien, son enthousiasme et sa curiosité peuvent lui valoir grognements et morsures. Apprenez-lui à :

Demeurer loin d'un animal inconnu à moins que son maître ne soit là.

Se méfier des chiens élevés dans une maison où il n'y a pas d'enfants.

Ne jamais s'approcher le visage de la gueule ou des pattes d'un animal.

Ne pas entrer dans une maison où il y a un chien, si son maître n'y est pas.

Tendre la main fermée et laisser le chien la sentir avant de le caresser.

Laisser tranquille le chien qui mange ou boit et ne jamais lui retirer son plat.

Ne pas tirer la queue ou les oreilles d'un chien, ni le serrer fort.

Pour aider le chiot à s'habituer à la séparation du reste de la portée, mettez quelque chose de chaud et de rassurant dans le fond de la boîte où il dort : vieux vêtement ou bouillotte. Ou laissez jouer la radio doucement pour l'endormir.

Présentez par étapes le nouveau venu à l'autre animal. Enfermez celui-ci et laissez l'arrivant s'habituer à son odeur. Puis laissez-les faire connaissance à travers une porte grillagée ou une clôture pour enfant.

Quand vous soulevez un chiot de terre, mettez toujours une main sous son ventre pour bien le soutenir.

Si vous laissez jouer un chiot avec une chaussure, il risque de trouver que toutes les chaussures, vieilles ou neuves, sont bonnes à mâcher. Donnez-lui des jouets en caoutchouc qu'il ne puisse avaler.

Observez ce à quoi s'intéresse un chiot et fabriquez-lui des jouets ingénieux. Une courroie d'aspirateur est un article bon marché, quasi indestructible et plein de surprises pour un jeune chien.

Donnez un aiguise-griffes au chat : vous protégerez vos meubles. Prenez un poteau de 30 cm de hauteur (davantage si le chat est adulte) ; fixez-le solidement sur une planche et entourez-le d'une bande de tapis. Placez-le près de l'endroit où le chat dort et au besoin montrez-lui comment s'en servir.

TOILETTE

Un brossage régulier fait merveille pour le poil de votre animal. Profitez-en pour vous assurer que vous ne voyez ni puces (petits insectes rouge-brun qui sautent) ni points noirs (leurs fèces), ni tiques (insectes gris-bleu ou brun clair qui collent aux poils et ne sautent pas). Le cas échéant, appelez le vétérinaire.

Le chiot habitué à se faire brosser le tolérera bien à l'âge adulte. Passez-lui la main sur tout le corps, examinez dents, oreilles et pattes tout en lui parlant. Quand il est calme, peignez-le avec une brosse douce.

Il faut couper les griffes du chien. Habituez-le très tôt. Prenez des ciseaux spéciaux vendus dans les animaleries et n'enlevez que la partie au-dessous de la tache rouge. Si les griffes sont de teinte claire, vous la verrez par transparence ; si elles sont foncées, coupez juste à l'endroit où elles se recourbent.

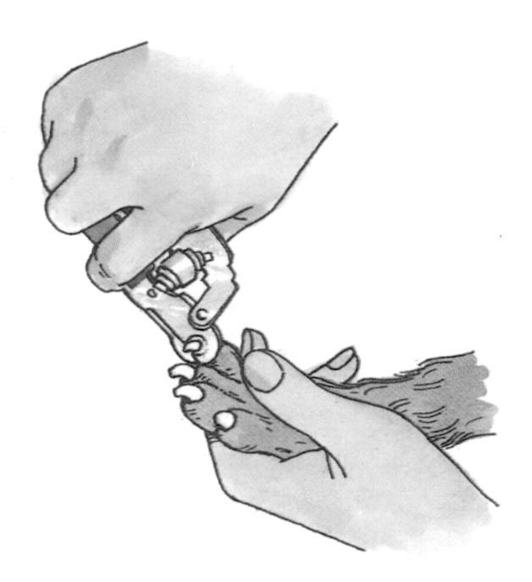

Les chats et les chiens à poils longs avalent des boules de poils en se léchant. Brossez-les tous les jours et vous leur éviterez des malaises. Si votre chat en souffre, mettez ½ c. à thé de vaseline dans ses aliments une fois par semaine.

Brossez le chat avec une brosse pour femmes à poils de plastique ou de caoutchouc arrondis au bout. Elle est supérieure aux brosses vendues dans les animaleries, chères et trop souples pour être efficaces.

Certains chats et chiens n'ont pas peur qu'on les passe à l'aspirateur ; d'autres le redoutent. C'est une bonne façon d'enlever les poils lâches si l'animal le tolère. N'allez pas près des oreilles ou de la gueule.

PUCES, TIQUES ET AUTRES PARASITES

Comme les puces vivent surtout dans les lits, les tapis et les fentes, il ne suffit pas de tuer celles qui se trouvent sur l'animal. Demandez au vétérinaire de vous indiquer des vaporisateurs et brumisateurs efficaces pour l'animal et la maison.

Il faut enlever les tiques au complet. Pour y arriver, aspergez-les d'alcool et détachez d'un coup chaque tique avec une pince.

Si le chat ou le chien se frotte souvent les oreilles, si celles-ci sentent mauvais ou qu'il en coule une substance noirâtre, pensez à des parasites et allez chez le vétérinaire.

Un collier à grelots empêchera, par le bruit qu'il fait, votre animal de capturer des proies sauvages. Oiseaux, lapins et rongeurs transmettent des parasites indésirables.

Attention aux vers chez les chiots et les chatons. Faites examiner l'animal dès son arrivée par le vétérinaire et répétez l'examen au moment des vaccinations annuelles ou s'il a des problèmes intestinaux.

S'il y a beaucoup de moustiques dans votre région, faites traiter le chien, tous les printemps, contre les vers du cœur, parasite fatal. Administrez-lui les remèdes préventifs recommandés par le vétérinaire pendant toute la saison des moustiques.

SOINS QUOTIDIENS

Apprenez à bien connaître votre animal ; observez son pelage, ses gencives, son museau, la façon dont il boit, mange, élimine. Vous pourrez repérer les symptômes précoces d'une maladie et le soigner.

Essuyez tous les jours les yeux d'un chien avec un coton-tige humide pour que les sécrétions ne durcissent pas.

Versez quelques gouttes d'huile minérale dans les oreilles du chien ; laissez réchauffer 10 minutes, puis nettoyez avec un coton-tige sans l'enfoncer dans le canal auriculaire.

Quand il fait très chaud et humide, sortez le chien de préférence tôt le matin ou tard le soir.

Si les coussinets plantaires de votre chien se dessèchent et craquellent, frottez-les avec de la vaseline.

Votre chien souffre-t-il de marcher dans le sel épandu sur les trottoirs ? Se forme-t-il des boules de glace entre ses orteils ? Prenez des chaussettes de bébé ou des protecteurs de bâtons de golf ; cousez dessous du vinyle ou du cuir et mettez-les-lui. Il appréciera mieux l'hiver.

Si vous attachez votre chien dehors avec une chaîne à coulisse, assurez-vous qu'il ne peut pas faire le tour d'un arbre ou d'un poteau, que le mécanisme fonctionne et qu'il peut entrer s'abriter dans sa niche.

Si l'animal boîte, a le cou raide, refuse de se lever ou de se coucher ou a les muscles abdominaux tendus, amenez-le sans tarder chez le vétérinaire. Ce sont des symptômes qu'il ne faut pas négliger.

PRÉVENTION DES ACCIDENTS

A l'intérieur de la voiture, détachez le chien de sa laisse ; elle pourrait se coincer. Placez la bête dans une cage ou installez un grillage entre l'avant et l'arrière de la voiture.

Les chats se blessent ou se tuent parfois en sautant par une fenêtre ouverte. Pour prévenir un tel accident, mettez des grillages à toutes les fenêtres de la maison qui se trouvent à plus de 1,5 m du sol et que vous ouvrez souvent.

Chiots et chatons sont comme les enfants : tout est bon à manger. Pour la sécurité des uns et des autres, passez la maison au peigne fin (voir p. 225). Dans la rue, prenez garde aux tessons de verre, aux os et aux fèces. Ecartez-en l'animal.

Empêchez votre animal de ronger les cordons électriques en frottant ceux-ci de savon fort à lessive.

URGENCES

Prenez vos précautions : faites deux bonnes photos de votre animal et notez ses signes distinctifs. S'il disparaît, vous aurez son signalement.

Vous pouvez capturer un chat en jetant une serviette de bain dessus. S'il est blessé, enroulez la serviette autour de lui et portez-le en glissant un bras sous l'arrière-train, l'abdomen et la poitrine, l'autre sous la tête et le cou.

Quand un chat appelle au secours du haut d'un arbre, il n'y a rien à faire. Attendez ; il est monté ? Il trouvera bien le moyen de descendre.

Si votre animal se fait arroser par une mouffette, mouillez-le généreusement avec du jus de tomate ou un mélange à volume égal de vinaigre et d'eau. Lavez-le ensuite avec de l'eau savonneuse et rincez. L'odeur ne disparaîtra pas complètement, mais elle sera plus tolérable.

ACCIDENTS

Si vous trouvez un chien ou un chat qui ne peut se lever après un accident, glissez-le sur une planche, une couverture ou un manteau et, sur cette civière improvisée, transportez-le aussitôt chez le vétérinaire.

Avant de manipuler un chien blessé, improvisez une muselière avec de l'étamine, un mouchoir ou ce que vous avez sous la main. Mais enlevez-la aussitôt si l'animal donne des signes de vouloir vomir.

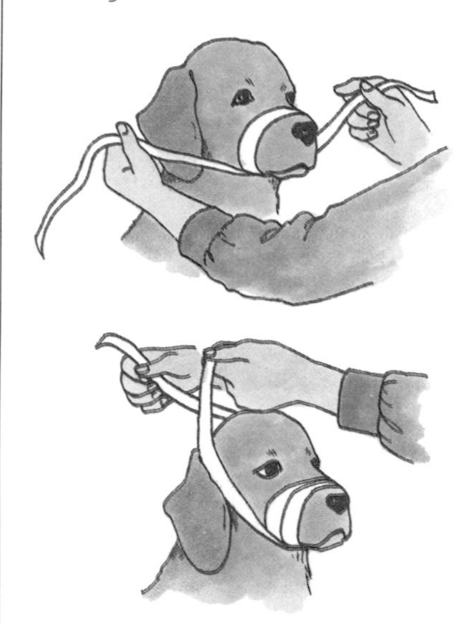

Lorsqu'un animal saigne abondamment, appliquez de la gaze stérile ou des chiffons propres sur la blessure en faisant pression de la main. Assujettissez bien les tampons et portez la bête chez le vétérinaire. Si les tampons s'imbibent de sang, mettez-en d'autres par-dessus.

Si votre animal fait une chute ou a un accident, faites-le examiner par le vétérinaire. Soyez attentif aux symptômes d'un état de choc pendant 24 heures : souffle court, yeux vitreux, gencives décolorées. Le cas échéant, appelez le vétérinaire.

EMPOISONNEMENT

Les intoxications sont difficiles à déceler, car on ne sait pas toujours en reconnaître les symptômes. Vomissements, respiration difficile, douleurs abdominales, frissons, convulsions ou saignements sans raison : autant de signes possibles d'empoisonnement. Appelez le vétérinaire.

Les pesticides contre les fourmis, les cafards et les rongeurs attirent les animaux de compagnie. Placez-les dans les endroits où ils ne pourront ni les manger, ni les lécher.

Les granulés antilimaces ressemblent à des biscuits de chien. N'en utilisez pas là où des chiens, le vôtre ou ceux des voisins, ont accès.

Pour empêcher votre chat de dévorer vos plantes vertes, faites pousser pour lui, dans un pot de 10 cm, des plants de blé ou d'avoine. Démarrez-en un toutes les deux ou trois semaines et donnez-les au chat lorsque la graminée a atteint 10 cm.

L'antigel de voiture a une saveur qui plaît aux chiens et chats ; c'est un poison mortel. Gardez-le dans un contenant bien fermé et si vous en répandez, arrosez et essuyez.

REPAS BIEN PENSÉS

Comme nourriture de base, adoptez un bon aliment du commerce. Complétez avec des restes d'œufs, de poulet (sans os), de viande ou de légumes : pas plus de 10 p. 100.

Le chien mange avec appétit et plaisir le même aliment jour après jour. Le chat aime la variété et en a besoin. Vous n'avez qu'à lui donner des mets de saveur différente : foie, viande, volaille, poisson, etc.

Gare à suralimenter votre animal favori ! Le chat ou le chien obèse est enclin aux maladies du cœur et des poumons ; son espérance de vie est réduite par rapport à celle d'un animal de poids normal.

Un plat d'eau fraîche est essentiel à votre animal de compagnie, surtout s'il mange de la nourriture sèche. Lavez le plat fréquemment et changez l'eau deux fois par jour. Certains animaux ont besoin qu'on les incite à boire : agitez l'eau.

Les chiens raffolent des œufs ; donnez-leur un œuf dur ou deux par semaine. Mais jamais à un chat.

Ne donnez pas de la viande crue ou saignante à votre animal de compagnie ; elle peut lui communiquer des parasites. Par ailleurs, un aliment trop avancé lui est aussi néfaste qu'à un être humain.

Le chien met du temps à s'adapter à un nouveau régime alimentaire. Modifiez-le lentement en mélangeant peu à peu le nouvel aliment à l'ancien. Un changement brusque peut lui donner la diarrhée.

Devriez-vous donner un os à votre chien ? Si vous y tenez, achetez-lui un os en cuir de vache. Mais surveillez-le ; il risque d'en détacher de gros morceaux et de mal les avaler.

Choisissez les plats pour l'eau et les aliments selon l'animal : peu profonds pour un chien ou un chat à nez plat, étroits dans le haut pour le chien à longues oreilles ; dans tous les cas des plats lourds qui ne glissent pas et ne basculent pas.

Evitez les plats en plastique ; mal lavés, ils favorisent la prolifération des colonies de bactéries.

Chatons, chiots et femelles qui portent ou allaitent ont besoin d'absorber plus de calories par kilogramme de poids qu'un adulte. Donnez souvent de petites quantités d'aliments ; augmentez les portions des jeunes peu à peu. Un animal âgé peut être nourri de la même façon, mais en moindre quantité.

Après un délai raisonnable, retirez les aliments à moins que l'animal ne soit habitué à les garder. Certains aliments se gâtent : pensez-y.

Rangez au réfrigérateur dans des contenants de plastique les aliments non consommés par l'animal.

VOYAGE ET EXERCICES

Emportez en voyage la nourriture de l'animal. Elle le réconfortera des inquiétudes que suscitent ses nouveaux logements et le protégera de la diarrhée qu'entraîne souvent un changement de régime.

Ne nourrissez pas l'animal dans les deux ou trois heures qui précèdent le départ en auto. A l'arrivée ou après un exercice violent, attendez une demi-heure avant de le nourrir.

Donnez souvent de l'eau en petite quantité au chien qui travaille ou joue beaucoup.

LES COMPLIMENTS

Félicitez avec chaleur l'animal qui vient quand vous l'appelez, s'assoit ou obéit à une commande, même s'il se fait prier pour s'exécuter. Le délai de réaction est un facteur qu'il ne saisit pas.

Le chien bien traité et le chat qui vous fait confiance veulent vous plaire. Profitez-en. Si l'animal met du temps à s'éduquer, changez de méthode ou allez plus lentement.

PROPRETÉ

Chatons et chiots ont de petites vessies ; ils sont incapables de se retenir pendant des heures comme un animal adulte. Lorsque le chiot se plaint, tourne en rond, s'assoit près de la porte, faites-le sortir. Et vite !

ENTRAÎNER CHATONS ET CHIOTS À LA PROPRETÉ

Dès que vous introduisez un petit chien dans la maison, menez-le là où vous voulez qu'il fasse ses besoins. Si d'autres chiens utilisent le même endroit, le chiot n'en comprendra que plus vite ce qu'on attend de lui. Sitôt qu'il s'exécute, faites-lui voir ce qu'il a fait et félicitez-le tendrement.

Niche. Il est recommandé de laisser le chiot dans une cage à claire-voie quand il n'est pas en train de manger, de boire ou de jouer sous surveillance. Si cette niche est petite, s'il a tout juste la place d'y faire son rond pour dormir, il essaiera de la garder propre.

Papier. Dans un appartement, commencez ainsi : couvrez généreusement de papier journal le parquet en lino ou en vinyle d'une petite pièce. Mettez-y le chiot avec sa boîte à dormir chaque fois que vous sortez et au coucher; menez-l'y dès qu'il tourne en rond ou s'accroupit. Quand il a fait ses besoins, félicitez-le. Réduisez peu à peu la surface du papier.

Si vous ne confinez pas le chiot dans une niche, vous devrez le surveiller presque constamment. Faites-le sortir ou menez-le sur le papier toutes les deux heures durant le jour, sur demande la nuit, au lever et après les repas et le jeu. Faites-lui fête sitôt qu'il répond à vos désirs.

Dressage du chat. Les chats sont d'un naturel méticuleux; à peine est-il besoin de leur enseigner la propreté. Adoptez un plat peu profond dans lequel vous déposez de la litière commerciale et montrez au chaton où il se trouve. S'il fait ses besoins ailleurs, portez les saletés dans le bac et enseignez-lui où aller la prochaine fois. Ou multipliez les bacs et ne gardez finalement que celui qu'il a adopté.

Le chiot calme et rassuré apprend plus vite la propreté qu'un animal inquiet. Ne soyez pas brusque avec lui, vous lui compliqueriez la tâche. Evitez de le frapper ou de crier ; ne lui mettez pas « le nez dedans ».

Le chat n'aime pas utiliser un bac trop sale. Si vous oubliez de le nettoyer régulièrement, il vous le fera savoir en adoptant une autre « salle de bains », propre celle-là.

Lorsqu'il se produit un dégât, ramassez les saletés solides et épongez bien les liquides. Répandez du vinaigre ou du jus de citron et lavez l'endroit à l'eau chaude savonneuse en brossant bien. Epongez et recommencez. Terminez en passant un peu d'ammoniaque pour faire disparaître les odeurs. (Voir p. 282 comment enlever les taches.)

Quand un chat a utilisé un coin pour y faire ses besoins, il peut répéter son geste tant que vous n'intervenez pas. Bloquez l'accès à ce lieu, donnez-lui à manger en cet endroit ou couvrez le sol de papier d'aluminium, puis réduisez les dimensions du papier peu à peu.

Autre méthode : installez le bac du chat à l'endroit qu'il a adopté contre votre gré. Peu à peu, chaque jour, déplacez-le jusqu'à l'amener à l'endroit désiré.

CHIEN : OBÉISSANCE

Animal de meute depuis des temps immémoriaux, le chien veut ou bien commander ou bien obéir. Etablissez que celui qui commande, c'est vous ; celui qui obéit, c'est lui.

Apprenez à utiliser trois timbres de voix pour dresser votre chien : un ton haut, presque infantile, pour les félicitations, un ton normal et au besoin autoritaire pour les commandements, un ton bas et sec pour les réprimandes.

Sitôt que vous adoptez un chien, commencez à lui enseigner à venir quand on l'appelle. Dites « Viens » et, s'il obéit, caressez-le et même donnez-lui un biscuit.

Soyez sûr que le chien a bien compris un commandement avant de commencer à lui en enseigner un autre. Utilisez toujours les mêmes mots : « Viens », « Assis », « Reste », « Couché », « Au pied ».

Pour enseigner au chien à s'asseoir, tirez un peu sur son collier et appuyez sur son arrière-train. Quand il obéit, félicitez-le.

Voulez-vous qu'il reste debout à la commande ? Maintenez-le en position et félicitez-le s'il reste ainsi ne serait-ce qu'une seconde.

Il doit savoir marcher à votre pas. Amenez-le près de votre jambe gauche. Puis dites : « Au pied » et commencez à marcher en le félicitant. S'il tire en avant, donnez un coup sur la laisse, faites-lui reprendre la position et recommencez.

Quand vous enseignez au chien à marcher au pied, stimulez son attention en changeant souvent de direction, en évitant la répétition.

L'important, en ce domaine, c'est de garder le chien attentif. Parlez-lui sans arrêt et il n'oubliera pas ce que vous êtes en train de lui montrer.

Habituez le chien à rester couché auprès de vous avant de lui enseigner à ne pas bouger si vous vous levez. Profitez des moments où vous lisez ou regardez la télévision.

Si vous voulez dresser le chien à vous attendre au bout de sa laisse près des magasins, commencez tôt. Vérifiez son collier et serrez-le assez pour qu'il ne puisse se l'enlever.

Certaines races, les chiens de chasse ou de travail, par exemple, répondent bien au dressage ; d'autres, comme les terriers, peuvent mettre à l'épreuve le plus patient des dresseurs.

PROBLÈMES DE COMPORTEMENT

Les spécialistes s'entendent pour affirmer qu'il est préférable de prévenir le mauvais comportement d'un chien en le dressant bien au départ. Les correctifs, par la suite, se fonderont sur son aptitude à répondre ponctuellement à la commande.

Devant un problème, cherchez-en la cause : solitude, insécurité, inconnus dans la maison, rythme de vie différent. Essayez de remédier à la situation si vous le pouvez.

Lorsque le chien se conduit mal, dites « Non » d'une voix ferme. Dès qu'il obéit, comblez-le d'affection.

Si le chien saute sur vous, même par amitié, donnez-lui un rapide coup de genou dans l'estomac. Le coup doit être si prompt que le chien ne puisse savoir d'où il vient.

S'il vous échappe et refuse de revenir à l'appel, ne le pourchassez pas. Essayez calmement de l'amener d'une voix affectueuse à revenir vers vous. Ou éloignez-vous d'un pas vif en lui enjoignant de vous rejoindre. Quand il revient, félicitez-le avec des caresses et un biscuit.

Demandez à un ami de vous aider à dresser votre chien quand vous ouvrez la porte. Si le chien aboie, arrêtez-le. Allez à la porte avec lui et faites-le coucher à côté de vous avant d'ouvrir. Le chien est en position de vous défendre au besoin. Il vaut parfois mieux tenir les chiens de garde en laisse.

Si votre chien aboie constamment en votre absence, allumez la radio ou enroulez un réveil dans une couverture et placez-le près de sa boîte.

Soyez ferme lorsque le chien vous accueille en sautant sur vous, quelle que soit sa joie de vous revoir... et la vôtre. Ordonnez-lui de s'asseoir et montrez-lui votre affection. Cela l'habituera à rester au sol quand on s'occupe de lui.

Si votre chien est incorrigible, demandez à un expert de l'observer ; il sera en mesure de discerner s'il est incontrôlable ou apte à profiter d'un dressage correctif.

COMBATS DE CHIENS

Evitez les combats ; gardez votre chien en laisse quand vous êtes dans des lieux publics. S'il montre des signes d'hostilité envers un autre chien — babines retroussées, raideur générale — dites « Non » et éloignez-vous avec lui.

Si un autre chien vous menace, dites-lui : « A la maison » ; cela met souvent fin aux hostilités. Sinon, ramassez un caillou ou un bâton ; le seul geste de vous pencher peut mettre votre agresseur en déroute.

Quand deux chiens se battent, laissez-les régler eux-mêmes leur différend à moins que l'un des deux ne soit en danger.

Si vous devez intervenir, essayez de les distraire pour qu'ils se détachent l'un de l'autre. Ne criez pas : ça les excite. Mettez-vous à deux et tirez chaque chien par les pattes arrière.

PETITS TOURS

Les tours valent au chien les compliments et les marques d'affection dont il est toujours friand. Pour vous aussi, ils sont amusants.

Les jeux de cache-cache font appel au flair de l'animal. Dites au chien : « Assis » et « Reste ». Posez un biscuit à une certaine distance de lui et commandez-lui : « Cherche ». Par ailleurs, ne le laissez pas dévorer le biscuit sans votre permission. Eloignez peu à peu le biscuit. Finalement, placez-le dans une autre pièce et à demi caché.

Durant le dressage, remplacez rapidement les aliments par des compliments. Le chien dressé avec des friandises seulement ne se concentre plus sur ce qu'il a à faire.

ABOI SUR COMMANDE

Le chien qui aboie sur commande entre dans son rôle de protecteur — rôle qui lui est naturel — et vous vous sentez protégé d'un éventuel agresseur. Dites : « Parle », et donnez, par exemple, un coup dans la porte. Dès qu'il aboie, félicitez-le.

Répétez l'opération pendant quelques jours. Quand le chien est bien dressé, adoptez un signal pour le faire cesser d'aboyer. Dites « Suffit. » Ne dites pas « Non », puisque déjà ce mot a un sens pour lui. Dès qu'il se tait, montrez-lui comme il est gentil.

L'ÉDUCATION DES CHATS

Si vous êtes persuadé que votre chat va mal se comporter, c'est exactement ce qu'il fera.

Le chat ne se laisse pas dompter par les menaces ou les punitions. Soyez doux et affectueux et faites disparaître les tentations jusqu'à ce qu'il ait modifié son comportement.

Faites la conversation à votre chat sur un timbre aigu. Parler fort correspond pour lui à une réprimande.

En réagissant avec colère à l'agressivité de votre chat, vous l'irritez davantage. Dites gentiment « Non », et distrayez-le avec un jouet.

Si le chat vous mord les chevilles, c'est peut-être par manque d'exercice. Procurez-lui des jouets : une balle suspendue au cadre d'une porte, une souris en caoutchouc, un autre chat.

Quand le chat mord, griffe ou miaule, donnez-lui un petit coup avec du papier journal enroulé. Cela ressemble à la riposte d'un autre chat et il l'acceptera.

Pour contrer de mauvais comportements, arrosez le chat avec un pistolet à eau (mais non en pleine gueule). Un bruit fort est efficace dans certains cas, mais le chat ne doit pas savoir qu'il émane de vous.

Pour décourager le chat de grimper sur les armoires de cuisine, laissez des moules en aluminium là où il peut sauter. Le bruit l'effraiera.

Vous ne pouvez pas empêcher le chat de se coucher dans les fauteuils de la maisonnée ? Mettez des cristaux à mites sous les coussins ; l'odeur le chassera.
Attention : Ces cristaux sont toxiques pour les animaux et pour les êtres humains. Ne les utilisez pas si vous avez de jeunes enfants.

Pour que le chat ne délaisse pas son aiguise-griffes pour vos meubles, frottez-y un peu d'herbe aux chats ou fixez un jouet au sommet.

La plupart des chats croient que les aliments laissés à leur vue leur sont destinés. En laissant de la nourriture qu'il aime à proximité du chat, c'est l'inviter à la tentation.

Protégez les oiseaux du voisinage : attachez une cloche ou un grelot au collier de votre chat. Mais ne vous étonnez pas de le voir bientôt se déplacer sans la faire tinter.

Pour dissuader le chat de fréquenter les fauteuils, attachez-y des ballons gonflés ; le chat déteste les sons violents.

Apprenez au chat à ne pas chasser les oiseaux. Cachez-vous dans un buisson et quand le chat veut sauter sur un oiseau, arrosez-le avec le pistolet à eau. Répétez l'opération aussi souvent qu'il le faut. Au moment de la nidification, s'il grimpe aux arbres, gardez-le dans la maison.

AUTRES ANIMAUX

Votre oiseau s'est envolé ? Jetez dessus une couverture légère et prenez-le tout doucement car il a les os infiniment fragiles.

Si vous perdez votre hamster, confectionnez un piège avec une boîte munie d'un couvercle. Découpez-y un trou à sa taille, mettez un essuie-tout avec de la nourriture dessus.

Pendant que vous lui lavez sa cage, mettez votre gerbille dans la baignoire. Les parois en sont trop lisses pour qu'elle puisse y grimper.

Beauté pratique

SHAMPOOINGS

Pour ne pas assécher vos cheveux, ne leur faites deux savonnages que s'ils sont très gras ou très sales.

Ne vous étonnez pas de voir votre shampooing préféré vous donner de moins bons résultats après quelques mois de fidèles et loyaux services. On ne sait trop pourquoi, mais il est établi que le cheveu se fatigue à la longue d'un shampooing et cesse de réagir aux protéines et autres ingrédients qu'il renferme. La même chose se produit un peu plus tard avec le nouveau shampooing. Essayez alors de revenir à l'ancien.

Comme shampooing sec, saupoudrez du son, des flocons d'avoine, du talc pour bébés ou de la fécule de maïs. Massez le produit dans les cheveux avec le bout des doigts et brossez bien.

TRAITEMENT CAPILLAIRE

Si vous avez le cuir chevelu gras et les cheveux secs et cassants, traitez-les *avant* le shampooing. Mouillez les cheveux, épongez-les et appliquez la lotion traitante jusqu'à 2 cm du cuir chevelu. Faites pénétrer, attendez 5 minutes et rincez. Puis shampooinez comme d'habitude.

Pour revitaliser tous les types de cheveux et leur donner de l'éclat, fouettez 3 œufs ; ajoutez 2 c. à soupe d'huile d'olive ou de carthame et 1 c. à thé de vinaigre. Appliquez cette lotion aux cheveux et couvrez d'un sac de plastique. Une demi-heure plus tard, shampooinez.

Voici une lotion traitante qui fait des merveilles. Mélangez ¾ tasse d'huile d'olive, ½ tasse de miel et le jus d'un citron. Laissez en attente. Mouillez et épongez les cheveux. Appliquez un peu de cette lotion dans les cheveux (gardez le reste au réfrigérateur), peignez pour bien la distribuer et couvrez d'un sac de plastique. Une demi-heure plus tard, shampooinez et rincez.

Si vous vous baignez tous les jours dans l'eau salée ou chlorée, alternez : shampooing un jour, traitement le lendemain.

MISE EN PLIS

N'utilisez jamais de brosse à soies dures pour vous brosser les cheveux quand ils sont mouillés. Humide, le cheveu est très fragile. Il peut s'étirer au-delà de son élasticité naturelle et casser. S'il le faut absolument, employez une brosse à soies de plastique.

Pour donner aux cheveux une allure permanentée sans permanente, frisez-les avec des cure-pipes. Pliez ceux-ci en U ; divisez la chevelure en fines mèches et tressez chacune autour des branches d'un U. Nouez les bouts. Laissez sécher.

Voici comment faire onduler ou friser vos cheveux : appliquez un peu de gel ou de lotion à mise en plis avec le peigne. Ensuite, avec vos doigts, ébouriffez la chevelure pendant qu'elle sèche.

Disciplinez les cheveux chargés d'électricité statique avec une crème de rinçage ou frottez-vous la tête avec une feuille d'assouplissant pour le linge.

Autre méthode : mettez un peu de fixatif à cheveux dans le creux de votre main et après chaque coup de brosse, passez la main ouverte sur vos cheveux.

COUPES

Humectez les cheveux avec un vaporisateur pendant que vous vous taillez une frange.

Pour obtenir une frange droite, rabattez une fine ligne de cheveux sur le front. Délimitez la partie à enlever avec le peigne et coupez. Refaites l'opération jusqu'à ce que la frange ait l'épaisseur voulue.

Des cheveux longs qui tournent vers l'intérieur dans le bas sont très seyants. Divisez-les d'une oreille à l'autre, ramenez-les sur le sommet et attachez avec une pince. Rectifiez le bas. Rabattez le reste des cheveux et donnez-leur 1 cm de plus.

TRAITEMENTS SPÉCIAUX

Contre les pellicules, frottez doucement le cuir chevelu sec avec une cuillerée à soupe de sel de table, puis donnez-vous un shampooing. **Attention :** Si le cuir chevelu est écorché ou meurtri, n'employez pas ce traitement.

Conservez à vos cheveux leur gonflant par temps humide. Cheveux clairs : mélangez 1 c. à thé de lait écrémé déshydraté et ½ tasse d'eau tiède ; appliquez. Cheveux foncés : laissez frémir une tasse d'eau et une poignée de feuilles de romarin séché pendant 5 à 10 minutes. Retirez du feu ; laissez infuser, filtrez à la passoire et appliquez. **Attention :** Le romarin est parfois allergène. Faites un test (p. 256) avant de faire ce traitement.

Pour donner des reflets aux cheveux bruns, faites infuser 1 c. à thé de piment de la Jamaïque, autant de cannelle moulue et ½ c. à thé de clous de girofle dans une tasse d'eau. Passez, laissez tiédir et appliquez sur des cheveux frais lavés. Rincez à l'eau claire.
Attention : La cannelle provoque parfois des réactions allergiques ; faites un essai (p. 256) avant d'appliquer ce traitement.

Pour embellir des cheveux roux, préparez une tasse de thé à l'orange ou diluez du jus de betterave passé. Appliquez le liquide sur les cheveux frais lavés ; attendez 5 minutes et rincez.

Les cheveux roux ou bruns auront des reflets plus riches si vous les traitez au café noir après le shampooing. Rincez à l'eau claire.

PERMANENTES

On dit que les permanentes donnent du corps. C'est exact ; les lotions modifient la texture du cheveu en surface et ces ondulations donnent du gonflant à la chevelure.

Néanmoins les cheveux permanentés sont fragiles au début. Après le premier shampooing, laissez-les sécher naturellement. L'emploi hâtif d'un sèche-cheveux risque de détendre ondulations ou boucles.

Si votre permanente est trop serrée, séchez-vous la tête au sèche-cheveux. (Le réglage le plus chaud est plus efficace, mais il abîme les cheveux.) Soyez patient ; elle s'assouplit en quatre à six semaines.

CHEVEUX CLAIRSEMÉS

Pour donner du corps et du gonflant aux cheveux clairsemés, appliquez-leur de la mousse à mise en plis quand ils sont mouillés ; séchez au sèche-cheveux. Les cheveux fins réagissent mieux à la mousse qu'au gel ; celui-ci a tendance à les alourdir et les fait paraître gras.

Si vous avez le sommet de la tête clair, ne laissez pas allonger les cheveux sur les côtés. Au contraire, coupez-les de manière à équilibrer le dessus de la tête. Vous pouvez aussi recourir à une permanente seulement sur le sommet pour donner aux cheveux plus de gonflant.

Autre solution : faites pâlir vos cheveux. Le cuir chevelu se confond avec les cheveux clairs et la chevelure paraît plus dense.

BARBES ET MOUSTACHES

Ce sont des recours utiles pour compenser certains défauts. La moustache fait oublier un front étroit, un gros nez ou un faciès large. Une barbe bien taillée camoufle un nez irrégulier, une calvitie naissante, un visage mince.

Barbes et moustaches demandent des soins. Lavez-vous la barbe tous les jours avec un produit antipelliculaire si vous avez des démangeaisons. Taillez barbe ou moustache chaque semaine pour ne pas avoir l'air négligé.

Si vous avez du mal à discipliner votre barbe ou votre moustache, appliquez-lui un gel ou une mousse de mise en plis pour cheveux. Faites entrer le produit en massant du bout des doigts.

RASAGE ET ÉPILATION

Pour redresser la moustache, appliquez la crème à raser à contre-poil. Laissez-la en place 2 minutes avant de vous raser.

Si vous vous entaillez la peau en vous rasant, appliquez un petit morceau de papier hygiénique sur la coupure et appuyez pendant 90 secondes. La blessure n'enflera pas et passera inaperçue.

Voici une autre méthode pour empêcher de saigner une coupure due au rasage. Appliquez dessus un sachet de thé imbibé d'eau froide et appuyez quelques secondes.

Pour vous épiler les sourcils à la pince sans douleur, faites des applications locales de glace jusqu'à ce que le froid vous paraisse franchement désagréable. Vous ne sentirez quasiment plus le pincement.

PRODUITS POUR LA PEAU

Si vous êtes facilement allergique, faites un test avant d'essayer un produit. Appliquez-en un peu à l'intérieur du poignet ou du coude ; mettez un pansement adhésif et attendez 24 heures. S'il n'y a ni rougeur, ni irritation, vous ne courez probablement aucun risque. On peut devenir allergique à une substance qu'on tolérait. Si vous reprenez un produit que vous aviez laissé tomber, faites un nouveau test.

Changez de marque si vous voyez apparaître des lésions, des rougeurs ou d'autres réactions de type allergique. Communiquez avec un dermatologue et le fabricant et signalez votre cas à un bureau de la Direction de la promotion de la santé, Santé et Bien-être social Canada.

NETTOYAGE DE LA PEAU

On peut avoir une peau mixte : le front, le nez et le menton gras, et les joues sèches. Lavez-vous avec une débarbouillette pour enlever les cellules mortes et activer la circulation, quelle que soit votre peau.

Avant d'acheter un savon ou une crème, vérifiez son odeur. Certains produits très parfumés peuvent être irritants. Souvent aussi, ils nettoient moins bien que ceux dont la teneur en parfums est plus modérée.

Des picotements, une peau très sèche vous signalent que votre astringent, votre tonifiant ou votre après-rasage sont trop forts. Changez de marque ou ajoutez 1 c. à thé d'eau minérale par 30 g.

Par temps très chaud, gardez au réfrigérateur les lotions astringentes ou tonifiantes.

LE BAIN

En hiver, prenez des bains ou des douches à l'eau tiède. L'eau chaude fait rougir la peau et augmente les pertes d'humidité. Appliquez une lotion hydratante pendant que la peau est encore humide.

Faites fondre une tasse de sel dans la baignoire pour faire disparaître les démangeaisons épidermiques fréquentes en hiver. L'eau salée est souvent plus efficace que les huiles pour le bain. Si vous préférez celles-ci, essayez l'huile minérale, moins chère ; elle aura en règle générale les mêmes effets.

HYDRATEZ VOTRE PEAU

Après avoir nettoyé la peau, appliquez une crème hydratante. Son efficacité est de 10 heures. Si vous vous sentez la peau du visage sèche avant la fin de la journée, passez un tampon imbibé de lotion tonifiante et remettez de la crème hydratante. Au besoin, adoptez une crème plus riche.

Changez de crème hydratante selon les saisons. En hiver, quand la peau est exposée à un environnement sec, prenez une crème plus riche. En été, un hydratant de texture plus légère convient mieux.

La peau de vos coudes est-elle fendillée, écailleuse ? N'oubliez pas de les traiter eux aussi lorsque vous vous appliquez de la crème lubrifiante sur tout le corps.

Si vous voyez poindre des pattes-d'oie autour de vos yeux, agissez sans tarder. Malaxez un peu de crème pour les yeux entre vos doigts pour la réchauffer et la rendre plus fluide et étalez-la avec douceur autour des yeux. Ne tirez pas la peau qui entoure les yeux.

PROTECTION CONTRE LE SOLEIL

La peau met un certain temps avant d'absorber les écrans solaires. Enduisez-vous d'une crème solaire adaptée à votre peau une demi-heure avant le bain de soleil ; remettez-en si vous transpirez beaucoup et après chaque baignade.

Ne vous exposez pas au soleil vers l'heure du midi. Le soleil est à son plus intense entre 10 et 14 heures.

Si vous avez l'intention de passer plusieurs heures dehors, appliquez-vous un filtre ou un écran solaire en même temps que votre crème hydratante habituelle. Vérifiez le facteur antisolaire de la crème et choisissez-le en fonction de votre peau. Ce facteur, inscrit sur l'étiquette, va de 2 à 20. La protection croît avec le chiffre. Rappelez-vous que les blonds ont besoin de plus de protection que les bruns.

TRAITEMENTS FACIAUX

Pour nettoyer votre peau à fond, essayez le traitement suivant. Remplissez un lavabo propre d'eau tiède ; plongez le savon facial dans l'eau et frottez-le contre la peau de votre visage. Faites mousser le savon entre vos mains et appliquez la mousse en massant l'épiderme. Rincez 15 à 20 fois à l'eau savonneuse, puis 10 fois à l'eau tiède courante. Finissez avec plusieurs aspersions d'eau froide. Epongez avec une serviette.

Pour un masque qui nettoie en profondeur, appliquez du lait de magnésie sur tout le visage avec un tampon, en restant loin des yeux. Attendez 10 minutes, puis rincez à l'eau tiède et terminez avec une crème hydratante.

Un épiderme sec demande un traitement spécial. Mélangez un jaune d'œuf, 1 c. à thé de miel et 2 c. à soupe de crème sure. Appliquez ce masque avec un tampon en évitant les yeux. Attendez 15 minutes, puis rincez et épongez.

Voici un masque pour peau grasse. Défaites en pâte du miel, des flocons d'avoine et du jus de citron. Appliquez ; au bout de 10 minutes, rincez à l'eau tiède.

Si vous avez la peau normale, faites une pâte avec ⅓ tasse de poudre d'amandes et de la teinture d'hamamélis. Appliquez en évitant les yeux. Enlevez le masque au bout de 15 minutes avec des mouchoirs de papier et rincez à l'eau tiède.

FOND DE TEINT

Si vous n'êtes jamais satisfaite de la couleur de votre fond de teint, faites un essai non sur le poignet, mais sur la joue. Le fond de teint doit être un peu plus pâle que votre peau.

Pour dissimuler les poches sous les yeux, appliquez une crème spéciale sous les cernes (pas dessus : ça souligne les cernes) et étalez-la du bout des doigts.

LE VIEILLISSEMENT DE LA PEAU

Q : Certaines personnes vieillissent plus vite que d'autres. Pourquoi ?
R : Cela dépend de plusieurs facteurs : hérédité, santé et environnement, teint de la peau et exposition au grand air, mais surtout au soleil.

Q : Comment retarder l'apparition des rides ?
R : Evitez le soleil. C'est jusqu'à ce jour le conseil le plus avisé. Si vous devez rester au grand soleil, utilisez un écran ou une crème solaire. On doit se protéger du soleil très jeune, même durant l'enfance.

Q : Y a-t-il autre chose à faire pour retarder l'apparition des rides ?
R : Arrêtez de fumer. Des études ont démontré que les personnes qui fument ont des rides plus profondes et plus marquées que les autres autour des yeux et près de la bouche.

Q : Les lotions hydratantes sont-elles utiles ?
R : Elles ne retardent pas l'apparition des rides mais améliorent l'état général de l'épiderme. Bien hydratée, la couche externe de la peau se gonfle. L'épiderme paraît plus lisse et les rides mineures s'effacent. Sa texture s'améliore. On se sent mieux.

Q : Et les crèmes antirides ?
R : Certaines de ces crèmes aident à « remplir » les rides. Elles agissent sur la couche externe et leur effet est temporaire. Cependant plusieurs d'entre elles sont d'excellents hydratants ; elles renferment des ingrédients qui emprisonnent l'humidité entre les couches de la peau. Comme les peaux bien hydratées ont l'air plus jeunes, on peut dire que ces crèmes sont utiles, mais elles n'éliminent pas les rides.

Q : La vaseline est-elle aussi efficace que les coûteuses crèmes antirides ?
R : La vaseline empêche la peau de se déshydrater et la protège, mais elle est impuissante contre les rides superficielles. Elle peut même favoriser l'apparition de points noirs ou blancs. Il vaut donc mieux utiliser un produit qui n'est pas susceptible d'entraîner la formation de comédons ou de microkystes. Renseignez-vous auprès de votre dermatologue.

Q : Est-il utile d'employer une crème antirides quand on est jeune ?
R : Comme on ne peut prévenir l'apparition des rides, il est inutile d'employer une crème antirides quand on est jeune. D'ailleurs certains produits renferment des ingrédients qui pourraient aggraver ou favoriser l'acnée.

Q : La gymnastique faciale est-elle utile ?
R : La gymnastique faciale n'empêche pas de rider ; elle est même plutôt nuisible. Votre visage est constamment en mouvement, par exemple quand vous parlez ou mangez. Ce sont ces mouvements répétés qui engendrent les rides.

Si votre fond de teint est trop épais ou trop huileux, ajoutez-lui un peu de crème hydratante ou quelques gouttes d'eau minérale sans sel ; vous le rendrez plus fluide. Opérez le mélange dans le creux de votre main ou dans une assiette, non dans le pot même.

FARD À JOUES

Vous avez l'air d'un cachet d'aspirine ? Mettez une goutte de fard à joues liquide dans votre fond de teint. Votre visage s'illuminera.

Vous vous sentez fatiguée ? Appliquez un soupçon de fard à joues en poudre pour souligner le contour du visage, des cheveux au menton. Uniformisez avec une éponge humide. Vous serez radieuse.

Si vous êtes exposée à un éclairage fluorescent qui détruit les teintes roses et accentue les jaunes du visage, appliquez un peu plus de fard à joues et utilisez un rouge à lèvres plus appuyé.

Gardez la poudre dans un saupoudroir à sel ou à poivre pour vous en mettre dans la main. Plongez-y un pinceau ou une houpette.

MAQUILLAGE DES YEUX

Les produits de maquillage, surtout ceux des yeux, ne sont pas éternels. Vous pouvez les infecter de bactéries et vice versa. Lavez souvent les applicateurs ou employez des coton-tiges que vous jetterez après chaque usage. Inscrivez la date d'achat sur les ombres à paupières, les crayons et le mascara. Remplacez les deux premiers tous les six mois ; le dernier tous les trois mois.

Si vous soulignez le contour de vos yeux, déposez le liquide en petits points près des cils. La ligne sera plus naturelle.

Pour bien aiguiser les crayons à maquillage, mettez-les une heure au réfrigérateur avant de les tailler.

Disciplinez les sourcils rebelles avec un peu de gel ou de mousse à mise en plis et une brosse à sourcils.

ROUGE À LÈVRES

Voici comment faire durer le rouge sur les lèvres. Superposez dans l'ordre de la poudre, du rouge, de la poudre et encore du rouge. Enlevez l'excès de poudre avec un chiffon ou un papier humide.

Votre rouge à lèvres s'est cassé en deux ? Avec votre briquet ou une longue allumette à foyer, ramollissez les deux bouts cassés ; aboutez-les et lissez les bords avec une allumette propre ou un cure-dents. Mettez le rouge au réfrigérateur pour qu'il durcisse.

LE MAQUILLAGE, ÉTAPE PAR ÉTAPE

Conditions préalables : avoir le visage et les mains propres. Lavez-vous les mains également entre les diverses étapes du maquillage. Des mains sales risquent de contaminer tout produit que vous appliquez du bout des doigts et, par suite, d'endommager la peau. Au début du maquillage, nettoyez, tonifiez et hydratez l'épiderme.

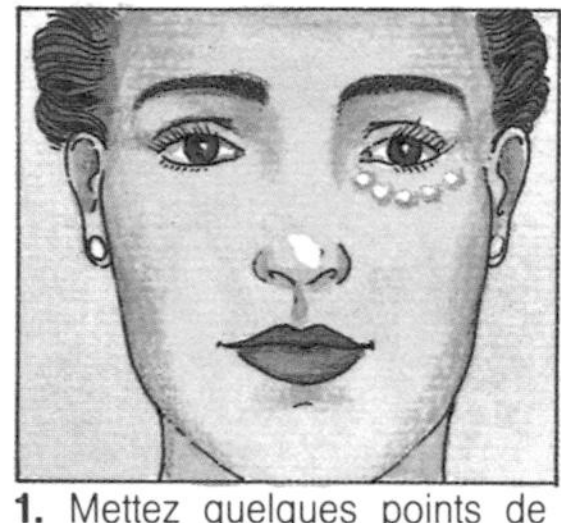

1. Mettez quelques points de crème à cernes sous les yeux et sur les boutons. (Certains esthéticiens préfèrent appliquer cette crème après le fond de teint. Essayez les deux méthodes.)

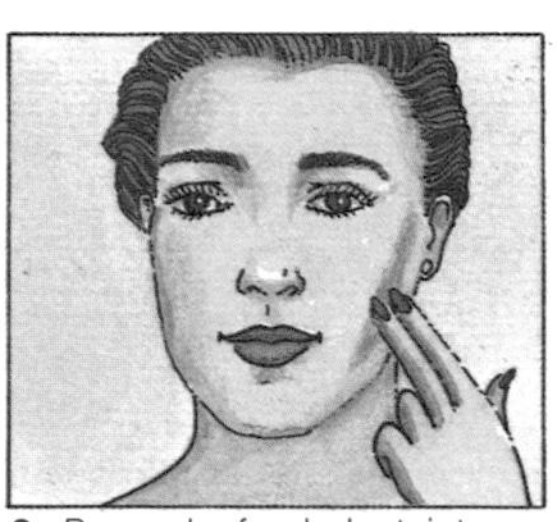

2. Posez le fond de teint par longs traits sur tout le visage jusqu'au cou. (N'en appliquez pas sur les paupières.) Etalez-le par petits mouvements rapides avec une éponge à maquillage.

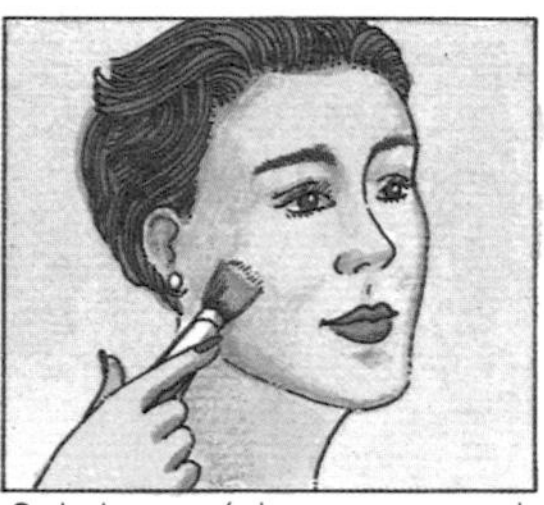

3. Laissez sécher un peu, puis appliquez légèrement de la poudre translucide avec une grosse brosse. La poudre fixe le fond de teint que vous venez d'étaler.

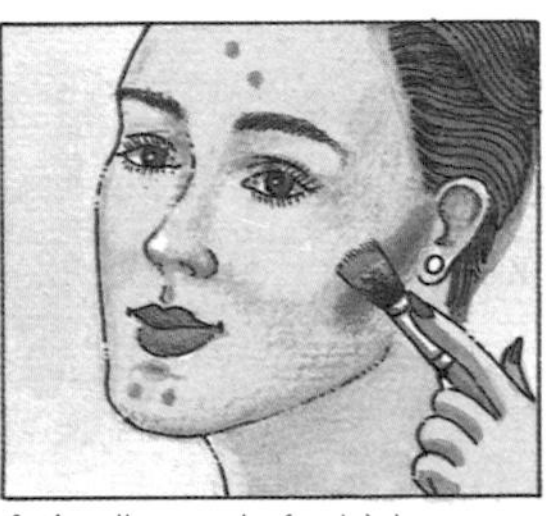

4. Appliquez du fard à joues en poudre au milieu des joues en allant vers les cheveux et un peu de fard en crème sur les pommettes, le menton et le front. Etalez avec l'éponge. Sur le fard en crème, posez un fard en poudre de même nuance.

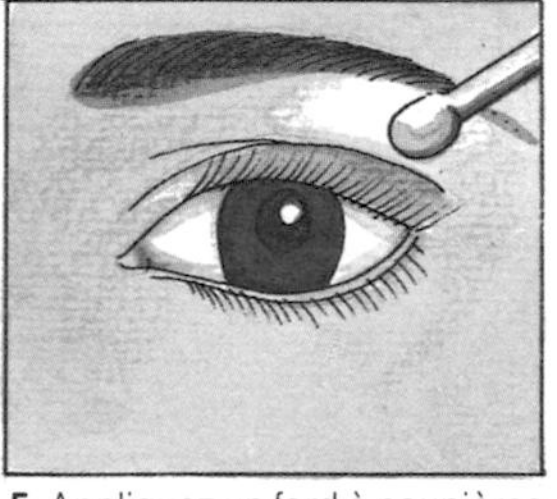

5. Appliquez un fard à paupières de teinte neutre en guise de base sur les paupières. Soulignez les sourcils avec un fard blanc ou clair, les paupières avec un fard coloré. Les teintes choisies ne doivent pas faire paraître vos yeux fatigués.

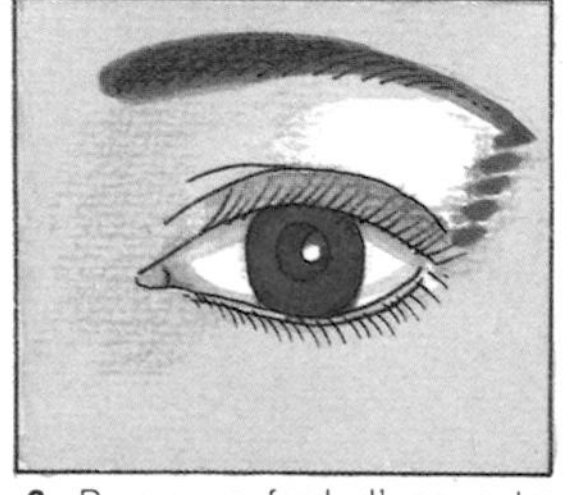

6. Posez un fard d'une autre couleur depuis le coin externe de l'œil jusqu'à l'os des sourcils. Appliquez par petits coups de pinceau. La teinte de base dans le coin interne de l'œil lui donnera de la vie. Faites les raccords à l'éponge à maquillage.

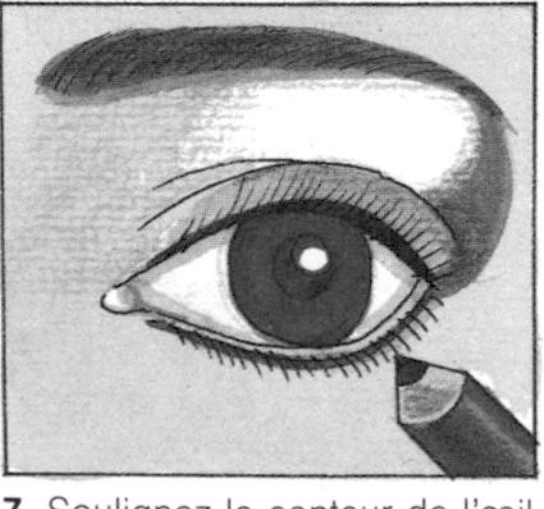

7. Soulignez le contour de l'œil en faisant un trait au crayon audessus des cils supérieurs et au-dessous des cils inférieurs. Si vous mettez de la couleur à l'intérieur des cils inférieurs, le blanc de l'œil sera plus blanc, mais l'œil paraîtra plus petit.

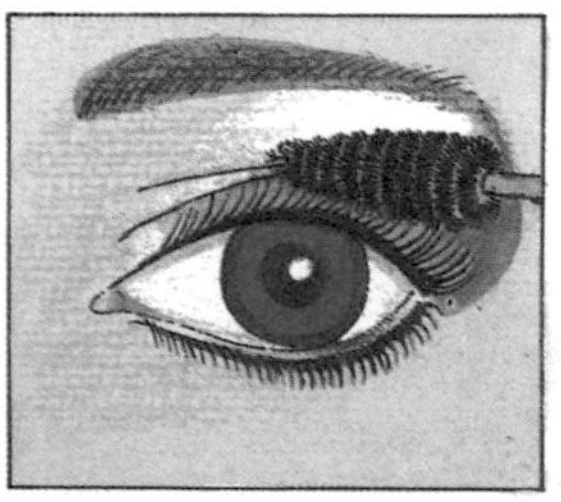

8. Posez le mascara avec une brosse ou une tige à tampon. Pour faire paraître les cils plus fournis, ajoutez de la poudre translucide entre les couches de mascara.

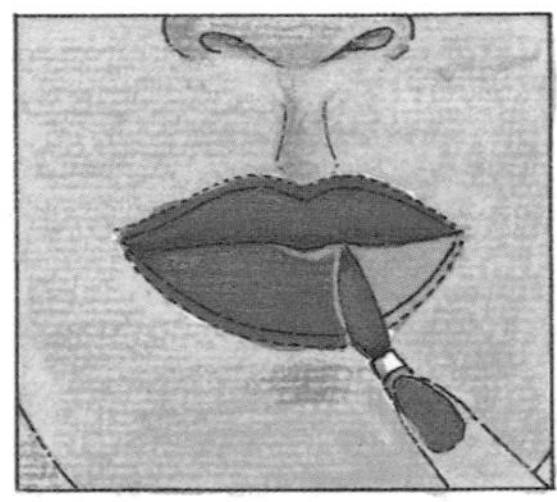

9. Dessinez au crayon le contour des lèvres à l'extérieur de la ligne naturelle si elles sont très minces, à l'intérieur si elles sont épaisses. Au pinceau, posez d'abord le fard transparent, puis le rouge. Raccordez le rouge et le trait de crayon.

Pour empêcher le rouge à lèvres de couler ou de s'écailler, appliquez d'abord une base et soulignez le contour des lèvres avec un crayon.

DÉMAQUILLAGE

Débarrassez votre visage de toute trace de maquillage avant de vous coucher le soir. Si vous dormez régulièrement avec une couche de maquillage, de cellules mortes et de saleté sur la peau, vous aurez le teint terne et terreux.

En enlevant le mascara, pour ne pas l'étaler sur votre visage, mettez un mouchoir de papier autour d'un doigt et tenez-le sous les cils pendant que vous les démaquillez comme à l'accoutumée, de l'autre main.

TRANSPIRATION

En avez-vous assez des désodorisants commerciaux ? Demandez au pharmacien de vous indiquer une crème antibactérienne et appliquez-la sur les aisselles. Ce sont les bactéries qui causent la mauvaise odeur et la crème en détruira un nombre considérable.

Si les désodorisants vous irritent la peau des aisselles, essayez d'appliquer en premier lieu une crème pour les mains. Si l'irritation persiste, il se peut que vous présentiez un cas d'allergie. Cessez alors d'utiliser le produit et pensez à consulter un dermatologue.

Avez-vous les mains moites ? Mettez-vous un peu d'antisudorifique sur les paumes et frottez vos mains l'une contre l'autre.

Pour désodoriser vos chaussures, saupoudrez-en l'intérieur de bicarbonate de soude. (Enlevez la poudre avant de les porter.)

PARFUMS

Mettez quelques gouttes de parfum sur un petit tampon et glissez-le dans votre soutien-gorge. Vaporisez du parfum sur une ampoule avant d'allumer la lumière. L'odeur se répandra partout dans la pièce.

Ne portez pas de parfum pour prendre du soleil. Les huiles qu'il renferme peuvent faire apparaître des taches brunes sur la peau.

Pour vous rafraîchir, mettez de l'eau de cologne dans l'eau tiède du lavabo et épongez-vous le corps.

SOINS DENTAIRES

La meilleure brosse à dents a des soies souples et arrondies en nylon. Remplacez-la tous les trois ou quatre mois. Les soies effilochées ou pliées n'enlèvent pas la plaque et peuvent abîmer les gencives.

Utilisez la soie dentaire avant de vous brosser les dents. De la sorte vous enlèverez la plaque et les débris d'aliments avec la brosse et vous vous rincerez la bouche. Autrement, ces débris demeureraient dans votre bouche.

Pour utiliser plus facilement la soie dentaire (surtout chez les enfants), nouez environ 25 cm de soie en boucle autour des index et des pouces en laissant environ 3 cm de soie entre les doigts. Faites-la pénétrer entre les dents avec un mouvement de va-et-vient.

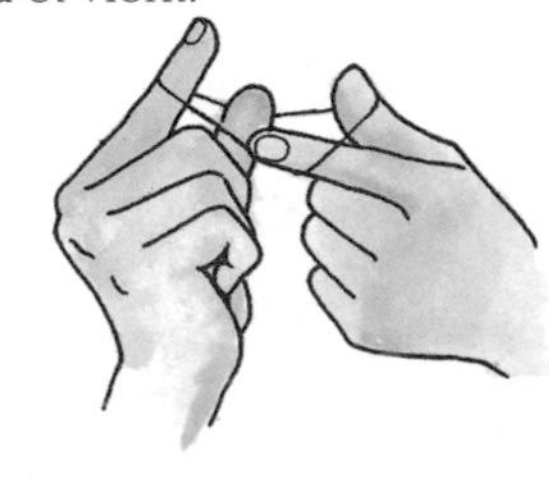

PROTHÈSES DENTAIRES

Il ne suffit pas de les mettre à tremper pour la nuit ; il faut les brosser. Le trempage les nettoie en douceur ; la brosse enlève la plaque.

Hors de la maison, vous nettoierez rapidement vos prothèses, sans même avoir à les enlever, en les brossant avec du filet de nylon.

Fabriquez une solution nettoyante pour les prothèses amovibles (sans métal) en mélangeant 1 c. à soupe d'eau de javel et 1 c. à thé d'adoucisseur d'eau dans 1 tasse d'eau.

HALEINE FRAÎCHE

Faites-vous une infusion de thé à la menthe pour vous rafraîchir la bouche après le dîner si vous ne pouvez vous brosser les dents. La menthe a meilleure odeur que le café.

Mangez à des heures régulières. Si vous sautez un repas, les bactéries s'accumulent sur la langue et vous donnent mauvaise haleine.

Pour éviter d'avoir mauvaise haleine, brossez non seulement les dents mais toute la cavité buccale, la langue y compris. Autrement les bactéries responsables y persistent.

SOIN DES MAINS

Avez-vous les mains gercées, rouges, rugueuses ? Mettez de la crème, de l'huile ou de la vaseline et enfilez des gants de coton. Portez toujours des gants de caoutchouc pour laver la vaisselle. Les plus épais sont tout indiqués quand vous vous servez d'eau très chaude.

Voici comment vous appliquer de la crème ou de la lotion à mains. Mettez-en un peu sur le dos d'une main et frottez avec le dos de l'autre main pendant quelques secondes. Frottez ensuite une main contre l'autre pour étaler le produit. Le dos des mains est généralement plus sec que la paume ; il a besoin d'être lubrifié plus généreusement.

Pour éclaircir les taches brunes, appliquez une crème blanchissante, vendue sans ordonnance, deux fois par jour après vous être lavé les mains. Utilisez un écran solaire pour prendre du soleil. Si le traitement ne donne pas de résultats après quelques mois, demandez au dermatologue de vous prescrire une crème plus efficace.
Attention : Certaines personnes sont allergiques aux crèmes blanchissantes. Faites donc un essai (p. 256) avant d'en adopter une.

MANUCURE

Insérez les doigts dans un demi-citron et faites-les bouger pour nettoyer la cuticule et les ongles avant la manucure.

Prolongez la durée de la manucure : appliquez d'abord une fine couche de vernis transparent. Pour des ongles très soignés, ajoutez une couche de vernis de couleur chaque jour. Il s'écaille moins ainsi.

Si vous gâtez un ongle, vous n'avez pas à retirer tout le vernis. Mettez du solvant à vernis à ongles sur le bout de l'index de l'autre main et tapotez l'ongle gâté. La couche abîmée s'amollira suffisamment pour que vous puissiez étendre une nouvelle couche de vernis de couleur pardessus lorsqu'elle sera sèche.

Ne pelez pas le vernis qui s'écaille. Vous enlevez en même temps la fine couche superficielle de l'ongle et vous le rendez plus vulnérable.

Choisissez des nuances pâles ou neutres, surtout si vous avez les ongles courts. Les petites imperfections se voient moins et les retouches sont plus faciles qu'avec un vernis de teinte foncée.

SOIN DES PIEDS

Pour empêcher les muscles des mollets de se contracter et de se durcir progressivement, portez alternativement des souliers à talons hauts et à talons bas ou sans talons. Avant de marcher pieds nus, chaussez quelques minutes des talons bas pour faire une transition et vous éviter des crampes douloureuses.

Pendant vos périodes de détente, pensez à vos pieds. S'ils sont enflés, soulevez-les quand vous êtes étendu ou assis. Par temps chaud, portez des sandales plates ; par temps froid, une chaussette épaisse en laine munie d'une semelle de cuir cousue à la main.

Découpez des triangles dans une éponge et glissez-les entre les doigts de pied pour les séparer avant de mettre du vernis à ongles.

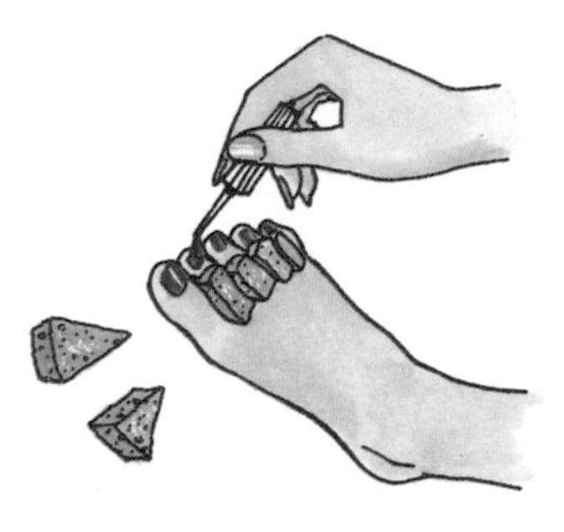

Si vous avez les orteils, les ongles d'orteils et la peau des pieds décolorés, frottez ces zones avec un demi-citron. Plantez vos talons dans des demi-citrons pendant 15 minutes pour en adoucir et en blanchir la peau. Ensuite hydratez.

L'ÉLÉGANCE

Les tissus amincissants ont une texture et un poids moyens ; les motifs imprimés ne seront ni gros ni petits. Choisissez-les pour qu'ils s'harmonisent avec votre stature.

Les femmes à cheveux courts portent mieux les lignes floues, les teintes douces et les jabots que les costumes de ligne masculine. Pensez à des cols châles. Choisissez des pastels seyants.

Si vous adoptez sans plaisir des teintes sombres pour paraître plus mince, associez-les à une teinte claire portée près du visage (pp. 264-265). Egayez un tailleur foncé avec une blouse ou un chandail de couleur franche ou en nouant un joli carré de soie autour de votre cou.

Vous voyagez souvent ? Vous apprécierez les teintes pâles et neutres qui s'adaptent à toutes les circonstances : ivoire, gris clair, beige, chameau et havane. Trouvez la fantaisie dans les textures ou dans des accessoires amusants et colorés.

LES COULEURS QUI VOUS AVANTAGENT

Les couleurs à la mode ne sont pas toujours celles qui vous avantagent. Basez-vous sur vos coloris naturels : cheveux, teint et yeux, pour choisir cosmétiques et vêtements. C'est surtout la couleur *naturelle* de vos cheveux qui est importante. L'élégance est affaire de coupe, mais aussi de coloris. Utilisez la palette ci-dessous pour faire votre choix.

BLONDES NORDIQUES

Coloris de base : Tailleurs, manteaux, robes, etc.

Accents : Chandails, jupes, carrés de soie, foulards, etc.

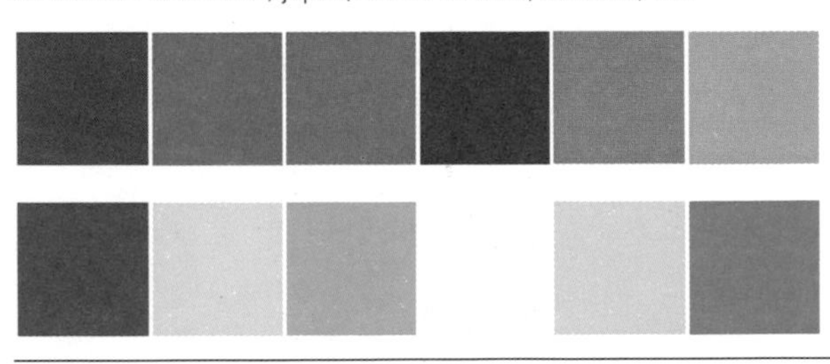

Couleur du cheveu :
Blond clair ou platine, blond châtain ; toujours cendré

Teint :
Clair ou transparent

Yeux :
Bleu clair, gris clair ou bleu-vert

Fond de teint :
Chair, beige, beige rosé, brun rosé

Fard à joues :
Rose cendré, rose doré, framboise

Fard à paupières :
Gris, gris-bleu, rose, taupe, brun-gris, sarcelle, mauve

Contour des yeux :
Taupe, gris, bleu-gris, mauve

Mascara :
Brun, mauve, bleu foncé

Lèvres et ongles :
Rose cendré, rose franc, rose vif, rouge-bleu

BLONDES VÉNITIENNES

Coloris de base : Tailleurs, manteaux, robes, etc.

Accents : Chandails, jupes, carrés de soie, foulards, etc.

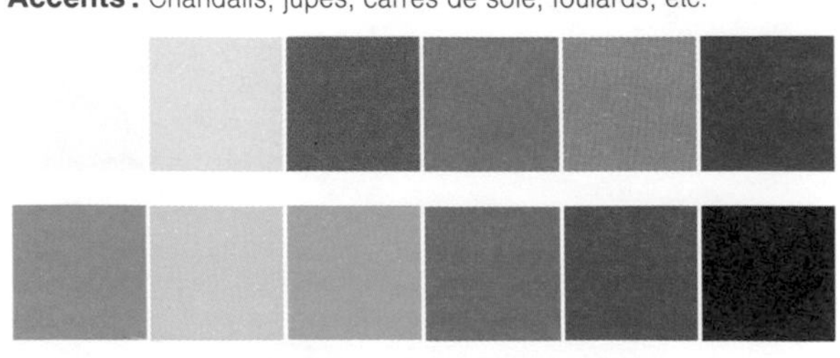

Couleur du cheveu :
Brun clair et doré, blond vénitien ; pas de cendré

Teint :
Pêche ou ivoire

Yeux :
Bleu porcelaine, bleu pailleté de brun, bleu-vert ou brun doré

Fond de teint :
Ivoire, pêche, beige chaud, havane café

Fard à joues :
Pêche, corail, gingembre

Fard à paupières :
Brun sépia, roux, doré, vert eau, bleu fumée, violet

Contour des yeux :
Brun sépia, bleu fumée

Mascara :
Brun, bleu électrique

Lèvres et ongles :
Pêche, corail rosé, café, gingembre, orangé

BRUNES

Coloris de base : Tailleurs, manteaux, robes, etc.

Accents : Chandails, jupes, carrés de soie, foulards, etc.

Couleur du cheveu :
Brun moyen ou foncé, noir

Teint :
Porcelaine, beige rosé, ivoire, olive clair ou foncé, café au lait ou noir

Yeux :
Brun clair ou foncé, noirs, verts, gris, bleu clair ou foncé

Fond de teint :
Beige rosé, beige moyen, beige clair, cacao, brun rosé, bronze accentué
**Ambre, miel foncé, havane cuivré, havane beige*

Fard à joues :
Rose-bleu, brun rosé, vin rosé
**Rouge vif, prune, orchidée, rose ambré, fard brillant rose ou rouge*

Fard à paupières :
Prune, taupe, bleu, gris, vert-gris, mauve
**Rose, prune, sarcelle, bleu moyen ou marine, violet cendré, taupe, bleu-noir*

Contour des yeux :
Fusain, taupe
**Bleu électrique, mauve, brun-noir*

Mascara :
Brun-noir, bleu électrique
**Brun-noir, pourpre*

Lèvres et ongles :
Rouge vif, rouge cerise, prune rosé, bourgogne vif, fuchsia
**Rouge rosé, rouge brillant, prune, framboise, rouge-brun*

**Coloris pour personnes de peau noire en italiques*

ROUSSES

Coloris de base : Tailleurs, manteaux, robes, etc.

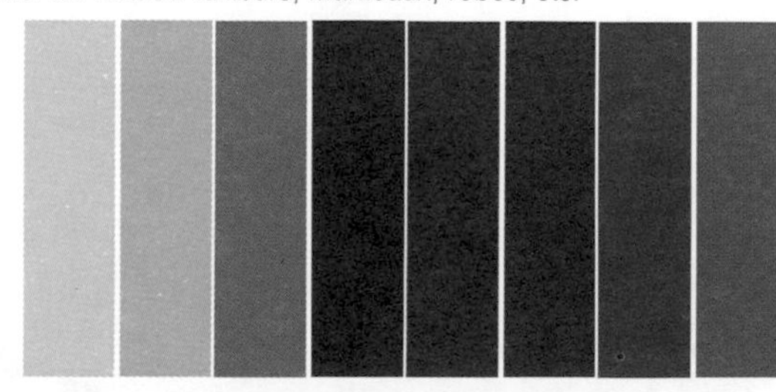

Accents : Chandails, jupes, carrés de soie, foulards, etc.

Couleur du cheveu :
Rouge carotte, roux sombre, brun avec des reflets roux ou bronze

Teint :
Clair ou rosé

Yeux :
Turquoise, verts, bleus, bruns ou noisette

Fond de teint :
Beige doré, beige crème, beige pêche

Fard à joues :
Fauve, abricot, corail

Fard à paupières :
Roux, sarcelle, cuivre doré, vert olive

Contour des yeux :
Vert mousse, fusain, brun

Mascara :
Brun sombre, vert

Lèvres et ongles :
Rouge brique, corail, pêche

L'homme qui porte toujours son portefeuille dans une poche de son pantalon ou de son veston ne devrait pas s'acheter un vêtement sans l'essayer avec ce portefeuille.

La femme qui se déplace toujours avec un attaché-case aurait intérêt à adopter un sac à main assez petit pour pouvoir l'y mettre.

Si un de vos chandails bouloche, « poncez-le » au papier de verre moyen. Puis enlevez les boules de laine : le papier sera réutilisable.

Vous n'avez pas souvent l'occasion de porter une robe habillée ? Choisissez-en donc une de ligne sobre et de teinte pas trop voyante. On se fatigue des imprimés audacieux ou des lignes sophistiquées. Par ailleurs, un ensemble ou une robe simples se prêtent à l'utilisation de multiples accessoires.

PETITS TRUCS DU MÉTIER

Portez un T-shirt en coton sous un chandail qui vous picote la peau.

Avez-vous besoin d'un collier ras du cou ? Ajoutez un fermoir à un sautoir assez long pour faire deux fois le tour de votre cou, mais non celui de votre tête. On trouve des fermoirs dans les boutiques d'artisanat ou les magasins à rayons.

Transformez un beau bouton en broche ou en épingle à cravate en lui posant un fermoir approprié. Autre méthode : collez sur l'envers une épingle de sûreté.

Décorez des escarpins avec d'anciennes boucles d'oreilles à pinces. Pour ne pas égratigner le cuir, utilisez de l'argile à fleurs pour fixer la pince à l'intérieur de la chaussure.

VOTRE SILHOUETTE

Petite poitrine ? Les fronces, les plis, les ruchés, les jabots vous avantagent. Portez des cardigans, de gros tricots. Adoptez la taille haute, les ceintures larges et cintrées. Evitez les vêtements moulants.

Poitrine forte ou épaules larges ? Recherchez les manches non montées, les tricots blousants, les petits cols, les décolletés verticaux, les revers étroits et les corsages drapés en tissu non moulant. Evitez les manches bouffantes, les ruchés, les fronces, les épaules coussinées, les ceintures larges et la taille haute.

Taille courte ? Donnez la préférence aux tuniques, aux robes Empire, aux chandails qui allongent le buste. Portez une longue écharpe en accessoire. Evitez les tailles marquées ; elles coupent la silhouette en deux et raccourcissent le buste.

Abdomen important ? Achetez des pantalons en popeline, gabardine ou flanelle de laine qui tombent droit à partir d'une taille montée. Evitez les tricots de jersey ou de polyester et les tailles montées sur élastique qui soulignent les formes. Portez des robes droites ; évitez les blousons. Adoptez les collants à culotte de maintien.

Cuisses ou hanches fortes ? Choisissez des jupes à fronces souples, des jupes droites à petites échancrures ou plis d'aisance ; des robes à ligne en A ou légèrement évasées dans le bas. Les vestes à épaulettes ou épaules coussinées et à larges revers équilibrent la silhouette. Evitez les jupes à plis et les pantalons à poches plaquées sur les hanches.

Jambes courtes ? Portez jupes et robes sous le genou avec collant et chaussures de teinte assortie. Adoptez les robes chemisiers ou les robes manteaux dont les piqûres tombent droit de l'encolure à l'ourlet ; les pantalons effilés sans revers. Evitez les ourlets au-dessus du genou, les pantalons larges à revers, les bottes à mi-mollets ou à la cheville.

Vêtements et entretien

AVANT L'ACHAT

Organisez votre garde-robe autour d'une ou deux couleurs de base (pp. 264-265). Choisissez des coupes sobres que vous pouvez rehausser d'accessoires. Faites l'inventaire des tenues que vous avez déjà et pensez à les renouveler avec des articles à la mode.

Si vous avez de la difficulté à savoir par cœur les tailles des divers membres de votre famille, inscrivez-les dans un carnet. Vous y mettrez aussi des échantillons des tissus des vêtements pour lesquels vous cherchez des accessoires.

Vous allez acheter des vêtements ? Passez une robe facile à enlever ; mettez les chaussures et les sous-vêtements qui iront avec votre nouvel achat ; portez peu de bijoux et peu de maquillage.

Visitez plusieurs endroits : les salles de vente des fabriques, les grands magasins, les minimarques, les salles de vente par catalogue, les magasins d'articles usagés.

LES BONS ACHATS

Achetez des vêtements de qualité; payez aussi cher que vous le pouvez. La qualité se reconnaît à ces signes :

Tissu inodore qui perd ses faux plis après avoir été froissé à la main.

Coupe taillée sur le droit-fil ou sur le biais, mais non entre les deux.

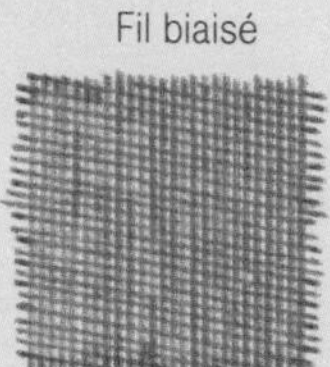

Droit-fil — Fil biaisé

Doublure bien coupée dont les coutures ne paraissent pas à l'endroit.

Quadrillés, rayures et motifs qui se raccordent aux coutures.

Coutures bien plates à bords finis.

Points réguliers, non froncés, intacts.

Ourlets et coutures de même largeur partout, permettant les retouches.

Cols et revers identiques des deux côtés et qui tombent bien.

Fermetures éclair qui ne gondolent pas et qui glissent bien.

Garnitures, poches, boutons et agrafes solidement fixés.

AU MOMENT DE L'ACHAT

Avant de conclure un achat, lisez l'étiquette avec attention (p. 274) pour vous assurer de la façon dont le vêtement s'entretient, connaître la composition du tissu (p. 268), savoir s'il sera durable et agréable à porter et vérifier que la taille est bien celle que vous désirez.

FIBRES TEXTILES : LEURS PROPRIÉTÉS

Fibre	Caractéristiques	Entretien
Coton	Robuste ; doux ; très absorbant ; rétrécit et froisse facilement à moins d'être traité ; vulnérable à la moisissure, à la transpiration et à l'eau de javel	Laver à la main ou à la machine (cycle normal) ; les grands teints à l'eau tiède, les autres à l'eau froide ; sécher par culbutage, réglage pour repassage permanent ; repasser humide à fer chaud
Lin	Robuste ; raide ; très absorbant ; rétrécit, s'étire et froisse facilement à moins d'être traité ; vulnérable à la moisissure, à la transpiration et à l'eau de javel	Nettoyer à sec ; pour l'assouplir, laver à la main ou à la machine (cycle normal) à l'eau tiède ou froide ; repasser humide à fer chaud
Soie	Robuste ; souple ; absorbante ; ne froisse pas ; ne moisit pas ; tache à l'eau ; vulnérable à la transpiration et à l'eau de javel	Nettoyer à sec ; si étiquetée « lavable », laver à la main à l'eau tiède ou fraîche avec un détergent doux ; sécher sur corde ; repasser à fer tiède avec une pattemouille
Laine	Fragile mais durable ; souple et chaude ; très absorbante ; ne froisse pas ; rétrécit à moins d'être traitée ; vulnérable aux mites et à l'eau de javel	Nettoyer à sec ; si étiquetée « lavable », laver à la main à l'eau tiède ou fraîche avec un détergent doux ; sécher à plat ; repasser à fer tiède avec une pattemouille
Nylon et polyester	Solides ; non absorbants ; ne froissent pas ; ne rétrécissent pas ; résistent aux mites et à la moisissure ; vulnérables à la chaleur et à l'acide sulfurique (dans l'air pollué) ; se chargent d'électricité statique et boulochent ; taches de gras difficiles à enlever	Laver à la main ou à la machine (cycle délicat) à l'eau tiède (ajouter de l'assouplissant) ; sécher par culbutage ou égouttement ; repasser le nylon à fer doux, le polyester à fer tiède
Rayonne	Fragile lorsque mouillée ; souple ; absorbante ; rétrécit, s'étire et froisse facilement à moins d'être traitée ; vulnérable à la moisissure, à la transpiration et à l'eau de javel	Nettoyer à sec ; si étiquetée « lavable », laver à la machine (cycle délicat) à l'eau tiède ; sécher par culbutage, réglage délicat ; repasser humide à fer tiède
Acétate	Fragile ; souple, peu absorbant ; froisse et s'étire facilement ; ne rétrécit et ne bouloche pas ; résiste aux mites et à la moisissure ; vulnérable à la chaleur, à la transpiration, au dissolvant de vernis à ongles et aux parfums à solvants organiques ; se charge d'électricité statique	Nettoyer à sec ; si étiqueté « lavable », laver à la main ou à la machine (cycle délicat) à l'eau tiède ; sécher par culbutage, réglage délicat ; repasser à fer doux
Triacétate	Fragile ; souple, peu absorbant ; ne froisse pas et ne rétrécit pas ; résiste aux mites, à la moisissure, à la transpiration et aux effets décolorants de la pollution atmosphérique ; vulnérable à la chaleur, au dissolvant de vernis à ongles et aux parfums à solvants organiques	Laver à la main ou à la machine (cycle normal) à l'eau tiède ; sécher par égouttement les vêtements à plis, sinon par culbutage ; aucun repassage ou presque
Acrylique	Robuste ; doux, non absorbant ; ne froisse pas et ne rétrécit pas ; résiste aux mites et à la moisissure ; vulnérable à la chaleur et à la transpiration ; se charge d'électricité statique et bouloche ; taches de gras difficiles à enlever	Laver à la machine (cycle normal) à l'eau tiède ; sécher par culbutage (avec assouplissant) ; aucun repassage ou presque
Modacrylique	Robuste ; doux ; non absorbant ; ne froisse pas et ne rétrécit pas ; résiste aux mites et à la moisissure ; peu inflammable ; vulnérable à la chaleur ; se charge d'électricité statique et bouloche ; taches de gras difficiles à enlever	Nettoyer à sec ; si étiqueté « lavable », suivre les instructions sur l'étiquette ; ne pas repasser

Les articles dits « hors-série » présentent des irrégularités de taille ou de couleur, mais leur durée n'est pas en cause. Ceux dits « second choix » ont des défauts plus graves.

Le degré d'absorption d'un tissu, la nature de ses fibres, son épaisseur, son apprêt et le tissage : autant de facteurs qui font qu'un vêtement « respire » plus ou moins. N'oubliez pas que certaines fibres synthétiques, utilisées dans les vêtements de sport, sont aussi fraîches que les fibres naturelles.

Vous achetez un tricot ? Préférez les mailles uniformes, les épaules et les boutonnières renforcées, les jupes et les pantalons doublés.

APPRÊTS DES TISSUS

Apprêt	Objectifs	Remarques
Mercerisage	Accroît la force, le lustre, le brillant et la résistance aux faux plis du coton	Nettoyer selon les instructions de l'étiquette
Amidonnage	Donne au coton un aspect amidonné	Nettoyer selon les instructions ; il faut parfois refaire l'amidonnage après le premier lavage
Infroissabilité	Elimine à peu près le repassage	Nettoyer selon les instructions ; l'eau de javel affaiblit le tissu, en jaunit certains
Antitache	Rend le tissu peu tachant et ne ramassant pas la poussière	Nettoyer selon les instructions ; éponger les taches sans tarder
Décatissage	Aide le vêtement à conserver ses dimensions et sa forme après le lavage	Nettoyer selon les instructions ; vérifier le rétrécissement indiqué sur l'étiquette (2 p. 100 est acceptable)
Hydrofugation	Le tissu résiste à l'eau sans être imperméable	Nettoyer selon les instructions ; l'apprêt est moins efficace si le nettoyage ne se fait pas selon les règles ; on peut retraiter le tissu
Imperméabilisation	Empêche l'eau de traverser le tissu	Nettoyer selon les instructions ; l'apprêt empêche d'ordinaire l'air de traverser le tissu
Ignifugation	Le tissu résiste au feu	Nettoyer selon les instructions ; l'apprêt est moins efficace si le tissu est lavé avec du savon ou un détergent sans phosphate, surtout là où l'eau est dure

Dans le cas d'un imperméable, vérifiez si l'étiquette porte les mentions « hydrofuge » (ou « imperméable ») et « intachable » ; assurez-vous en outre qu'il comporte une double épaisseur de tissu aux épaules et une doublure amovible.

AVANT DE PORTER UN NOUVEAU VÊTEMENT

La plupart des nouveaux vêtements ont besoin de quelques retouches avant même que vous les portiez. Jetez un coup d'œil aux coutures. Arrêtez les fils qui pointent ou faites-les sortir sur l'envers et nouez-les.

Tournez le vêtement à l'envers et examinez minutieusement les coutures. Si vous découvrez des points lâches ou brisés, des manques dans la piqûre, réparez-les. Si le tissu commence à s'effilocher aux coutures parce que les bords de celles-ci ne sont pas finis, faites tout de suite une piqûre à points de zigzag ou à points droits pour empêcher la situation de s'aggraver.

Si le vêtement présente des manches montées, renforcez-les en faisant une seconde piqûre à 5 mm environ de la ligne d'emmanchure, à l'intérieur de la marge de couture.

Finies les poches tordues ! Avant de porter un vêtement à poches plaquées, piquez un petit triangle de renfort dans les deux angles supérieurs des poches.

Dans une jupe étroite, la couture se défait souvent dans le haut du pli d'aisance. Si ce pli d'aisance fait toute la hauteur de la jupe, soutenez-le avec une piqûre de haut en bas sur l'envers. Vous empêchez ainsi la pression de se concentrer là où le pli est le plus vulnérable.

Renforcez les fentes dans le bas des pantalons très moulants ainsi que les poignets et les coutures latérales des blouses ou des chemises. Ajoutez une bride d'arrêt dans le haut des fentes, sur l'envers, en travaillant dans la marge de couture.

UNE DURABILITÉ ACCRUE

Posez des pièces sur l'envers aux genoux des jeans pour en accroître la durée. Faites-en autant aux coudes des chemises et des vestons d'usage quotidien.

Pour renforcer un chandail aux coudes, ajoutez des rangs de même fil perpendiculairement au tricot du chandail. Travaillez sur l'envers en passant au travers des mailles.

Pour empêcher les poignets des chandails et des moufles de s'étirer, passez plusieurs rangs de fil élastique sur l'envers.

Si vous transpirez beaucoup, cousez des dessous-de-bras en coton à l'intérieur des emmanchures de vos robes, ou encore fixez-les avec des épingles ou des boutons-pression.

Avant d'étrenner un nouveau vêtement, consolidez les boutons, agrafes ou boutons-pression qui donnent des signes de faiblesse.

Le tissu qui entoure les bandes velcro est exposé à s'user par suite de la pression exercée pour défaire l'attache. Faites quelques points à la machine pour le renforcer.

MOUSSE ET FAUX PLIS

Enlevez la mousse qui colle aux vêtements avec une éponge humide ou une brosse. Ou mettez du ruban-cache à l'envers autour de votre main et passez-le sur le vêtement.

En voyage, défroissez un vêtement en le suspendant dans la salle de bains pendant que vous prenez une douche chaude. Fermez portes et fenêtres pour garder la vapeur. Laissez le vêtement sécher à l'air avant de l'enfiler.

A la maison, défroissez le vêtement dans la sécheuse avec une serviette de bain humide en le laissant culbuter pendant une dizaine de minutes.

VÊTEMENTS PENDUS

Quand vous enlevez un vêtement, assurez-vous qu'il ne s'y trouve rien à nettoyer ou à réparer : taches, déchirures, boutons mal assujettis.

Aux cintres en métal, susceptibles de rouiller ou de déformer les vêtements, préférez les cintres en plastique ou en bois.

Attachez le corsage des vêtements suspendus à des cintres ; ils se déformeront moins.

Pour suspendre des vêtements à manches — chemises, blouses, vestes, robes et manteaux —, prenez des cintres coussinés.

Voulez-vous empêcher un col de s'aplatir ? Glissez dessous des mouchoirs en papier enroulés.

Les robes à épaulettes fines ne glissent pas des cintres si vous les bloquez avec des bandes élastiques.

Laissez respirer vos vêtements avant de les ranger. Ne les portez pas deux jours de suite. Laissez passer 24 heures pour que la transpiration s'évapore.

Si la pluie a mouillé un pantalon, suspendez-le par le bas pour le faire sécher.

VÊTEMENTS RANGÉS À PLAT

Il est préférable de ne pas suspendre mais de ranger à plat certains vêtements, par exemple ceux qui sont en tissu souple, lâche ou fin. De la sorte, ils se déforment moins.

Les tricots, s'ils ne sont pas très serrés, se rangent à plat. Si vous devez les suspendre, drapez-les sur la barre inférieure d'un cintre après l'avoir coussinée.

Pour empêcher de froisser un vêtement taillé dans un tissu très fin, mettez du papier de soie sur les pliures.

Toujours pour minimiser les faux plis, mettez les articles légers sur les articles lourds quand vous les empilez dans une armoire.

LUTTE À LA MOISISSURE

Ne rangez pas des vêtements humides ; laissez-les sécher ou repassez-les avec le fer à la température la plus chaude que supporte le tissu.

Ne mettez pas les vêtements dans des sacs ou des boîtes en plastique : l'humidité s'y conserve.

Aérez les espaces de rangement quand il fait frais et sec.

N'entassez pas trop les vêtements ; laissez l'air circuler.

Evitez les empois et autres apprêts sur les vêtements à entreposer.

Utilisez des produits déshumidifiants comme le gel de silice ou le chlorure de calcium, mais déposez-les loin des vêtements.

Contre l'humidité et la moisissure, mettez du paradichlorobenzène en boules ou en cristaux dans les placards et les tiroirs de rangement.

PENDERIES ET COMMODES

Voici comment faire pour que les placards et les penderies sentent bon. Rangez-y des vêtements frais nettoyés ; ne fermez pas la porte complètement ; mettez une boîte de bicarbonate de soude dans un coin pour absorber les odeurs ; accrochez un fruit épicé (p. 272) ou un sachet parfumé.

Réduisez l'humidité dans un placard en y suspendant une douzaine de bâtons de craie attachés ensemble avec un lien.

Pour empêcher les vêtements de se gripper ou de se tacher dans un tiroir en bois, doublez celui-ci de tissu matelassé ou d'un papier de bonne qualité sans colle. (Les papiers encollés attirent les insectes et s'enlèvent difficilement.)

Rendez les tiroirs odorants en y mettant des pains de savon parfumés, des flacons de parfum vides ou des feuilles d'assouplissant à tissu.

Par mesure de précaution, assurez-vous qu'on peut ouvrir les placards de l'intérieur.

RANGEMENT SAISONNIER

Recourez à l'entreposage au froid dans les cas suivants : climat très chaud ou humide, manque d'espace de rangement, présence régulière d'anthrènes, de lépismes, de mites ou de moisissure. Entreposez ainsi toutes les fourrures.

FRUIT ÉPICÉ

Pour donner à un placard une douce odeur épicée, essayez ceci : prenez une orange, un citron ou une lime ; piquez l'agrume de clous de girofle. Si le fruit est petit, mélangez 1 c. à thé de cannelle et 1 c. à table de poudre d'iris (dans les boutiques de fines herbes) ; s'il est gros, doublez les quantités. Mettez fruit et épices dans un sac ; secouez pour enrober. Rangez le fruit au sec dans du papier de soie pendant deux semaines. Retirez-le et suspendez-le dans le placard.

Avant de ranger des vêtements, assurez-vous qu'ils sont bien propres. La saleté, mais surtout issue de la transpiration, des aliments et des boissons, attire les insectes.

Choisissez des rangements propres, secs, sans insectes et obscurs. La lumière fait faner certains coloris, surtout les verts et les bleus, et favorise l'éclosion des œufs.

Doublez les tiroirs de papier de soie ou de mousseline lavée ; enveloppez-en les vêtements pliés ; une fois par an, remplacez le papier ou lavez la mousseline.

Rangez les vêtements là où la température et l'hygrométrie se maintiennent dans la moyenne. Evitez les combles très chauds, les sous-sols très humides.

Comme les fibres naturelles — lin, coton, laine et soie — ont besoin de respirer, rangez-les dans un endroit bien aéré ou dans des contenants percés de trous.

Quand vous sortez un vêtement de l'entreposage, mettez-le dans la sécheuse 10 minutes au cycle d'air froid. Les faux plis disparaîtront.

L'ENTREPOSAGE

Cuir et suède : Rangez dans un placard frais et bien aéré. Couvrez de coton lavé. Coussinez le cuir souple de papier de soie et rangez à plat.

Fourrure : Si le vêtement est petit, rangez-le dans un endroit frais et sec à la maison, couvert de coton lavé. Sinon, entreposez commercialement.

Laine : Nettoyez le vêtement, coussinez-le de papier, pliez et enveloppez dans du papier de soie. Mettez des boules à mites dans le placard.

Lin : Roulez le vêtement. S'il est plié, repliez-le périodiquement pour ôter les faux plis. Couvrez de coton lavé.

Quilt : Pliez et rangez à plat. Couvrez de coton lavé.

Rayonne : Rangez le vêtement à plat. Si vous le pendez, coussinez-le de papier de soie. Couvrez de coton lavé.

Soie : Rangez à plat le voile ou les tricots de soie. Si vous suspendez le vêtement, coussinez-le de papier de soie. Couvrez de coton lavé.

Tissu lamé : Mettez du papier de soie ou de la mousseline lavée entre chaque épaisseur et roulez le vêtement. Si vous le pliez, repliez-le de temps à autre. Couvrez de coton lavé.

Velours : Coussinez de papier de soie et suspendez sur un cintre coussiné ; soutenez les jupes avec des boucles fixées à la taille. Couvrez de coton lavé.

MITES ET ANTIMITES

Boules et cristaux à mites ne tuent pas les œufs qui se trouvent déjà dans les vêtements. Il faut donc nettoyer ceux-ci avant de les ranger.

Comme les boules et les cristaux à mites émettent des vapeurs plus lourdes que l'air, placez-les au-dessus des vêtements, hors de la portée des enfants et des animaux : ils sont très toxiques.

Les vieux bas, les vieilles chaussettes font de bons sachets à boules à mites. Pour ce qui est des cristaux, saupoudrez-les sur le côté adhésif d'un bout de ruban-cache et accrochez celui-ci.

Pour atténuer l'odeur des produits antimites dans le placard, suspendez un fruit épicé ou un sachet d'herbes odorantes ou tout simplement cinq ou six feuilles de laurier réunies ensemble.

Le coffre en cèdre, si efficace contre les mites, doit être en cèdre massif d'au moins 2 cm d'épaisseur et comporter des joints d'étanchéité en feutre.

L'odeur du cèdre tue seulement les jeunes larves ; elle ne peut rien contre les œufs, les larves adultes, les chrysalides et les mites.

MÉNAGEZ VOS VÊTEMENTS

Enlevez les huiles naturelles du cou et des poignets avec de la teinture d'hamamélis avant de vous habiller pour ne pas salir vos vêtements.

Prolongez la durée des vêtements de sortie ; enfilez une tenue ordinaire dès votre retour à la maison.

Pour ne pas lustrer le siège de vos pantalons, évitez les chaises de cuir et de plastique et donnez la préférence à celles recouvertes de tissu ou d'un coussin.

AUTRES PROBLÈMES D'ENTRETIEN

Ne coupez pas un fil tiré dans un vêtement. Armez-vous d'un crochet fin ou d'une tête d'épingle droite et faites passer le fil sur l'envers.

Les épaulettes d'un soutien-gorge vous tombent-elles des épaules ? Cousez une fine bande élastique entre elles dans le dos.

COMMENT INTERPRÉTER LES ÉTIQUETTES

Si vous lisez...	Cela veut dire...
Lavage	
Laver à la machine	Laver chez vous ou chez le teinturier. Sauf avis contraire, les agents de blanchiment sont permis et l'eau du lavage peut atteindre 65°C (150°F)
Laver et rincer à l'eau tiède	Régler à eau tiède (32°C-43°C/90°F-110°F)
Laver et rincer à l'eau froide	Employer l'eau froide du robinet ou régler la machine à froid (jusqu'à 29°C/85°F)
Laver à la main	Laver à la main. Sauf avis contraire, les agents de blanchiment sont permis et l'eau peut être aussi chaude que la main le supporte (32°C-43°C/90°F-110°F)
Laver séparément	Laver seul ou avec des articles de mêmes coloris
Bien rincer	Rincer plusieurs fois pour enlever détergent, savon et agent de blanchiment
Ne pas laver en buanderie	Laver à la machine à la maison ou en libre-service
Blanchiment	
Blanchir au besoin	Tous les agents de blanchiment sont permis
Ne pas blanchir	Tous les agents de blanchiment sont défendus
Ne pas javelliser	N'employer que les agents de blanchiment à l'oxygène
Cycle machine	
Cycle délicat	Cycle court à agitation réduite
Cycle repassage permanent	Rincer à l'eau froide ou laisser refroidir avant un cycle court d'essorage
Cycle machine (fin)	
Pas d'essorage	Retirer le linge avant le cycle d'essorage
Séchage	
Par culbutage	Sécheuse réglée à air chaud, sauf avis contraire
Ne pas tordre	Veiller à ne pas froisser ou déformer l'article
Sécher par égouttement	Suspendre le vêtement chargé d'eau pour le faire sécher
Sécher sur corde	Suspendre le vêtement humide pour le faire sécher
Sécher à plat	Sécher le vêtement à plat
Remettre en forme	Redonner au vêtement sa forme et ses dimensions originales durant le séchage
Repassage	
Ne pas repasser	Ne pas repasser avec un fer chaud
Fer vapeur	Utiliser le réglage vapeur
Repassage humide	Humecter avant de repasser
Fer tiède	Régler le fer au plus bas
Fer chaud	Utiliser un réglage moyen
Fer très chaud	Régler le fer au plus chaud
Vapeur seulement	Ne pas poser le fer sur le tissu
Avec pattemouille	Placer un linge sec ou humide entre le fer et le tissu
Nettoyage à sec	
Nettoyage à sec	Chez le teinturier ou dans un libre-service
Nettoyage à sec professionnel	Demander au teinturier de suivre les instructions de l'étiquette

Les laines moelleuses et les tissus multifibres ont tendance à perdre du poil ; rangez-les séparément ou dans des sacs de papier.

L'ourlet des jeans frise-t-il après le lavage ? Posez à l'intérieur, au fer à repasser, une bande de ruban thermocollant. Ne les mettez pas dans la sécheuse : la chaleur ferait fondre l'adhésif du ruban.

Lorsque le bouton d'un col ne s'attache plus parce que la boutonnière est empesée, détendez-la avec un peu d'eau tiède.

QUOI NETTOYER À SEC

Nettoyez à sec les vêtements :

Etiquetés « nettoyer à sec seulement ».

Avec de grandes taches ou des taches récalcitrantes.

Vestons doublés ou robes perlées.

Comportant plus d'un tissu.

Délicats : en voile, en tissus mousseux ou avec des garnitures.

Taillés dans des tissus gaufrés, plissés ou à fils bouclés.

Sans étiquette, mais d'aspect laineux.

SYMBOLES D'ENTRETIEN

Les symboles ci-dessous vous disent tout ce que vous voulez savoir sur l'entretien de vos vêtements. Le rouge signifie : arrêtez, abstenez-vous ; le jaune : soyez prudent ; le vert : c'est permis.

	Feu rouge	Feu jaune	Feu vert
Lavage	Ne pas laver	Laver à la main à l'eau tiède 40°C Laver à la machine à l'eau froide et cycle délicat 50°C Laver à la machine à l'eau tiède et cycle délicat	50°C Laver à la machine à l'eau tiède et cycle normal 70°C Laver à la machine à l'eau chaude et cycle normal
Blanchiment	Cl Ne pas blanchir	Cl Utiliser un agent au chlore selon les instructions	
Séchage		Sécher à plat Sécher par culbutage à basse température	Sécher par culbutage à temp. moyenne ou élevée Sécher sur corde Sécher par égouttement
Repassage	Ne pas repasser	110°C ou Repasser à fer tiède 150°C ou Repasser à fer chaud	200°C ou Repasser à fer très chaud
Nettoyage à sec	Ne pas nettoyer à sec	Nettoyer à sec et sécher par culbutage à basse température	Nettoyer à sec

NETTOYAGE À SEC

Faites nettoyer en même temps tous les morceaux d'un ensemble ; en cas de légère décoloration, ils seront uniformes.

Quand un vêtement est taché, portez-le sans tarder chez le teinturier. En effet, les taches qui vieillissent sont plus difficiles à enlever. Si vous le savez, indiquez au teinturier de quelle sorte de tache il s'agit ; il agira en conséquence.

Pensez à nettoyer en libre-service les vêtements robustes et peu sales qui n'exigent qu'un petit coup de fer. C'est une façon économique de les mettre propres avant les rangements saisonniers.

En ramenant vos vêtements du nettoyeur, enlevez le sac de plastique qui les recouvre pour qu'ils respirent. Si vous avez des enfants, n'oubliez pas de faire plusieurs nœuds dans ces sacs avant de les jeter pour prévenir les accidents.

LAVAGE RÉUSSI

1. Triez le linge avec soin (p. 277).
2. Prélavez les endroits très sales.
3. Mélangez petits et grands articles dans un même chargement.
4. Sélectionnez la température adéquate de l'eau.
5. Utilisez le détergent et la quantité recommandés.
6. Choisissez le cycle approprié.
7. N'écourtez pas le cycle de rinçage.
8. Sélectionnez le cycle de séchage approprié.
9. Retirez le linge de la sécheuse sans attendre ; pliez-le ou suspendez-le.

AVANT DE METTRE LE LINGE DANS LA MACHINE

Cela ressemble à une lapalissade : lisez les étiquettes avant de mettre les vêtements dans la machine. Vous vous éviterez de douloureuses déceptions (p. 274).

Videz les poches, tournez-les à l'envers et brossez-les pour enlever la mousse. Vous éviterez aussi d'y laisser des objets qui peuvent endommager le linge ou le tacher.

Si d'autres membres de la famille utilisent la machine à laver, laissez des instructions claires sur une fiche en carton fixée sous plastique transparent près de l'appareil.

Triez les nylons blancs et les tissus à base de nylon qui prennent vite la couleur pour les laver séparément.

SAGESSE ET BON SENS

Les détergents retiennent peu la saleté en suspension dans l'eau. Bientôt les particules les plus fines, beaucoup plus difficiles à enlever que les autres, retournent se fixer sur le linge. Ne prolongez pas le lavage. Comptez 10-12 minutes pour les cotons, 7-9 minutes pour les synthétiques ; 3-4 minutes pour les tissus délicats et les lainages.

La machine ne doit être ni trop ni trop peu chargée. Choisissez le cycle et sa durée selon le linge que vous lavez. L'essorage à grande vitesse extrait plus d'eau et accélère le séchage. Rincez à l'eau froide.

Utilisez un minuteur pour tenir compte du temps quand vous lavez. Si vous changez de pièce, emportez-le avec vous.

Les tissus refroidis avant le dernier rinçage ont moins de faux plis (le cycle « repassage permanent » le fait automatiquement).

PRÉLAVAGE DES TACHES

Utilisez une vieille brosse à dents ou un petit pinceau propre pour imprégner les taches d'un détergent liquide énergique avant le lavage.

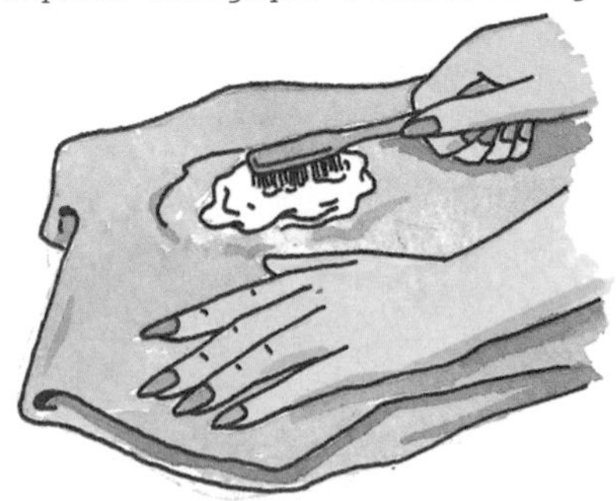

Pour nettoyer les cernes autour du col, frottez avec un détergent liquide énergique ou vaporisez un produit de prétraitement. Lavez.

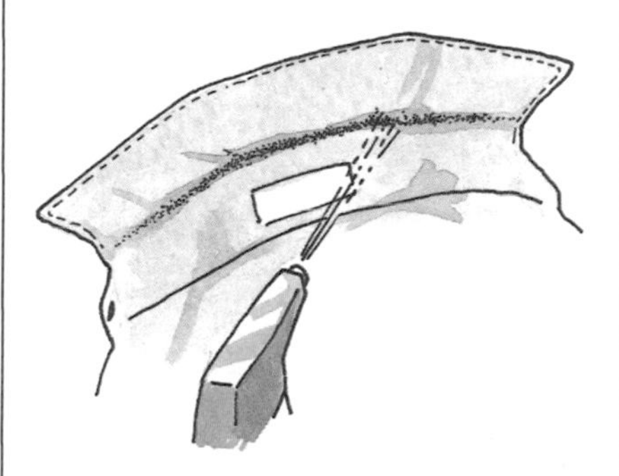

TRIAGE DU LINGE

En triant le linge, vous évitez que certains vêtements en endommagent d'autres. Voici les critères de sélection : couleur, nature et quantité de saleté, poids ou texture du tissu.

Couleurs : Groupez les blancs, les pastels et les imprimés à fond blanc grand teint; les coloris grand teint; les coloris non grand teint de même nuance.

Saleté : Groupez les articles peu sales ; ceux très sales ou graisseux.

Poids des tissus : Groupez les vêtements de poids moyen ou élevé ; les articles délicats.

Texture : Groupez les articles qui font de la mousse : coton-éponge, chenille, flanelle, etc. ; les articles qui prennent la mousse : mélanges coton-polyester, velours cordé, panne de velours et synthétiques.

Tout en faisant le tri : Otez les ceintures et les garnitures non lavables.

Montez les fermetures éclair, attachez les agrafes pour ne pas gripper les autres vêtements.

Nouez les cordelettes ou les cordons.

Videz les poches.

Brossez l'envers des poches et les poignets.

Réparez les accrocs et les déchirures.

Traitez les taches et les marques (pp. 282-283).

Comme les produits de prélavage à base de solvant s'évaporent vite, lavez aussitôt les articles ainsi traités dans la machine.

Ne laissez pas tomber des gouttes de ces produits sur la laveuse ou la sécheuse. Les solvants qu'ils renferment peuvent endommager la finition de vos appareils.

Prenez une vieille bouteille à pression pour appliquer juste ce qu'il faut de détergent sur une tache.

Si vous vous servez d'un savon détachant, enveloppez-le dans un filet de plastique pour frotter avec plus d'efficacité.

PRÉPARATION DU LINGE

Protégez les articles petits ou délicats en les mettant dans une taie d'oreiller que vous fermerez.

Avant de laver un article en tricot, à repassage permanent, à poils, matelassé ou en tissu lourd et texturé, tournez-le à l'envers : vous lui garderez son bel aspect.

Boutonnez les manches des chemises et des blouses au devant du vêtement pour éviter le tire-bouchonnage pendant le lavage.

Se trouve-t-il dans le lavage un article muni d'une cordelière à coulisse ? Nouez-en les deux bouts pour qu'elle ne risque pas de sortir du bâti.

L'huile et la graisse laissent facilement des marques sur les tissus de polyester. Si vous ne pouvez éviter de laver ces articles avec d'autre linge taché de graisse ou d'huile, il est recommandé de traiter les taches au préalable avec un détachant en aérosol.

PRODUITS À LESSIVE

Mettre trop d'un produit à lessive est presque aussi néfaste que n'en pas mettre assez. Lisez les instructions sur l'emballage du produit et suivez-les fidèlement.

Rappelez-vous que la plupart de ces produits sont toxiques ; gardez-les hors de portée des enfants.

Laissez une tasse à mesurer en permanence dans le coin-buanderie ;

PRODUITS À LESSIVE

Produit	Utilisation	Remarques
Détergents		
Energiques, en granules (tout usage)	Pour laver les tissus lavables	
Energiques, liquides (tout usage)	Pour laver les tissus lavables, prétraiter les taches	Remarquables sur les taches d'huile
Ordinaires, en granules	Pour tissus délicats et linge de bébé	
Ordinaires, liquides	Pour lavages à la main	Très moussants ; non recommandés pour machines à laver
Savons*		
Ordinaires, en granules	Pour articles peu sales, tissus délicats et linge de bébé	Avec de l'eau dure, laissent un résidu collant blanc ou jaune sur le linge et dans la machine
Ordinaires, en pains	Pour prétraiter les taches et la saleté tenaces, laver à la main les sous-vêtements et les bas	Avec de l'eau dure, laissent un résidu collant blanc ou jaune sur le linge et dans la machine
Agents de blanchiment		
Au chlore, liquide ou en poudre	Pour blanchir et raviver les tissus, enlever la saleté et les taches, désinfecter et désodoriser	Non recommandés pour les tissus non grand teint, la laine, la soie, le mohair, le spandex et le cuir. S'assurer que les coloris les supportent avant de les utiliser. Les ajouter à la fin du cycle de lavage pour ne pas neutraliser les produits aux enzymes
Oxygène (poudre ou liquide)	Pour blanchir et raviver les tissus, enlever la saleté et les taches	S'assurer que les coloris les supportent avant de les utiliser
Produits aux enzymes (décuplent l'effet des détergents, s'emploient au trempage)	Pour augmenter l'efficacité des détergents, enlever la saleté et les taches tenaces	Très efficaces contre les huiles corporelles, la transpiration, l'urine et les taches protéiniques comme le sang, les formules pour bébé, l'herbe et plusieurs aliments. La peau étant protéinique, porter des gants pour utiliser le produit
Détachants prétraitants (aérosol, liquide, vaporisateur à pompe)	Pour prétraiter la saleté et les taches tenaces	Très efficaces contre la saleté et les taches graisseuses, surtout sur les synthétiques et les tissus à repassage permanent
Assouplisseurs de tissu	Pour assouplir tous les tissus lavables, réduire l'électricité statique, les faux plis et accélérer le séchage	Un usage excessif rend le linge terne et graisseux au toucher. Eviter d'utiliser à chaque fois
Adoucisseurs d'eau (avec ou sans agent précipitant)	Pour rendre l'eau plus douce et les détergents plus efficaces	Avec agent précipitant, peuvent laisser un résidu crayeux ; mieux vaut utiliser ceux dépourvus d'agent précipitant
Empois, apprêts, encollage	Pour donner du corps aux tissus, améliorer la résistance à la saleté et faciliter le détachage	L'empoi est très efficace pour les cotons ; les apprêts et l'encollage conviennent mieux aux synthétiques

*Peuvent fixer certaines taches de tanin (p. 282)

servez-vous-en pour utiliser juste ce qu'il faut de produits à lessive. Rincez la tasse après chaque usage.

Ne mélangez pas l'eau de javel avec de l'ammoniaque, des détachants, des antirouilles, du vinaigre ou d'autres produits acides ; il se forme alors des gaz toxiques.

DÉTERGENTS

Avant de mesurer le produit détergent, rappelez-vous que les quantités recommandées sur l'emballage sont établies en fonction d'un chargement normal de 2 à 3 kg de linge moyennement sale, lavé dans de l'eau moyennement dure (p. 281) et dans une machine de capacité normale.

Il faudra augmenter les quantités de détergent recommandées dans l'un ou l'autre des cas suivants : eau froide, eau très dure (p. 281), linge très sale, chargement important ou grand volume d'eau dans une machine de grande capacité.

Par contre, vous emploierez moins de détergent que ce que recommande le mode d'emploi dans les cas suivants : eau chaude, eau très douce (p. 281), volume d'eau réduit, linge peu sale ou petit chargement de la machine.

Ne jetez pas le détergent sur le linge pendant que la machine se remplit d'eau ; vous risqueriez de décolorer certains articles.

Si vous utilisez un détergent en granules et de l'eau froide, versez le détergent pendant que la machine se remplit, avant de mettre le linge. Vous pouvez aussi le faire fondre au préalable dans de l'eau chaude, le verser dans la machine et ajouter le linge en dernier lieu.

AGENTS DE BLANCHIMENT

Pour ne pas avoir de mauvaises surprises, voyez à ce que les agents de blanchiment ne viennent pas en contact avec le linge. Suivez le mode d'emploi et vérifiez que le produit convient à l'usage auquel vous le destinez ; employez le distributeur automatique de la machine.

L'oxygène liquide est un produit de blanchiment plus doux que l'eau de javel ; il agit plus lentement et donne de meilleurs résultats si on l'utilise avec de l'eau chaude.

Si vous n'avez pas d'oxygène liquide pour blanchir votre lessive, utilisez le peroxyde d'hydrogène (l'antiseptique et non le décolorant à cheveux) vendu en pharmacie.

ASSOUPLISSANTS

Diluez l'assouplissant liquide avant de l'ajouter à la lessive pour l'empêcher de tacher le linge : le cas échéant, frottez les taches avec une pâte de détergent et d'eau ou avec un détachant, avant la lessive.

Utilisez les feuilles d'assouplissant textile deux fois, puis rangez-les dans un bocal d'assouplissant liquide. Par la suite, prélevez une feuille, essorez-la et mettez-la avec le chargement dans la sécheuse.

PRODUITS MAISON POUR LAVER LE LINGE

Devez-vous laver à la main un article délicat ? Mélangez ¼ tasse de flocons de savon et ¼ tasse de borax dans une casserole contenant 1 tasse d'eau. Laissez mijoter jusqu'à consistance uniforme, en remuant sans arrêt. Passez.

Voici un détachant maison. Mélangez 1 c. à thé de détergent liquide et 2 c. à soupe d'ammoniaque d'usage domestique dans ½ litre d'eau tiède ; vaporisez la solution sur les taches, attendez 15 minutes, puis lavez comme à l'accoutumée.

La soie blanche et les autres tissus fragiles requièrent un agent de blanchiment très doux. Mélangez 1 volume de peroxyde d'oxygène dans 8 volumes d'eau. Laissez tremper l'article pendant 5 à 30 minutes selon les besoins. Rincez.

LAVAGE À LA MAIN

D'abord, prétraitez les taches. Faites dissoudre le détergent dans l'eau avant d'ajouter le linge. Après 15 minutes de trempage, remuez les articles dans l'eau savonneuse ; ne les tordez pas et ne les frottez pas. Rincez au moins deux fois.

Pour faire tremper du linge, utilisez un petit seau de plastique plutôt que le lavabo dont quelqu'un pourrait vouloir se servir.

Lavez les articles très délicats en les enfermant dans un bocal plein d'eau tiède et savonneuse ; agitez.

Si les mouchoirs blancs sont devenus gris et ternes, ils retrouveront leur éclat si vous les plongez dans de l'eau froide additionnée de 1 c. à thé de crème de tartre.

Vous voulez laver un chandail en laine ? Etendez-le sur du papier propre et dessinez-en le contour au crayon. Après l'avoir lavé et l'avoir roulé dans une serviette pour l'essorer, étalez-le sur le papier et faites-lui reprendre ses dimensions. Laissez-le sécher à plat.

Pour assouplir la laine, mettez un bouchon de lotion-crème pour les cheveux dans l'eau du rinçage.

GROS ARTICLES

Avant de laver une couverture électrique lavable, repliez un coin et, avec des épingles, fixez à l'intérieur la prise de courant.

Avant de laver des oreillers en plume, réparez les coutures faibles ou les trous. Remplissez la machine à laver d'eau tiède et immergez-y deux oreillers à la fois (dans des taies) pour équilibrer le chargement. Choisissez le cycle délicat. Au milieu du lavage, arrêtez l'appareil et tournez les oreillers. Le lavage terminé, mettez-les dans la sécheuse avec une espadrille propre pour uniformiser le culbutage.

Faites tremper le sac de couchage en duvet 30 minutes dans la baignoire remplie d'eau tiède avec un détergent doux en faisant pénétrer la mousse. Rincez-le trois fois. Laissez-le s'égoutter une heure dans la baignoire en le pressant de temps à autre entre les mains pour exprimer l'eau. Mettez-le dans la sécheuse à réglage doux, avec des espadrilles pour uniformiser le séchage.

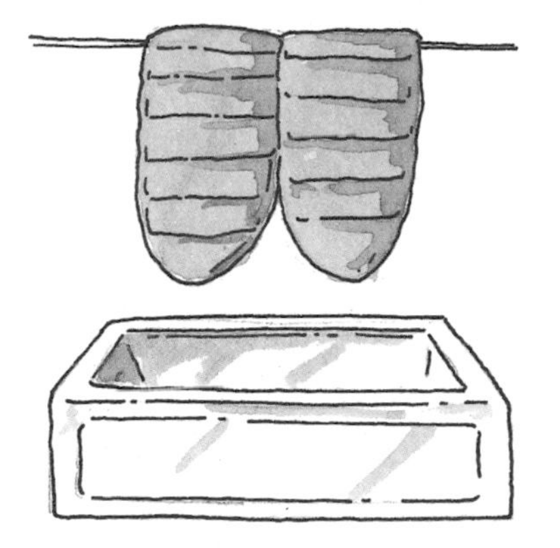

PROBLÈMES D'EAU DURE

Voici quelques indices d'eau dure : cernes dans la baignoire, croûtes autour des robinets et de la pomme de douche, verres ou plats marqués ou ternes, grande consommation de savon ou de détergent pour avoir de la mousse.

Si vous voulez en avoir le cœur net, renseignez-vous à l'hôtel de ville ou faites faire une analyse par une maison spécialisée. Le ministère provincial de l'Environnement peut peut-être aussi vous aider. Si l'eau présente trois grains de sels minéraux, mieux vaut l'adoucir.

Utilisez un adoucisseur sans agent précipitant. La quantité à utiliser dépend du degré de dureté de l'eau et de la quantité d'eau et de détergent employée. Si l'eau vous semble glissante au toucher, vous utilisez sans doute la bonne quantité.

Vous pouvez également régler le problème de la dureté de l'eau en installant un échangeur d'ions dans le système d'amenée d'eau de votre maison. Ce système remplace les ions de calcium et de magnésium par des ions de sodium. Cependant, il vaut mieux ne pas boire cette eau ni ne l'utiliser pour la cuisine, surtout si vous suivez un régime hyposodique.

DÉTACHAGE

Pour vous rappeler que vous devez détacher un vêtement avant de le laver, faites un nœud dans une manche ou une jambe avant de le jeter dans le panier à linge sale. N'oubliez pas que plus vous tardez à enlever une tache, plus la tâche est difficile.

Si vous n'identifiez pas la tache mais que le tissu est lavable, plongez l'article dans l'eau froide et frottez la tache tissu contre tissu. En cas d'échec, imbibez la tache de détergent liquide et rincez. Pas de succès ? Traitez la tache avec un agent de blanchiment approprié et lavez l'article comme à l'accoutumée.

Si vous êtes à court de détachant, pensez à utiliser du détergent de lave-vaisselle. Délayez-le en pâte, appliquez-le avec une vieille brosse à dents et rincez à fond.

LE DÉTACHAGE Lire les pages 284 et 285 avant d'enlever une tache

Tache	Tissus lavables	Tissus non lavables
Teintures Azurage, betteraves, boissons gazeuses contenant un colorant, carottes, cerises, couleurs qui coulent, herbe, légumes verts, peinture à la colle	Frottez la tache avec du détergent liquide. Rincez. Trempez dans une eau additionnée d'un agent de blanchiment en poudre pour tous tissus. En cas d'échec, utilisez de l'eau de javel diluée si le tissu le supporte. Lavez	Epongez avec de l'eau. Appliquez un détergent doux additionné de quelques gouttes de vinaigre. Imbibez d'eau. Epongez et séchez*. Epongez avec de l'eau. Appliquez un détergent doux additionné de quelques gouttes d'ammoniaque. Imbibez d'eau. Epongez et séchez*. Pour enlever le cerne, appliquez au compte-gouttes un agent de blanchiment dilué si le tissu le supporte. Imbibez d'eau après chaque application. Appliquez du vinaigre dilué pour enlever l'agent de blanchiment. Rincez à l'eau. Epongez et séchez*. Faites nettoyer à sec
Huiles Beurre, crème pour le visage, crème solaire, graisse, graisse de bacon, huile corporelle, huile de cuisine, huile pour automobile, lotion capillaire, lotion pour les mains, margarine, mayonnaise, onguent, saindoux, vinaigrette non colorée	Frottez avec du détergent liquide énergique. Rincez. Lavez à l'eau chaude	Epongez avec un solvant de nettoyage à sec. Appliquez un détachant à sec ou un dissolvant pour peinture, huile et graisse. Gardez la tache humide et épongez-la de temps à autre avec un chiffon absorbant. Imbibez de solvant de nettoyage à sec. A partir du premier épongeage, répétez les opérations subséquentes jusqu'à ce que la tache disparaisse. Epongez et séchez à l'air. Avec un compte-gouttes, appliquez plusieurs gouttes de détergent dilué, puis quelques gouttes d'ammoniaque. Faites pénétrer. Répétez jusqu'à ce que la tache disparaisse. Rincez à l'eau. Epongez et séchez*. Faites nettoyer à sec
Protéines Aliments pour bébés, boue, crème, crème glacée, fèces, formule pour bébé, gélatine, lait, mucus, œuf, pâte à modeler, pouding, sang, sauce au fromage, urine, vomissures	N'EMPLOYEZ PAS d'eau chaude, elle fixe la tache. Trempez et frottez dans l'eau froide. Lavez à l'eau tiède. Si la tache est vieille, traitez-la avec un détergent ou un agent de trempage aux enzymes	Epongez pour absorber le surplus. Avec un tampon, appliquez un agent aux enzymes, en pressant avec le dos d'une cuiller si le tissu est robuste. Imbibez d'eau, puis d'ammoniaque diluée, puis d'eau. Epongez. Rincez avec du vinaigre dilué puis de l'eau. Epongez et séchez*. Faites nettoyer à sec
Tanins Bière, boissons alcooliques, boissons gazeuses sans colorant, café, cola, encre lavable, confitures, gelées, jus de fruit, jus de tomate, petits fruits, thé, vin	N'EMPLOYEZ PAS de savon en pain ou en flocons ; il fixe la tache. Lavez au détergent. En cas de délai, épongez la tache, imbibez-la d'eau et frottez avec un chiffon sec	Epongez avec de l'eau. Couvrez d'un tampon humecté de détergent dilué et de quelques gouttes de vinaigre, en pressant avec le dos d'une cuiller si le tissu est robuste. Rincez à l'eau. Epongez et séchez*. Faites nettoyer à sec
Taches mixtes (huile et teinture ; cire et teinture)		
Groupe A Cirages, cire à meubles, cire à plancher, cire de bougie, crayon, encre de stylo à bille, goudron, papier carbone, produits de maquillage pour les yeux, rouge à lèvres, résine de pin, ruban carbone de machine à écrire	Pour enlever l'élément huileux ou cireux de la tache, vaporisez ou épongez avec un solvant de nettoyage à sec, puis frottez doucement avec du détergent liquide énergique. Pour enlever la teinture, appliquez un agent de blanchiment dilué si le tissu le supporte. Lavez	Vaporisez un solvant de nettoyage à sec. Epongez pour enlever la teinture. Poursuivez le traitement jusqu'à ce que la tache de teinture ait disparu. Epongez avec du détergent dilué. Imbibez d'eau. Epongez et séchez*. En cas d'échec, avec un compte-gouttes, imbibez la tache d'un agent de blanchiment dilué si le tissu le supporte. Rincez à l'eau. Epongez et séchez*. Faites nettoyer à sec
Groupe B Cacao, chocolat, fixatif à cheveux, fond de teint, ketchup, sauce à barbecue, sauce brune, sauce tomate, vinaigrette colorée	Pour enlever l'élément huileux ou cireux de la tache, frottez doucement avec du détergent liquide énergique. Enlevez la teinture avec un agent de blanchiment dilué si le tissu le supporte. Lavez	Voir groupe A
Gomme à mâcher	Posez de la glace pour durcir la gomme à mâcher. Raclez le surplus. Frottez avec du détergent liquide énergique. Rincez à l'eau chaude. Lavez	Appliquez du solvant de nettoyage à sec. Raclez le surplus de gomme. Couvrez la tache d'un tampon humecté de solvant. Imbibez la tache de solvant. Epongez et séchez à l'air. Faites nettoyer à sec

LE DÉTACHAGE Lire les pages 284 et 285 avant de traiter la tache

Tache	Tissus lavables	Tissus non lavables
Café ou thé avec crème ou lait	Trempez dans l'eau froide. Lavez avec du détergent et non du savon	Vaporisez un solvant de nettoyage à sec. Imprégnez d'eau tiède et de vinaigre. Pour enlever le cerne, utilisez un agent de blanchiment à l'oxygène si le tissu le supporte. Rincez à l'eau. Epongez et séchez*. Faites nettoyer à sec
Désodorisant	Imprégnez de détergent liquide énergique. Lavez à l'eau tiède. (Les dépôts de sels d'aluminium ou de zinc peuvent tacher sans rémission)	Epongez à l'eau chaude additionnée de quelques gouttes de détergent doux et de vinaigre. Rincez à l'eau. Epongez et séchez*
Encre de stylo à feutre	Voir taches de teinture	Voir taches mixtes, groupe A
Crayon à mine de plomb	Enlevez le surplus avec une gomme à dessin sans trop frotter. Vaporisez avec un agent de trempage en aérosol, frottez avec un détergent liquide énergique et rincez à l'eau tiède. Lavez	Enlevez le surplus avec une gomme à dessin sans trop frotter. Imbibez de solvant de nettoyage à sec. Epongez et séchez à l'air. Faites nettoyer à sec
Moisissure ATTENTION : les taches de moisissure sont permanentes. Ne rangez pas de vêtements dans un endroit humide, obscur et chaud	Secouez ou brossez le vêtement au grand air. Traitez les taches les plus marquées avec un détergent liquide énergique. Lavez à l'eau chaude avec du détergent énergique et un agent de blanchiment	N'intervenez pas. Portez le vêtement chez le teinturier s'il est récupérable (on vous le dira sur place)
Moutarde	Voir taches de teinture	Si la tache est sèche, brossez-la. Epongez avec un solvant de nettoyage à sec, puis avec un détergent dilué additionné de quelques gouttes de vinaigre. Appliquez du peroxyde d'hydrogène (3 p. 100) avec un compte-gouttes si le tissu le supporte. Rincez à l'eau. Epongez et séchez*. Faites nettoyer à sec
Peinture à l'alkyde (base à l'huile) ATTENTION : si la tache est sèche, elle peut être permanente	N'attendez pas qu'elle sèche. Faites pénétrer dans la tache du diluant à peinture pour la ramollir. Lavez avec un détergent énergique	N'attendez pas qu'elle sèche. Imbibez de diluant à peinture. Epongez et séchez à l'air. Si la tache est sèche, portez le vêtement chez le teinturier
Peinture au latex (base à l'eau) ATTENTION : si la tache est sèche, elle peut être permanente	N'attendez pas qu'elle sèche. Trempez dans l'eau froide. Lavez dans l'eau fraîche avec un détergent énergique. Si la tache a attendu plus de 6 heures, voir Taches mixtes, groupe A. Lavez à l'eau chaude ; rincez ; répétez	N'attendez pas qu'elle sèche. Imbibez d'eau tiède. Epongez et séchez*. Si la tache est sèche, portez le vêtement chez le teinturier
Transpiration	Appliquez du détergent liquide énergique ou trempez dans l'eau tiède avec un agent de trempage pendant 15 à 30 minutes. Lavez	Epongez avec du détergent dilué. Rincez la tache à l'eau. Epongez et séchez*. Faites nettoyer à sec
Rouille	Utilisez des produits spécialisés. ATTENTION : ces produits sont très toxiques. Ne les employez pas sur des tissus lamés ou en fibre de verre. Portez des gants de caoutchouc et rincez les vêtements avant de les laver	N'intervenez pas. Faites nettoyer à sec
Roussissure ATTENTION : les tissus roussis sont affaiblis ; traiter la tache peut les endommager davantage	Sur un tissu épais et duveteux, brossez pour enlever les traces de brûlure. Frottez doucement avec du détergent liquide énergique (sur un tissu délicat, employez un détergent doux) ; en cas d'échec, utilisez un agent de blanchiment pour tous tissus. Lavez	Appliquez au compte-gouttes du peroxyde d'hydrogène (3 p. 100). Rincez la tache à l'eau. Epongez et séchez*. Faites nettoyer à sec

*Réglez le sèche-cheveux à « doux », tenez-le à 30 cm de la tache et agitez-le constamment

NOTE : A cause des teintures et divers apprêts que reçoit un vêtement, les méthodes ci-dessus peuvent ne pas donner les résultats escomptés. Il est toujours préférable de recourir au nettoyage à sec sans tarder si possible

AVANT DE TRAITER UNE TACHE

À FAIRE

Lisez les étiquettes (p. 274).

Traitez la tache aussitôt, puis lavez le vêtement ou faites-le nettoyer à sec.

N'ayez recours aux méthodes de détachage qu'en cas d'urgence.

Faites un test pour tous les détachants, y compris l'ammoniaque et le vinaigre : appliquez quelques gouttes du produit sur une partie cachée, une couture par exemple. Frottez doucement avec une serviette blanche. Si le vêtement déteint sur la serviette ou si la couleur se modifie, n'utilisez pas le produit. Consultez un teinturier.

Faites un essai avant d'employer un agent de blanchiment. Mettez une goutte du produit dilué sur une partie dissimulée. Attendez 5 à 10 minutes. Epongez. Si la couleur change, n'utilisez pas le produit.

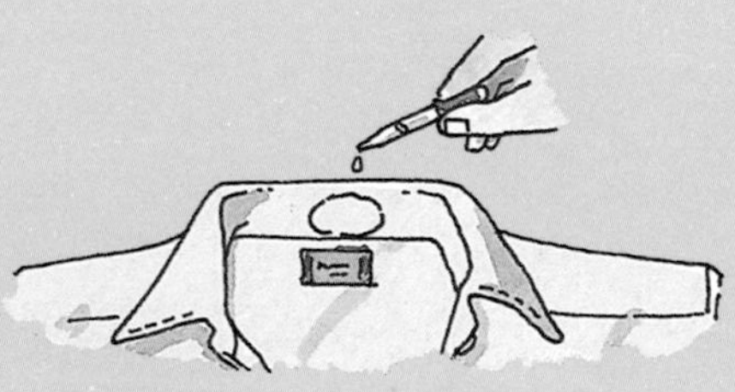

Lorsque vous utilisez un agent de blanchiment, surveillez la tache. Dès qu'elle disparaît, arrêtez le traitement. Si la tache persiste après 15 minutes, imbibez-la d'eau.

Portez des gants de caoutchouc pour manipuler des agents aux enzymes.

Employez les détachants dans un lieu bien aéré, loin des appareils électriques ou à gaz ou d'une flamme. En cas d'accident sur votre peau ou vos vêtements, essuyez immédiatement.

Tissus lavables
Ne frottez pas les tissus délicats. Etalez du papier d'aluminium sur la surface de travail ; disposez par-dessus des serviettes blanches en tissu ou en papier et installez le vêtement pour que la tache soit à l'envers. Avec un linge blanc imbibé du produit recommandé, épongez la tache. Travaillez des bords vers le centre pour ne pas former de cernes. Répétez le traitement recommandé jusqu'à disparition de la tache.

Une fois l'opération terminée, lavez le vêtement. Puis, vérifiez de nouveau si la tache a bien disparu. S'il en reste des traces, répétez le traitement détachant avant de mettre l'article dans la sécheuse.

Tissus non lavables
Avant de traiter une tache faite sur un tissu non lavable, disposez sous la tache des serviettes et mettez du papier d'aluminium entre celles-ci et la surface de travail.

Si le nettoyage comprend plusieurs étapes, arrêtez dès que la tache disparaît. Rincez la tache et faites sécher comme prévu. Faites nettoyer à sec.

Lorsque vous portez le vêtement taché chez le teinturier, précisez la nature de la tache et les produits que vous avez utilisés pour la faire disparaître.

À ÉVITER

Ne laissez pas un vêtement non lavable (surtout en coton, rayonne ou lin) mouillé plus de 3 ou 4 minutes.

Sur la soie, épongez la tache pour enlever l'excès de matière et portez le vêtement chez le teinturier.

N'employez jamais d'eau de javel, même diluée, sur la soie, la laine, le spandex, la mousse de polyuréthane ou les tissus caoutchoutés.

N'utilisez pas d'ustensiles en métal avec des agents de blanchiment.

Employez très peu de solvants.

Ne fumez pas en leur présence.

Ne mélangez pas eau de javel et ammoniaque ou produits pour enlever la rouille ; cela donne des gaz toxiques.

N'utilisez pas d'ammoniaque ni d'eau de javel sur de la laine.

Certaines substances incolores — transpiration, huiles corporelles, huile végétale, boissons alcooliques ou gazeuses, jus, sirop ou bonbons — peuvent modifier la texture du tissu. Non traitées, ces auréoles deviennent permanentes. Pour les enlever sur des tissus lavables, traitez-les d'abord avec un détergent liquide énergique et faites-les tremper avant de laver l'article. Si le tissu n'est pas lavable, indiquez la nature et l'emplacement de l'auréole au teinturier.

Vous allez sortir quand vous découvrez une tache sur votre vêtement blanc. Masquez-la en la frottant avec du talc pour bébés.

Si vous renversez une boisson ou un aliment sur vous au restaurant, plongez le coin d'une serviette ou d'un mouchoir blanc dans un verre d'eau gazeuse et épongez la tache.

Pour éliminer une tache de vin rouge frais faite, saupoudrez-la de sel. Puis mettez l'article dans l'eau froide et faites disparaître la tache avant de le laver.

Voici comment nettoyer une nappe blanche tachée de vin rouge. Remplissez le lavabo d'eau tiède, ajoutez un peu d'agent de blanchiment liquide et plongez la partie tachée dans l'eau. Frottez doucement avec les doigts. Rincez bien.

MATÉRIEL DE NETTOYAGE

Acides et alcalis

Ammoniaque — ammoniaque d'usage domestique sans couleur, ni odeur, ni mousse

Ammoniaque diluée : 1 c. à soupe d'ammoniaque dans ½ tasse d'eau ou dans du détergent dilué (voir ci-dessous)

Vinaigre blanc

Vinaigre dilué : 2 c. à soupe de vinaigre blanc dans 1 tasse d'eau ou dans du détergent dilué

Agents de blanchiment

Agents de blanchiment en poudre pour tous tissus

Peroxyde d'hydrogène (3 p. 100), vendu comme antiseptique (non celui pour décolorer les cheveux)

Agents de blanchiment au chlore (eau de javel)

Agent de blanchiment dilué : tissus lavables, 1 c. à soupe d'eau de javel dans ¼ tasse d'eau ; tissus non lavables, 1 c. à thé d'agent de blanchiment dans 1 c. à soupe d'eau

Agents aux enzymes

Détergent à lessive contenant des enzymes

Agent de trempage aux enzymes

Agent aux enzymes dilué : ½ c. à thé dans ½ tasse d'eau tiède

Détergents

Détergent liquide énergique pour la lessive

Détergent liquide doux (pour la vaisselle)

Détergent dilué : 1 c. à thé de détergent liquide doux dans 1 tasse d'eau tiède

Lubrifiant

Détachant à sec : 1 volume d'huile de coprah (coco) ou d'huile minérale dans 8 volumes de solvant de nettoyage à sec

Matières absorbantes

Tissus propres et blancs

Boules d'ouate

Eponges blanches ou neutres

Essuie-tout blanc

Solvants

Acétone

Amyl acétate (huile de banane)

Solvant de nettoyage à sec : perchloroéthylène, trichloroéthane ou un détachant commercial (n'employez pas de l'essence ou du liquide à briquet)

Dissolvant de peinture, huile, graisse

Détachant d'avant-lavage

Produit commercial pour enlever la rouille

Le fixatif à cheveux enlève les taches de stylo à bille. Sur la soie et l'acétate, faites d'abord un essai. Après traitement, rincez la tache à l'eau. Lavez ou faites nettoyer à sec.

PROBLÈMES DE LESSIVE

Problème	Causes probables	Action/prévention
Linge gris	Manque de détergent	Augmentez le détergent; utilisez un catalyseur ou un agent de blanchiment
	Lavage en eau trop froide	Augmentez un peu la température de l'eau
	Transfert de saleté par suite d'un mauvais triage	Relavez avec assez de détergent et à bonne température. Triez mieux à l'avenir
	Transfert de couleur par suite d'un mauvais triage	Ne séchez pas le linge. Relavez aussitôt avec du détergent et un agent de blanchiment
Jaunissement	Manque de détergent	Augmentez le détergent; employez un agent de blanchiment ou aux enzymes
	Lavage en eau trop froide	Augmentez la température de l'eau
	Cycle délicat pour les synthétiques ou lavage à la main avec un détergent doux	Lavez à l'eau chaude au cycle pour repassage permanent. Employez plus de détergent ou utilisez un catalyseur ou un agent de blanchiment
	Eau de javel avec soie, laine ou spandex	Dommage irréversible
Le linge reste sale	Manque de détergent	Augmentez le détergent et recommencez
	Lavage en eau trop froide	Utilisez l'eau la plus chaude tolérée par le chargement et recommencez
	Chargement excessif	Diminuez le chargement; utilisez assez d'eau
Tissus raides, rudes ou affadis	Dans l'eau dure, un détergent sans phosphate en granules peut se combiner avec les sels minéraux et laisser des résidus	Ajoutez 1 tasse de vinaigre blanc à 5 litres d'eau chaude; faites tremper les articles et rincez-les. Par la suite, utilisez un détergent liquide pour la lessive ou un adoucisseur non précipitant
Charpie	Mauvais triage; articles producteurs de charpie (chandails, serviettes, flanelles) lavés avec de bons récepteurs (synthétiques, velours)	Nettoyez les articles secs avec du ruban-cache. Lavez de nouveau en ajoutant un assouplissant au rinçage. Séchez à la sécheuse. Triez mieux à l'avenir
	Mouchoirs en papier laissés dans les poches	Nettoyez les articles avec du ruban-cache. A l'avenir, videz les poches
	Laveuse ou sécheuse surchargées	Diminuez les chargements
	Manque de détergent	Relavez avec plus de détergent
	Electricité statique causée par un séchage excessif	Relavez avec un assouplissant à tissu. Par la suite, retirez les articles de la sécheuse avant qu'ils soient tout à fait secs
	Filtre à charpie de la sécheuse encrassé	Relavez; nettoyez le filtre à charpie de la sécheuse
	Filtre à charpie de la laveuse encrassé	Nettoyez le filtre à charpie de la laveuse après chaque usage
Faux plis dans les tissus synthétiques ou à repassage permanent	Mauvais cycle	Réglez laveuse et sécheuse à repassage permanent si possible; sinon, lavez à l'eau tiède, rincez à l'eau froide, diminuez la puissance de l'agitateur et choisissez un cycle de séchage à air chaud suivi de 10 minutes à air froid
	Séchage excessif	Relavez, puis réglez la sécheuse à repassage permanent. Par la suite, retirez les articles dès que la sécheuse s'arrête
	Laveuse ou sécheuse surchargées	Le chargement doit remuer librement dans les deux machines. Evitez de les surcharger
Rétrécissement	Séchage excessif	Rien à faire. A l'avenir, réduisez la durée du séchage et retirez les articles quand ils sont humides
	Rétrécissement résiduel	Rien à faire. Prévoyez une marge pour le rétrécissement au moment de l'achat
	Agitation excessive des lainages	Rien à faire. A l'avenir, réduisez la vitesse de l'agitateur et de l'essorage
Boulochage	Effet normal de l'usure	A l'avenir, mettez un assouplissant à tissu dans la laveuse ou dans la sécheuse. Au moment du repassage, vaporisez de l'empois ou un apprêt à tissu sur les cols et les poignets

PROBLÈMES DE LAVAGE : QUELQUES SOLUTIONS

Si les boutons recouverts de tissu demeurent sales après le lavage, frottez-les avec un détergent liquide doux et une brosse à dents souple.

Pour assouplir des jeans neufs, lavez-les plusieurs fois. Ou faites-les tremper 12 heures dans l'eau froide avec beaucoup d'assouplissant. Ensuite lavez-les normalement.

Eliminez les rayures sur les jeans : tournez-les à l'envers avant de les laver. Faites de même pour le velours cordé ; le poil se tapera moins.

Des taches d'écume ou de moisissure sur les rideaux de douche ? Lavez-les à la machine avec du détergent et quelques serviettes pour accentuer le frottement.

Les odeurs de transpiration ne partent pas ? Epongez la partie malodorante avec une 1 c. à thé de vinaigre blanc dilué dans 1 tasse d'eau ; rincez. En cas d'échec, frottez avec un agent de trempage — à enzymes ou autres — dilué en pâte. Attendez 20 minutes et rincez.

Trop de mousse ? Eliminez-en une partie en la saupoudrant de sel. Par la suite, utilisez moins de détergent ou choisissez-en un mini-mousse.

Pour débarrasser la machine et ses conduites des dépôts de détergent, remplissez la laveuse d'eau tiède, ajoutez 5 litres de vinaigre blanc et laissez se dérouler le cycle complet.

Vous avez rencontré une mouffette ? N'enterrez pas votre linge ; faites-le tremper plusieurs heures dans 5 litres d'eau additionnée de ½ tasse de bicarbonate de soude avant de le laver.

Si votre machine à laver se vide dans une cuve, attachez un vieux bas de nylon au bout du tuyau avec une bande élastique pour filtrer l'eau sale et retenir la charpie. Changez ce filtre de temps à autre.

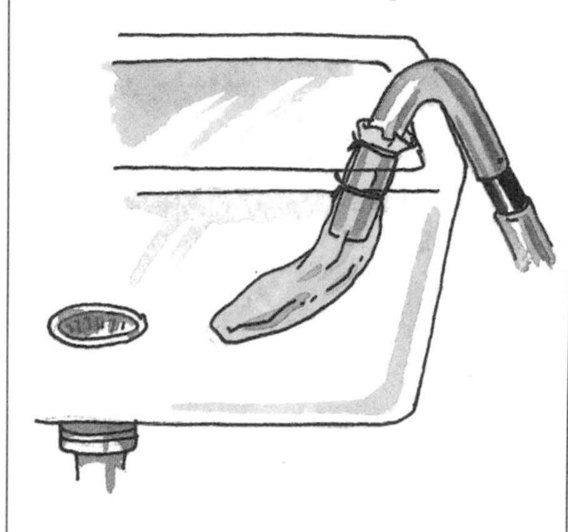

SÉCHAGE SUR CORDE

Pour gagner de l'espace, accrochez les petits articles sur un cintre en plastique à plusieurs barrettes.

Accrochez par la taille les jupes sur le biais, circulaires ou à plis pour éviter les faux plis. Fixez une épingle à linge dans le bas de chaque pli pour le maintenir en forme et vous faciliter le repassage.

Suspendez par l'ourlet les vêtements laver-sécher pour répartir le poids également et éviter les marques d'épingle.

Une véranda grillagée exposée au sud, voilà l'endroit idéal où étendre le linge. Pour accélérer le séchage, utilisez un ventilateur portatif et dirigez le jet d'air dans l'axe de la corde à linge.

Si vous faites sécher des voilages dehors par jour de grand vent, mettez des épingles à linge ici et là dans le bas pour les alourdir.

Faites sécher à l'ombre les tissus foncés ou très colorés ou tournez-les à l'envers : le grand soleil fait faner les couleurs.

Pliez les grands draps en deux et suspendez-les par les ourlets. Pour qu'ils sèchent vite, disposez-les sur deux cordes parallèles.

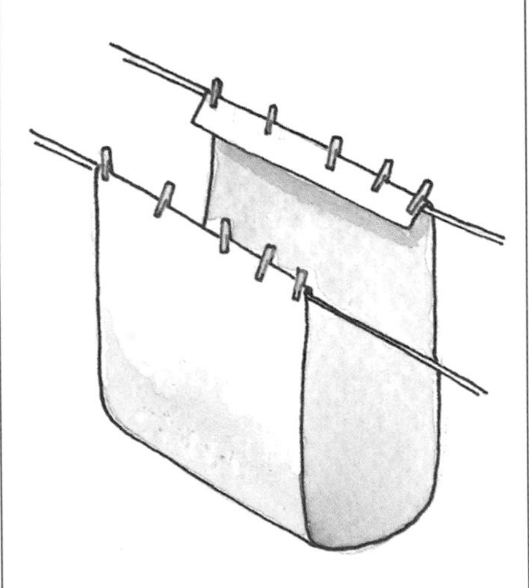

Des vêtements ont gelé sur la corde à linge ? Détachez-les avec précaution et entrez-les tels quels pour qu'ils dégèlent. Secouer ou plier les tissus peut faire casser leurs fibres encore raides de gel.

Déposez le linge à étendre sur la corde dans une poussette à bébé ou un chariot à épicerie ; vous le déplacerez facilement.

SÉCHAGE RAPIDE

Si vous avez peu d'articles à faire sécher, ajoutez quelques serviettes éponge dans la sécheuse pour absorber l'humidité.

Retournez les poches des pantalons pour qu'elles sèchent plus vite.

Si vous avez besoin d'un collant sur-le-champ, suspendez-le et séchez-le avec un sèche-cheveux.

TRUCS DE SÉCHAGE

Installez une tringle à ressort dans la douche ou au-dessus de la baignoire et mettez-y le linge à sécher.

Si vous avez une corde à linge dans la maison, placez un petit ventilateur à 1 mètre de la corde. Choisissez la vitesse de ventilation la plus élevée et dirigez le jet d'air dans l'axe de la corde.

Vous avez des chandails à faire sécher à plat ? Etalez-les sur un hamac, au grand air mais à l'ombre.

La monture et les baleines d'un vieux parapluie peuvent être transformées en séchoir d'intérieur. Accrochez-le à l'envers par la poignée à un support horizontal solide.

ÉPINGLES ET CORDE À LINGE

Rangez vos épingles à linge dans une corbeille à plante suspendue ; la pluie s'écoulera par l'orifice du fond. Un contenant portatif ? Prenez un vieux sac à bandoulière.

Vaporisez du nettoyant sur la corde à linge en nylon ; lavez la corde en coton dans l'eau savonneuse. Pour les nettoyer à la machine, mettez-les dans une taie d'oreiller.

La corde à linge pend trop ? Accrochez un petit bout de chaîne à une extrémité et faites entrer dans le crochet de suspension le chaînon qui vous donne la tension voulue.

PROBLÈMES DE SÉCHAGE

Empêchez le linge de durcir, de se froisser, de rétrécir ou de goder : ne le faites pas sécher plus longtemps qu'il ne faut. Si un article a souffert d'un excès de séchage, mouillez-le pour lui redonner sa forme et laissez-le sécher à l'air.

Avant de faire sécher une salopette, fixez les boucles des bretelles dans les poches, avec des épingles, pour qu'elles ne heurtent pas le tambour de la sécheuse. Elles pourraient à la longue en endommager la finition.

Le linge est-il lent à sécher ? Y a-t-il de la charpie humide dans le filtre ou autour ? Le conduit d'évacuation ou le filtre à charpie peuvent être obstrués. Nettoyez-les selon les instructions du fabricant. (Voir entretien de la sécheuse, p. 150.)

COUP DE FER ET REPASSAGE

Le coup de fer consiste à poser le fer par petites touches sur le vêtement; le repassage, à glisser le fer dans un mouvement de va-et-vient dans le sens du fil. Le coup de fer est plus précis. Voici quelques conseils.

Réglez le fer à la température requise par le tissu. S'il s'agit de fibres mélangées, choisissez le degré exigé par la fibre la plus vulnérable à la chaleur.

Vérifiez l'effet de la chaleur et de la vapeur sur un coin non visible du tissu.

Repassez en premier les articles qui demandent le fer le moins chaud, en dernier ceux qui exigent un fer brûlant.

En général, commencez par les petites pièces du vêtement; terminez par les parties de grandes dimensions.

Il vaut mieux repasser sur l'envers ou alors utiliser une pattemouille.

Ayez la main légère quand vous donnez un coup de fer; n'appuyez pas plus qu'il ne faut.

Avant de ranger les vêtements, laissez-les sécher et refroidir.

HUMECTAGE DU LINGE

Humecte-t-on encore le linge maintenant qu'existe le fer à vapeur ? Bien sûr que oui ! Le linge humecté sort du repassage plus lisse et se froisse moins vite.

Le linge s'humecte plus vite et plus uniformément avec de l'eau tiède plutôt que de l'eau froide. Servez-vous d'un brumisateur à plantes ou d'un vaporisateur ordinaire.

Si vous devez laisser en attente du linge humecté, mettez-le dans un sac de plastique que vous placerez au réfrigérateur.

Réglez la sécheuse pour qu'au moment où elle s'arrête, le linge soit à point pour le repassage. Vous n'aurez pas besoin de l'humecter et il sera moins froissé.

TABLE À REPASSER, FER ET PATTEMOUILLE

Lorsque vous repassez un article rêche, mettez une pattemouille pour protéger la semelle du fer.

Pour remplir le fer à vapeur, servez-vous d'un moutardier ou d'une bouteille comprimable à ketchup propres. (Voir entretien et nettoyage, pp. 156-157.)

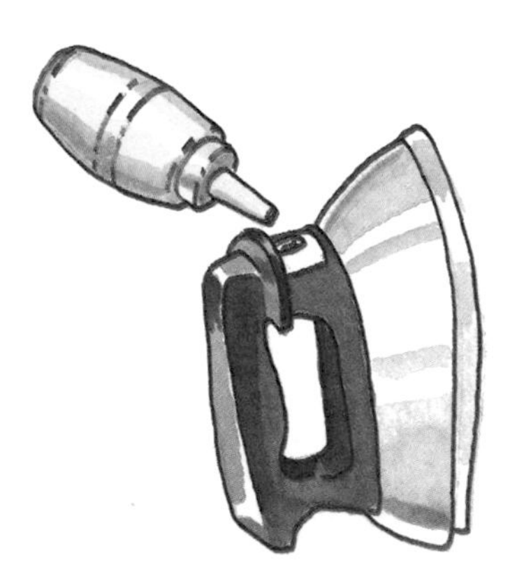

La housse de la table à repasser doit être propre. Si elle est lavable, installez-la humide : elle sera mieux tendue si elle sèche en place.

En guise de pattemouille, n'employez que du blanc ou du neutre : de l'étamine ou un mouchoir pour les tissus légers ; une couche propre ou un vieux drap de coton pour les tissus moyens ; de la toile ou de la laine pour les tissus lourds.

REPASSAGE : PROBLÈMES

Quand vous repassez de grands articles, utilisez le bout le plus large de la table et étalez sur le sol une nappe de plastique pour que l'article ne se salisse pas.

Posez les broderies ou les décorations en relief à l'envers sur une serviette éponge pour les repasser. Repassez les velours et les tissus gaufrés sur une table à velours.

Pour restaurer un tissu lustré par l'usure ou de fréquents repassages, trempez une pattemouille dans de l'eau et essorez-la. Disposez-la sur la partie lustrée et repassez à la vapeur ; répétez l'opération. Repassez pour que la partie soit presque sèche. Avec une brosse douce, redressez le poil du tissu.

ARTICLES PARTICULIERS À REPASSER

Ceintures. Repassez-les d'abord sur l'envers, puis sur l'endroit.

Cols. Repassez dessous, puis dessus, des pointes vers le centre.

Coutures. Repassez-les à plat, de haut en bas, d'abord sur l'envers, puis sur l'endroit.

Fermetures éclair. Fermez-les et tournez le vêtement à l'envers. Repassez les deux rubans du bout du fer. Ensuite ouvrez les fermetures et repassez le tissu adjacent. Fermez-les de nouveau et repassez sur l'endroit. Ne posez pas le fer sur les dents de plastique, nylon ou polyester ; elles fondent à la chaleur.

Fronces et ruchés. Repassez sur l'envers, du bord vers le centre.

Mouchoirs. Faites-les deux à la fois.

Ourlets. Repassez sur l'envers et, au besoin, sur l'endroit.

Plis. Repassez sur l'envers, de la taille vers l'ourlet, puis sur l'endroit. Au besoin, épinglez les plis sur la table dans le haut et le bas.

Poignets. Repassez l'envers, de la patte vers les coutures, puis l'endroit.

Robes. Faites comme pour une chemise (p. 292) à partir de la jupe.

REPASSAGE DES TISSUS SPÉCIAUX

Broderie et dentelle. A l'envers sur serviette éponge avec fer à vapeur.

Coton. Repassez sur l'endroit au fer sec ou à vapeur ; coloris francs : sur l'envers ou avec pattemouille.

Cuirs et suèdes. Posez-les à l'envers sur du papier brun. Repassez à fer sec peu chaud sur pattemouille.

Fourrures. Confiez à un spécialiste.

Laine. Repassez sur l'envers avec fer à vapeur et pattemouille.

Lamés. Coups de fer légers avec fer tiède et pattemouille mince.

Nylon. Peu ou pas de repassage ; retouchez avec un fer à vapeur.

Polyester. Peu ou pas de repassage ; retouchez avec fer à vapeur.

Soie. Repassez sur l'envers avec fer sec tiède et pattemouille.

Tissus pelucheux. Repassez à l'envers sur surface coussinée avec fer à vapeur, sans appuyer ; secouez.

Tricots. Donnez des coups de fer.

Velours cordé. Repassez sur l'envers sur une surface bien coussinée, avec un fer à vapeur et sans appuyer.

CHEMISE : REPASSAGE

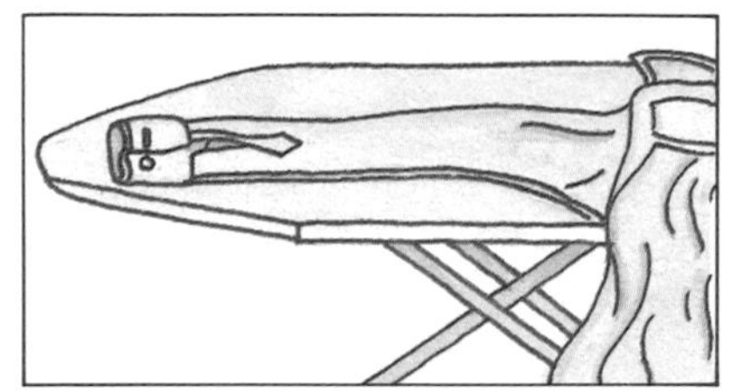

1. Repassez d'abord l'intérieur des poignets, puis l'extérieur. Repassez la manche du côté où ouvre le poignet, puis de l'autre.

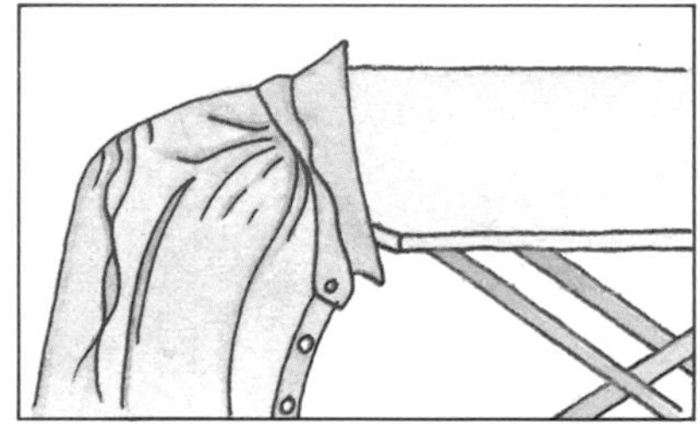

2. Filez une épaule sur le bout étroit de la table et repassez l'empiècement en allant de l'épaule vers le milieu du dos. Faites de même de l'autre côté de l'empiècement.

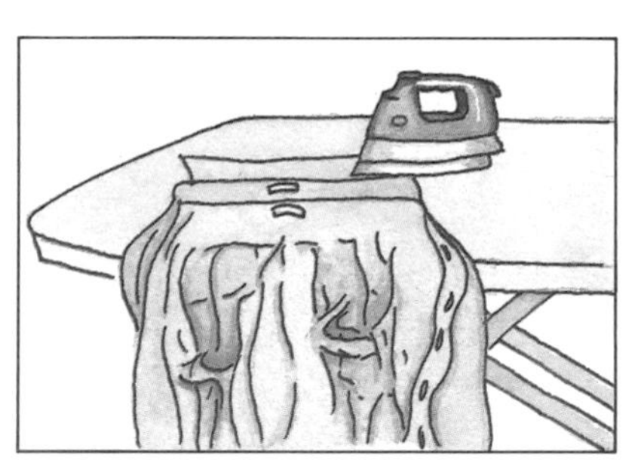

3. Repassez le col, d'abord l'envers, puis l'endroit, des pointes vers le centre.

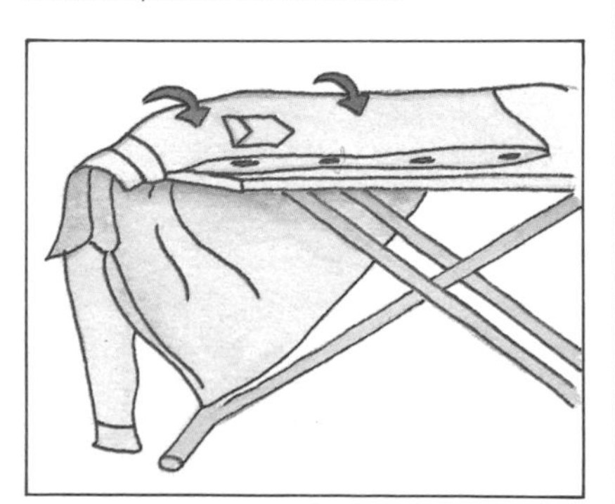

4. Repassez un des côtés du devant, l'autre, puis le dos de la chemise.

PANTALON : REPASSAGE

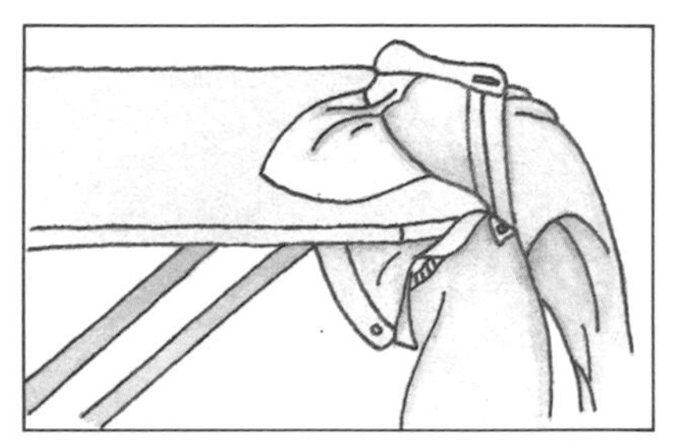

1. Posez chaque poche à plat ; repassez-les.

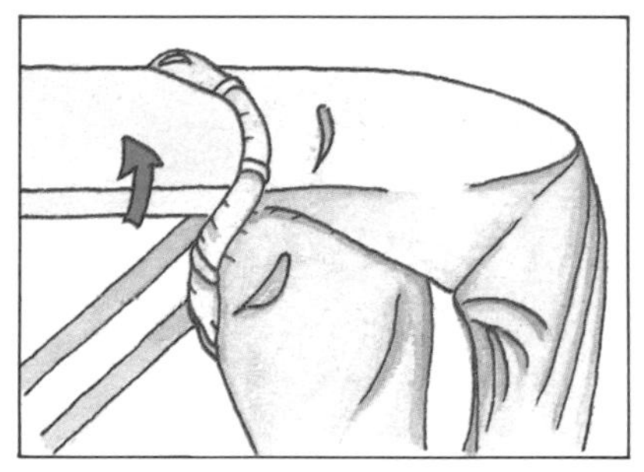

2. Enfilez une jambe du pantalon sur la table et repassez-en le haut en tournant le pantalon peu à peu vers l'extérieur.

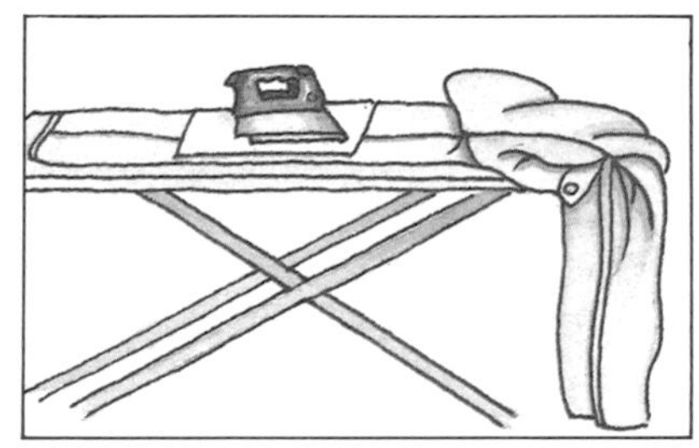

3. Posez le pantalon à plat, une jambe par-dessus l'autre, en alignant les coutures et les côtés. Repliez la jambe du dessus et repassez l'intérieur de l'autre avec une pattemouille humide. Retournez le pantalon et répétez.

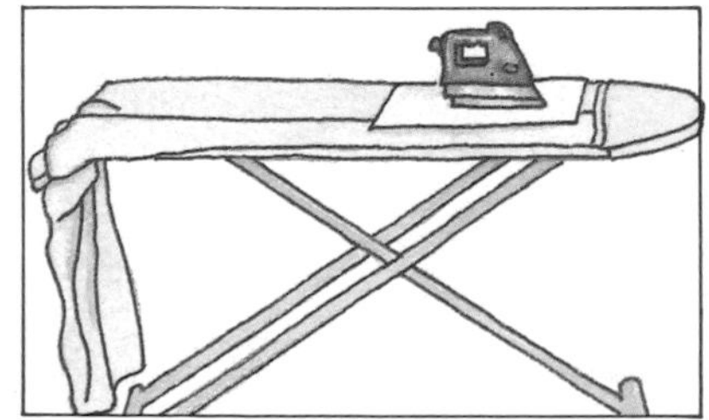

4. Repassez l'extérieur des deux jambes en marquant les plis (jusqu'au siège dans le dos, jusqu'à 15 cm de la ceinture en avant).

RANGEMENT DU LINGE

Donnez à chaque membre de la famille un panier de couleur différente pour qu'il y retrouve ses vêtements. Pour séparer les vêtements à suspendre, accrochez-les à différentes fixations le long d'un poteau pour recevoir les plantes.

Avez-vous du mal à trier les vêtements de chacun ? Avec de l'encre indélébile ou un marqueur spécial, inscrivez les initiales du propriétaire sur les étiquettes de ses vêtements.

Vous distribuerez plus facilement la lingerie de lit si vous utilisez les blancs, les couleurs et les imprimés pour identifier les lits petits, grands ou très grands.

Suspendez ensemble les articles qui se ressemblent, chemises, jupes... pour accélérer la répartition.

RECYCLAGE DU LINGE USÉ

Votre joli pull-over est-il devenu trop petit ? Transformez-le en cardigan. Repérez le centre du devant, marquez-le et faites une piqûre machine de chaque côté de la marque. Ouvrez entre les deux. Ourlez avec un liseré ou du ruban.

Donnez une nouvelle vocation à une jupe ou une robe longue en les raccourcissant.

Si le tissu d'une robe passée de mode vous plaît beaucoup, ne la jetez pas. Transformez le corsage en blouse ou détachez la jupe et portez-la avec un autre corsage.

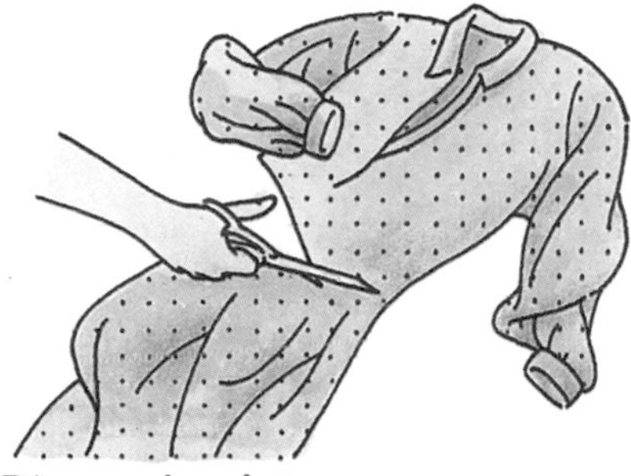

D'une robe, faites une casaque en supprimant les manches. Enlevez le col ou modifiez l'encolure en l'ouvrant en V. Creusez les entournures pour pouvoir porter une blouse sous votre casaque. (Taillez les parementures des emmanchures et de l'encolure dans les vieilles manches ou doublez avec du biais.)

Transformez une combinaison usée en un simple jupon. Enlevez le corsage et mettez un élastique à la taille. Faites un ourlet au corsage et vous aurez un cache-corset.

Ne jetez pas un vieux jupon : il peut encore servir. Enlevez l'élastique à la taille et utilisez le jupon pour doubler une jupe de laine.

Avant de jeter un vêtement ou de le transformer en chiffons, enlevez boutons, boutons-pression et fermetures éclair : ils peuvent toujours servir ailleurs. Cependant, si vous donnez l'article à une société de bienfaisance, laissez tout.

MATÉRIEL DE COUTURE

Si la couture à la main vous donne des maux de dos, mettez-vous un coussin sur les genoux pour surélever votre travail et moins avoir à vous courber.

Des petits ciseaux pointus sont indispensables en couture. Ne les cherchez pas : portez-les sur un ruban autour du cou. Pour les ranger, piquez-les dans un bouchon de liège ou insérez-les dans un capuchon à aiguille à tricoter. Ou encore glissez-les dans un étui à lunettes.

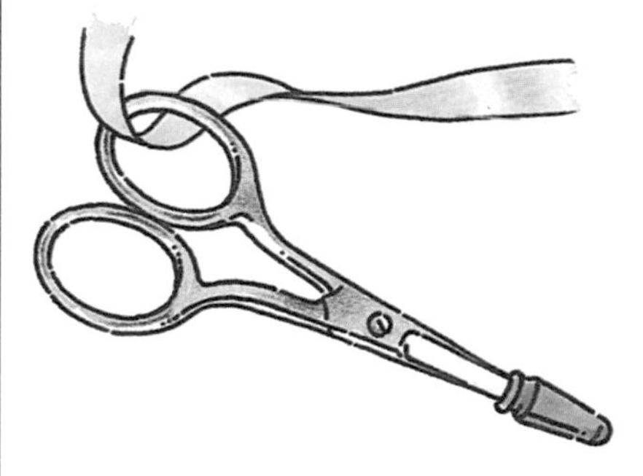

Pour rajeunir un ruban à mesurer en toile, placez-le entre deux feuilles de papier ciré, couvrez avec un essuie-tout et repassez à fer chaud.

Servez-vous d'un aimant pour retrouver épingles et aiguilles tombées sur le plancher ou le tapis, d'une éponge humide pour ramasser les bouts de fil qui traînent.

AIGUILLES

Les épingles et les aiguilles sont-elles émoussées ? Frottez-en la pointe avec un bâton émeri.

Une fois retirées de leur enveloppe, il est difficile de distinguer les aiguilles pointues de celles à bout rond. Pourquoi ne pas les identifier par un petit point de vernis à ongles sur le haut du chas ?

L'aiguille travaille mieux si vous en piquez la pointe dans un pain de savon de temps à autre, en cousant.

Quand le tissu se laisse traverser difficilement parce qu'il est épais, frottez-le d'un pain de savon ; la piqûre se fera avec moins d'effort.

Lorsque vous devez coudre des tissus de plastique, plongez l'aiguille dans le talc : elle ne collera pas.

FIL

Pour empêcher les bobines de se dérouler, fixez le fil avec un peu de ruban-cache ou enroulez sur la bobine une bande élastique. Autre méthode, coincez le fil sous une punaise sur la bobine.

Gardez toujours dans votre coffret à ouvrage une bobine de fil transparent à l'intention des coloris difficiles à assortir.

Coupez le fil en biseau avec des ciseaux, jamais avec les dents ou en le cassant. Enfilez-le par ce bout et faites-y un nœud.

Avez-vous du mal à enfiler une aiguille ? Tenez-la contre un arrière-plan qui contraste avec la couleur du fil que vous employez.

Pour rendre le bout du fil à enfiler plus rigide, plongez-le dans du vernis à ongles incolore ou mettez-y un peu de fixatif à cheveux.

Pour empêcher le fil de vriller, enduisez-le de cire d'abeille, de savon ou de paraffine ou frottez-le avec une feuille d'assouplissant.

Pour réduire l'électricité statique lorsque vous utilisez du fil synthétique, mettez-le au réfrigérateur quelques heures : chargé d'humidité, il aura moins tendance à coller.

Vous n'avez pas toujours besoin de fil commercial. De la ligne à pêche d'une résistance de 2 à 5 kg fait très bien pour coudre des boutons sur des tissus épais. Et si la couleur a peu d'importance, pensez à prendre de la soie dentaire.

DÉ À COUDRE

Portez un dé pour ne pas vous abîmer le doigt quand vous cousez des matières épaisses ou raides ou plusieurs rangs de tissu. Choisissez-le qui s'ajuste bien au majeur.

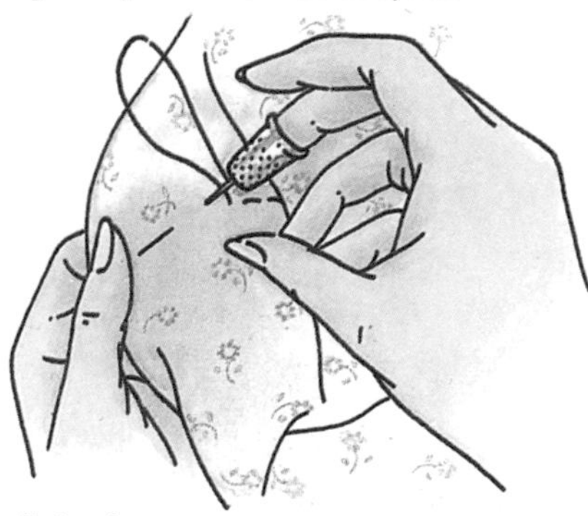

Si le dé est un peu grand, doublez-le de ruban adhésif jusqu'à ce qu'il vous fasse bien.

Si vous ne pouvez supporter le dé à coudre, protégez le bout de votre doigt avec un pansement adhésif.

FERMETURE ÉCLAIR

Lorsqu'une fermeture éclair est récalcitrante, mettez un peu de paraffine ou de savon sur les dents mais enlevez-en bien l'excès. De la mine de crayon de plomb fait tout aussi bien l'affaire.

Si la fermeture éclair a perdu la patte de son curseur, remplacez-la par un petit trombone ; camouflez celui-ci en enroulant autour un fil de la couleur du vêtement.

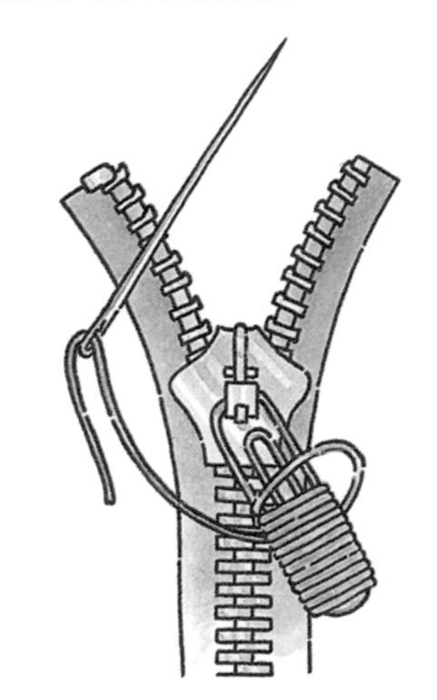

BOUTONS

Mettez de l'ordre dans la boîte à boutons. Enfilez les boutons de même diamètre sur de la soie dentaire et nouez les bouts. Ou glissez-les sur une grande épingle de sûreté ou dans une pince à cheveux dont vous torsaderez les extrémités.

Pour coudre un bouton, préparez une double aiguillée en enfilant une boucle du fil dans le chas.

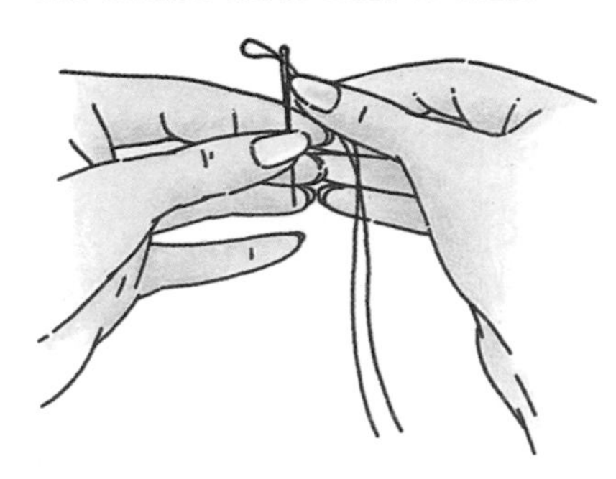

Soyez plus à l'aise dans vos jupes ou dans vos pantalons ; cousez les boutons de leur ceinture avec du fil élastique.

Vous pouvez coudre les boutons à quatre trous en croix, en carré, en flèche ou en lignes parallèles.

En cas d'urgence, rattachez un bouton avec le fil métallique d'une attache de sac ménager.

Si vous avez plusieurs boutons à coudre à la machine, mettez-les en position avec un petit morceau de ruban à deux faces adhésives. Ceci vous fera gagner du temps.

Si un bouton se découd continuellement, mettez de temps à autre un peu de vernis à ongles incolore sur le fil. Il tiendra plus longtemps.

Prolongez la durée et le lustre des boutons nacrés en les recouvrant d'une fine couche de vernis à ongles incolore.

Avant d'acheter des boutons, mesurez la boutonnière. Prenez un bouton dont le diamètre est inférieur de 3 mm à l'ouverture de la boutonnière. S'il est bombé, mesurez son épaisseur et ajoutez-la à son diamètre pour trouver la bonne taille.

Ne risquez pas de couper le tissu en enlevant un bouton. Glissez un peigne entre le bouton et le vêtement et, avec une lame de rasoir, coupez le fil par-dessus le peigne.

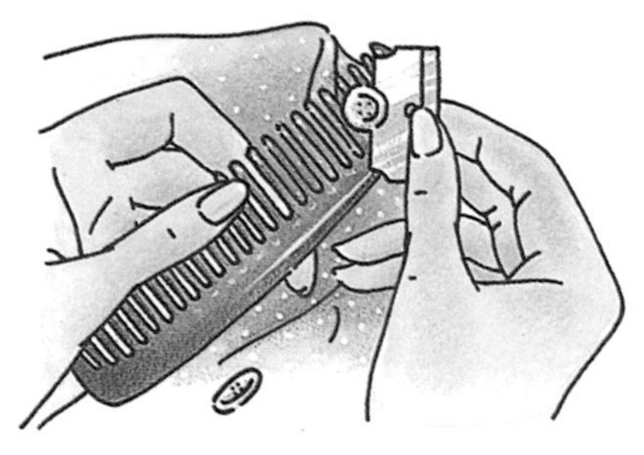

DES BOUTONS BIEN COUSUS

1. Prenez une double aiguillée. Faites deux petits points à l'emplacement du bouton. Pour un bouton plat, piquez de l'envers vers l'endroit à travers un trou. Rectifiez la position du bouton et insérez un cure-dents dessous entre le tissu et lui. Passez au moins cinq fois dans chaque paire de trous.

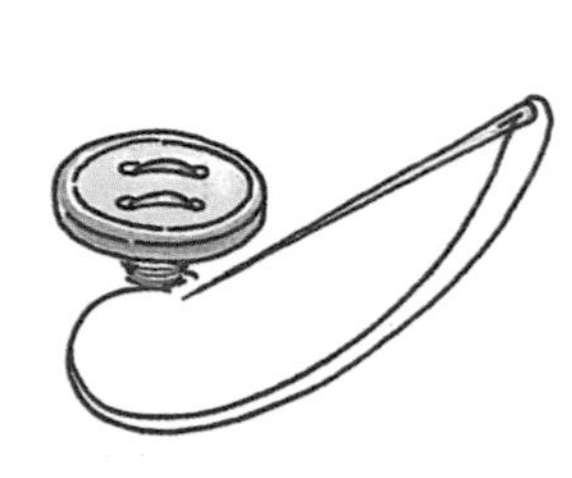

2. Faites sortir l'aiguille et le fil entre le bouton et le tissu. Enlevez le cure-dents. Eloignez le bouton du tissu et enroulez le fil à plusieurs reprises autour de la tige de fils. Arrêtez le fil sur l'envers du tissu.

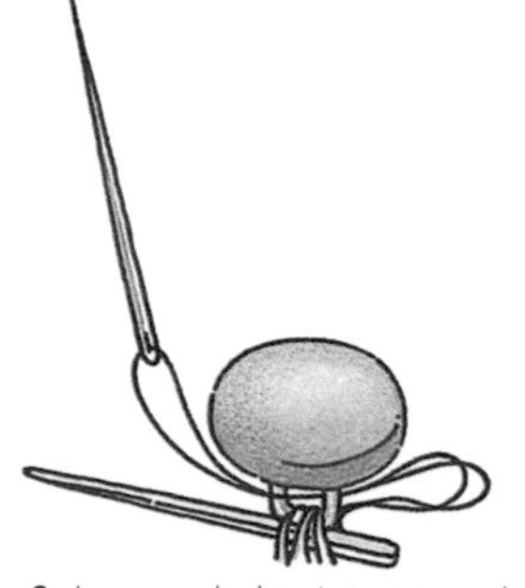

3. Lorsque le bouton comporte une queue, commencez de la même façon et pratiquez de six à huit points si la queue le permet. Terminez comme on vient d'expliquer. Si la queue du bouton est trop petite pour l'épaisseur du tissu, placez un cure-dents dessous et travaillez comme dans le cas d'un bouton plat.

MACHINE À COUDRE

Pour faciliter le nettoyage, fixez un sac en papier avec du ruban adhésif au bout du plateau de votre machine à coudre pour recevoir les chutes de tissu et les fils.

Posez une ventouse ou du caoutchouc mousse sous la commande au pied pour l'empêcher de se déplacer pendant que vous cousez.

Ne cherchez plus votre ruban à mesurer quand vous travaillez à la machine. Achetez-en un deuxième et attachez-le avec du ruban à deux faces adhésives au plateau de la machine, devant vous.

Si le fil de la bobine sur la machine se déroule à grande vitesse, mettez une rondelle de robinet en caoutchouc au sommet de la bobine.

CALCUL D'UN OURLET

Ne vous baissez pas inutilement. Si vous voulez épingler l'ourlet d'une robe ou d'un pantalon d'enfant, faites monter l'enfant sur une table bien solide.

POSE DES BOUTONS-PRESSION ET DES AGRAFES

Boutons-pression

1. Posez la calotte du bouton-pression sur l'envers du tissu du dessus, à au moins 6 mm du bord. Pratiquez un seul point sous le bouton-pression ; piquez l'aiguille dans le tissu, puis dans un des trous de la calotte.

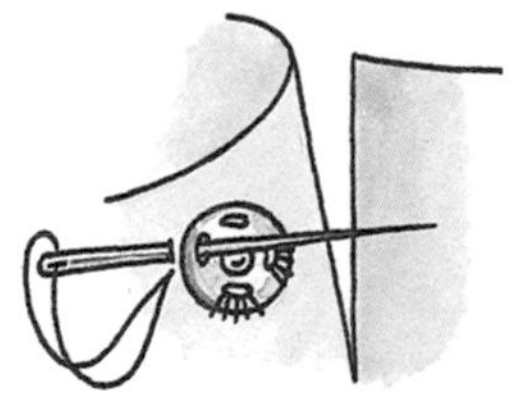

2. Pratiquez cinq points dans chaque trou. Cela fait, arrêtez le fil en faisant un petit nœud dans le tissu.

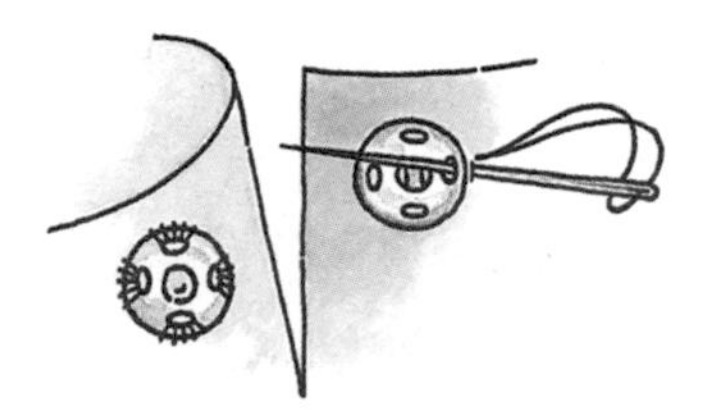

3. Mettez un peu de craie sur la calotte et pressez contre l'autre partie du vêtement pour savoir où placer le ressort de la pression. Fixez cette pièce de la même façon que la calotte.

Agrafes

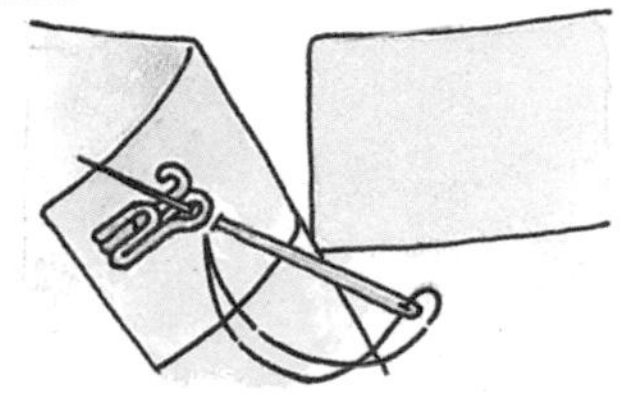

1. Posez le crochet sur l'envers du vêtement, la tête à 3 mm du bord. Pratiquez un seul point sous l'agrafe. Piquez ensuite l'aiguille dans le tissu, puis dans un œilleton du crochet. Pratiquez cinq ou six points dans chaque œilleton.

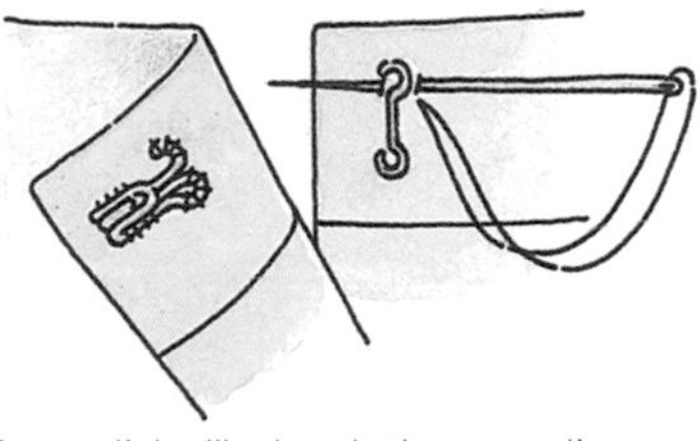

2. Passez l'aiguille dans le tissu pour l'amener à la tête du crochet, pratiquez cinq points et arrêtez le fil. Déterminez l'emplacement de la bride et fixez-la de la même façon.

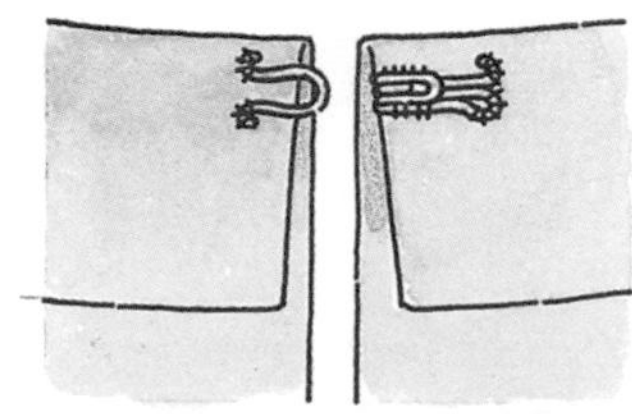

3. Lorsque l'agrafe se pose bord à bord, rapprochez les parties et disposez en conséquence crochet et porte. Cousez.

Vous mesurez un ourlet avec une règle ? Ne vous fatiguez pas les yeux inutilement. Enfilez une bande élastique à la hauteur voulue ; elle vous indiquera tout de suite où poser les épingles.

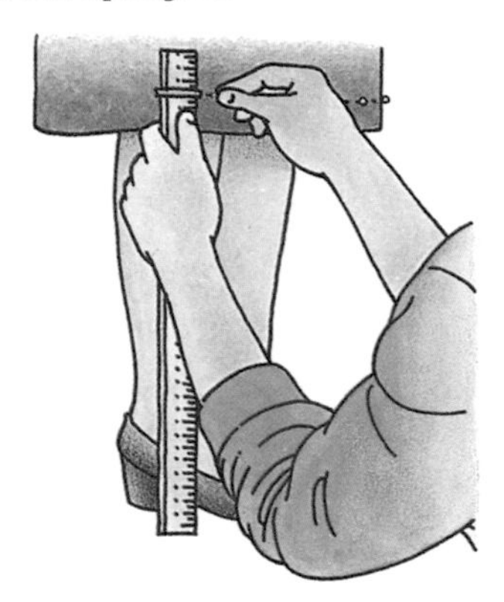

En l'absence de craie pour marquer un ourlet, utilisez un pain de savon blanc sur les tissus lavables.

Pour que l'ourlet soit égal partout, reportez sa largeur sur un morceau de carton et crantez avec des ciseaux. Servez-vous-en comme gabarit pour épingler le tissu.

Lorsque vous ourlez un tissu tissé lâche, servez-vous d'épingles à linge : elles tiennent mieux que les épingles droites qui glissent.

L'OURLET

Pour éviter que des nœuds se forment sur le fil, utilisez de petites aiguillées : pas plus de 45 cm.

En cas d'urgence, réparez temporairement un ourlet qui commence à se défaire avec du ruban adhésif transparent.

Quand l'ourlet d'un jean est défait et que vous n'avez pas le temps d'y voir, posez du ruban argenté de plombier. Il résistera même à plusieurs lavages.

REFAIRE UN OURLET

1. Avec de petits ciseaux pointus, défaites l'ancien ourlet. Repassez.

2. Mesurez et marquez le nouvel ourlet avec des épingles ou de la craie, à partir du plancher : demandez à quelqu'un de vous rendre ce service. Portez le vêtement avec les sous-vêtements et les chaussures qui l'accompagneront.

3. Pliez le tissu sur la ligne des épingles ; posez de nouvelles épingles à mi-distance entre le bas et le haut du nouvel ourlet.

4. Retirez les épingles de repérage et repassez l'ourlet légèrement.

5. Passez le vêtement pour vérifier la hauteur de l'ourlet et son arrondi. Corrigez au besoin.

6. Enlevez le vêtement ; retaillez le tissu en trop à à peu près la largeur de l'ancien ourlet.

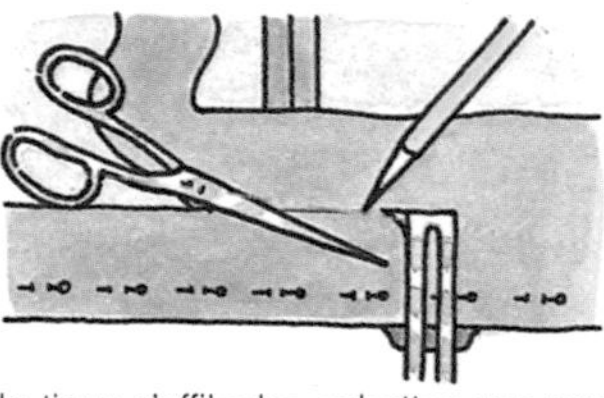

7. Si le tissu s'effiloche, rabattez une partie de l'ourlet et passez une piqûre machine ou renforcez-le avec du ruban à ourlet. Si le tissu ne s'effiloche pas, une simple piqûre machine suffit.

8. Cousez l'ourlet avec l'un des points illustrés ci-dessous. Espacez-les de 6 à 15 mm. Ne tendez pas le fil, autrement le tissu froncera. Retirez les épingles quand le travail est terminé.

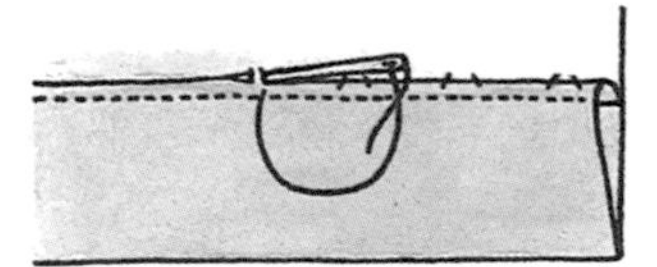

Point perdu pour tissus légers

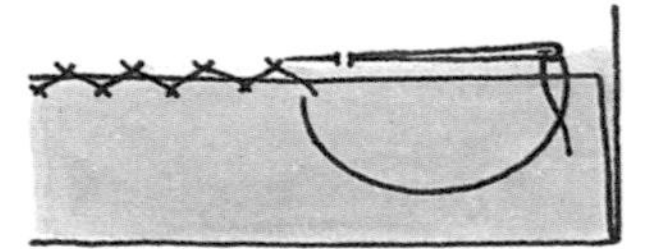

Point de chausson pour tricots, lainages légers, soie sauvage

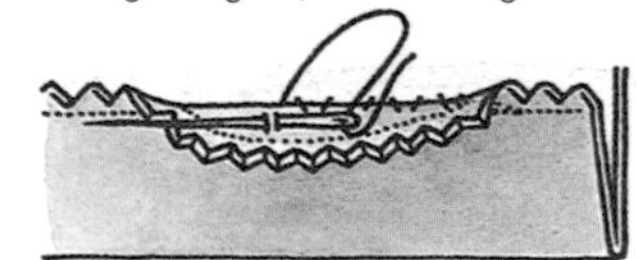

Point coulé pour tissus lourds

9. Repassez le pli de l'ourlet sur l'envers. Si vous retouchez l'endroit, mettez une pattemouille.

RACCOMMODAGE, REPRISAGE, RAPIÉÇAGE

Raccommodage

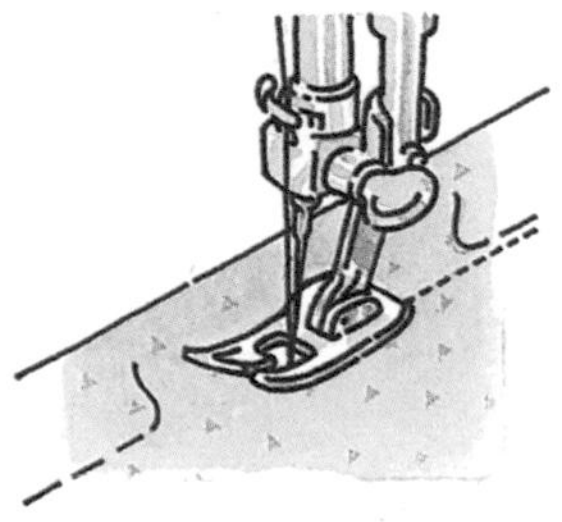

1. Pour raccommoder à la machine une couture qui s'est défaite, mettez le vêtement à l'envers et piquez le long de la couture en mordant sur les anciennes piqûres au début et à la fin de la réparation.

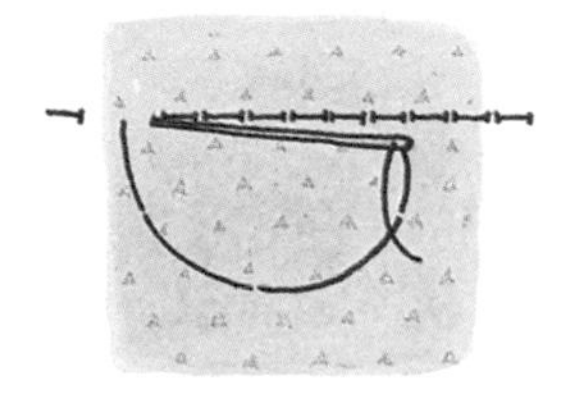

2. Si vous préférez faire l'ouvrage à la main, faites de petits points arrière le long de l'ancienne couture. Aux extrémités, arrêtez les points en pratiquant plusieurs petits points arrière l'un par-dessus l'autre.

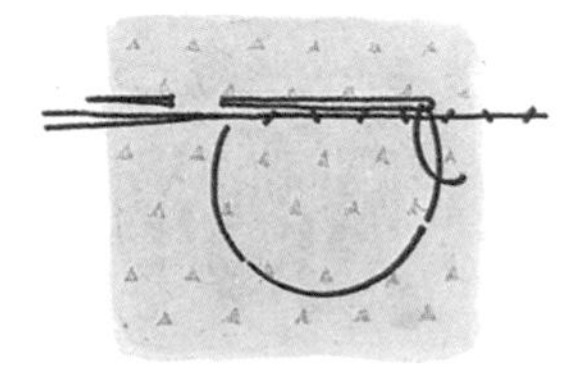

3. Si vous ne pouvez travailler sur l'envers de l'article, faites une rangée de points perdus sur l'endroit. Arrêtez le fil avec des points arrière.

Reprisage

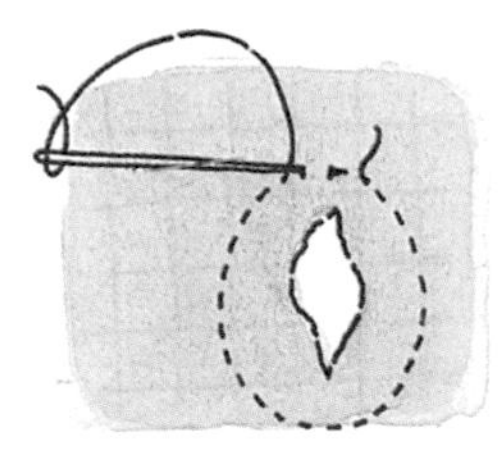

1. Remplissez les petits trous ou les accrocs avec des points qui imitent le tissage; cette opération s'appelle reprisage. A 6 mm du trou, sur l'envers de l'article, faites une série de petits points devant tout autour.

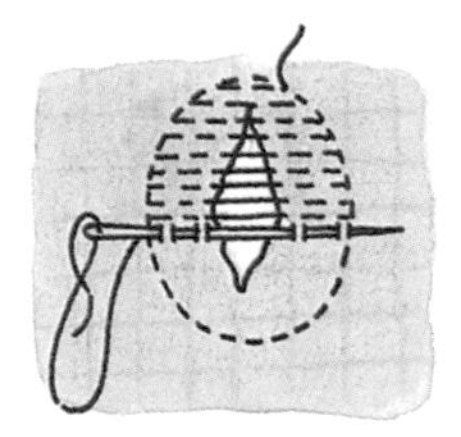

2. Puis comblez le trou avec une série de points parallèles à la chaîne du tissu.

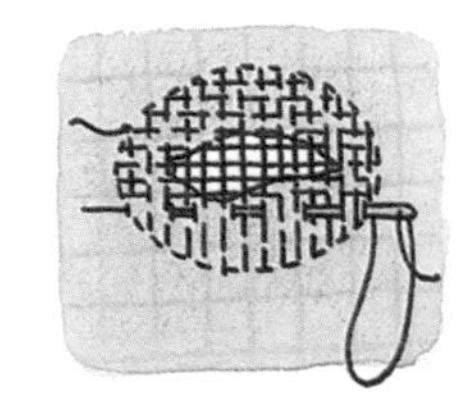

3. Ensuite, tissez le fil perpendiculairement à ces rangées de points. La tension du fil doit être uniforme, mais si elle est trop forte, elle fera froncer le tissu. Arrêtez le fil avec un point arrière sur l'envers.

Rapiéçage

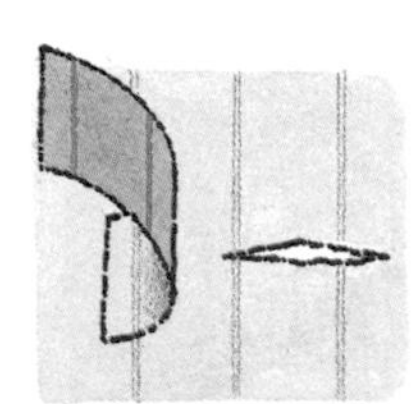

1. Pour réparer un trou ou une partie usée, posez une pièce. Découpez-la pour qu'elle déborde. Posez-la sous la déchirure en vous assurant que le fil et le poil du tissu et de la pièce vont dans le même sens.

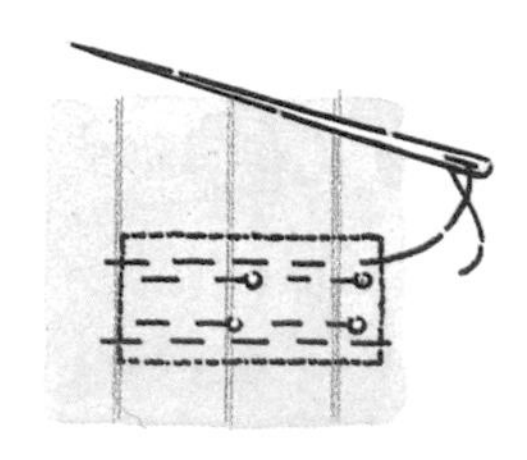

2. Rapprochez bien les bords de la déchirure l'un contre l'autre; épinglez-les sur la pièce et faufilez. Enlevez les épingles.

Point zigzag multiple

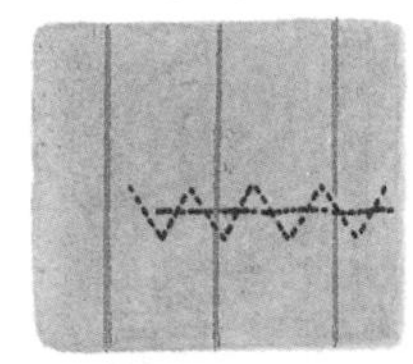

3. La déchirure tournée vers vous, piquez ses bords en utilisant un point zigzag simple ou multiple. Si vous cousez à la main, faites de petits points discrets de part et d'autre des bords de la déchirure.

Ne coupez pas de tissu quand vous raccourcissez un vêtement d'enfant. Avec l'excédent, faites un pli. Marquez l'endroit où rabattre le tissu, puis faites un pli entre cette marque et l'ourlet. Piquez à la main ou avec de longs points machine. Repassez vers la ligne d'ourlet. Pour rallonger le vêtement, vous n'aurez qu'à défaire cette piqûre.

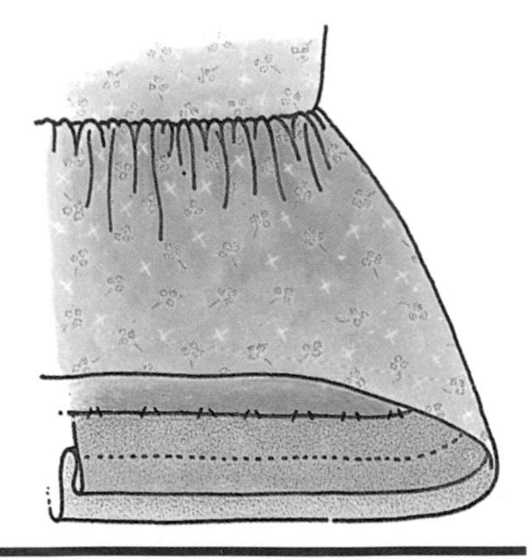

FINIS LES FAUX PLIS

Pour éliminer une marque d'ourlet, repassez la marque et imbibez-la d'eau savonneuse ; repassez à nouveau mais à la vapeur.

Si le pli ne disparaît pas à votre satisfaction, essayez de le camoufler avec une piqûre décorative ou piquez un liseré par-dessus après avoir cousu le nouvel ourlet.

Les vêtements que l'on vient juste d'acheter portent souvent des faux plis tenaces. Essayez l'empois en vaporisateur. Si le tissu est lavable, vaporisez un peu d'empois sur les faux plis et repassez à sec.

Si un ancien pli a laissé une marque blanche sur un jean, diluez de l'encre bleu indélébile avec de l'eau de manière à obtenir la nuance désirée et badigeonnez-en la marque avec un petit pinceau. Laissez bien sécher l'encre.

RAPIÉÇAGE

Pour maintenir une pièce en place pendant que vous la cousez, fixez-la avec du ruban transparent ou avec un peu de colle domestique : elle s'en ira au premier lavage.

Dentelez les bords d'une pièce thermocollante avant d'appliquer le fer dessus ; elle collera mieux.

Repassez une vieille pièce thermocollante au fer chaud : elle devrait s'enlever comme une pelure.

Pour poser une pièce thermocollante, glissez un peu de papier d'aluminium sous le trou à réparer pour que la pièce ne colle pas à la housse de la table de repassage.

CEINTURES

Cherchez-vous un rangement commode pour sacs à main et ceintures ? Vissez des crochets à tasse sur la barrette d'un cintre en bois ou glissez des crochets à rideau de douche sur la tringle du placard.

Protégez les boucles des ceintures ; enduisez-les de quatre couches de vernis à ongles incolore. Laissez sécher entre les couches.

CHAUSSURES

Ne vous fiez pas qu'à la pointure quand vous achetez des chaussures. Portez-les quelques minutes dans le magasin avant de prendre une décision. Les pointures varient selon les coupes et les fabricants. Et si vous venez de marcher beaucoup, vos pieds peuvent avoir enflé d'une demi-pointure.

Ne portez pas de nouvelles chaussures avant de les avoir cirées avec un produit antitaches ou un cirage ordinaire. (Attention : ils peuvent rendre le cuir un peu plus foncé.)

Les semelles neuves sont glissantes. Frottez-les avec du papier de verre ou contre un trottoir rude.

Faites-vous des tiges à botte. Attachez ensemble deux ou trois cylindres d'essuie-tout ou prenez des bouteilles d'eau gazeuse vides ou des rouleaux de papier journal.

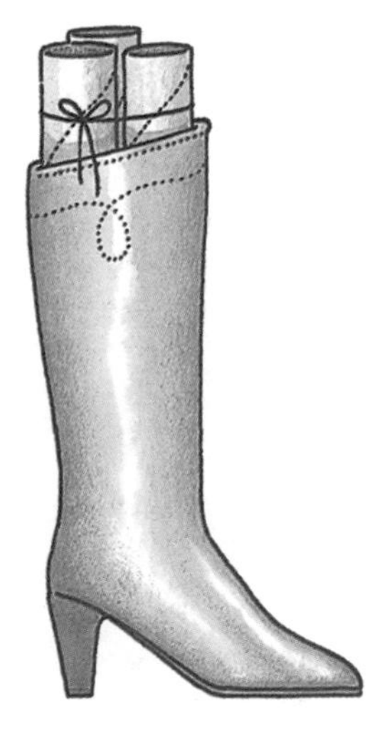

Si vos chaussures sont un peu justes, relâchez-les en frottant l'endroit où elles vous serrent, à l'intérieur, avec un tampon de coton imbibé d'alcool à friction. Ensuite portez-les pendant plusieurs minutes.

Vous pouvez aussi les frotter à l'intérieur avec de l'alcool à friction et les installer sur des embauchoirs tendeurs (ou des formes à chaussures) pendant au moins deux jours.

Vous rêvez d'un lacet qui ne se délace pas à tout bout de champ ? Mouillez-le avant de le nouer.

Ne portez pas les mêmes chaussures deux jours de suite. Laissez-les retrouver leur forme et perdre les odeurs dont elles sont imprégnées.

Chaussures mouillées ? Remplissez-les de papier journal froissé et laissez sécher loin du soleil ou de la chaleur. Ensuite, appliquez un agent traitant pour le cuir.

Pour imperméabiliser des chaussures, appliquez-leur du cirage à chaussures, puis de la cire à plancher ou un produit à la silicone.

SOULIERS : ENTRETIEN

Faites disparaître les marques de sel : frottez avec 1 c. à soupe de vinaigre diluée dans une tasse d'eau.

Maquillez les éraflures en les couvrant de peinture acrylique, ou en passant un crayon-feutre indélébile ou un crayon de la bonne couleur.

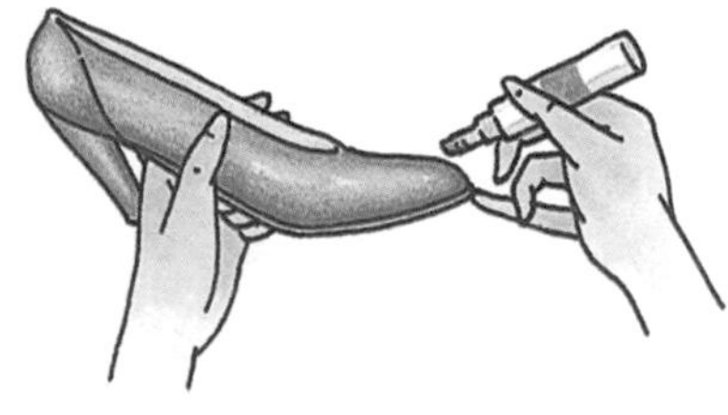

Le correcteur liquide pour machine à écrire est idéal pour masquer des taches sur le cuir blanc ; essayez l'encre de Chine sur le cuir noir.

Enlevez les petites marques avec une gomme à dessin.

Enlevez le goudron ou la graisse sur des chaussures blanches avec du dissolvant à vernis à ongles.

Recyclez les vêtements de flanelle, les chemises de nuit, les chaussettes et les serviettes éponge usagées en polissoirs à chaussures.

Nettoyez les chaussures en cuir verni avec un soupçon de vaseline et faites briller. Ou utilisez un lave-vitres en vaporisateur.

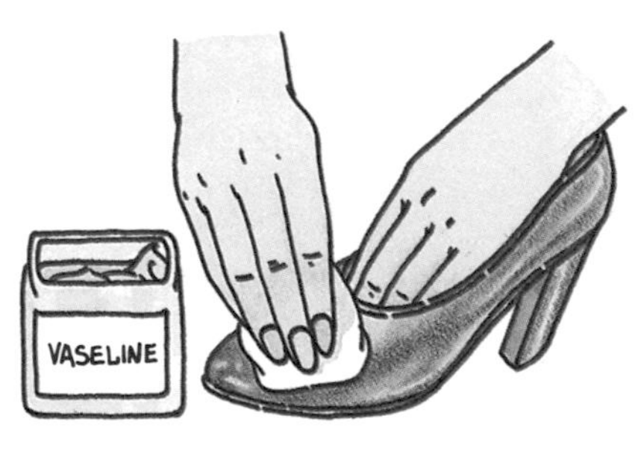

Le cirage a durci ? Mettez la boîte métallique dans un bol d'eau chaude : le cirage s'amollira.

Polissage de dernière minute : mettez un peu de crème pour les mains sur les chaussures et faites briller.

Ne vous salissez plus les mains lorsque vous cirez des sandales ; glissez la main qui soutient la chaussure dans un sac de plastique.

Si vous avez des souliers à talons en bois, polissez ceux-ci avec de l'huile de citron ou de la cire à meubles.

SOULIERS DE DAIM

Pour redresser le poil du daim, brossez la chaussure après chaque usage avec une éponge sèche ou une brosse raide pour les meubles.

En les frottant avec du papier de verre très fin, vous pouvez faire disparaître les éraflures rebelles.

Tenez les souliers de daim au-dessus d'une casserole d'eau bouillante. Quand le poil s'est redressé à la vapeur, frottez-le avec une brosse douce dans un sens seulement. Attendez que les souliers soient secs pour les porter.

SOULIERS DE TOILE

Vaporisez un agent de protection ou d'amidonnage sur les souliers de toile avant de les porter.

Conservez à vos souliers de tennis leur aspect neuf. Après les avoir lavés et fait sécher, bourrez-les de serviettes de papier, puis couvrez-les d'empois liquide et laissez sécher.

Nettoyez les espadrilles en toile avec du shampooing à tapis en vaporisateur ; brossez, laissez sécher, puis brossez de nouveau à sec.

BAS ET COLLANTS

Les collants durent plus longtemps lorsqu'on les congèle après l'achat. Passez-les sous le robinet, essorez et mettez-les au congélateur dans un sac de plastique. Quand vous avez besoin d'en porter un, décongelez-le et laissez-le sécher.

Si vous les amidonnez légèrement, bas et collants fileront moins facilement et s'enfileront bien mieux.

Arrêtez une maille qui file avec du savon humide, du fixatif à cheveux ou du vernis à ongles incolore.

SACS À MAIN

Pour que les sacs en cuir conservent leur forme, bourrez-les de papier ou de plastique. Enveloppez-les séparément dans un sac de flanelle ou une taie d'oreiller : ils ne colleront pas les uns aux autres.

Pour faire briller un sac en cuir verni, vaporisez-le de lave-vitres et frottez avec un essuie-tout.

Mettez du vernis à ongles incolore sur les ferrures métalliques de votre sac et elles ne terniront pas.

De temps à autre, nettoyez et traitez les portefeuilles en cuir. Passez un linge doux imbibé d'eau savonneuse ou appliquez un produit spécial incolore avec un chiffon sec.

Si la courroie d'un sac s'est brisée, pensez à la remplacer par un collier à gros chaînons.

GANTS

Lorsque vous essayez des gants, vérifiez si la pointure est juste en serrant le poing. Assurez-vous que l'ouverture arrive au poignet et que les piqûres sont fines, régulières et bien arrêtées.

Pour garder aux gants leur aspect neuf, étirez les doigts chaque fois que vous les enlevez.

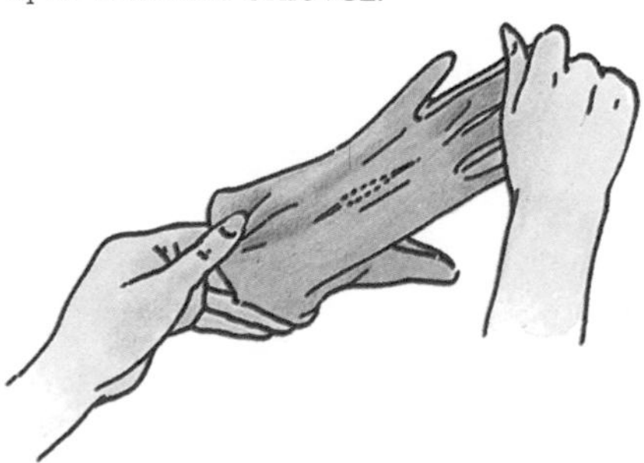

Si vos gants de cuir sont tachés, frottez-les avec une gomme à dessin ou du gruau d'avoine.

S'agit-il de taches de graisse ? Poudrez-les de fécule de maïs et attendez 12 heures avant de brosser.

CHAPEAUX

Brossez la bande intérieure en cuir des chapeaux avec de la paraffine fondue pour empêcher le sébum et la saleté de s'y accumuler.

Périodiquement, brossez et essuyez les chapeaux de paille avec une éponge. S'ils sont très sales, passez-les à l'aspirateur.

Pour redonner de l'éclat à la paille, étendez une mince couche de glycérine ou de fixatif à cheveux.

Plongez un chapeau de paille déformé dans l'eau salée, mettez-le en forme à la main et laissez-le sécher.

Après avoir lavé un béret, empêchez-le de rétrécir en l'enfilant sur une assiette pour le faire sécher. (Prenez une assiette du bon format.)

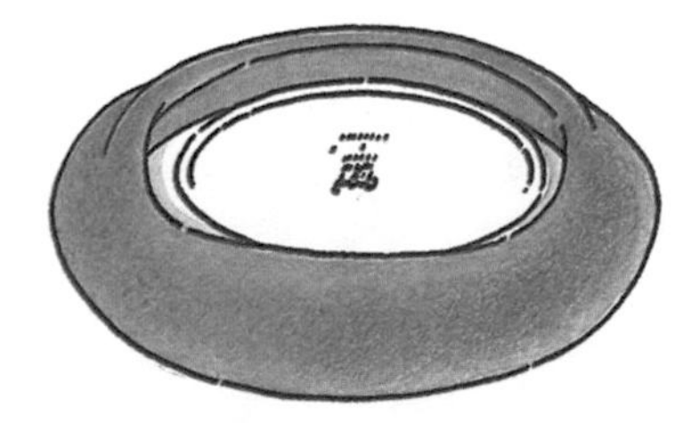

Préservez la beauté du feutre ; brossez le chapeau doucement après chaque usage et rangez-le dans un sac de plastique.

La pluie a-t-elle marqué le feutre ? Epongez les gouttelettes d'eau avec du tissu-éponge, puis frottez les marques avec du papier de soie en adoptant un mouvement circulaire.

Passez quelques secondes à la vapeur un chapeau de feutre défraîchi et brossez dans le sens du poil.

Une boîte de café vide : voilà une forme à chapeau toute trouvée.

CRAVATES

Suspendez dans la salle de bains remplie de vapeur les cravates en soie défraîchies. Ou mettez un linge mouillé autour de la semelle du fer à repasser réglé à vapeur et passez-le au-dessus de la cravate.

Une tache d'eau sur votre cravate en soie ? Laissez-la sécher, puis frottez-la avec un coin dissimulé de la cravate. Le traitement est efficace.

FOURRURES

Les belles fourrures sont lustrées et brillantes ; elles présentent des marques uniformes et une couleur franche. Demandez s'il s'agit de pleines peaux ou de morceaux ; les premières sont plus chères.

Le manteau doit être agréable à porter (c'est un placement à long terme), léger sur les épaules et assez grand pour accepter chandails et vestes.

Suspendez le manteau sur un cintre large et bien galbé et ne le tassez pas dans une penderie ; la fourrure a besoin de respirer.

Ne rangez jamais un manteau de fourrure dans un sac de plastique, mais dans une housse en coton.

Le soleil et la chaleur décolorent la fourrure et la dessèchent.

Si la fourrure se mouille, secouez le manteau et suspendez-le dans un endroit bien aéré, loin du soleil et de la chaleur.

La fourrure absorbe les odeurs. Evitez la proximité des boules à mites ou des vaporisateurs chimiques.

Ne portez pas de bijoux lourds qui frotteraient toujours au même endroit sur la fourrure.

Comme le nettoyage dessèche la fourrure, faites nettoyer votre manteau tous les deux ans seulement. Les fourrures à poils longs, castor, chat sauvage et renard, marquent et demandent un nettoyage annuel.

ENTRETIEN DES BIJOUX

Aigue-marine, améthyste, émeraude, grenat, jade, rubis, saphir, topaze, tourmaline. Plongez les bijoux dans ½ tasse d'eau et 1 c. à soupe d'ammoniaque et frottez avec une brosse à dents souple. Rincez et séchez sur une serviette sans mousse.

Ambre. Mettez deux gouttes d'huile de lin sur une boule d'ouate et frottez; enlevez l'excès d'huile.

Argent. Employez un produit spécial pour l'argenterie, du dentifrice ou du bicarbonate de soude sec. Frottez les reliefs avec une brosse souple. Rincez et épongez. En cas d'urgence, frottez l'argent avec de la cendre.

Diamant. Plongez les diamants 20 minutes dans 1 tasse d'eau chaude mélangée à ¼ tasse d'ammoniaque et 1 c. à soupe de détergent; frottez avec une brosse douce et rincez à l'eau chaude. Passez-les dans de l'alcool à friction et séchez à l'air ou sur une serviette sans enlever l'alcool.

Ivoire. Frottez l'ivoire avec de l'alcool dénaturé; faites-le briller avec une goutte d'huile de citron.

Lapis-lazuli, malachite, turquoise. Prenez du détergent (pas de savon), de l'eau fraîche et une brosse douce.

Opale. Nettoyez-la dans une eau additionnée de détergent (et non de savon). L'opale est fragile, soyez prudent. De temps à autre, si vous ne la portez pas, plongez l'opale dans l'eau pour l'empêcher de se fissurer.

Or. Mettez les bijoux en or 10 à 15 minutes dans 1 tasse d'eau chaude avec ½ tasse d'ammoniaque; frottez-les doucement avec une brosse souple. Rincez-les à l'eau tiède. Mettez-les à sécher sur une serviette éponge.

Perle. Plongez les perles dans l'eau tiède avec quelques gouttes de détergent liquide pour la vaisselle. Rincez et polissez avec un chiffon de flanelle. Les perles acquièrent au contact de la peau un très bel orient: portez-les souvent. Ou enduisez-les d'un peu d'huile d'olive et essuyez-les avec un chamois. Gardez-les dans du riz.

BIJOUX

Y a-t-il un nœud dans votre chaîne en or ? Saupoudrez du talc dessus et défaites-le. S'il résiste, mettez une goutte d'huile à bébés sur une feuille de papier ciré, plongez le nœud dedans et, avec deux épingles, essayez de le dénouer. Nettoyez la chaîne dans de l'ammoniaque ou de l'eau savonneuse.

Ne nagez pas dans une piscine d'eau chlorée avec des bijoux en or ; le chlore attaque l'or.

Un bac à glaçons est idéal pour ranger bagues et boucles d'oreilles.

Rangez les boucles pour oreilles percées dans les trous de boutons plats. Ou mettez du caoutchouc mousse dans une section du coffret à bijoux et piquez-y leurs tiges.

Lorsque vous rincez des bijoux, utilisez la douchette de votre appareil d'hygiène dentaire.

Ne risquez pas de vous tacher la peau avec des bijoux mode qui se sont oxydés. Nettoyez-les avec soin, puis enduisez d'une fine couche de vernis à ongles transparent les parties qui touchent à votre peau.

Posez votre fond de teint et parfumez-vous toujours avant de mettre vos bijoux.

Secourisme et santé familiale

APPELS D'URGENCE

Quand vous faites un appel d'urgence, n'oubliez pas de donner clairement votre nom, votre adresse, le chemin à prendre pour se rendre sur les lieux, votre numéro de téléphone et la nature de l'urgence.

NUMÉROS D'URGENCE

Dressez la liste de ces numéros et laissez-la près du téléphone.
1. Plusieurs régions sont desservies par un numéro sans frais d'interurbain, le 911, relié directement aux services ambulanciers, aux centres antipoisons et aux services de la police et des pompiers. En l'absence d'un numéro central, consultez l'annuaire du téléphone sous chaque service.
2. Le médecin.
3. L'urgence de votre hôpital.
4. Le centre local d'information antipoisons. A défaut, composez le numéro régional et son code ou celui de l'urgence de l'hôpital de votre localité.

RECOURS AU PÉDIATRE

Avant d'appeler le pédiatre, notez par écrit les renseignements essentiels : température de l'enfant, symptômes, soins déjà prodigués. Au médecin :
1. Décrivez l'état de l'enfant d'après vos notes.
2. Notez les directives du médecin et relisez-les-lui.
3. Renseignez-vous sur l'évolution possible de la maladie.
4. Demandez quand vous devez rappeler le médecin ou emmener l'enfant à son bureau.
5. Vérifiez où vous devez aller chercher les médicaments, s'il y a lieu.
6. Si le médecin est absent, laissez un message bref mais clair.

Ne composez pas un numéro d'urgence, n'appelez pas un médecin avec un bébé qui pleure dans les bras. On ne vous entendra pas et vous ne comprendrez rien.

Quand cela est possible, laissez la victime parler au médecin ou aux secouristes. Les renseignements qu'elle donnera seront plus précis.

Faites comme on vous dit. Si on vous envoie une ambulance, attendez-la. L'ambulancier conduit plus vite que vous et l'équipe qui l'accompagne pourra pratiquer immédiatement les premiers soins.

Si l'on vous mène d'urgence à l'hôpital, demandez à quelqu'un d'en avertir votre médecin. Il pourra accélérer les formalités d'admission et même vous rencontrer à l'urgence.

LE THERMOMÈTRE

On ne prend pas la température d'une personne qui vient d'accomplir un travail physique, de prendre un bain, d'ingurgiter un repas complet, une boisson chaude ou froide ou de fumer une cigarette. Les données seront faussées.

Si l'enfant est capable de garder un thermomètre dans la bouche sans le mordre et le casser, prenez sa température par voie orale. Sinon prenez la température rectale.

Ne laissez pas un jeune enfant seul avec un thermomètre dans la bouche au cas où, par inadvertance, il le briserait. Le verre et le mercure sont des matières dangereuses.

LA TROUSSE DE SECOURS

Il existe des trousses de secours toutes prêtes dans les pharmacies. Vous pouvez aussi en monter une vous-même dans une boîte à l'épreuve des enfants — boîte à outils ou coffret de pêche. Mettez les numéros d'urgence (p. 306) à l'intérieur du couvercle. Ajoutez un manuel de secourisme. Gardez cette trousse hors de l'atteinte des petits, mais que les grands sachent où elle se trouve.

Instruments
Thermomètres oral et rectal
Lampe de poche, piles de rechange
Cuiller à mesurer et compte-gouttes
Bouillotte et sac à glace
Ciseaux à bouts ronds
Pince à épiler
Sachet d'aiguilles
Abaisse-langue ou bâtonnets à sorbet en guise d'attelles
Tampons d'ouate
Allumettes de sûreté

Pansements
Pansements adhésifs
Rouleaux de gaze de 5 et 10 cm
Tampons de gaze de 10 cm sur 10
Rouleau de ruban adhésif de 2,5 cm
Bande de gaze triangulaire et grandes épingles de sûreté pour écharpe
Bandages élastiques
Rouleau d'ouate

Autres
Aspirine ou acétaminophène
Sirop d'ipéca
Peroxyde d'hydrogène à 3 pour 100
Onguent antibiotique
Antiacide
Poudre de charbon de bois activé (en cas d'intoxication par voie orale)
Décongestionnant/antihistaminique
Antinausée
Tampons pour les yeux

COMMENT PRENDRE LA TEMPÉRATURE

Tenez le thermomètre par la tige et non par le réservoir. Imprimez-lui quelques secousses brusques de haut en bas pour faire descendre le mercure. Le thermomètre ne doit pas indiquer plus de 36°C (96,8°F).

Demandez au patient de s'asseoir ou de se coucher. Placez le réservoir du thermomètre sous sa langue et attendez 3 minutes avant de le retirer.

Chez un jeune enfant, prenez la température rectale. Secouez le thermomètre et enduisez le réservoir de vaseline. Installez l'enfant à plat ventre sur vos genoux ou sur le côté. Ecartez-lui les fesses et introduisez doucement le réservoir dans l'anus de façon à ne plus voir la colonne de mercure; ne dépassez pas 5 cm. Retirez le thermomètre après 3 minutes.

Pour lire le thermomètre, tournez-le jusqu'à ce que vous repériez une ligne rouge ou argentée. Vous lisez la température là où s'arrête la ligne. Souvent une flèche indique la température normale, à 37°C (98,6°F).

On peut convertir un thermomètre rectal en thermomètre buccal à condition de bien le nettoyer. Faites-le tremper 10 à 15 minutes dans une solution antiseptique ou lavez-le à l'eau et au savon. Mais n'utilisez jamais un thermomètre buccal pour prendre la température rectale.

La température diffère selon la méthode suivie. La température rectale est de la moitié d'un degré Celsius (1°F) plus élevée que la température orale. Par contre, la température axillaire (sous l'aisselle) est de la moitié d'un degré Celsius (1°F) moins élevée. Dites au médecin comment la température a été prise.

PRENDRE LE POULS

Voici comment prendre le pouls rapidement. Comptez les pulsations pendant 15 secondes et multipliez par 4. Un compte de 20 pulsations donne un pouls de 80.

PRISE DU POULS

Le pouls se prend d'ordinaire sur la face antérieure du poignet. Repérez l'endroit où la base du pouce touche au poignet ; posez l'index et le majeur à 5 cm au-dessus du poignet sur le bras. Palpez jusqu'à ce que vous sentiez une pulsation. Comptez les battements pendant 1 minute exactement.

On peut également prendre le pouls dans le cou, sous la mâchoire, près de la trachée-artère. Le pouls est ici plus marqué qu'au poignet. Pressez moins fort que sur le poignet, pour ne pas ralentir les battements du cœur. **Attention : N'appuyez pas sur les deux pouls carotidiens à la fois.**

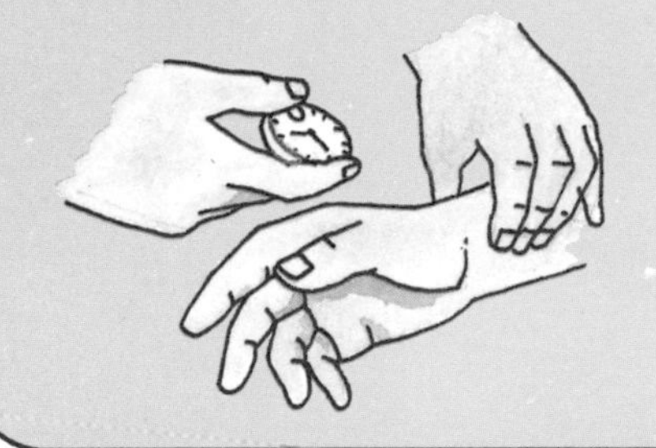

Chez l'adulte au repos, le pouls est de 60 à 80 battements par minute. Il peut atteindre 80 à 90 battements chez un jeune de 10 ans, jusqu'à 140 chez un bébé. L'exercice, l'excitation, l'anxiété et la fièvre font battre le pouls plus vite.

MÉDICAMENTS

Vérifiez de temps à autre la date de péremption inscrite sur les médicaments et jetez ceux qui ont dépassé cette date. Remplacez sans délai les remèdes essentiels, comme le sirop d'ipéca qui induit les vomissements en cas d'intoxication.

Les médicaments ne vont *pas* dans la salle de bains où la vapeur, la lumière et la chaleur peuvent hâter leur détérioration. Rangez-les hors de la salle de bains dans une petite armoire ou un petit meuble bien fermé. Certains se gardent au réfrigérateur : vérifiez l'étiquette.

Ne dites *pas* à l'enfant qu'un remède a bon goût ni que c'est un bonbon. Il risque de prendre ensuite n'importe quel médicament quand vous aurez le dos tourné. Des intoxications graves peuvent se produire ainsi. Donnez-lui un peu de jus de fruits ou un craquelin avant qu'il prenne le médicament et après.

AVANT DE PRENDRE UN REMÈDE...

Pour obtenir les meilleurs résultats des remèdes que vous achetez avec ou sans ordonnance, posez au médecin les questions suivantes :

1. Comment s'appelle le remède ?
2. Quelle action a-t-il ?
3. Donne-t-il des effets secondaires ?
4. Combien de fois par jour dois-je en prendre ? Avant ou après les repas ?
5. Pendant combien de temps dois-je en prendre ? Dois-je continuer même après que je me sens mieux ? Dois-je terminer la bouteille ?
6. Y a-t-il des médicaments à écarter pendant que je prends ceux-ci ?
7. Dois-je éviter certains aliments, certaines boissons ?
8. Dois-je me priver de boissons alcooliques pendant le traitement ?
9. Cette ordonnance est-elle automatiquement renouvelable ?

Voici la meilleure façon d'avaler une pilule ou une capsule : mettez-la sur la langue, prenez un peu d'eau, penchez la tête en arrière et avalez rapidement ; buvez ensuite quelques gorgées d'eau.

Si vous devez prendre des remèdes à heures fixes, réglez votre réveil pour qu'il sonne aux intervalles prévus entre les doses. Vous n'aurez plus qu'à vous exécuter quand le signal se fera entendre.

Lorsque vous versez un médicament liquide, placez le flacon pour que le côté portant l'étiquette soit sur le dessus. De cette façon, elle restera propre et lisible.

Si vous devez donner un remède liquide à un bébé, mettez la dose prescrite dans un biberon et donnez-le-lui juste avant l'heure de l'allaitement. Le bébé aura tellement faim qu'il n'y verra... que du lait.

Autre méthode : placez un compte-gouttes en plastique contenant le médicament recommandé contre la joue interne du bébé. Pressez lentement ; l'enfant se mettra automatiquement à téter.

Quand vous administrez un médicament liquide à un enfant, tenez un petit gobelet de papier sous son menton. Vous n'aurez qu'à ajouter un peu d'eau à ce qui tombe dans le gobelet et le faire boire ensuite à l'enfant.

CHAMBRE DE MALADE

A défaut de bouillotte, remplissez un bon gant de caoutchouc d'eau très chaude ; fermez-le avec une bande élastique et enroulez-le dans une serviette. Une bouteille en plastique dont le couvercle ferme bien peut aussi faire l'affaire.

Si le patient a la nausée, mettez un sac en plastique dans la corbeille à papier et laissez celle-ci près de lui. Après utilisation du sac, vous pourrez discrètement le faire disparaître sans laisser de mauvaises odeurs.

Lorsque le patient réclame un bassin de lit, passez-le à l'eau chaude avant de le lui donner, pour qu'il ne soit pas trop froid au contact.

Pour réduire l'encombrement de la table de chevet, fixez un sac à chaussures à pochettes multiples près du lit et rangez-y les mille et un petits articles — peigne, lunettes, mouchoirs en papier — dont une personne alitée a besoin.

SOULAGEZ L'ARTHRITE

Souffrez-vous d'arthrite aux genoux ? Mettez des cubes de glace dans de petits sacs de plastique et fermez-les. Posez un sac sur le genou, deux dessous, attachez et laissez en place de 15 à 20 minutes. Répétez plusieurs fois par jour.

Portez les sacs d'épicerie dans vos bras et non à bout de bras par les poignées. Ou mettez-les dans un petit sac à dos.

Couvertures et matelas chauffants soulagent mieux les douleurs arthritiques et autres que les bouillottes, qui refroidissent vite, ou les coussins chauffants qui, réglés trop haut, peuvent brûler la peau.

Portez des gants élastiques la nuit pour réduire les douleurs arthritiques, la raideur et le gonflement des articulations le matin.

Si l'arthrite vous empêche de tenir facilement un stylo, rentrez-le dans une petite balle de caoutchouc. Ou enroulez du ruban-cache tout autour jusqu'à ce que le stylo soit assez gros pour être saisi facilement.

CONSEILS AUX AÎNÉS

Si une personne est trop faible pour prendre un bain, installez-la dans une chaise de jardin sous la douche. Mettez une serviette sous la chaise pour l'empêcher de glisser ou de marquer la baignoire.

Si vous avez du mal à sortir de la baignoire, tournez-vous sur vos mains et vos genoux et redressez-vous doucement.

Avez-vous de la difficulté à vous lever le matin ? Fixez une corde aux montants du lit ou à un côté du sommier après y avoir pratiqué des nœuds pour vous donner meilleure prise. Epinglez la corde aux draps ou aux couvertures, le soir, pour la trouver facilement. Agrippez-vous à la corde pour vous redresser.

Si le poids des couvertures sur vos pieds vous incommode, fabriquez un support en enlevant deux côtés adjacents d'une boîte de carton ; placez celle-ci au pied du lit, sous les couvertures, et glissez vos pieds dessous. C'est elle qui supportera les couvertures.

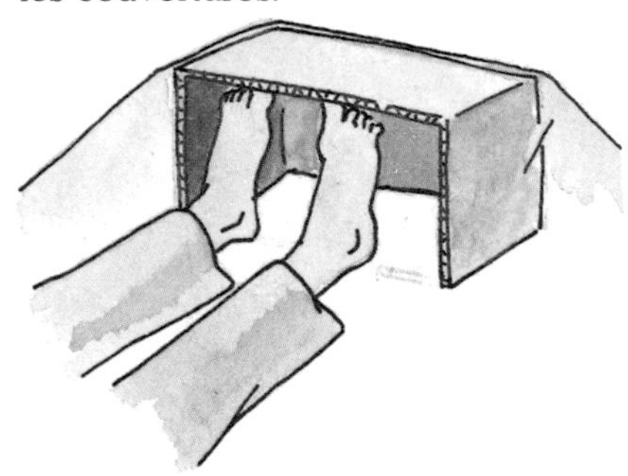

RHUMES ET GRIPPES

Les enrhumés et les grippés doivent boire beaucoup de liquides : eau, jus, soupes, boissons gazeuses sans caféine. Servez une boisson différente toutes les heures. Pour inciter un enfant à boire, mélangez jus et soda au gingembre.

Durant la saison des rhumes et des grippes, congelez des jus de fruits sur bâtonnets. L'enfant qui refuse un verre de jus peut se laisser tenter par un sorbet glacé. (Et c'est bon pour les lèvres gonflées.)

Si vous avez la grippe, restez à l'écart. Lavez-vous les mains fréquemment et ne touchez pas aux assiettes et ustensiles des autres. Jetez les papiers-mouchoirs dans un sac mis aux ordures tous les jours.

CONGESTION NASALE

Pour soulager la congestion nasale, procurez-vous un petit humidificateur. Changez l'eau tous les jours et nettoyez l'appareil selon les instructions du fabricant pour éviter la multiplication des bactéries.

RHUME OU GRIPPE ?

Le rhume commun et la grippe ou influenza sont des maladies virales. Le rhume a les effets suivants : gorge irritée ou douloureuse, voix rauque, toux, éternuements, congestion ou écoulements nasaux, yeux larmoyants, maux de tête ; la fièvre ne dépasse pas 37,7°C (100°F) et les symptômes durent de cinq à sept jours.

Les symptômes de la grippe ressemblent à ceux du rhume, mais ils sont plus aigus et s'accompagnent parfois d'une fièvre forte chez l'adulte, très forte chez l'enfant. La grippe provoque aussi des douleurs musculaires et articulaires, une sensation générale de faiblesse et une perte d'appétit. Les symptômes disparaissent en une ou deux semaines, mais la guérison demande deux à trois semaines.

Il n'existe pas de traitement spécifique, mais les moyens de soulager les symptômes sont nombreux.

Les personnes âgées et celles souffrant de maladies cardiaques ou respiratoires chroniques doivent se faire vacciner, car la grippe est beaucoup plus dangereuse pour elles.

Ne confondez pas les symptômes du rhume et de la grippe avec ceux d'autres maladies. Consultez le médecin devant les syndromes suivants :

1. Maux d'oreilles ou vision brouillée.
2. Respiration sifflante, difficile et rapide et narines enflammées.
3. Toux grasse et prolongée ; toux avec mucus brouillé ; toux qui dure plus d'une semaine.
4. Fièvre qui ne baisse pas (p. 317) après deux ou trois jours.
5. Mal de gorge avec ganglions enflés et fièvre de plus de 38°C (100,5°F), sans rémission après trois jours.
6. Fièvre de 38,9°C (102°F) pendant 24 heures ou plus.
7. Raideur du cou ou rash cutané.
8. Douleurs abdominales marquées durant plus de 4 à 6 heures.
9. Douleurs dans la poitrine ou souffle court pendant plus de 10 minutes.
10. Perte du sens de l'orientation, incoordination, évanouissement.
11. Somnolence excessive.

Si le patient a moins de 2 ans et demi et fait plus de 38,9°C (102°F), contactez sans tarder le médecin.

Les adultes et les adolescents tireront plus grand profit des vaporisations nasales en agissant ainsi : se vaporiser chaque narine une fois ; puis, 5 à 10 minutes plus tard, recommencer. La première vaporisation diminue la congestion dans la partie antérieure du nez et la seconde peut parvenir à l'arrière des fosses nasales.

N'utilisez pas les décongestionnants commerciaux pour plus de deux ou trois jours d'affilée. Dans le cas des jeunes enfants, demandez l'autorisation du médecin.

Pour obtenir des gouttes salines pour le nez, mélangez ¼ c. à thé de sel et 1 tasse d'eau. Avec un compte-gouttes, mettez 2 ou 3 gouttes dans chaque narine une demi-heure avant les repas et au coucher — plus souvent si c'est nécessaire.

Enlevez le mucus dans le nez d'un jeune enfant avec une seringue à réservoir en plastique. Le bébé pleurera parce que la sensation lui déplaît, mais il n'y a aucun danger.

QUINTES DE TOUX

Voici un remède maison qui aide à dégager la gorge. Mélangez 1 c. à thé de miel et 1 c. à thé de jus de citron dans un verre d'eau chaude.

Mettez-vous un peu de miel sous la langue pour vous soulager d'une méchante quinte de toux.

MAUX DE GORGE

Les maux de gorge causés par l'alcool, la cigarette ou les cris se soignent par le repos. On peut aussi se gargariser avec de l'eau tiède salée, sucer des pastilles pour la gorge et éviter pendant quelques jours les aliments épicés et salés.

Le mal de gorge qui accompagne une grippe, un rhume ou une autre maladie respiratoire disparaît de lui-même. Pour le soulager, faites des gargarismes, prenez des boissons chaudes, sucez des bonbons durs ou des pastilles médicamenteuses. Augmentez l'hygrométrie. **Attention :** Un très jeune enfant peut s'étouffer avec les bonbons.

Si le mal de gorge se prolonge au-delà de 48 heures, appelez le médecin, surtout en présence de points blancs sur les amygdales, de fièvre, de ganglions enflés ou douloureux dans le cou, d'éruption cutanée, de maux de tête persistants, de mauvaise haleine, de raideur du cou ou de douleur à la déglutition. S'il apparaît après une rencontre avec quelqu'un souffrant d'une infection de la gorge à streptocoques, allez voir le médecin.

LE CROUP

Si votre enfant s'éveille secoué par une toux enrouée et aboyante ou un râle à l'inspiration, pensez au croup. Amenez-le dans la salle de bains, faites couler l'eau chaude de la douche pour augmenter l'humidité ; asseyez-vous dans la pièce

BONNE UTILISATION DU COMPTE-GOUTTES

Voici quelques précautions à prendre avant de verser un médicament avec un compte-gouttes dans les oreilles, le nez ou les yeux d'un patient.

1. Lavez-vous les mains.
2. Réchauffez le flacon dans vos mains pendant quelques minutes.
3. S'il s'agit d'un remède en suspension, agitez le flacon.
4. Aspirez le remède dans le compte-gouttes.
5. Après utilisation, remettez aussitôt le compte-gouttes dans le flacon et lavez-vous les mains.

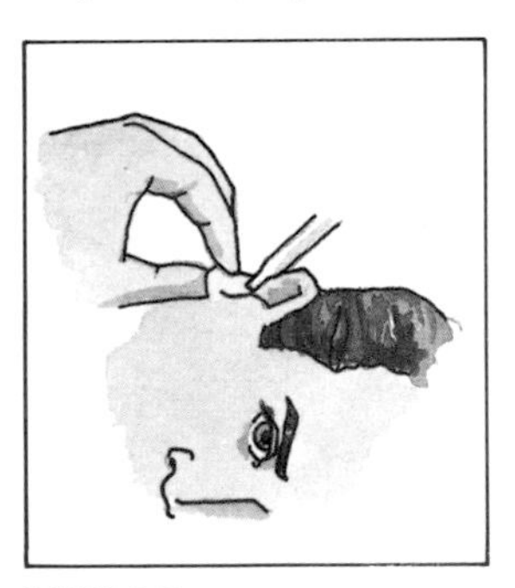

OREILLE
Note : c'est bien plus facile si quelqu'un le fait pour le patient.
1. Penchez la tête ou étendez-vous sur le côté pour dégager l'oreille.
2. Pour faire entrer les gouttes : Adulte — tirez le lobe vers le haut et l'arrière.
Enfant — tirez le lobe vers le bas et l'arrière.
3. Laissez tomber le nombre voulu de gouttes sans entrer le compte-gouttes dans l'oreille.
4. Attendez quelques minutes ou mettez un petit tampon d'ouate dans l'oreille.

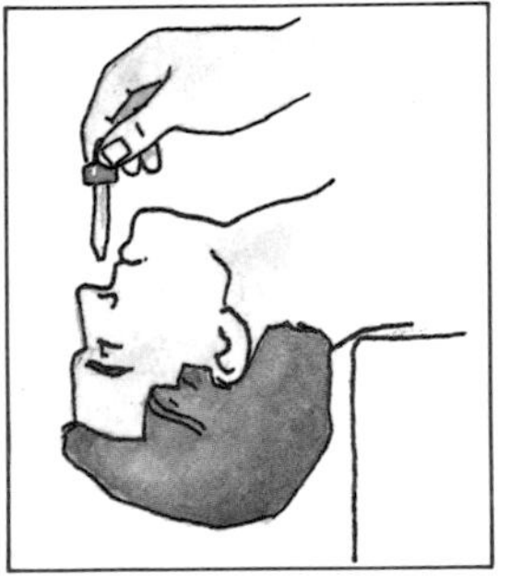

NEZ
1. Mouchez-vous avant de vous laver les mains.
2. Etendez-vous sur le dos sur le lit ; laissez pendre la tête dans le vide et envoyez-la aussi loin que possible en arrière.
3. Laissez tomber le nombre voulu de gouttes.
4. Pour que le médicament pénètre, restez dans cette position quelques minutes.

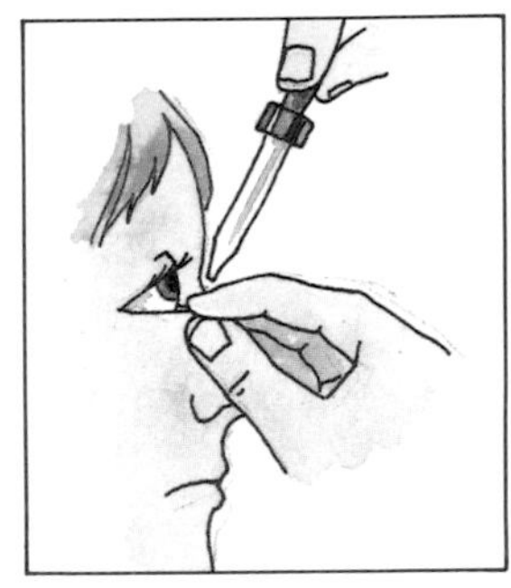

ŒIL
1. Tirez la paupière inférieure pour former une sorte de poche. Laissez-y tomber les gouttes.
2. Regardez tout de suite vers le bas ; fermez les yeux et gardez-les ainsi une minute ou deux. Avec un mouchoir de papier, appuyez sur l'œil au besoin ou essuyez ce qui s'en écoule.
3. Dans le cas d'un enfant, demandez-lui de s'allonger et de fermer les yeux. Laissez tomber les gouttes dans le coin de l'œil. Quand l'enfant ouvrira les yeux, le médicament s'y répandra doucement.

embuée en prenant l'enfant sur vos genoux. La position assise et la vapeur devraient avoir raison des quintes de toux. Lorsque sa respiration est redevenue normale, couchez l'enfant en mettant un humidificateur dans sa chambre.

Appelez immédiatement le médecin si les quintes de toux se succèdent sans intervalles, si l'enfant a les lèvres ou le visage bleus, si sa poitrine se creuse profondément à chaque inspiration ou s'il est incapable de parler.

MAUX DE TÊTE

Atténuez la tension en massant doucement les muscles faciaux ou en appliquant un coussin chauffant ou des compresses chaudes sur le front et la nuque. Les analgésiques soulagent la douleur. Mais le grand remède dans le cas d'un mal de tête de tension, c'est d'éliminer les causes de la tension.

La migraine est un état pénible, récurrent, souvent accompagné de vomissements et de troubles de la vision. Si vous soupçonnez que vos maux de tête sont des migraines, consultez un médecin.

Vous obtenez un soulagement provisoire en vous mettant des sacs de glace sur la tête ou en appuyant sur l'artère gonflée près de la tempe, du côté où se trouve la migraine.

La pratique régulière de la natation ou du yoga, qui sont relaxants, aide à prévenir la migraine. La méditation soulage certains migraineux.

On peut faire avorter une crise de migraine simplement en exhalant et en inhalant dans un sac de papier placé sur le nez et la bouche.

Voyez le médecin si le mal de tête est soudain et très douloureux, soudain et causé par un accident, accompagné de fièvre et de raideur du cou, concentré près d'une oreille ou d'un œil ou d'un seul côté du crâne, accompagné de nausées ou de vomissements, ou dans le cadre d'un état où les douleurs augmentent de fréquence et d'intensité.

DOULEURS MENSTRUELLES

Faites de la gymnastique pour soulager les douleurs menstruelles. A défaut, essayez la chaleur : un coussin chauffant, un bain chaud ou une tasse de thé.

Consultez un gynécologue si, après plusieurs années de menstruations sans problème, vous éprouvez des douleurs, si elles s'aggravent, si vous avez des vertiges, si vous vous êtes déjà évanouie, si vous avez des douleurs aux épaules, des saignements anormaux ou des émissions vaginales excessives.

DOULEURS ABDOMINALES

La prochaine fois que vous aurez la sensation d'avoir trop mangé, mettez-vous un tampon froid sur l'oreille. Ce faisant, vous stimulez un nerf qui, de l'oreille, descend dans le tube digestif et vous réduisez ainsi l'impression de ballonnement qui suit les repas trop copieux.

Si vous ressentez la douleur au-dessus du nombril, prenez un antiacide, installez-vous confortablement, assis ou couché ; abstenez-vous de manger et de boire. Si la douleur ne cède pas après 4 heures, si elle s'accentue, appelez le médecin.

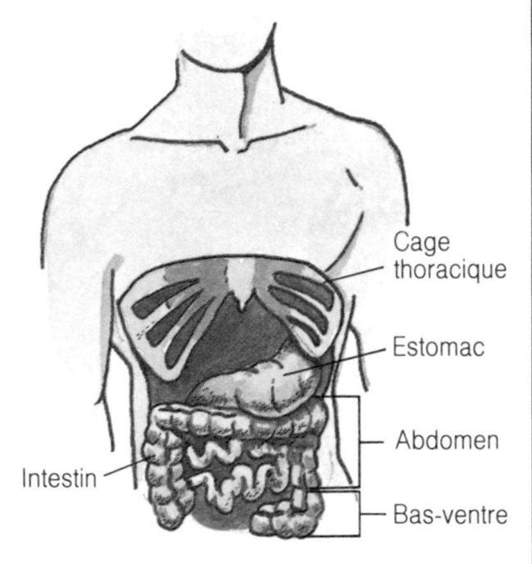

Les douleurs dans le bas-ventre ne répondent pas aux antiacides ; n'en prenez pas. Reposez-vous confortablement ; ne mangez pas, ne buvez pas. Si la douleur augmente ou ne cède pas au bout de 2 à 4 heures, si elle s'accompagne de vomissements, appelez le médecin.

Voyez le médecin dans tous les cas suivants : douleur abdominale et abdomen sensible au toucher, abdomen rigide, vomissements avec sang, violente douleur dans une partie de l'abdomen, selles foncées, fièvre accompagnée d'une diarrhée avec sang, vertiges ou perte progressive de conscience.

Choisissez des antiacides au magnésium ou à l'aluminium plutôt qu'au bicarbonate de soude ou au carbonate de calcium. Le premier renferme trop de sel et le second est lui-même source d'acidité.

Les antiacides sont plus efficaces liquides qu'en comprimés. Mastiquez bien ceux-ci pour qu'ils fassent effet. N'en prenez pas plus de deux semaines de suite.

Si vous souffrez d'aérophagie, massez doucement l'abdomen et mettez une bouillotte ou un coussin chauffant là où se situe le malaise. Marchez 15 à 20 minutes.

BRÛLURES D'ESTOMAC

Les vêtements serrés et les ceintures font pression sur l'estomac. Desserrez-les après un repas.

Il faut plusieurs heures pour que le bol alimentaire passe de l'estomac dans l'intestin. Si vous vous couchez après avoir mangé, vous risquez de souffrir de régurgitations et de brûlures d'estomac. Pour la même raison, évitez de manger en fin de soirée.

Evitez les substances effervescentes, sources de ballonnement. Elles permettent aux sucs gastriques de remonter dans l'œsophage.

Evitez de vous pencher après avoir mangé ; une telle position favorise le retour des aliments dans l'œsophage.

Lorsque vous craignez de souffrir de régurgitations, prenez un antiacide 1 heure après le repas et juste avant de vous coucher.

L'obésité comprime l'estomac. Essayez de perdre du poids.

VOMISSEMENTS ET DIARRHÉE

Lorsqu'un bébé de six mois ou moins vomit, donnez-lui une formule diluée de moitié. Revenez à la formule normale lorsque les vomissements ont cessé.

Lait écrémé dilué de moitié, boissons gazeuses dégazéifiées, thé faible, bouillon léger, céréales de riz, gélatine, bananes, yogourt, toasts et craquelins : tel est le menu de l'enfant atteint de diarrhée. S'il vomit, supprimez les aliments solides.

VOMISSEMENTS ET DIARRHÉE : CAUSES ET EFFETS

Vomissements et diarrhée peuvent avoir plusieurs causes : aliments contaminés, infections, virus intestinal, etc. Les vomissements durent en général de 24 à 48 heures ; la diarrhée, plusieurs jours. Un virus intestinal se manifeste d'abord par des vomissements durant 24 à 48 heures suivis de diarrhée, avec ou sans fièvre. Il faut compter entre deux et sept jours pour que les choses rentrent dans l'ordre. Si l'un des syndromes suivants apparaît, appelez le médecin.

1. Douleur abdominale vive ou constante.
2. Vomissements et diarrhée avec une fièvre de 38,3°C (101°F) ou plus.
3. Vomissements violents depuis plus de 24 heures.
4. Vomissements répétés depuis 12 heures, sans amélioration, chez un bébé de moins de six mois.
5. Diarrhée prononcée depuis 24 heures chez un enfant de moins d'un an.
6. Présence de sang (selles, vomis).
7. Diarrhée qui persiste depuis trois jours chez un adulte ou un enfant de plus d'un an.
8. Refus de boire, évacuation urinaire diminuée, bouche sèche (enfant).

Attention : Vomissements et diarrhée entraînent une déshydratation générale dangereuse pour la vie. Donnez de l'eau, des jus de fruits, de la gélatine liquide.

Pendant un jour ou deux après les vomissements, suivez une diète liquide : jus dilué, thé faible, bouillon, boissons gazeuses sans gaz.

Les grands enfants et les adultes peuvent revenir lentement aux aliments solides le deuxième jour. Commencez par du riz, des céréales cuites (avec un peu de lait et de sucre), des bananes, des craquelins, du pain frais ou grillé, du yogourt, des pommes de terre au four ou de la viande blanche maigre. Absorbez beaucoup de liquides.

Evitez la diarrhée des voyageurs en vous en tenant à la règle de prudence : pelez, sinon faites bouillir ou cuire, sinon mangez autre chose.

CONSTIPATION

Un bon régime fait échec à la constipation. Mangez des aliments fibreux, comme du pain de blé complet, des céréales au son, des fruits frais, des légumes feuillus, et éliminez les produits lactés. Evitez les laxatifs et les lavements ; ils aggravent la situation.

Un exercice régulier, comme la marche, fait beaucoup pour garder le système digestif en bon état.

La tension nerveuse est source de constipation. Essayez de lutter contre le stress ; faites du sport, adoptez un passe-temps, parlez de vos problèmes, faites de la méditation. En un mot, détendez-vous.

Si vos intestins ne fonctionnent pas comme à l'habitude, il peut s'agir de constipation. Cependant, si vous n'avez pas eu de selles depuis cinq jours et si aucun laxatif n'agit, consultez le médecin.

HÉMORRAGIES ANALES

Dans les cas d'hémorroïdes avec démangeaisons, prenez deux ou trois bains de siège chauds par jour ; appliquez des compresses de teinture d'hamamélis. Ne restez pas longtemps ni debout, ni assis.

En cas d'hémorroïdes fluantes, prenez quatre à six bains de siège chauds par jour, buvez beaucoup et absorbez un laxatif végétal léger.

Voyez le médecin si les hémorragies anales sont d'un rouge vif, si vous avez des selles noires comme du goudron ou si vous souffrez beaucoup. L'hémorragie peut provenir de plus haut dans les voies intestinales et être due à une tumeur, un ulcère ou une inflammation.

GUEULE DE BOIS

Vous pouvez réduire les mauvais effets qu'entraîne, le lendemain matin, l'abus de l'alcool si vous prenez deux ou trois verres d'eau avant de vous coucher.

Lorsque cette mesure se révèle insuffisante et que de mauvais effets se font sentir le lendemain, prenez encore beaucoup d'eau. Mangez peu et ne buvez ni café, ni thé.

Le café n'est pas indiqué dans de tels cas. L'alcool, pris en quantité, déshydrate l'organisme et irrite l'estomac. Or, en tant que diurétique, le café accentue les pertes de liquide et retarde votre rétablissement.

Pour hâter le retour à un état normal, buvez beaucoup de jus de fruits ; tout en luttant contre la déshydratation, ils vous apportent les calories dont votre organisme a grand besoin.

DÉCALAGE HORAIRE

Mangez peu avant et durant une envolée. Evitez les plats indigestes, lourds ou exotiques.

Ne mangez que quand votre estomac le réclame : vous pouvez refuser le repas que l'hôtesse vous offre.

Faites un effort pour boire beaucoup de liquides, même si vous n'avez pas soif ; l'air est très sec dans un avion.

MAL DES TRANSPORTS

Remplacez les médicaments contre le mal des transports par des bonbons au gingembre. Ils n'ont pas les effets secondaires désagréables des premiers : somnolence, bouche sèche, vision brouillée.

Ne voyagez pas l'estomac vide. Une heure avant le départ, mangez légèrement. Ne prenez pas d'alcool avant ou durant le voyage. Ne laissez pas fumer dans la voiture : c'est une cause de nausée.

Asseyez-vous là où la stabilité est la plus grande (en avant dans une voiture ; jamais sur les roues). Ne lisez pas ; regardez le paysage.

MALADIES INFANTILES

Si votre enfant fait de la fièvre, parlez-en au médecin. Il préférera peut-être vous recommander un analgésique autre que l'aspirine. Certains chercheurs ont en effet relié l'aspirine administrée aux enfants souffrant de grippe ou de varicelle au syndrome de Reye (une inflammation du cerveau).

Faites beaucoup boire votre enfant, mais ne le forcez pas à manger ou à se coucher. Proposez des distractions calmes.

FIÈVRE

La fièvre se manifeste par une température orale de plus de 37,7°C (100°F) ou une température rectale de plus de 38,3°C (101°F). C'est un syndrome et non une maladie, la réaction de l'organisme à une infection. La fièvre s'accompagne de maux de tête, de frissons ou de fébrilité.

Pour faire baisser la température, les adultes peuvent prendre de l'aspirine ou un succédané ; ils doivent boire beaucoup et se reposer.

Lorsqu'un enfant a de la fièvre, faites-le boire beaucoup ; passez-lui des vêtements légers. Si son médecin est d'accord, donnez-lui de l'aspirine ou de l'acétaminophène.

Si l'état de l'enfant ne s'améliore pas, rappelez le médecin. Si la fièvre est très forte, il peut vous recommander de donner à l'enfant un bain d'eau tiède. Pas d'eau froide ni d'alcool : cela lui donnerait des frissons et pourrait provoquer des vomissements ; la fièvre ne ferait qu'augmenter. Epongez-le dans le bain pendant 15 à 30 minutes et répétez ce traitement aussi souvent qu'il le faut. Si l'enfant se débat ou se met à frissonner, arrêtez.

Une forte fièvre peut causer des convulsions. Le frisson est un symptôme peu inquiétant ; les convulsions sont impressionnantes, mais pas dangereuses. Ne perdez pas votre sang-froid. Si cela se produit, habillez l'enfant légèrement et épongez-le à l'eau tiède. S'il vomit, couchez-le sur le côté pour qu'il n'avale pas ses vomissures. Puis appelez le médecin.

Consultez le médecin dans les cas suivants :

1. Une température rectale de 37,7°C (100°F) chez un bébé de moins de six semaines.
2. Plus de 38,3°C (101°F) pendant deux jours chez l'enfant.
3. Quand le comportement d'un enfant change, que la fièvre soit importante ou non.
4. Plus de 38,9°C (102°F) pendant plus de deux jours chez l'adulte.
5. Chez l'adulte, fièvre avec douleur dans la poitrine, souffle court, toux, expectorations, mal d'oreilles, mal de tête, cou raide, douleur abdominale ou confusion mentale.

Lorsqu'un enfant a la rubéole, maladie dangereuse pour le foetus, ne le laissez pas venir en contact avec une femme enceinte. Si celle-ci a eu des contacts avec un enfant atteint de rubéole ou durant la semaine qui a précédé l'éruption, elle devrait consulter son médecin.

Il est prudent de faire donner à l'enfant en santé les vaccins suivants :
DTC — diphtérie, tétanos, coqueluche
Poliomyélite — oralement (OPV), par injection (IPV)
ROR — rougeole, oreillons, rubéole
Hib — Haemophilus influenza de type B
TD — tétanos, diphtérie
Demandez au médecin s'il y a lieu de pratiquer une cutiréaction à la tuberculose.

VACCINATION INFANTILE

Age	Vaccin
2 mois	DTC et polio
4 mois	DTC et polio
6 mois	DTC et polio (voie orale)
12 mois et plus	ROR
18 mois	DTC, polio
2 ans	Hib
4-6 ans, ou avant l'école	DTC, polio
14-16 ans, puis tous les 10 ans	TD

Il n'existe pas de vaccin contre la varicelle, maladie infantile très contagieuse caractérisée par une éruption de petites vésicules qui démangent beaucoup, surtout durant le flétrissement. En se grattant, l'enfant peut s'infliger des lésions susceptibles de s'infecter. Persuadez-le de n'en rien faire. Contre la démangeaison, employez la lotion à la calamine, les frictions à l'alcool et les bains tièdes à la farine d'avoine ou au bicarbonate de soude. Essayez un antihistaminique par voie orale.

Il n'y a pas de vaccin contre la scarlatine. Elle commence par un mal de gorge, une éruption de type sudoral et de la fièvre. Si vous pensez que votre enfant a la scarlatine, consultez aussitôt le médecin. Il prescrira à l'enfant un antibiotique que vous lui administrerez en suivant ses instructions à la lettre.

SAIGNEMENTS DE NEZ

Il suffit souvent pour les arrêter de se pincer les narines et d'appliquer des compresses froides ou un sac de glace à l'arrière du cou pour faire contracter les vaisseaux.

Quand un enfant saigne souvent du nez, mettez-lui un peu de vaseline dans chaque narine une ou deux fois par jour. Il serait également sage de placer un humidificateur dans la chambre où il dort.

MAUX D'OREILLES

L'enfant vous le fait savoir s'il a mal à l'oreille. Le bébé, lui, en est incapable. Surveillez ses gestes et son état général : il touche à ses oreilles, semble avoir le rhume, perd l'appétit, fait de la fièvre, pleurniche. Regardez du côté des oreilles : il peut y avoir des écoulements.

Quand votre enfant a mal aux oreilles, appelez le médecin. S'il vous recommande un médicament, assurez-vous que l'enfant le prend ponctuellement et aussi longtemps qu'il le faut, même si les symptômes disparaissent entre-temps.

Ne mettez jamais le bébé ou le jeune enfant au lit avec un biberon de lait, de jus ou de boisson gazeuse. S'il exige son biberon pour dormir, remplissez-le d'eau.

DEVANT UN SAIGNEMENT DE NEZ

Si le saignement de nez fait suite à un traumatisme crânien, si vous craignez une fracture du crâne, n'intervenez pas. Appelez l'ambulance ou allez à l'hôpital sans délai. S'il se manifeste après un traumatisme du nez, appliquez de la glace et allez à l'hôpital. Communiquez tout de suite avec le médecin si la victime saigne abondamment, si elle souffre d'hypertension ou d'hémophilie (un défaut de coagulation).

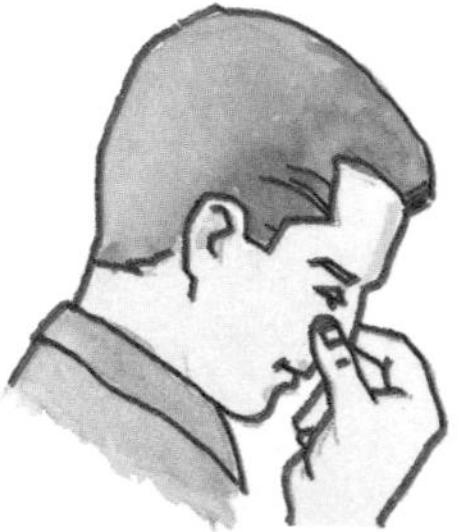

1. Pour arrêter un saignement de nez bénin, demandez au patient de s'asseoir, à moins qu'il n'ait le vertige, de pencher la tête en avant et de respirer par la bouche. Pincez les deux narines, sous le cartilage. Maintenez la pression 10 minutes; ne la relâchez pas pour voir si le sang coule toujours. En cas d'échec, prolongez le traitement de 10 autres minutes.

2. Un pincement du nez suffit à arrêter le saignement dans la majorité des cas. Si ce n'est pas le cas, appliquez des compresses froides ou de la glace sur le nez du patient pendant 10 minutes de plus, sans relâcher la pression exercée sur les deux narines.

3. Aucun résultat? Imbibez un morceau de gaze de phényléphrine — c'est un décongestionnant nasal vendu sans ordonnance — ou d'eau. Introduisez-le dans la narine en comprimant légèrement celle-ci. Après 10 minutes, retirez le tampon. Si le saignement ne s'est pas arrêté, appelez le médecin ou rendez-vous au service d'urgence d'un hôpital.

N'introduisez rien de plus petit qu'un coin de débarbouillette dans l'oreille d'un enfant. Si la cire s'accumule constamment, demandez au médecin quoi faire.

Oreilles qui démangent ? Voici un traitement simple mais efficace : enlevez tout dépôt possible de savon en vous rinçant les oreilles avec de l'eau légèrement salée ; penchez la tête pour que l'eau s'écoule. Appliquez un émollient, de l'huile pour bébés ou de la glycérine, en vous servant de votre petit doigt (jamais d'un coton-tige).

Si un insecte s'introduit dans votre oreille, remplissez d'huile végétale le conduit auditif et allez chez le médecin faire retirer l'insecte mort.

HOQUET

Pour mettre fin au hoquet, retenez votre souffle aussi longtemps que vous le pouvez, puis exhalez lentement. Des respirations lentes et profondes sont efficaces aussi.

Buvez lentement de l'eau chaude. En cas d'échec, buvez à partir du côté opposé du verre.

Mastiquez lentement une cuillerée de sucre granulé.

Certaines personnes s'appliquent à respirer dans un sac en papier, méthode qui semble leur réussir.

Si vous avez souvent le hoquet ou si une crise dure plus de 3 heures, voyez le médecin.

DOULEUR BUCCALE

Dès le moindre signe d'un mal de dents, voyez le dentiste. Voyez-le d'autant plus vite qu'il y a enflure ou douleur très vive.

QUAND VOUS NE POUVEZ REJOINDRE LE DENTISTE

Si le mal de dents vous prend en pleine nuit, vous pouvez recourir à l'un des traitements suivants. Même si la douleur disparaît, appelez le dentiste sans faute le lendemain matin.

1. Passez la soie dentaire autour de la dent douloureuse au cas où la pression serait due à des débris d'aliments. Posez un sac de glace sur la mâchoire. Si le froid est sans effet, essayez la chaleur : bouillotte ou compresse chaude.

2. Si vous découvrez une cavité, nettoyez-la doucement avec de l'ouate stérile au bout d'un cure-dents. Imbibez une autre boule d'huile de clous de girofle et posez-la dans la cavité.

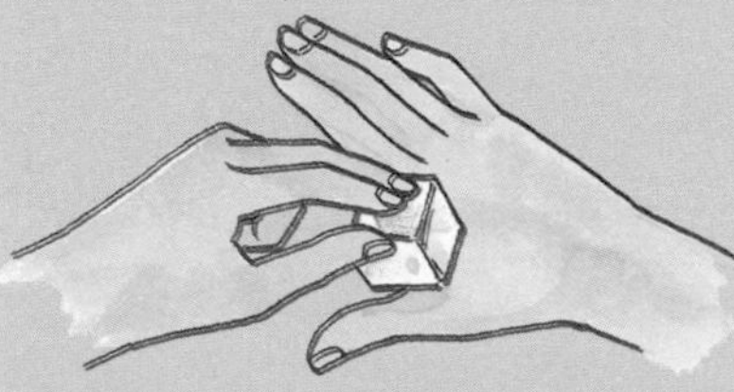

3. Mettez de la glace sur la membrane entre le pouce et l'index du côté du mal de dents. (On ne sait pourquoi, ça peut soulager. C'est à cet endroit que les acupuncteurs piquent leurs aiguilles pour soulager un mal de dents.)

Si la douleur est faible, prenez de l'aspirine ou un succédané. Rincez-vous la bouche de temps à autre avec de l'eau tiède additionnée de bicarbonate de soude.

Pour soulager temporairement une enflure ou une irritation des gencives, mangez du sorbet à l'ananas. C'est bon au goût et le sorbet, agissant comme une compresse froide, réduit l'enflure. On dit même que l'ananas a des propriétés curatives.

Après une intervention chirurgicale dans la bouche, vous pouvez arrêter le saignement qui persiste en comprimant la plaie avec un petit morceau de gaze pliée ou un sachet de thé. Posez le doigt sur le tampon ou refermez les mâchoires dessus pendant 20 minutes.

Touchez un ulcère buccal avec la pointe d'un crayon styptique. Ou rincez-vous la bouche avec de l'eau et du bicarbonate de soude.

MAL DE DOS

Dans le cas d'un mal bénin, prenez un bain chaud pendant une demi-heure. Puis, étendez-vous sur un matelas ferme et posez un coussin chauffant sous la région douloureuse. (Un repos complet au lit pendant 24 à 72 heures serait idéal.) Un simple analgésique, aspirine ou acétaminophène, soulage.

Dans le lit, placez un petit oreiller sous votre tête et un gros sous vos genoux : la position sera beaucoup plus confortable.

Si vous menez une vie sédentaire, faites un peu de marche tous les jours ou astreignez-vous à un programme d'exercices pour fortifier vos muscles du dos et de l'abdomen. La bicyclette fait des merveilles pour ces muscles.

Evitez les efforts pendant les tâches ménagères. Quand vous lavez la vaisselle, ouvrez l'armoire sous l'évier et posez un pied sur le seuil. Quand vous repassez, mettez un pied sur une boîte. Quand vous passez l'aspirateur, pliez les genoux et remuez les pieds plutôt que de vous dandiner d'avant en arrière.

Si vous souffrez d'un mal de dos aigu et récurrent, s'il survient à la suite d'un accident, voyez le médecin. Si la douleur s'irradie dans la hanche ou la jambe, si elle s'accompagne de troubles intestinaux ou urinaires, consultez vite le médecin.

TORTICOLIS

Pour soulager le torticolis, portez un collet cervical souple 48 heures ; à défaut, enroulez-vous une serviette éponge autour du cou.

Coussin chauffant ou bouillotte et aspirine ou acétaminophène aident à soulager les douleurs causées par le torticolis.

ÉCHEC AU MAL DE DOS

Asseyez-vous sur une chaise ferme dont le dossier vous supporte bien. Evitez les fauteuils profonds ou très moelleux.

En position assise, surélevez les genoux de 2 cm par rapport aux hanches en posant les pieds sur un objet.

Ne restez pas assis longtemps. Levez-vous et marchez un peu au moins toutes les demi-heures.

Si vous devez rester debout longtemps, faites passer votre poids d'un pied à l'autre ou posez un pied sur un tabouret.

Poussez les objets lourds ; ne les tirez pas.

Montez sur un escabeau pour atteindre des objets élevés.

Dormez sur un matelas très ferme.

Lorsqu'un torticolis s'accompagne de fièvre, de nausées, de maux de tête, d'une douleur s'irradiant dans le bras, de faiblesse ou de sensation de tête lourde, allez chez le médecin. Allez-y aussi si le torticolis est la séquelle d'un accident.

AMPOULES

Ne crevez pas une ampoule ; nettoyez la peau et couvrez la région avec un tampon de gaze stérile et du ruban adhésif.

Si la friction est inévitable, protégez l'ampoule d'un coussinet adhésif ouvert au centre, avec des ciseaux. Fixez-le avec du ruban adhésif.

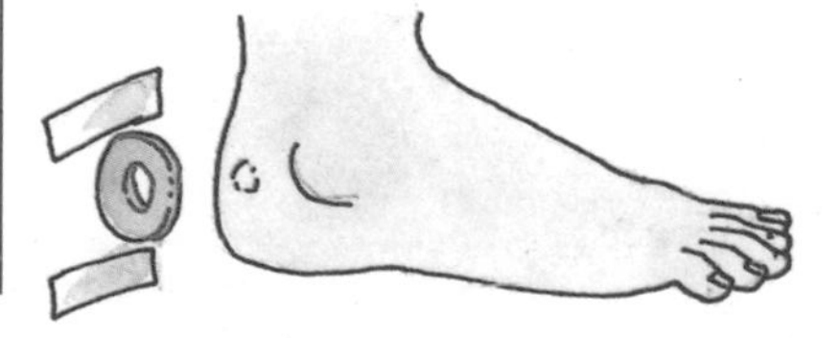

Lorsque l'ampoule éclate, normalement au bout de trois à cinq jours, soulevez la peau morte en utilisant une petite pince stérilisée (p. 323) et coupez-la avec des ciseaux à manucure. Lavez la région avec de l'eau savonneuse et couvrez-la d'un tampon de gaze stérile maintenu avec du ruban adhésif.

Si vous avez beaucoup d'ampoules, voyez le médecin. En éclatant, elles risquent de s'infecter. Allez aussi chez le médecin s'il y a des signes d'infection (p. 322).

ECCHYMOSES

Pour réduire la douleur et l'enflure, posez de la glace durant plusieurs heures sur une ecchymose qui vient de se produire. Surélevez la région atteinte autant que vous le pouvez.

Avez-vous besoin d'urgence d'un enveloppement froid ? Sortez du congélateur un sac de plastique rempli de légumes. D'un coup sec, brisez la masse des légumes en petites pièces. Posez le sac sur la région douloureuse ; il épousera facilement les contours du corps.

Pour un enfant, coupez une éponge aux dimensions voulues, imbibez-la d'eau et congelez-la.

S'il se produit une grande ecchymose entre le cœur et une bague ou un bracelet serré, retirez-les ; ils pourraient arrêter la circulation.

Les ecchymoses sans cause, qui apparaissent sans choc accidentel par exemple, devraient être examinées par un médecin : elles peuvent indiquer une anomalie sanguine.

Voyez le médecin dans le cas d'une ecchymose importante et enflée : sur le visage ou la tête avec maux de tête, troubles de la vue, douleurs dans le cou ou souffle court ; sur la poitrine avec douleur en profondeur ; au-dessus des reins (dans le bas du dos de chaque côté) ; qui s'accompagne d'une douleur abdominale persistante ; ou si la sensibilité et la mobilité du membre affecté sont réduites.

COUPURES ET ÉRAFLURES

Lavez l'éraflure à l'eau tiède et savonneuse, puis maintenez-la 5 minutes sous l'eau froide. Servez-vous au besoin d'un coton-tige pour enlever toute saleté et toute matière étrangère. Si la blessure enfle, faites un enveloppement froid pendant 20 à 60 minutes et surélevez la partie touchée. Voyez le médecin si l'éraflure est importante.

Chez un enfant, lavez coupures et éraflures avec une débarbouillette rouge ou foncée. Le sang ne se verra pas et l'enfant ne s'alarmera pas.

Quand votre enfant se blesse, faites l'effort de rester calme ; de son côté, il aura moins de mal à se dominer.

Ne couvrez une éraflure que si elle risque de se salir ou de frotter contre des vêtements. Vaporisez-la d'un antiseptique et posez un pansement adhésif ou de la gaze maintenue par du ruban adhésif.

Dans le cas d'une coupure, il faut d'abord nettoyer la plaie et la peau autour à fond. Avec de l'eau chau-

SIGNES D'INFECTION

Toute blessure qui lèse la peau — coupures, perforations, morsures, piqûres, brûlures, etc. — présente un risque d'infection et celle-ci est souvent plus grave que la blessure. Dans les heures ou les jours qui suivent, examinez la plaie et si l'un ou l'autre des symptômes suivants apparaît, voyez le médecin immédiatement.

1. Enflure de la plaie.
2. Douleur lancinante.
3. Sensibilité excessive.
4. Ecoulement de pus.
5. Lignes rouges en rayons autour de la plaie.
6. Sensation de chaleur.
7. Inflammation — plus qu'un cerne rouge autour de la plaie.
8. Fièvre non imputable à un rhume ou à une autre maladie.
9. Ganglions enflés et sensibles — dans l'aine (infection jambes et bas du torse), à l'aisselle (infection bras et haut du torse), dans le cou (infection tête et haut du torse).

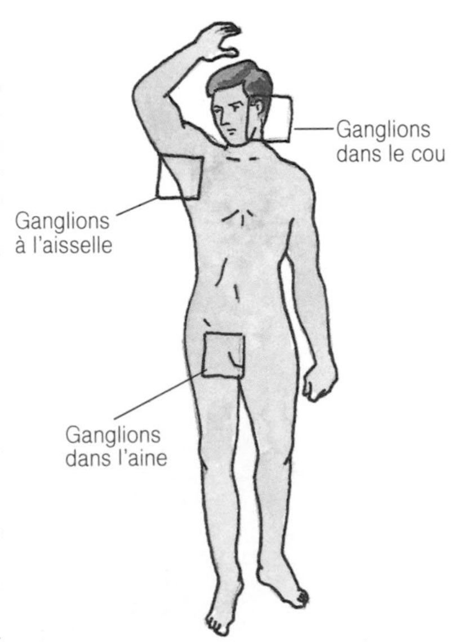

de et savonneuse. Si, après 10 minutes, il reste toujours des corps étrangers, essayez de les enlever avec de la gaze stérile, des cotontiges ou une petite pince stérilisée (voir ci-dessous). Asséchez la plaie avec de la gaze stérile. Comprimez-la avec un tampon propre pendant 10 à 15 minutes et, si possible, surélevez la région blessée au-dessus du cœur. Lorsque le sang cesse de couler — un léger suintement peut subsister —, pansez la plaie.

Pour stériliser une pince, mettez-la 10 minutes dans l'eau bouillante ou tenez-la au-dessus d'un bec de gaz jusqu'à ce que les bouts soient incandescents. Une allumette ou la flamme d'une bougie font l'affaire, à condition d'enlever les dépôts de charbon avec un tampon de gaze stérile. Laissez refroidir la pince avant de l'utiliser.

Pour fermer une petite plaie, utilisez un pansement cintré. Collez-le d'un côté et appliquez l'autre côté d'une légère pression en vous assurant que les lèvres de la plaie se touchent. Il est bien important que la plaie soit fermée, mais il ne faut pas que les lèvres se recouvrent ou se replient.

Si vous n'avez pas de pansements cintrés, fabriquez-en un dans un pansement ordinaire.

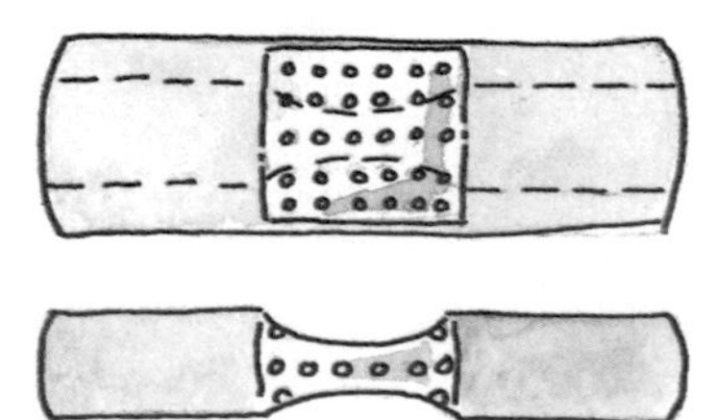

Il y a toujours risque de tétanos avec une blessure, surtout si elle est importante et très sale. Si la victime n'a pas eu de rappel contre le tétanos depuis 10 ans — depuis cinq ans si la blessure est vraiment mauvaise —, appelez le médecin. Le tétanos est une maladie qu'il vaut mieux prévenir ; elle est fréquemment fatale.

Surveillez l'évolution de la plaie dans les jours qui suivent. Si des signes d'infection (p. 322) apparaissent, voyez le médecin.

Il faut montrer au médecin les coupures de plus de 2,5 cm de longueur, celles infligées sur le visage ou une articulation ou s'il y a perte de sensibilité ou de mobilité du membre blessé.

PERFORATIONS

Lorsqu'un petit objet pointu, comme un clou ou un crayon, perfore la peau, retirez-le. Pour stériliser la plaie, lavez-la avec soin à l'eau savonneuse et maintenez-la 10 minutes sous l'eau tiède courante. Si la plaie enfle, faites un enveloppement froid et surélevez la partie blessée 15 à 30 minutes. Vaporisez-la d'un antiseptique et couvrez de gaze stérile, maintenue en place par du ruban adhésif.

Lorsque la perforation est causée par un gros objet ou qu'elle est très profonde, appelez le médecin. On peut vous dire de ne *pas* retirer l'objet, pour éviter tout risque d'hémorragie grave, et de vous rendre immédiatement au service d'urgence de l'hôpital. Protégez la plaie avec un gobelet et un pansement avant de partir pour l'hôpital.

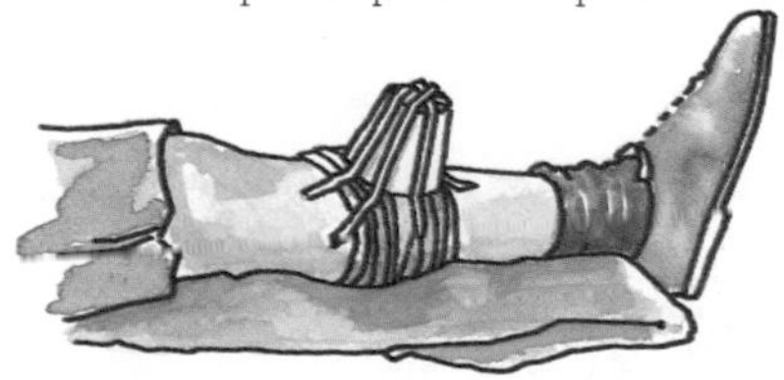

EN CAS D'HÉMORRAGIE GRAVE

Si une personne saigne beaucoup, faites-la s'étendre. Si elle est évanouie, mettez-lui les pieds plus haut que la tête.

Si vous ne redoutez pas de fracture, surélevez le membre blessé et, avec un tampon stérile, comprimez la plaie. La plupart des saignements s'arrêtent en quelques minutes; mais ne levez pas le tampon pour le vérifier.

Si l'hémorragie est importante ou ne s'arrête pas, vous pouvez essayer de diminuer la circulation dans l'artère qui irrigue le membre. Faites pression sur l'artère avec la main ou les doigts, soit dans le bras, soit dans l'aine, tout en continuant de comprimer la plaie. (Ne comprimez pas les artères de la tête ou du cou pour arrêter l'hémorragie.) Lorsque l'hémorragie est maîtrisée, mettez un pansement sur le tampon. Rendez-vous chez le médecin.

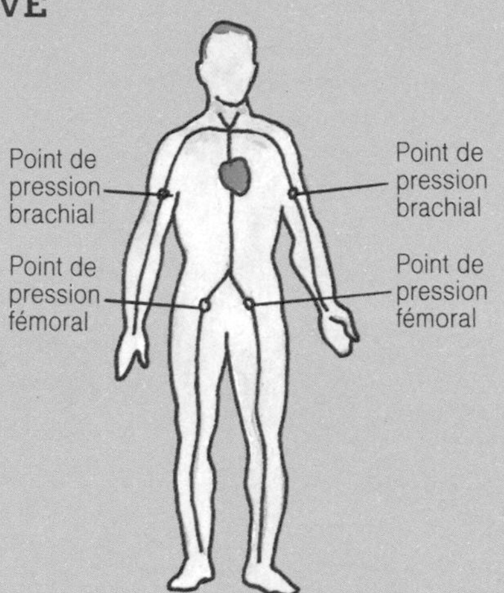

Attention: Ne recourir au garrot que dans des cas d'extrême urgence. Il fait généralement plus de mal que de bien.

Voyez le médecin si la blessure reste souillée, si l'objet a pénétré dans une articulation, dans un œil, dans la poitrine, dans l'abdomen ou dans les voies respiratoires.

PANSEMENTS

Si les pansements adhésifs courants vous irritent la peau, utilisez de la gaze stérile et du ruban de papier.

Pour faire durer et mieux adhérer le ruban adhésif, frottez un pain de savon humide sur les bords. En séchant, le savon fait durcir le ruban et augmente son adhérence.

N'appliquez pas d'antiseptique liquide ou en pommade directement sur la blessure. Mettez-le sur le pansement: c'est moins traumatisant.

Pour encourager l'enfant à supporter la douleur, dessinez sur le pansement une figure amusante avec un crayon-feutre de couleur vive.

ARTICLES D'URGENCE

Sans le savoir, vous utilisez quotidiennement dans la maison des articles qui peuvent vous être utiles en cas d'urgence. En voici quelques-uns.

Couches jetables ou en tissu lavable: compresses pour maîtriser une hémorragie externe; pansements; coussinets pour attelle.

Serviettes hygiéniques, serviettes de bain, drap, nappe : comme ci-dessus.

Epingles de sûreté : usage connu.

Couvertures : réchauffer la victime.

Magazines, journaux, oreillers, parapluies : attelles pour fractures.

Contre-plaqué, porte : civière pour blessures à la tête, au cou et au dos.

Ventilateur : rafraîchir la victime d'un coup de chaleur.

Foulards et mouchoirs : pansements pour les yeux, écharpes.

Eau du robinet : pour brûlures et yeux.

Ruban de papier brun : pour maintenir pansements et tampons.

Appliquez une compresse chaude ou une boule d'ouate imbibée d'huile végétale sur le pansement : vous l'enlèverez plus facilement.

Si la plaie doit rester sèche, dirigez le jet d'air chaud d'un sèche-cheveux pendant quelques secondes sur le ruban pour ramollir l'adhésif et enlever le pansement facilement.

FRACTURES

Après un accident, il y a quatre choses à faire : 1) ne vous servez plus du membre blessé ; 2) mettez de la glace autour de la blessure ; 3) enroulez un bandage élastique sur la glace ; 4) surélevez le membre pour qu'il soit au-dessus du cœur.

Pour dissimuler un plâtre du bras, procurez-vous des chaussettes de couleurs différentes dont vous couperez le pied. Choisissez le coloris qui va avec votre tenue et enfilez la chaussette. Pour cacher un plâtre de la jambe, pensez à des chausses.

Lorsque vous avez la jambe dans le plâtre, relevez-la le plus souvent possible pour faciliter la circulation. Si vous vous servez de béquilles, mettez-en une à l'envers et posez le pied sur la traverse.

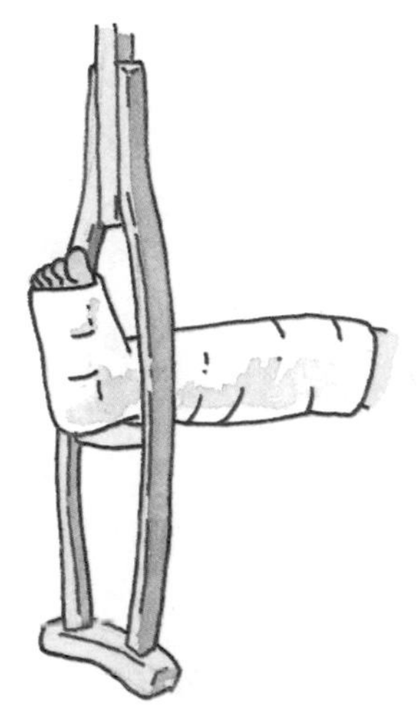

FRACTURES ET ENTORSES : TRAITEMENT

Si une personne se plaint de douleur ou de sensibilité à un membre blessé ou d'une perte de mobilité aux extrémités, immobilisez le membre avec une attelle ou une écharpe simple et allez chez le médecin ou à l'hôpital.

Dans la plupart des cas, il est impossible de distinguer une fracture d'une entorse sans radiographie. Il y a entorse quand les ligaments et les tendons d'une articulation sont déchirés ou distendus. Une fracture est la rupture complète d'un os ; une fêlure est sa cassure partielle.

Si la victime ne présente aucun symptôme grave et si vous croyez qu'il s'agit d'une entorse, consultez néanmoins le médecin. Le cas échéant, le traitement, pendant 24 heures, se résume à ceci : analgésique, repos, élévation du membre blessé et application de glace. Les jours suivants, des enveloppements humides et chauds et des bains sont souvent recommandés. Le repos du membre accélère la convalescence ; s'en servir la retarde.

Si vous pensez qu'il s'agit de fractures multiples ou d'une fracture du crâne, du cou, du dos, du pelvis ou de la hanche, faites venir une ambulance. Dans l'intervalle, remuez le blessé le moins possible. S'il y a hémorragie, placez le membre au-dessus du cœur à l'aide d'une écharpe ou d'oreillers ; mettez de la glace là où il y a enflure. Si la fracture est ouverte, couvrez la plaie de pansements stériles ou propres. Ne cherchez pas à faire rentrer l'os qui est en saillie : les risques d'infection sont trop élevés. Laissez les choses comme elles sont ; contentez-vous d'immobiliser les extrémités.

Etes-vous incapable de déterminer la gravité de l'accident ? Appelez le médecin ou rendez-vous à l'urgence de l'hôpital : si la douleur est nettement localisée dans une articulation ou un os ; si la région blessée est déformée ; si elle se colore en bleu ou en noir, enfle ou devient sensible au niveau de l'articulation ou de l'os ; si la victime est incapable de remuer, d'utiliser ou de sentir la région blessée ou si elle essaie de la protéger.

ÉCHARPES ET ATTELLES

Écharpes et attelles servent à immobiliser une articulation ou un os en l'assujettissant à un objet ferme pour éviter une aggravation de la blessure et soulager la douleur. L'attelle doit être plus longue que la région blessée pour rejoindre les articulations en amont et en aval de la blessure.

BRAS EN ÉCHARPE

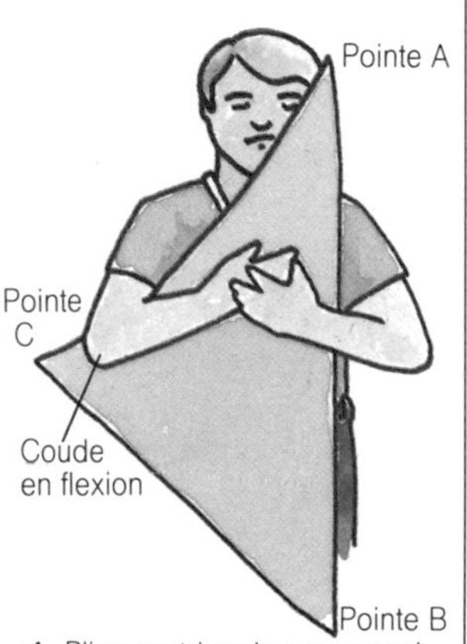

1. Pliez en triangle une grande pièce de tissu en donnant environ 1 mètre aux deux côtés et 1,40 m à la diagonale. Posez le bras sur l'écharpe comme cidessus.

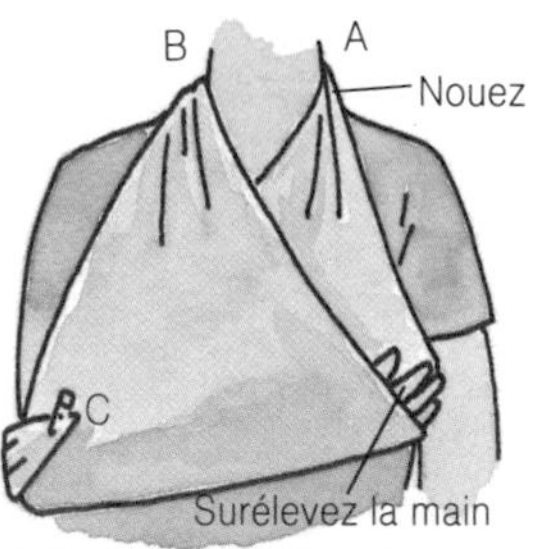

2. Nouez et attachez l'écharpe de la façon illustrée ; surélevez un peu la main.

DOIGT

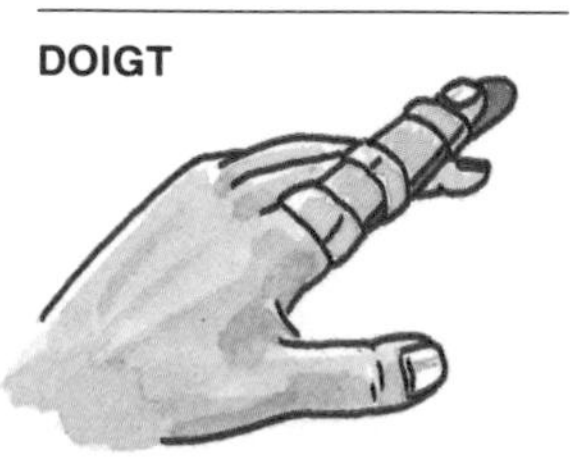

Prenez un petit bâtonnet pour remuer le café ou un abaisse-langue en guise d'attelle. Fixez-le au doigt avec des bandes de tissu ou du ruban.

AVANT-BRAS OU POIGNET

1. Improvisez une gouttière avec des journaux, un morceau de bois, une revue. Coussinez-la d'une serviette. Placez le bras à angle droit en travers de la poitrine, paume vers l'intérieur, pouce pointant vers le haut.

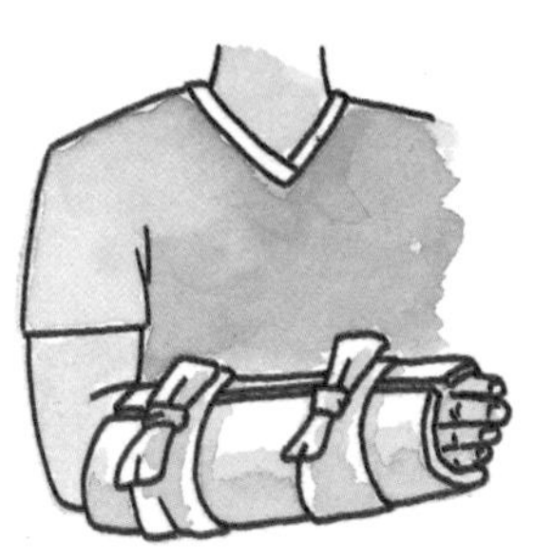

2. Nouez des liens autour de l'attelle au-dessus et au-dessous de la fracture. Soutenez le bras avec une écharpe autour du cou en surélevant les doigts par rapport au coude.

CHEVILLE OU PIED

Retirez la chaussure. Disposez un oreiller ou une couverture pliée autour de la jambe, du mollet au pied. Nouez des bandes de tissu autour.

BRAS

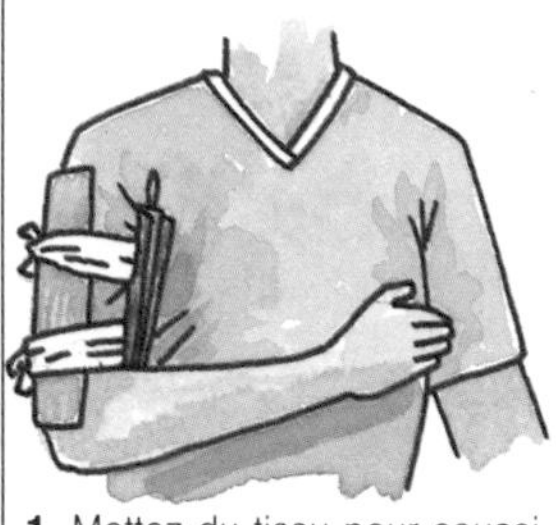

1. Mettez du tissu pour coussiner l'aisselle. Placez le bras contre le corps, l'avant-bras à angle droit, en travers de la poitrine. Fixez une attelle à l'extérieur du bras avec des liens de tissu ; nouez au-dessus et au-dessous de la fracture.

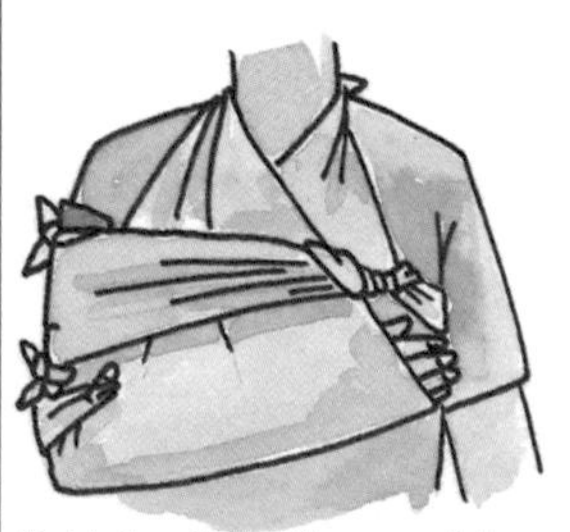

2. Mettez l'avant-bras en écharpe ; immobilisez le bras contre le torse avec une bande de tissu nouée sous l'autre bras, en travers de la poitrine.

JAMBE

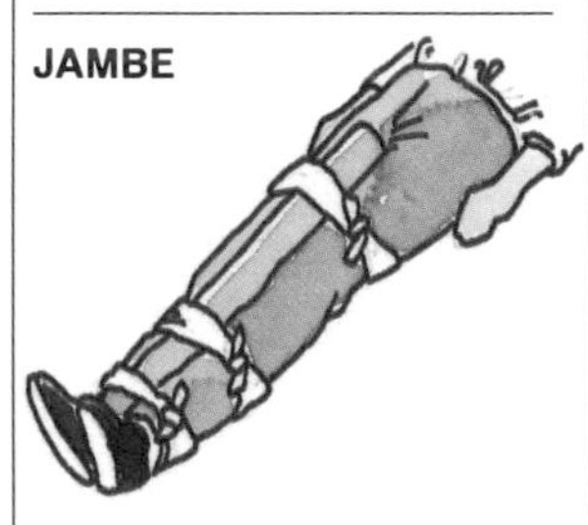

L'autre jambe constitue la meilleure attelle. Immobilisez la jambe blessée dans la position où elle se trouve ; insérez un coussinage entre les jambes. Attachez solidement ensemble les deux jambes, au-dessus et au-dessous de la fracture.

Pour soulager les terribles démangeaisons sous un plâtre, soufflez de l'air ou du talc pour bébés avec un sèche-cheveux sous le plâtre. N'y introduisez pas un crayon ou un cintre : la peau est très sensible et s'infecte rapidement.

ENTORSES ET FOULURES

Décoloration de la peau et gonflement de l'articulation distinguent entorse et foulure. Les deux symptômes apparaissent dans l'entorse.

Pour réduire la douleur et l'enflure qui accompagnent entorses et foulures, appliquez de la glace. Supportez la région blessée avec un bandage et ne vous servez pas du membre pendant un jour ou deux.

PIQÛRES ET MORSURES D'INSECTES

Les moustiques sont très actifs tôt le matin et une heure ou deux avant le crépuscule. Ne sortez pas à ces moments-là ou protégez-vous.

Enduisez-vous de chasse-moustiques avant d'entrer dans une région infestée. Préférez les endroits où il vente : le moustique sera moins habile à vous trouver.

Si les moustiques fondent sur vous alors même que vous utilisez un chasse-moustiques, c'est peut-être que vous avez oublié ceci : les crèmes solaires, les parfums, les eaux de cologne, les savons, les lotions et les shampooings parfumés rendent plus vulnérables aux piqûres de moustiques. Certains produits, comme des désodorisants, des lotions à barbe, des fixatifs à cheveux, vont même jusqu'à les attirer.

Portez des teintes claires : blanc, vert pâle, havane et kaki.

Couvrez-vous le corps : manches, pantalon, chaussettes, chaussures ; essayez de ne pas ressembler à une fleur par vos couleurs et votre parfum. Autrement dit, évitez les imprimés floraux, les couleurs vives, les produits qui sentent bon. Evitez aussi les vêtements amples qui sont de vrais pièges à moustiques.

PIQÛRES D'INSECTES

Enlevez l'aiguillon avec une pince à épiler ou raclez la peau. Ne le pincez pas avec les ongles, ne pressez pas la peau pour le faire sortir : vous répandrez le venin. Lavez la région à l'eau savonneuse froide ; couvrez de gaze stérile fixée avec du ruban adhésif.

Si la piqûre enfle, appliquez glace ou compresses froides. Surélevez audessus du cœur l'avant-bras ou le bras avec une écharpe, la jambe ou le pied avec un oreiller. Il est normal qu'une piqûre enfle et rougisse ; la situation s'améliore en quelques jours.

Les piqûres d'insectes sont graves lorsque la victime y est allergique. Devant une réaction d'allergie (mal de tête, faiblesse, démangeaison généralisée, éruption cutanée, respiration difficile et bruyante, évanouissement) et si la victime a déjà mal réagi à une telle piqûre, composez le 911 si un tel numéro existe dans votre secteur. Sinon, amenez la victime à l'hôpital.

Devant une abeille ou un autre insecte à aiguillon, n'agitez pas les bras. Ecartez-vous lentement et calmement. Une réaction agressive de votre part peut susciter la sienne.

Lorsqu'un tel insecte entre dans une voiture en marche, stoppez sur le bord de la route et ouvrez portes et fenêtres pour le faire sortir.

ALLERGIES

Les piqûres et les morsures d'insectes peuvent amener des réactions allergiques graves. Si vous-même ou un membre de votre famille êtes enclins à ces réactions, demandez au médecin de vous recommander un médicament approprié et portez-le constamment sur vous.

Si vous avez déjà eu une chaude alerte, demandez au médecin s'il n'y aurait pas lieu de subir des traitements de désensibilisation ; ils peuvent être fort efficaces.

Une réaction allergique peut survenir inopinément : respiration difficile, éruption ou brève perte de connaissance ; appelez un service médical d'urgence ou rendez-vous à l'hôpital immédiatement.

PIQÛRE : QUOI FAIRE

Le traitement est le même, qu'il s'agisse de piqûres de moustique, de mouche noire ou de taon (mouche à chevreuil). Lavez la région à l'eau savonneuse froide. Appliquez des compresses froides pour réduire l'enflure, de la lotion à la calamine ou un onguent anesthésiant pour diminuer la démangeaison.

On risque d'infecter une piqûre à la gratter. Dans le cas de piqûres multiples ou si vous ressentez un malaise général, consultez le médecin.

Pour soulager la douleur de la piqûre, délayez dans 1 ou 2 c. à thé d'eau ¼ c. à soupe d'attendrisseur à viande et appliquez cette pâte aussi vite que possible sur la piqûre. Répétez une heure plus tard si la douleur persiste. L'attendrisseur renferme de la papaïne, enzyme qui dégrade la toxine du venin et la rend inoffensive.

Contre les démangeaisons, essayez une goutte d'ammoniaque ou de vinaigre.

TIQUES

Ne les saisissez pas à mains nues ; prenez un gant de caoutchouc, un morceau de papier ou de tissu.

Contrairement à la croyance populaire, une allumette ardente ne fait pas tomber la tique. Ce petit parasite s'accroche à la peau avec ses dents et suce le sang de sa victime. Pour le détacher, attrapez-le par la région buccale ou la tête, le plus près possible de la peau, avec une pince à épiler. Tirez uniformément ; ne secouez pas, ne tordez pas et assurez-vous qu'aucune partie de l'insecte n'est restée dans la peau.

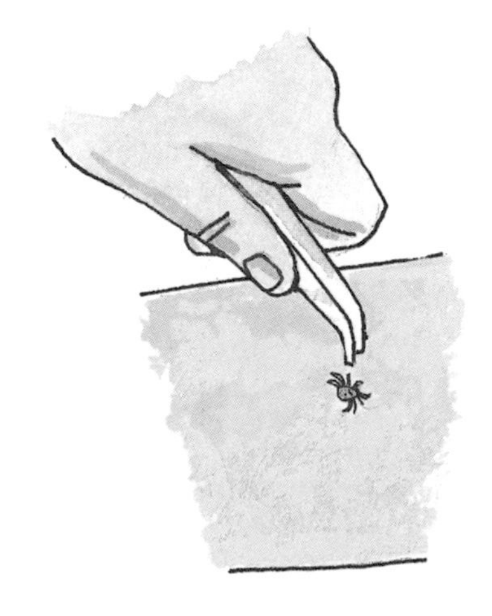

Une fois la tique retirée, désinfectez la morsure avec de l'alcool et lavez-vous les mains avec de l'eau chaude et du savon. Pendant quelques jours, observez la plaie au cas où il se formerait de l'infection (p. 322).

Si vous n'enlevez que le corps de la tique, voyez rapidement le médecin : il se peut qu'il ait à faire une petite incision pour enlever la tête.

N'écrasez pas une tique. Son organisme peut renfermer des matières infectieuses. Jetez-la dans un bocal d'alcool ou dans la toilette et actionnez la chasse.

En cas de fièvre, d'éruption cutanée, de raideur du cou, de douleur ou d'enflure dans les articulations, appelez le médecin.

MORSURES D'ANIMAUX

En principe, l'animal de compagnie régulièrement vacciné ne peut pas avoir la rage. Cependant, s'il mord une personne sans raison, mettez-le en observation pendant une dizaine de jours.

Si la morsure a été infligée par un chien ou un chat dont les maîtres prennent soin et qui a reçu les vaccins prescrits, il est inutile de recourir à des injections antirabiques si l'animal, après une mise en observation de quelques jours, est jugé en bonne santé.

Mais si l'auteur de la morsure est un animal inconnu, consultez le médecin ou un service local de santé ; on vous dira s'il y a lieu d'injecter un sérum antirabique à la victime.

SERPENTS VENIMEUX

Sachez d'abord s'il y a des serpents venimeux dans la région où vous vous rendez. Le cas échéant, montrez à vos enfants à quoi ils ressemblent pour qu'ils s'en écartent.

Les trousses contre les morsures de serpents sont destinées aux personnes qui se rendent dans des lieux inhabités où il n'existe aucun secours médical à une heure ou deux de distance. N'y ayez recours que dans un tel contexte et lisez les instructions avant le départ.

MORSURES D'HOMMES ET D'ANIMAUX

Traitez toutes les morsures avec attention ; elles peuvent s'infecter. (Les morsures d'êtres humains sont parmi les pires.)

Mettez la morsure sous l'eau courante, froide ou tiède, pendant 5 à 10 minutes, puis lavez-la au savon et à l'eau ; rincez. Tapotez avec un tampon de gaze stérile pour enlever tout débris. S'il reste des particules étrangères dans la blessure, retirez-les avec une pince à épiler stérilisée (p. 323) ou un coton-tige. Remettez sous l'eau courante 5 minutes ; asséchez. Si la plaie saigne encore, comprimez-la et surélevez le membre. Vaporisez un antiseptique et fixez un tampon de gaze stérile avec du ruban adhésif. Surélevez la morsure au-dessus du cœur pendant 8 heures.

Vérifiez que la victime a eu un rappel antitétanos au cours des 10 dernières années. Sinon ou en présence de l'un des facteurs suivants, consultez un médecin : tissu sous-cutané exposé, morsure au niveau d'une articulation, signes d'infection (p. 322), morsure d'un animal sauvage.

Si vous craignez que la morsure ait été produite par un animal atteint de la rage, allez immédiatement à l'hôpital. Aucun soin prodigué à la maison ne suffit contre la rage. Non traitée, la maladie est généralement mortelle.

TRAITEMENT DES MORSURES DE SERPENT

Lorsqu'un serpent venimeux mord une personne, éloignez aussitôt celle-ci pour qu'elle ne se fasse pas mordre une seconde fois. S'il y a un bâton à proximité, tuez le serpent d'un coup sur la tête ; gardez le cadavre pour le faire identifier. (Attention : même mort, un serpent peut mordre par réflexe.) Autrement, ne perdez pas de temps à le poursuivre.

En cas de doute, supposez toujours que le serpent est venimeux. La victime doit rester calme et immobile, assise ou allongée. Retirez bracelets ou bagues près de la morsure. Faites couler de l'eau sur la plaie et immobilisez la région atteinte avec une attelle (p. 326). Mettez de la glace sur la blessure pour retarder la diffusion du venin. Composez le 911, appelez un médecin ou conduisez la victime d'urgence à l'hôpital. Si c'est un pied qui a été mordu, portez la victime.

Si l'aide médicale tardera une heure ou deux, nouez du tissu ou une corde à 5 cm au-dessus de la marque des crochets — entre la morsure et le cœur — ou à 5 cm au-dessus de l'enflure si elle a commencé. Le nœud doit être assez lâche pour vous permettre de glisser un doigt dessous. Si la chair enfle, déplacez le lien pour qu'il soit toujours à 5 cm au-dessus de l'enflure. En l'absence d'enflure, relâchez le lien toutes les 15 à 30 minutes. Dans l'intervalle, faites boire la victime, mais ne lui donnez pas d'alcool.

Lorsqu'il s'agit d'un serpent venimeux, certains symptômes ne tardent pas à apparaître : douleur, ecchymose et enflure près de la morsure ; difficulté à avaler ; vision brouillée ; nausée, vomissements et diarrhée ; convulsions ; langage incohérent ; comportement erratique . Ne perdez plus un seul instant : conduisez la victime à l'hôpital.

Si vous êtes certain que le serpent n'est pas venimeux, traitez la morsure comme indiqué, pp. 322-323.

SERPENTS VENIMEUX

Les serpents venimeux du Canada se classent parmi les vipères à fossettes. Ce sont tous des serpents à sonnettes, avec une crécelle au bout de la queue : le massasauga, le crotale des Prairies et le crotale des bois, tous trois illustrés ci-dessous. Ils ont la tête en pointe de flèche et une fossette entre des yeux réduits à une mince fente. Mais les serpents les plus venimeux en Amérique du Nord sont les serpents corail dont l'habitat va de la Caroline du Nord jusqu'à la Californie. On les reconnaît à leurs larges anneaux noirs et rouges, parfois mouchetés de noir, séparés par d'étroits anneaux jaunes. Ils ont le museau arrondi et noir jusqu'aux yeux qui sont ronds ; leur venin attaque le système nerveux central.

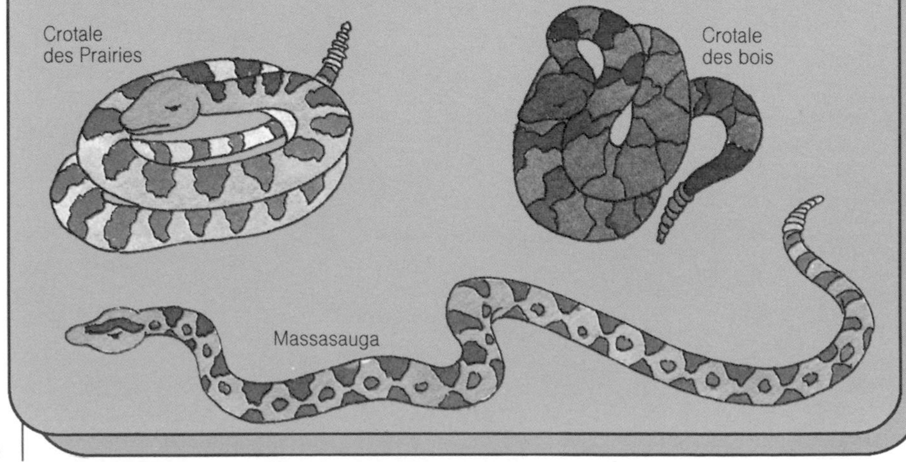

Si vous traversez à pied une région infestée de serpents venimeux, portez des chaussures de marche à haute tige, un pantalon long et des gants de cuir. En terrain rocheux, méfiez-vous des corniches en surplomb ou en contrebas par rapport à votre route ; les serpents aiment à y prendre le soleil. N'y prenez jamais appui à l'aveuglette.

COUPS DE SOLEIL

Lorsque votre peau vire au rouge ou au brun, c'est qu'elle a subi les dommages des radiations solaires. Un bronzage excessif entraîne une dégénérescence de la peau qui peut mener au cancer. Faut-il, pour votre beauté, courir un tel risque ?

Si vous voulez bronzer, faites-le prudemment. Une demi-heure avant d'aller au soleil, appliquez un écran solaire. Notez le facteur antisolaire inscrit sur l'étiquette : plus le chiffre est élevé, meilleure est la protection. Une douche chaude et un massage vigoureux à la serviette avant d'appliquer la crème lui permettent de mieux pénétrer.

Ne vous exposez pas au soleil entre 10 heures et 14 heures (11 heures et 15 heures, heure avancée de l'Est). C'est le moment où les rayons ultraviolets sont très forts et ce sont eux les plus dangereux.

Pour soulager un coup de soleil, appliquez pendant 10 minutes et à quelques heures d'intervalle des compresses d'eau glacée, ou d'eau et de lait, ou de solution de Burow. Contre l'inflammation et la démangeaison, employez une crème spécifique. L'aspirine ou un succédané peut aider. Si le coup de soleil est grave, le médecin vous recommandera sans doute un traitement plus énergique. Avez-vous les bras ou les jambes enflés ? Surélevez-les. Appelez le médecin au moindre signe d'infection (p. 322).

Dans le cas d'un coup de soleil grave, appliquez des compresses d'eau glacée pendant les 6 à 10 premières heures. Pour diminuer la douleur et l'inflammation, prenez de l'aspirine ou un succédané.

Lorsque la douleur est remplacée par la desquamation et les démangeaisons, utilisez une crème ou une lotion hydratante. Demeurez à l'ombre tant que le coup de soleil et la desquamation ne sont pas choses du passé. Même alors, employez un écran solaire plus radical (facteur 15 ou davantage).

BRÛLURES

Quand les vêtements ou les cheveux d'une personne prennent feu, éteignez les flammes avec ce que vous avez sous la main. Sinon, roulez la victime sur le sol. Ne la laissez pas courir. Si le feu prend sur vous, enroulez-vous dans une couverture ou roulez-vous par terre.

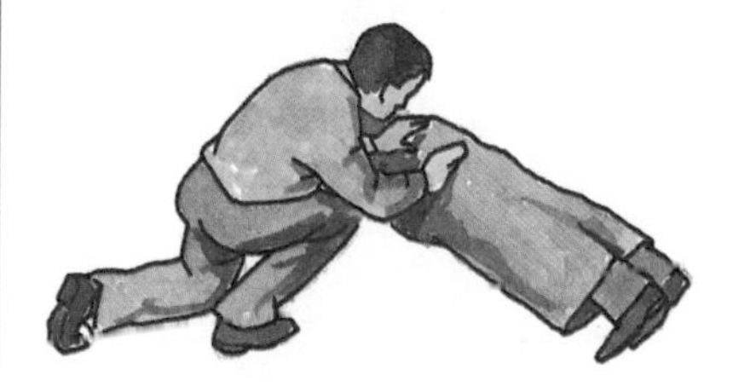

LES TROIS DEGRÉS DE BRÛLURES

Avant de traiter une brûlure, il faut déterminer sa gravité.

1. La brûlure au premier degré (coup de soleil léger) est rouge et chaude ; elle ne présente pas d'ampoules, mais une légère enflure par suite d'une accumulation de liquide sous la peau. La douleur est vive, signe que la brûlure est superficielle et n'a pas affecté les terminaisons nerveuses. Ces brûlures guérissent d'elles-mêmes.

2. La brûlure au second degré (coup de soleil grave) est plus sérieuse et tout aussi douloureuse. La peau est tachetée de rouge, humide, enflée et probablement couverte d'ampoules qu'il ne faut pas crever.

3. La brûlure au troisième degré est profonde ; elle s'étend à toutes les couches de la peau, qui peut aller du blanc au noir, paraître calcinée ou cireuse et cartonnée. La victime a perdu toute sensibilité dans la région brûlée.

TRAITEMENT DES BRÛLURES : PREMIER ET SECOND DEGRÉS

Si la brûlure est causée par un produit chimique, voyez page 339. Sinon, mettez-la sous le robinet d'eau froide pendant 15 à 30 minutes. Lavez-la doucement avec un savon doux et rincez bien. Puis, surélevez la partie blessée au-dessus du cœur.

Vous pouvez laisser une brûlure à découvert dans la mesure où elle ne risque pas de se salir ni de frotter contre un vêtement. Sinon, protégez-la d'un tampon de gaze stérile que vous changerez tous les jours. Surélevez la brûlure autant que possible. Contre la douleur, prenez de l'aspirine ou un autre analgésique.

Ne crevez pas les ampoules ; elles éclateront d'elles-mêmes au moment opportun. Retirez alors la peau morte avec un linge propre savonneux ou avec une petite pince stérilisée (p. 323) et des ciseaux à manucure.

Communiquez avec le médecin au premier signe d'infection (p. 322). S'il se produit une croûte, la brûlure peut s'être infectée.

Consultez le médecin dans les cas suivants : nombreuses ampoules ; brûlure de plus de 5 à 8 cm de diamètre ; brûlures au visage ; traces de brûlure près de la bouche ou du nez (poils de barbe, poils du nez, cils roussis) ; crachats couleur de suie ou contenant du sang ; respiration embarrassée ou bruyante ; brûlure à une articulation ; brûlure à l'aine, à l'aisselle, à l'anus ou au voisinage ; brûlures entre les doigts et les orteils. Vérifiez si la victime a été vaccinée contre le tétanos au cours des 10 dernières années. Toute brûlure causée par la foudre ou l'électricité doit être examinée par un médecin.

TRAITEMENT DES BRÛLURES AU TROISIÈME DEGRÉ

Posez un pansement stérile et sec, ou une serviette propre, une serviette hygiénique ou une couche sur la brûlure. Ne la mettez pas sous l'eau froide ou glacée. Appelez le médecin ou amenez la victime d'urgence à l'hôpital.

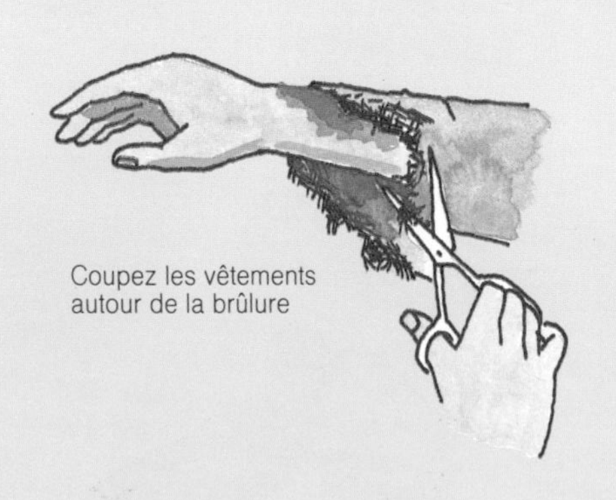

Coupez les vêtements autour de la brûlure

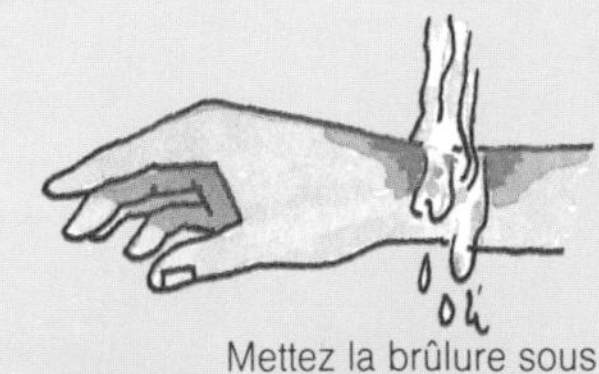

Mettez la brûlure sous le robinet d'eau froide

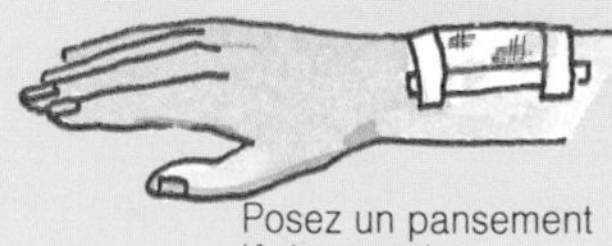

Posez un pansement lâche par-dessus

N'enlevez pas les vêtements secs ou brûlés non plus que ceux qui adhèrent à la brûlure. Mais enlevez ceux qui sont imbibés de graisse brûlante ou d'eau bouillante.

Retirez les bracelets, les bagues et les vêtements susceptibles de gêner la circulation du sang dans la partie brûlée.

Ne mettez rien de visqueux ou de gras, comme de la vaseline ou du beurre, sur la plaie. Ne couvrez pas une brûlure d'ouate ou d'une matière qui pourrait adhérer à la plaie.

Pour réduire l'inflammation et la douleur d'une brûlure bénigne, appliquez des compresses d'eau *très* froide mais *non* glacée tout de suite et à plusieurs reprises. Etalez un onguent anti-inflammatoire vendu sans ordonnance. Au premier signe d'infection, voyez le médecin.

Toute brûlure au second degré qui occupe une surface de plus de 5 à 8 cm est grave et doit être vue par le médecin. Il en est de même des brûlures au visage ou aux mains ; sinon, la personne risque de conserver des cicatrices peu esthétiques ou limitant sa mobilité.

Si vous vous brûlez la langue avec une boisson ou un mets chauds, quelques grains de sucre devraient adoucir la douleur. L'eau glacée soulage aussi.

N'exposez pas une brûlure au soleil. Si la région brûlée est difficile à couvrir, étalez dessus un écran solaire très puissant (facteur 15).

LA GRANDE CHALEUR

Evitez de vous exposer longtemps à une chaleur forte et humide. Si vous devez travailler à la chaleur, multipliez les pauses à l'ombre et buvez beaucoup d'eau ou de boissons non alcoolisées.

Par temps chaud, portez des vêtements et un chapeau légers quand vous êtes au soleil. Evitez de vous tenir longtemps en plein soleil.

Si vous voyez trouble, si vous vous sentez étourdi, nauséeux ou faible, étendez-vous à l'ombre sans plus attendre et buvez des jus de fruits frais ou de l'eau (évitez café, thé et boissons alcooliques).

La chaleur fatigue davantage les personnes obèses, cardiaques, diabétiques, souffrant d'un trouble du système nerveux central, prenant certains médicaments (renseignez-vous auprès du médecin ou du pharmacien) ou qui, bien qu'en santé, sont très fatiguées.

LE GRAND FROID

Par temps très froid, la personne qui vient de subir un accident grave perd rapidement sa chaleur. Gardez la victime au chaud et étendez-la sur des matières isolantes.

N'attendez pas pour vous mettre à l'abri que vous vous sentiez engourdi. (Les victimes d'hypothermie ne sont pas conscientes des symptômes.) Vent et neige ou pluie augmentent l'intensité du froid.

En voiture, par mauvais temps, apportez des survêtements, du sable et une pelle. Si le voyage est long, ajoutez sacs de couchage, lampe de poche, aliments et boissons.

Portez chapeau, gants et plusieurs épaisseurs de vêtements, car l'air emprisonné entre les couches agit comme isolant. Enlevez les vêtements mouillés le plus vite possible.

Si vous devez rester longtemps dehors par grand froid, portez des sous-vêtements thermiques et deux paires de chaussettes dont une de laine, des bottes qui couvrent la cheville, des gants sous des moufles chaudes et une cagoule de ski contre le vent.

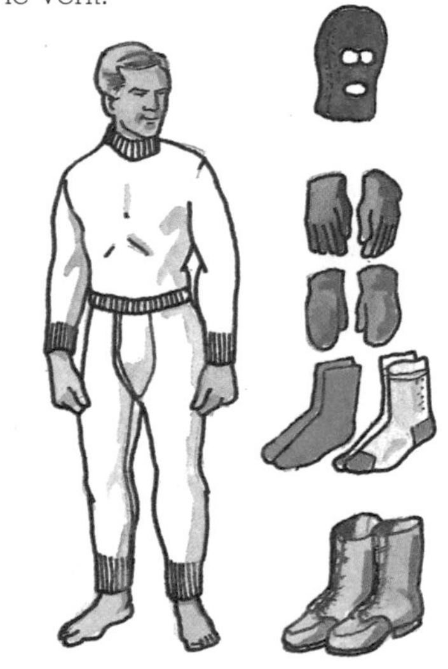

Absorbez des aliments riches en hydrates de carbone et bannissez l'alcool qui dilate les vaisseaux sanguins et accélère les pertes de chaleur. Ne fumez pas ; la cigarette restreint le flux de sang qui parvient aux extrémités et ce sont elles qui souffrent du froid en premier.

A ne pas faire en présence d'une gelure : ne pas la frictionner, ne pas la frotter avec de la neige ou de la glace ; ne pas l'enduire d'un onguent ou d'un corps gras. Si, pendant que vous êtes dehors, vous sentez naître une gelure dans la jambe ou le pied, évitez de vous servir de ce membre. Si vous suspectez des gelures, ne fumez pas.

BLESSURES AUX YEUX

Si vous recevez un coup qui vous laisse un « œil au beurre noir », appliquez sur l'œil des compresses

CORPS ÉTRANGER DANS L'ŒIL

Si vous êtes incapable d'enlever facilement le corps étranger qui s'est introduit dans l'œil, appelez le médecin. Et si, après avoir retiré l'objet, vous voyez trouble et éprouvez un malaise ou une douleur à l'œil, appelez aussi le médecin. Dans l'intervalle, gardez l'œil fermé ; vous vous sentirez mieux et vous ne risquerez pas d'aggraver votre cas.

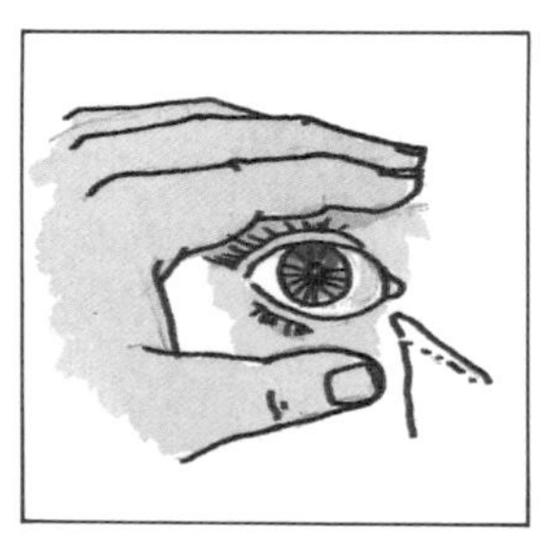

1. Demandez à la personne de s'asseoir en pleine lumière. Pendant que vous écartez la paupière inférieure, faites-la regarder vers le haut, puis à droite et à gauche, aussi loin que possible. Si elle a un corps étranger dans l'œil — et ce n'est pas toujours le cas — vous devriez l'apercevoir. Enlevez-le avec le coin d'un mouchoir propre.

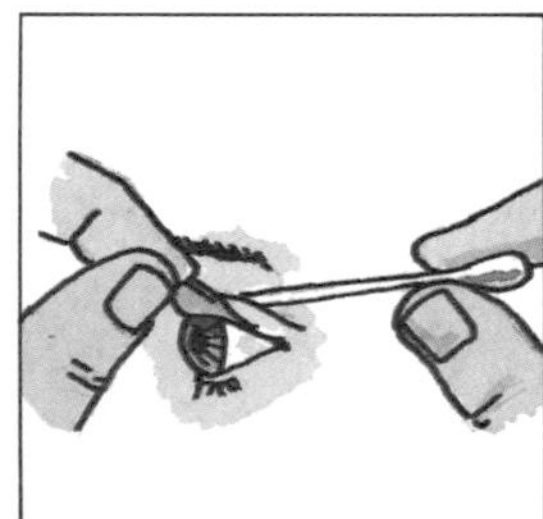

2. Le corps étranger se cache parfois sous la paupière supérieure. Mettez un coton-tige sur la paupière et enroulez celle-ci par-dessus. Si vous apercevez le corps étranger, ou dans l'œil, ou sur la face interne de la paupière, retirez-le doucement avec un coton-tige ou le coin d'un mouchoir propre. Soyez très prudent.

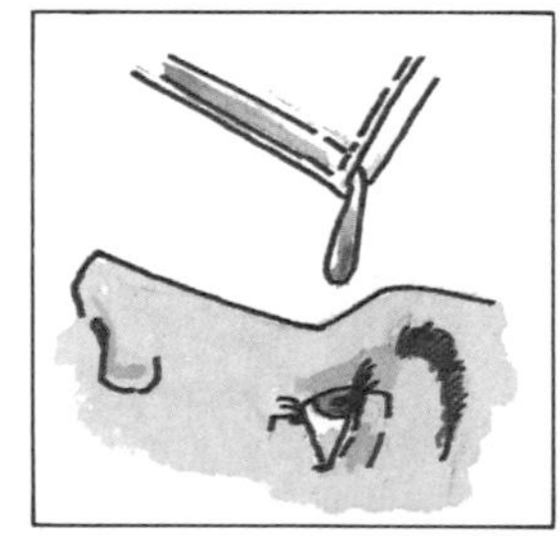

3. Il existe une autre façon d'enlever le corps étranger qui consiste à le faire refluer hors de l'œil. Mettez un grand verre d'eau tiède à quelques centimètres au-dessus de l'œil et versez lentement l'eau dedans. Ou bien remplissez un compte-gouttes d'eau et videz-le au-dessus de l'œil pour en chasser le corps étranger.

froides et voyez le médecin pour qu'il puisse déterminer s'il n'y a pas d'autres dommages.

Si un objet pointu, comme une écharde, pénètre dans l'œil — accident très rare — ne le retirez pas. Couvrez l'œil et l'objet qui le blesse avec un gobelet ou un cornet fabriqué avec du carton ; maintenez-le en place avec du ruban et amenez la victime à l'urgence de l'hôpital.

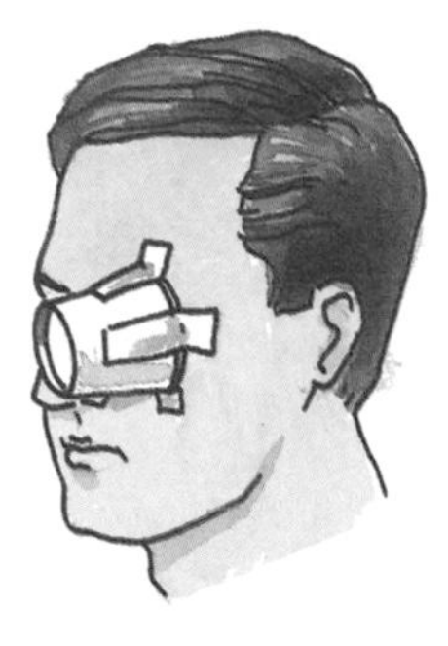

Lorsqu'une personne reçoit un produit toxique ou chimique dans l'œil, mettez-lui immédiatement la tête sous un robinet d'eau tiède. Ou remplissez un pot d'eau tiède, tenez-le à quelques centimètres au-dessus de l'œil et baignez celui-ci sans interruption pendant 15 minutes. Alors seulement, composez le 911 ou le numéro d'un médecin. Il est urgent de bien baigner l'œil ; si vous téléphonez d'abord, le dommage peut devenir irréversible.

BAGUE QUI NE VIENT PAS

Vous n'arrivez plus à enlever votre bague. Quoi faire ? Placez la main dans un bol d'eau glacée et attendez que le froid ait suffisamment contracté le doigt porteur de la bague pour que celle-ci puisse glisser.

Ou appliquez de la glace sur le doigt pendant 10 à 15 minutes en le surélevant au-dessus du niveau du cœur. Puis, massez le doigt, du bout vers la main, pour repousser les fluides dans la main et ôtez la bague.

En cas d'échec, prenez 1 mètre de ficelle ou de soie dentaire cirée et introduisez-en une extrémité sous la bague. (Vous devrez peut-être vous aider d'un cure-dents.) Laissez ce bout libre sur le dos de la main. Enroulez le reste de la ficelle serré autour du doigt jusqu'à l'ongle. Prenez l'extrémité libre, de l'autre côté de la bague, entre vos doigts et tirez-la doucement en direction de l'ongle. La ficelle, en se déroulant, fait glisser la bague sur le doigt ainsi comprimé.

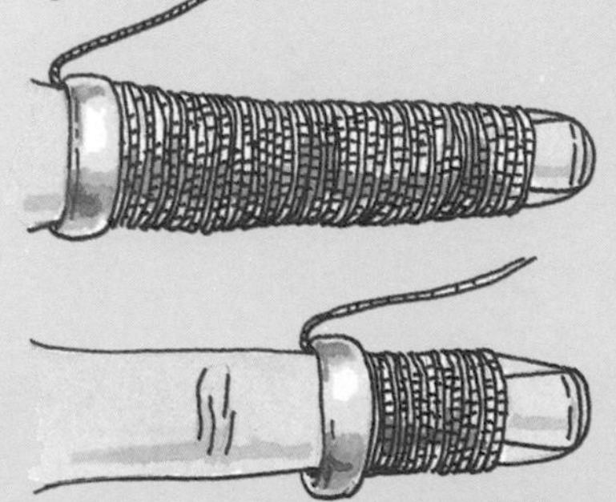

Attention : Cette opération doit être exécutée rapidement, car elle a pour effet d'arrêter la circulation.

POUR ENLEVER UN CORPS ÉTRANGER

Respectez ce principe : n'essayez pas d'enlever un corps étranger quand vous ne le voyez pas. Recourez à une assistance médicale.

Lorsque votre enfant s'est introduit un pois sec ou une perle dans le nez ou l'oreille, ne tentez pas d'intervenir. Amenez l'enfant chez le médecin sans attendre.

Si vous voulez retirer le corps étranger avec une pince, n'allez pas plus loin que votre vue vous le permet ; vous risquez autrement d'enfoncer l'objet, d'endommager des membranes ou de perforer le tympan.

N'essayez pas de déloger un corps étranger du nez en vous mouchant avec vigueur. Si vous ne parvenez pas à l'extirper, voyez le médecin.

Quand un enfant s'est coincé la main dans un bocal de verre, voici ce qu'il faut faire. Protégez le poignet en enroulant autour une serviette ou du carton et plongez la main et le bocal dans un bassin d'eau. Avec un marteau dont vous maîtrisez bien la portée, frappez fermement le bocal juste au-dessus du fond. A cause de l'eau, le verre se cassera sans éclater et vous enlèverez le bocal sans blesser l'enfant.

RETIRER UN HAMEÇON

Lorsque seule la pointe de l'hameçon est piquée dans la peau, retirez-la simplement. Si l'ardillon s'est enfoncé peu profondément, retirez l'hameçon avec un mouvement de rotation.

En cas d'échec, mettez de la glace sur la blessure pour l'anesthésier. Enfoncez l'hameçon jusqu'au bout de manière à faire ressortir l'ardillon à travers la peau. Coupez l'ardillon avec des pinces coupantes et retirez la tige dans l'autre sens.

Nettoyez la blessure à l'eau savonneuse et maintenez-la sous le robinet d'eau froide 5 à 10 minutes. Appliquez un antiseptique. Si la plaie continue à saigner, comprimez-la et surélevez-la. Pansez quand le sang ne coule plus. Vérifiez si la victime a reçu un vaccin antitétanique au cours des 10 dernières années. Surveillez les signes possibles d'infection (p. 322).

Si l'hameçon est profondément incrusté dans la peau, s'il est entré dans un œil ou dans une partie sensible du corps, allez à l'urgence de l'hôpital.

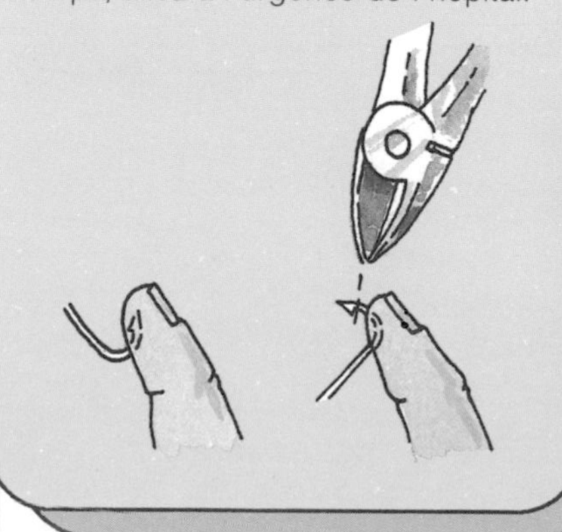

ÉCHARDES

Si vous êtes sûr d'avoir une écharde alors même que vous ne la voyez pas, collez un peu de ruban adhésif sur le point douloureux. Tirez-le vers le haut et les côtés pour dégager l'écharde. Le succès n'est pas garanti, mais il est fréquent.

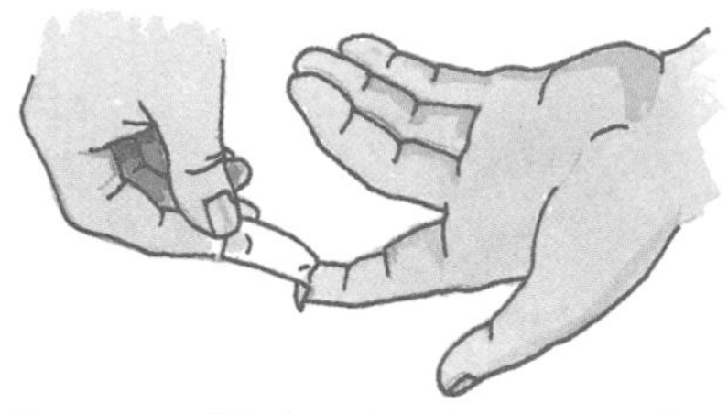

Lorsque l'écharde s'est complètement enfoncée dans la peau, anesthésiez la blessure avec de la glace. Puis, lavez bien la peau à l'eau savonneuse ; avec une aiguille stérilisée à la flamme, fendez la peau qui recouvre l'extrémité de l'écharde et soulevez-la. Retirez l'écharde avec une petite pince ou vos ongles propres. Lavez de nouveau la plaie et couvrez-la d'un pansement stérile.

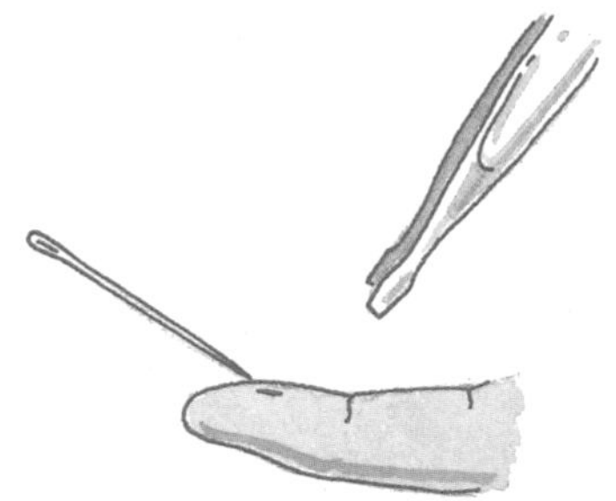

Examinez bien la plaie. Si vous estimez qu'il est resté des fragments de l'écharde profondément enfoncés dans la peau, allez voir le médecin.

INGESTION DE POISON

Faites preuve de prévoyance. Gardez du sirop d'ipéca (vomitif bénin) à portée de la main, ainsi que le numéro de téléphone du centre antipoisons ou de l'urgence de l'hôpital le plus près de chez vous.

APPEL AU CENTRE ANTIPOISONS

Quand une personne a avalé une substance toxique, prenez immédiatement les précautions suivantes et appelez le centre antipoisons le plus près de chez vous. Dans certaines régions, vous pouvez composer le 911.

1. Si la victime est un enfant, donnez son âge et son poids.

2. Identifiez le poison. Cherchez un liquide répandu, un flacon de pilules, les restes d'une plante. Gardez ce que vous trouvez pour analyse.

3. Si vous avez identifié le poison, apportez le contenant près du téléphone. Spécifiez la quantité ingérée. Si vous avez du mal à l'apprécier, le centre vous dira comment faire.

4. Précisez combien de temps s'est écoulé depuis l'ingestion du poison.

5. Demandez à la victime comment elle se sent, où elle a mal. Symptômes : mal de tête, pouls lent, troubles de la vision, hypersalivation, respiration anormale, diarrhée ou vomissements, douleur dans la poitrine ou l'abdomen, éruption ou plaques cutanées, peau chaude, bouche sèche, fébrilité, faiblesse, pas de réactions à la parole ou au toucher, irritabilité, euphorie, excitation. Les produits chimiques corrosifs brûlent les lèvres. Ceux au pétrole en ont l'odeur. Dans les vomissures, recherchez des fragments de pilule ; notez la présence de sang. Notez la couleur des selles.

Ne faites pas le délicat : une vie peut être en cause. Suivez les instructions du centre à la lettre.

Laissez tous les produits dans leur contenant d'origine ; ne mettez jamais de produits non comestibles, comme des agents de nettoyage, dans des contenants d'aliments ou de boissons. Rangez-les en lieu sûr, hors de la vue et de la portée des enfants. Gardez les médicaments dans une armoire fermée à clé.

Mieux vaut ne pas se servir des antidotes vendus sans ordonnance. Ils seront sans effet, sinon néfastes. S'il faut administrer un antidote, suivez les instructions du centre antipoisons ou de l'urgence de l'hôpital.

Ne prenez pas de médicaments en présence de vos enfants : ils adorent faire comme leurs parents. Si vous parlez de médicaments à vos enfants, dites-leur la vérité. Ne présentez aucun remède, pas même ceux qui leur sont destinés, comme des bonbons. Autant que possible, n'ayez pas recours à ceux qui justement se présentent comme des bonbons, les vitamines ou les aspirines par exemple.

INTOXICATION ORALE

La victime est inconsciente, vous ne sentez pas son pouls et elle ne respire pas : composez le 911 ou appelez l'urgence. Pratiquez la réanimation cardiorespiratoire (RCR) si vous savez. Quand vous sentez le pouls de la victime sans pourtant qu'elle respire (dans les cas de surdose), pratiquez le bouche-à-bouche.

Dans tous les autres cas, appelez aussitôt un centre antipoisons ou le 911. On vous dira peut-être de faire vomir la victime. Ne le faites que si on vous le dit ; dans certains cas, les vomissements sont dangereux. Le cas échéant, administrez du sirop d'ipéca : 1 cuillerée à soupe pour un enfant, 2 pour un adulte. Puis, donnez à la victime plusieurs verres d'eau. Faites-la marcher si possible. Ayez un bassin à portée ou allez près de la salle de bains. Si la victime n'a pas vomi après 15 à 20 minutes, mettez-lui un doigt dans la bouche et touchez la luette. En cas d'échec, redonnez de l'ipéca et répétez l'opération.

Si le centre antipoisons vous a recommandé de soigner la victime à la maison, quelqu'un vous rappellera plus tard pour s'enquérir de son état. Posez-lui des questions, s'il y a lieu.

INTOXICATION ALIMENTAIRE

L'intoxication bénigne se manifeste par des nausées, des vomissements et de la diarrhée. Elle disparaît en 24 heures sans traitement médical. L'important est de ne pas se déshydrater. Buvez beaucoup d'eau et des boissons gazeuses sans caféine durant les 12 premières heures ; ajoutez peu à peu des jus de fruits, des bouillons et des aliments solides légers durant les jours qui suivent.

Appelez le médecin si la victime est un enfant de moins de 3 ans ou si l'indisposition dure plus de deux jours, comporte des selles aqueuses aux quarts d'heure ou des selles avec sang ou mucus, s'accompagne de douleurs abdominales ou de fièvre persistantes. Quelques précautions :

1. Lavez-vous les mains avant de manipuler des aliments.

2. Portez la température des aliments à 100°C (212°F) pour détruire les bactéries de surface.

3. Décongelez la viande avant de la faire cuire, en particulier la volaille.

4. Servez la viande cuite sans délai ; autrement, mettez-la au réfrigérateur.

5. En pique-nique, évitez les nids à bactéries : crèmes, mayonnaise, saucisson de Bologne.

6. Sentez l'aliment ; s'il a mauvaise odeur, jetez-le.

7. Dans la mise en conserve, suivez les instructions à la lettre.

Si vous trouvez des médicaments dans un contenant non identifié, jetez-les tout de suite dans la toilette.

Lorsque vous prenez un médicament la nuit, allumez la lumière pour être sûr de prendre le bon remède dans les bonnes quantités.

Si l'on vous interrompt au moment où vous vous apprêtez à prendre un médicament, mettez-le en lieu sûr ; il ne faut que quelques secondes à un enfant pour l'avaler.

PLANTES VÉNÉNEUSES

Lorsque vous marchez ou travaillez dans un endroit où il peut y avoir des plantes vénéneuses, portez des bottes, un pantalon et une chemise à manches longues ; enfilez des gants avant de sarcler, d'émonder ou de débroussailler.

Sachez identifier les trois plantes vénéneuses les plus répandues : le sumac à feuilles différentes, le sumac vénéneux ou herbe à la puce et le sumac à vernis. Si vous êtes allergique à l'une d'elles — presque tout le monde l'est — le plus léger contact provoque une éruption accompagnée de démangeaisons qui se répand si l'on se gratte. L'éruption sous forme de plaques gonflées et striées de rouge peut apparaître plusieurs heures après le contact.

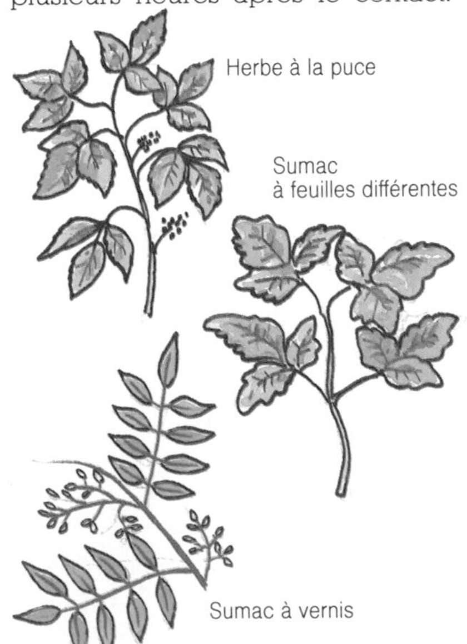

Si vous êtes vulnérable à l'herbe à la puce ou à l'un des autres sumacs, vous pouvez encore éviter l'éruption en vous lavant la peau, dans les 3 minutes qui suivent le contact, avec de l'alcool à friction ou avec beaucoup d'eau pour éliminer les huiles irritantes.

Lorsque vous ne pouvez rien faire de la sorte, aussitôt que possible lavez les régions exposées à l'herbe à la puce ou à l'un des autres sumacs avec de l'alcool à friction. Ensuite prenez une douche. Appliquez de la lotion à la calamine pour soulager les démangeaisons.

Si vos vêtements ou vos affaires ont été en contact avec ces plantes, lavez-les sans tarder avec de l'alcool, puis avec de l'eau et du savon. Si vos animaux de compagnie ont été touchés, lavez-les eux aussi car ils peuvent vous transmettre les facteurs irritants.

Pour soulager les démangeaisons et sensations de brûlure, appliquez des compresses d'eau froide ou de solution de Burow froide pendant 10 minutes toutes les deux heures. Faites suivre de lotion à la calamine. En l'absence de soulagement, demandez conseil au médecin.
Attention : Evitez les lotions renfermant du chlorhydrate de diphénhydramine, un antihistaminique, ou de la benzocaïne, un anesthésiant topique.

Il est superflu de mentionner que vous ne devez pas vous gratter. Par ailleurs, ne mettez pas d'eau chaude sur les régions touchées.

En forêt, se frotter la peau avec des feuilles et des tiges écrasées d'impatientes à fleurs jaunes ou orange soulage la démangeaison de l'herbe à la puce.

Ne crevez pas les petites ampoules ; la peau qui les recouvre constitue un pansement stérile. Les ampoules crevées sont des plaies susceptibles de s'infecter.

Si l'éruption est importante ou douloureuse, si elle s'infecte (p. 322), appelez le médecin.

PEAU : INTOXICATION

Certains produits chimiques d'usage domestique s'absorbent par la peau : insecticides, herbicides, solvants et agents de nettoyage énergiques.

Si vous vous en mettez sur la peau, laissez la région touchée sous le robinet d'eau tiède pendant 10 minutes. S'il s'en est répandu sur vos vêtements, changez d'abord de tenue.

Lavez la région à l'eau et au savon et rincez bien. Puis, appelez le 911 ou le centre antipoisons. N'essayez pas de neutraliser les acides avec des alcalis ou l'inverse : vous risquez de provoquer des réactions chimiques dangereuses et de vous brûler.

ÉVITEZ D'INHALER DES PRODUITS TOXIQUES

Utilisez prudemment insecticides, herbicides, solvants ou agents de nettoyage. Employez-les dans des endroits bien aérés. Pour vaporiser peintures et pesticides, portez un masque sur la bouche et le nez, des lunettes de protection et des vêtements couvrants.

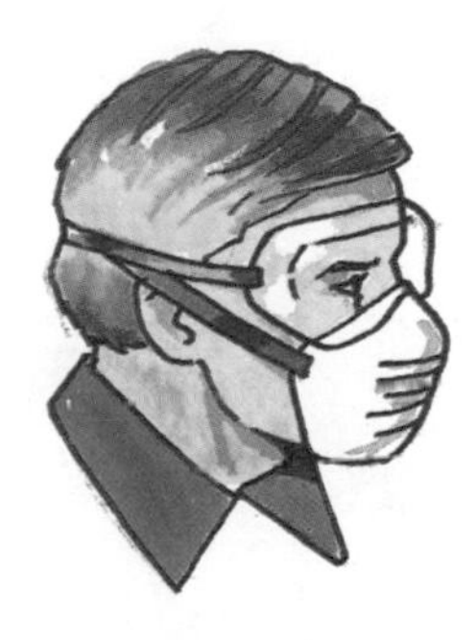

INTOXICATIONS PAR INHALATION

Avant d'entrer dans une pièce où se trouve la victime d'une intoxication par inhalation de vapeurs, de fumée ou de gaz, prenez deux bonnes respirations, puis retenez votre souffle. Transportez ou tirez la victime hors de la pièce. Ne lui demandez pas de faire un effort et ne restez pas dans la pièce. Une fois la victime à l'air sain, appelez le 911 ou le centre antipoisons. Pratiquez la réanimation cardiorespiratoire (RCR) si vous savez la faire et si nécessaire. Lorsque la victime est en état de se déplacer, amenez-la à l'hôpital où on posera un diagnostic.

Le poison le plus communément inhalé est un gaz incolore et inodore, le monoxyde de carbone. Si la victime est dans un espace fermé où entrent les gaz d'échappement d'une voiture, pensez-y. En voici les symptômes : maux de tête, souffle court, nausée, vomissements, irritabilité, vision trouble, vertiges, comportement erratique, douleur dans la poitrine.

Ne mélangez pas les restes de produits de nettoyage différents, n'en utilisez pas deux simultanément. De tels mélanges produisent parfois des gaz dangereux.

Pour empêcher des gaz nocifs de se répandre dans toute la maison, faites vérifier tout système de chauffage à air chaud pulsé au moins une fois par an.

Les calorifères à mazout doivent déboucher hors de la maison, comme les chaudières ou les poêles à bois, pour éviter l'accumulation de monoxyde de carbone. Ne les utilisez pas dans une pièce fermée.

Si vous vous sentez tout à coup somnolent et migraineux au volant de la voiture, arrêtez immédiatement. Sortez et prenez quelques bonnes respirations. Ouvrez une fenêtre à votre retour dans l'auto. Faites vérifier votre système d'échappement sans tarder.

ÉVANOUISSEMENT ; POSITION LATÉRALE DE SÉCURITÉ

Les personnes évanouies ou présentant des symptômes de perte de connaissance imminente ont besoin d'aide immédiate.

Voyez si la personne respire et si son pouls est perceptible (p. 308). Sinon, pratiquez la réanimation cardiorespiratoire (RCR). Demandez qu'on appelle le 911 ou qu'on fasse venir une ambulance. Si la personne a été victime d'un accident de la route, si vous redoutez une fracture du cou ou de la tête, ne la déplacez pas à moins qu'elle ne vomisse. Quand elle respire normalement, dégagez ses vêtements au cou et à la poitrine et faites-lui prendre la position latérale de sécurité ci-dessous. Lorsqu'une personne évanouie reprend conscience, attendez les secours médicaux avec elle.

1. Posez le bras opposé du sujet sur sa poitrine ; ramenez la jambe la plus éloignée par-dessus le genou de l'autre.

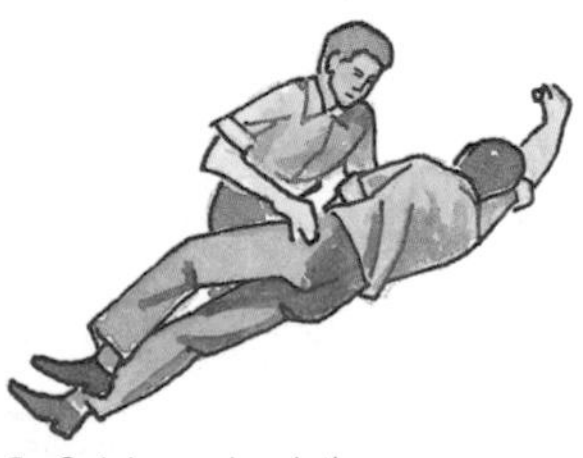

2. Saisissez la victime par ses vêtements et faites-la rouler vers vous.

3. Tirez le bras et la cuisse supérieurs vers le haut, comme ci-dessus. Relevez la tête et écartez l'autre bras.

ÉVANOUISSEMENT

Si vous vous sentez faible, asseyez-vous, la tête entre les jambes, ou mieux encore, couchez-vous sur le dos et surélevez vos jambes. Le malaise devrait passer. Si tel n'est pas le cas, consultez un médecin.

Lorsqu'une personne évanouie revient à elle, redressez-la lentement pour ne pas provoquer un autre évanouissement. Toute personne qui a perdu connaissance devrait voir un médecin sans tarder.

ACCIDENTS DANS L'EAU

Quelle que soit votre habileté, ne nagez pas seul, surtout dans des eaux inconnues. Assurez-vous qu'il y a quelqu'un dans les parages.

Ne laissez jamais un jeune enfant seul dans une baignoire ou une barboteuse, même deux secondes.

Ne perdez pas de temps à dégager les poumons d'un noyé. Pratiquez le bouche-à-bouche sur-le-champ.

CHOCS ÉLECTRIQUES

Avant de donner les premiers soins, coupez le courant au panneau principal ou à la boîte des fusibles ou dégagez la personne en vous servant d'un objet propre, sec et non conducteur d'électricité, comme le manche d'un balai. Tenez-vous sur une surface sèche ; vous ne devez toucher à la victime que quand elle n'est plus conductrice.

Une personne frappée par la foudre n'est pas conductrice ; on peut donc la secourir immédiatement. Vérifiez sa respiration et son pouls et pratiquez la réanimation cardio-respiratoire (RCR) si c'est nécessaire et si vous savez la faire.

ÉTAT DE CHOC

L'état de choc peut survenir après une blessure grave : brûlure importante, plaie qui saigne beaucoup ou fracture. La personne en état de choc a la peau froide, décolorée et moite, le pouls faible et rapide. Sa respiration est courte et elle a soif. Elle est angoissée et peut devenir somnolente, confuse et même s'évanouir. Une personne en état de choc a besoin d'assistance médicale d'urgence. Pour prévenir ou traiter un état de choc, prenez les mesures suivantes après tout accident grave.

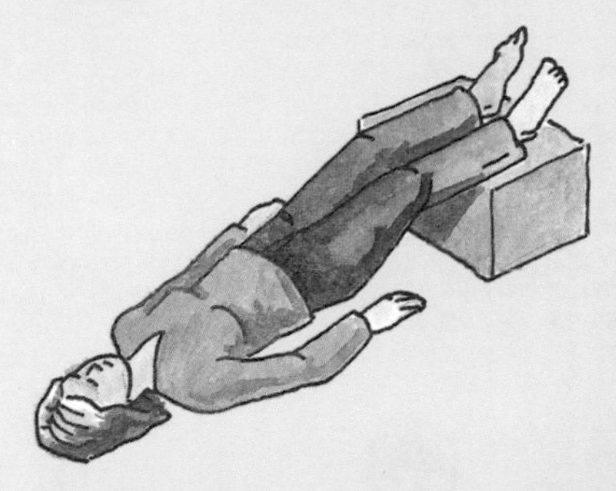

1. A moins de vomissements, couchez la personne en surélevant ses jambes de 30 cm au-dessus de la tête.

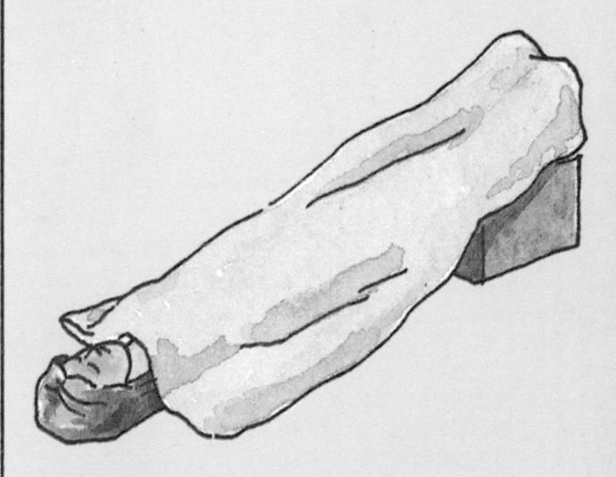

2. Détachez ses vêtements et couvrez-la avec une couverture.

3. Ne lui donnez rien à manger ni à boire, à moins qu'il ne s'écoule plusieurs heures avant l'arrivée des secours médicaux. Donnez-lui alors de l'eau claire ou légèrement salée et rassurez-la.

LES DÉTRESSES RESPIRATOIRES

1. Si la personne qui s'étouffe émet une toux faible, si elle ne peut parler mais fait entendre un râle aigu en respirant, l'obstruction est grave. Agissez comme si elle était totale ; dans ce dernier cas, la personne ne peut plus ni parler ni respirer et ses lèvres pâlissent, puis deviennent bleues.

2. Si la victime est debout, placez-vous derrière elle et enlacez sa poitrine avec vos bras. Serrez un de vos poings et comprimez-lui l'estomac avec les jointures du pouce. Saisissez votre poing de l'autre main et pressez sur l'abdomen au-dessus du nombril mais sous les côtes et le sternum. Comprimez l'abdomen d'un geste rapide, de bas en haut. Répétez ce geste jusqu'à ce que la personne rejette le corps étranger ou perde conscience. A ce moment-là, répétez le mouvement 6 à 10 fois puis voyez si le corps étranger a été rejeté.

3. Si l'obstruction persiste alors que la victime s'est évanouie, introduisez un doigt dans sa bouche. Balayez la cavité buccale, des joues vers la gorge, et essayez de saisir le corps étranger pour le retirer. Si elle persiste encore, pratiquez le bouche-à-bouche et répétez 6 à 10 fois les pressions abdominales.

4. Si la victime est assise, allez derrière sa chaise et placez vos bras autour d'elle et de la chaise, puis exercez les pressions.

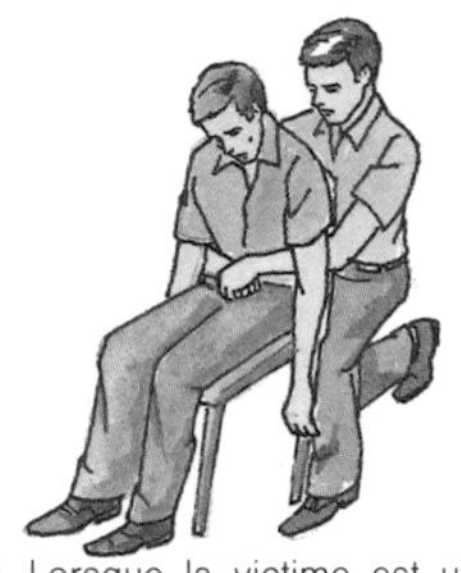

5. Lorsque la victime est une femme enceinte ou une personne obèse, les pressions doivent s'exercer sur la poitrine. Placez-vous derrière elle et enlacez-la sous les aisselles. Joignez vos deux mains serrées en boule, comme nous l'avons décrit, et faites les pressions au milieu du sternum. Exercez le même nombre de pressions, soit 6 à 10.

6. Si c'est vous qui vous étouffez sans que personne puisse vous aider, pratiquez les mêmes pressions abdominales. Serrez le poing, enserrez-le de

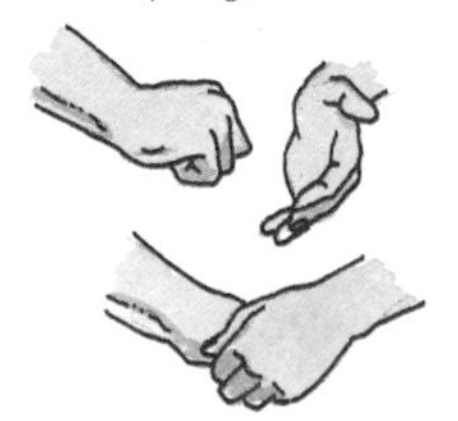

l'autre main comme pour quelqu'un d'autre. Pressez votre poing au-dessus du nombril, sous le sternum. Faites un geste rapide vers le haut en poussant de vos deux mains. Répétez jusqu'à ce que le corps étranger soit sorti. Vous pouvez aussi utilisez un objet rigide au lieu de vos poings. Penchez-vous sur le dossier d'une chaise ou sur le bord d'une table. Pressez l'abdomen en exerçant une poussée vers le diaphragme.

7. Chez un enfant de plus de 2 ans, exercez les pressions abdominales, mais avec moins de force. (Lorsque l'obstruction est grave ou totale, ne fouillez pas la bouche de l'enfant du doigt ; ne le tenez pas par les pieds en le frappant dans le dos.)

8. L'enfant a moins de 2 ans ? Soyez prudent. Placez-le sur votre avant-bras ou sur votre cuisse ; son abdomen doit reposer sur votre avant-bras ou votre cuisse pendant que vous lui soutenez la tête de la main. Avec la paume de l'autre main, donnez-lui quatre tapes rapides entre les omoplates.

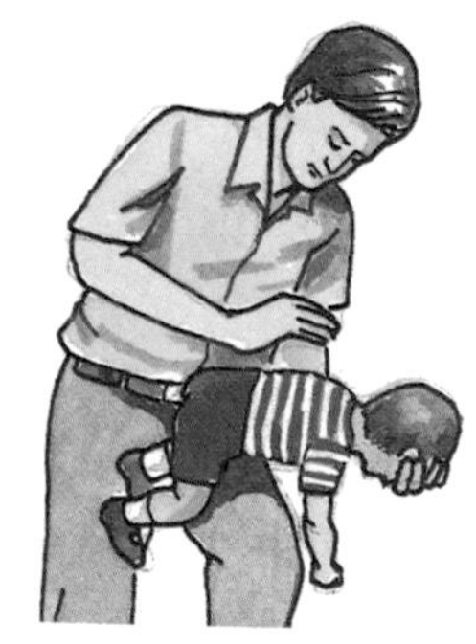

9. Si vous échouez, tenez-le sur vos genoux ou couchez-le sur le dos. Placez deux doigts sur son sternum et pressez vers le bas. Répétez jusqu'à quatre fois.

10. Dès que vous pouvez voir le corps étranger, retirez-le. Et ensuite, pratiquez le bouche-à-bouche.

Attention : Dès que la victime, adulte ou enfant, est revenue à elle, conduisez-la d'urgence chez le médecin.

ÉTOUFFEMENT

Si vous voyez une personne tousser, demandez-lui si elle s'est étouffée. Si elle est capable de parler ou de tousser, l'obstruction est partielle. N'intervenez pas ; elle se tirera d'affaire en toussant.

Lorsque vous vous étouffez, vous ne pouvez émettre un son. Pour obtenir de l'aide, saisissez-vous la gorge avec le pouce et l'index. C'est un symbole universel d'étouffement. Enseignez-le à vos enfants.

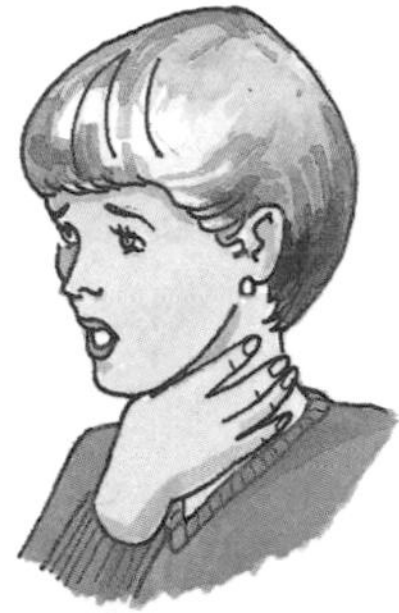

Vous vous étouffez ? Restez près de quelqu'un qui puisse vous aider. Ne laissez pas se lever de table une personne victime d'une obstruction : des décès se sont produits dans des toilettes de restaurant.

Demandez aux enfants de manger calmement. Ils risquent de s'étouffer lorsqu'ils courent avec un aliment ou un objet dans la bouche.

Ne laissez pas de petits objets à la portée des jeunes enfants et des bébés. Voyez les choses de leur point de vue. Dépistez les objets qui peuvent leur paraître agréables à sucer : pièces de monnaie, capsules de bouteilles, petites pièces provenant de jouets. Rangez-les là où les enfants ne peuvent y avoir accès.

L'ARRÊT CARDIOPULMONAIRE

C'est la plus grave des urgences, celle où il y a en même temps arrêt du cœur et de la respiration. Si le cœur et les poumons ne se remettent pas à fonctionner dans les minutes qui suivent, le cerveau subit des dommages irréversibles et la mort est imminente.

La réanimation cardiorespiratoire (RCR) est une technique qui peut parfois sauver la vie d'une personne victime d'un arrêt cardiopulmonaire. Elle est facile à apprendre. L'Ambulance Saint-Jean l'enseigne aux personnes qui en font la demande. Communiquez avec cette organisation.

SIGNES ET SYMPTÔMES D'UN MALAISE CARDIAQUE

La crise cardiaque se signale souvent par une vive douleur thoracique en étau au creux de la poitrine. Cette douleur s'intensifie et peut s'irradier dans la poitrine et le bras gauche, mais aussi dans les deux bras, les épaules, le dos, le cou et les mâchoires. Attention : on interprète souvent la douleur thoracique comme un signe de mauvaise digestion. Ne vous y trompez pas. Quand elle se produit même de façon intermittente, quand elle s'accompagne de sueurs, de nausées, de vomissements ou de souffle court, appelez le 911, le médecin ou rendez-vous d'urgence à l'hôpital.

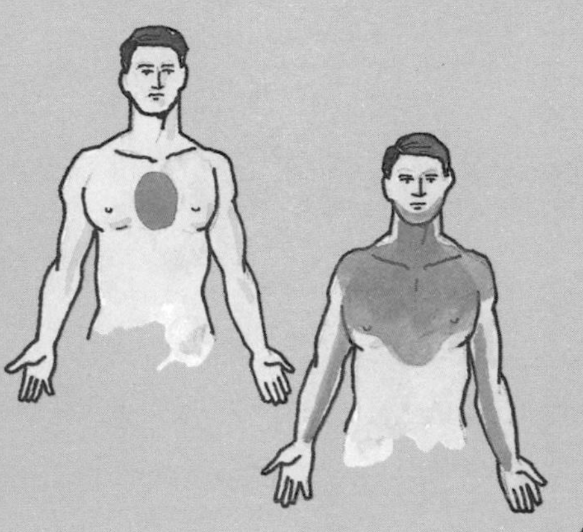

CHAPITRE CINQ

BIEN MANGER

Vous trouverez dans ces pages les grandes règles d'une alimentation saine, les précautions à prendre pour faire de bons achats, des trucs sur la conservation des aliments, enfin quelques conseils sur la planification et la réalisation des repas et sur l'art de diminuer votre tâche tout en faisant le bonheur des vôtres et le succès de vos réceptions... 60 pages de bonnes idées culinaires.

Cuisine-santé

Page 345

La composition des menus en fonction des groupes alimentaires de base; comment faire du nouveau à table; vitamines et sels minéraux (sources et bons effets); cuisine minceur; où trouver fécule et fibres; échec au cholestérol, au gras, au sel et au sucre; une ration quotidienne de protéines sans viande; l'alimentation des personnes âgées.

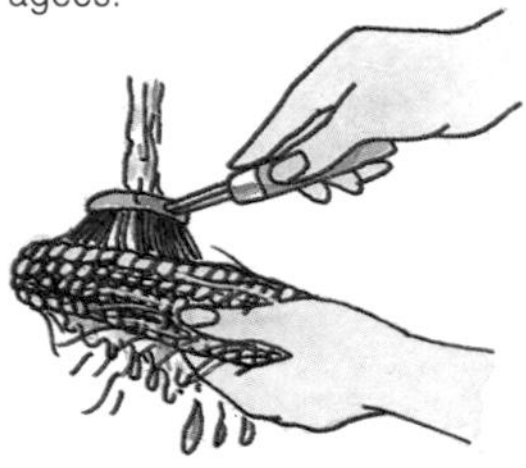

Panier de provisions

Page 351

Prévoir avant d'acheter; que penser des bons de rabais (pièges à flairer et à éviter); l'incitation à l'achat pratiquée dans les marchés d'alimentation; achats judicieux; le langage des étiquettes (comparer ingrédients, coûts et qualité); achats de fruits et légumes en saison, quand ils sont meilleurs et moins chers; viande et poisson.

Conservation

Page 355

Comment ranger les aliments pour diminuer le gaspillage et conserver leur qualité; quoi faire en cas de panne d'électricité ou du congélateur; tableau des durées de conservation au réfrigérateur et au congélateur.

Préparation

Page 360

Ecourter la préparation des plats; découpage du poulet; lever les filets de poisson; ustensiles de cuisine; poids et mesures (systèmes impérial et métrique); mélanges à préparer pour faire vite de bons repas (ragoût de Hambourg aux nouilles, chili con carne, pizza); pains (biscuits et crêpes à la levure chimique); gâteaux (aux épices et au chocolat).

Cuisson

Page 376

Les substituts qui dépannent en cas d'urgence; la préparation du yogourt; la cuisson des légumes à la vapeur; l'art d'utiliser les fines herbes; temps de rôtissage du poulet et de la dinde; temps de grillade, de braisage et de rôtissage des viandes; découpage des viandes et de la volaille; la tarte à croisillons; équivalences et quantités des ingrédients courants; la cuisson quand il y a panne d'électricité; des recettes bonnes, rapides et économiques.

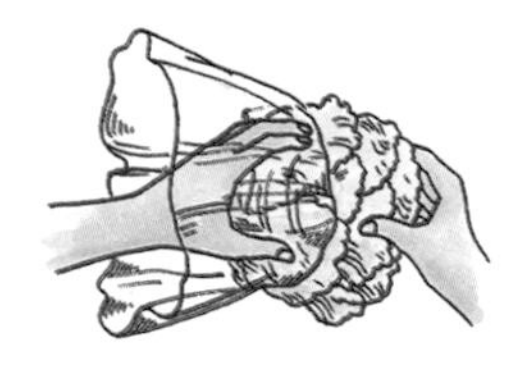

L'art de recevoir

Page 392

Les invitations par écrit; louer ou emprunter de la vaisselle et des meubles; obtenir de l'aide; les cocktails et leurs canapés; le buveur incorrigible; les invités qui ne s'en vont pas; le compte à rebours des réceptions (en commençant par le commencement); centres de table et autres décorations; la mise en place d'un buffet — avec menus; une table élégante — avec menus; comment écrire les cartes au nom des invités et les menus individuels; garnitures de plats; l'étiquette des réceptions grandes ou petites; fêtes spéciales; comment recevoir et amuser des petits.

Cuisine-santé

BIEN S'ALIMENTER

Vous fournirez à votre organisme les éléments de base dont il a besoin en composant chaque jour vos menus avec des aliments où sont représentés les quatre groupes fondamentaux : fruits et légumes (quatre portions) ; céréales, pains et autres grains (quatre portions) ; lait et produits laitiers (deux portions) ; viande, volaille, poisson et œufs (deux portions).

On n'a pas à absorber beaucoup de protéines. Par exemple, 85 g de côte de porc, ½ tasse de fromage blanc et 85 g de thon (soit 61 g de protéines) suffisent aux besoins quotidiens d'un homme de 77 kg.

GUIDE DES ALIMENTS RICHES EN VITAMINES

Vitamine	Fonctions	Sources
A (rétinol)	Entretient la peau et les muqueuses et les rend résistantes à l'infection ; empêche la diminution de la vision crépusculaire ; entretient l'ossature	Foie ; œufs ; lait ; fromage ; beurre ; légumes jaunes, orange et vert foncé (ex. : courges, carottes, épinards)
B_1 (thiamine)	Libère l'énergie des aliments ; entretient l'appétit ; synthétise les substances régulatrices de l'influx nerveux	Porc ; foie ; huîtres ; pains de blé entier ou enrichis ; céréales ; pâtes alimentaires ; germe de blé ; levure de bière
B_2 (riboflavine)	Permet aux cellules d'absorber l'oxygène ; garde la vision nette et la peau lisse	Foie ; rognon ; pains enrichis ; céréales ; lait ; légumes feuillus vert foncé
B_3 (niacine)	Maintient la santé de la peau, du tube digestif et du système nerveux	Foie ; volaille ; thon ; viande ; grains entiers ; pains et céréales enrichis ; noix ; légumineuses
B_6 (pyridoxine)	Aide l'organisme à métaboliser protéines et gras et nourrit les globules rouges du sang	Céréales et pains de grains entiers ; foie ; légumineuses ; germe de blé
B_{12} (cobalamine)	Forme le matériel génétique et les globules rouges ; régularise le système nerveux	Foie ; rognon ; viande ; poisson ; œufs ; lait ; huîtres
Acide pantothénique	Régularise la métabolisation des éléments énergétiques	Foie ; rognon ; grains entiers ; noix ; œufs ; légumes vert foncé ; levure ; nombreux autres aliments
Folacine (acide folique)	Aide à former les protéines du corps humain, le matériel génétique et les globules rouges du sang	Foie ; rognon ; légumes feuillus vert foncé ; germe de blé, levure de bière, grains entiers ; pains et céréales enrichis
Biotine	Favorise la formation des acides gras ; libère l'énergie des hydrates de carbone	Jaunes d'œufs ; foie ; rognon ; légumes vert foncé ; lait ; pains et céréales de grains entiers. Fabriquée dans le tractus intestinal
C (acide ascorbique)	Entretient les os, les dents et les vaisseaux sanguins ; forme le collagène du tissu conjonctif, essentiel au squelette	Agrumes ; tomates ; fraises ; melons ; poivrons verts ; pommes de terre ; légumes vert foncé ; chou-fleur
D (calciférol)	Favorise la santé des os et des dents	Lait ; jaunes d'œufs ; foie ; thon ; saumon. Fabriquée sur la peau par le soleil
E (tocophérol)	Prévient la dégénérescence des cellules et des vitamines A et D	Huiles végétales ; margarine ; céréales de grains entiers ; pain ; germe de blé ; foie ; haricots secs ; légumes feuillus verts
K	Favorise la coagulation du sang	Légumes feuillus verts ; légumes de la famille des choux ; lait. Fabriquée dans le tractus intestinal

Un enfant de 27 kg reçoit sa ration quotidienne de protéines (33 g) avec deux tasses de lait, 28 g de fromage, deux tranches de pain et une pomme de terre au four.

Quatre portions par jour de produits à base de grains, c'est beaucoup ? Voyez comment les servir : des céréales le matin, une tranche de pain le midi, du riz le soir, trois craquelins au seigle au goûter, chacun avec un cube de fromage dur en guise de produit laitier.

Quatre portions de fruits et de légumes ? Prévoyez des fruits, des légumes crus ou un jus au goûter. Autre atout : ce sont des aliments qui n'engraissent pas.

Adoptez des céréales et des pains de grains entiers. Vous y trouverez plus de fibres, de sels minéraux et de vitamine B.

Faites cuire les légumes riches en vitamine C dans très peu d'eau ou mangez-les crus : la vitamine C supporte mal la cuisson.

La romaine est plus verte que la laitue pommée (Iceberg) et elle renferme trois fois plus de vitamine C et six fois plus de vitamine A. Plus le légume est vert, plus il est riche en vitamines et sels minéraux.

La pomme de terre bouillie ou cuite au four dans sa peau conserve presque la totalité de ses vitamines et sels minéraux. Evitez de la couper ou de la peler avant cuisson.

GUIDE DES SELS MINÉRAUX

Sels minéraux	Fonctions	Sources
Calcium	Forme les os et les dents ; favorise la coagulation et la transmission de l'influx nerveux	Lait ; fromage ; légumes vert foncé ; sardines ; huîtres ; palourdes
Chrome	Intervient avec l'insuline dans le métabolisme du glucose	Viande ; céréales de grains entiers
Cuivre	Intervient avec le fer dans la formation de l'hémoglobine	Foie ; rognon ; coquillages ; grains entiers ; légumineuses ; noix
Fer	Favorise la formation de globules rouges et le transport de l'oxygène des poumons aux autres organes	Foie ; viande maigre ; légumineuses ; grains entiers ; légumes feuillus vert foncé ; mélasse noire ; crevettes ; huîtres ; fruits secs
Fluor (fluorine)	Contribue à l'entretien des os et des dents	Certaines eaux potables ; fruits de mer ; thé ; lait ; œufs
Iode	Régularise la croissance et le métabolisme ; prévient le goitre	Fruits de mer ; sel iodé
Magnésium	Est essentiel aux os et aux nerfs, à l'activité musculaire et à la libération d'énergie ; régularise la température du corps	Céréales de grains entiers ; légumes feuillus verts ; noix ; légumineuses et fèves de soja
Manganèse	Est essentiel à la formation normale des os, à la croissance et à la reproduction	Légumineuses ; noix ; céréales de grains entiers
Phosphore	Intervient dans la formation des os et des dents	Lait ; fromage ; viande ; foie ; poisson ; volaille ; grains ; légumineuses ; maïs ; noix
Potassium	Régularise l'équilibre acide-base, celui de l'eau et le fonctionnement des nerfs	Viande ; lait ; plusieurs fruits ; céréales ; légumineuses ; légumes
Sodium	Régularise l'équilibre acide-base, celui de l'eau et le fonctionnement des nerfs	La plupart des aliments sauf les fruits
Zinc	Régularise la croissance, l'appétit et la digestion	Fruits de mer (surtout les huîtres) ; germe de blé

Ne coupez pas les légumes avant de les faire cuire dans l'eau ; ils perdent moins de leurs vitamines et sels minéraux et se détaillent plus facilement en cubes ou en tranches.

Les amandes sont bonnes pour la santé ; une tasse d'amandes renferme plus de calcium qu'une tasse de lait écrémé et la teneur des amandes en fibres est élevée.

SOURCES DE CALCIUM*

Aliment	Quantité de l'aliment	% de l'apport recommandé
Fromage suisse	45 g	54
Sardines avec arêtes, en boîte, égouttées	90 g	49
Fromage cheddar	45 g	40,5
Lait écrémé	250 ml	39,5
Babeurre	250 ml	37,5
Mozzarella	45 g	29
Yogourt au lait partiellement écrémé	125 g	25
Épinards cuits	125 g	22
Fromage cottage maigre	250 ml	20
Crème glacée italienne	125 ml	18,5
Brocoli cuit	250 ml	18
Navet cuit	250 ml	16
Rhubarbe cuite, sucrée	250 ml	13
Saumon en boîte	100 ml	12,5
Crème glacée ferme	125 ml	11,5

*Par ordre décroissant de teneur en calcium. L'apport quotidien en calcium devrait être de 800 mg.

Les gens qui remplacent le lait par des boissons contenant de la caféine (thé, café ou cola) se privent d'une bonne source de calcium et risquent même de perdre une partie du calcium qu'ils absorbent par ailleurs. Ainsi, à cause de ses propriétés diurétiques, une tasse de café peut entraîner une déperdition en calcium, par les voies urinaires, de l'ordre de 6 mg.

Bien que l'œuf soit riche en fer, l'organisme humain assimile mal ce sel minéral sous cette forme et l'ingestion d'un œuf peut faire obstacle à l'absorption de sels de fer provenant d'autres sources.

La cuisson des aliments acides — rhubarbe, canneberges, tomates ou pommes — dans une cocotte de fonte augmente leur teneur en fer et les rend du même coup plus bénéfiques à l'organisme.

LES MENUS

La préparation des menus peut devenir un passe-temps familial. Demandez aux membres de la famille de faire la liste des plats qu'ils préfèrent : les repas sont meilleurs quand on y a mis son grain de sel.

Chaque semaine, mettez un nouveau plat au menu. Echangez des recettes avec vos voisins et vos amis ; prenez celles qu'on vous offre près du comptoir des viandes à l'épicerie, dans les journaux et magazines. Achetez parfois des fruits et des légumes exotiques.

Modifiez aussi les menus. Abandonnez le menu conventionnel de viande, pommes de terre et légumes. Servez une soupe-repas, un mets gratiné ou une salade panachée.

Notez ce que les vôtres commandent au restaurant et essayez de confectionner les mêmes plats.

Groupez des légumes de couleur, de texture et de saveur contrastantes. Une purée de pommes de terre s'associe bien avec des choux de Bruxelles, des haricots verts avec des carottes.

Si le plat principal est peu croquant, accompagnez-le d'une fraîche salade verte ou de pain rôti.

Servez parfois autre chose que des pommes de terre ou du riz pour accompagner un plat en sauce. Pensez à l'orge, au boulgour (blé éclaté) ou aux pâtes alimentaires.

Ne réchauffez pas tels quels des restes de viande ou de poisson ; faites-en quelque chose de nouveau. Hachés, présentez-les en boulettes ; en cubes, faites-les gratiner ; émincés, joignez-les à des légumes en béchamel ou au beurre.

LA CUISINE MINCEUR

Sucrez les crêpes ou le pain perdu avec des fruits cuits ou un soupçon de confiture plutôt que du sucre.

Garnissez de légumes en cubes à la vapeur les pâtes alimentaires, les pommes au four ou le riz.

Nappez le poisson, la volaille, les pâtes ou les légumes d'une sauce à base de purée de légumes.

Avec les vinaigrettes en poudre, remplacez l'huile ou la crème sure par du yogourt nature ; ajoutez babeurre ou jus de tomate. Faites vos trempettes avec du yogourt plutôt qu'avec de la crème sure.

Si vous aimez le yogourt sucré, achetez-le nature et additionnez-le d'une cuillerée ou deux de confiture ; on en vend maintenant sans sucre ni édulcorant artificiel. Les yogourts sucrés du commerce contiennent plus de calories.

Les amateurs de pâtisserie absorberont 150 calories de moins par portion s'ils prennent une tarte à une croûte plutôt qu'à deux croûtes.

Mangez lentement. Savourez. Déposez couteau et fourchette après deux ou trois bouchées. Comptez au moins 20 minutes par repas.

Attendez une vingtaine de minutes avant de vous resservir. Vous aurez alors assouvi votre faim et vous changerez d'avis.

Adoptez des assiettes plus petites. Votre portion, même réduite, aura l'air plus importante.

ATTENTION AUX CORPS GRAS

Votre organisme réclame une cuillerée à soupe de gras diététique par jour seulement ; on en absorbe beaucoup plus : dans les viandes, la charcuterie, la pâtisserie, les amuse-gueule comme les croustilles, les frites et les repas surgelés.

Evitez les gras saturés (qui obstruent les artères). Achetez les margarines à base d'huile liquide et d'huile végétale partiellement hydrogénée : c'est écrit sur l'étiquette.

Pour réduire votre teneur en cholestérol, adoptez pour vos salades et la cuisson les huiles polyinsaturées ou monoinsaturées. La meilleure des huiles polyinsaturées est l'huile de carthame. Viennent ensuite les huiles de tournesol, de soja, de maïs et de sésame. Les huiles d'olive ou d'arachide sont monoinsaturées.

Les vinaigrettes en flacon peuvent être chargées d'huiles saturées et d'agents de conservation. Faites-les vous-même en mélangeant trois ou quatre volumes d'huile polyinsaturée, d'huile d'olive, de yogourt ou de babeurre avec un volume de vinaigre ou de jus de citron. Salez.

Evitez les fritures. Adoptez des méthodes de cuisson qui utilisent peu de gras. Faites pocher, rôtir, cuire à l'étuvée ou griller vos aliments. Après la cuisson, épongez-les.

Remplacez les sauces riches en corps gras par du bouillon. Assaisonnez non avec du beurre mais avec des jus de citron ou de limette, du vinaigre ou des fines herbes.

Le jaune d'un gros œuf équivaut à une ration quotidienne de cholestérol. Limitez-vous à trois ou quatre jaunes par semaine, sans oublier d'y inclure ceux qui entrent dans la préparation des plats cuisinés.

Mangez autant de blancs d'œufs que vous voulez : ils sont riches en protéines et pauvres en calories. Pour vos salades, ne prenez que les blancs des œufs durs.

Lorsque vous cuisinez avec des œufs, utilisez deux blancs pour un jaune. Autrement dit, faites-vous une omelette avec deux blancs et un jaune. Agissez de même pour les crêpes ou le pain perdu. Vous ne remarquerez pas la différence et vous vous porterez mieux.

LE SUCRE DANS LES ALIMENTS

Achetez des céréales non sucrées ; ajoutez des fruits plutôt que du sucre. Les raisins secs sont sucrés, mais ils renferment vitamines, sels minéraux et fibres.

Prenez l'habitude de servir des fruits au dessert. Pour le goût et l'apparence, rien vraiment ne se compare à une coupe de fruits frais. Achetez les fruits en conserve ou surgelés préparés dans de l'eau plutôt que dans un sirop sucré.

La teneur en sucre est généralement indiquée sur l'étiquette. Si les mots sucre, sucrose, glucose, maltose, dextrose, lactose, fructose ou sirop apparaissent en premier sur l'étiquette, le produit contient beaucoup de sucre.

N'achetez pas de gâteaux, de tartes ou de biscuits. Faites-les vous-même et diminuez du tiers ou de la moitié la teneur en sucre de la recette.

Si vous aimez le sucre, faites-vous plaisir en mangeant des pains briochés qui contiennent relativement peu de sucre. Ajoutez des ingrédients nourrissants : farine de blé entier, farine d'avoine, noix, raisins secs et un fruit ou un légume (citrouille, courgettes, canneberges, bananes ou carottes).

UN RÉGIME RICHE EN FÉCULE ET EN FIBRES

Les féculents sont de bonnes sources de protéines, de vitamines et de sels minéraux. Les grains viennent en premier : blé, avoine, maïs et riz. Ils sont suivis des produits faits avec des grains — farine, pâtes (macaroni ou nouilles), pain, céréales —, des pommes de terre, puis des légumineuses (haricots et pois secs).

Parmi les céréales chaudes, celles à base de flocons d'avoine épais à l'ancienne (c'est-à-dire dont la cuisson n'est pas instantanée) se classent au premier rang. Leur teneur en protéines est de toutes la plus élevée.

PROTÉINES VÉGÉTALES COMBINÉES : UN MÉLANGE NOURRISSANT

Si vous combinez les protéines végétales de la façon suivante au cours d'un même repas, vous obtenez des protéines complètes.

Riz avec un ou plusieurs des ingrédients ci-contre :	Légumineuses* Fèves de soja Graines de sésame
Blé avec un ou plusieurs des ingrédients ci-contre :	Légumineuses* Fèves de soja Fèves de soja et graines de sésame ou de tournesol
Légumineuses* avec un ou plusieurs des ingrédients ci-contre :	Grains : Maïs Riz Blé Orge Avoine Graines, en particulier : Graines de sésame Graines de tournesol

*Par légumineuses, on entend ici cacahuètes, fèves de soja, dôliques à œil noir, haricots, petits haricots blancs, haricots pinto, haricots de Lima, pois chiches et autres légumes secs.

Faites cuire les céréales chaudes dans un liquide composé en totalité ou en partie de lait écrémé : vous en augmentez la valeur nutritive.

Les fruits et les légumes crus contiennent plus de fibres que ceux qui ont été pelés, cuits, mis en purée ou traités.

Buvez beaucoup quand vous mangez des aliments riches en fibres ; autrement, celles-ci risquent de vous constiper plutôt que de stimuler le transit intestinal.

Les fibres grossièrement traitées sont plus efficaces que celles moulues fin. Recherchez les mots grain entier, blé entier ou avoine entière sur les emballages des céréales, des pains ou des craquelins.

MEILLEURES SOURCES DE FIBRES ALIMENTAIRES

Aliment	% fibre
Son (blé entier)	42,4
Céréale de son à 100 p. 100	30,1
Céréale de son avec raisins secs	20,5
Figues sèches	18,5
Céréale de blé soufflé	16,6
Maïs soufflé	16,5
Pruneaux	16,1
Amandes	14,3
Céréale de blé filamenté	13,3
Craquelins de seigle	11,7
Craquelins de blé entier	11,1
Haricots rouges cuits	10,4
Craquelins graham	10,1
Germe de blé	9,5
Haricots de Lima cuits	9,3
Cacahuètes rôties	9,3
Noix du Brésil	9
Haricots blancs cuits	8,8
Dattes séchées	8,7
Beurre d'arachide crémeux	7,6
Framboises crues	7,4
Pacanes	7,2
Raisins secs	6,8
Epinards cuits	6,3
Mûres crues	6,2
Pois chiches cuits	6
Pain pumpernickel	5,8
Maïs sucré cuit	5,7
Muffins de blé entier	5,4
Noix	5,2
Petits pois cuits	5,1
Pain de blé entier	5,1
Canneberges nature	4,2
Igname cuite	3,9
Brocoli cuit	3,8

LA MANIE DU SEL

Consommez avec discrétion les aliments très salés comme croustilles, bretzels, noix, maïs soufflé, craquelins, aliments marinés, viandes marinées, thon ou crabe en boîte, choucroute, sauce à bifteck, sauce de soja, sel d'ail et repas surgelés.

Lisez l'étiquette des aliments traités ; souvent ils renferment du sodium sous une forme autre que celle du sel de table : nitrate de sodium, bicarbonate de soude, glutamate monosodique, benzoate de sodium et phosphate de sodium.

L'ÂGE D'OR

Il est certain que les personnes âgées, moins actives, dépensent moins d'énergie que les jeunes, mais leurs besoins alimentaires sont tout aussi importants, exception faite du fer : une femme âgée en a moins besoin qu'une femme jeune.

Donnez la préférence au poisson blanc et à la viande de volaille blanche : les poissons et les viandes à chair foncée renferment plus de gras. Dégraissez bien les viandes rouges. Ne mangez que du bœuf haché extra-maigre.

Buvez souvent du lait écrémé. Vous avez besoin du calcium et des protéines qu'il renferme. Même quand la croissance est terminée, le calcium demeure essentiel à la bonne conservation des os.

Mangez des aliments riches en fibres. Si vos dents ne vous permettent pas de croquer des légumes crus, compensez en mangeant des légumes cuits. Les fruits frais, comme les prunes et les baies, ont une haute teneur en fibres tout en étant tendres sous la dent.

Panier de provisions

DE LA MÉTHODE

Vous vous éviterez bien des pas inutiles si vous dressez votre liste d'épicerie selon la disposition des rayons dans le supermarché que vous fréquentez. Faites en sorte de prendre fruits et légumes frais en dernier ; placez-les dans le chariot de manière à ne pas les écraser.

Achetez un bloc autocollant, pelez l'envers et fixez-le sur le mur de la cuisine, à une hauteur appropriée pour tous. Accrochez un crayon ou un stylo tout à côté et inscrivez au fur et à mesure ce dont vous allez manquer. Détachez les feuillets dès qu'ils sont remplis et emportez-les avec vous à l'épicerie.

Les enveloppes sont aussi très utiles à ce propos. Inscrivez dessus les produits que vous devez acheter et glissez dedans les bons remboursables, les reçus, les notes utiles.

Composez vos menus autour des articles offerts en spécial dans les marchés que vous fréquentez. Ces produits ne sont pas toujours avantageux ; si vous avez le temps, comparez les prix des divers magasins d'alimentation du voisinage.

Si possible, n'allez aux provisions qu'une fois par semaine. Moins vous passez de temps dans les magasins, moins vous dépensez.

N'y allez surtout pas juste avant un repas, au moment où vous mourez de faim. Tout vous tentera et vous achèterez des articles dont vous n'avez aucun besoin.

BONS DE RABAIS

Découpez ceux que vous trouvez dans les journaux et les circulaires. Faites le tour de vos armoires à provisions et s'il s'en trouve sur des boîtes de produits, détachez-les. Faites de même pour les produits de nettoyage et les médicaments. Ramassez-les tous, même ceux dont vous ne prévoyez pas vous servir : ils pourront être utiles à vos amis.

ATTENTION AUX PIÈGES

Utilisés avec jugement, les bons de rabais vous épargnent de l'argent. Mais si vous n'y prenez garde, ils peuvent aussi vous coûter cher.

1. Pensez-y à deux fois avant de changer de marque. La deuxième est peut-être moins chère, mais si votre famille n'aime pas le produit, vous y perdrez au bout du compte.
2. De temps à autre, on vous offrira des bons de rabais importants, en général pour des produits coûteux, des desserts élaborés par exemple, que vous n'achèteriez pas spontanément, surtout si vous êtes nombreux à la maison. D'ailleurs, en dépit du rabais, ce dessert peut être plus coûteux que le même fait maison.
3. Les aliments offerts à rabais sont très transformés, chers et peu nourrissants. Vous risquez d'acheter un produit qui n'en vaut pas la peine.
4. Vérifiez toujours le prix des marques maison. Même avec un bon de rabais, certains produits sont finalement plus chers que les marques de votre magasin d'alimentation.
5. On vous offre parfois un produit gratuitement ou à rabais si vous achetez une certaine quantité d'un autre produit au prix courant. Quand vous n'avez pas l'habitude d'utiliser ce « cadeau », abstenez-vous.

Consacrez quelques minutes à examiner l'emballage des articles que vous devez acheter. Si c'est possible, choisissez ceux qui comportent des offres de remise à l'égard d'un achat futur.

Assurez-vous que les bons sont valides au Canada et que la date de péremption n'est pas dépassée.

Groupez tous vos coupons-rabais dans un petit classeur pour les retrouver plus rapidement. Rangez-les par catégorie de produits : conserves, produits d'entretien, etc., et mettez des onglets de classement alphabétique entre eux. Vous pouvez aussi les classer par dates de péremption.

Rien de plus vexant que d'oublier ses bons de rabais à la maison. Gardez-les dans un petit portefeuille que vous pouvez glisser facilement dans votre sac à main ou dans la boîte à gants de la voiture.

Il est souvent avantageux d'acheter un produit en grand format. Avec des bons de rabais, cependant, cet avantage peut disparaître. Si vous avez plusieurs bons pour un même produit, choisissez des petits formats de préférence à un seul gros.

Pour accélérer le passage à la caisse, soulignez d'un trait rouge la date de péremption des bons de rabais. La caissière n'aura pas à la chercher et vous gagnerez du temps.

AU SUPERMARCHÉ

Essayez de laisser les enfants à la maison. Ce n'est pas par hasard si les friandises se trouvent à la hauteur de leurs yeux.

Allez aux provisions seul ou confiez cette tâche au membre de votre famille qui est le moins susceptible de s'écarter de votre liste.

Evitez les heures de pointe où le marché d'alimentation est bondé (avant les week-ends par exemple). Les rayons sont alors moins pleins et il est plus difficile de comparer les prix ou de lire les étiquettes.

Si vous n'avez qu'un article à acheter, prenez-le et rendez-vous directement à la caisse. (Les produits laitiers et les viandes sont souvent placés au fond du magasin pour vous inciter à faire d'autres achats en cours de route.)

Les craquelins et les biscuits exposés au bout des allées, les revues, la gomme à mâcher et les bonbons disposés près de la caisse sont là pour vous tenter.

Examinez les marques moins connues ; elles sont en général moins chères. Les marques vedette sont placées à la hauteur des yeux d'un adulte ; les marques moins chères, au-dessus ou au-dessous.

Vérifiez le prix des articles placés derrière ceux qui viennent d'être marqués ; peut-être en découvrirez-vous qui n'ont pas été majorés.

Faites peser les produits déjà emballés. Si les poids ne correspondent pas, demandez au gérant de les rectifier.

Essayez de déposer tous vos articles sur le comptoir de la caisse avant que la caissière ne commence à les additionner. Surveillez-la ; elle peut se tromper. A la maison, vérifiez vos achats contre le coupon de caisse. Si vous découvrez des erreurs, conservez le coupon et parlez-en au gérant du supermarché quand vous y retournerez.

DES CHOIX AVISÉS

N'achetez pas des conserves endommagées : le contenu peut être contaminé. Evitez les aliments emballés qui ont été ouverts ou manipulés indûment.

Si vous avez acheté un aliment en mauvais état, ne le jetez pas ; rapportez-le au magasin et demandez un remboursement.

Vérifiez avec soin la date de péremption des produits : les aliments les plus frais sont souvent dans le fond des rayons.

GUIDE D'ACHATS SAISONNIERS

Fruits	Saison
Abricots	Août-septembre
Ananas	Avril-juin (pointe)
Bleuets	Mai-septembre
Canneberges	Septembre-décembre
Cantaloups	Juin-août
Coings	Juillet-octobre
Figues	Juin-octobre
Fraises	Mai-juillet
Framboises	Juin-août
Grenades	Septembre-novembre
Guignes	Juin-juillet
Kakis	Octobre-janvier
Melons	Juin-octobre
Mûres	Août-septembre
Nectarines	Juillet-septembre
Pamplemousses	Octobre-mai (pointe)
Pastèques	Juin-septembre
Pêches	Juillet-septembre
Poires anjou	Octobre-mars
Poires bartlett	Juillet-octobre
Pommes	Septembre-mars
Prunes	Juin-septembre
Rhubarbe	Février-juillet
Tangerines	Novembre-mars
Légumes	
Artichauts	Mars-mai
Asperges	Avril-juin
Betteraves	Juin-octobre
Brocoli	Octobre-mai
Céleri-rave	Octobre-avril
Chou vert	Juin-octobre
Chou-fleur	Août-octobre
Choux de Bruxelles	Septembre-novembre
Endives	Novembre-avril
Fanes de moutarde	Octobre-avril
Fenouil	Octobre-avril
Maïs	Juillet-septembre
Okra	Juin-août
Panais	Octobre-avril
Poireau	Juillet-octobre
Pois	Juin-septembre
Radis	Mai-octobre
Tomates	Juin-octobre

LE RIZ

Bien que le riz semi-cuit (converti) soit plus cher que le riz blanc et poli, il est plus nutritif. Le riz brun, non traité, l'est davantage encore, mais il prend plus de temps à cuire.

N'achetez pas le riz en sachets assaisonné, c'est une perte d'argent. Faites cuire du riz ordinaire et ajoutez fines herbes et épices.

ŒUFS ET PRODUITS LAITIERS

Quand vous achetez du fromage comme ingrédient culinaire ou pour les gratins, demandez les bouts de meule, moins chers.

Consommez les œufs dans les trois semaines qui suivent leur achat. Gardez-les au réfrigérateur, bout arrondi dessus, loin des aliments qui dégagent des odeurs fortes.

Saviez-vous que le prix des œufs gros, moyens et petits varie en fonction de leur contenu ? S'il n'y a pas un écart de plus de 7 ¢ à la douzaine entre un calibre donné et le suivant dans la même catégorie, vous feriez mieux d'acheter les œufs les plus gros.

Le fromage cottage non aromatisé et le yogourt nature coûtent moins cher ; ajoutez vous-même les fruits ou les légumes en tranches.

LE POISSON

Le poisson frais a les yeux aussi clairs et aussi brillants que ceux d'un poisson vivant. Si les ouïes sentent mauvais, méfiez-vous : le sujet est en voie de décomposition.

LES ÉTIQUETTES ET LEUR LANGAGE

Savoir lire une étiquette, c'est pouvoir comparer les ingrédients, les prix, la qualité et la valeur alimentaire des produits et faire des choix judicieux.

Les étiquettes doivent porter le nom de l'aliment, sa quantité nette ainsi que le nom et l'adresse du fabricant, de l'emballeur ou du distributeur.

Le consommateur doit être informé du contenu du produit alimentaire. Lorsqu'un produit comporte deux ingrédients ou davantage, naturels ou artificiels, l'étiquette doit les mentionner dans l'ordre correspondant à leur proportion dans la composition. Lorsque le produit ne comporte qu'un seul ingrédient (café, légume surgelé), le règlement ne s'applique pas.

Depuis l'informatisation, beaucoup d'étiquettes portent des codes composés de chiffres et de lignes qui permettent à l'ordinateur d'enregistrer le prix de l'aliment et de soustraire celui-ci de l'inventaire.

Les étiquettes portent toutes sortes d'autres symboles. Le *R* signifie par exemple qu'il s'agit d'une marque déposée ; le *C*, que l'étiquette est protégée par un droit exclusif. Un *K* ou un *U* encerclé signifie que l'aliment a été préparé selon les normes cachères. Le mot *Pareve* (yiddish) assure que ni lait ni viande ne sont entrés dans la préparation de l'aliment.

Enfin, il existe également des marques de catégories (indiquant la qualité d'un produit, comme Canada A pour les œufs et Canada 1 pour le cheddar) et des estampilles d'inspection sanitaire (indiquant que la viande est saine et que l'animal a été abattu, emballé ou traité selon les normes).

Achetez des filets de poisson moins coûteux comme ceux de goberge, de sébaste ou de merlu argenté ; ils remplacent avantageusement les filets de plie.

Lorsque les filets sont surgelés, ils doivent être recouverts d'une pellicule brillante de glace. Si cette pellicule est brisée, le poisson n'est plus protégé ; il a pu se dessécher et perdre de sa saveur.

LA VIANDE

La charcuterie comme le bologne et le salami coûte moins cher lorsqu'elle est achetée à la pièce et tranchée à la maison.

Il vous faut un peu de jambon pour une recette ? Demandez un bout de pièce au comptoir de la viande.

Les jambons en boîte qui doivent être réfrigérés sont plus savoureux que ceux ne demandant aucune réfrigération.

Les côtelettes de porc les plus tendres sont celles qui sont roses. La viande rouge provient d'une bête âgée ; elle est plus dure.

Le meilleur bifteck d'aloyau est le porterhouse ; choisissez une pièce comportant un filet de bonne taille et une pointe peu prononcée.

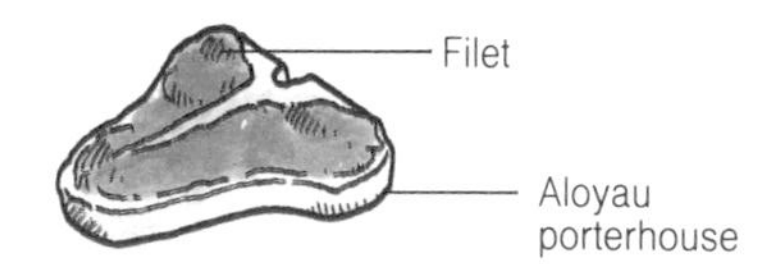

Le bifteck de surlonge le plus tendre est celui dont la forme rappelle celle du bifteck d'aloyau appelé porterhouse.

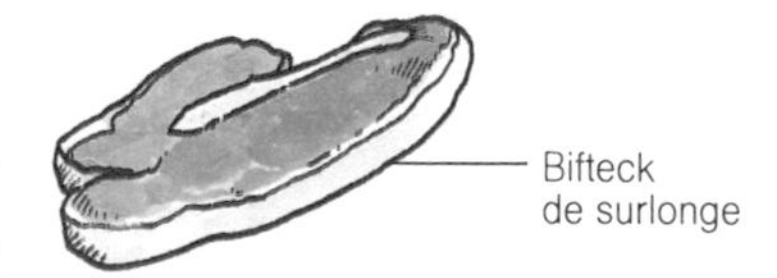

Faut-il préférer le poulet à peau jaune ou le poulet à peau blanche ? Peu importe, pourvu qu'il porte la marque catégorie A et soit jeune.

Conservation

FRUITS ET LÉGUMES

Réfrigérez les petits fruits à découvert dans une passoire sans les laver. Ils durent plus longtemps.

Voulez-vous congeler les baies sans les ramollir ? Etalez-les sur une plaque à biscuits, congelez-les, puis replacez-les dans un bocal hermétique au congélateur.

Si vous avez plus de fruits que vous ne pouvez faire de gelée, faites-les cuire, passez le jus et congelez-le. Vous le transformerez plus tard.

Défaites en purée les bananes trop mûres pour la table, arrosez-les d'un peu de jus de citron pour empêcher l'oxydation et congelez-les. Vous vous en servirez plus tard dans des pains ou des gâteaux.

Quand vous avez besoin d'oignon ou de poivron vert, préparez-en plusieurs tasses à la fois et congelez ce qui ne vous sert pas en prévision des soupes, sauces et plats gratinés.

Pour conserver les asperges un jour de plus, raccourcissez-les et réunissez-les debout dans un contenant où se trouve un peu d'eau. Coiffez-les d'un sac de plastique et conservez-les au réfrigérateur.

Avant de ranger les betteraves, les carottes, les navets et les autres légumes-racines, supprimez la partie feuillue pour qu'elle ne prive pas le légume de ses éléments nutritifs.

Lavez le cresson et posez-le debout dans un verre contenant de 2 à 3 cm d'eau. Recouvrez-le d'un sac de plastique et placez-le au réfrigérateur. Le cresson très frais à l'achat se garde ainsi une semaine environ. Faites de même pour le persil, le basilic, l'aneth et la coriandre.

Si vous avez du mal à introduire une pomme de laitue ou un autre légume dans un sac de plastique, glissez une main dans le sac, saisissez la laitue ou le légume à travers le sac et rabattez celui-ci par-dessus.

Pour empêcher les piments doux en conserve de se gâter, une fois la boîte ouverte, couvrez-les de vinaigre et gardez-les au réfrigérateur.

Accumulez les restes de légumes ainsi que leur eau de cuisson dans un contenant placé au congélateur. Quand il est plein, décongelez-le et, avec ce qu'il contient, faites la base d'une bonne soupe. Vous pouvez aussi congeler les légumes et l'eau de cuisson séparément ; n'oubliez pas que vous pouvez remplacer le bouillon de viande par cette eau déjà parfumée.

La pâte de tomates vendue en tube est un produit commode facile à trouver. Elle se conserve longtemps au réfrigérateur, une fois le tube ouvert. Autre avantage, vous n'en prenez que ce que vous voulez.

Si vous n'utilisez pas beaucoup d'huile dans la cuisine, gardez le contenant au réfrigérateur pour empêcher l'huile de rancir.

PRODUITS FARINEUX

Congelez une tarte dans son moule quand elle est refroidie. Couvrez-la d'une assiette de papier métallique et réunissez l'ensemble avec du ruban. Etiquetez et congelez.

La pâte à pain se congèle très bien. Faites la détrempe, enveloppez le pâton et congelez. Ou laissez la pâte lever, dégonflez-la, enveloppez et congelez. Après décongélation, faites-la lever dans le moule.

Conservez les farines de grains entiers dans un endroit frais ; mieux encore, au réfrigérateur.

Réfrigérez les restes de pâtes alimentaires. Le lendemain, faites-les sauter au beurre. Avez une pointe d'ail, c'est encore meilleur.

PRODUITS LAITIERS

Le fromage cottage se conserve mieux dans son contenant d'origine tourné à l'envers au réfrigérateur.

Le fromage cottage se fragmente à la décongélation. Il se présente mal nature mais peut très bien servir alors dans un plat cuisiné. Fouettez-le pour le rendre crémeux.

Certains petits fromages (moins de 500 g et moins de 3 cm d'épaisseur) se conservent six mois au congélateur : brick, cheddar, camembert, édam, gouda, mozzarella, muenster, port-salut, provolone et suisse.

Les fromages fermes se conservent mieux enveloppés dans un tissu humecté d'eau ou d'une saumure légère : ½ tasse d'eau, ½ c. à thé de sel et 1 c. à thé de vinaigre.

Gardez le lait déshydraté dans un bocal hermétique. S'il est écrémé, conservez-le à la température ambiante ; sinon, au réfrigérateur.

La crème fouettée peut se préparer à l'avance sans catastrophe. Saupoudrez ½ c. à thé de gélatine nature sur 1 c. à soupe d'eau dans un petit ramequin ; faites fondre la gélatine au bain-marie. Fouettez une tasse de crème épaisse ; avant qu'elle soit très ferme, ajoutez la gélatine et finissez de fouetter. Couvrez. La préparation se conservera jusqu'à trois jours au réfrigérateur.

Avant de remettre au congélateur un paquet de crème glacée, comprimez l'emballage pour en chasser l'air et empêcher la formation de cristaux de glace à l'intérieur.

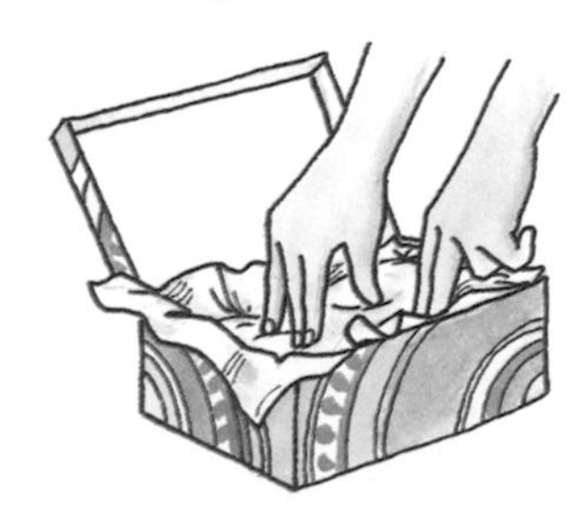

Si vous êtes incertain quant à la fraîcheur d'un œuf, mettez-le dans un plat creux d'eau froide. S'il flotte, c'est qu'il est trop avancé.

Congelez les blancs d'œufs non utilisés dans un bac à glaçons, un par godet. Transvasez-les ensuite dans un sac en plastique. Vous vous en servirez pour faire du gâteau de Savoie ou des meringues.

Pour congeler les jaunes d'œufs, ajoutez-leur un peu de sucre ou de sel : ils ne coaguleront pas.

Les œufs ont une coquille poreuse qui absorbe beaucoup les odeurs. Gardez-les au réfrigérateur dans leur contenant d'origine. Ne les placez pas dans le bac de la porte.

POISSON, VIANDE, VOLAILLE

Glissez des couvercles de plastique entre les galettes crues de bœuf haché ; empilez-les et congelez-les dans un sac de plastique.

Sortez la volaille ou la viande de son emballage commercial et enveloppez-la lâchement dans du papier ciré, pour que l'air circule. Elle se conservera plus longtemps.

PANNES D'ÉLECTRICITÉ, PANNES DE CONGÉLATEUR

Q : Combien de temps les aliments restent-ils congelés s'il y a panne ?
R : Si le congélateur est plein et que la porte reste fermée, la congélation se maintiendra 48 heures ; s'il est à demi plein, 24 heures.

Q : Je songe à acheter un congélateur. Quel modèle est le plus efficace au cours d'une panne ?
R : Le congélateur coffre consomme moins d'énergie que le congélateur armoire et garde le froid plus longtemps en cas de panne.

Q : J'ai entendu dire que la glace sèche peut conserver les aliments congelés pendant une panne. Est-ce vrai ? Où puis-je m'en procurer ?
R : La glace sèche (ou anhydride carbonique congelé) conserve en effet les aliments congelés ; sa température est de –78,5°C (–109°F). Elle se vend en blocs ou en pépites. Consultez les pages jaunes de l'annuaire du téléphone. Durant une panne d'électricité, vous aurez peut-être du mal à en trouver, car vous ne serez pas seul à en chercher.

Attention : La glace sèche ne doit pas venir en contact avec votre peau ou les aliments ; conservez-la dans son cartonnage et manipulez celui-ci avec des gants épais.

Q : Je vis à la campagne et les pannes sont fréquentes. Peut-on prendre des précautions pour limiter les dégâts ?
R : 1) Remplissez bien le congélateur. S'il y a des trous, mettez-y des contenants à glace. Ou prenez des contenants à lait, remplissez-les aux quatre cinquièmes d'eau, fermez pas trop serré et congelez. 2) Assurez-vous que le joint d'étanchéité du couvercle ou de la porte ferme hermétiquement. Vérifiez-le : fermez-le sur une feuille de papier ; elle ne devrait pas glisser.

Q : Comment savoir si mes aliments congelés se sont gâtés ?
R : Dans le doute, jetez. Jetez ce qui a une couleur ou une odeur douteuses. Jetez les crèmes glacées, les gâteaux garnis et les aliments cuisinés dégelés. Les aliments crus couverts de cristaux de glace ou encore froids (4°C/39°F ou moins) se recongèlent.

DURÉE DE CONSERVATION AU FROID

Pour protéger la qualité des aliments et éviter le gaspillage, réfrigérez-les à une température de 1,5 à 4°C (34 à 40°F) et congelez-les à au moins – 17°C (0°F). La durée de conservation peut dépasser celle indiquée ci-dessous, mais les aliments perdent peu à peu leur valeur nutritive, leur texture et leur saveur.

Aliment	Réfrigérateur	Congélateur
PRODUITS LAITIERS		
Beurre, margarine	1–2 sem.	6–8 mois
Fromage		
cottage	5 jours	Ne pas congeler
dur (cheddar, édam, suisse)	3–4 mois	6 mois
mou (brie, bleu, camembert)	2 sem.	4 mois
Lait	1 sem.	1 mois
Œufs		
cuits durs	1 sem.	Ne pas congeler
dans la coquille	1–2 sem.	Ne pas congeler
blancs crus	1 sem.	12 mois
Yogourt	7–10 jours	Ne pas congeler
POISSON		
Filets ou darnes de poisson		
gras (goberge, maquereau, saumon)	1 jour	3 mois
maigre (flétan, turbot, morue, plie)	1 jour	6 mois
VIANDES ET VOLAILLE		
Abats	1–2 jours	2–3 mois
Agneau, veau, rôtis	2–4 jours	6–9 mois
Bacon	5–7 jours	1 mois
Bœuf, biftecks, rôtis	2–4 jours	6–12 mois
Bœuf, veau, agneau haché	1–2 jours	3–4 mois
Jambon fumé entier	5 jours	2 mois
Porc, rôtis et côtelettes	2–4 jours	3–6 mois
Porc haché	1 jour	1–3 mois
Poulet ou dinde, entier ou détaillé	1–2 jours	6–7 mois
Saucisses	2–4 jours	2 mois
Viandes cuites	2–4 jours	2–3 mois

Aliment	Réfrigérateur	Congélateur
GÂTEAUX ET TARTES		
Gâteau		
sans glace	—	6–8 mois
avec glace	—	2–4 mois
Tarte		
non cuite aux fruits	1 jour	6–8 mois
cuite aux fruits	3 jours	2–4 mois
avec crème	3–5 jours	Ne pas congeler
FRUITS		
Abricots, baies, bananes mûres (la pelure noircit), cerises	2–3 jours	Surgelés : 12 mois Congelés : 8–12 mois (pour tous les fruits)
Avocats, melons, nectarines, pêches, poires, prunes	3–5 jours	
Pommes, agrumes, canneberges	1–2 sem.	
LÉGUMES		
Artichauts, aubergine, brocoli, chou vert, chou-fleur, épinards, fanes de navets, haricots de Lima, haricots verts, petits pois, poivrons, radis	3–5 jours	Surgelés : 8 mois Congelés : 8–12 mois (jusqu'au blé d'Inde)
Asperges cuites	2–3 jours	
Betteraves, carottes, chou pommé vert et rouge, courges, navets	1 sem.	
Blé d'Inde (maïs)	1 jour	
Laitue, tomates, céleri	1 sem.	Ne pas congeler

Avant de congeler, découpez l'étiquette de l'emballage d'origine des viandes et collez-la sur le nouvel emballage. Vous connaîtrez ainsi la coupe, le poids et la date de l'achat.

Pour avoir du bacon cuit d'avance, disposez les tranches sur la grille d'une plaque et enfournez à 200°C (400°F) 12 minutes. Une fois les tranches refroidies, enveloppez-les empilées dans du papier d'aluminium et congelez. Pour servir, réchauffez à feu doux dans la poêle.

Congelez les galettes de viande cuite ou crue sur une plaque ; puis groupez-les au congélateur dans un contenant fermé. Elles ne collent pas les unes aux autres et vous n'utilisez que ce qu'il vous faut.

Pour congeler un plat gratiné, mettez du papier d'aluminium dans le fond du récipient. Congelez après cuisson. Une fois la préparation congelée, retirez-la du plat et rangez-la au congélateur emballée. Vous libérez ainsi le plat.

Congelez les bouillons de viande dans des bacs à glaçons ; videz les godets dans des sacs de plastique.

Préparez plusieurs repas à la fois. Déposez les éléments (viande, légumes et dessert) dans des plateaux à compartiments. Emballez, étiquetez et congelez. Au moment opportun, réchauffez le plateau au four.

Le poisson frais pêché et non cuit se congèle mieux tel quel. Placez-le dans un carton de lait rempli d'eau. (Après la décongélation, fertilisez vos plantes avec cette eau.)

ÉPICES ET FINES HERBES

Gardez au réfrigérateur gingembre moulu, assaisonnement au chile et paprika. Une fois exposées à l'air, ces épices perdent vite leur saveur.

Mettez les racines de gingembre au congélateur dans un sac de plastique ; elles se garderont des mois durant. Râpez la quantité voulue sans décongeler la racine.

Vous repérerez rapidement vos fines herbes et vos épices si vous les placez par ordre alphabétique sur des plateaux tournants (que l'on trouve en quincaillerie).

Le persil se congèle bien. Après l'avoir lavé, secoué et épongé, hachez-le et congelez-le dans des sacs de plastique. Faites de même pour le basilic et la ciboulette.

Hachez les fines herbes et mettez-les avec un peu d'eau dans des bacs à glaçons. Videz les godets dans un sac de plastique et remettez au congélateur. Laissez tomber un ou deux cubes dans les soupes, les sauces ou les ragoûts.

DESSERTS

Gardez les sirops dans lesquels baignent les fruits en conserve. Epaississez-les à la fécule de maïs avant d'en arroser gâteaux ou poudings.

Rêvez-vous de déguster des tartes aux fruits frais en hiver ? Préparez plusieurs garnitures et congelez-les dans des assiettes à tarte doublées de papier d'aluminium. Rangez-les ensuite dans des sacs en plastique au congélateur. Il vous suffira de cuire une abaisse, puis d'y faire décongeler une garniture.

Congelez les gâteaux garnis de glaçage avant de les emballer ; la pellicule ne collera pas. Enlevez-la avant de décongeler le gâteau.

Congelez des capuchons de crème fouettée sur une plaque à biscuits. Réunissez-les ensuite dans un sac de plastique au congélateur. Ils se décongèlent en 20 minutes.

Ne jetez pas les cylindres vides à croustilles de pommes de terre. Décorez-les pour offrir en cadeau bonbons et biscuits.

BOISSONS

Les cafés moulus ou en grains conservent mieux leur fine saveur s'ils sont gardés au congélateur.

Protégez la fraîcheur des feuilles et des sachets de thé ; gardez-les à l'obscurité dans un bocal bien fermé, loin des odeurs fortes.

Préparation

FRUITS

Quand les avocats ne sont pas à point, placez-les dans une corbeille avec d'autres fruits : pommes, poires ou bananes. Ou glissez-les dans un sac de papier ; deux jours plus tard, environ, ils seront prêts.

Mettez les oranges 5 minutes dans l'eau bouillante, puis laissez-les refroidir : elles se pèleront et se diviseront plus aisément en quartiers.

Avant de presser un citron, laissez-le 15 minutes dans l'eau bouillante ; vous en exprimerez plus de jus.

Ne jetez pas les zestes de citron, de pamplemousse ou d'orange : ils relèvent avec bonheur la saveur des muffins, gâteaux ou glaçages. Râpez les zestes et congelez-les.

Voulez-vous parer un ananas frais sans difficultés ? Détaillez-le en tranches épaisses ; enlevez écorce, yeux et cœur de chaque tranche.

Le jus de citron empêche les fruits frais coupés de s'oxyder. Comptez un demi-citron pour 500 g de fruits. Remuez pour bien enrober.

Fruits candis, figues sèches et dattes collent moins aux doigts s'ils sont congelés quand vous les coupez. De temps à autre, plongez le couteau dans l'eau chaude.

NOIX

Pour peler les amandes, plongez-les dans l'eau bouillante. Retirez-les du feu et, 2 minutes plus tard, égouttez-les. Pressez chaque amande entre le pouce et l'index pour faire jaillir le fruit de sa peau.

Les noix du Brésil se mondent bien mieux lorsqu'elles sont congelées. La coque devient fragile et la noix en sort entière.

Il est un peu dangereux de faire griller des châtaignes au four ou dans le foyer sans ménager une soupape à la vapeur qui se crée à l'intérieur de l'écorce. Posez le fruit sur une serviette pour l'empêcher de glisser et pratiquez deux coupes en croix sur la partie plate de l'écorce avec un couteau bien aiguisé. Et il se pèlera plus facilement ensuite.

Pour ouvrir une noix de coco, commencez par en percer les yeux avec un poinçon ou un pic à glace. Réservez le lait qui donne une boisson délicieuse. Enfournez la noix de coco à 175°C (350°F) pendant 20 minutes. Si la coque ne s'est pas ouverte, enroulez le fruit dans un torchon ou dans du papier journal et donnez de bons coups de marteau.

Les noix mondées s'effilent et se hachent mieux si vous les placez 5 minutes au four à 180°C (350°F).

Pour obtenir de la noix de coco frais râpée, enlevez la pellicule brune avec un couteau-éplucheur ; détaillez la chair en petits morceaux et déchiquetez-la au mixeur ou au robot culinaire. C'est beaucoup plus vite fait qu'à la main.

LÉGUMES

Ne jetez pas la partie dure des turions d'asperges. Pelez-la avec un couteau-éplucheur jusqu'à ce que vous atteigniez la chair tendre. Faites cuire comme à l'accoutumée : vous verrez qu'elle sera aussi savoureuse que la pointe.

Lavez toujours le dessus d'une boîte de conserve à l'eau et au savon avant de l'ouvrir : les magasins vaporisent des insecticides sur les rayons. Vous pouvez aussi ouvrir la boîte par le fond après l'avoir lavé.

Ouvrez les boîtes d'asperges en conserve par le fond pour ne pas endommager les pointes si fragiles. Maintenez le couvercle, égouttez les asperges et déposez-les délicatement dans une assiette.

Vous voulez réduire des avocats en purée ? Passez-les dans le presse-purée pour obtenir une pâte uniforme. Et ajoutez quelques gouttes de citron pour empêcher l'oxydation.

Pelez les côtes de céleri avec un couteau-éplucheur pour les débarrasser de leurs fils.

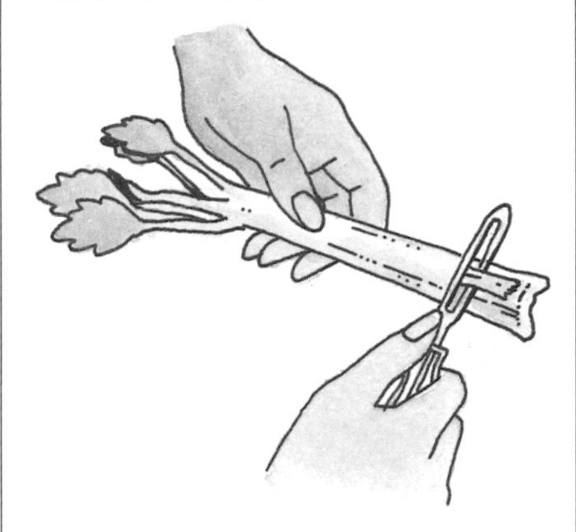

Plutôt que de faire tremper les haricots secs pendant une nuit (cela les fait un peu fermenter), placez-les dans une casserole et couvrez-les d'environ 5 cm d'eau froide. Amenez vivement l'eau à ébullition, réduisez la chaleur et faites mijoter deux minutes. Retirez la casserole du feu, couvrez-la et laissez les haricots une heure en attente. Ils seront prêts à cuire.

Le ballonnement qu'on éprouve souvent lorsqu'on mange des haricots provient de leur forte teneur en fibres. Vous pouvez réduire cet inconvénient si vous jetez l'eau dans laquelle ils ont trempé.

Les choux de Bruxelles cuisent plus vite et plus uniformément si vous faites une coupe en croix dans la tige. Ne prolongez pas la cuisson au-delà de la durée nécessaire ; croquants, ils sont meilleurs.

Lorsque vous voulez farcir un chou, vous devez enlever les feuilles du milieu. Retirez le cœur du légume avec un couteau bien pointu. Plongez ensuite le chou dans de l'eau bouillante et laissez-l'y en attente 5 minutes. Refroidissez-le dans un bol d'eau froide.

Vous enlèverez vite et bien les barbes du maïs si vous grattez les épis avec une brosse à légumes sous le robinet d'eau froide.

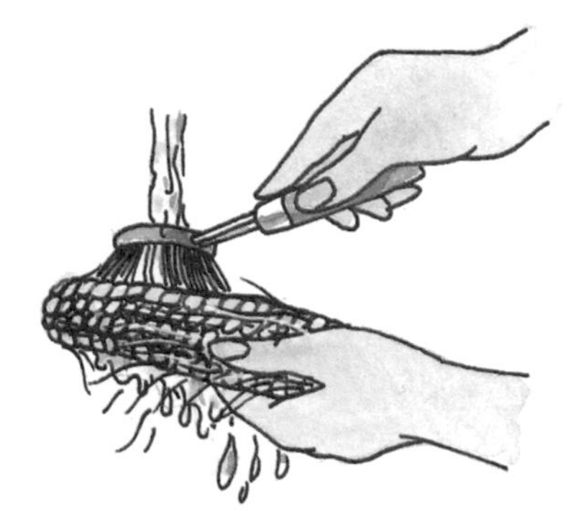

Le maïs soufflé gonflera plus vite si vous l'aspergez d'eau chaude une heure avant de le faire sauter.

Les gros concombres sont plus appétissants quand vous les débarrassez de leurs graines. Pelez-les s'ils sont cirés et coupez-les en deux sur la longueur. Enlevez les graines en grattant la partie centrale avec le bout d'une petite cuiller.

Pour peler de l'ail dans le temps de le dire, mettez la gousse sur une planche à découper, posez dessus le plat d'un couteau lourd et large et donnez un bon coup de poing sur la lame. La peau s'enlèvera d'elle-même.

Refroidissez bien les oignons au réfrigérateur avant de les peler et de les hacher : vous verserez beaucoup moins de larmes.

Il y a une façon rapide de peler un oignon : enlevez une tranche aux deux extrémités, puis coupez-le en deux et pelez chaque moitié. Blanchissez 30 secondes à l'eau bouillante les petits oignons blancs que vous voulez garder entiers. Parez ensuite les deux extrémités et la peau s'enlèvera comme un gant.

Le cœur des petits oignons blancs ne glissera pas à l'extérieur si vous entaillez la queue en croix sur 6 mm avant la cuisson.

Quand vous faites bouillir des pommes de terre avec leur peau, pelez une bande de 1 cm au centre de chacune d'elles pour permettre à la peau de se dilater. Les pommes de terre se présenteront mieux.

Passez la purée de citrouille au mélangeur électrique pour la débarrasser de ses fibres coriaces ; celles-ci s'enrouleront autour des batteurs.

Si vous offrez des carottes crues, choisissez-les petites. Celles qui ont leurs fanes sont plus tendres, mais vous les couperez pour conserver les carottes plus longtemps.

Les patates douces se détériorent vite. Conservez-les au réfrigérateur et consommez-les dans les quatre jours qui suivent l'achat.

Le maïs reste plus longtemps frais si vous le réfrigérez sans l'éplucher, tige en bas dans un peu d'eau. Lorsque vous achetez du maïs, déshabillez-le un peu pour examiner les grains. S'ils sont gros et jaune foncé, le légume est avancé ; s'ils sont blancs et petits, le légume est trop jeune pour être bien sucré.

Les grosses aubergines ont plus de chair, les petites, plus de douceur. Leur forme varie ; certaines sont ovoïdes, d'autres globuleuses. Les meilleures sont en forme de poire et ont entre 8 et 15 cm de diamètre.

DE BONNES SALADES

Si vous versez séparément l'huile et le vinaigre, commencez par l'huile ; sinon, celle-ci glisse sur les feuilles humectées de vinaigre.

Tranchez verticalement les tomates que vous voulez mettre dans une salade ; elles resteront entières, retiendront leur jus, et la vinaigrette sera moins aqueuse.

Pour faire prendre rapidement les aspics, les desserts ou les salades en gelée, mettez-les 25 minutes au congélateur, puis au réfrigérateur.

Autre truc pour les gelées : faites fondre la gélatine dans une tasse d'eau bouillante. Remplacez l'eau ou le liquide froid par 10 cubes de glace, remuez jusqu'à consistance sirupeuse et retirez la glace non fondue. Incorporez les fruits ou les autres ingrédients et réfrigérez.

Dans un bocal à épices vide, versez ce qu'il vous faut de vinaigrette pour une seule salade. Rangez ce bocal avec les ingrédients de votre salade et réunissez-les à la dernière minute. La laitue sera croquante et il n'y aura pas de dégâts.

Pour hacher le persil rapidement, comprimez la quantité voulue en boule et tranchez très mince.

Laissez tremper les rondelles d'oignon une heure dans l'eau froide : leur saveur sera plus fine en salade.

CRÈME

La crème se fouette plus facilement quand le bol et les batteurs sont glacés. Mettez-les au congélateur quelques minutes. N'employez pas les crèmes ultra-pasteurisées : elles sont lentes à monter.

Vous avez peu de crème à fouetter ? Versez-la dans une tasse à mesurer et n'employez qu'un seul des batteurs du mélangeur électrique.

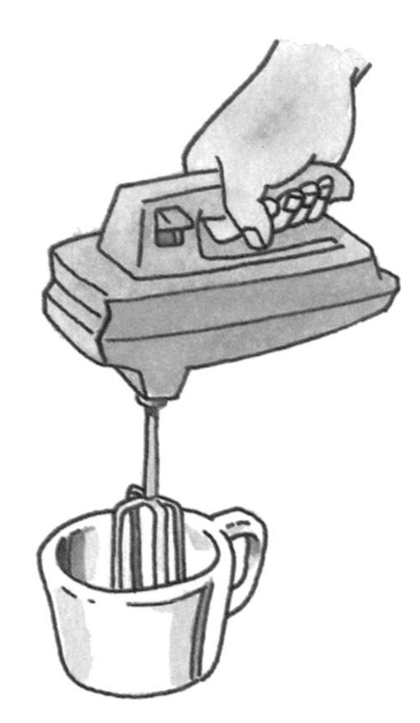

La crème Chantilly, vanillée et sucrée, est plus légère et se défait moins si, au lieu de sucre granulé, vous utilisez du sucre glace.

Pour fouetter du lait évaporé (beaucoup moins riche en cholestérol que la crème), versez-le dans un bac à glaçons et congelez-le environ une demi-heure, jusqu'à ce qu'il se forme de la glace sur les bords. Retirez le bac, versez le lait dans un bol glacé et fouettez jusqu'à épaississement avec des batteurs glacés.

Manquez-vous de lait frais pour le thé ou le café ? Employez du lait en poudre plutôt qu'un des succédanés du commerce. Bien que pauvres en calories, ceux-ci renferment des gras saturés et du sucre.

BEURRE

Vous faut-il vite du beurre en pommade ? Passez le beurre dur quelques secondes au micro-ondes.

Quand vous manquez de beurre, fouettez une tasse de crème épaisse avec quelques cubes de glace dans le robot culinaire. Vous obtiendrez rapidement une matière grasse et non salée baignant dans du petit lait. Egouttez cette matière et servez-vous-en : c'est du beurre.

FROMAGE

Râpez du fromage sans en répandre partout. Glissez la râpe dans un sac de plastique ; introduisez le fromage et tenez-le à même le sac pour le râper.

La plupart des fromages ont meilleur goût servis à la température ambiante. Il faut compter 15 secondes pour réchauffer une portion au four micro-ondes réglé à médium.

ŒUFS

Vous pouvez vérifier la fraîcheur d'un œuf sans le casser. Plongez-le dans un bol d'eau froide. Si l'œuf flotte, jetez-le. Par contre, s'il tombe au fond du bol, sur le côté, il est très frais et bon à manger.

Comment diviser un œuf en deux ? Dans la plupart des cas, un œuf complet fait aussi bien l'affaire. Cependant, s'il vous faut réellement un demi-œuf, battez légèrement un œuf dans un petit bol, mesurez et prenez-en la moitié.

Si vous avez besoin sur-le-champ d'œufs à la température de la pièce, retirez-les du réfrigérateur et laissez-les tremper une dizaine de minutes dans un bol d'eau tiède.

Blancs et jaunes se séparent mieux lorsque les œufs sont froids. Laissez-les au réfrigérateur jusqu'au moment de vous en servir.

Un entonnoir est précieux pour séparer les œufs. Cassez l'œuf dans l'entonnoir : le blanc s'écoulera à travers alors que le jaune sera retenu à l'embouchure du tube.

Evitez de fouetter des blancs lorsqu'il fait un temps humide et pluvieux. L'air chargé de vapeur d'eau a tendance à les faire retomber.

Pour fouetter des blancs d'œufs sans peine, il est essentiel que le bol et les batteurs soient d'une propreté absolue. Le moindre corps gras les empêche de monter. Assurez-vous, par ailleurs, qu'il n'y a aucune trace de jaune dans les blancs.

Les blancs d'œufs montés en neige prennent plus de volume si vous les laissez en attente une demi-heure ou davantage à la température de la pièce avant de les fouetter.

Les blancs d'œufs en neige seront plus fermes si vous ajoutez le sucre au moment où ils ont déjà commencé à monter. Incorporez le sucre peu à peu tout en continuant de battre. Si vous l'ajoutez trop tôt, si vous en ajoutez trop à la fois, vous obtiendrez une sorte de guimauve qui ne gonfle plus.

Pour empêcher l'œuf de craquer lorsque vous le plongez dans l'eau bouillante, perforez le gros bout sur 5 mm avec une aiguille acérée.

Pour différencier les œufs durs des œufs crus, dessinez un petit trait de crayon sur les premiers. Ou encore, jetez ½ c. à thé de cucurma dans l'eau de cuisson des œufs pour colorer leur coquille. Autre méthode, faites pivoter l'œuf sur le côté : s'il oscille, il est cru ; l'œuf cuit garde son équilibre.

La coquille des œufs durs s'enlève plus facilement si vous les plongez dans un bol d'eau froide sitôt la cuisson terminée. Craquelez ensuite l'œuf de tous les côtés et laissez-le refroidir dans l'eau.

Pour garnir rapidement plusieurs œufs durs, introduisez l'apprêt dans la poche à pâtisserie.

VIANDE ET VOLAILLE

Préparez rapidement des boulettes de viande ou des hambourgeois. Roulez la viande hachée en un long boudin, tranchez et façonnez chaque tranche en boule ou en galette.

Il est plus facile d'émincer finement le bœuf, le porc ou l'agneau si la viande est partiellement congelée.

Avant de faire sauter une viande, épongez-la avec une serviette de papier. L'humidité l'empêche de brunir et de griller avec succès.

Entaillez le gras qui entoure biftecks et côtelettes tous les 2 cm ; autrement, la viande frisera à la cuisson.

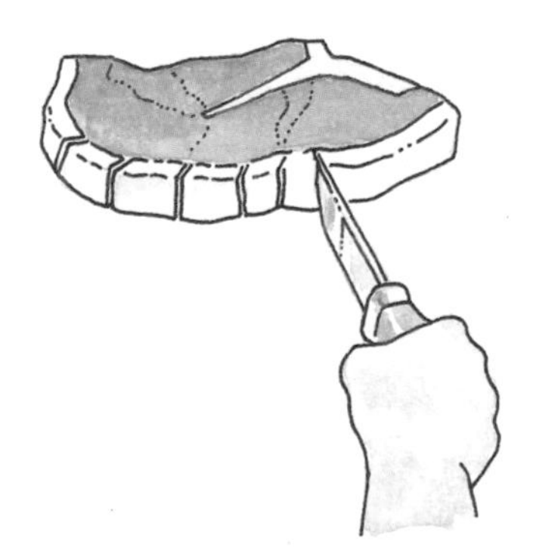

Avant de mettre à rôtir le gigot d'agneau, pratiquez une demi-douzaine d'incisions de 2 cm ici et là dans le gras. Dans chacune, introduisez une petite lamelle d'ail et, si vous le désirez, un peu de thym ou de romarin.

La marinade attendrit les viandes dures et leur donne de la saveur. En voici une pour le bœuf, l'agneau, le porc et le gibier. Mélangez 1 tasse d'huile végétale et ½ tasse de vin rouge sec. Ajoutez 1 oignon en rondelles, sel, poivre, thym ou romarin au goût. Roulez la viande dans cette marinade. Couvrez et réfrigérez toute une nuit.

DÉCOUPAGE DU POULET

1. Saisissez la cuisse, écartez-la du corps et entaillez la peau pour exposer l'articulation. Ramenez la cuisse de façon que l'articulation sorte de son logement et tranchez à travers la jointure. Faites de même avec l'autre cuisse.

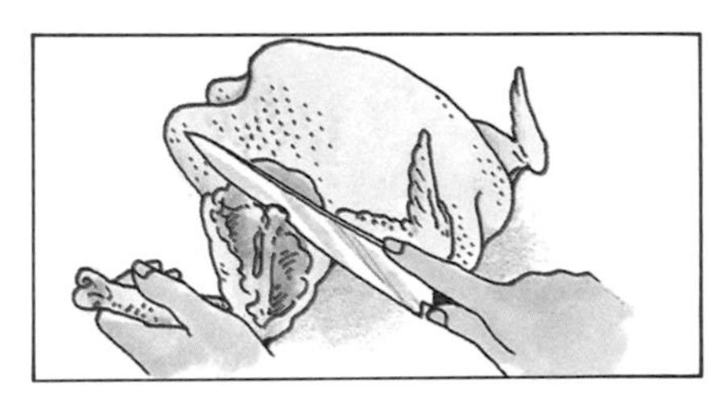

2. Ramenez le pilon vers la cuisse pour exposer l'articulation du genou ; tranchez à travers pour séparer les deux morceaux. Faites de même avec l'autre pilon.

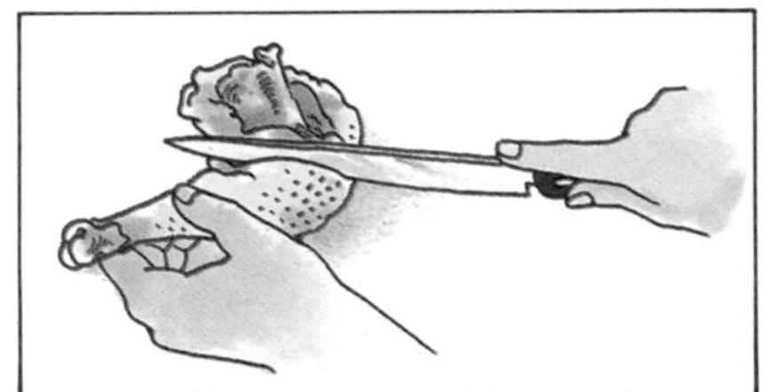

3. Ecartez l'aile du corps et sectionnez à travers l'articulation en entamant un peu la chair de la poitrine. Faites de même pour l'autre aile.

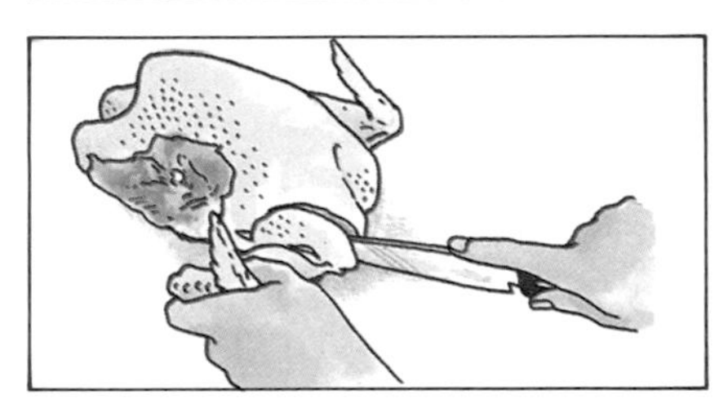

4. Coupez le long du sillon de la cage thoracique pour dégager la partie supérieure du thorax de la carcasse. En tirant de la main, puis à l'aide du couteau, détachez la poitrine de la carcasse.

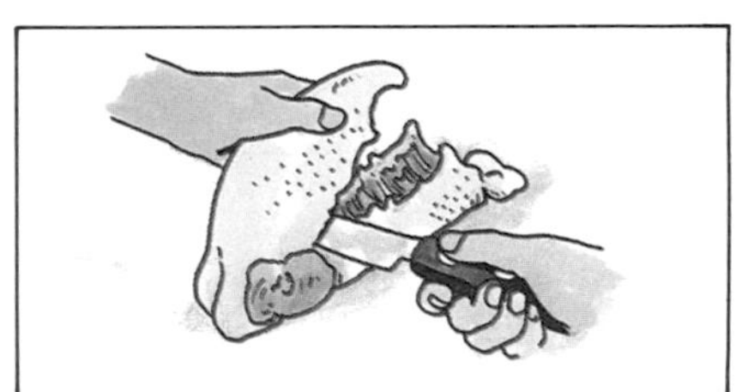

5. Coupez les os du dos près du cou avec le couteau pour libérer la poitrine. Coupez le dos en deux morceaux si besoin est.

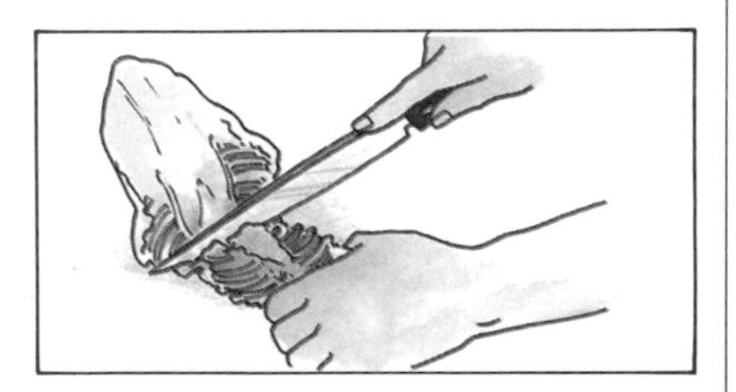

6. Dégagez doucement les suprêmes en glissant le couteau de chaque côté du bréchet. Si vous coupez à travers, ils ne seront pas désossés.

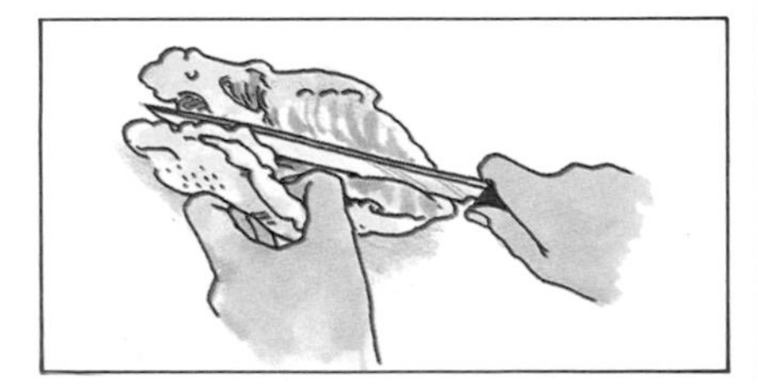

Avant d'ouvrir du jambon en conserve, passez la boîte quelques minutes sous l'eau chaude pour faire fondre la gélatine qui entoure la viande. Celle-ci sortira d'un bloc.

Epargnez de l'argent sur les poitrines de poulet désossées en les désossant vous-même à l'aide d'un petit couteau tranchant. Légèrement congelées, les poitrines se désossent encore mieux.

Vous n'avez pas besoin d'un maillet spécial pour aplatir la viande. Placez la pièce entre deux pellicules de plastique et frappez-la avec le fond d'une casserole ou d'une poêle lourde.

Lorsque vous découpez un poulet, réservez toujours le dos, le cou et le gésier. Congelez-les avec les carcasses de dinde ou de poulet rôtis. Quand vous en avez suffisamment, décongelez-les pour confectionner bouillons ou soupes.

Pour obtenir une belle croûte croquante quand vous faites frire du poulet, ajoutez environ 2 c. à thé de fécule de maïs pour chaque ½ tasse de farine. Assaisonnez à volonté avec sel, poivre et paprika.

La veille où vous devez faire rôtir un poulet, assaisonnez-le de sel et de poivre en ajoutant, au goût, de l'estragon, du romarin ou une autre fine herbe. Terminez avec quelques gouttes de citron. Retirez le volatile du réfrigérateur une heure avant de le mettre au four.

Quand vous avez le temps, la méthode la plus simple pour dégraisser un bouillon est de le mettre au réfrigérateur. Le gras forme une croûte qui s'enlève sans peine.

Il est inutile de décongeler un bouillon avant de l'utiliser. Mettez-le tel quel dans une casserole et faites fondre doucement sur le feu la quantité qu'il vous faut. Réfrigérez le reste.

FRUITS DE MER

Ouvrez les huîtres avec un décapsuleur. Introduisez la pointe sous la charnière de la valve supérieure (côté sombre et plat) et poussez vers l'intérieur. Le décapsuleur est plus sûr que le couteau à huîtres.

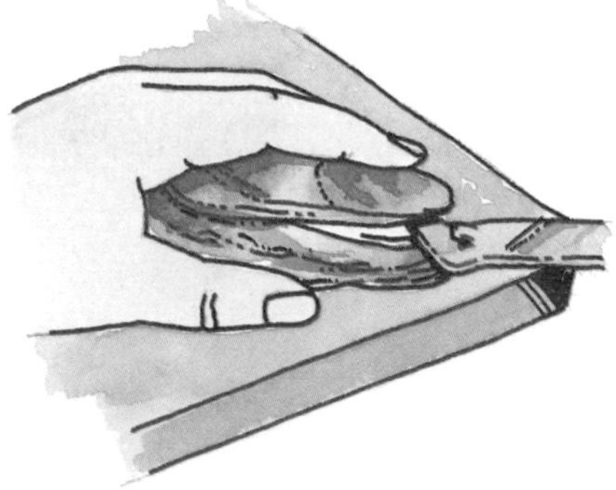

S'il vous faut des huîtres ou des palourdes cuites, enfournez-les de 3 à 5 minutes à 230°C (450°F) après les avoir placées côte à côte sur une plaque à biscuits. Retirez-les quand vous constatez que tous les coquillages se sont ouverts. Ajoutez l'eau des mollusques dans votre recette.

Pour ouvrir plus facilement les palourdes de mer, laissez-les tomber de côté sur une surface dure, comme le plancher de la cuisine.

Voulez-vous débarrasser les palourdes de leur sable ? Saupoudrez-les de flocons d'avoine, couvrez-les d'eau froide et laissez-les ainsi en attente pendant 3 heures environ. En absorbant le gruau, les palourdes rejettent le sable.

Mouillé, le poisson s'écaille plus facilement. Juste avant de commencer l'écaillage, passez le poisson sous le robinet d'eau froide.

Le poisson poché ou cuit entier au four a meilleur goût si vous retirez les ouïes avant la cuisson.

PAINS ÉCLAIR

Crêpes et gaufres seront d'une légèreté étonnante si vous remplacez le liquide recommandé par du club soda. Mais la pâte ne se garde pas ; vous devrez donc toute l'utiliser.

Si vous avez du mal à démouler les muffins, placez la plaque chaude sur une serviette mouillée 30 secondes environ. Ou faites-les cuire dans de petits moules en papier.

FILETS DE POISSON ROND Le poisson n'a pas besoin d'être vidé.

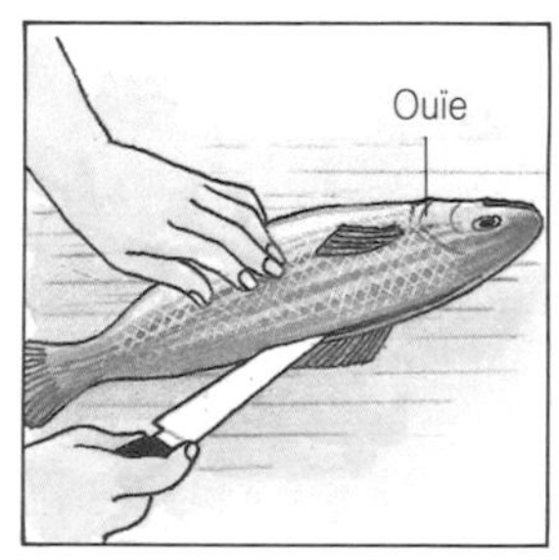

1. D'une main, tenez le poisson ; de l'autre, faites une incision de la tête à la queue pour exposer l'arête centrale.

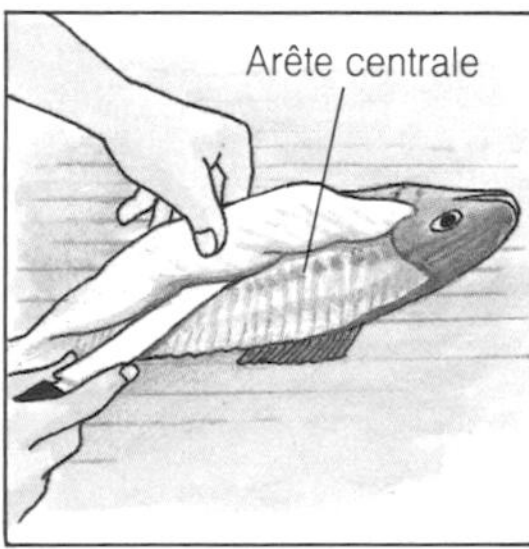

2. Coupez la chair à angle droit derrière l'ouïe, puis glissez le couteau entre la chair et les arêtes, parallèlement à celles-ci, en progressant vers la queue.

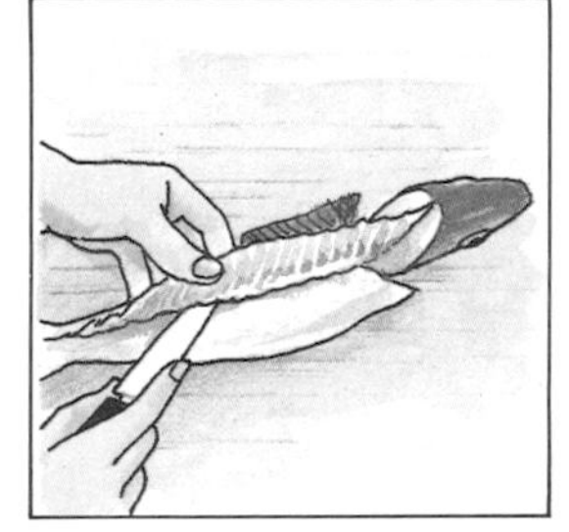

3. De l'autre côté, coupez à angle droit derrière l'ouïe. Retournez le poisson. Saisissez l'arête et faites glisser le couteau vers la queue en détachant le filet. Puis, coupez la queue.

FILETS DE POISSON PLAT Le poisson n'a pas besoin d'être vidé.

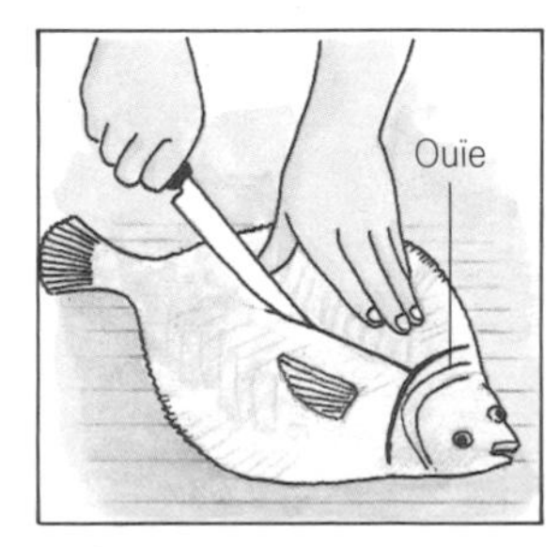

1. Coupez un poisson plat le long de l'arête centrale depuis la tête jusqu'à la queue. Juste derrière la tête, au-dessous de l'ouïe, faites une incision semi-circulaire jusqu'à l'arête.

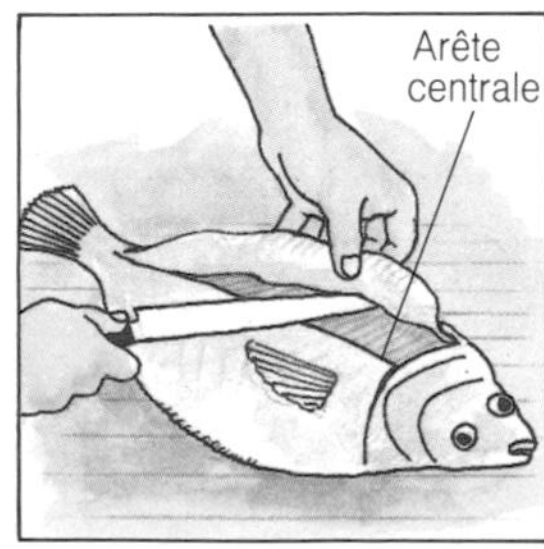

2. Dégagez la chair des arêtes en glissant le couteau parallèlement à celles-ci. Tenez le filet à mesure que vous le détachez.

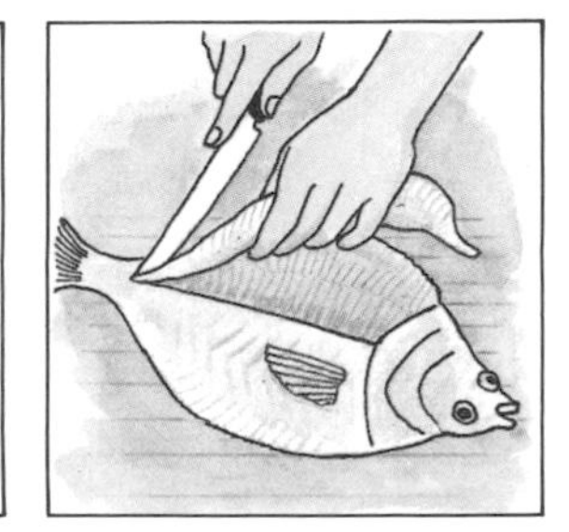

3. Coupez le filet à hauteur de la queue. Répétez l'opération de l'autre côté.

Vérifiez de temps à autre la fraîcheur de votre levure chimique. Versez ¼ tasse d'eau chaude du robinet sur ½ c. à thé de levure. Si la préparation ne fait pas beaucoup de bulles, la levure est éventée.

Biscuits, crêpes et muffins à la levure chimique durcissent si on travaille trop la pâte après ajout du liquide. Ne remuez que pour humecter les ingrédients secs, même s'il reste des grumeaux.

Pour que les biscuits à la levure chimique se séparent bien, abaissez la pâte à 6 mm d'épaisseur sur une planche bien farinée, rabattez une moitié de l'abaisse sur l'autre et découpez les biscuits. Si vous les aimez bien riches, badigeonnez la pâte de margarine ou de beurre fondu avant de la plier.

Vous avez peu de temps ? Abaissez la pâte à biscuits et découpez-la en carrés. Il n'y aura pas de chutes de pâte à travailler.

Le pain aux noix s'émiette moins au moment du service si vous le faites séjourner bien couvert une nuit au réfrigérateur, une fois qu'il a cuit et refroidi. Coupez-le avec un couteau à lame dentée.

PAINS À LA LEVURE

Voulez-vous bien réussir vos pains à la levure ? Utilisez le moins de farine possible tout en restant capable de pétrir la pâte. Celle-ci doit être assez humide. Rajouter de la farine, c'est la rendre lourde et dure.

Si vous avez du mal à abaisser la pâte parce qu'elle est très élastique, laissez-la se détendre. Couvrez-la d'une serviette de table pour l'empêcher de sécher et attendez une dizaine de minutes.

Quand une pâte à la levure ne lève pas, vérifiez la fraîcheur de la levure (regardez la date de péremption) et la température du liquide. Les petits blocs de levure fraîche demandent un liquide à 30°C (85°F) ; la levure sèche active, un liquide à 45°C (115°F). Vérifiez la température avec un thermomètre à bonbons.

Plusieurs sortes de céréales sèches peuvent remplacer la chapelure quand vous en manquez. Emiettez-les au mixeur ou au robot. Elles sont excellentes dans les pâtés de viande et les hambourgeois, mais aussi dans les pains à la levure.

Pour garder les petits pains chauds, enveloppez un carreau de céramique chaud dans une serviette et posez-le au fond de la corbeille. Déposez celle-ci sur un dessous-de-plat pour ne pas brûler la table.

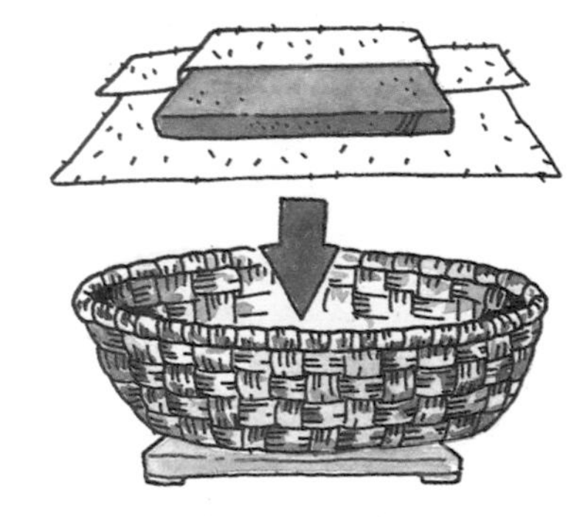

Ravivez la fraîcheur des petits pains rassis ; aspergez d'eau froide, placez dans un sac en papier ou dans du papier d'aluminium et enfournez 5 minutes à 190°C (375°F).

Les sandwiches ne se ramollissent pas dans le panier-repas si vous étalez la mayonnaise ou les autres ingrédients humides entre la viande et la laitue plutôt que sur le pain. Autre méthode : mettez laitue, tomates et cornichons dans un petit sac de plastique et ajoutez-les au pain au moment de manger.

TARTES

Etendez un linge à vaisselle humide sous la planche à pâtisserie pour l'empêcher de glisser pendant que vous abaissez de la pâte au rouleau ou que vous pétrissez du pain.

Avant de tamiser de la farine sur du papier ciré, pliez avant la feuille en deux au centre. Vous aurez ainsi un sillon verseur fort commode.

Eparpillez 4 c. à soupe de flocons d'avoine à cuisson rapide sur la planche avant d'abaisser la pâte. L'avoine donne un goût de noisette à la croûte et la rend plus nutritive.

Les croûtes de tarte sont meilleures si tous les ingrédients sont très froids au moment du mélange ; ne travaillez la pâte que pour les réunir et réfrigérez-la avant de l'abaisser.

Remplacez ¼ tasse de farine de blé par de la farine de blé entier, de soja, d'avoine ou de millet ou des flocons d'avoine à cuisson rapide.

Badigeonnez l'abaisse d'eau froide avant d'enfourner la tarte ; la croûte sera plus feuilletée.

Il vous reste de la pâte à tarte ? Congelez-la dans du papier d'aluminium. S'il vous faut une croûte pour une tarte aux fruits, râpez le pâton congelé sur les fruits.

La meringue ne collera pas au découpage si vous la saupoudrez de sucre granulé au moment où elle dore à basse température. Vous pouvez aussi beurrer le couteau ou le plonger dans l'eau chaude.

GÂTEAUX ET GLAÇAGES

Lorsqu'une recette demande des œufs et de l'huile, cassez d'abord les œufs dans une tasse à mesurer avant de les verser dans le bol. Vous mesurerez l'huile ensuite ; grâce à la pellicule d'œuf qui reste, elle collera moins aux parois.

Placez un linge sous le bol à mélanger pour l'empêcher de se déplacer sur le comptoir.

Tamisez toujours le sucre glace : vous n'aurez jamais de grumeaux dans vos glaçages.

Pour la Saint-Valentin, faites un gâteau en cœur. Préparez un gâteau rond et un autre carré. Coupez le premier en deux et disposez le second en losange devant vous. Placez les deux demi-gâteaux sur deux côtés adjacents du losange. Réunissez-les avec une glace appropriée.

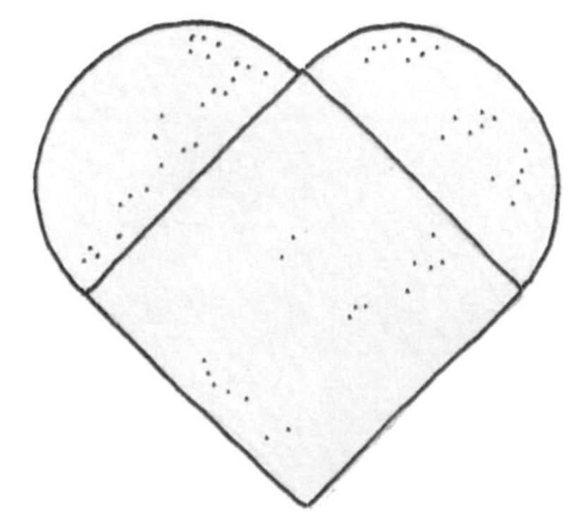

Fabriquez votre poche à pâtisserie en pratiquant un trou dans le coin d'un sac en plastique épais ; mettez-y la garniture de votre choix et comprimez le sac.

Pour remplir une poche à pâtisserie, introduisez-la dans un grand bocal, repliez le bord de la poche par-dessus celui du bocal et videz-y la garniture.

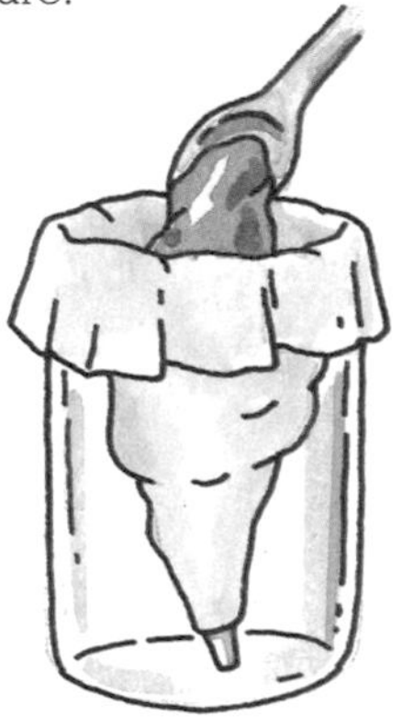

Lorsque vous glacez un gâteau dans son plat de service, disposez d'étroites bandes de papier ciré sur celui-ci. L'opération terminée, retirez les bandes délicatement d'un mouvement légèrement latéral. Le plat sera impeccable.

Si vous entamez un gâteau pour prendre quelques portions seulement, coupez-le en deux de manière à prélever une bande au centre. Pressez ensuite les deux moitiés l'une contre l'autre ; elles pourront attendre sans sécher.

Voulez-vous garnir joliment un gâteau sans glaçage ? Surmontez-le d'un napperon à large motif ajouré que vous saupoudrez de sucre glace, puis retirez-le tout doucement.

BISCUITS

Les biscuits aux flocons d'avoine seront plus savoureux si vous faites griller les flocons auparavant. Etalez-les dans un moule à gâteau roulé et faites cuire 10 à 12 minutes au four à 150°C (300°F).

Lorsque vous façonnez des biscuits avec les mains, passez celles-ci à l'eau froide de temps à autre, surtout si la pâte renferme beaucoup de graisse végétale ; elle ne collera pas à vos paumes.

Abaissez la pâte à biscuits entre deux feuilles de papier ciré ; vous pourrez mettre moins de farine et la pâte n'adhérera pas au rouleau.

Voici comment garnir le dessus des biscuits sans utiliser une véritable glace. Badigeonnez-les de gelée de fruit fondue ou de confiture avant de les enfourner. Froids, ils auront une jolie finition luisante.

Découpez les biscuits en rectangles en vous servant d'un coupe-pizza. Servez-vous-en aussi pour obtenir les bandes de pâte disposées en croisillons sur les tartes (p. 389).

Si vous manquez de plaques à biscuits, tournez une lèchefrite à l'envers et utilisez son fond en guise de plaque.

AUTRES DESSERTS

Empêchez les flans et les crèmes anglaises de faire une peau. Recouvrez-les de pellicule de plastique pendant qu'ils refroidissent.

Avant de démouler un dessert ou une salade en gelée, humectez le plat de service. La gelée y glissera sans coller et vous pourrez bien la centrer dans le plat.

Pour faciliter le démoulage des desserts et salades en gelée, plongez le moule dans l'eau chaude ou, mieux encore, enveloppez-le d'une serviette imbibée d'eau chaude pendant environ 15 secondes. Puis, saisissez le moule des deux mains et, d'un coup sec des poignets, renversez-le dans un plat.

Si vous manquez de sucre granulé extra-fin, vous pouvez en fabriquer en passant du sucre ordinaire au mixeur. Mettez-en peu à la fois dans le bocal et broyez à grande vitesse. Ce conseil est particulièrement utile pour les meringues ; il permet au sucre de fondre rapidement et évite les bavures qui souvent se forment en surface (voir p. 389).

La cassonade a durci en pain ? Aspergez-la d'eau et placez-la dans un bol peu profond, à découvert, au four réglé à 95°C (200°F). Une fois la cassonade ramollie, défaites-la avec une fourchette ou passez-la au mixeur ou au robot culinaire.

Installez le bocal de miel cristallisé dans un bol d'eau chaude ou placez-le ouvert au four, à 120°C (250°F), jusqu'à ce qu'il se liquéfie.

DANS LA CUISINE

Vous n'avez pas de tamis à farine ? Vous n'en avez pas vraiment besoin. Utilisez une passoire ordinaire.

S'il vous faut un entonnoir pour transvaser des ingrédients secs, coupez le coin d'un petit sac en papier. Faites de même avec un sac en plastique pour les liquides.

Lorsqu'il vous faut un entonnoir plus robuste, vous pouvez vous en confectionner un facilement. Sectionnez en deux, avec un couteau lourd et tranchant, une bouteille en plastique de 2 ou 5 litres. Utilisez la partie supérieure en guise d'entonnoir. Lavez-la à l'eau chaude savonneuse avant de vous en servir.

MESURES LIQUIDES

Mesure	Equivalence Impériale	Equivalence métrique
Pincée ou trait	Moins de ⅛ c. à thé	
1 c. à thé	1/6 oz liq.	5 ml
1 c. à soupe	3 c. à thé ou ½ oz	15 ml
2 c. à soupe	6 c. à thé ou 1 oz	30 ml
¼ tasse	4 c. à soupe ou 2 oz liq.	60 ml
⅓ tasse	5 c. à soupe plus 1 c. à thé ou 2⅔ oz liq.	90 ml
½ tasse	8 c. à soupe ou 4 oz liq.	125 ml
1 tasse	8 oz liq.	250 ml
1 chop	2½ tasses ou 20 oz liq.	625 ml
1 pinte	2 chop ou 40 oz liq.	1 250 ml ou 1,25 litre
1 gal	4 pintes ou 160 oz	5 litres

Formules de conversion approximatives :
Pour convertir des onces en millilitres, multipliez les onces par 30 (ex. : 100 oz × 30 = 3 000 ml)
Pour convertir des millilitres en onces, multipliez les millilitres par 0,03 (ex. : 3 000 ml × 0,03 = 90 oz)

Si la salière laisse passer trop de sel, remédiez à la situation en bouchant quelques trous avec du vernis à ongles incolore, après avoir lavé la salière de tout dépôt de sel et l'avoir bien essuyée.

Prenez l'habitude d'aiguiser vos couteaux sur un fusil de boucher chaque fois que vous vous en servez : 10 passages suffisent et ils garderont leur fil plus longtemps.

Il faudra parfois un affûtage plus soigné. Demandez au boucher de votre marché d'alimentation où il fait aiguiser ses couteaux ou consultez les Pages jaunes de l'annuaire du téléphone sous « Aiguisage ».

La planche à découper en plastique est préférable à celle en bois pour plusieurs raisons : elle ne gauchit pas ; vous pouvez la laver à l'eau et au savon et la mettre au lave-vaisselle. Si elle se tache, imbibez-la d'un agent de blanchiment domestique énergique, attendez quelques minutes et rincez bien.

Les vieilles serviettes de bain ou les couvre-matelas coussinés font d'excellentes poignées ; découpez-les en rectangles de 20 cm sur 38. Mieux vaut placer une lisière ou un bord fini sur l'un des grands côtés. Pliez le rectangle en deux, endroit sur endroit. Piquez les deux côtés non finis. Tournez le rectangle à l'endroit et piquez l'ouverture.

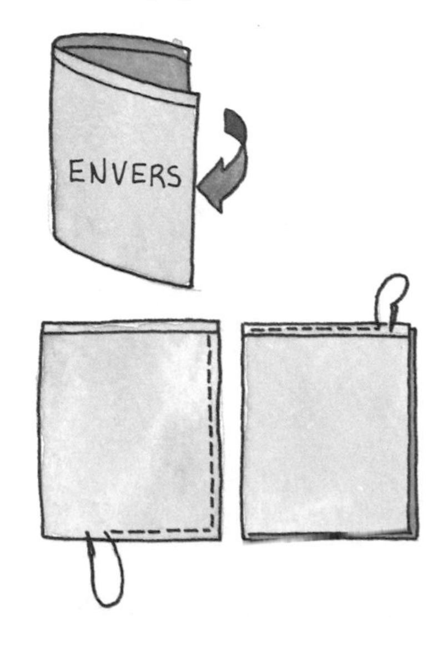

MESURES DE POIDS ET ÉQUIVALENCES

Onces et livres	Grammes (approx.)
¼ oz	7,5 g
½ oz	15 g
1 oz	30 g
2 oz	60 g
4 oz (¼ lb)	120 g
8 oz (½ lb)	230 g
16 oz (1 lb)	460 g

Formules de conversion approximatives :
Pour convertir des onces en grammes, multipliez les onces par 30.
Pour convertir des grammes en onces, multipliez les grammes par 0,03.

Vous pouvez augmenter selon vos besoins l'espace de comptoir dans la cuisine en posant de grands plateaux ou des plaques à biscuits sur des tiroirs partiellement ouverts. En cas d'urgence, vous pouvez même utiliser la table à repasser.

Autre petit truc utile. Procurez-vous une planche en bois qui s'adapte bien sur l'évier. Si vous découpez un trou de 5 cm de diamètre dans un coin, vous pouvez même pousser les épluchures dans l'évier. En temps normal, rangez-la debout contre le réfrigérateur.

Pour empêcher le hachoir à viande ou la machine à pâte de glisser sur le comptoir, insérez du papier de verre entre la pince-étau et la table, côté sablé à l'extérieur.

Vous prévoyez un repas en plein air ? Casez des briquettes dans des boîtes à œufs en carton et fermez bien. Le moment venu, vous enflammez la boîte : personne ne se salit les mains.

Les bacs à glaçons ne collent pas dans le fond du congélateur si vous mettez du papier ciré dessous.

Pour avoir meilleure prise sur les couvercles de bocaux ou de bouteilles, saisissez-les par le côté sablé d'un morceau de papier de verre.

TROIS RECETTES DE BASE POUR REPAS VITE FAITS

Lorsque vous avez le temps, fabriquez en quantité le hachis et les mélanges qui suivent ; les jours où vous serez à la course, vous pourrez préparer rapidement l'un des trois plats principaux au bœuf ou un dessert.

HACHIS DE BŒUF*

¼ tasse d'huile végétale
4 oignons moyens, pelés et tranchés
4 gousses d'ail, pelées et hachées fin
4 côtes de céleri, tranchées
2 ou 3 carottes, pelées et tranchées
2,5 kg de bœuf maigre, haché
1 c. à soupe de sel
2 c. à thé de poivre
3 c. à soupe de sauce Worcestershire
1 bocal (740 ml) de sauce Marinara ou autre sauce à spaghetti

Partagez l'huile également dans deux grandes sauteuses et ajoutez dans chacune la moitié des oignons, de l'ail, du céleri et des carottes. Après 10 minutes de cuisson à feu modéré en remuant de temps à autre, faites revenir dans chacune la moitié de la viande en la détachant à la cuiller. Quand elle est cuite, ajoutez sel, poivre, sauce Worcestershire et sauce Marinara. Couvrez et laissez mijoter 20 à 25 minutes en enlevant le gras à la cuiller. Laissez refroidir. Transvasez le hachis dans sept contenants à congélation de 2 tasses en laissant 2 cm de vide sur le dessus. Fermez hermétiquement et étiquetez. Congelez. Se conserve trois mois. Donne environ 14 tasses de hachis.

Ragoût de Hambourg aux nouilles

1 paquet (280 g) de légumes mélangés surgelés
2 tasses de hachis de bœuf, décongelé*
2 tasses de nouilles aux œufs cuites
1 boîte (213 ml) de sauce tomate
1 tasse de fromage cheddar râpé

Mettez les légumes mélangés dans une sauteuse moyenne et préparez-les en suivant le mode d'emploi. Incorporez le hachis de bœuf, les nouilles cuites et la sauce tomate. Couvrez et faites cuire à feu modéré environ 10 minutes en remuant de temps à autre. Ajoutez quelques cuillerées à soupe d'eau si la préparation a tendance à attacher. Egrenez le fromage râpé sur le dessus sans mélanger. Couvrez et laissez fondre. Servez à même la sauteuse. Donne 4 à 6 portions.

Chili con carne

2 tasses de hachis de bœuf, décongelé*
2 c. à thé ou davantage d'assaisonnement au chile
2 boîtes (425 ml chacune) de haricots rouges

Mélangez les ingrédients dans une sauteuse moyenne. Couvrez et faites cuire à feu modéré environ 10 minutes. Donne 6 portions.

Pizza vite faite

2 tasses de hachis de bœuf, décongelé*
6 muffins anglais, ouverts
1 tasse de mozzarella ou de cheddar fort râpé
1 c. à thé ou plus d'origan séché
Pepperoni, champignons, poivrons verts et olives (au goût) en tranches fines

Laissez mijoter le hachis de bœuf 5 minutes dans une petite casserole. Faites griller les demi-muffins et nappez-les de hachis. Saupoudrez de fromage et d'origan. Ajoutez la garniture de pepperoni et de légumes. Passez de 3 à 5 minutes au gril. Donne 12 pizzas individuelles.

MÉLANGE À BISCUITS ET CRÊPES*

6 tasses de farine tout usage, tamisée
2 c. à soupe et 1½ c. à thé de levure chimique
1 tasse de lait écrémé en poudre
2½ c. à thé de sel

Mélangez farine, levure chimique, lait déshydraté et sel dans un grand bol. Versez la pâte à la cuiller dans un contenant en verre ou en plastique de 2 litres. Couvrez et réfrigérez; le mélange se conserve au réfrigérateur environ un mois. Donne 7 tasses.

Biscuits à la levure chimique : Portez le four à 230°C (450°F). Réunissez dans un bol 2 tasses du mélange* et 1¼ tasse de crème épaisse (ou 1 tasse de crème épaisse et ¼ tasse de lait). Mélangez rapidement à la fourchette. Laissez tomber la pâte par grosses cuillerées à soupe sur une plaque à biscuits légèrement graissée. Faites cuire au four de 8 à 10 minutes. Donne environ 20 biscuits. Variante : Ajoutez 1 c. à thé de votre fine herbe préférée avant d'incorporer la crème.

Crêpes : Dans un bol, battez légèrement un œuf à la fourchette, puis ajoutez 1 tasse du mélange*, ¾ tasse d'eau froide et 2 c. à soupe de margarine ou de beurre fondu ou d'huile végétale. Mélangez rapidement les ingrédients : la pâte doit être grumeleuse. Donne 12 crêpes environ. Variantes : Juste avant la cuisson, incorporez ½ tasse de bleuets ou de pommes hachées.

MÉLANGE À GÂTEAU*

8 tasses de farine tout usage
6 tasses de sucre granulé
¼ tasse de levure chimique
1½ c. à thé de sel
1 boîte de 450 g de graisse végétale (2¼ tasses)

Dans un bol, tamisez ensemble farine, sucre, levure chimique et sel. Mélangez bien. Avec un mélangeur à pâte, incorporez la graisse jusqu'à obtention d'une chapelure grossière. Mettez le mélange dans un grand contenant hermétique. Gardez au frais ou au réfrigérateur. S'utilise dans les 10 à 12 semaines. Donne environ 16 tasses.

Gâteau aux épices

5 tasses de mélange à gâteau*
1¼ c. à thé de muscade moulue
1¼ c. à thé de cannelle moulue
½ c. à thé de clou de girofle moulu
1 tasse d'eau
¼ tasse de beurre ou de margarine
½ tasse de crème sure ou de yogourt
2 œufs, légèrement battus

Four réglé à 190°C (375°F). Graissez généreusement un moule de 33 cm × 23 × 5. Dans un grand bol, réunissez le mélange à gâteau, la muscade, la cannelle et le clou de girofle. Amenez à ébullition dans une petite casserole l'eau et le beurre ou la margarine et ajoutez-les aux ingrédients secs. Mélangez, puis ajoutez la crème sure ou le yogourt et les œufs. Versez la pâte dans le moule. Faites cuire 40 minutes. Laissez refroidir dans le moule sur une grille. Garnissez de votre glaçage préféré.

Gâteau au chocolat

3⅓ tasses de mélange à gâteau*
9 c. à soupe de cacao
1 tasse de lait
2 œufs, légèrement battus
3 c. à soupe de beurre ou de margarine, fondu

Portez le four à 190°C (375°F). Graissez et farinez légèrement deux moules ronds de 20 cm. Réunissez le mélange à gâteau et le cacao dans un grand bol. Ajoutez ½ tasse de lait; battez à vitesse moyenne 2 minutes. Ajoutez le reste du lait, les œufs et le beurre ou la margarine, fondu. Fouettez 2 minutes de plus. Versez la pâte dans les moules. Faites cuire 25 minutes. Posez les moules sur une grille pendant 10 minutes, puis démoulez et laissez refroidir les gâteaux sur la grille. Garnissez-les de votre glaçage préféré.

Cuisson

CRÊPES ET GAUFRES

Crêpes et gaufres seront plus légères si vous ne mettez que les jaunes d'œufs d'abord dans la pâte. Une fois tous les ingrédients ajoutés, incorporez, à la toute fin, les blancs battus en neige ferme.

Idée de recette pour sirop à crêpes ou à gaufres : mélangez ⅓ tasse de beurre, autant de sucre et ½ tasse de concentré surgelé de jus d'orange. Réchauffez en remuant jusqu'à ce que le sucre soit dissous.

Pour empêcher les gaufres d'adhérer au gaufrier, badigeonnez celui-ci d'huile végétale après chaque gaufre, sauf si le gaufrier présente une finition antiadhésive.

MUFFINS

De temps à autre, faites des muffins-surprise. Remplissez à moitié seulement les moules de pâte. Dans chacun, déposez un quartier de pomme, un morceau d'ananas en boîte, un pruneau cuit dénoyauté ou un autre fruit. Versez le reste de la pâte par-dessus et faites cuire.

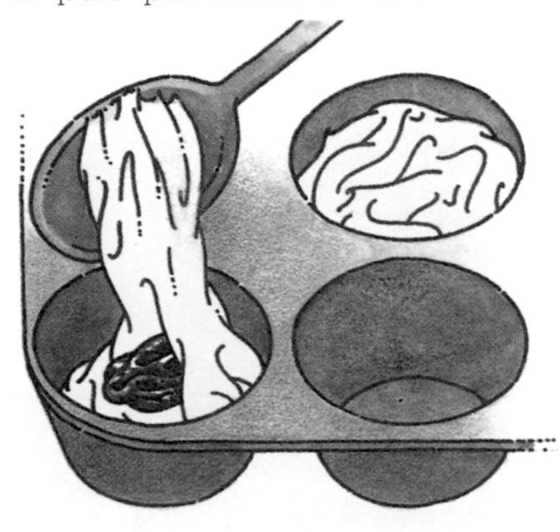

Dans le pain au maïs, vous pouvez ajouter à la pâte, avant cuisson, des oignons et des poivrons verts cuits ou du bacon croustillant émietté.

Pour doter les muffins d'une croûte croquante et sucrée, saupoudrez la pâte d'un peu de sucre granulé ou de cassonade juste avant la cuisson.

AUTRES PAINS

Le pain pumpernickel grillé et croquant accompagne bien la soupe. Placez le pain non tranché une heure ou deux au congélateur pour le durcir et le découper en tranches extra fines. Garnissez-les de beurre doux et de parmesan râpé et enfournez-les à 160°C (325°F) jusqu'à ce qu'elles soient croquantes.

Il faut 30 secondes pour décongeler des muffins anglais surgelés sur du papier au four à micro-ondes réglé à « fort » ; puis on les coupe en deux et on les fait griller.

Dans les sandwiches au beurre d'arachide, ajoutez des carottes râpées grossièrement, des bananes hachées ou de l'ananas déchiqueté égoutté. Du même coup, vous augmentez leur valeur nutritive.

Il vous reste du pain français ou italien dont vous ne savez que faire ? Faites-en des pizzas. Coupez le pain en deux à l'horizontale ; nappez de sauce à spaghetti, ajoutez de l'origan, du pepperoni tranché et du parmesan et couronnez de mozzarella râpé. Passez 10 à 15 minutes au four, à 220°C (425°F), pour que le fromage fonde.

LA CUISSON DU PAIN

Si vous avez de l'eau de cuisson de pommes de terre quand vous faites du pain, ajoutez-la au mélange farine et levure ; elle nourrira la levure et donnera de la saveur au pain.

Une variante agréable : ajoutez 1 c. à thé de poudre d'ail à la farine dans la recette de pain blanc ; son goût sera un peu différent.

Si la cuisine est froide au moment de faire du pain, réchauffez tous les ingrédients, farine et bol y compris, en les déposant dans le four tiède. La pâte lèvera mieux.

Voici comment empêcher la croûte du pain de craqueler. Avant d'enfourner la pâte, pratiquez plusieurs entailles en diagonale sur toute la surface avec une lame de rasoir à un seul tranchant.

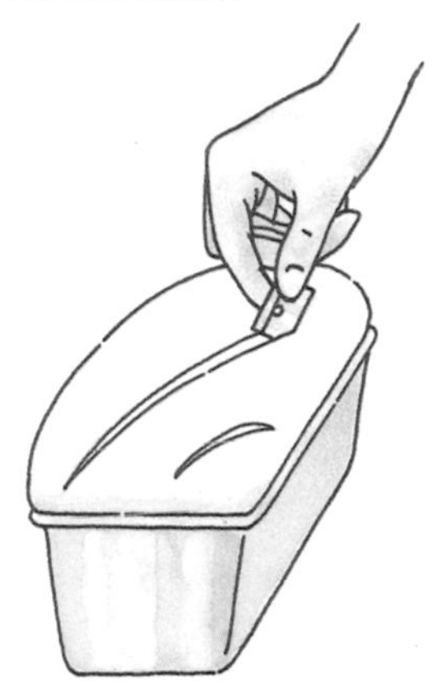

RIZ ET PÂTES

Le riz a plus de saveur s'il est mis à cuire dans du bouillon de poulet ou de bœuf, du consommé ou du jus de tomate plutôt que dans de l'eau.

Pour que le riz ne soit pas collant, faites-le cuire, comme du spaghetti, dans un grand récipient d'eau salée bouillante. Surveillez la cuisson.

SUBSTITUTS ORDINAIRES

Ingrédient	Quantité	Substitut
Ail	1 petite gousse	1⅛ c. à thé de poudre d'ail
Babeurre	1 tasse	1 tasse de yogourt nature ou 1 tasse de lait entier plus 1 c. à soupe de jus de citron ou de vinaigre (5 min d'attente)
Bouillon, poulet ou bœuf	1 tasse	1 cube ou 1 sachet de bouillon instantané dans 1 tasse d'eau
Chapelure de craquelins fine	¾ tasse	1 tasse de chapelure de pain fine et sèche
Chocolat non sucré (28 g)	1 carré	3 c. à soupe de cacao plus 1 c. à soupe de beurre
Concentré de tomate	1 c. à soupe	1 c. à soupe de ketchup
Crème claire	1 tasse	¾ tasse de lait plus ¼ tasse de beurre fondu
Crème épaisse (non pour fouetter)	1 tasse	¾ tasse de lait plus ⅓ tasse de beurre fondu
Crème sure	1 tasse	⅞ tasse de yogourt nature ou de babeurre plus 3 c. à soupe de beurre fondu
Farine à gâteau	1 tasse	1 tasse de farine tout usage tamisée moins 2 c. à soupe
Fécule de maïs (pour épaissir)	1 c. à soupe	2 c. à soupe de farine tout usage
Jus de citron	1 c. à thé	½ c. à thé de vinaigre
Ketchup ou sauce chili	½ tasse	½ tasse de sauce tomate plus 2 c. à soupe de sucre, 1 c. à soupe de vinaigre et ⅛ c. à thé de clou de girofle moulu
Lait entier	1 tasse	½ tasse de lait évaporé plus ½ tasse d'eau ou 1 tasse d'eau plus ⅓ tasse de lait écrémé instantané en poudre et 2 c. à thé de beurre fondu ou 1 tasse de lait écrémé plus 2 c. à thé de beurre fondu
Levure chimique	1 c. à thé	¼ c. à thé de bicarbonate de soude plus ½ c. à thé de crème de tartre
Miel	1 tasse	1¼ tasse de sucre plus ¼ tasse d'eau
Moitié-moitié	1 tasse	⅞ tasse de lait plus 1½ c. à soupe de beurre fondu
Moutarde préparée	1 c. à soupe	1 c. à thé de moutarde sèche
Oignon	1 petit	1 c. à soupe d'oignon émincé instantané
Porc haché	225 g	225 g de saucisse non épicée
Sauce au piment rouge	3-4 gouttes	⅛ c. à thé de poivre de Cayenne
Sirop de maïs (blond, non pour cuisiner)	1 tasse	1¼ tasse de sucre granulé plus ⅓ tasse d'eau
Vinaigre	1 c. à thé	2 c. à thé de jus de citron

Pour faire cuire sans surveillance des spaghettis ou des linguines, jetez-les dans un grand faitout d'eau salée en pleine ébullition. Eteignez le feu, couvrez et laissez les spaghettis en attente 15 minutes, les linguines 20 minutes.

S'il vous reste des spaghettis cuits, écrasez-les dans le fond d'un moule à tarte graissé et recouvrez-les de poulet, de poisson, de viande ou de légumes en sauce crémeuse ou d'une garniture au fromage. Enfournez le temps voulu à 180°C (350°F).

DE MEILLEURS ŒUFS

Une cuillerée à soupe de xérès fait merveille dans les omelettes et les œufs brouillés. Vous l'ajoutez avant la cuisson.

Le blanc des œufs pochés se coagule mieux si vous ajoutez un peu de vinaigre à l'eau de pochage.

Vous aurez un pochoir d'urgence si vous dégagez des boîtes de thon vides de leurs fonds. Posez-les dans une sauteuse pleine d'eau mijotante et cassez les œufs dedans.

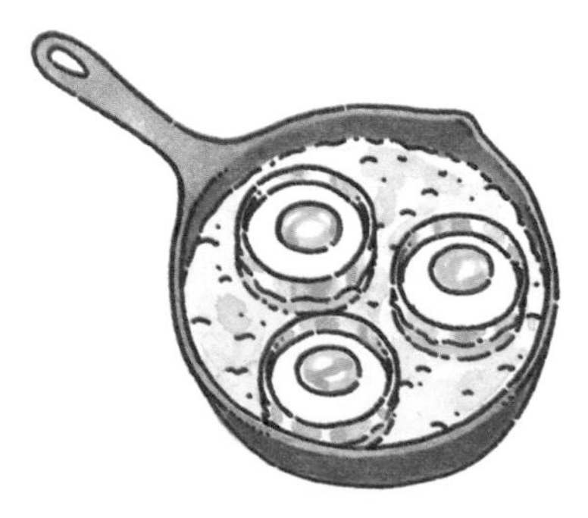

Remuez doucement les œufs mis à cuire durs durant les deux premières minutes de leur cuisson : les blancs se coagulent plus vite et les jaunes demeurent au centre. Les œufs sont donc plus faciles à farcir et plus jolis détaillés en tranches.

FAIRE DU YOGOURT

Il vous faut 1 litre de lait partiellement écrémé et ¼ tasse de yogourt nature acheté au magasin ou 2 c. à soupe de culture de yogourt.

1. Réchauffez le lait à feu doux. Quand il atteint 80°C (180°F) (vérifiez au thermomètre à bonbons), retirez la casserole du feu et laissez le lait marquer entre 40 et 43°C (105°-110°F). Ajoutez le yogourt ou la culture bactériologique et remuez bien.

2. Versez dans un bocal de 1 litre ou plusieurs petits bocaux. Couvrez de pellicule de plastique ; mettez à incuber dans un endroit chaud (entre 40 et 44°C/105-112°F) 3 ou 4 heures pour le mélange au yogourt, 7 ou 8 heures pour la culture. Choisissez entre :

— un four à gaz froid dont la veilleuse est allumée ;

— un endroit chaud en protégeant la préparation des courants d'air ;

— une glacière isolante à pique-nique remplie de journaux chiffonnés.

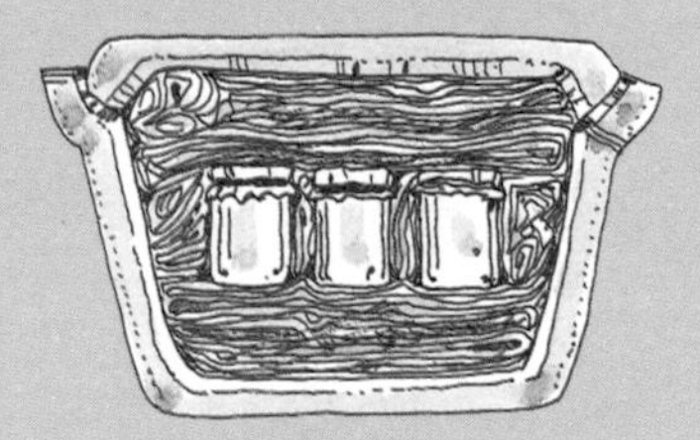

3. Sitôt que le yogourt retient l'empreinte d'une cuiller ou du doigt, il est prêt. Mettez-le au moins 3 heures au réfrigérateur pour qu'il se raffermisse. Gardez au réfrigérateur ¼ tasse de ce yogourt pour fermenter le prochain.

La durée de la fermentation détermine le degré d'acidité du yogourt.

Un excès de culture ou de yogourt au début produit des grumeaux.

Le yogourt sera plus doux si vous employez du lait entier ou additionné de crème claire. Si vous l'aimez plus épais, ajoutez jusqu'à 3 c. à soupe de lait en poudre par litre de lait.

Si vous n'avez pas le temps de faire cuire des œufs durs pour vos sandwiches à la salade d'œufs, préparez des œufs brouillés un peu secs. Quand ils sont froids, ajoutez la mayonnaise et les assaisonnements. Pensez à un peu de cari.

SOUPES

Les légumes que vous ajoutez à une soupe lui apportent beaucoup plus de saveur si vous les faites sauter au beurre auparavant.

Il est possible de préparer une bonne soupe de poissons avec du thon en boîte. Détaillez en cubes des pommes de terre à l'anglaise. Faites sauter ensemble oignon, céleri et petits morceaux de bacon. Quand ils sont à point, ajoutez 2 tasses de lait et une boîte de thon.

Soupe ou ragoût trop salés ? Prolongez la cuisson avec quelques tranches de pommes de terre crues qui absorberont l'excès de sel.

La soupe aux tomates ou les veloutés de toutes sortes prennent un air de fête si vous les servez avec un peu de crème fouettée salée. Décorez celle-ci, au choix, de paprika, de cari ou de ciboulette hachée.

FRUITS

Lorsque vous faites cuire des tranches de pommes, ajoutez le sucre en début de cuisson pour empêcher le fruit de s'écraser.

Décorez la salade de fruits de bananes roulées dans la crème sure, puis dans du coco râpé et grillé.

Pour un barbecue, posez des bananes entières, non pelées, sur le gril. Cuisez doucement à couvert 8 minutes en les tournant une fois.

GELÉES

Si vous aimez les gelées de fruits, vous apprendrez avec plaisir que la cuisson des fruits à l'autocuiseur en extrait beaucoup plus de jus et se fait plus rapidement.

Un peu de ficelle prise dans la paraffine permet d'enlever celle-ci facilement. Versez la paraffine chaude et plongez-y 12 cm de ficelle de cuisine forte. Quand vient le moment d'ouvrir un nouveau pot, il suffit de tirer sur la ficelle pour enlever la paraffine.

CUISSON DES LÉGUMES

Les betteraves bouillies perdent de leur couleur et de leur valeur nutritive. Faites-les cuire au four : après les avoir lavées, enveloppez-les ensemble dans un grand morceau de papier d'aluminium ; enfournez-les à 200°C (400°F) pendant 1 h 30 à 2 heures, selon leur grosseur. Elles seront tendres et croquantes avec une saveur très fine.

Dans les pieds de brocoli, certains gourmets préfèrent... les pieds. Détachez-les des têtes et détaillez-les en rondelles de 1,5 cm d'épaisseur ou en tronçons de 5 cm. Faites-les cuire de 4 à 5 minutes dans un peu d'eau salée : ils seront tendres, mais encore croquants.

Sauté au beurre, le chou est meilleur que bouilli ou étuvé. Râpez-le et faites-le revenir 2 ou 3 minutes dans du beurre avec une gousse d'ail écrasée. Ajoutez un peu d'eau ou de bouillon de poulet, couvrez et laissez cuire jusqu'à ce qu'il soit tendre mais encore croquant.

Nappez le chou-fleur ou le brocoli cuits d'une boîte de soupe condensée au fromage chaude, additionnée de ¼ tasse de lait.

Cherchez-vous un nouveau légume à servir avec le rosbif ? Etalez de la mayonnaise sur des tranches d'aubergine de 1 ou 2 cm d'épaisseur ; saupoudrez de basilic ou d'origan, de chapelure et de parmesan râpé. Couronnez d'un peu de beurre. Faites cuire une quinzaine de minutes au four, à 230°C (450°F).

La laitue boston, la laitue en feuilles, la scarole et la romaine sont excellentes cuites dans peu d'eau avec un peu d'ail haché.

LÉGUMES À LA VAPEUR

La cuisson à la vapeur est excellente car elle conserve aux légumes beaucoup de leur saveur et de leurs éléments nutritifs. Déposez dans le fond d'un grand faitout une grille ou une marguerite avec les légumes pour qu'ils soient à 2 cm au-dessus de l'eau. Quand l'eau bout, baissez le feu pour qu'elle mijote. Soulevez le couvercle quand vous pensez que les légumes sont cuits. Vérifiez à la fourchette. Voici une liste de légumes à cuire à la vapeur avec la durée de la cuisson.

Légumes	Temps de cuisson approximatifs
Artichaut moyen	30-35 min
Asperges	8 min
Betteraves moyennes	40-45 min
Brocoli	10-12 min
Carottes tranchées	20 min
Chou-fleur, fleurs	6-10 min
Choux de Bruxelles	8-10 min
Courge d'été tranchée	10 min
Epinards	5 min
Haricots verts	20-25 min
Maïs en épi	6-10 min
Oignons, petits, blancs	15 min
Petits pois	15 min
Pommes de terre nouvelles	20-25 min

Le champignon est un légume pauvre en calories. Salez de gros chapeaux de champignons et posez-les à l'envers sur une plaque graissée. Enfournez à 180°C (350°F). Réduisez à 150°C (300°F) et comptez 15 minutes de cuisson.

La saveur et la texture des champignons y gagnent si vous les faites revenir dans un peu de beurre avant de les jeter dans un ragoût.

Ménagez vos efforts. Si vous mettez des oignons dans un bouillon que vous devez passer sans garder les légumes, ne les pelez pas. Lavez-les et coupez-les en gros morceaux. Il en va de même pour l'ail.

Vous êtes à court d'oignons ? Remplacez-les par quelques cuillerées à thé de soupe à l'oignon déshydratée en sachet.

Les pommes de terre au four seront prêtes en deux fois moins de temps si vous les faites cuire 5 minutes à l'eau bouillante avant de les mettre au four.

La meilleure des purées se fait avec des pommes de terre Idaho cuites au four et mises en purée avec du beurre et du lait ou de la crème claire chaude.

Ne pelez pas les courges à peau dure, comme le giraumon ou le turban. Détaillez-les en gros morceaux, enlevez les graines et faites cuire. Quand elles sont à point, retirez la chair et jetez l'écorce.

Préparez les courgettes à la façon d'une lasagne. Détaillez-les en fins bâtonnets sur la longueur et faites-les cuire à la vapeur. Etalez-les dans un plat à gratin avec sauce spaghetti et fromage râpé. Enfournez à 180°C (350°F) sans couvrir.

Déposez une mince tranche ou deux de fromage emmenthal ou gruyère sur un légume cuit ; mettez-le au four à 230°C (450°F) pour que le fromage fonde ou au gril pour qu'il dore.

FINES HERBES

Le bouquet garni — feuille de laurier, thym frais et persil liés ensemble en fagot — relève la saveur des soupes, ragoûts et plats braisés. Si les ingrédients sont secs, réunissez-les dans un morceau de mousseline pour pouvoir facilement les retirer après la cuisson.

Si vous n'avez pas les fines herbes fraîches que demande une recette, prenez-en des séchées en réduisant la quantité des deux tiers. Emiettez-les entre vos mains pour qu'elles communiquent bien toute leur saveur au plat.

Avant d'ajouter des fines herbes séchées à une sauce comme de la mayonnaise, plongez-les dans l'eau bouillante et essorez. Elles seront plus vertes et plus aromatiques.

Une demi-cuillerée à thé de sauge séchée ajoutée à du porc qui mijote dans une sauce tomate en boîte ou maison donne à cette viande un parfum qui va bien avec les pâtes.

Pour sécher les fines herbes de votre jardin, mettez-les 1 minute au four micro-ondes réglé à fort.

LA CUISSON AUX AROMATES

Aliment	Aromates
Agneau	
Côtelettes	Basilic, origan, thym
Rôti, en ragoût	Ail, marjolaine, menthe, romarin
Betteraves	Aneth, graine de carvi
Bœuf	
Bouilli	Aneth, feuille de laurier, raifort, romarin
Hambourgeois	Origan, sauge, thym
Marinade	Coriandre, feuille de laurier, persil
Bœuf braisé	Basilic, romarin, thym
Pot-au-feu	Ail, feuille de laurier, persil, thym
Carottes	Cerfeuil, menthe, romarin, thym
Champignons	Estragon, graine de fenouil
Chou, chou-fleur	Aneth, graine de carvi
Choux de Bruxelles	Aneth, basilic, romarin
Concombre	Ail, aneth, coriandre
Courges d'été, courgettes	Basilic, cerfeuil, romarin, sarriette
Foie	Ail, romarin, sarriette, sauge
Fromage	
Plats au fromage	Cerfeuil, sauge, sarriette
Cottage	Aneth, graine de carvi
Crème	Ail, ciboulette, romarin
Fruits de mer, poisson	
Au four, au gril, pochés	Aneth, ciboulette, estragon, graine de fenouil
Poisson en crème, coquillages	Aneth, ciboulette, estragon, sarriette
Poisson farci	Marjolaine, sarriette, sauge
Haricots (mange-tout)	Aneth, basilic, coriandre, sarriette
Œufs	
En salade	Cerfeuil, graine de céleri, persil
Brouillés, en omelette	Aneth, ciboulette, cumin, marjolaine
Petits pois	Basilic, estragon, graine de fenouil, menthe
Pommes de terre	
Bouillies	Aneth, coriandre, persil
En salade	Aneth, ciboulette, marjolaine
Porc	
Côtelettes	Marjolaine, sarriette
Rôti	Ail, romarin, sauge, thym
Poulet	
En crème	Estragon, sarriette, sauge
En salade	Aneth, estragon
Sauté, rôti	Cumin, origan, romarin
Farce	Marjolaine, persil, sauge, thym
Riz	Coriandre, cumin, romarin
Salades	
De fruits	Géranium rosat, menthe
Verte panachée	Ail, basilic, estragon, persil
Tomates	
Au gratin	Basilic, estragon, thym
En salade	Basilic, coriandre, origan
En sauce	Basilic, feuille de laurier, origan
Veau	
Côtelettes, rôti	Ail, romarin, sauge
En ragoût	Basilic, estragon, thym

ÉPICES

Quand vous préparez des plats au cari, faites toujours revenir les épices dans un peu de beurre ou d'huile auparavant. Cela les rend beaucoup plus faciles à digérer.

La muscade relève la saveur des épinards à la crème et des pommes de terre en purée, mais aussi celle des flans, des poudings au riz et des laits de poule.

Ajoutez du paprika à la farine d'enrobage d'un poisson pour la cuisson en grande friture. Saupoudrez-en les frites en début de cuisson.

FRUITS DE MER

Pour déterminer le temps de cuisson d'un poisson, mettez le filet, la darne ou le poisson à plat et mesurez la partie la plus épaisse. Comptez 10 minutes pour 2,5 cm d'épaisseur, quelle que soit la méthode de cuisson choisie.

Donnez du piquant à un poisson. Mettez quelques tranches de gingembre frais ou du gingembre en poudre dans l'huile de cuisson.

Ne tournez pas les filets de poisson cuits au gril : ils se briseraient.

Défaites les restes de poisson au mixeur. Ajoutez mayonnaise, fines herbes et aromates de votre choix. Utilisez cette pâte pour garnir du céleri, des œufs durs, des canapés et des pâtés de poissons.

Vous arrive-t-il de vous battre avec un homard qui refuse la casserole ? Tenez-le tête en bas et frappez-le sur le derrière de la tête à quelques reprises. Il se calmera. On prétend que ce traitement rend sa chair plus tendre et plus délicate.

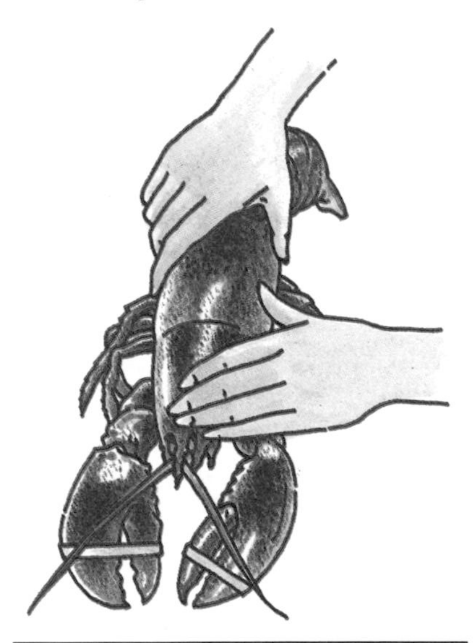

POULET ET DINDE

La poitrine de poulet désossée reste à plat durant la cuisson si vous coupez auparavant les tendons qui courent sur la longueur à travers la chair du dessous.

Les blancs seront moins secs si, au début de la cuisson, vous couchez la volaille sur la poitrine pendant 40 à 45 minutes. Tournez-la sur le dos pour terminer la cuisson en l'arrosant de beurre fondu.

Dressez du mincemeat dans des demi-pêches fraîches ou en conserve ; aspergez de brandy, mettez un peu de beurre et réchauffez au four à 180°C (350°F). C'est un accompagnement parfait pour une dinde ou un poulet rôti.

TEMPS DE RÔTISSAGE DU POULET

Poids	Température	Durée app.*
750 g	200°C (400°F)	1 heure
1 kg	200°C (400°F)	1 h 10
1,25 kg	190°C (375°F)	1 h 15
1,50 kg	190°C (375°F)	1 h 30
1,75 kg	190°C (375°F)	1 h 45
2 kg	190°C (375°F)	2 heures
2,25 kg	190°C (375°F)	2 h 15
2,50 kg	190°C (375°F)	2 h 30

*La température interne doit être de 85°C (185°F). Prolongez la cuisson de 15 minutes si la volaille est farcie.

TEMPS POUR LA DINDE À 160°C (325°F)

Poids	Farcie*	Non farcie*
2,5–3,5 kg	3 h–3 h 30	2 h 15–3 h 15
3,5–5,5 kg	3 h 30–4 h 30	3 h–4 h
5,5–7,5 kg	4 h 30–5 h 30	3 h 30–4 h 30
7,5–9 kg	5 h 30–6 h 30	4 h–5 h
9–11 kg	6 h 30–7 h	4 h 30–5 h 30

*La température interne doit être de 85°C (185°F).

Si vous pochez un poulet pour préparer sandwiches ou salades, laissez-le refroidir dans le fonds de pochage pendant une heure avant de le découper. Il aura une chair plus fine, une texture plus délicate.

Déposez la dinde sur un lit de côtes de céleri. Elles tiendront lieu de grille et empêcheront la volaille d'attacher. La cuisson terminée, vous vous retrouverez avec un fonds délicieusement parfumé que vous pourrez transformer en sauce. Mais jetez le céleri.

Des pommes, rien de plus : voilà une farce délicieuse pour une dinde. Introduisez les pommes pelées et parées dans la dinde, sans les couper. La dinde cuite, retirez-les.

On fait un excellent cari avec des restes de dinde cuite. Utilisez beaucoup d'oignons hachés.

HAMBOURGEOIS

Ne comprimez pas les galettes des hambourgeois. Elles seront plus légères, plus juteuses.

Moulez les boulettes de viande autour d'un petit cube de fromage : mozzarella, cheddar, ce que vous avez sous la main. La cuisson ne change pas, mais quelle surprise !

PÂTÉS DE VIANDE

Pour varier le goût des pâtés de viande, ajoutez de la soupe déshydratée à l'oignon. La quantité dépendra de l'importance du pâté. Pensez à des carottes râpées ; elles allongent bien la viande.

Garnissez le pâté de viande d'une belle purée de pommes de terre. Quelque 15 minutes avant la fin de la cuisson, étalez la purée et badigeonnez-la de beurre fondu. Remettez le pâté au four pour qu'il finisse de cuire.

Préparez de petits pâtés dans des moules à muffins. Ils cuisent deux fois plus vite et se présentent bien.

SAUTER ET FRIRE

Réchauffez quelques minutes la sauteuse avant d'ajouter le beurre ou l'huile. Les aliments attacheront moins facilement.

Faites sauter les aliments dans un mélange de beurre et d'huile végétale en volume égal ; le beurre se dénature moins.

La pâte adhère mieux lorsque l'aliment, après enrobage, est laissé 30 minutes à la température ambiante avant la cuisson en friture.

Mettez ½ à 1 c. à thé de bicarbonate de soude dans la pâte à frire pour la rendre plus légère. Une cuillerée à soupe de xérès ou de brandy n'est pas déconseillée, surtout pour les fritots de poissons et de fruits de mer.

SAUTER, BRAISER, FRIRE

Sauter, c'est faire rapidement dorer ou cuire un aliment dans du gras. Cette méthode convient aux pièces de viande minces et tendres et aux légumes qui cuisent vite. Pour ne pas perdre de jus et empêcher l'aliment d'attacher, on le sèche ou on l'enrobe de farine. Le gras doit être très chaud, et la sauteuse peu encombrée.

Le braisage commence ainsi : on fait dorer un aliment dans le gras à feu modéré. On ajoute ensuite un peu de liquide (bouillon, vin ou eau), on couvre et on laisse mijoter jusqu'à cuisson complète. Les viandes qui profitent de cette préparation sont celles qu'une longue cuisson attendrit.

Pour éviter les débordements, la friture se fait généralement dans un grand bain de corps gras chauffé à 190°C (375°F). La friture convient aux aliments qui cuisent rapidement.

Posez une passoire à l'envers sur la sauteuse pendant que vous faites revenir des aliments ; elle retiendra les éclaboussures de graisse tout en laissant passer la vapeur qui empêcherait l'aliment de dorer.

RAGOÛTS ET BRAISÉS

Ne faites revenir dans le gras que peu de pièces à la fois et attendez qu'elles soient dorées à point. Ce procédé affine les saveurs. Dans une sauteuse encombrée, les aliments cuisent dans leur vapeur.

Ajoutez un peu de paprika au fonds de cuisson d'un pot-au-feu. Le paprika donne saveur et couleur.

Pour épaissir la sauce d'un ragoût, jetez-y une poignée de chapelure de pain au moment où vous ajoutez le fonds de cuisson.

TEMPS DE CUISSON AU GRIL

Coupe	Épaisseur approx.	Temps de cuisson en minutes — Saignant	À point
BŒUF			
Bifteck de faux-filet	2,5 cm	5–6	7–10
	5 cm	8–10	14–18
Bifteck porterhouse ou de surlonge	2,5 cm	5–8	6–10
	4 cm	8–12	10–15
	5 cm	12–16	16–20
Filet mignon	5 cm	6–8	10–12
AGNEAU			
Tranche d'épaule	2–2,5 cm		7–11
Côte sans filet	2,5 cm		7–11
	4 cm		15–19
Côte avec filet	2,5 cm		7–11
	4 cm		15–19
PORC FRAIS*			
Côte avec et sans filet	2–4 cm		30–45
PORC FUMÉ*			
Tranche de jambon	1,5 cm		10–12
Tranche de longe	1,5–2 cm		15–20

*Le porc doit toujours être bien cuit.

TEMPS DE BRAISAGE

Coupe	Poids ou épaisseur approx.	Durée totale
BŒUF		
Braisé	1,5–2 kg	2 h 30–3 h 30
Bout de côtes	Pièces	1 h 30–2 h 30
En cubes	2,5 cm	1 heure–1 h 30
	5 cm	1 h 30–2 h 30
VEAU		
Poitrine farcie	1,5–2 kg	1 h 30–2 h 30
Poitrine désossée	1–1,5 kg	1 h 30–2 h 30
En cubes	2,5–5 cm	45–60 min
PORC		
Côtelettes	2–4 cm	45–60 min
En cubes	2,5–3 cm	45–60 min
Côtes levées	1–1,5 kg	1 h 30
AGNEAU		
Tranche d'épaule	2–2,5 cm	45–60 min
Poitrine farcie	1–1,5 kg	1 h 30–2 heures
Poitrine roulée	750 g–1 kg	1 h 30–2 heures
En cubes	4 cm	1 h 30–2 heures

DÉCOUPAGE DES VIANDES ET DE LA VOLAILLE

Rôti de côte de bœuf

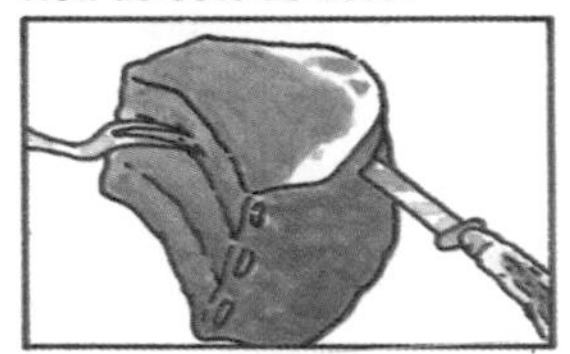

1. Enlevez une tranche à un bout du rôti pour l'asseoir. Tranchez vers les côtes.

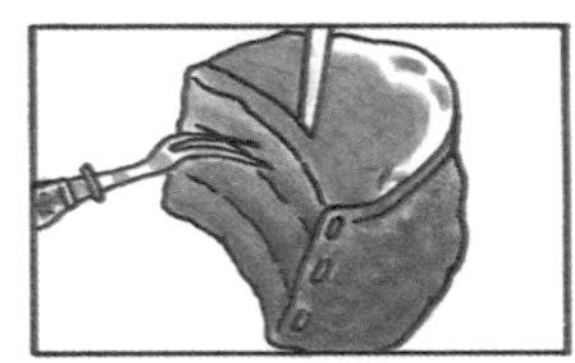

2. Dégagez les tranches en coupant à la verticale le long des côtes.

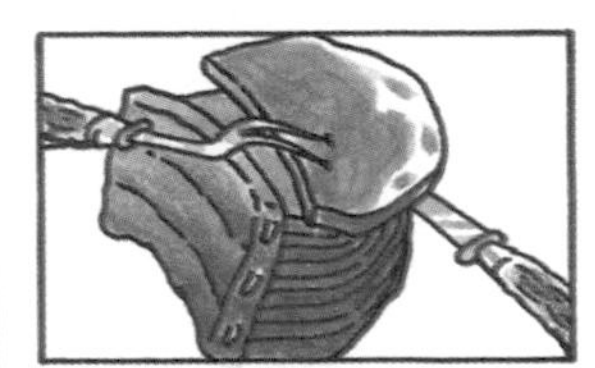

3. Glissez le couteau sous la tranche et, en maintenant celle-ci avec la fourchette, retirez-la.

Gigot d'agneau

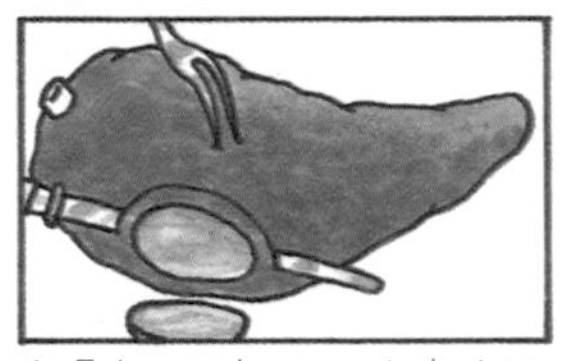

1. Enlevez deux ou trois tranches dans la partie mince de la pièce pour bien l'asseoir.

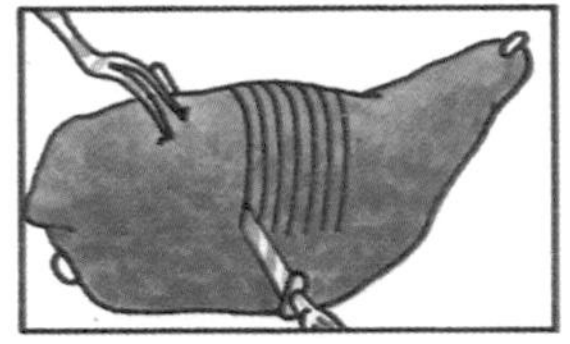

2. Posez le gigot sur cette base et découpez-le perpendiculairement à l'os.

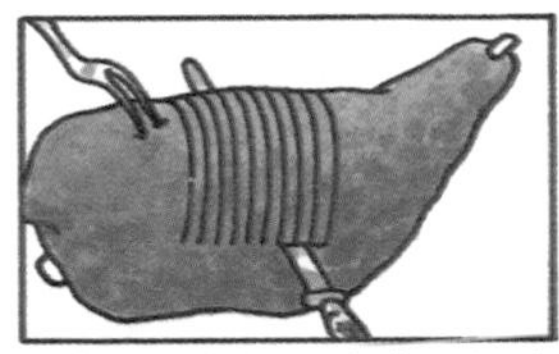

3. Coupez le long de l'os du gigot pour dégager les tranches à la base et servir.

Jambon entier

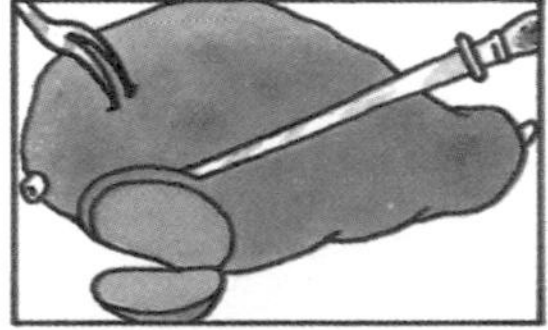

1. Posez le jambon avec le gras sur le dessus. Enlevez deux ou trois tranches sur le petit côté.

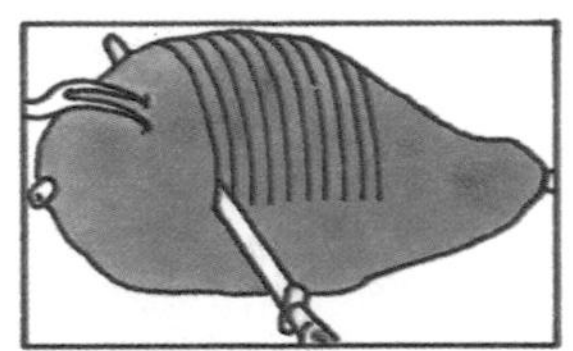

2. Le jambon étant sur cette base, tranchez-le ou découpez-le perpendiculairement à l'os.

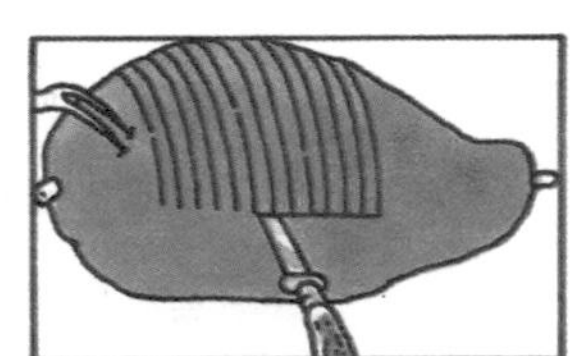

3. Passez le couteau le long de l'os pour dégager les tranches et faire le service.

Demi-jambon avec jarret

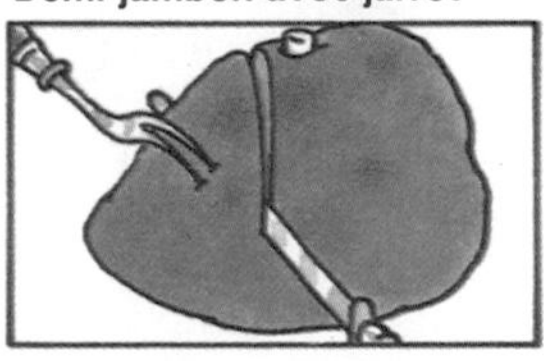

1. Déposez le jambon à plat. Tranchez le long de l'os et retirez la pièce de viande.

2. Posez cette pièce à plat et découpez-la transversalement en tranches fines.

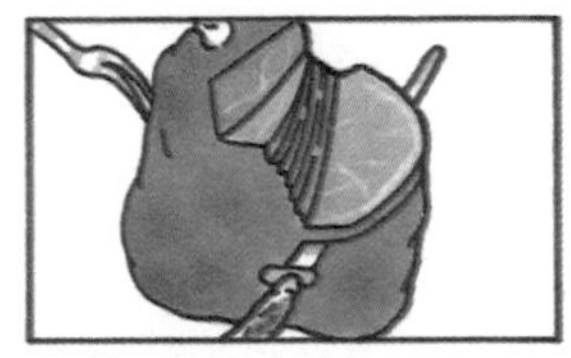

3. Terminez le découpage en coupant les tranches perpendiculairement à l'os.

Dinde ou poulet

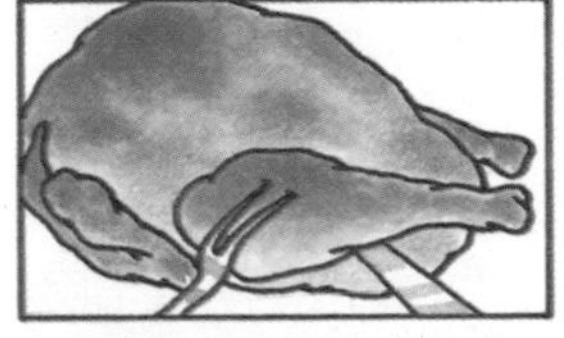

1. Retirez la cuisse et le pilon. Détaillez la chair en tranches autour des os.

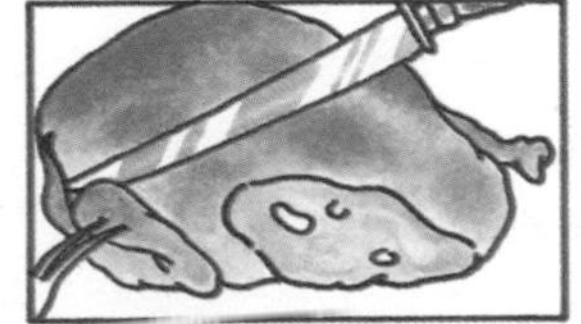

2. Dégagez les ailes en coupant près de la carcasse. Divisez-les en deux à l'articulation.

3. Détaillez les blancs en fines aiguillettes de chaque côté du bréchet.

RÔTIS

La viande d'un rôti doit être succulente : salez-la seulement à la fin de la cuisson, car le sel a la propriété d'amener les jus naturels à la surface où ils s'évaporent. Par contre, salez la viande qui sert à préparer un bouillon ou un fonds.

Retirez la viande du four lorsque le thermomètre indique une température inférieure de quelques degrés à la température spécifiée. La cuisson continue pendant que le rôti attend que vous le découpiez.

Dépouillez l'agneau de son gras avant de le faire griller, sauter ou rôtir. La pièce dégagera moins d'odeur et sa saveur sera plus fine. Mieux encore, saupoudrez-la légèrement de cannelle.

Le rôti de porc est plus succulent si vous lui faites atteindre une température interne de 75°C (170°F). Elle suffit à détruire les parasites responsables de la trichinose (qui meurent à 58°C/137°F), sans toutefois dessécher la viande.

Avant de servir le rôti, badigeonnez-le des jus de cuisson : il sera beaucoup plus appétissant.

Le raifort accompagne aussi bien le porc, mais oui, que le bœuf. Ajoutez-en une cuillerée à thé environ à de la purée de pommes chaude ou glacée. C'est aussi un excellent condiment pour viandes froides.

JAMBON

Si vous avez l'intention de servir le jambon froid, laissez-le tiédir dans l'eau de cuisson : il aura plus de saveur. Congelez cette eau pour y faire cuire des légumes et préparer une soupe aux pois cassés.

TEMPS DE RÔTISSAGE* (150–160°C/300–325°F)

Coupe	Poids app. en kg	Température au thermomètre à viande	Temps app. en minutes par kilo**
BŒUF			
Côtes	2–3		
saignantes		60°C/140°F	52–64
à point		70°C/160°F	68–76
cuites		75°C/170°F	80–84
Rôti de croupe désossée	2–3	65–75°C/ 150°–170°F	50–60
Pointe de surlonge	1,5–2	60–75°C/ 140°–170°F	70–80
	3–4	60–75°C/ 140°–170°F	60–70
VEAU			
Cuisse	2,5–4	75°C/170°F	50–70
Epaule désossée	2–3	75°C/170°F	80–90
AGNEAU			
Gigot entier	3,5–4,5		
rose		60°C/140°F	30–40
à point		70°C/160°F	40–50
cuit		75°C/170°F	50–60
Gigot court	1,5–2		
rose		60°C/140°F	60–70
à point		70°C/160°F	80–90
cuit		75°C/170°F	90–100
Gigot désossé	2–3,5		
rose		60°C/140°F	50–60
à point		70°C/160°F	60–70
cuit		75°C/170°F	70–80
Epaule désossée	1,75–2,5		
rose		60°C/140°F	60–70
à point		70°C/160°F	70–80
cuit		75°C/170°F	80–90
PORC FRAIS			
Longe, demi	2,5–3,5	75°C/170°F	70–80
Epaule (picnic) désossée	1,5–2,5	75°C/170°F	70–80
Cuisse, demi (avec os)	3,5–4	75°C/170°F	70–80
PORC FUMÉ			
Jambon à cuire (avec os)			
Entier	7–8	70°C/160°F	36–40
Demi	3,5–4	70°C/160°F	44–50
Jambon cuit (avec os)			
Entier	7–8	60°C/140°F	30–36
Demi	3,5–4	60°C/140°F	36–50

*Pour pièce frais sortie du réfrigérateur.
**La cuisson continue pendant que le rôti est mis en attente avant le découpage. Pour éviter de trop la cuire, retirez la pièce du four quand la température au thermomètre à viande est inférieure de quelques degrés à la température recommandée.

Il vaut mieux réchauffer au four la viande du jambon en conserve, même si vous voulez la servir froide ; ce traitement fait ressortir le bon goût de la chair.

Retirez la peau du jambon cuit au four ou de la langue pochée dès que la pièce a tiédi. Plus elle est froide, plus l'opération est difficile.

FONDS EN SAUCE

Si la sauce est pâle, ajoutez-lui un peu de café instantané en poudre. Le goût n'en sera pas modifié.

La sauce est-elle grumeleuse ? Quelques secondes au mixeur ou au robot culinaire, quelques coups de fouet ou un tamisage à la passoire fine devraient régler le cas.

Lorsque vous préparez un fonds de bœuf avec des os, faites-les rôtir sous le gril avant de les ajouter au mouillement. Le fonds prendra une belle teinte brune.

Relevez la saveur des bouillons de bœuf ou de poulet en boîte. Faites-les mijoter à couvert de 15 à 20 minutes avec de l'oignon, une carotte et du céleri hachés et ¼ tasse de vin rouge.

S'il faut faire réduire une sauce, voici comment mesurer la réduction. Plongez le manche d'une cuiller en bois dans la casserole et marquez le niveau du liquide d'un trait de crayon. Vérifiez le niveau de temps à autre avec la même cuiller.

SAUCES CUISINÉES

Pour épaissir rapidement une sauce un peu claire, mélangez à la fourchette 1 c. à soupe de farine avec la même quantité de beurre en pommade. Retirez la casserole du feu et incorporez peu à peu cette pâte en fouettant avec énergie. Cuisez jusqu'à épaississement en remuant.

Autre méthode : délayez 1 c. à soupe de fécule de maïs ou 2 de farine dans 2 c. à soupe d'eau froide et ajoutez-les à la sauce en mélangeant bien. Prolongez la cuisson de 2 à 3 minutes en remuant sans arrêt.

Passez tous les ingrédients d'une sauce Béchamel, sans oublier le beurre, au mixeur ou au robot. Versez le mélange dans une casserole mouillée d'eau et faites cuire à feu modéré jusqu'à épaississement en remuant au fouet. Vous n'aurez pas de grumeaux et la sauce sera prête dans le temps de le dire.

GÂTEAUX

Lorsque dans une recette de gâteau on recommande de fariner le moule après l'avoir graissé, remplacez la farine par du germe de blé et chemisez-en le moule généreusement. Cela empêche le gâteau de coller et c'est bien plus nourrissant.

Utilisez toujours du beurre doux dans votre pâtisserie ; tout ce que vous préparez ainsi aura une finesse tout à fait professionnelle.

Nuancez agréablement la saveur de vos gâteaux blancs, jaunes ou au chocolat. Incorporez 4 c. à soupe ou plus de beurre d'arachide croquant ou en crème au mélange sucre et beurre. Ajoutez les œufs et continuez en suivant les instructions de la recette.

Voici comment faire fondre du chocolat sans rien salir. Glissez les lamelles ou les carrés dans un sac de plastique qui va à l'eau bouillante, nouez et jetez-le dans l'eau qui mijote. Quand le chocolat a tiédi, entaillez un coin et pressez.

Enrobez de farine les noix et les fruits secs avant de les jeter dans une pâte à gâteau ou à pouding. De cette façon, ils ne tomberont pas dans le fond du moule.

Dans la plupart des cas, vous aurez intérêt à doubler la quantité de vanille exigée par la recette.

Le cure-dent est souvent trop court pour servir de sonde à gâteau. Vérifiez alors le degré de cuisson avec un bout de spaghetti cru.

Voici une glace facile. Dans un bol, fouettez ensemble au mélangeur électrique 85 g de fromage à la crème mou, 2 c. à soupe de beurre mou ou de margarine molle et ½ c. à thé de vanille. Quand le mélange est lisse, incorporez peu à peu en fouettant 2 tasses de sucre glace tamisé. Cette glace convient à un gâteau rond de 20 ou 22 cm.

TARTES

Le suif, le beurre et la graisse végétale se mesurent mieux si vous employez la technique suivante. Mettons qu'il vous faille ⅓ tasse de gras. Mettez deux tiers d'eau dans une tasse à mesurer et tassez-y la graisse jusqu'à ce que l'eau atteigne la marque d'une tasse.

La croûte des pâtés et des tourtières a plus de saveur si vous ajoutez à la pâte un peu de cari. Remplacez le cari par de la cannelle, de l'assaisonnement au chile ou du gingembre selon la nature de la garniture.

Une croûte de chapelure risque moins de s'émietter au moment du service si, auparavant, vous plongez le moule à tarte 30 secondes à mi-hauteur dans de l'eau chaude.

Etalez une tasse de coco râpé sur les fruits d'une tarte aux pommes avant de poser l'abaisse du dessus.

Si vous aimez le fromage avec la tarte aux pommes, essayez de l'introduire dans la tarte pour varier la présentation. Parsemez l'abaisse du fond de cheddar fort ou extra-fort râpé avant de disposer les fruits.

Toujours pour modifier les saveurs, ajoutez ½ c. à thé de graines de fenouil aux pommes de votre tarte.

Voici une chapelure qui recouvrira agréablement une tarte aux fruits. Dans un petit bol, mélangez ¾ tasse de farine, 1 tasse de sucre granulé ou de cassonade bien tassée et 1 c. à thé de cannelle. Incorporez 7 c. à soupe de beurre avec une fourchette ou un mélangeur à pâte.

Lorsque le sucre est mal fondu, des « larmes » perlent sur les meringues que vous avez fait dorer au four. Pour prévenir cela, prenez du sucre extra-fin et ajoutez-le peu à peu aux blancs d'œufs en fouettant bien après chaque addition.

AUTRES DESSERTS

Pour empêcher la peau des pommes de fendre durant la cuisson au four, enlevez une bande de 1 cm en rond au milieu de chaque fruit.

Arrosez les pommes d'un peu de porto juste avant de les retirer du four : c'est exquis.

Par temps chaud, rien ne remplace une fraîche salade de fruits. Choisissez parmi ceux qui sont en saison : melons, raisins, kiwis, pêches, papayes, petits fruits. Mettez toujours quelques agrumes, oranges ou pamplemousses, pour donner du jus et du piquant. Aspergez de jus de limette et ajoutez du sucre.

TARTE À CROISILLONS

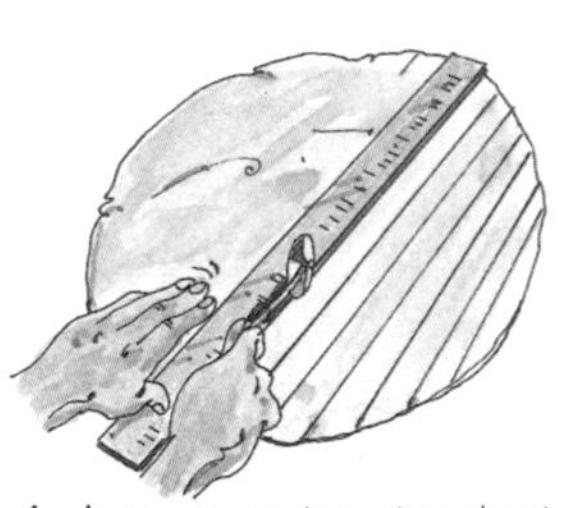

1. Avec un couteau tranchant ou un coupe-pizza et une règle, découpez l'abaisse en bandes de 6 mm.

2. Disposez-en six également espacées sur la garniture, en mettant les plus longues au milieu, les plus courtes au bord.

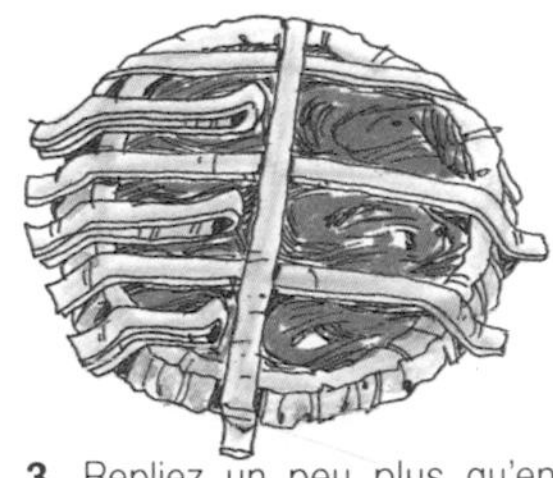

3. Repliez un peu plus qu'en deux une bande sur deux. Posez une autre grande bande en travers au centre.

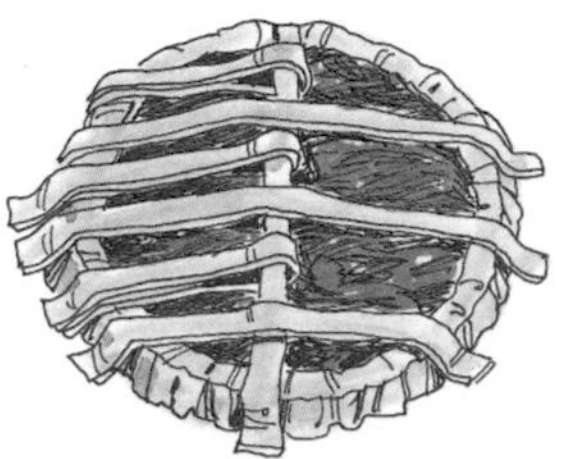

4. Remettez les bandes repliées dans la position du début; repliez les autres par-dessus celle du centre.

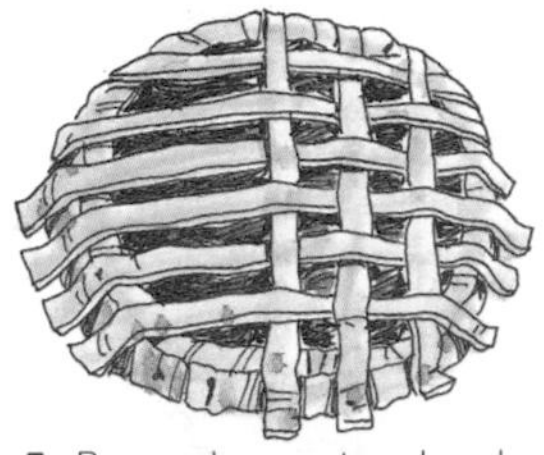

5. Posez deux autres bandes, une à la fois, du même côté de la bande centrale, en étalant et en repliant alternativement les premières bandes.

6. Faites de même de l'autre côté. Taillez et fraisez le bord de la tarte. Pincez l'extrémité de chaque bande sur les bords.

Des beignes frais sans problèmes. Utilisez la pâte à biscuits réfrigérée d'un tube ; évidez le centre avec un bouchon de bouteille d'huile. Jetez les beignes dans l'huile brûlante de 2 à 3 minutes ; tournez-les dès qu'ils brunissent. Sortez-les, égouttez-les et, quand ils sont froids, garnissez-les de sucre granulé ou de sucre glace. Faites aussi cuire les centres.

Pour relever la salade de fruits, jetez-y des lamelles de gingembre cristallisé.

Si la crème glacée aux fruits ou à la vanille fond par accident, utilisez-la comme sauce à dessert sur des tartes aux fruits ou des fruits frais.

Si vous faites beaucoup de biscuits, taillez du papier d'aluminium aux dimensions des plaques. Posez les biscuits sur ce papier et glissez sur la plaque. Après cuisson, détachez-le et posez-le sur une autre plaque.

BIEN MANGER BIEN QUE SEUL

N'achetez que ce que vous pouvez utiliser ou congeler. N'hésitez pas à faire diviser un paquet préemballé de viande ou de légumes.

Donnez la préférence aux gros sacs de légumes surgelés. Prélevez ce qu'il vous faut, fermez le sac et remettez-le au congélateur.

EQUIVALENCES ET QUANTITÉS

Aliment	Quantité	Mesure approximative
Baies	1 litre	3½ tasses
Bananes	500 g	3–4 moyennes ou 1¾ tasse, en purée
Beurre	120 g	8 c. à soupe ou ½ tasse
Biscuits graham	16	1¼ tasse de chapelure
Blancs d'œufs	8	environ 1 tasse
Brocoli	500 g	2 tasses, cuit
Café	500 g	45 tasses de 200 ml
Café instantané	60 g	25 tasses de 200 ml
Carottes	500 g	2½ tasses, en dés
Cassonade	500 g	2¼ tasses (bien tassée)
Champignons	250 g	1 tasse, tranchés et cuits
Chapelure		
sèche	1 tranche de pain	¼ tasse
fraîche	1 tranche de pain	½ tasse
Chocolat	30 g	4 c. à soupe, râpé
Chou	500 g	4 tasses, râpé
Citron	1 moyen	2–3 c. à soupe de jus ; 2 c. à thé de zeste, râpé
Epinards	500 g	1½ tasse, cuits
Farine tout usage	500 g	4 tasses, tamisée
Fromage	120 g	1 tasse, râpé
Fromage blanc	250 g	1 tasse
Gruau	1 tasse	2¼ tasses, cuit
Haricots		
secs	500 g	2 tasses, non cuits, ou 6 tasses, cuits
verts frais	500 g	3 tasses, non cuits, ou 2½ tasses, cuits
Lait écrémé instantané en poudre	500 g	4 litres
Oignon	1 moyen	½ tasse, haché
Orange moyenne	1	6–8 c. à soupe de jus ; 2-3 c. à soupe de zeste, râpé
Pacanes non mondées	500 g	2¼ tasses de noix, hachées
Pêche, poire	125 g	½ tasse, tranchée
Petits pois secs	500 g	2¼ tasses, non cuits, ou 5 tasses, cuits
Poivron vert	1 gros	1 tasse, en dés
Pommes	500 g	3 tasses, parées et tranchées
Pommes de terre moyennes (3)	500 g	2¼ tasses, cuites, ou 1¾ tasse, en purée
Poulet à frire ou à rôtir	1,75 kg	2 tasses, cuit, en dés
Pruneaux séchés	500 g	2½ tasses ou 4 tasses, cuits
Raisins secs	500 g	2¾ tasses
Riz	250 g	1 tasse 3 tasses, cuit
Spaghetti	500 g	6–8 tasses, cuit
Sucre		
glace	500 g	3½ tasses,
granulé	500 g	2 tasses
Thé	500 g	125 tasses

COMMENT CUISINER PENDANT UNE PANNE

Question : Je cuisine à l'électricité. Quel équipement utiliser ?

Réponse : Un plat sur réchaud à alcool suffit pour les cuissons lentes. Si vous avez un foyer et des ustensiles en fonte, vous aurez du plaisir à cuisiner sur le feu. Avec un four à réflecteur, vendu dans les magasins d'articles de camping, vous pouvez même réaliser des choses simples : biscuits, pains éclair.

Vous pouvez introduire dans la maison un gril à charbon de bois ou un hibachi si vous l'installez dans le foyer, là où l'air entraînera l'oxyde de carbone à l'extérieur.
Attention : N'utilisez pas de charbon de bois dans un espace fermé. Le manque d'aération peut tuer.

Question : Je n'ai pas de foyer ; alors, quoi faire ?

Réponse : Votre planche de salut, le réchaud de camping. Très efficace, d'ailleurs ! Suivez à la lettre les instructions du fabricant et installez-le dans un endroit aéré.

N'achetez qu'une demi-douzaine d'œufs à la fois ; on accepte généralement de séparer le cartonnage.

Quand la chose est possible, faites sauter plusieurs ingrédients ensemble en commençant par celui qui met le plus de temps à cuire. La cuisson rapide conserve les éléments nutritifs et vous n'avez qu'un ustensile à laver. (Ce mode de cuisson, typique du wok, se réalise tout aussi bien en sauteuse ordinaire.)

Si vous avez un grand congélateur, achetez le bœuf et le poulet en grande quantité quand il est en vente et divisez-le en portions individuelles. Enveloppez-les dans de la pellicule à congélation ou du papier d'aluminium et congelez séparément. Réunissez ensuite toutes les portions dans un grand sac que vous identifierez et daterez.

Voici un dessert léger. Mélangez ⅓ tasse de crème sure ou de yogourt nature, 1 c. à soupe de sucre glace et 1 c. à thé de zeste d'orange râpé. Versez cette sauce à la cuiller sur un plat de raisins sans pépins, égrenés et bien froids.

VERRERIE

Deux verres sont pris l'un dans l'autre ? Mettez de l'eau froide dans celui du haut ; plongez celui du bas dans l'eau chaude.

Verre brisé ? Ramassez les éclats avec du papier mouillé.

USTENSILES DE CUISINE

Laissez poêles et casseroles tremper dans l'eau chaude savonneuse pendant que vous mangez. Dans la plupart des cas, vous n'aurez plus qu'à les rincer ; quant aux plus sales, ils se nettoieront mieux.

En cas d'échec, mettez du bicarbonate de soude sur la croûte brûlée et humectez d'eau. Après quelques heures, la croûte lève. Autre méthode : mettez 2 c. à soupe de détergent à lave-vaisselle, puis versez-y quelques tasses d'eau et laissez tremper 24 heures.

Si l'ustensile est en fonte, vaporisez-le d'un produit de nettoyage pour le four. Une heure plus tard, lavez à l'eau chaude savonneuse.

L'art de recevoir

AVANT UNE RÉCEPTION

Moins les invités sont nombreux, plus il faut mettre de soin à les choisir car ils seront peu à alimenter la conversation. Dans le cas d'une petite réception, évitez d'inviter des gens qui ont des opinions arrêtées et diamétralement opposées.

Ne réunissez pas que des personnes de même âge, de même profession ou de même état civil. La conversation peut devenir ennuyeuse pour les rares invités étrangers au groupe, si elle est très spécialisée.

Il n'est pas indispensable d'inviter à dîner autant de femmes que d'hommes, même si c'est une vieille coutume. Quand la femme d'un de vos amis est en voyage, par exemple, il est tout à fait convenable d'inviter son mari à un dîner.

PLANIFICATION

Quand vous réunissez des amis intimes, vous pouvez organiser un buffet et manger au salon. Mais si vous invitez des collègues de travail ou des gens que vous connaissez peu, mieux vaut prévoir un repas à table selon toutes les règles de l'art.

Si votre maison est petite, si vous avez beaucoup de politesses à rendre, pensez à donner deux réceptions de suite. Tous les préparatifs, nettoyage, décorations, emprunt d'équipement, y compris certains plats, pourront servir deux fois.

Dans le cas d'un cocktail, calculez que le quart ou le tiers des invités ne se présenteront pas. Ainsi donc, pour avoir 50 personnes, invitez-en 65 ou 70. S'il s'agit d'un mariage, d'un anniversaire de naissance, d'une fête spéciale, vous pouvez estimer que 15 p. 100 des gens se décommanderont.

A table, laissez 75 cm environ entre les convives. Si la table est petite mais la salle à manger grande, montez une table à cartes recouverte d'un morceau de contre-plaqué rond ou ovale.

INVITATIONS

Faites vos invitations — par téléphone ou par la poste — trois ou quatre semaines à l'avance pour une réception officielle, deux semaines pour une petite fête. Précisez le nom de l'hôte, l'adresse, la date et l'heure de la réception, la raison ou le thème de la fête, la tenue vestimentaire souhaitée et les activités prévues — natation, danse, etc.

On envoie des invitations officielles, gravées ou écrites à la main sur papier blanc ou blanc cassé, dans le cas des cocktails, déjeuners officiels, grands dîners, soirées dansantes ou mariages. Elles se rédigent à la troisième personne : Monsieur et madame Jean Baptiste vous invitent... L'invitation peut aussi être gravée en couleur, gravée en noir sur papier de couleur ou ornée d'une bordure colorée.

Si vous ne savez à qui vous adresser pour obtenir des invitations personnalisées, renseignez-vous à la papeterie de votre quartier. Les calligraphes facturent d'ordinaire à la pièce ; n'oubliez pas de leur laisser beaucoup de temps.

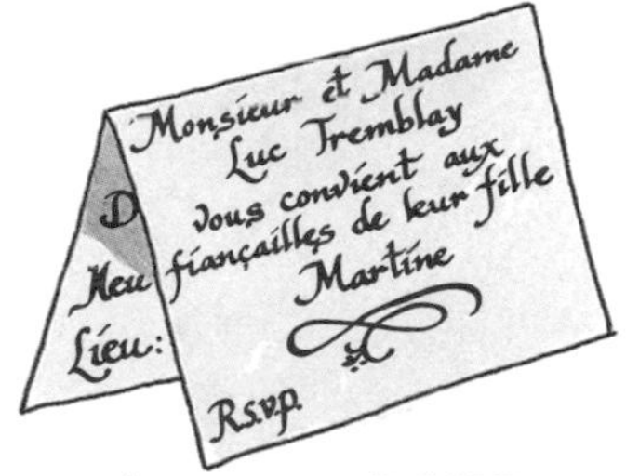

Ajoutez la mention R.S.V.P. si vous voulez obtenir une réponse ferme. Si vous demandez qu'on vous réponde uniquement si on ne prévoit pas venir, vous risquez de ne rien recevoir. N'utilisez ce tour qu'à l'occasion d'un très grand cocktail.

PRÉPARATIFS

Si vous êtes à court de recettes, consultez des livres réputés. Mais évitez de servir, le jour de la fête, un plat que vous n'avez encore jamais préparé. Faites-en l'essai en famille auparavant.

Donnez la préférence aux plats qui peuvent se réaliser d'avance. Gardez les mets au réfrigérateur ou au congélateur pour n'avoir, le jour venu, qu'à les réchauffer.

Dans ce cas, cependant, pensez à arrêter la cuisson du plat que vous devez réchauffer quelques minutes avant qu'elle soit complète. Ne mettez à votre programme qu'une seule recette demandant des travaux importants de dernière minute.

La veille de la réception, écoutez les prévisions de la météo. En cas de pluie ou de neige, vous aurez des parapluies ou des bottes à ranger. Pensez-y d'avance.

Avez-vous bien indiqué le chemin pour se rendre chez vous ? Posez des indices visibles. Le jour, accrochez des banderoles ou des ballons colorés aux arbres ou aux poteaux de votre propriété. Le soir, installez des lanternes chinoises dans l'entrée des voitures.

LOCATION ET EMPRUNT

Dans le cas d'une grande réception, il est avantageux de louer plateaux, vaisselle, réchauds, bols à punch, plutôt que de les acheter. Pensez à la possibilité de les emprunter à un organisme paroissial.

La verrerie et les couverts loués sont rarement les plus jolis. Mais il vaut mieux louer les choses fragiles que les emprunter et vous trouver dans l'embarras en cas de bris.

Louez des tables et des chaises s'il vous en faut beaucoup. Empruntez-les s'il ne vous en faut que quelques-unes — mais invitez leur propriétaire à la fête !

En hiver ou en cas de pluie, louez un vestiaire, surtout si vous attendez beaucoup de monde.

Faites la liste des objets que vous avez loués ou empruntés en notant d'où ils proviennent. Au moment de les retourner, cochez les articles de la liste. Faites attention de ne pas les confondre, surtout les couverts.

FAITES-VOUS AIDER

Cherchez-vous un bon traiteur ? Renseignez-vous auprès de vos amis. Consultez un garçon qui travaille pour un traiteur ; adressez-vous à un restaurant que vous fréquentez (on acceptera peut-être de vous aider). Et passez au peigne fin les annonces dans les journaux.

Choisissez le traiteur au moins un mois d'avance, plus si la réception aura lieu durant les périodes très occupées de Noël et de l'été.

Demandez une estimation par téléphone à deux ou trois traiteurs en fonction d'un menu et d'un nombre d'invités déterminé. Demandez-leur des références et vérifiez-les.

Exigez aussi de goûter à des échantillons de leur cuisine. Les plats peuvent être beaux, sans pour autant correspondre à vos goûts.

Pour trouver garçons et barmans, prenez les noms et les numéros de téléphone de ceux que vous avez rencontrés lors de réceptions données par vos amis. Demandez à un traiteur de vous indiquer des garçons qui travaillent pour eux à demi-temps. Adressez-vous au bureau de placement des étudiants et demandez qu'on vous indique les noms de jeunes gens qui ont déjà fait ce travail. Téléphonez à des écoles de barmans ou de cuisiniers.

Prévoyez un garçon ou une fille de table pour 8 à 10 invités à un dîner, pour 12 à 16 s'il s'agit d'un buffet. Dans un grand dîner, comptez un garçon pour 6 à 8 convives. Un barman sert aisément 25 personnes lors d'un cocktail.

COCKTAILS

Si vous invitez quelques personnes à venir prendre un verre, elles doivent toutes pouvoir s'asseoir. Par contre, si vous donnez un grand cocktail, prévoyez, bien entendu, quelques sièges, mais laissez beaucoup d'espace libre car la plupart des invités resteront debout.

Avant un grand cocktail, retirez les objets fragiles ou de valeur et dégagez toutes les tables. Vous éviterez les accidents et laisserez aux invités la place voulue pour poser leur verre. Multipliez les dessous-de-verre.

Dégagez les pièces en poussant les meubles contre les murs. Retirez les petites tables et les tabourets qui pourraient causer des accidents. Enlevez toutes les tables à dessus de verre amovible.

MISE EN PLACE DU BAR

Une bouteille d'alcool de 0,75 litre donne 17 verres de 45 ml environ ; une bouteille de 1 litre, environ 22.

Si vous invitez une vingtaine de personnes ou davantage, vous apprécierez l'aide d'un barman. Il pourra facilement servir 25 personnes à partir d'un seul bar. S'il n'y a pas de barman, il faudra monter deux ou trois bars.

Prévoyez beaucoup de serviettes à cocktail. Donnez à vos invités une serviette propre avec chaque verre et chaque canapé chaud.

Procurez-vous deux fois plus de glaçons que ce que vous pensez utiliser. Faites-les d'avance et gardez-les dans un sac de plastique, ou achetez-en juste avant la réception. Calculez aussi ceux que vous mettrez dans le seau à glace.

DE BONS HORS-D'ŒUVRE

Recouvrez du pain taillé à l'emporte-pièce de mayonnaise et d'une rondelle de concombre. Décorez de piment rouge doux ou d'aneth.

Avec une cuiller, videz des tomates-cerises de leur chair et garnissez-les d'une salade de thon, de jambon ou de guacamole.

Voici comment faire du guacamole. Ecrasez deux avocats mûrs ; ajoutez 1 c. à soupe de jus de citron, 1 c. à thé d'oignon haché et du piment rouge en flocons. Salez.

Etalez du fromage à la crème relevé de quelques gouttes de jus de citron dans des feuilles d'endive. Couronnez de caviar.

Enveloppez des boules de melon dans de fines tranches de jambon ou de prosciutto maintenues avec un cure-dents.

Enroulez de fines tranches de saumon fumé sur des bâtonnets de concombre.

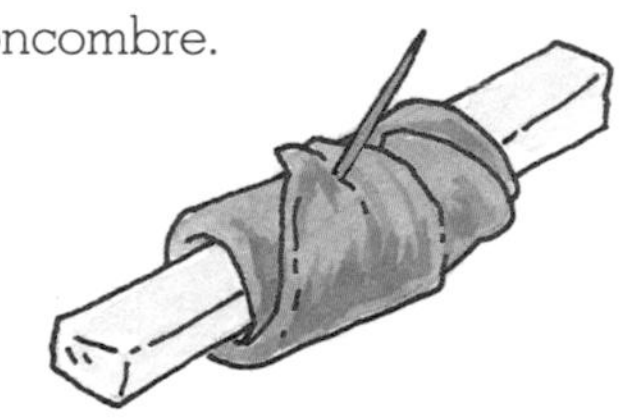

Taillez des blancs de poulet ou de dinde en petits bâtonnets et servez-les avec une trempette faite de mayonnaise relevée de cari.

Ouvrez des saucisses à cocktail et farcissez-les de fromage cheddar fort ; passez-les sous le gril pour faire fondre le fromage.

LE BUVEUR INCORRIGIBLE

Offrez des boissons non alcoolisées aux abstinents. Offrez-en également aux invités qui ont beaucoup bu quand ils vous demandent de remplir à nouveau leur verre.

Ne laissez pas une personne en état d'ébriété rentrer en voiture ; vous pourriez être tenu responsable de l'accident, le cas échéant. Appelez un taxi ; demandez à une personne sobre de prendre le volant, faites-le vous-même ou gardez votre invité à coucher.

Lorsque vous recevez un ex-alcoolique, offrez-lui quand même du vin si vous en servez. C'est à lui qu'il revient de décider de dire « Non, merci » ou de laisser son verre intact. Evitez de préparer des plats dans lesquels entre un alcool ou une liqueur, à moins que la cuisson ne l'ait dénaturé.

LE COMPTE À REBOURS

Trois ou quatre semaines avant : Dressez la liste des invités et faites les invitations. Pensez à ce que vous devez louer et à l'aide qu'il vous faut.

Deux semaines avant : Faites la liste des achats et des travaux culinaires. Préparez les plats qui se congèlent.

Une semaine avant : Pensez à la décoration. Commandez des fleurs. Vérifiez nappes, serviettes et bougies. Achetez ce qu'il faut pour le bar.

Trois ou quatre jours avant : Rédigez les cartons de placement. Achetez tout sauf les aliments périssables.

L'avant-veille : Fabriquez des glaçons. Préparez les plats qui se réchauffent ou se servent froids.

La veille : Achetez les aliments frais. Préparez les verdures.

Le jour même : Faites un dernier nettoyage. Terminez la cuisine. Achetez du pain. Montez la table. Disposez fleurs et cendriers. Mettez le vin blanc au froid. Préparez le vestiaire des invités. Montez le bar.

Une heure avant : Ouvrez le vin rouge. Mettez eau, glace, citron et ustensiles dans le bar. Sortez les canapés.

Une demi-heure avant : Détendez-vous et terminez votre toilette.

CEUX QUI S'ATTARDENT

Vous avez du mal à donner le signal du départ ? Fermez le bar en proposant à ceux qui sont encore là du café « pour la route ». Si l'invitation précisait la durée de la réception, cessez de servir de l'alcool 45 minutes après l'heure prévue.

Dites qu'on vous attend à dîner ou que vous avez rendez-vous. Mentionnez que vous devez vous lever tôt le lendemain. Ou proposez aux obstinés de manger avec vous au restaurant, chacun payant pour soi.

CENTRES DE TABLE

Les fleurs sauvages font toujours sensation. Mettez-en une brassée dans un pot en cuivre ou en porcelaine. Mélangez fleurs fraîches et fleurs sèches ou en soie. Ou laissez flotter une grande inflorescence dans un bol de cristal rempli d'eau.

Placez un miroir rond ou ovale au centre de la table sous la décoration florale. La lumière y joue et les fleurs s'y réfléchissent.

Fruits et légumes de saison font aussi un joli centre de table. En automne, disposez des feuilles d'érable rouges sur un plat et remplissez de pommes bien luisantes. En été, mettez dans un panier d'osier des tomates entourées de bouquets de persil et de basilic frais ; piquez ici et là des marguerites des champs et des brins de persil et de basilic.

Ne posez pas sur la table des objets instables même s'ils sont très beaux. Mettez des cailloux, des billes ou du sable dans le fond des pots à fleurs pour les rendre stables.

Utilisez votre dessert comme centre de table. Entourez de fleurs un gâteau étagé ; disposez des pommes et autres fruits autour d'une belle tarte aux pommes. En plein été, montez une salade de fruits frais dans un melon d'eau vidé.

Le centre de table ne doit pas gêner la vue des invités. Il ne devrait pas dépasser 40 cm de haut.

LE SERVICE DU BUFFET

Si vous avez beaucoup de place, montez le buffet au centre de la pièce ; les invités circuleront autour. Sinon, approchez-le du mur, d'un côté, en laissant l'espace nécessaire pour passer remplir les plats.

Lorsque la table est au centre, fixez les cordons des appareils électriques au sol avec du ruban pour que vos invités ne trébuchent pas. Ne surchargez pas les circuits en branchant trop de petits appareils à une même prise.

Posez les boissons froides, le café, le thé, les desserts et les accessoires de service sur une autre table, hors des aires de circulation.

COMMENT DISPOSER LE BUFFET ; QUOI SERVIR

Adoptez un ordre logique : assiettes, riz ou nouilles, plat principal chaud (à servir sur le riz ou les nouilles), légumes, salade, pain, condiments, fourchettes et serviettes. Sur une petite table, tout près, placez les boissons.

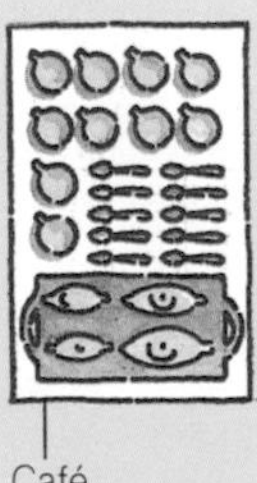

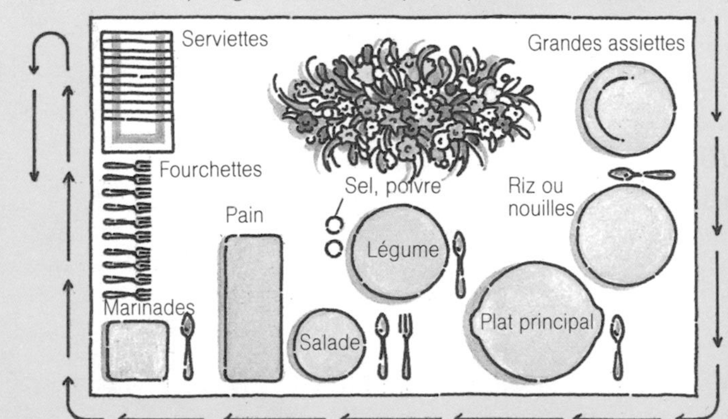

Buffet chaud

Bœuf bourguignon
Nouilles aux œufs
Carottes au gingembre
Salade verte
Pain croûté
Salade de fruits en melon d'eau

Buffet froid

Mousse de fruits de mer ou de jambon
Riz aux petits pois
Betteraves en tranches avec vinaigrette
Pain aux fines herbes
Tarte aux fraises

Buffet chaud et froid

Poulet froid
Salade de pommes de terre
Gratin de tomates
Pain au maïs
Gâteau aux carottes, glace au fromage

Ayez un menu simple, une table dégagée et des décorations discrètes. Laissez de l'espace près du plat principal pour que les invités puissent déposer leur assiette au moment du service. Si l'espace est restreint, prévoyez-en au moins près de la salade verte dont le service exige deux mains.

Pour garder des aliments bien froids, congelez de l'eau dans une assiette à tarte profonde. Mettez la glace dans un sac de plastique et posez le plat dessus. Ou encore, congelez de l'eau dans un moule de forme originale, en anneau par exemple, et disposez ensuite les aliments autour de la glace.

QUOI SERVIR EN BUFFET

Les meilleurs plats sont ceux qui sont déjà détaillés en bouchées. Les plats mijotés et les ragoûts servis sur lit de riz ou de nouilles sont tout à fait indiqués.

Pensez aux régimes de vos invités et à leurs préférences. Aux végétariens, servez des plats à base de légumes, des gratins, des pâtes, des noix et des salades.

Offrez aux diabétiques des fruits et des légumes frais, du fromage, des aliments sans sauce riche et épaisse et sans sucre. Si un invité souffre d'hypertension artérielle, supprimez le sel à la cuisson.

AU DÉBUT DU BUFFET

Si vos invités ne semblent pas pressés d'aller vers la table, dites gentiment : « Voulez-vous que je vous prépare une assiette ? » Cela les incitera à y aller d'eux-mêmes.

Disposez les sièges de manière que chaque invité ait une place où déposer son assiette et son verre. Ayez plusieurs petites tables d'appoint. Groupez deux ou trois sièges pour faciliter la conversation.

LES GRANDS DÎNERS

Limitez l'apéritif à 45 minutes ; tous vos invités auront le temps d'arriver et de boire quelque chose.

Le déjeuner ou dîner officiel comporte quatre services (entrée, plat principal, fromage et dessert), cinq services (entrée, plat principal, salade, fromage et dessert) ou six services (entrée, poisson, plat principal, salade, fromage et dessert).

Faites-vous aider si vous donnez un repas à cinq ou six services.

En guise d'entrée, offrez un consommé madrilène en gelée servi dans des demi-avocats partiellement évidés. Couronnez d'un tourbillon de crème sure ou de yogourt ; décorez d'un peu de caviar de lompe rouge ou noir.

Dans votre menu, faites la part égale aux mets riches et aux mets légers ; pensez aux textures et aux coloris. Servez les plats ternes dans des assiettes de couleur ; mettez de la couleur avec les garnitures (p. 400). Evitez d'associer deux aliments pâles au même service.

Si vous préparez un grand dîner, ne lésinez pas. Achetez d'excellentes coupes de viande, des éléments recherchés. Par contre, rattrapez-vous avec les légumes et les fruits de saison qui seront à la fois meilleurs et moins chers.

Dans un grand déjeuner, vous pouvez utiliser des napperons ou une nappe en organdi ou en dentelle. La nappe est préférable aux napperons si la table doit être très chargée. Dans un grand dîner, rien ne remplace la nappe damassée avec ses serviettes.

Dans un tel dîner, le centre de table se compose de fleurs en général. Prévoyez aussi des bougies dont la flamme arrivera au-dessus ou en dessous des yeux des invités.

CARTES ET MENUS

Disposez un carton de placement devant chaque couvert si vous avez de nombreux convives. Par contre, dans une réception intime, il vous suffit de signaler à chacun où s'asseoir en passant à table.

LE COUVERT D'UN GRAND DÎNER : QUOI SERVIR

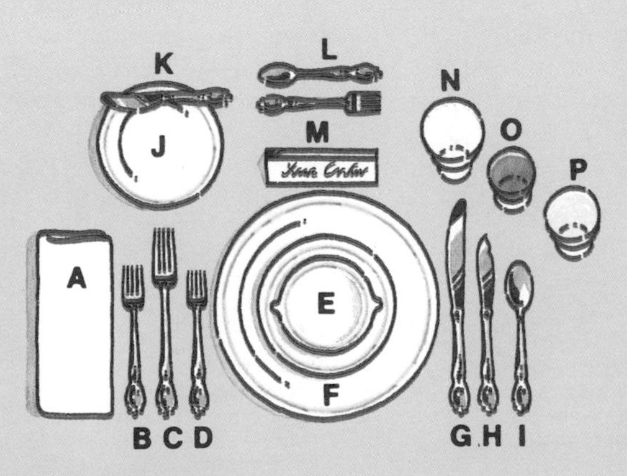

A. Serviette
B. Fourchette à poisson
C. Fourchette à viande
D. Fourchette à salade
E. Bol à soupe avec son assiette
F. Grande assiette
G. Couteau à viande
H. Couteau à poisson
I. Cuiller à soupe
J. Assiette à pain
K. Couteau à beurre
L. Couverts à dessert
M. Carton de placement
N. Verre à eau
O. Verre à vin rouge
P. Verre à vin blanc

Quatre services

Crevettes marinées à l'aneth
Carré d'agneau rôti
Epinards au beurre
Chapeaux de champignons garnis de riz sauvage aux fines herbes
Fromages
Mousse moka au chocolat

Cinq services

Soupe froide au concombre
Filet mignon, sauce béarnaise
Asperges, beurre citron
Pommes de terre sautées
Endives et cresson
Fromages
Fraises fraîches au coulis de framboises

Six services

Consommé au citron
Pétoncles en coquille
Poulet rôti dans son jus
Brocoli
Salade panachée
Fromages
Tarte aux pommes glacée

Les menus joliment présentés constituent des souvenirs que les invités d'ordinaire apprécient beaucoup. Faites-les de 12 cm sur 18 et écrivez-les de préférence à la main. Inscrivez la date, les mets et les vins qui vont être servis. Présentez-en un à chaque invité.

LE SERVICE

Lorsque vous n'avez l'aide de personne, servez chaque invité à la cuisine, comme au restaurant, et apportez-lui son assiette. Un adolescent peut très bien vous aider à servir et à desservir.

N'oubliez pas : on sert les assiettes à gauche et on les dessert à droite ; les boissons, cependant, se servent à droite.

Vous pouvez aussi monter un petit buffet pour les entrées et les légumes et laisser vos invités se servir eux-mêmes. Vous terminerez l'assiette et la leur apporterez à table.

LES GARNITURES : UN ART

Certaines sont à la fois jolies et exquises. Ainsi, déposez des rondelles de citron, de concombre ou d'oignon vert sur les bouillons et consommés. Ajoutez des pommes épicées au rosbif froid. Accompagnez les gratins de fruits de mer et les ragoûts de tomates-cerises. Sur les desserts, égrenez de la noix de coco râpée et grillée, des noix hachées, du zeste de citron râpé.

Bouquet de persil ou cresson. Lavez et épongez le persil ; assemblez plusieurs brins. Liez avec une bande de piment rouge. Pour plat principal.

Tomate en rose. Pelez en spirale une bande de 4 cm. Enroulez-la à partir de la tige, peau à l'extérieur. Pour assiettes de viande ou de volaille.

Citron torsadé. Prenez une tranche mince ; coupez-la d'un bord vers le centre. Tordez les deux parties. Pour viandes, fruits de mer ou desserts.

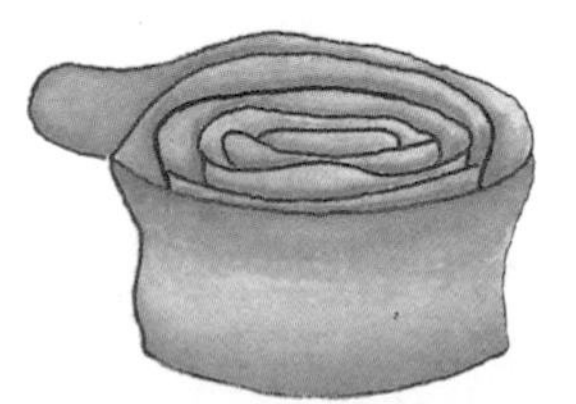

Carotte en boucle. Prélevez de minces bandes de carottes pelées. Enroulez-les, mettez un cure-dents et plongez-les dans l'eau glacée. Egouttez et détachez. Pour canapés et salades.

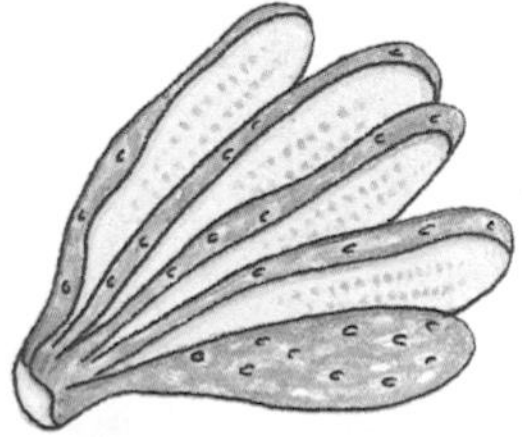

Cornichon en éventail. Coupez-le en tranches fines jusqu'à 6 mm du bout. Etalez les tranches en éventail. Se fait aussi avec les courgettes. Pour viande, volaille et fruits de mer.

Bacon en rosette. Enroulez le bacon demi-cuit ; mettez un cure-dents. Quand il est croustillant, retirez le cure-dents. Pour plats aux œufs, pâtes, volaille ou salades de légumes.

Evitez d'avoir à vous lever constamment pour servir vos invités. Apportez les canapés au salon ; retirez les assiettes sales et portez-les à la cuisine avant de passer à table.

Au moment du dessert, posez une pile d'assiettes devant vous et faites passer. Ou disposez les plats sur une table roulante ; elle vous servira par la suite à desservir.

Pour inciter vos invités à quitter la table, servez le café au salon. Disposez d'avance un plateau avec tasses, soucoupes et cuillers, sucrier et pot à crème. Assurez-vous cependant qu'on a retiré les verres et les assiettes de l'apéritif et vidé les cendriers.

MILLE ET UNE FÊTES

Lorsque les invités collaborent aux préparatifs, donnez le ton en vous occupant du plat principal. Mettez-les à contribution pour les entrées. Renseignez-vous discrètement sur ce qu'ils comptent apporter et choisissez avec tact ce qui convient.

Vous organisez un repas sur le gril pour 50 personnes ? Comptez environ 9 kg de bœuf haché et 70 petits pains pour des hambourgeois de 128 g ou 5 kg de saucisses et 100 petits pains ; 8 litres de fèves au lard ; 6 litres de salade de pommes de terre, 5 kilos de salade de chou.

Dans le cas d'une réception au jardin le soir, éclairez aux bougies l'entrée et les sentiers. Fichez-les dans des gobelets en verre à demi remplis de sable ou de cailloutis. Ou fixez des fils de petites ampoules aux branches des arbustes.

Vous recevez pour l'anniversaire d'un ami ? Faites préparer son horoscope et lisez-le à haute voix. Projetez des films dans lesquels apparaît la personne lors d'événements spéciaux : une remise des diplômes, un mariage. Organisez la fête autour du passe-temps qu'elle préfère : danse, quilles, randonnée.

Quand l'événement est important — mariage, cinquantième anniversaire — faites filmer la fête avec une caméra de magnétoscope. Retenez les services d'un caméraman (voir Vidéo-production dans les Pages jaunes) ou louez l'équipement et demandez à un membre de la famille de filmer les célébrations.

Si vous invitez parents et enfants à venir manger sur les bords de votre piscine, fixez l'heure d'arrivée et de départ. Autrement les enfants convaincront leurs parents d'arriver à l'aube et de ne plus repartir.

ARTISTES INVITÉS

Voulez-vous inviter des musiciens pour égayer la fête ? Adressez-vous au collège ou à l'école de musique de votre quartier. Cherchez des entreprises spécialisées dans les annonces des journaux locaux.

Pensez à faire venir des magiciens, une voyante qui fait le tarot ou les lignes de la main, des mimes, des caricaturistes, des clowns. Rencontrez-les avant le jour prévu ; assurez-vous que leur prestation correspondra à vos goûts.

FÊTES D'ENFANTS

Consultez votre enfant avant de lancer les invitations ; certains préfèrent des invités du même sexe, d'autres, des deux sexes.

Fixez le nombre des invités en fonction de l'âge de l'enfant. Par exemple, un seul bébé pour un premier anniversaire, deux enfants pour un deuxième et trois pour un troisième.

LES PRÉSCOLAIRES

Servez des aliments en bouchées aux petits enfants : poulet ou petits sandwichs au beurre d'arachide et à la gelée. A leurs aînés, tenez-vous-en aux grands favoris : hambourgeois, hots-dogs et crème glacée.

Une fête, c'est toute une expérience pour les enfants de moins de 5 ans. Ils sont heureux de s'amuser avec les jouets de l'enfant qui reçoit, de chanter, de manger du gâteau et de recevoir des cadeaux. La fête doit être courte et simple.

Avec un marqueur ou un crayon-feutre, inscrivez le nom de chaque enfant sur un grand sac ; il y mettra ses petits cadeaux pour le retour à la maison. Ou invitez les enfants à le faire eux-mêmes.

Demandez à un aîné de prendre note des cadeaux offerts et reçus. Si l'enfant qu'on fête sait écrire, suggérez-lui de rédiger de petites cartes de remerciement.

JEUX POUR ENFANTS

Si les enfants sont jeunes, changez souvent de jeu. Annoncez-le ; ne demandez pas leur avis. Une seule réponse négative peut engendrer beaucoup d'ennuis.

Soyez compréhensif à l'égard d'un enfant timide. Ne le forcez pas.

Haro sur le nez. Epinglez au mur la photo d'un clown ou d'un personnage de bandes dessinées. Confectionnez des nez amusants, un par enfant. Bandez les yeux de chaque enfant à tour de rôle, faites-le pivoter trois fois et laissez-le épingler le nez où il faut.

La chasse au dé. Tirez un joueur au sort. Pendant qu'il sort de la pièce, cachez un dé à coudre. Lorsqu'il revient, les autres enfants battent plus ou moins fort des mains selon qu'il se rapproche ou s'écarte du dé.

Jeu de mémoire. Ce jeu s'adresse à des enfants qui savent écrire. Groupez-les autour d'une table à cartes sur laquelle vous disposerez 10 à 20 objets. Laissez-leur 3 à 5 minutes d'observation, puis couvrez la table. Les enfants devront jeter sur papier le nom de tous les articles dont ils se souviennent. Choisissez des objets aux noms faciles à orthographier.

Simon dit. Tirez au sort l'enfant qui jouera Simon. Il donne des ordres : « sautez », « grattez-vous l'oreille », « riez », parfois en ajoutant « Simon dit », parfois en l'omettant. Les enfants n'obéissent aux commandements que lorsqu'ils sont précédés de « Simon dit ». Ceux qui se trompent doivent quitter le jeu. Le gagnant est celui qui reste en dernier avec Simon.

Pour faciliter le nettoyage, étalez sous la table où les petits mangent les bandes dessinées des journaux.

Vous aurez plus de liberté pour sonner la fin de la fête si vous offrez de reconduire les enfants chez eux.

ENFANTS D'ÂGE SCOLAIRE

Les enfants adorent recevoir des lettres. Postez vos invitations. Demandez au héros de la fête de vous aider à les rédiger.

Voici quelques thèmes pour enfants d'âge scolaire : chasse aux trésors ; fin de plâtre (la veille du jour où un enfant doit se faire enlever un plâtre) ; carnaval d'hiver avec patinage ou sculpture sur glace.

Si vous faites appel à des amuseurs, clowns, marionnettes, magiciens, planifiez tout avec soin. Si les enfants sont trop jeunes pour comprendre un tour de magie, ils vont s'agiter ; s'ils sont trop vieux pour l'apprécier, ils s'ennuieront.

Assurez-vous que les personnes dont vous retenez les services font la différence entre un enfant de 6 ans et un de 10 ans.

ADOLESCENTS

Les fêtes sans invitations précises peuvent être une source d'ennuis. Demandez aux jeunes de dresser la liste des invités ; interdisez la venue des personnes étrangères à la fête et restez sur vos positions.

Pour certains adolescents, il n'y a pas de fête sans alcool ni drogue. Si une fête s'organise chez vous, dites clairement qu'il ne doit y avoir ni de l'un, ni de l'autre.

Si vos enfants sont d'accord avec vous, demandez-leur d'inviter un étudiant que vous connaissez et respectez ; il agira comme surveillant et veillera à ce que tout se passe bien. Offrez-lui une rémunération et demandez-lui de voir à ce qu'il ne circule ni alcool, ni drogue. Si les choses se gâtent, il vous en avisera.

Même dans ce cas, cependant, demeurez à la maison. Recevez les invités, venez faire votre tour une ou deux fois, mais ne participez pas à la fête. Ce n'est pas votre place.

Prévoyez aussi des jeux pour occuper les jeunes adolescents : scrabble, backgammon, arpents de pièges. N'hésitez pas à leur demander de vous aider à monter la table et à préparer le goûter.

Le ping-pong est un bon jeu d'intérieur pour les jeunes. Si vous n'avez pas de table, empruntez un dessus pour la soirée et posez-le sur votre table de salle à manger en glissant une couverture dessous.

Si vous avez un magnétoscope, louez un film ou deux pour la soirée ; c'est un divertissement calme.

Lorsque la fête risque fort d'être bruyante, demandez à vos enfants d'en aviser d'avance les voisins et de les inviter à téléphoner si la musique ou le bruit les dérangent. Ainsi prévenus, les voisins sont plus compréhensifs et plus tolérants.

CHAPITRE SIX

LOGIS JOLI

Décorez votre maison et rendez-la ainsi plus jolie, plus agréable à vivre. Modifiez l'agencement des couleurs par un choix judicieux de peintures ou de papiers peints. Lambrissez les murs. Habillez les fenêtres. Repensez l'éclairage et n'oubliez pas le traitement des planchers. Enfin, occupez-vous de bien entretenir et de restaurer votre ameublement et les nombreux objets que contient votre maisonnée.

La décoration simplifiée

Page 405

Avant de commencer à redécorer votre maison; établissement d'un plan de base; une certaine gratuité dans les services de décoration; les harmonies chromatiques; la magie des couleurs; des plans à l'échelle; l'aménagement d'une pièce; la préparation des murs et des plafonds; les retouches dans le plâtre et le placoplâtre; pinceaux, rouleaux et autres outils de peinture; comment nettoyer les outils de peinture; le choix d'une peinture d'intérieur; évaluation de la quantité de peinture à acheter; quelques trucs pour peindre; comment peindre les murs, les plafonds, les fenêtres; la peinture au pochoir, étape par étape; les revêtements muraux; comment poser les revêtements muraux; comment les enlever; la pose du papier peint préencollé; comment réparer du papier peint endommagé; le lambrissage des murs; les plafonds miracle; les plafonds à carreaux; quelques revêtements de sol; l'éclairage; la lumière d'ambiance; petit glossaire sur l'éclairage; l'habillage des fenêtres; le traitement des fenêtres à problèmes; des idées ensoleillées; le choix d'un tapis; les moquettes et les carpettes; leurs coloris et leurs motifs; l'ameublement; comment déterminer la qualité d'un meuble; faire des meubles à petit prix; l'accrochage des peintures; leur disposition; l'encadrement; la magie des miroirs; comment mettre en valeur vos belles collections.

Entretien du mobilier

Page 431

Cristaux et porcelaines; comment réparer la porcelaine et la faïence; l'argenterie; le nettoyage et le polissage des métaux; le débosselage du métal; le laiton; soins à donner aux miroirs et aux tableaux; rectification d'un encadrement; comment redorer un cadre; l'entretien du marbre et du cuir; le nettoyage de certaines autres matières; l'entretien et la réparation des meubles en bois; les produits pour polir le bois; le bois taché; les égratignures, les

brûlures et les éraflures; le maquillage d'une brûlure profonde; comment traiter une égratignure; la réparation des défauts mineurs dans les meubles; la réparation des joints d'une chaise; comment réparer le placage endommagé; avant la refinition d'un meuble; le ponçage; le décapage d'un meuble; le choix et l'application d'une nouvelle finition; les produits de finition du bois; le vernissage; certains problèmes de finition; avant de refinir un parquet; le ponçage et les retouches; les bouche-pores; outils et méthodes de refinissage; les parquets peints; les housses; entretien et shampooinage des meubles capitonnés; le choix d'un tissu d'ameublement; la réparation d'un tissu déchiré; le recapitonnage d'un meuble; le rembourrage; les ressorts et les sangles.

La décoration simplifiée

AVANT DE COMMENCER

Une foule de raisons peuvent vous inciter à redécorer votre maison. Vous avez changé de style de vie : vos revenus ont augmenté ; vos enfants ont quitté la maison ; vous avez perdu votre conjoint ou, tout simplement, vous êtes fatigué de voir le même décor jour après jour.

Examinez ce qui vous entoure sans indulgence. Gardez ce qui vous plaît ; éliminez le reste. L'heure de la redécoration est aussi celle du grand ménage. Ne conservez pas le vieux buffet encombrant de tante Marie par fidélité à son souvenir : l'espace est trop précieux.

Avant d'arrêter vos projets, tenez un conseil de famille. Il est bon que tous ceux qui habitent la maison participent au choix des couleurs et du style d'ameublement et donnent leur assentiment au montant des dépenses. De la sorte, personne ne sera blâmé.

UN PLAN DE BASE

Pour créer une impression d'unité en même temps que d'espace, utilisez à peu près la même harmonie chromatique de pièce en pièce ; ne modifiez que les teintes d'accentuation. Adoptez également un seul style : traditionnel, moderne ou de transition (un mélange des deux).

Seules exceptions : les chambres. Elles appartiennent à ceux qui les habitent et peuvent donc, de ce fait, s'écarter du décor adopté pour les pièces communes.

Pour faire paraître plus grande une petite pièce, choisissez des teintes claires et des meubles légers. Les fauteuils à bras dégagés, par exemple, ou les ensembles en rotin créent une illusion d'espace.

A l'opposé, vous rendrez une grande pièce plus intime en l'étoffant avec des tapis, des tentures et des tissus d'ameublement de textures et de motifs variés, avec de grandes peintures et avec des meubles et des carpettes bien distribués.

UNE CERTAINE GRATUITÉ

Vous n'êtes pas toujours obligé de recourir aux services des décorateurs professionnels. Vous pouvez obtenir gratuitement des conseils dans les magasins de peinture, de papiers peints, de tissus et d'encadrement. Les vendeurs de meubles et les grands magasins à rayons ont des décorateurs qui peuvent aussi vous conseiller sans frais. Tout dépend évidemment de l'ampleur des travaux, du temps et des efforts que vous voulez y consacrer.

Apportez un plan de la pièce ou des pièces à redécorer et quelques photos, sans oublier celles des meubles que vous voulez garder. Apportez aussi les magazines où vous avez trouvé des photos de meubles et de tissus intéressants ; apportez même des échantillons si possible. Le décorateur aura ainsi une meilleure idée de ce qui vous plaît et ses conseils seront plus judicieux.

Rapportez chez vous des échantillons de bonnes dimensions. Motifs et couleurs prennent chez vous une allure différente de celle qu'ils avaient au magasin. Une fois votre choix fait, le décorateur passe lui-même la commande au magasin ou par catalogue.

LES HARMONIES CHROMATIQUES

Si vous vous sentez indécis, fiez-vous au cercle des 12 coloris de base. Avec ce très simple outil, vous découvrirez de nombreuses combinaisons dont l'une sûrement vous plaira.

La gamme monochromatique : Une couleur de base dont on tire des tons clairs en lui ajoutant du blanc et des tons foncés en lui ajoutant du noir.

La gamme analogique (ou apparentée) : Deux couleurs ou plus adjacentes dans le cercle.

La gamme complémentaire : Deux couleurs opposées dans le cercle.

La gamme complémentaire adjacente : Deux couleurs opposées dans le cercle et une troisième située à droite ou à gauche de l'une ou l'autre des deux premières.

La trilogie complémentaire : Trois couleurs équidistantes les unes des autres dans le cercle.

La gamme complémentaire éclatée : Une couleur et les deux couleurs de chaque côté de celle qui lui est opposée dans le cercle.

Le choix de l'harmonie de base constitue une étape importante mais il reste encore beaucoup à planifier. Vous allez maintenant distribuer cette harmonie entre les différentes pièces. Les teintes claires servent aux grandes surfaces : murs, plafonds et planchers ; les autres apparaissent dans les meubles, tentures et accessoires.

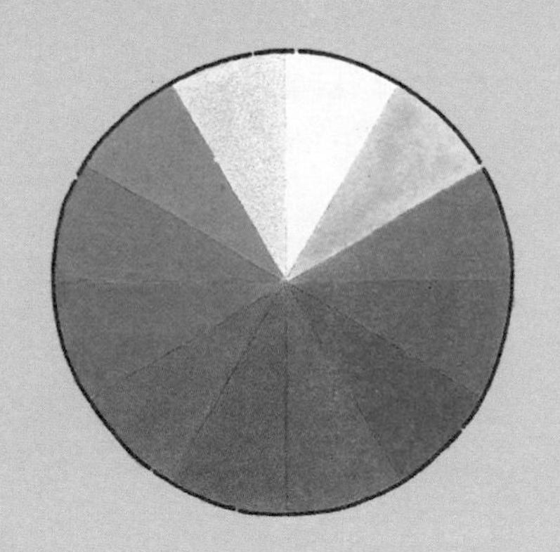

LA MAGIE DES COULEURS

La couleur est l'élément décoratif qui coûte le moins cher et permet de réussir de petits miracles. Vous pouvez, par exemple, « surélever » un plafond très bas avec une teinte claire, ou « rabaisser » un plafond très haut en le peignant dans une teinte plus sombre que celle des murs. Dans ce dernier cas, vous obtenez le même résultat si vous prolongez la couleur du plafond sur 20 ou 30 cm dans le haut des murs en créant une sorte de frise.

Dans chaque pièce, respectez l'harmonie chromatique que commande la teinte dominante.

Pour faire paraître une grande pièce plus petite, peignez le plafond et les murs dans des teintes différentes. Pour les murs, choisissez un coloris riche et chaud comme le rouge, le jaune ou le brun.

Vous pouvez agrandir une petite pièce en y multipliant les miroirs et en utilisant des teintes froides comme le bleu ou le vert clairs.

Raccourcissez une longue pièce étroite en choisissant une teinte foncée pour l'un des murs de bout.

Elargissez-la en peignant en clair l'un des murs de côté et en éclairant celui-ci davantage délibérément.

Couleurs, motifs, textures, autant d'éléments pour créer des zones dans une grande pièce et notamment délimiter un coin-conversation. Déterminez l'emplacement du coin-repas dans une grande pièce de séjour avec un tapis et un mur de teinte plus claire ou plus foncée.

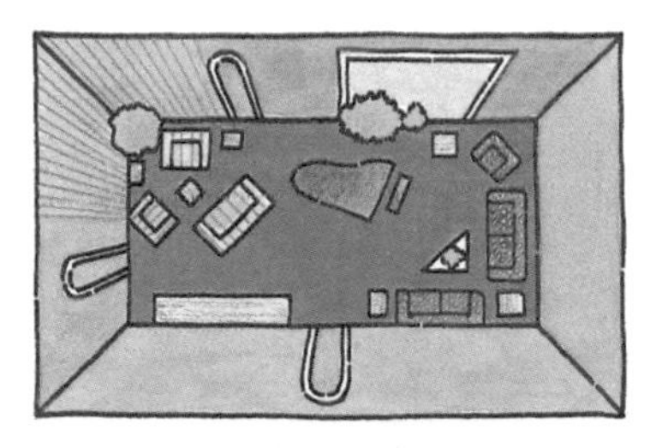

DES PLANS À L'ÉCHELLE

Reportez les dimensions sur du papier quadrillé ; comptez 2 cm pour 1 m de surface. Dessinez la pièce à l'échelle et signalez l'emplacement et les dimensions exactes des fenêtres, portes, radiateurs et climatiseurs, sans oublier le rayon d'ouverture des portes.

Mesurez chacun des meubles de la pièce. Reportez les mesures sur du papier quadrillé ou sur du carton épais, en utilisant toujours la même échelle. Etiquetez et découpez les gabarits. Installez-les et déplacez-les sur le plan jusqu'à ce que vous ayez trouvé pour chacun d'eux l'emplacement idéal, celui qui met le plus en valeur et la pièce et les meubles.

En examinant attentivement le plan, vous découvrirez les espaces inutilisés où vous pourriez installer des éléments de rangement, un placard, une étagère ou une vitrine. (Voyez nos suggestions, pp. 35-69.)

AMÉNAGEMENT D'UNE PIÈCE

Distribuez les meubles judicieusement. Placez les pièces de grandes dimensions — armoire ou bibliothèque — contre le mur le plus long. Pour épargner l'espace, adossez-les au mur ; ne les installez pas en diagonale dans les coins.

Créez une certaine unité en veillant à ce que les gros éléments soient de même hauteur. Il est préférable que les bahuts, les cabinets, les étagères à livres arrivent à peu près au même niveau le long des quatre murs.

Si la pièce est grande, adoptez un aménagement zonal. Créez un premier sous-espace avec un divan et des fauteuils à une extrémité, un second avec une causeuse et des sièges plus légers à l'autre.

Dans le coin-conversation, associez des meubles de même profil. Ne mettez pas des fauteuils à dossier élevé à côté d'un divan bas et ne flanquez pas celui-ci de tables d'appoint plus hautes que ses bras.

Laissez des voies de circulation entre les deux zones de la pièce, entre celle-ci et les autres pièces de la maison. N'installez pas une grande table à café devant un divan à quatre places ; deux petites tables sont beaucoup plus commodes.

En général, il vaut toujours mieux limiter l'ameublement ; ne surchargez pas une pièce de mobilier. Les gros éléments nuisent à la circulation. En outre, ils font paraître la pièce petite et encombrée et volent la vedette au reste du mobilier.

PRÉPARATION DES MURS ET DES PLAFONDS

Sur des murs et des plafonds bien préparés, vos travaux durent beaucoup plus longtemps. Repérez et bouchez les trous et les fissures. Si le plâtre est tellement endommagé qu'il faut le refaire sur tout un mur, adressez-vous à un maçon.

Pour poser du papier peint, vous pouvez clouer des panneaux de placoplâtre aux montants du mur par-dessus le plâtre d'origine.

Avant de peindre le mur, repérez tous les clous en saillie. Retirez-les avec des pinces et, dans le même trou, enfoncez un clou un peu plus gros. Si vous ne parvenez pas à extraire le clou en saillie, enfoncez-le avec un chasse-clou, bouchez et mettez un autre clou à 4 cm au-dessus ou au-dessous.

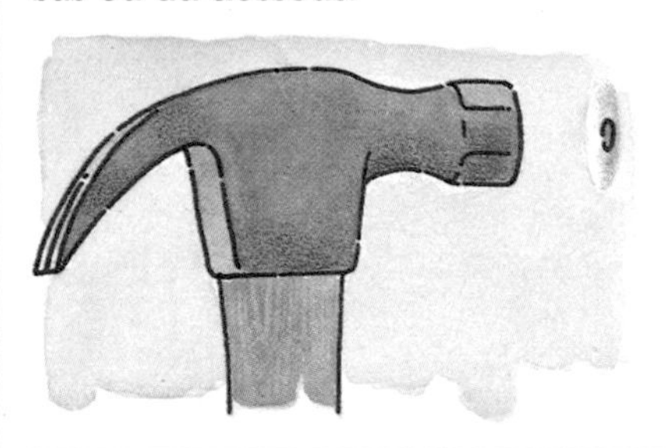

Remplissez un grand trou avec des journaux chiffonnés. Recouvrez de plusieurs couches minces d'une pâte à obturation, en travaillant des bords vers le centre. Poncez à sec.

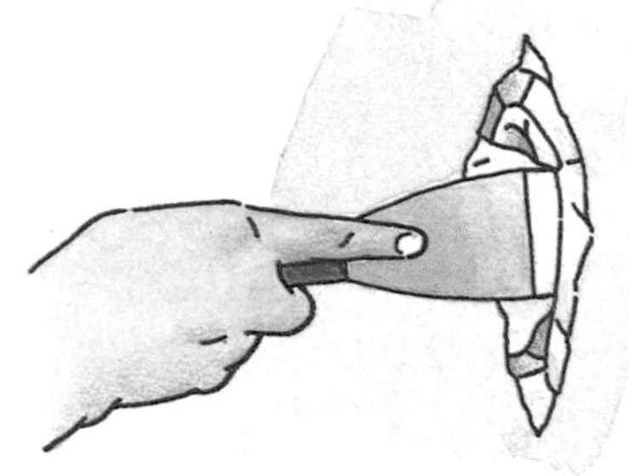

Servez-vous d'un vieux pinceau pour épousseter les moulures après le ponçage, avant de peindre.

Si le mur est texturé, tapotez la pâte humide avec une éponge pour lui donner la même finition.

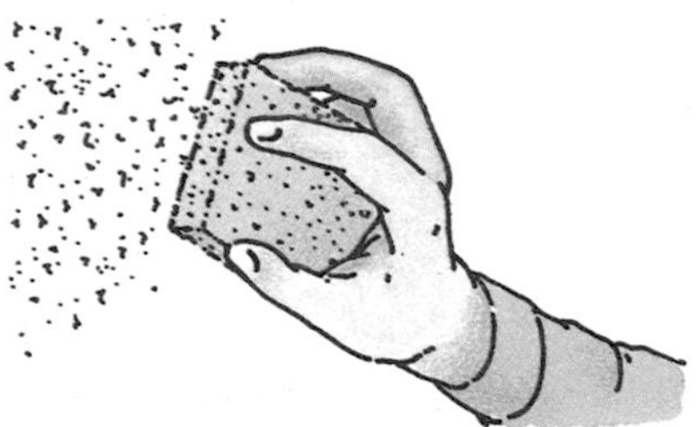

Avant de poser peinture ou papier peint, retirez tous les clous et fixations murales ainsi que les garnitu-

RETOUCHES DANS LE PLÂTRE ET LE PLACOPLÂTRE

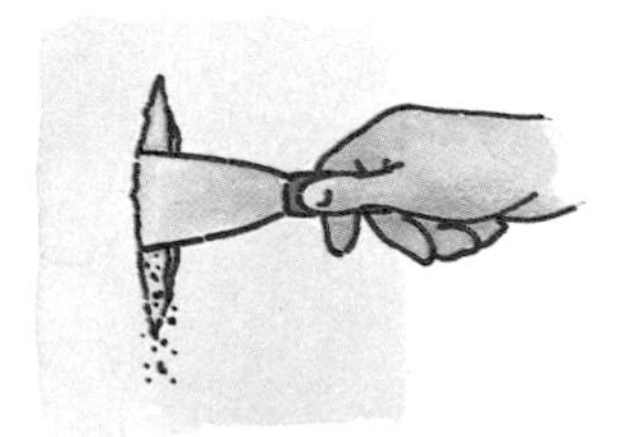

1. Enlevez le plâtre qui se détache. Grattez le plâtre derrière pour que le fond de la fissure ou du trou soit plus large que son ouverture. Humectez la surface avec un pinceau mouillé.

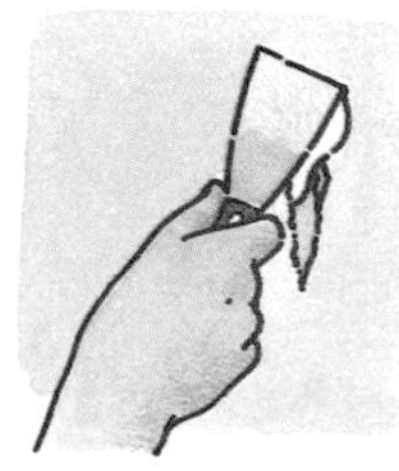

2. Délayez une petite quantité de pâte à obturation en suivant le mode d'emploi ou utilisez une pâte prémélangée. Remplissez la fissure ou le trou et lissez la pâte avec un couteau à mastic moyen. Si le trou est grand, remplissez-le en plusieurs fois.

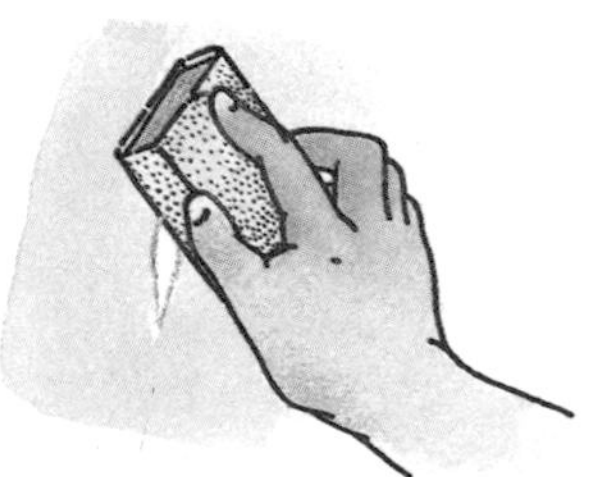

3. Lissez la surface avec une éponge mouillée. Lorsque la pâte est sèche, poncez-la avec du papier de verre enroulé autour d'un bloc (p. 443). Enlevez la poussière. Essuyez avec un linge humide avant de peindre.

res des portes et fenêtres (ou masquez-les avec du ruban-cache). Débranchez tous les circuits électriques de la pièce (p. 163). Otez les luminaires, les interrupteurs et les plaques des prises. (Branchez une lampe dans une autre pièce.)

Juste avant la finition, enlevez la poussière, le gras, l'huile, la rouille et la peinture écaillée en lavant les murs et le plafond avec une solution moitié eau de javel, moitié eau. Du même coup, vous éliminez les champignons et la moisissure.

Frottez-vous les mains et les bras avec une crème protectrice avant de débuter le travail ; peinture et plâtre s'enlèveront mieux à l'eau savonneuse quand tout sera fini.

Si vous vous servez de solvants ou de peintures diluées au solvant, vous devez éteindre les veilleuses et tous les feux. Lorsque vous utilisez de la peinture ou des enduits, assurez-vous qu'il y a une bonne aération là où vous travaillez.

Peignez les boiseries avant de poser le papier peint, mais seulement après avoir peint les murs.

PINCEAUX

Avant d'acheter un pinceau, pliez ses soies contre la paume de votre main. Si elles se redressent mal, si plusieurs d'entre elles tombent, prenez-en un de meilleure qualité.

COMMENT NETTOYER PINCEAUX ET ROULEAUX

Pinceaux. Enfilez des gants de caoutchouc et faites dégorger les pinceaux sur des journaux. Si les pinceaux ont été utilisés avec une peinture latex à l'eau, lavez-les à l'eau tiède avec du détergent à vaisselle. Pétrissez les soies pour en faire sortir la peinture. Rincez jusqu'à ce que l'eau soit claire. Dans le cas d'une peinture alkyde à l'huile, faites tremper le pinceau dans le solvant recommandé jusqu'à ce que le liquide soit gorgé de couleur. Remplacez le solvant et recommencez. Lavez ensuite le pinceau à l'eau tiède savonneuse et rincez.

Pour essorer le pinceau, faites-le tourner rapidement par le manche entre vos mains. Placez-le dans son étui de plastique en laissant le rabat ouvert et suspendez-le par le manche. Pour le ranger, enveloppez-le dans du papier ciré ou kraft et mettez autour une bande élastique.

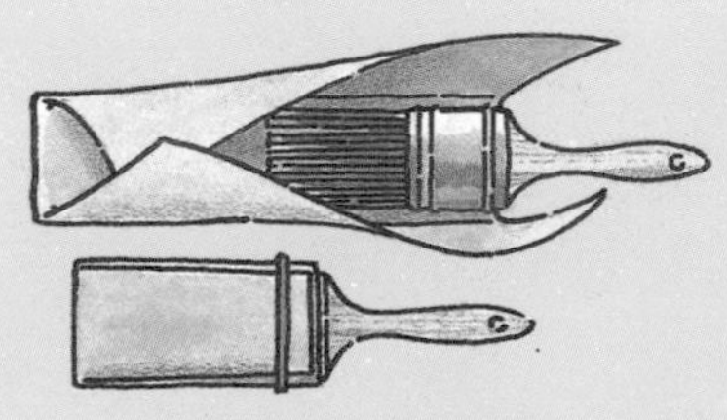

Si vous utilisez le pinceau le lendemain, il suffit de le suspendre, dans l'eau pour du latex, dans le solvant pour de l'alkyde, en prenant garde que les soies ne touchent le fond du bidon. Séchez-le avant usage.

Rouleaux. Nettoyez-les après chaque usage. Roulez-les sur du papier journal pour les faire dégorger. Enfilez des gants de caoutchouc. Lavez les rouleaux imbibés de peinture au latex à l'eau tiède en les frottant des doigts. Plongez les rouleaux imbibés de peinture alkyde dans le solvant recommandé et faites pénétrer le solvant. Lavez ensuite au détergent et à l'eau tiède et rincez.

Essorez le rouleau, puis épongez-le avec un tissu propre. Posez-le debout sur du papier journal pour qu'il sèche. Si vous utilisez le rouleau le lendemain avec de la peinture alkyde, laissez-le tremper dans le solvant.

La qualité d'un pinceau se juge à ses soies. Il doit y en avoir plusieurs avec des bouts fourchus — les réservoirs — pour prendre plus de peinture et mieux l'étaler. Dans les bons pinceaux, au moins la moitié des soies sont fourchues.

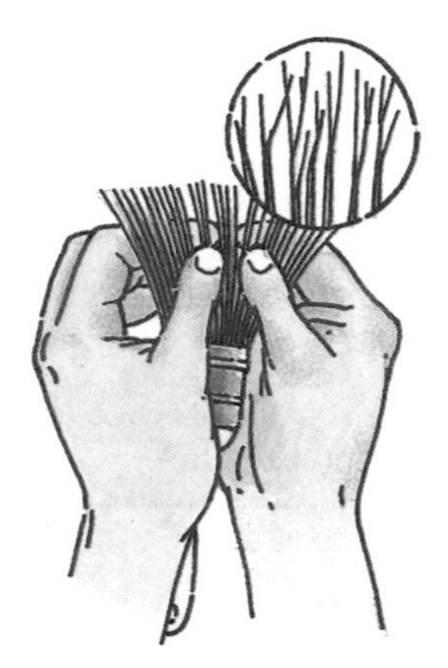

Achetez des pinceaux à soies naturelles pour la peinture alkyde (à l'huile), à soies synthétiques pour la peinture latex (à l'eau).

Pour peindre de grandes surfaces, prenez un pinceau plat de 7 à 12 cm ; pour les plinthes et les boiseries, un pinceau de 2 à 5 cm.

ROULEAUX

Les plus petits rouleaux, qui mesurent entre 5 et 8 cm, servent surtout à peindre les garnitures. Les plus grands peuvent atteindre 38 cm de large. Plus un rouleau est large, plus il couvre de surface.

Choisissez le poil approprié à votre travail. En règle générale, la surface sera d'autant plus lisse que le poil est court. Un bon rouleau garde la peinture et l'empêche de goutter pendant que vous travaillez.

Il y a également des qualités dans les rouleaux. Les mauvais se feutrent ou perdent des fibres.

Trois révolutions complètes du rouleau dans le récipient suffisent à le saturer de peinture.

Retirez le rouleau de son manche dès que vous avez terminé. Sinon, la peinture le coince en séchant.

AUTRES OUTILS

Avant d'acheter à bas prix un ensemble comprenant bac, rouleau et pinceau, vérifiez le prix de chacun de ces articles pris individuellement. Voyez comment se compare la qualité des uns et des autres.

Le bac de métal fort est le meilleur. Un bac léger tient moins bien sur l'échelle et se déforme vite ; en l'occurrence, le rouleau se charge moins bien de peinture.

CHOIX D'UNE PEINTURE D'INTÉRIEUR

En réalité, il existe seulement deux catégories de peintures d'intérieur : le latex à l'eau et l'alkyde à l'huile. Mais les deux se vendent dans une grande gamme de finition. La peinture la plus chère n'est pas toujours la meilleure. Demandez à un fournisseur fiable laquelle est la plus couvrante et attendez les soldes.

Latex (à l'eau). S'applique bien au pinceau et au rouleau. Se nettoie facilement à l'eau et au savon, n'est pas inflammable et a peu d'odeur. On l'utilise pour les murs, les plafonds et les boiseries, partout où l'hygrométrie n'est pas élevée.

Alkyde (à l'huile). S'applique bien au pinceau et au rouleau mais ceux-ci se nettoient à la térébenthine. Plus durable et plus lavable que la peinture latex ; aussi la choisit-on souvent pour la cuisine ou les salles de bains qui nécessitent de fréquents lavages. Elle a une odeur forte durant l'application, mais cette odeur disparaît assez vite par la suite.

Pour empêcher la peinture de s'accumuler dans le bac et faciliter le nettoyage, doublez-le de papier d'aluminium ou achetez des doublures jetables en plastique.

Les tampons à peinture travaillent vite et bien, mais il faut savoir s'en servir. Autrement, ils font des raies et laissent des marques aux lignes de raccord. On les utilise surtout pour les portes, les plinthes larges et plates et toutes les boiseries.

Si vous prenez un tournevis pour ouvrir les bidons de peinture, choisissez-en un vieux, car si vous endommagez la lame, celle-ci risque de briser ensuite la fente des vis.

AVANT DE PEINDRE

Couvrez le bord des vitres et les surfaces adjacentes à vos travaux avec du ruban-cache. En l'enlevant, vous obtenez un bord bien droit.

N'étendez pas de draps par terre. Etalez plutôt des feuilles de journaux en comptant 15 cm de chevauchement. Fixez-les aux boiseries avec du ruban-cache.

COMBIEN DE PEINTURE ?

Pour calculer au plus juste la quantité de peinture nécessaire, multipliez la longueur totale des murs en mètres par la hauteur des murs de la plinthe au plafond. N'oubliez pas de soustraire la superficie de tout ce qui ne se peint pas comme l'ouverture des portes et des fenêtres.

Calculez 1 litre pour 10 mètres carrés de mur, un peu plus quand le placoplâtre est neuf. Dans le doute, augmentez la quantité, car si vous manquez de peinture, le nouveau bidon peut ne pas être de la même nuance que le précédent. La plupart des magasins reprennent les bidons non ouverts de peinture standard.

PEINDRE : TRUCS

Si vous devez poser un apprêt (qui est généralement blanc) avant une peinture foncée, mettez un peu de celle-ci dans l'apprêt. La couche finale couvrira mieux.

Lorsque vous arrivez dans un coin, utilisez le plat du pinceau et non le côté, qui laisse des traces et donne un résultat moins net.

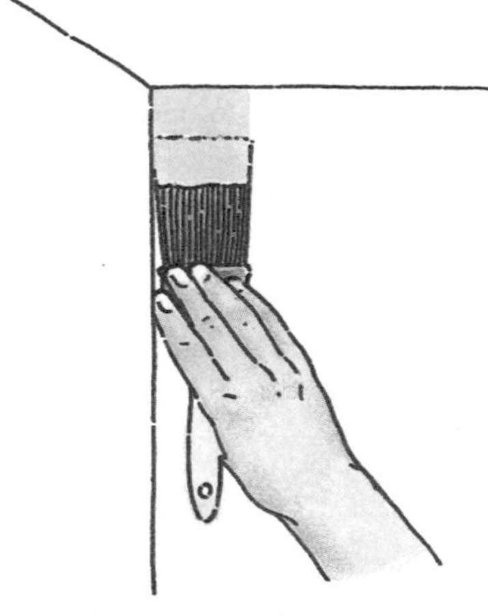

La peinture au pistolet épargne du temps, mais demande une certaine dextérité pour atteindre la cible et bien distribuer la peinture. Tenez le pistolet à angle droit de la surface à peindre, à 15 à 20 cm de celle-ci, et déplacez-le parallèlement.
Attention : Ouvrez les portes et les fenêtres et portez un masque lorsque vous utilisez un pistolet.

Quand la peinture a séché, enlevez les gouttes avec une lame de rasoir montée sur un grattoir.

Si, en dépit des précautions, il est tombé de la peinture au latex sur les boiseries en bois teint, attendez qu'elle ait séché ; mettez un peu de poudre à récurer sur une éponge humide et frottez délicatement pour ne pas endommager la finition. Essuyez avec une éponge humide.

DANS LA PIÈCE

Commencez par peindre le plafond. Pour éviter qu'une section sèche avant que l'autre soit faite, travaillez sur la largeur du plafond et non sur sa longueur, par bandes d'environ 60 cm qui se superposent légèrement.

Attaquez un mur par l'angle supérieur gauche si vous êtes droitier, par l'angle supérieur droit si vous êtes gaucher ; travaillez du plafond vers le plancher.

Avant d'entreprendre les plinthes, détourez le plancher avec du ruban-cache large pour le protéger.

Quand vous arrivez aux fenêtres, mettez du ruban-cache tout autour des carreaux et travaillez dans l'ordre indiqué ci-dessous.

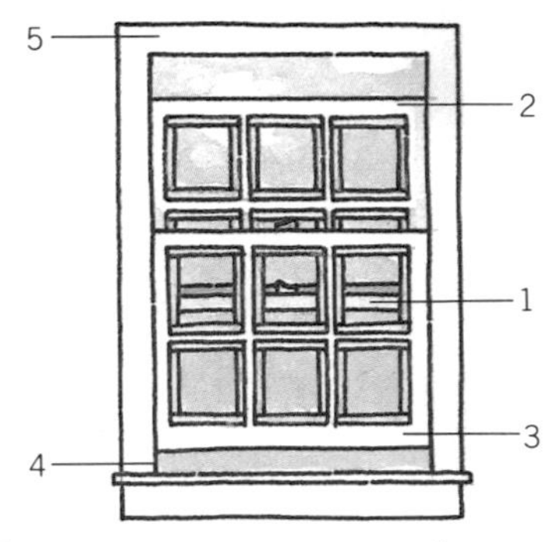

Vous avez terminé une fenêtre à guillotine ? Ouvrez les deux parties pour que la peinture sèche et insérez des allumettes entre châssis et cadre pour les empêcher de coller.

S'il vous reste très peu de peinture, fermez bien le bidon et jetez-le aux ordures. Ou donnez-le à quelqu'un à qui cela peut rendre service.

LA PEINTURE DES MURS

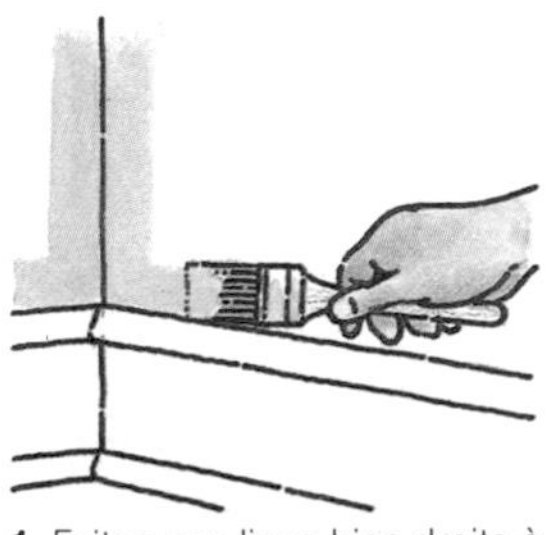

1. Faites une ligne bien droite à la jonction du mur et du plafond, dans les angles, autour des portes et des fenêtres et le long des plinthes. Cela s'appelle « détourer un mur ».

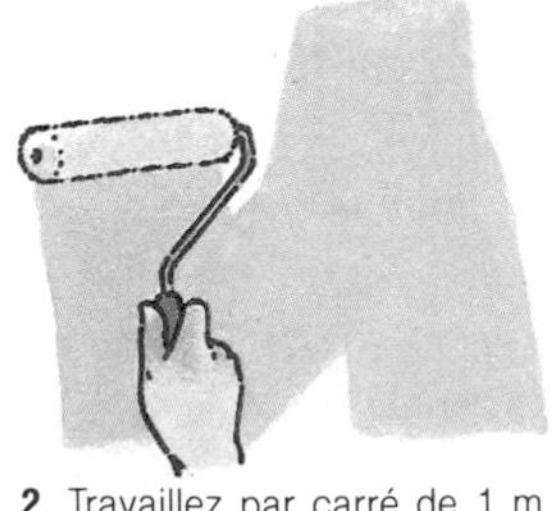

2. Travaillez par carré de 1 m. Faites un zigzag ; poussez le rouleau vers le haut sur le premier trait en augmentant la pression pour étaler la peinture ; puis passez-le à l'horizontale.

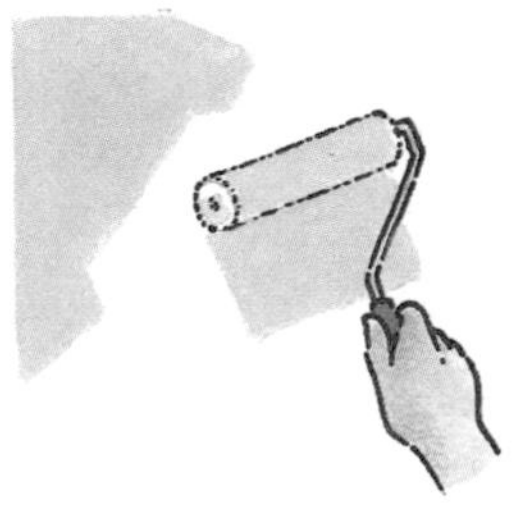

3. Pour obtenir plus d'uniformité, dirigez le rouleau que vous venez de saturer vers un carré humide. Terminez en repassant sur les raccords pour égaliser la peinture.

LE POCHOIR EN QUELQUES ÉTAPES

Bien que vous puissiez acheter des pochoirs dans le commerce, vous aurez plus de plaisir à créer vos motifs. Vous trouverez les fournitures nécessaires dans les magasins d'artisanat ou les papeteries.

Vous pouvez décorer au pochoir tous les murs à surface lisse, poreuse et mate. Appliquez d'abord une peinture mate (latex ou alkyde).

Après avoir découpé les pochoirs, faites des essais. Fixez-en un sur une feuille de papier blanc (papier à congélation) et exercez-vous à quelques reprises pour vous faire la main.

1. Dessinez le motif au crayon de cire sur un acétate transparent ; comme il faut un pochoir pour chaque couleur du motif, reportez-le sur autant d'acétates qu'il y a de coloris à appliquer.

2. Protégez la surface de travail d'un carton. Prenez un couteau de maquettiste et découpez sur chaque acétate les motifs d'une même couleur. De votre main libre, tournez l'acétate de façon à couper toujours dans le même sens. Ne levez pas le couteau tant que la découpe n'est pas terminée.

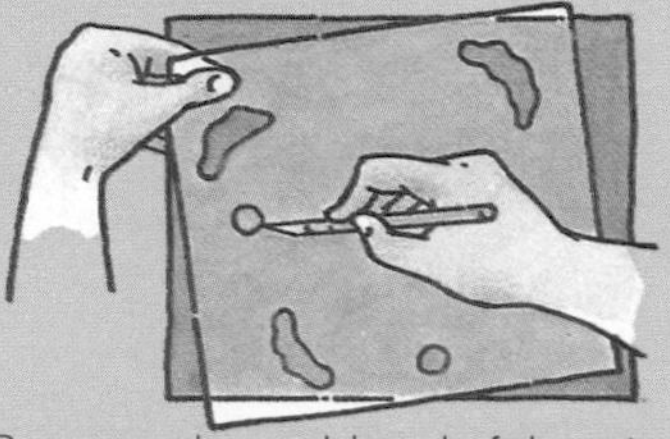

3. Pour savoir combien de fois entre le motif dans l'espace à décorer, mesurez cet espace et le pochoir. Divisez les dimensions de l'espace par celles du pochoir et répartissez également ce qui reste entre les motifs.

4. Mettez l'acétate en place et marquez les coins au crayon.

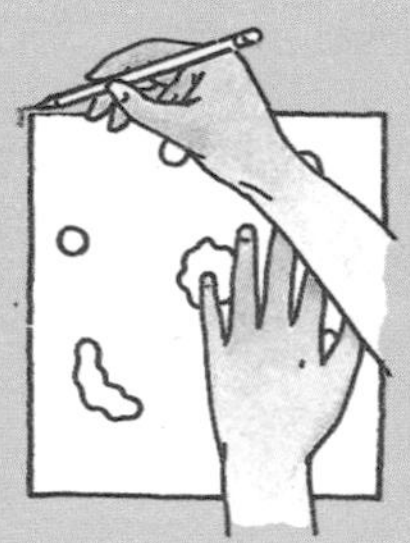

5. Placez le pochoir de la couleur dominante sur ces marques ; fixez avec du ruban-cache.

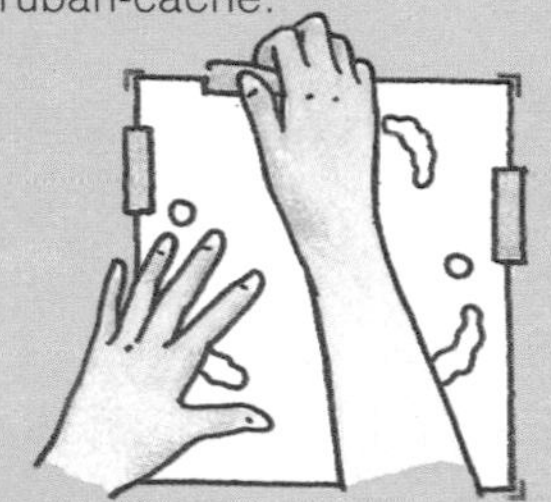

6. Appliquez une seule couleur à la fois, en tenant le pinceau perpendiculairement au pochoir et en travaillant de haut en bas.

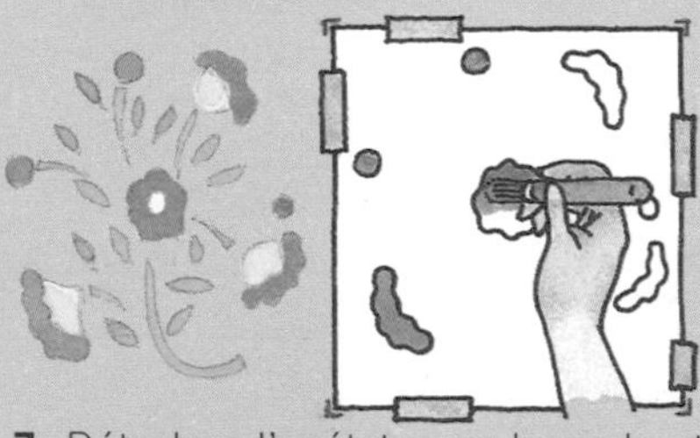

7. Détachez l'acétate, soulevez-le et essuyez la peinture qui y adhère. Posez un autre acétate sur les repères — la deuxième couleur — et continuez ainsi jusqu'à ce que toutes les découpes aient été remplies.

8. Reprenez maintenant tous vos acétates et attaquez le second motif, à côté du premier. Continuez ainsi jusqu'à la fin de votre projet décoratif.

9. Si vous voulez rendre le mur lavable et protéger les motifs décoratifs, appliquez une couche de vernis au polyuréthane avec un rouleau lisse.

POSE DES REVÊTEMENTS MURAUX

Pensez à la pièce dans son ensemble. Des rayures verticales font paraître le plafond plus haut. N'oubliez pas un principe élémentaire : petite pièce, petits motifs ; grande pièce, grands motifs. Les papiers peints à motifs volumineux et colorés attirent l'attention au détriment de vos meubles et accessoires. Si ceux-ci sont beaux, évitez-les.

Commandez tous les revêtements muraux dont vous avez besoin en même temps pour qu'ils proviennent du même bain de teinture. Assurez-vous-en en vérifiant le numéro de lot inscrit sur tous les rouleaux avant de les déballer.

Déployez chaque rouleau de revêtement mural avant de le tailler et examinez-le. Rapportez au magasin où vous les avez achetés les rouleaux qui sont imparfaits.

N'étalez pas de papier journal sur la table d'encollage ; l'encre pourrait déteindre sur le revêtement. Etendez plutôt une nappe en plastique ou du papier d'emballage.

ENLÈVEMENT DES REVÊTEMENTS MURAUX

Enlevez le vieux papier peint si possible. Mais s'il est en bon état et bien collé, vous pouvez le laisser en place, sauf si vous voulez poser du revêtement en vinyle, en papier d'aluminium ou en plastique.

Si l'ancien papier se décolle ou est en vinyle, défaites un coin du haut et tirez. Lavez les murs à l'eau tiède, puis grattez avec un couteau à mastic ce qui peut rester de colle.

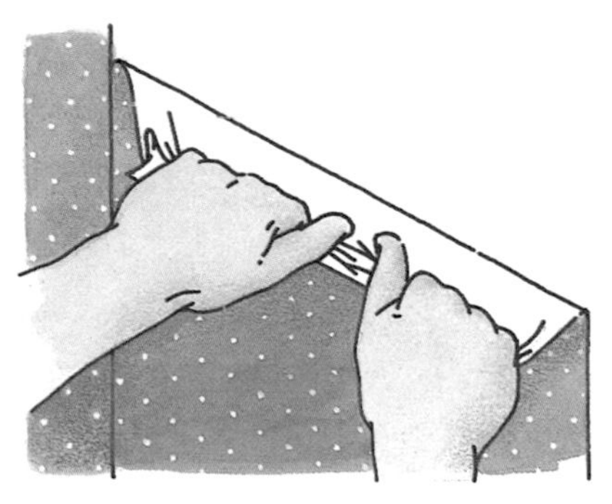

Le papier peint s'enlève par bande avec une solution en volume égal de vinaigre et d'eau chaude. Mouillez-le avec une éponge sans le saturer. (Mettez-en deux fois : vous aurez de meilleurs résultats.)

VARIÉTÉ DES REVÊTEMENTS MURAUX

Type	Emploi	Remarques
Liège	Salle de séjour ; chambres d'enfants	Insonorisant. Se pose sur doublure de papier. Se nettoie à l'aspirateur
Papier d'aluminium	Met en valeur une petite pièce ou un petit espace	Cher ; peu durable. Difficile à poser ; employez une doublure de papier. Brille au soleil. Se lave à l'eau
Papiers (ordinaire, vinylique, endos de tissu)	Lieux assez passants ; salles à manger ; salons ; chambres d'adultes	Papier préencollé plus facile à poser. Seul le papier vinylique est lavable
Revêtements texturés (jute, ramie, soie)	Salons ; salles à manger ; mur décoratif	Se pose sur doublure de papier. Se nettoie à sec
Tissu	Effets spéciaux ; lieux peu passants	Cher ; peu durable. Se pose sur doublure de papier. Se nettoie à sec
Vinyle	Lieux très passants ; cuisines ; salles de bains ; salles de jeux	Le plus durable. Vinyle préencollé très facile à poser. Se lave à l'eau

POSE DU PAPIER PEINT PRÉENCOLLÉ

1. Mesurez la largeur du rouleau; reportez la mesure moins 2 cm sur le mur à droite du coin supérieur où vous allez commencer; reportez dans le bas. Claquez un fil à plomb ou une ficelle lestée enduite de craie entre ces deux points.

2. Avec le fil à plomb, prenez la mesure du plafond à la plinthe en divers endroits de la pièce. Déterminez la hauteur maximale du mur, ajoutez 8 à 10 cm et utilisez cette mesure pour couper chaque bande de papier peint. Taillez deux bandes.

3. Placez une auge au bas du mur. Plongez la première bande, motif à l'intérieur, dans l'eau pendant 30 secondes. Retirez-la lentement et posez-la sur une surface plate. Repliez-la, côté encollé à l'intérieur, et laissez-la en attente 3 minutes.

4. Alignez-la à droite le long de la première ligne à plomb; le papier doit déborder sur le mur adjacent, le plafond et la plinthe. Lissez avec une brosse ou une éponge en éliminant les poches d'air. Lavez tout de suite les surplus de colle à l'eau claire.

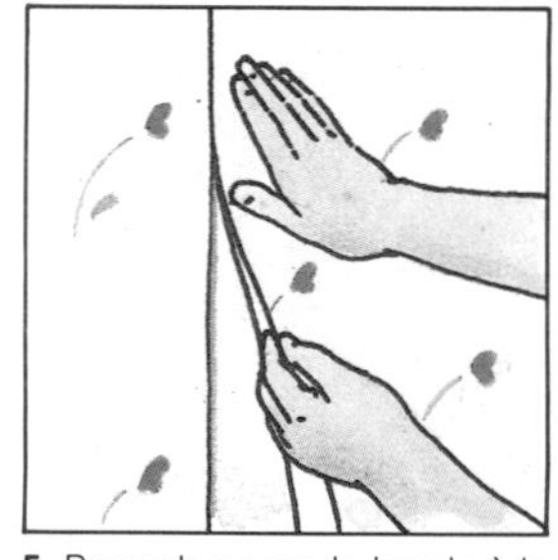

5. Posez la seconde bande à la droite de la première. Les bords doivent se rejoindre, non se superposer. Assurez-vous que les bandes sont bien l'une contre l'autre et qu'elles adhèrent bien au mur en les lissant avec une brosse ou une éponge.

6. Faites dépasser le papier dans l'angle. Marquez au fil à plomb et posez la première bande de l'autre mur pour qu'elle déborde sur la précédente. Au couteau universel, coupez les deux bandes d'un trait dans l'angle et enlevez les surplus.

7. Aux portes et fenêtres, laissez pendre la bande. Coupez le papier en trop en gardant 5 cm de chevauchement. Taillez en diagonale dans les angles. Lissez le papier autour du cadre avec un couteau à mastic et rectifiez au couteau universel.

8. Environ 10 minutes après la pose du papier, passez le rouleau sur les raccords. Dans le cas de papier d'aluminium ou de papier à motifs en relief, tapotez simplement les raccords avec le bout d'une brosse de tapissier.

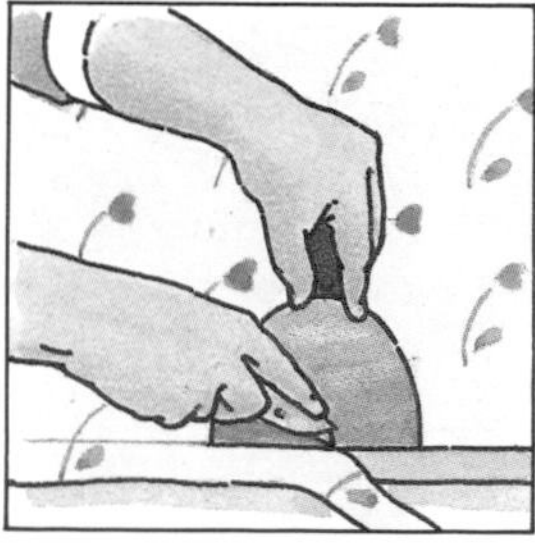

9. Lorsque les murs sont tous recouverts de papier peint, rectifiez le long du plafond et des plinthes avec un couteau universel en appuyant contre le mur un couteau à mastic à lame large pour faire une ligne bien droite (voir l'illustration).

Deux méthodes rapides pour enlever le papier peint : louez une machine à vapeur ou achetez un liquide spécial pour ramollir le papier. Vous le grattez ensuite avec un couteau à mastic large. Puis vous lavez le mur avec du bicarbonate de soude et vous le laissez sécher.
Attention : N'employez le liquide à enlever le papier que dans un lieu bien aéré en suivant les instructions du fabricant à la lettre.

PAPIER PEINT : TRUCS

Si vous êtes débutant, faites-vous la main en posant d'abord un papier à doublure de poids moyen. Vous prendrez de l'expérience et les résultats ultérieurs seront meilleurs.

Lorsque le mur est en mauvais état, procurez-vous un papier peint texturé ou à motif en relief ou posez une doublure robuste en tissu ; elle est spécialement conçue à cette fin.

Avant de poser du papier sur un mur de couleur sombre ou vive, appliquez de la peinture blanche sur 3 cm dans le haut. Si le revêtement ne rejoint pas toujours exactement le plafond, cette bande blanche masquera la couleur du mur.

Pour obtenir un revêtement impeccable avec du papier métallique, appliquez sur le mur, et non sur le papier, deux couches d'un adhésif exempt du moindre grumeau. Etalez-le avec un rouleau à peinture à poils courts ; avec un pinceau, il se verrait des marques à travers la surface fragile du papier.

Gagnez du temps. Si vous enlevez un papier de vinyle, numérotez-en chaque bande de gauche à droite ou à l'inverse. Coupez le nouveau papier en vous basant sur l'ancien et en mettant les deux bien à plat. (Cela implique bien évidemment que le nouveau papier et l'ancien soient de la même largeur.)

Faites échec à la moisissure. Vaporisez un agent antibactériologique sur la face apprêtée et humide du papier avant de le poser.

Voulez-vous que le travail soit impeccable ? Prenez votre temps ; rien ne vous oblige à tout faire le même jour. La colle à papier peint sèche lentement : vérifiez toujours la position de chaque bande après l'avoir posée et rectifiez au besoin.

RÉPARER DU PAPIER PEINT ENDOMMAGÉ

Pour recoller les déchirures ou les bords, appliquez un enduit approprié sur le mur et sur le papier peint. Mettez en place, appuyez, lissez avec un rouleau de tapissier et nettoyez tout excès d'enduit.

Pour réparer un bout abîmé, collez en place une nouvelle pièce de papier peint plus grande que le morceau à remplacer, en respectant le motif. Attendez une heure, puis coupez les deux épaisseurs avec un couteau universel. Enlevez tout, nettoyez et collez une seconde fois la pièce du dessus. Attendez environ 15 minutes avant de lisser les bords avec un rouleau de tapissier.

LAMBRISSAGE

Le lambrissage dissimule les plâtres bosselés, les vieux papiers peints et les murs de maçonnerie. C'est un élément décoratif intéressant, permanent et d'entretien facile.

Les planches posées verticalement font paraître une pièce plus haute ; à l'horizontale, elles la font paraître plus longue.

En diagonale, à angle droit avec un mur recouvert de miroir, elles donnent l'illusion que la pièce est à la fois plus grande et plus haute.

Combien de panneaux de 4 sur 8 vous faut-il ? Si la hauteur du plafond est de 8 pi, mesurez la largeur de chaque mur et divisez par 4.

Rangez les panneaux ou les planches de bois dans la pièce où ils seront posés 7 à 10 jours avant l'installation. En s'adaptant à l'hygrométrie de la pièce ils risquent moins de rétrécir ou de prendre de l'expansion une fois en place. Espacez chaque panneau ou chaque planche pour que l'air circule.

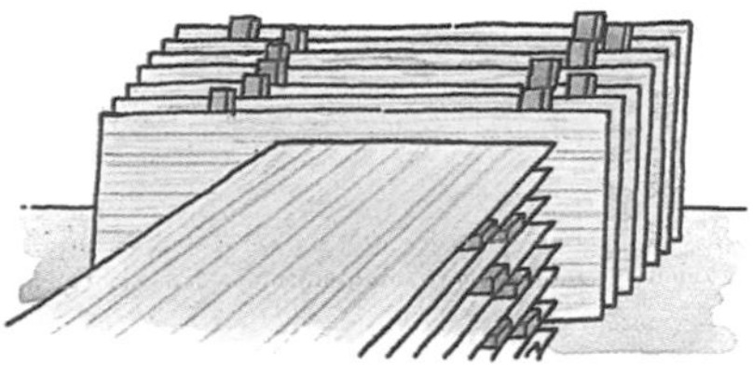

Si vous manquez de clous de la couleur des lambris, utilisez des clous ordinaires. Faites-les pénétrer avec un chasse-clou et remplissez le trou avec un bâton de cire colorée de la bonne nuance.

AVANT LE LAMBRISSAGE

Examinez les points suivants avant de faire lambrisser une pièce.

1. L'épaisseur des panneaux et des fourrures, s'il y a lieu, diminuera d'autant les dimensions de la pièce. Enfin, si le bois est foncé, la pièce paraîtra encore plus petite.

2. Il faudra amener les interrupteurs et les prises électriques vers l'avant pour qu'ils arrivent bien à fleur du nouveau revêtement mural.

3. Il faudra en outre rectifier les bouches du chauffage et de la climatisation. (Confiez ce travail à un entrepreneur en chauffage.) Si vous avez des plinthes électriques, il faudra couper le courant avant de les déplacer.

4. Les cadres de fenêtres et de portes, les plinthes et les moulures devront également être enlevés et reposés.

PLAFONDS MIRACLE

Il n'y a rien comme des miroirs pour faire paraître une pièce plus haute, surtout s'ils sont posés sur un plafond sombre. Achetez des carreaux de miroir bon marché ainsi que l'adhésif recommandé.

Reproduisez le firmament au plafond d'une chambre d'enfant. Découpez des étoiles dans du vinyle réfléchissant et disposez-les comme celles de la Grande Ourse par exemple. Lorsque les lumières sont éteintes, de nuit, l'enfant a l'impression de dormir à la belle étoile. Atout précieux : le vinyle fait également office de veilleuse. (Il se vend des constellations en kit.)

Le lanterneau laisse entrer cinq fois plus de lumière qu'une fenêtre de mêmes dimensions ; avec ce stratagème, une pièce obscure se transforme en oasis de lumière.

Lorsque le puits de lumière ouvre, il permet aux odeurs, à la fumée et à la chaleur de s'échapper. Autre avantage, les puits de lumière réduisent le coût du chauffage.

Dissimulez tuyaux, fils ou solives derrière un plafond suspendu fait d'un lattis métallique dans lequel entrent des carreaux acoustiques.

PLAFONDS À CARREAUX

Pour obtenir un joli effet, donnez la même largeur aux carreaux en bordure de deux murs opposés.

Ne collez des carreaux sur le plafond que si celui-ci est en bon état et de surface uniforme. Quand les solives sont visibles, que le plâtre est craqué ou la surface inégale, posez les carreaux sur des fourrures.

Vous n'avez pas besoin de mettre de l'adhésif sur la surface entière du carreau. Déposez-en un peu aux quatre coins, à 2 cm des bords, et au centre. C'est suffisant.

Fixez les carreaux aux fourrures avec des agrafes à raison de trois d'un côté et une dans les coins de l'autre côté. (De la sorte, le carreau peut rétrécir ou augmenter de dimensions selon l'hygrométrie.)

SOLS ET PARQUETS

Ne prenez pas la décision de faire refaire les planchers sans avoir bien examiné ceux que vous avez. Pour retrouver toute leur beauté, les parquets ont souvent besoin d'être seulement frottés ou tout au plus poncés au jet de sable avant de recevoir une finition au polyuréthane ou à l'huile d'abrasin.

Si vos parquets sont tellement endommagés que rien ne peut les sauver, ni ponçage, ni teinture, ni décoloration, vous pouvez encore leur donner une couche de peinture et cacher ainsi leurs défauts.

Avant de choisir un nouveau revêtement de sol, examinez à quoi sert la pièce. Les parquets de bois sont recommandés dans les salons et les pièces peu passantes. Dans la salle de séjour, la cuisine, la salle de bains et les chambres d'enfants, mieux vaut choisir un couvre-sol dallé sombre et à motifs, sur lequel la saleté ne se voit pas.

Pour redonner de l'éclat à un sol taché, dotez-le d'une bordure au pochoir. (La méthode est la même que pour la décoration des murs, p. 413.) Pensez à une décoration en damier ou à une simili-carpette.

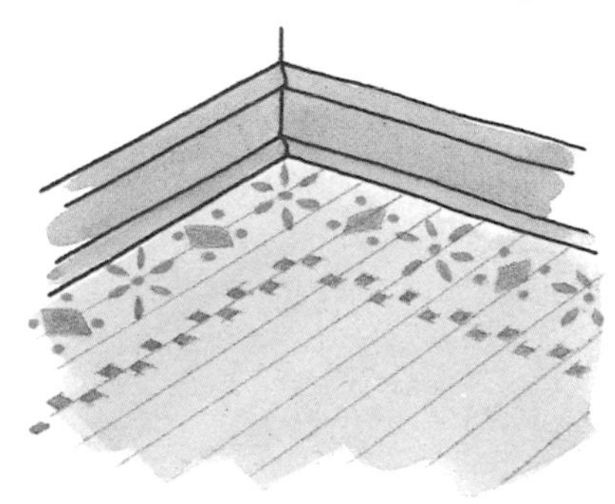

Résistante et lavable, la peinture pour planchers de balcon convient aux endroits très passants comme les entrées ou les escaliers, mais la gamme de coloris est limitée.

Sur la peinture, appliquez plusieurs couches de polyuréthane : elle sera plus durable. Une couche de polyuréthane tous les deux ans peut faire reculer la corvée de la peinture.

REVÊTEMENTS DE SOL

Type	Description	Surface	Pose
Bois dur	Chêne, érable, teck ; plusieurs finitions. Planches, lattes ou carreaux. Chaud et naturel ; vieillit bien	Durable, mais peut gauchir ou fendre. Résistant à l'eau lorsque traité. Agréable sous le pied	Se cloue sur assise de contre-plaqué. Carreaux autocollants ou à fixer avec le ciment-colle recommandé
Bois tendre	Epinette, sapin ou pin ; planches d'ordinaire à rainure et languette	Poreux ; vulnérable ; agréable sous le pied	Agrafer ou clouer les languettes sur assise de contre-plaqué ou coller avec du ciment-colle
Carreaux de céramique	Dimensions, formes et coloris variés	Durables. Imperméables ; peu tachants mais susceptibles de s'égratigner. Durs sous le pied ; glissants si mouillés	Se posent sur assise de bois ou de béton avec un ciment-colle au latex
Dalles d'ardoise	Aspect naturel. Formes et dimensions variées	Résistent à l'eau et aux taches. Dures sous le pied	Se posent sur assise de béton ou de bois avec un ciment-colle au latex
Revêtements souples (lino, vinyle en rouleaux ou en carreaux, asphalte-vinyle)	Motifs, formes et dimensions variés (en rouleaux et en carreaux). Finition luisante ou satinée	Robustes, leur durée dépend de leur épaisseur. Résistent aux taches et à l'eau ; vulnérables aux éraflures et aux égratignures. Agréables sous le pied	Enlever l'ancien couvre-sol s'il n'est pas en très bon état. Poser les revêtements auto-adhésifs sur une surface propre et lisse, les autres sur le sous-plancher avec le ciment-colle recommandé

L'ÉCLAIRAGE

Il faut quatre ou cinq sources lumineuses dans une pièce moyenne. Cependant, s'il s'y trouve des murs et des meubles de teinte sombre, il faut en rajouter ou augmenter l'intensité des ampoules.

Pour créer une ambiance harmonieuse, les lampes de table ou de sol doivent arriver à la même hauteur et présenter des abat-jour de tissus et de formes semblables.

La lampe de table ne doit pas dépasser une fois et demie la hauteur de la table et le diamètre de son abat-jour ne doit pas dépasser la largeur de celle-ci.

Si une lampe de sol vous sert à la lecture, placez-la derrière vous, un peu à droite ou à gauche de vos épaules. Si c'est une lampe de table, placez son pied à hauteur de vos épaules et à 50 cm à gauche ou à droite du centre du livre. Le bas de l'abat-jour doit arriver au-dessus de vos yeux ; plus bas, il diminue la lumière qui tombe sur votre livre.

Le gaucher doit placer la source lumineuse à sa droite, le droitier, à sa gauche, pour que leurs bras et leurs mains ne fassent pas d'ombres sur le papier quand ils écrivent.

Regardez la télévision sans vous fatiguer les yeux. Utilisez une lampe suspendue faible ou une lampe de table à triple intensité réglée au plus faible. (Placez-la pour qu'elle ne se reflète pas dans le téléviseur.)

Vous craignez que le lustre de la salle à manger soit de mauvaises dimensions ? Voici une règle utile : sa diagonale en pouces doit être égale à celle de la pièce en pieds.

Certains décorateurs estiment qu'il vaut mieux choisir un lustre un peu trop grand plutôt qu'un peu trop petit. Par exemple, un plafonnier important peut devenir le centre d'attraction d'une petite salle à manger ou d'un corridor très étroit.

Choisissez les abat-jour en fonction de l'effet que vous voulez créer. Opaque, l'abat-jour rend plus intense la lumière qui s'échappe par le haut et par le bas ; il est plus décoratif que pratique. Si vous préférez une jolie lumière diffuse qui permet la lecture, prenez-le en plastique, en tissu ou en papier translucides.

Evitez les abat-jour étroits du haut. La chaleur engendrée par l'ampoule s'y concentre et peut finir par endommager la matière dont il est fait.

LUMIÈRE D'AMBIANCE

Avec un rhéostat, vous réglez à votre gré l'intensité de la lumière. Une lumière vive pousse à l'action ; une lumière douce incite à la détente. Pour l'installation, suivez les instructions de l'emballage.

Pour créer une ambiance intime et chaleureuse, installez de petits groupes lumineux.

Les ampoules roses réchauffent une pièce et leur lumière est plus flatteuse que la lumière blanche. Les bleues et les vertes sont froides : elles incitent à la sérénité.

PETIT GLOSSAIRE SUR L'ÉCLAIRAGE

Eclairage ponctuel. Celui qui, dans une pièce, frappe un objet spécifique : peinture ou bibelot.

Eclairage général. C'est l'éclairage fonctionnel dans une pièce.

Eclairage de travail. Celui qui tombe sur une surface de travail, qu'il s'agisse de lecture ou de cuisine.

Tubes fluorescents. Durent quatre à cinq ans et fournissent une lumière froide. Il en existe à lumière chaude.

Ampoules à incandescence. Leur lumière dorée dure 1 000 heures.

Ampoules à basse tension. Faisceau lumineux précis et concentré.

Déflecteurs. Panneaux qui donnent un éclairage indirect.

Corniches. D'en haut, elles dirigent la lumière vers le mur qui les porte.

Rhéostats. Ces variateurs d'intensité lumineuse se règlent avec un bouton et prolongent la vie des ampoules.

Eclairage descendant. Spots semi-encastrés ou montés sur rail qui lancent un faisceau lumineux vers le bas.

Projecteurs. Spots orientables qui peuvent être encastrés ou semi-encastrés dans le plafond, ou encore montés en surface ou sur rail.

Rail d'éclairage. Il s'agit d'un ou de plusieurs spots orientables, montés sur rotule et fixés à un rail. Le rail peut être encastré ou non et installé au plafond ou au-dessus d'une plinthe. Ce système permet d'orienter la lumière.

Eclairage ascendant. Ce sont des spots autonomes, posés sur le sol, qui lancent vers le haut un faisceau lumineux doux et diffus.

Lambrequin d'éclairage. Il jette une nappe de lumière sur les tentures et un faisceau lumineux sur le plafond grâce à des ampoules dissimulées derrière un bandeau, devant la tringle.

Eclairage mural. Spots encastrés ou non, parfois montés sur rail, lançant vers un mur une nappe de lumière qui crée une impression d'espace.

Plafonniers. Suspensions qui pendent du plafond sur leur cordon électrique. Ils éclairent bien, mais il faut leur ajouter un éclairage ponctuel.

Lampes de sol. La qualité de leur éclairage dépend de leur abat-jour.

Suspensions. Le faisceau lumineux dépend de l'abat-jour. Plus celui-ci est grand, plus la lumière est subtile.

Lampes de table. Leur faisceau n'éclaire que des surfaces limitées.

Appliques murales. A tiges articulées, elles peuvent éclairer un mur ou le plafond, mettre en valeur un objet.

LES FENÊTRES

Si vous avez l'intention de refaire la décoration des fenêtres, regardez d'abord votre maison de l'extérieur. Toutes les fenêtres d'un même côté doivent présenter des styles et des coloris semblables.

Dans une fenêtre, la plus belle décoration est généralement la plus sobre, celle qui laisse passer le plus de soleil et de lumière.

Si le paysage qu'on aperçoit d'une fenêtre est superbe, ne le masquez pas avec un voilage ou des tentures épaisses. Mettez un pan de rideau de chaque côté et laissez la fenêtre se faire le cadre du paysage.

Examinez également la qualité de la lumière. Si la fenêtre donne vers le nord, ne mettez rien qui puisse assombrir la pièce. Si elle donne vers le sud ou l'ouest, vous pouvez tendre un voilage qui filtre un peu les rayons du soleil.

FENÊTRES À PROBLÈMES

Quand la vue de la fenêtre est peu attrayante mais que vous avez besoin de lumière, pensez à suspendre des plantes vertes au plafond en guise de rideaux. Ou dressez des rayonnages en verre et installez-y une collection de verres.

Lorsque la pièce a des fenêtres françaises ou à double battant, posez une tringle à rideau assez large pour que les tentures, de jour, dégagent complètement l'ouverture. Vous pouvez aussi poser des stores sur les cadres de manière à pouvoir les ouvrir à volonté.

Ne bloquez pas le peu de lumière qui entre par les soupiraux du sous-sol. Posez-leur de petits stores vénitiens ou des stores translucides que vous pouvez lever le jour et descendre la nuit.

Lorsqu'il y a deux petites fenêtres sur le même mur, traitez-les comme une seule si elles sont rapprochées l'une de l'autre. Posez sur les deux un seul grand store vénitien ou un seul store à enrouleur.

Voici une façon ingénieuse de dissimuler un climatiseur encombrant. Posez deux jeux de persiennes, l'un sur le haut de la fenêtre, l'autre sur le climatiseur. Pour laisser circuler l'air refroidi, vous pouvez ouvrir les persiennes en les repliant ou entrebâiller les lattes.

Maquillez la taille réduite d'une fenêtre haut perchée en la garnissant de rideaux qui tombent sous le rebord. Relevez les rideaux pour laisser entrer le soleil et l'air.

Dans les fenêtre mansardées, posez un store sur le cadre ou un voilage assujetti dans le haut et le bas.

FENÊTRES MIRACLE

Vous avez une fenêtre petite et mal placée ? Posez un lambrequin dans le mur au-dessus pour lui donner de la hauteur ou couvrez tout le mur de tentures ; une fois fermées, elles laisseront croire que vous dissimulez un mur complet de fenêtres.

Suspendez des pans étroits de tenture, du plafond au plancher, pour rehausser une pièce basse.

DES IDÉES ENSOLEILLÉES

Dans un mur aveugle, installez des pans de miroir entourés d'une moulure. Vous aurez une impression de profondeur et de dégagement.

Créez l'illusion d'une fenêtre dans un mur aveugle en posant un miroir en face d'une vraie fenêtre. Si celle-ci est dans un coin, posez le miroir juste en face.

PARURES DE FENÊTRE

Comment distinguer entre tentures et rideaux ? Les premières sont taillées dans des tissus lourds ; elles sont doublées et soutenues par des crochets. Les rideaux se font dans des tissus légers, non doublés, et ils s'enfilent sur une tringle.

Les tentures permettent de maquiller certains défauts architecturaux ou de mettre en valeur quelques atouts. Vous pouvez dissimuler des boiseries laides ou des fenêtres mal situées ou de forme bizarre en tendant sur tout le mur des tentures et des rideaux.

Comment calculer l'ampleur des rideaux et des tentures ? La règle est simple. Ils doivent faire au moins le double de la largeur à couvrir. Pour les voilages, il faut aller jusqu'à trois fois la largeur.

Hésitez-vous à faire doubler vos tentures ? Pensez-y bien : la doublure protège votre intimité, tamise les rayons du soleil qui finissent par brûler les tissus, isole contre le froid et la chaleur et améliore l'apparence extérieure des fenêtres.

Les panneaux translucides de type shoji sont excellents pour régler l'entrée de lumière dans une pièce et en assurer l'intimité. Vous faites glisser les panneaux au besoin, selon que vous voulez voir dehors ou diminuer l'intensité de la lumière.

MOQUETTES

La densité des fibres, voilà à quoi tient surtout la qualité d'une moquette. Plus les touffes de poils sont rapprochées, plus le tapis dure. Jugez-en par vous-même : pliez un coin du tapis sur votre doigt et examinez le canevas-dossier qui apparaît ; moins vous en voyez, meilleure est la qualité du tapis.

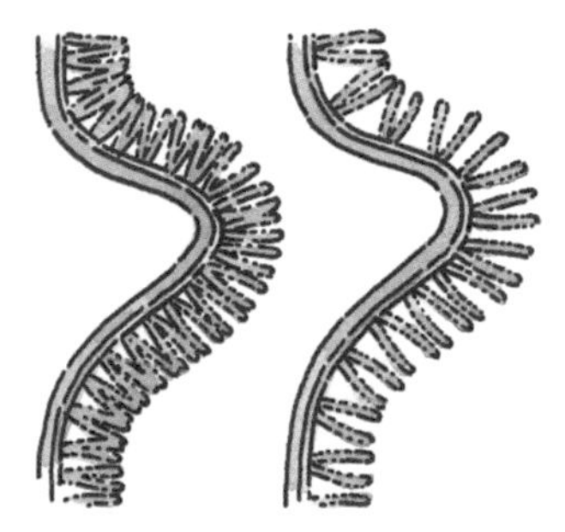

Pour économiser l'énergie et amortir les bruits, achetez une moquette à poil épais et dense et posez-la sur une thibaude épaisse, nantie de nombreuses pochettes d'air.

Si les parquets sont endommagés, une moquette peut vous coûter moins cher que des travaux de remise en état.

Afin de faciliter le nettoyage et la rotation du tapis (pour répartir l'usure), faites couper le tapis aux dimensions exactes de la pièce moins 5 à 8 cm et faites-le finir sur les quatre côtés. Il aura l'air d'une moquette mais son entretien sera plus facile. Pour éviter les accidents, posez une thibaude dessous ou du ruban spécial dans les coins.

Au moment de l'achat, songez que les coloris moyens gardent leur beauté plus longtemps. Sur un tapis sombre, on voit la mousse mais non la saleté. Sur un tapis clair, c'est l'inverse : la saleté paraît, mais la mousse ne se voit pas.

TABLEAU DES FIBRES

Chaque fibre a ses caractéristiques ; aucune n'est parfaite. Considérez vos goûts, l'usage du tapis, son apparence et votre budget. Comparez et prenez la fibre qui correspond le plus à vos besoins.

Fibre	Caractéristiques	Avantages et inconvénients
Acrylique	Aspect naturel ; le plus près de la laine parmi les fibres synthétiques. Prix moyen	Assez durable. Résiste aux taches solubles dans l'eau, mais non aux taches d'huile. Peu vulnérable à l'humidité et à la moisissure
Laine	Vaste gamme de coloris et de textures ; douceur et luxe. Très chère	Très durable. Résiste aux faux plis et à la salissure, mais moins bien aux taches
Nylon	Vaste gamme de teintes claires. La fibre dite la plus robuste. Vaste gamme de prix	Très durable. Peu vulnérable à la saleté ; résiste aux taches solubles dans l'eau. Ne moisit pas. Ne perd pas son poil ; ne bouloche pas. Peut créer de l'électricité statique à moins d'un traitement spécifique en usine
Olefin	Bon teint ; gamme limitée de coloris. S'emploie à l'intérieur (surtout dans les cuisines) et à l'extérieur. Assez peu coûteux	Très durable. Résiste à la saleté et aux taches permanentes, à l'humidité et à la moisissure. Résiste naturellement à l'électricité statique
Polyester	Vaste gamme de coloris ; poil souple, lustré, de qualité. Relativement peu cher	Modérément durable. Résiste aux taches solubles dans l'eau mais non aux taches d'huile. Demande de fréquents nettoyages

Les moquettes à motif sont très avantageuses parce que la saleté s'y voit moins que sur les moquettes unies. Les motifs abstraits ont l'avantage supplémentaire de maquiller les irrégularités d'une pièce.

Si vous voulez mettre de la moquette dans l'escalier, prenez un tapis d'excellente qualité à fibres denses. Evitez les poils longs et pelucheux dans lesquels le talon s'accroche.

La moquette à poil peluche donne une impression de luxe ; les carreaux de sisal mur à mur et même le tapis de peluche, une impression de détente.

Pourquoi une thibaude ? Lorsque le tapis n'est pas doté d'un envers en caoutchouc, son dossier, en frottant contre le parquet, a tendance à s'user. La thibaude le protège. Elle donne plus de moelleux au tapis et l'empêche de glisser lorsque vous courez répondre au téléphone.

En guise de thibaude, achetez des pièces de caoutchouc mousse chez un grossiste et taillez-les aux dimensions du tapis.

CARPETTES

Si vous ne désirez pas payer la pose d'une moquette, si vous estimez qu'il est plus avantageux de tourner le tapis pour en distribuer l'usure, pensez aux carpettes. Elles se nettoient bien et vous suivent dans vos déménagements.

Une carpette dont la couleur s'harmonise avec celle du parquet fait paraître la pièce plus grande. Si sa couleur contraste, elle rend la pièce plus petite et plus intime.

A des fins décoratives, posez une carpette à motifs sur une moquette unie. Pour qu'elle ne gondole pas, faites-lui une thibaude avec une couverture de laine ou un morceau de mousseline.

Autre effet décoratif : insérez la carpette dans le corps de la moquette. Un poseur professionnel de tapis fera les coutures invisibles qui s'imposent. Faites finir les bords de la pièce enlevée et servez-vous-en comme carpette dans la salle de jeux des enfants ou le sous-sol.

Lorsque le salon est très grand, la carpette accentue les groupements de fauteuils pour la conversation, le jeu, la méditation au coin du feu.

Choisissez des carpettes d'une taille adaptée aux dimensions de la pièce, même pour délimiter un coin.

Si la pièce est symétrique, ne posez pas des carpettes asymétriques. Le résultat serait désagréable.

COLORIS ET MOTIFS

Le tapis fait partie intégrante des surfaces décoratives d'une pièce ; à ce titre, sa couleur peut jouer un grand rôle. Si son coloris est identique ou un peu plus clair que celui des murs, la pièce en paraît plus grande. S'il est très contrasté, il attire l'attention sur les meubles.

Les motifs doivent correspondre aux dimensions de la pièce. Ils peuvent être importants si la pièce est grande ; si elle est petite, il vaut mieux qu'ils soient plus discrets.

On peut associer une moquette à motif à un papier peint de même motif sur les murs et le plafond. Le résultat surprend : une petite pièce paraît plus grande.

Si vous avez du papier à motif sur les murs, beaucoup de tableaux suspendus ou des collections sur rayonnage, choisissez un tapis uni.

L'AMEUBLEMENT

Le choix d'un style — comme le choix de vos vêtements — dépend largement de vos goûts. Si vous appréciez la détente ou si au contraire vous aimez la rigueur, vous saurez tout de suite comment choisir vos meubles et quel style adopter.

Les bois satinés — pin, érable et bouleau — et les finitions claires correspondent plutôt à un mode de vie décontracté et confortable ; les bois très polis — acajou, cerisier et noyer — ainsi que les finitions sombres créent une ambiance axée sur le luxe et la rigueur.

La plupart des gens ont des meubles de périodes et de styles différents qu'il leur faut combiner pour donner une impression d'unité. Réunissez des meubles modernes et de style qui ont une ligne simple, des dimensions voisines et une finition semblable. A défaut, employez des tissus d'ameublement dont les coloris serviront de trait d'union.

Il est facile de modifier la ligne d'un fauteuil ou d'un divan en changeant le capitonnage et le tissu qui le recouvre. Des coussins dodus, des lignes courbes, un tissu moelleux : l'ambiance est à l'intimité et à la détente. Tout autre est l'impression obtenue avec des coussins durs, des lignes droites, un tissu sec.

MOBILIER ET QUALITÉ

Les diverses matières réunies dans un meuble paraissent-elles de qualité ?

La finition est-elle durable, lisse, uniforme ? Le fil du bois est-il le même sur les portes, les tiroirs et le corps du meuble ?

Le meuble est-il d'aplomb ?

Les joints sont-ils solides, faits avec des vis et non des clous ? (La vis a une fente ; le clou n'en a pas.) Y a-t-il des larmes de colle aux joints ? (C'est un défaut de main-d'œuvre.)

Les pièces mobiles comme les tiroirs sont-elles bien ajustées ?

Y a-t-il des panneaux contre la poussière entre les tiroirs ?

Le bois qui ne se voit pas — dans les tiroirs, au dos du meuble et dessous — est-il lisse, bien poncé et bien fini ?

Les ferrures sont-elles lourdes, solides et bien posées ?

S'il s'agit d'un meuble capitonné, le tissu est-il serré, les motifs raccordés aux coutures, les piqûres droites, les bordures bien cousues, la jupe doublée et robuste ?

Les sièges sont-ils confortables ?

Quelle impression vous fait le meuble dans son ensemble ?

Les meubles incorporés aux murs comme les bancs de fenêtre et les unités murales économisent l'espace. On peut convertir en rangement l'espace qu'ils délimitent. Il suffit de poser des charnières au siège ou d'installer des rayons entre deux unités murales.

Lorsque vous faites recouvrir vos meubles, n'oubliez pas que les coloris clairs créent une impression d'espace, les couleurs dans la gamme des bruns suggèrent la vie au grand air, les couleurs moyennes et les petits motifs donnent un sentiment de bien-être et d'intimité.

Avant d'acheter un meuble, prenez note de ses dimensions et mesurez l'espace qu'il occupera sur le parquet et le long des murs à l'endroit même où vous désirez le placer. Essayez d'imaginer sa présence.

Si vous avez le coup de foudre pour un meuble de grandes dimensions, assurez-vous qu'il entre dans l'ascenseur de votre immeuble si vous vivez en appartement ou qu'il passe par les portes de votre maison.

MEUBLES À PETIT PRIX

Un jeté en jute décoré à la main, un drap de collection, un bel imprimé peuvent transformer un vieux fauteuil. Drapez le tissu autour du meuble et taillez en allouant 5 cm de marge pour l'ourlet. Terminez en faisant quelques boutonnières et en cousant des boutons dans le fauteuil pour assujettir le jeté.

Une plaque de verre de 6 à 12 mm d'épaisseur fait une jolie table à café. Posez-la sur des amphores en terre cuite, sur des cubes de bois bien polis et dont le fil est intéressant, sur des supports à bouteilles de vin, etc.

Pour ne pas égratigner le verre, fixez des rondelles de caoutchouc sur le dessus des supports.

Une boîte de contre-plaqué (p. 64) peinte devient un joli support pour une plante, un téléviseur ou même une sculpture.

Dotez un fauteuil d'un pouf. Posez des roulettes ou des patins aux quatre coins d'une boîte en contreplaqué (p. 64) ; agrafez du coton fort tout autour et recouvrez de tissu d'ameublement en pratiquant des plis plats dans les coins.

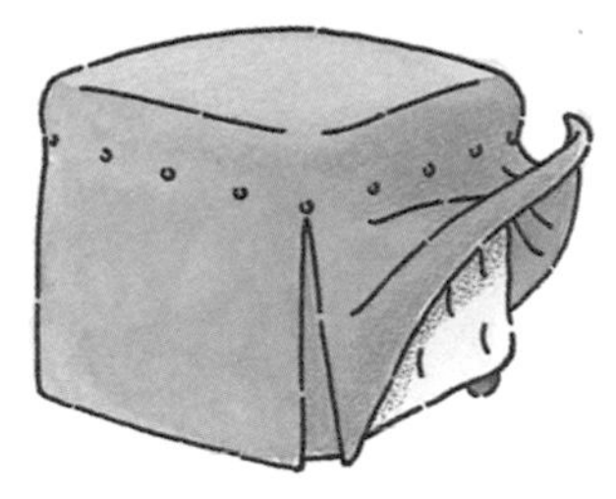

Transformez une vieille porte à panneaux en tête de lit pour votre lit. Vissez des supports en équerre dans les montants du mur (p. 49), posez la porte dessus et vissez-la aux montants dans le haut et dans le bas pour l'assujettir. Le matelas doit dissimuler le bas de la porte.

LA DÉCORATION AU XIXe SIÈCLE

Maintenant que nous avons traité des conditions physiques nécessaires pour qu'une maison soit propre et confortable, parlons de sa beauté et de décoration intérieure. Bien que les éléments esthétiques soient subordonnés aux nécessités de l'existence matérielle... ils n'en jouent pas moins un rôle significatif parmi tous les éléments qui concourent à rendre une maison agréable et séduisante, à lui donner un pouvoir d'attraction sur les jeunes et à en faire le foyer où la famille entière affine ses manières, son intelligence, sa sensibilité et ses valeurs esthétiques et morales.

Extrait de *The American Woman's Home*, de Catherine E. Beecher et Harriet Beecher Stowe, 1869.

CHOIX DES TABLEAUX

Tout ira bien si vous respectez deux règles fondamentales. L'œuvre d'art ne doit pas avoir des dimensions supérieures au meuble ou au groupe de meubles qu'elle domine ; un petit tableau ne doit pas aller seul sur un grand mur.

Voici un principe de base à ne pas négliger : le sujet principal de l'œuvre doit être à hauteur d'œil de celui qui la regarde. Cela implique des ajustements selon que celui-ci est assis (salle à manger et salon) ou debout (corridors et entrée).

Il n'est pas recommandé de consacrer un mur entier à un tableau. Groupez des pièces de dimensions variées ou faites un montage d'œuvres de même taille.

Disposés verticalement, les tableaux font paraître la pièce plus haute ; disposés horizontalement, ils la font paraître plus large.

Lorsque vous voulez décorer un très grand mur, découpez dans du papier des rectangles identiques aux tableaux à suspendre. Essayez diverses dispositions en fixant les gabarits avec un ruban-cache. Lorsque vous avez trouvé la disposition idéale, marquez l'emplacement des tableaux avec un trait de crayon.

Vous agrandirez une pièce au plafond bas si vous suspendez des tableaux non à hauteur de l'œil mais à environ 10 cm en dessous. Le résultat est meilleur si les meubles ne sont pas adossés aux murs et si les tableaux ne sont pas placés au-dessus d'un divan ou d'un bahut.

COMMENT SUSPENDRE TABLEAUX ET MIROIRS

Les quincailleries et les boutiques d'encadrement vendent des suspensions qui sont garanties pour un certain poids indiqué sur leur emballage. Vous devez donc au préalable peser le tableau ou le miroir. Si son poids est inférieur à 2,5 kg, posez un support en dents de scie. S'il est supérieur à 2,5 kg, posez deux pitons et du fil de fer à brins torsadés. Si le tableau est très lourd, posez deux pitons de chaque côté du cadre et employez deux crochets à tableau que vous clouerez dans les montants du mur (p. 49).

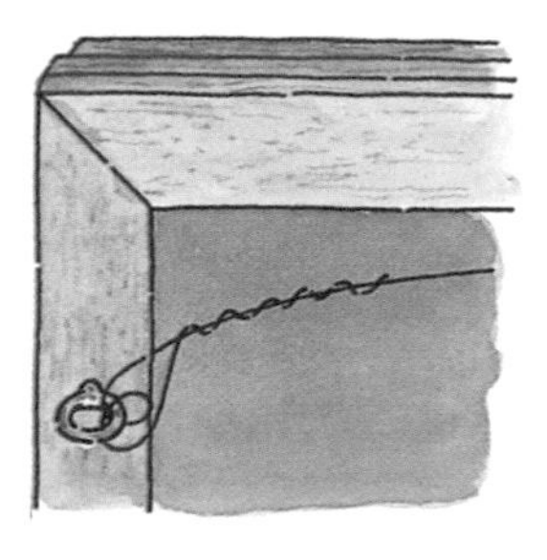

1. Vissez chaque piton au niveau du tiers supérieur du cadre. Coupez le fil de fer en comptant environ 20 cm de plus que la largeur du tableau. Enfilez 10 cm de fil de fer dans l'anneau d'un piton, faites une boucle, puis torsadez le fil sur lui-même. Répétez l'opération dans l'anneau de l'autre piton.

2. Tendez le fil ; mesurez la distance entre celui-ci et le haut du cadre. Demandez qu'on tienne le tableau à hauteur voulue. Faites une marque sur le mur au niveau du centre du bord supérieur du cadre. Reportez la distance calculée précédemment pour l'emplacement du crochet et marquez.

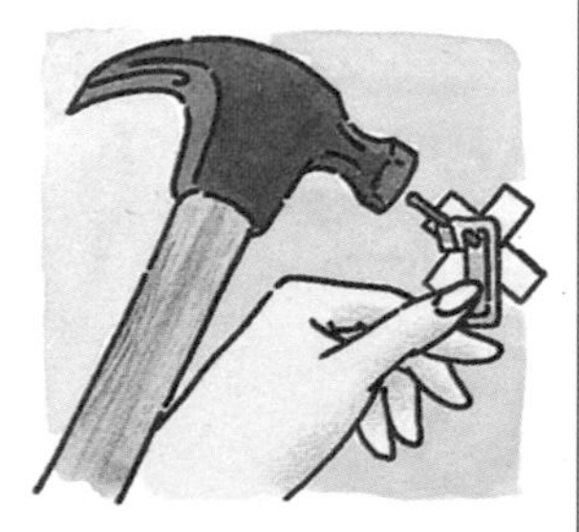

3. Mettez du ruban-cache en croix sur la marque. Placez le crochet avec son clou à plat contre le mur et donnez un coup de marteau sur la tête du clou. Continuez de frapper le clou jusqu'à ce que le crochet tienne en place sans être totalement coincé. Ne faites pas pénétrer le crochet dans le mur.

Le groupement de tableaux est du plus heureux effet si vous vous en tenez à un coloris dominant, sépia par exemple, ou noir et blanc s'il s'agit de photographies. Autre trait d'union : employez des cadres et des passe-partout identiques.

Installez un tableau sur un chevalet plutôt que de le suspendre au mur. Vous meublez ainsi un coin et vous donnez au tableau le même traitement qu'à un chef-d'œuvre.

L'ENCADREMENT

Mettez en valeur en l'encadrant un beau travail à l'aiguille, une peinture sur canevas. Après avoir monté l'œuvre sur un support en bois, clouez des moulures tout autour.

Vous n'avez pas besoin de payer un cadre très cher. Achetez-vous un kit d'encadrement dans un magasin de fournitures pour artistes. Vous y trouverez tout ce qu'il faut : une vitre ou un plastique, un cadre ou des moulures de métal, les ferrures et des instructions d'assemblage.

Un sujet délicat demande un cadre de 1,5 cm de largeur ; un tableau moyen, un cadre d'au plus 5 cm ; une peinture plus grande et massive, un cadre important.

La vitre protège les aquarelles, les pastels et les gravures en leur donnant de la profondeur. A la vitre pour fenêtres, préférez la vitre à cadres, plus mince et plus claire. Les vitres antireflets sont bien mais elles atténuent les couleurs claires.

L'acrylique transparent, plus léger que la vitre, s'emploie également en encadrement.

Une œuvre d'art coûte cher. Prenez le temps ou payez le prix qu'il faut pour bien l'encadrer, soit en vous adressant à un encadreur, soit en faisant le travail vous-même.

N'oubliez pas que le passe-partout ne doit pas être de la même largeur que le tableau ou que le cadre. Trop étroit, il paraît inutile. Trop large, il attire l'attention au détriment de l'œuvre.

LA MAGIE DES MIROIRS

Les miroirs augmentent les dimensions d'une pièce, intensifient son éclairage et conviennent aux intérieurs contemporains. De plus, ils maquillent les défauts des murs.

Posez le miroir pour qu'une personne de taille moyenne s'y voie en pied. Cependant, si ce miroir sert à des fins décoratives, s'il va sur le manteau de la cheminée par exemple, sa hauteur a peu d'importance.

Voulez-vous mettre de la lumière et de la gaieté dans une pièce sombre ? Posez des miroirs dans l'espace compris entre les bords de la fenêtre et les murs. La lumière du jour et le panorama s'y réfléchiront. Pour que votre travail ait un cachet professionnel, demandez au vitrier de tailler le miroir sur mesure.

Donnez du volume à une petite salle à manger en revêtant un mur entier de miroir. Pour accentuer l'effet, appuyez la table contre ce mur. De cette façon, elle aura l'air deux fois plus longue.

VOS COLLECTIONS

Mettez vos belles collections en valeur. Si vous avez une niche dans un mur, doublez-la de miroir et installez des rayons en vitre.

Eclairé en conséquence et exposé aux regards contre un miroir ou un mur nu, un objet de forme intéressante comme un appelant, un candélabre ou une vieille horloge se transforme en sculpture.

Pour donner à la chambre d'un enfant une touche personnelle, fixez une moulure au mur et accrochez-y sa collection de chapeaux de cowboys ou de baseball. Vous pouvez suspendre au plafond quelques cerfs-volants : c'est joli et peu cher.

Un mur dépourvu d'intérêt prend de l'importance si vous y accrochez des objets aux formes curieuses, par exemple une collection de charnières, de serrures et de clés.

Créez un petit jardin d'hiver dans le salon en groupant vos plantes vertes sur des carreaux de céramique posés sur une feuille de plastique sur la moquette ou le parquet. Les carreaux sont beaux et ils protègent le sol des taches d'eau ou de terre.

Entretien du mobilier

CRISTAUX ET PORCELAINES

Après le repas, raclez les assiettes avec une éponge, une serviette de papier ou une spatule de caoutchouc ; les ustensiles abrasifs — couteaux, fourchettes — pourraient les endommager.

En rinçant les assiettes sans attendre, vous les empêchez de se tacher et facilitez le lavage. Passez le lait, les œufs et les féculents à l'eau froide, les autres aliments à l'eau assez chaude.

Les verres prennent un très bel éclat si vous ajoutez du bleu à lessive ou de l'ammoniaque à l'eau savonneuse. Rincez bien. (Pour séparer deux verres, voyez p. 391.)

Protégez vos articles délicats : mettez-les à égoutter sur un panier de plastique ou de caoutchouc. Mettez aussi un anneau de caoutchouc autour du bec des robinets et un tapis de caoutchouc ou une serviette épaisse dans le fond de l'évier.

Plongez les tasses ayant contenu du café ou du thé dans une solution composée de 1 volume de peroxyde d'oxygène à 30 p. 100 pour 3 volumes d'eau. Ajoutez une goutte d'ammoniaque. Rincez ensuite à l'eau claire.

Le lave-vaisselle vous épargne du temps et du travail ; il a aussi l'avantage de désinfecter les objets que vous y mettez. Voir pages 142-145 comment faire le chargement et l'entretien d'un lave-vaisselle.

RÉPARATION DE LA FAÏENCE

1. Imbibez un coton-tige d'eau savonneuse et nettoyez les bords de la fissure. Placez l'objet au four réglé à 55°C (130°F) pendant 30 minutes.

2. Mélangez de la colle époxy à prise lente et introduisez-la dans la fissure avec un cure-dents. Faites en entrer autant que vous pouvez.

3. La fissure remplie, ôtez les bavures de colle avec un coton-tige trempé dans l'alcool ou le dissolvant de vernis à ongles. Laissez l'objet refroidir.

De nos jours, les verres et les porcelaines vont au lave-vaisselle. Cependant, mieux vaut laver à la main les pièces comportant des morceaux collés ou réparés, le cristal taillé ou gravé, la porcelaine ancienne ou décorée à la main et tout article orné d'or, d'argent, d'ivoire ou de bois.

Si votre verrerie est tachée, remplissez les pièces d'eau et ajoutez une cuillerée à thé d'ammoniaque. Laissez tremper une nuit. En cas d'échec, frottez la tache avec du bicarbonate de soude ; et surtout n'employez ni poudre à récurer, ni tampons abrasifs.

Séchez les verres avec un linge de lin pour ne pas y laisser de mousse. Les serviettes de coton contenant 25 p. 100 de lin, moins chères, font aussi l'affaire.

Rangez les porcelaines peu utilisées dans des sacs de plastique ou des housses matelassées, fermées par une glissière. Vous n'aurez pas à les relaver avant de vous en servir.

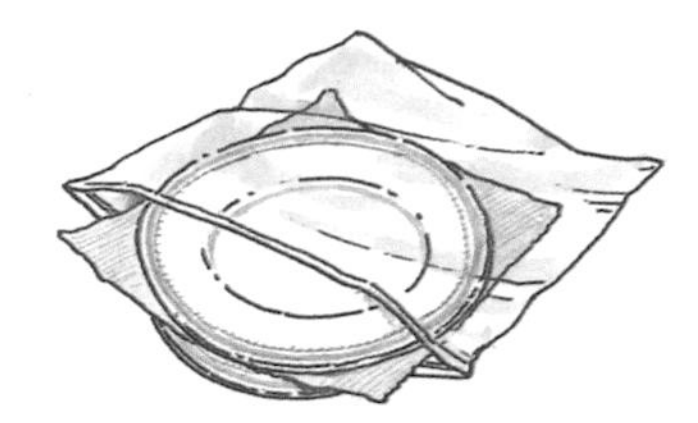

Le dessous des assiettes est parfois rugueux. Pour ne pas endommager leur dessus, glissez une assiette de papier entre chacune d'elles.

RÉPARATION DE LA PORCELAINE

Si la cassure est nette, vous pouvez facilement la réparer en ajustant les bords et en maintenant les pièces en place pendant que la colle prend. Pour vous faciliter la tâche, servez-vous de colle époxy à prise lente (p. 192). Si la cassure est compliquée ou en zigzag, n'essayez pas de la réparer.

Nettoyez et asséchez la cassure et ses bords. S'il y a plusieurs morceaux, déterminez l'ordre dans lequel vous allez les coller. Avec une allumette ou une petite spatule, appliquez une très fine couche de colle sur l'un des bords de la cassure. Assemblez les pièces et maintenez-les en prise. Enlevez les bavures avec un coton-tige trempé dans le solvant approprié. Voici plusieurs solutions pour maintenir les morceaux ensemble.

Assiette cassée en deux. Calez la plus grosse des deux pièces dans du sable en l'équilibrant pour que l'autre puisse tenir sans support. Tenez celle-ci en place avec deux épingles à linge.

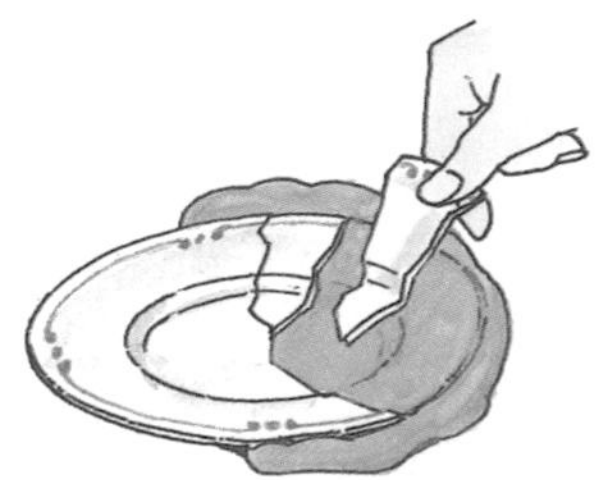

Assiette cassée en plusieurs morceaux. Tassez de la pâte à modeler autour du fond de la partie non cassée. Lorsque ce moule a durci, placez dedans la partie cassée et collez les morceaux dans le moule.

Tasse à l'anse cassée. Enroulez des bandes de ruban-cache verticalement et horizontalement autour de la tasse. Attendez que la colle ait pris, puis enlevez-les avec beaucoup de soin.

Supprimez les petites ébréchures des verres en les frottant avec du papier émeri fin, mouillé. Si le verre est précieux ou l'ébréchure importante, voyez un spécialiste.

ARGENTERIE

Utilisez souvent votre argenterie fine ; ne la gardez pas pour les occasions spéciales. Un usage fréquent embellit l'argent massif en lui donnant une riche et douce patine.

Sitôt les couverts enlevés, lavez-les dans l'eau chaude savonneuse et rincez-les à l'eau chaude claire. Cette célérité s'impose davantage lorsque les couverts ont été en contact avec les matières suivantes : sel, œufs, olives, moutarde, jus de fruits, vinaigre et légumes cuits.

L'eau laisse des taches sur l'argenterie qui sèche à l'air. Essuyez avec une serviette sans mousse.

La plupart des pièces d'argenterie sont à l'épreuve du lave-vaisselle. N'y mettez pourtant pas les morceaux antiques ni ceux décorés avec un agent oxydant. L'eau chaude rend lâches les poignées des premiers et dissout le motif décoratif des derniers.

Les bains spéciaux pour l'argenterie sont efficaces, mais ils enlèvent les ornementations par oxydation. Dans ce cas, employez un produit commercial en crème ou en pâte.

Frottez doucement l'argenterie dans le sens de la longueur avec un linge sec. Nettoyez les creux avec une brosse douce ou un coton-tige. Lavez et rincez la pièce et faites-la reluire avec un linge doux.

La couche superficielle de l'argent plaqué est mince et vulnérable ; évitez de la frotter durement. Pour la nettoyer, employez un bain.

Voici comment nettoyer facilement une petite pièce en argent. Couvrez le fond d'un plat en verre pyrex de papier d'aluminium, côté brillant sur le dessus. Déposez-y la pièce d'argenterie. Ajoutez une cuillerée à soupe comble de bicarbonate de soude et assez d'eau bouillante pour couvrir l'article. L'oxyde se déposera sur le papier d'aluminium. Rincez la pièce et faites-la reluire avec un linge doux.

Nettoyez les dents des fourchettes avec une ficelle enduite d'une crème ou d'une pâte nettoyante.

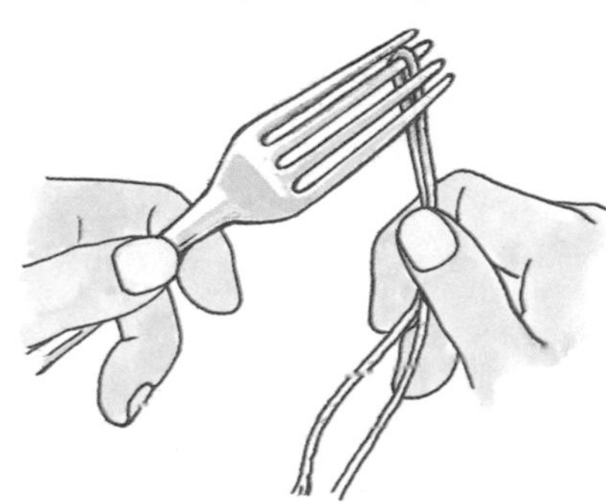

Pour n'avoir plus à polir les grandes pièces d'argenterie — vases, trophées ou candélabres —, faites-leur donner une couche de vernis chez un bijoutier : elles ne s'oxyderont plus. Ce traitement est déconseillé pour la vaisselle et les plateaux.

Les composés de soufre que véhicule l'air font ternir l'argenterie. Enveloppez-la dans un tissu ou un papier qui ralentit l'oxydation.

L'argent ne supporte pas les bandes de caoutchouc ni les pellicules en plastique. Elles le ternissent même à travers du tissu.

Les pièces d'argenterie conservées dans une vitrine ternissent moins vite si vous y mettez une boîte d'un produit qui ralentit l'oxydation.

Si la partie creuse d'une cuiller est bosselée, placez-la sur une surface ovale et convexe et martelez-la doucement avec un maillet de caoutchouc pour en corriger les défauts.

NETTOYAGE ET POLISSAGE DES MÉTAUX

Achetez le produit de nettoyage spécifique pour le métal que vous nettoyez si vous ne voulez pas risquer d'en endommager la finition.

Servez-vous d'une vieille chaussette de coton : d'un côté, pour appliquer la pâte ; de l'autre, pour polir.

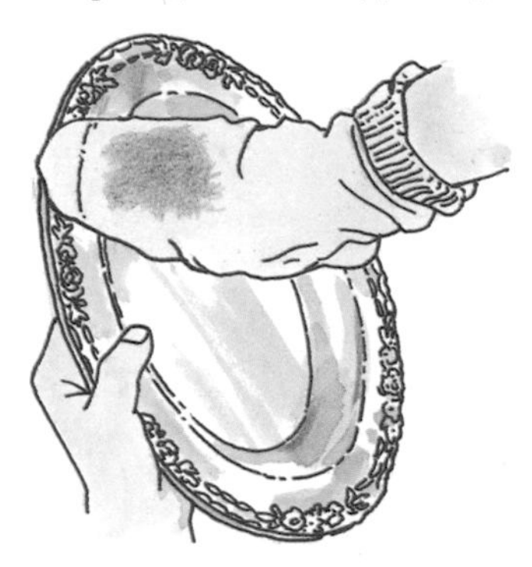

Rincez bien chaque article après l'avoir nettoyé, car le poli, s'il en reste des traces, risque de ternir rapidement le métal.

LAITON

A l'extérieur, le laiton garde plus longtemps son éclat si vous le frottez avec un peu de cire en pâte ; à l'intérieur, remplacez la cire par de l'huile de citron.

Voici un poli maison que vous pouvez utiliser sur des laitons peu ternis. Mélangez à volume égal du sel, de la farine et du vinaigre. Appliquez cette pâte avec un chiffon doux. Comme le sel est corrosif, rincez bien avant de polir.

DÉBOSSELAGE DU MÉTAL

1. Avec un canif et une râpe à bois, façonnez un morceau de bois pour qu'il s'ajuste à l'objet que vous devez réparer.

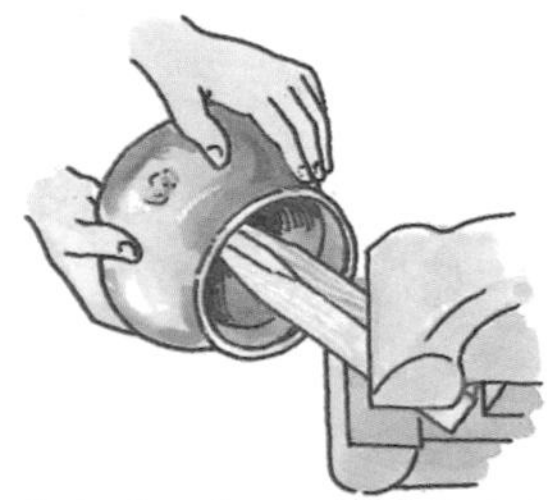

2. Insérez le morceau de bois dans un étau et, en appuyant l'objet à réparer contre lui, frottez doucement jusqu'à ce que la surface soit redevenue normale.

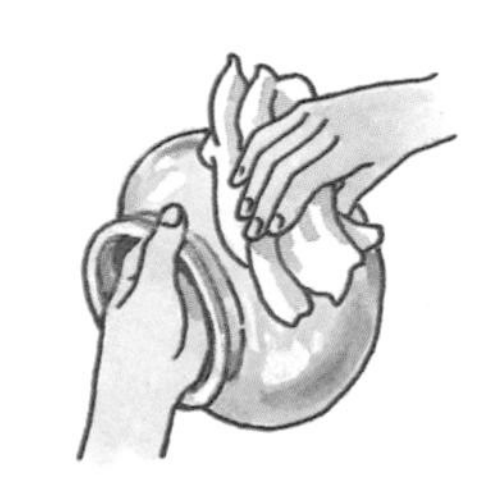

3. Frottez la pièce avec une pâte faite d'alcool dénaturé et de blanc d'Espagne (boutiques de fournitures pour bijoux). Rincez et asséchez.

DES MÉTAUX BRILLANTS ET SANS TACHE

Métaux	Nettoyage	Ponçage
Bronze, laiton	Objets vernis : lavez dans de l'eau tiède savonneuse, rincez et asséchez ; faites briller avec un linge doux Métal brillant : lavez dans l'eau chaude savonneuse et rincez ; appliquez un poli à laiton avec un linge doux ou une brosse ; quand il est sec, faites briller avec un linge doux Métal mat : défaites en pâte de la pierre ponce pulvérisée dans de l'huile de lin ; appliquez avec un linge doux et frottez la surface vigoureusement ; essuyez et faites briller avec un linge doux	Frottez avec un quartier de citron trempé dans du vinaigre chaud salé ; lavez et rincez ; en cas d'échec, utilisez un poli à laiton commercial
Chrome	Essuyez avec un linge mouillé d'eau chaude savonneuse ; rincez et faites briller avec un linge doux	Frottez avec de la poudre fine à récurer ; en cas d'échec, frottez avec de la laine d'acier très fine (000)
Cuivre	Objets vernis : lavez dans l'eau tiède savonneuse, rincez et asséchez ; faites briller avec un linge doux Objets non vernis : appliquez un poli à cuivre avec un linge doux ; lavez dans l'eau chaude savonneuse, rincez et asséchez	Frottez avec un quartier de citron trempé dans du vinaigre chaud et salé ; lavez et rincez ; en cas d'échec, utilisez un poli à cuivre commercial
Etain	Métal brillant : mélangez en pâte blanc d'Espagne et alcool dénaturé ; appliquez et frottez avec un linge doux ; laissez sécher ; polissez avec un linge doux, rincez et asséchez Métal mat : mélangez en pâte de la pierre ponce pulvérisée et de l'huile végétale ; appliquez et frottez doucement avec un linge doux ; lavez, rincez et asséchez	Frottez avec de la laine d'acier très fine (000) trempée dans l'huile végétale
Fer	Fer forgé : frottez avec un linge humide	Frottez avec du kérosène et poncez avec de la laine d'acier très fine (000) ; en cas d'échec, répétez avec de la laine d'acier moins fine

MIROIRS

Pour enlever des gouttes de peinture, frottez avec la laine d'acier la plus fine (0000) ou raclez avec un grattoir à lame de rasoir.

Nettoyez généralement un miroir avec du lave-vitre. S'il est très sale, lavez-le avec un mélange de thé chaud, d'eau et de détergent. Ou encore diluez 2 c. à soupe de vinaigre, d'ammoniaque ou d'alcool dénaturé dans 1 litre d'eau.

Le liquide nettoyant ne doit jamais entrer en contact avec le dessous ou les bords du miroir pour ne pas en endommager le tain.

Collez du papier d'aluminium avec du ruban-cache sur le fond, là où le tain a disparu.

Pour empêcher le miroir de la salle de bains de s'embuer quand vous prenez un bain ou une douche, savonnez-vous le doigt et passez-le à quelques reprises en travers du miroir. Faites briller avec un linge.

TABLEAUX

Ne suspendez pas de tableaux — surtout des peintures à l'huile — en plein soleil ou près d'une source de chaleur. (Sur l'accrochage des tableaux, voir p. 428.)

Les aquarelles et les photographies ne se nettoient pas. Il faut donc les encadrer avant de les suspendre. Mettez une vitre sur l'œuvre avec un passe-partout étroit pour l'empêcher d'appuyer sur le tableau. Mettez du papier brun au dos du cadre.

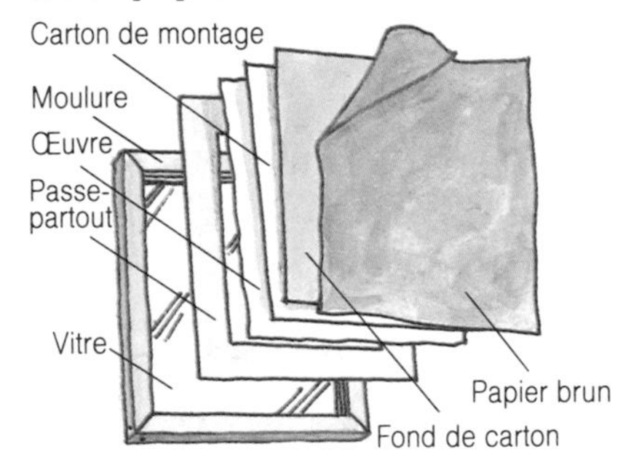

Photographies, gravures, pastels et aquarelles doivent être nettoyés avec beaucoup de soin, surtout s'ils ont de la valeur. Si le liquide nettoyant entre sous la vitre, il peut causer des dommages permanents.

Lorsque vous encadrez des œuvres précieuses, utilisez un passe-partout et un fond en carton de chiffons non acide ; les autres cartons peuvent laisser des taches. Le cas échéant, refaites tout de suite l'encadrement.

Si vous êtes sûr qu'une peinture à l'huile n'a aucune valeur, vous pouvez, si tel est votre goût, lui donner plus de brillant en l'enduisant de cire en crème. Ne touchez pas aux œuvres précieuses, sinon pour les épousseter de temps à autre.

Pour épousseter un tableau, décrochez-le et essuyez-le sur toutes ses faces. Epoussetez également le mur derrière le cadre pour que celui-ci n'y laisse pas de marques.

Essuyez un cadre de bois avec un linge doux trempé dans l'eau tiède savonneuse et bien essoré. Asséchez avec un linge doux et faites briller si vous le voulez.

Redonnez du brillant à un cadre doré en le nettoyant avec de l'ouate trempée dans de l'alcool à friction. Employez un coton-tige pour travailler dans les creux.

RECTIFICATION D'UN ENCADREMENT

1. Otez le papier brun et enlevez les clous sans tête avec une pince. Retirez le fond, le carton de montage, la gravure, le passe-partout et la vitre.

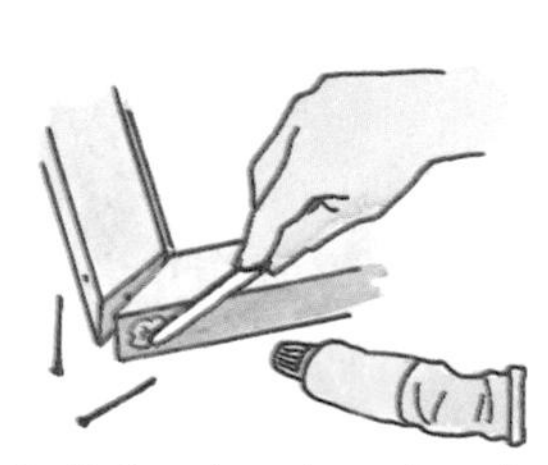

2. Retirez les clous dans les coins faibles. Enlevez la colle avec du vinaigre dilué. Mettez de la pâte de bois dans les trous des clous et laissez sécher.

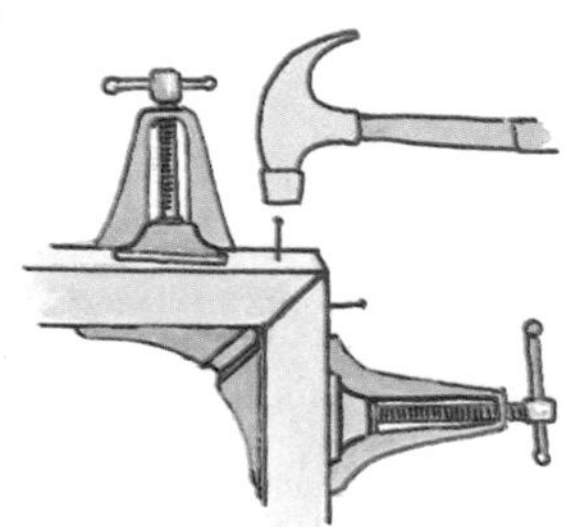

3. Etalez de la colle de menuisier sur les deux moulures et mettez-les sous presse à angle droit. Avant que la colle sèche, enfoncez des clous sans tête.

REDORER UN CADRE

Procurez-vous les fournitures suivantes dans une boutique spécialisée : un livret de feuilles d'or, une brosse de doreur et un pinceau rond en poil de martre.

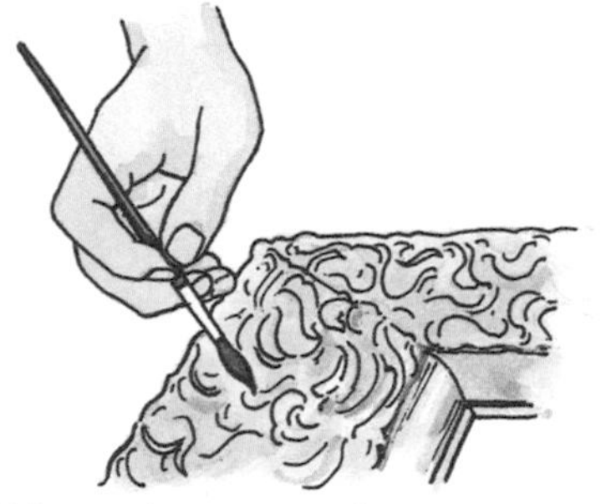

1. Mélangez dans une tasse à mesurer 1 volume d'alcool dénaturé et 3 volumes d'eau distillée. D'un seul trait, appliquez un peu de la solution sur le point d'usure avec le pinceau rond.

2. Etalez de la vaseline sur votre poignet et, d'une passe légère, imprégnez-en la brosse de doreur. Glissez un couteau à lame mince sous une feuille d'or et soulevez-la avec la brosse. Posez-la sur le point d'usure encore collant.

3. Estampez la feuille avec une boule d'ouate. Douze heures plus tard, polissez-la doucement avec un coton-tige. Pour obtenir un effet de vieillissement, appliquez un vernis de couleur contrastante et enlevez-en ici et là.

MARBRE

Transportez un dessus-de-table en marbre à la verticale. Autrement, il pourrait casser sous son poids.

Le marbre s'endommage facilement. Laissez des dessous-de-verre sur les tables ; étendez du plastique sous les cosmétiques de la coiffeuse ; protégez le dallage avec des carpettes aux endroits passants.

Essuyez le marbre taché ou marqué avec une éponge humide et faites briller. Si c'est insuffisant, utilisez du borax et un linge humide ; rincez à l'eau tiède et faites briller.

Contre les taches tenaces sur le marbre, essayez ce qui suit : un mélange de blanc d'Espagne et d'acétone sur les taches d'huile ou de graisse, du peroxyde d'hydrogène avec quelques gouttes d'ammoniaque sur les taches d'aliments, un produit contre la rouille sur les taches de rouille. Enduisez la tache, recouvrez-la d'un plastique scellé par du ruban-cache. Douze heures plus tard — sauf pour l'antirouille qui agit en quelques heures —, lavez la tache et faites briller.

Si le détachant a fait perdre au marbre de son éclat, mouillez-le et frottez-le avec une poudre à polir le marbre (de l'oxyde d'étain) et un linge épais. Faites briller.

Faites disparaître les petites marques avec du papier de verre très fin. Polissez avec de l'oxyde d'étain et faites briller avec un chamois.

CUIR

Protégez vos articles en cuir ; ne les laissez pas au soleil ou près d'une source de chaleur. Ne les entreposez pas dans un endroit humide.

L'heure est-elle venue de nettoyer un fauteuil ou un divan en cuir ? Enlevez d'abord la vieille cire avec ¼ tasse de vinaigre dilué dans ½ tasse d'eau. Lavez ensuite le meuble avec de l'eau et du savon à cuir (on en trouve en quincaillerie ou chez les cordonniers). Polissez avec un linge doux.

AUTRES MATIÈRES

Pour enlever la rouille sur un meuble de métal non peint, frottez la tache avec un chiffon imbibé de térébenthine. (Voyez comment nettoyer certains métaux pp. 433-435.)

Les meubles de rotin craquent et se fendillent lorsqu'ils sont secs. Placez-les loin du foyer, du poêle ou des radiateurs. Lorsque leurs fibres deviennent cassantes, imbibez-les d'eau. Rentrez les meubles de jardin en osier durant l'hiver.

L'huile fait durcir le vinyle ; ne vous servez donc pas des produits qui en contiennent. Nettoyez le vinyle tout simplement avec de l'eau additionnée de détergent à vaisselle.

MEUBLES EN BOIS

Si vous époussetez les meubles en bois avec un linge sans mousse contenant un poli à meubles, vous n'aurez pas besoin d'y revenir aussi souvent.

Quel que soit le produit de nettoyage dont vous vous servez, mettez-en toujours très peu. C'est le frottement qui restaure l'éclat, beaucoup plus que le produit.

Ne passez pas continuellement d'un poli à base d'huile à un poli à base de cire. L'emploi successif de ces deux produits peut tacher ou décolorer le bois.

POLISSAGE DES MEUBLES

Choisissez le poli en fonction de la finition du meuble et non de son bois. Suivez fidèlement les instructions qui accompagnent le meuble. S'il n'y en a pas, achetez un produit recommandé pour les meubles de bois. Faites d'abord un essai sur un endroit dissimulé pour vous assurer que les résultats vous donneront satisfaction.

Produit	Application	Résultats
Cire liquide	Appliquez-la avec un linge doux ; frottez avec un autre linge doux avant qu'elle sèche	Lustre brillant ; protection minime
Cire en pâte	Appliquez-en peu avec un linge doux ; frottez vigoureusement avec un autre linge doux quand elle est sèche	Lustre brillant ; protection moyenne ; léger jaunissement
Cire en crème	Appliquez avec un linge doux ; frottez avec un autre linge doux quand elle est sèche	Lustre satiné ; protection moyenne
Cire en aérosol	Vaporisez ; frottez avec un linge doux avant qu'elle sèche	Lustre satiné ; protection minime
Agent d'époussetage	Vaporisez ; essuyez avec un linge doux	Prend et retient la poussière ; aucune protection
Cire liquide antiégratignures	Appliquez avec un linge doux ; essuyez avec un linge doux	Dissimule les éraflures ; aucune protection
Huile de finition	Appliquez avec un linge doux ; essuyez avec un linge doux	Lustre brillant ; aucune protection

Pour enlever la vieille cire, frottez le meuble avec un linge doux humecté de térébenthine synthétique ou d'essence minérale. Ou encore nettoyez avec un poli liquide.

BOIS TACHÉ

Pour faire disparaître une tache d'eau, posez un papier buvard dessus et pressez avec un fer chaud jusqu'à ce que la tache soit partie. En cas d'échec, frottez avec de l'huile de citron et laissez une nuit en attente. Puis, essuyez l'excès d'huile.

L'alcool dissout le vernis du bois. Nettoyez sans tarder les taches de boissons, de médicaments et de cosmétiques avec un linge humecté d'huile de citron. Traitez les taches séchées comme si c'était de petites brûlures (voir colonne suivante).

Le lait et la crème tachent le bois. N'attendez pas. Traitez les taches avec un linge humide trempé dans l'ammoniaque ou frottez-les du bout du doigt avec un poli à argenterie ou des cendres de cigarette humides. Essuyez avec un linge sec.

Si des verres ont taché votre table en acajou, faites disparaître les cernes en frottant avec de la mayonnaise et de la pâte dentifrice blanche.

SURFACES DE BOIS ABÎMÉES

Pour maquiller une éraflure, frottez-la doucement avec la chair d'une noix de Grenoble en l'introduisant dans la cavité pour ne pas foncer le bois environnant.

Dans l'acajou ou le cerisier foncé, frottez l'éraflure avec un coton-tige imbibé d'iode. Si le meuble est en érable non traité ou en cerisier clair, diluez l'iode de moitié avec de l'alcool dénaturé.

Lorsque les éraflures se sont produites dans un bois huilé, frottez-les doucement dans le sens du fil avec de la laine d'acier fine (0) et de l'huile minérale légère ou de l'huile de lin bouillie. Laissez l'huile pénétrer ; essuyez avec un linge.

Pour faire disparaître une brûlure superficielle, délayez en pâte claire de la pierre ponce pulvérisée et de l'huile de lin. Frottez-en la brûlure dans le sens du fil avec un linge doux. Répétez jusqu'à disparition de la marque.

MAQUILLAGE D'UNE BRÛLURE PROFONDE

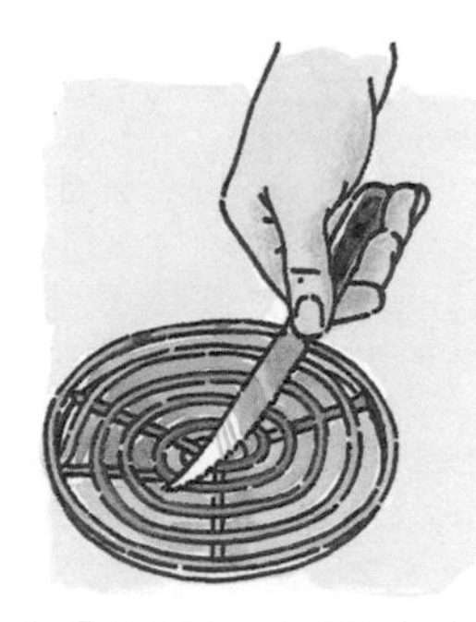

1. Poncez ou grattez le bois noirci avec une lame de rasoir ou un couteau universel. Chauffez la lame d'un petit couteau très pointu ou d'un couteau à pamplemousse sur la flamme d'une lampe à alcool ou sur un élément de la cuisinière.

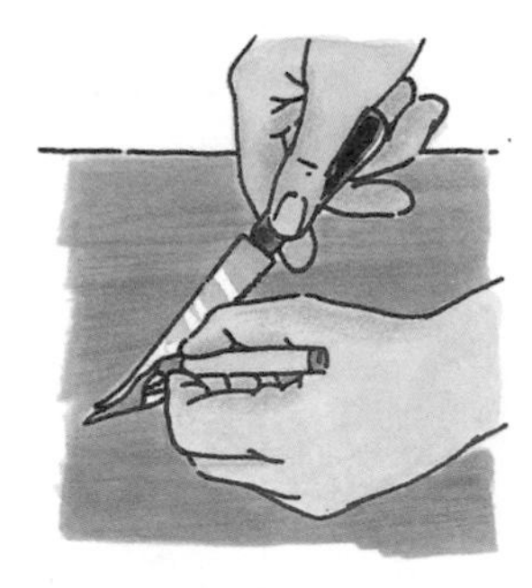

2. Prenez un bâton de cire teintée ou de gomme-laque de la teinte la plus claire du bois. Appuyez-le contre la lame chaude et dirigez le filet pour remplir la cavité. Arrêtez quand il se forme une légère bosse. Réchauffez la lame au besoin.

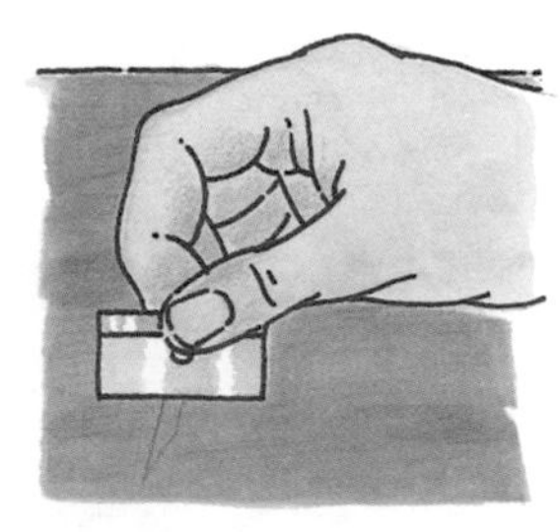

3. Quand la cire est froide, ôtez-en l'excès avec une lame de rasoir. Terminez le maquillage en faisant au pinceau de fines lignes brunes qui prolongent celles du bois. Scellez la cire en vaporisant du vernis acrylique ou du polyuréthane clair.

BOIS ÉGRATIGNÉ

Maquillez une égratignure légère avec de l'huile ou de la cire à meubles. En cas d'échec, retouchez l'égratignure avec un crayon spécial vendu en quincaillerie ou chez les marchands en ébénisterie. La réparation sera plus satisfaisante encore si, après avoir adopté l'une des méthodes suivantes, vous frottez avec de la laine d'acier très fine (000) et cirez ou polissez.

Si l'égratignure n'entame que la finition, nettoyez-la. Essayez une goutte d'alcool dénaturé dans un coin dissimulé et, dans un autre, une goutte de diluant à laque. Avec un pinceau fin, appliquez celui des solvants qui ramollit le vernis ; travaillez de façon à dissimuler les raccords.

Si l'égratignure entame le bois, nettoyez-la avec de l'alcool ou du diluant à laque en prenant des deux celui qui ne dissout pas la finition. Posez le bout d'un bâton de cire ou de gomme-laque colorées contre la lame brûlante d'un couteau et dirigez le filet qui en coule dans la cavité. Egalisez avec le couteau chaud. Répétez au besoin.

Pour réparer un placage fissuré, étendez un linge humide sur la fissure et appliquez un fer chaud. Laissez un poids à cet endroit plusieurs jours. En cas d'échec, entaillez la fissure dans le sens du fil du bois, soulevez les bords, raclez le vieil adhésif et appliquez de la colle blanche sur les deux surfaces. Laissez un poids 24 heures.

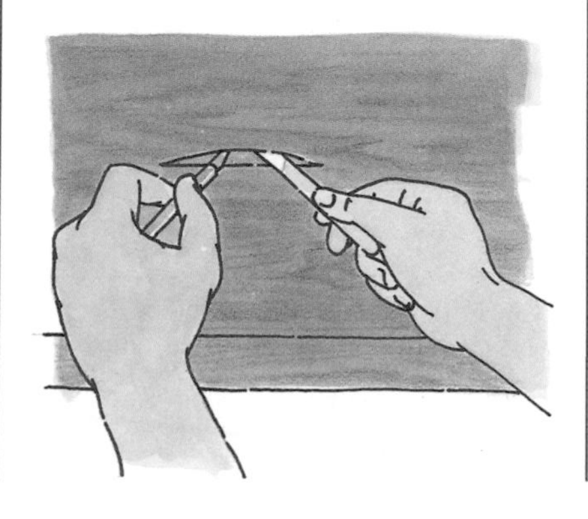

Par manque ou excès d'humidité, il se produit parfois des réseaux de craquelures sur un bois verni. Traitez-les avec un produit à refinition ou une cire appropriés à la finition du bois. Quand les craquelures sont prononcées, il faut parfois décaper et refaire toute la surface.

Lorsqu'il y a de légères marques sur le bois, décapez la partie endommagée avec un solvant approprié. Posez un linge humide dessus et appuyez le bout d'un fer chaud pendant quelques secondes. Une fois que le bois a séché, poncez et refaites la finition.

DÉFAUTS MINEURS

Un tiroir se coince s'il est trop plein ou si l'humidité a fait gonfler le bois. Quand le problème persiste bien que vous ayez vidé le tiroir d'une partie de son contenu et que le temps se soit mis au sec, poncez légèrement les coulisseaux et lubrifiez-les avec de la cire ou du savon ou mettez une goutte de graisse sur les glissières de métal.

Quand le fond d'un tiroir se fend, collez à la colle blanche une pièce de grosse toile sous la fissure.

Lorsque le tiroir joue dans son logement, il ouvre mal. Collez ou clouez des blocs de bois triangulaires dans l'angle formé par les coulisseaux et la paroi du meuble.

Renforcez les pieds d'un meuble branlant avec des cornières de métal ou des équerres de bois. Percez des avant-trous pour ne pas faire éclater le bois en vissant.

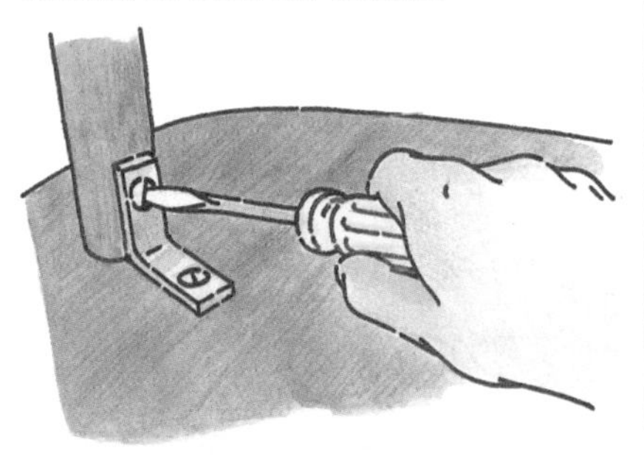

Placez une table ou une chaise bancale à son endroit habituel et balancez-la pour repérer le pied défectueux. Insérez des morceaux de carton sous ce pied pour équilibrer le meuble ; mesurez-en l'épaisseur. Coupez un goujon de la même largeur que le pied à cette mesure ; poncez le dessous du pied et collez le goujon.

Lorsque le fond d'une chaise cannée s'est affaissé, mouillez l'envers non verni du siège avec une éponge imbibée d'eau. Laissez-le sécher une nuit entière.

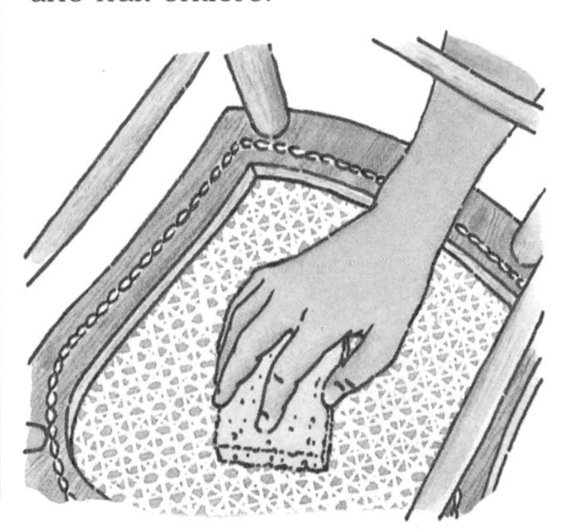

RÉPARATION DES JOINTS D'UNE CHAISE

Essayez de recoller ou de serrer les joints lâches sans démonter la chaise. Ecartez légèrement les pièces et enlevez la vieille colle avec un couteau. Mettez de la colle blanche dans le joint en remuant pour la faire pénétrer dans le bois. Si le joint s'est agrandi, stabilisez-le en enfonçant des pièces d'allumettes ou de cure-dents dans la colle fraîche tout autour. Si cela s'avère insuffisant, démontez la chaise en suivant les étapes ci-dessous.

1. Otez les clous, vis ou équerres du joint et séparez les pièces avec un maillet ou un marteau coussiné. Grattez-les pour enlever la colle.

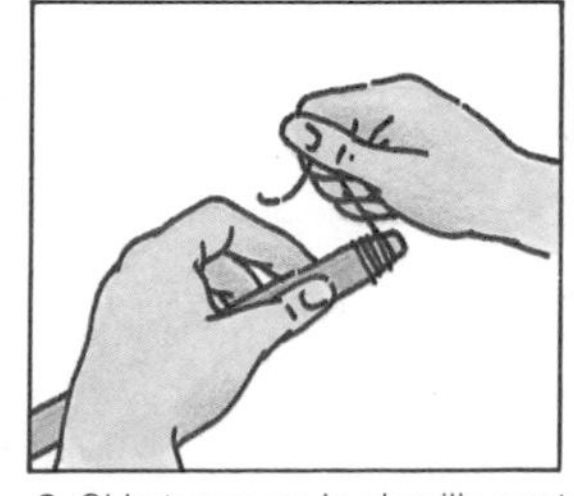

2. Si le tenon ou la cheville sont lâches dans la mortaise ou le trou, enroulez du fil autour ou remplacez-les. Il ne doit pas y avoir de jeu dans le joint.

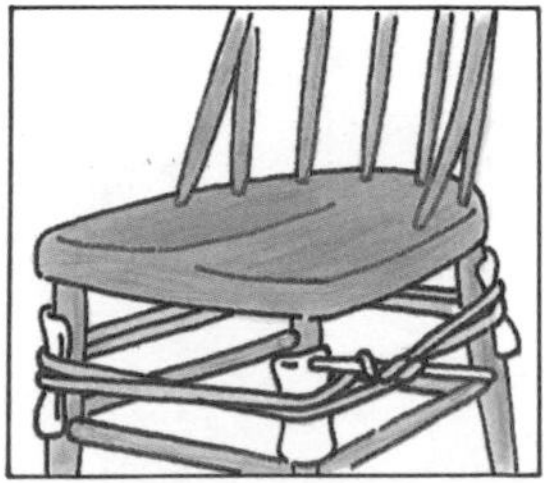

3. Recollez le joint. Coussinez les pieds, enroulez une corde autour, serrez-la avec un tourniquet et laissez-la en place pendant le séchage.

RÉPARATION D'UN PLACAGE ENDOMMAGÉ

1. Procurez-vous chez un marchand en fournitures d'artisanat ou d'ébénisterie une feuille de placage dont la nature et le fil sont assortis à la surface endommagée. Fixez du papier-calque sur l'endroit à réparer avec du ruban, sur trois côtés. Tracez le contour de la pièce.

2. Glissez la feuille de bois sous le papier ; faites correspondre le fil et appuyez. Avec un couteau universel, coupez les deux épaisseurs (la vieille et la nouvelle) un peu à l'extérieur de la ligne. Enlevez le calque et la pièce. Retirez le vieux placage et la colle qui adhère à la base en bois.

3. Vérifiez l'ajustement de la pièce. Mettez de la colle à placage sur l'envers. Etalez-en une fine couche sur le fond de bois. Collez la pièce avec soin, couvrez-la de papier ciré et d'un bloc de bois et mettez sous presse. Laissez sécher une nuit et refinissez toute la surface.

AVANT LA REFINITION

Il n'est pas nécessaire de refinir un meuble dont la surface n'est pas luisante. Pour lui redonner un air de jeunesse, il suffit souvent de le débarrasser des accumulations de cire. Un agent de préservation à base d'huile d'abrasin nettoie, polit et rafraîchit le meuble en une seule opération. Faites d'abord un essai.

Si vous n'avez pas d'expérience en refinition, faites-vous la main sur un cadre de tableau ou un tabouret. Une photographie de l'objet peut servir de point de comparaison.

Sur le plancher de là où vous travaillez, étalez plusieurs épaisseurs de papier journal. Enlevez-les à mesure qu'elles se salissent.

Démontez poignées et autres garnitures. Si elles sont couvertes d'un enduit, plongez-les dans du décapant et frottez-les avec de la laine d'acier ou une brosse raide. Lavez-les, enduisez-les de nouveau et rangez-les dans un contenant étiqueté.

Voici comment savoir si vous devez utiliser un décapant à peinture ou à vernis. Imbibez une boule d'ouate de dissolvant de vernis à ongles et appliquez-la sur le meuble. Si elle colle à la surface, employez un décapant à vernis. Sinon, prenez un décapant à peinture.

Le décapant en pâte s'impose pour les surfaces verticales parce qu'il ne coule pas. Comme il ne s'évapore pas et sèche lentement, d'ordinaire une couche suffit. Le décapant liquide exige plusieurs applications.

PONÇAGE

Poncez au papier fin les surfaces déjà lisses ; autrement, prenez du papier à grain moyen avant de passer à un papier à grain fin. Travaillez dans le sens du fil et toujours avec retenue. Enlevez constamment la poussière qui se forme.

Le bloc de ponçage est un outil commode. Il a en outre un avantage précieux : il donne des résultats plus uniformes que le ponçage à la main. Collez une mince épaisseur de feutre ou de caoutchouc éponge sur l'une des faces d'un bloc de bois d'environ 8 cm × 13 × 4. Enroulez une feuille de papier à poncer sur ce bloc et tenez-le fermement dans la main pour empêcher la feuille de se déplacer pendant que vous travaillez.

Pour poncer l'intérieur des pièces à cannelures, comme les moulures, enroulez le papier autour d'un bâton. Enroulez-en autour d'un goujon de la dimension voulue lorsque vous devez poncer une cavité arrondie. Poncez d'avant en arrière. Dans les fentes, pliez une chute de papier et passez le pli.

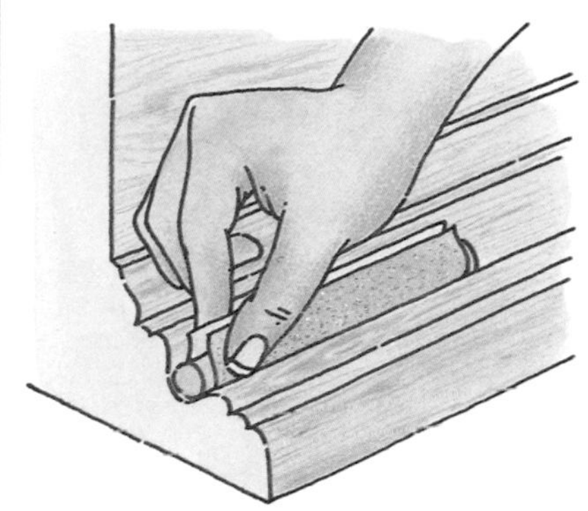

Essuyez avec un chiffon de dépoussiérage. Voici comment le fabriquer : plongez un morceau d'étamine dans un mélange à volume égal de vernis et de térébenthine, essorez-le et conservez-le dans un bocal fermé. De temps à autre, aspergez-le de térébenthine.

DÉCAPAGE D'UN MEUBLE

Attention : Lorsque vous utilisez un décapant caustique, travaillez dans un endroit aéré, loin de toute flamme. Ne fumez pas. Portez des lunettes de protection et des gants de néoprène doublés de coton. Eloignez enfants et animaux. Jetez les débris en lieu sûr.

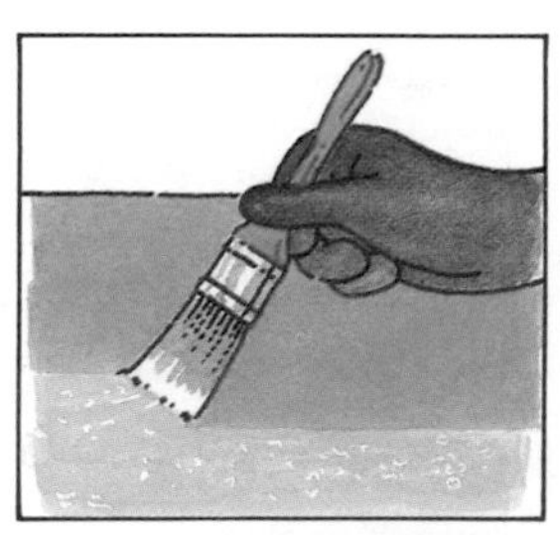

1. Enlevez boutons, charnières et poignées. Appliquez une épaisse couche de décapant à peinture ou à vernis avec un vieux pinceau propre. Travaillez dans un sens seulement.

2. Lorsque la finition boursoufle et se ramollit, raclez-la avec un couteau à mastic émoussé et aux coins arrondis. Prenez garde d'entamer le bois. Utilisez une brosse à dents au besoin.

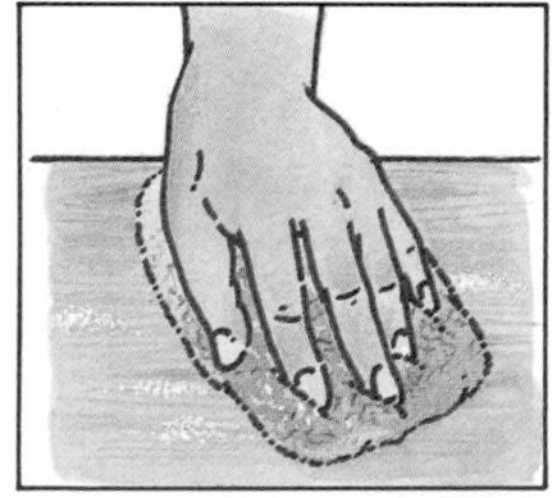

3. Quand toute la surface est décapée, assurez-vous qu'il ne reste pas de taches sombres ou luisantes. Recommencez l'opération là où il y en a. Frottez-les avec de la laine d'acier.

REFINISSAGE

Voulez-vous teindre le bois avant de lui donner sa finition? Appliquez une couche de gomme-laque diluée sur les extrémités poreuses pour empêcher la teinture de trop les foncer par rapport au reste.

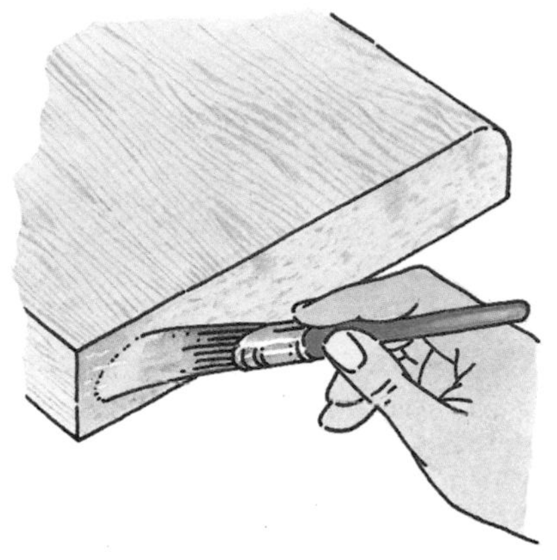

Après décapage, les bois à texture lâche, comme le chêne, le noyer blanc et le frêne, doivent recevoir un bouche-pores en pâte avant leur nouvelle finition. Diluez-le selon les instructions. Appliquez-le dans le sens du fil du bois ; attendez de 5 à 10 minutes, puis essuyez-le à contre-fil avec de la grosse toile. Polissez dans le sens du fil avec un chiffon de coton propre. Attendez 24 heures avant d'entreprendre le refinissage.

N'appliquez pas une teinture sans avoir fait un essai sur un coin du meuble ou sur un morceau de rebut. Pour que l'essai soit concluant, appliquez aussi la finition.

Pour donner au bois une belle et chaude patine, il fallait autrefois multiplier les couches et frotter avec énergie. Aujourd'hui vous appliquez simplement deux à quatre couches d'un vernis pénétrant et transparent apparenté à la résine avec un chiffon propre ou un pinceau, vous attendez quelques minutes et vous enlevez l'excès. Laissez passer 24 heures entre les couches.

LES PRODUITS DE FINITION DU BOIS

Produit	Lustre	Application	Solvant	Remarques
Gomme-laque	Satiné	Au pinceau (soies naturelles) ; 3 couches ou davantage ; 3 heures d'attente après la première couche, 4 heures après la deuxième, 5 heures après la troisième, etc.	Alcool dénaturé	Fini incolore ; fonce un peu le bois ; peu de résistance à l'eau ; appliquez de préférence dans un milieu sans poussière
Huile d'abrasin; vernis à l'huile d'abrasin	Mat à satiné	Au chiffon ; frottez énergiquement pour produire de la chaleur ; 1 ou 2 couches ; 24 heures d'attente ou plus entre les couches	Térébenthine ou essence minérale	Fonce un peu le bois ; bonne résistance à l'eau
Laque	Mat à très brillant	Au pinceau (soies naturelles) ou par vaporisation ; 2 ou 3 couches ; 5 heures d'attente entre les couches, 24 heures avant la dernière couche	Diluant à laque	Incolore lorsque sec ; fonce peu le bois ; résistant à l'eau ; appliquez de préférence dans un milieu sans poussière
Résine pénétrante	Clair	Versez, puis étalez avec un chiffon ou un pinceau ; 1 ou 2 couches ; 12 heures d'attente entre les couches	Térébenthine ou essence minérale	Fonce beaucoup le bois ; bonne résistance à l'eau
Vernis (au polyuréthane ou à l'huile)	Très brillant, brillant ou satiné	Au pinceau ou par vaporisation ; 3 couches ; 24 heures d'attente entre les couches (vernis à l'huile), 12 heures (polyuréthane)	Térébenthine ou essence minérale	Finition incolore à brun foncé ; bonne résistance à l'eau ; appliquez de préférence dans un milieu sans poussière

Si les meubles de vos enfants sont bon marché ou vieux, finissez-les avec un émail à l'alkyde brillant plutôt qu'au vernis transparent. C'est joli et coloré et en outre facilement lavable et très résistant aux coups.

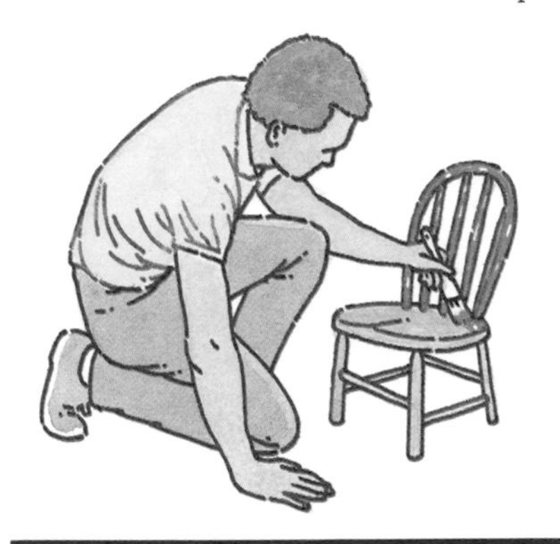

VERNISSAGE

Pour que le vernis ne soit pas grainé, travaillez dans un endroit où il y a le moins de poussière possible. Choisissez une pièce peu passante ; nettoyez-la à l'aspirateur la veille pour que la poussière se dépose.

Le vernis sera plus lisse si vous évitez de tapoter le pinceau contre la paroi du bidon ou de l'essuyer contre le bord. Dans le premier cas, il se forme des bulles d'air ; dans le second, des grumeaux.

Si le pinceau ramasse de la poussière et la laisse dans le vernis, passez celui-ci à travers un bas de nylon ou plusieurs épaisseurs d'étamine pour le filtrer.

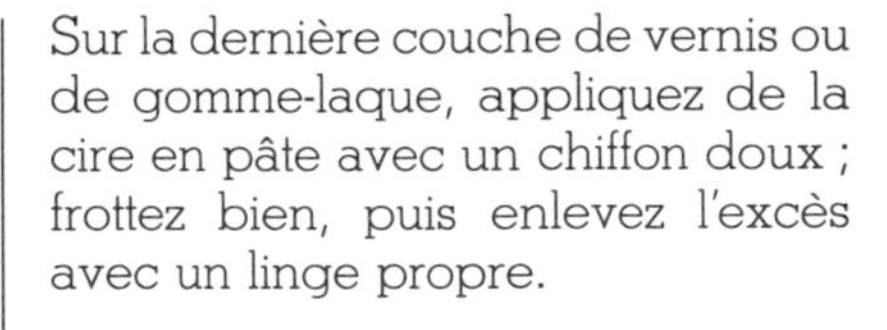

Sur la dernière couche de vernis ou de gomme-laque, appliquez de la cire en pâte avec un chiffon doux ; frottez bien, puis enlevez l'excès avec un linge propre.

PROBLÈMES SPÉCIAUX DE REFINISSAGE

Mieux vaut appliquer la finition au pistolet sur un meuble en bois sculpté ou en une matière rugueuse comme le rotin. Faites-vous la main sur un morceau de carton au préalable. Déplacez constamment le bidon dès que vous appuyez sur la gâchette ; relâchez-la avant d'arriver au bout d'une passe.

Voici comment peindre un meuble au vaporisateur sans tout salir autour. Placez-le dans une grande boîte de carton dont vous aurez retiré le devant. Vaporisez de l'extérieur.

Vous n'aurez pas à poncer entre les couches du produit de finition si vous respectez les délais d'attente (p. 444). Cependant, si vous avez dépassé ce délai, poncez au papier fin pour que la nouvelle couche prenne sur la précédente.

AVANT DE REFINIR UN PARQUET DE BOIS

Il faut compter une semaine de travail pour refaire la finition d'un plancher : un jour pour vider la pièce et réunir ce qu'il faut, un autre pour poncer, plusieurs pour appliquer la finition et respecter les délais d'attente entre les couches. A deux, le travail se fait plus vite.

Louez une ponceuse à tambour pour les grandes surfaces, une ponceuse à disque pour le pourtour ; poncez à la main les endroits que les machines n'atteignent pas. Faites provision de papier sablé et assurez-vous d'avoir les accessoires qu'il faut pour fixer le papier à la ponceuse. Faites-vous bien expliquer comment utiliser l'appareil et le garnir de papier.

Ne poncez pas sans avoir retiré les agrafes laissées par la moquette et réparé les lattes endommagées ou lâches. Enfoncez les clous en saillie avec un chasse-clou et masquez-les avec de la pâte de bois.

Avant de poncer près des murs et dans les coins, retirez les dessus de radiateurs et les quarts-de-rond. Numérotez ceux-ci et notez leur position dans la pièce pour n'avoir aucun problème quand viendra le moment de les remettre en place.

PONÇAGE

Le ponçage soulève beaucoup de poussière que la machine n'aspire pas complètement. Retirez de la pièce tout ce qui s'enlève ; couvrez les appliques murales, les plafonniers et les prises d'air ; bloquez les portes. Enlevez rideaux et tentures ; sinon relevez-les et glissez-les dans un sac de plastique. Mettez du ruban-cache sur les portes d'armoire.

La poussière du ponçage est inflammable. Ne fumez pas, ne frottez pas d'allumette pendant que vous travaillez. Eteignez les veilleuses des appareils à gaz à proximité.

Cette poussière peut également vous irriter les yeux et les voies respiratoires. Portez des lunettes de protection, un masque et des boules dans les oreilles contre le bruit.

La ponceuse industrielle à tambour ressemble au chien en laisse mal élevé en ceci : c'est elle qui vous tire. Votre travail est de la guider. Gardez toujours l'appareil en marche pour obtenir une surface bien uniforme. Portez des gants de travail pour atténuer la vibration exercée par l'appareil sur vos mains.

Passez la ponceuse avec trois sortes de papier : d'abord, le papier à gros grain, puis le papier à grain moyen et finalement le papier à grain fin. Si le parquet est abîmé, prenez du papier à très gros grain.

Pour dissimuler les raccords, allez d'une extrémité à l'autre de la pièce en débordant un peu dans chaque sens sur la partie déjà poncée. Faites les bords de mur au moment où vous y arrivez. Ne les gardez pas pour la fin : cela se verrait.

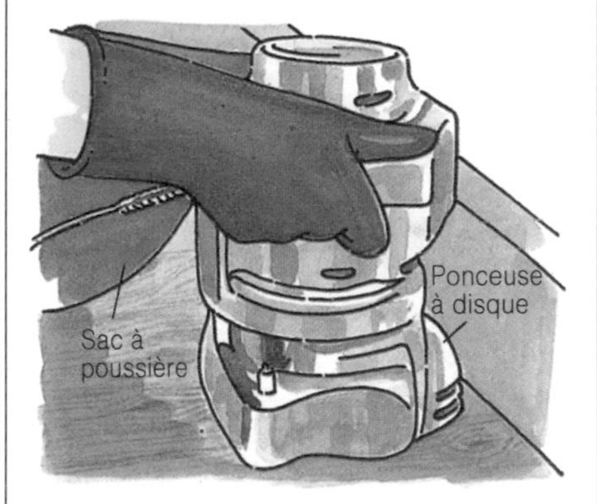

Après chaque ponçage, passez une vadrouille humide pour enlever le bran de scie et faire gonfler le fil. Après le dernier ponçage, récupérez la sciure (pour remplir les fissures) et passez l'aspirateur, la vadrouille humide, puis le chiffon de dépoussiérage (p. 443). Portez des chaussettes ou des pantoufles.

RETOUCHES

Remplissez les fissures du parquet avec une pâte de bois mélangée au bran de scie et à un bouche-pores coloré pour obtenir la bonne teinte.

Si les lattes du parquet sont tachées ou trop foncées, frottez-les avec de l'eau de javel. Rincez-les, 15 minutes plus tard, avec une solution à volume égal d'eau et de vinaigre. Pour vraiment les pâlir, employez un agent de blanchiment industriel.

BOUCHE-PORES

Si vous désirez que vos parquets soient un peu plus foncés, appliquez n'importe quel bouche-pores. Pour les foncer davantage, posez une teinture avant le bouche-pores.

Comptez trois couches de polyuréthane. Diluez la première couche avec 1 volume d'essence minérale pour 4 de polyuréthane ; elle agira comme bouche-pores. Laissez passer 24 heures entre les couches. Avant chaque nouvelle couche, poncez avec une polisseuse de location, garnie de laine d'acier très fine ; essuyez avec un chiffon de dépoussiérage.

Avant de choisir un produit de finition, sachez que le bouche-pores pénétrant s'applique et se retouche facilement ; avec le polyuréthane, le vernis ou la laque, il faut toujours poncer entre les couches.

OUTILS ET MÉTHODES

Appliquez le bouche-pores ou le vernis sur la grande surface du parquet avec un rouleau à long manche ; faites les bords de mur et les angles avec un pinceau. Les rouleaux en caoutchouc mousse sont excellents et si peu chers que vous pouvez les jeter après usage.

Laissez au parquet quelques jours pour durcir avant de réinstaller le mobilier dans la pièce. Ne traînez pas les meubles sur le parquet ; soulevez-les ou déplacez les pièces lourdes sur de vieilles couvertures.

La cire en pâte protège et souligne la beauté du parquet. Trois jours après le traitement de finition, posez-en une première couche et passez la cireuse électrique. Répétez.

PARQUETS PEINTS

La peinture destinée aux murs et aux boiseries ne s'utilise sur les parquets que s'ils sont peu passants, par exemple de chaque côté du tapis dans les marches d'un escalier. Dans les endroits très fréquentés, mettez une peinture à planchers.

Là où la circulation est intense, choisissez une finition très durable, comme celle qu'offre la peinture extérieure pour véranda ou balcon.

Avant de peindre, enlevez la vieille cire avec de la laine d'acier fine et un solvant commercial ou de la térébenthine. Eteignez les veilleuses des appareils à gaz, aérez bien la pièce et abstenez-vous de fumer.

HOUSSES

Les housses sont beaucoup plus faciles à confectionner si vous choisissez un tissu uni de motif ou de texture. (Les rayés doivent être droits ; quant aux motifs, ils doivent se raccorder aux piqûres.) Achetez un tissu prérétréci, lavable, bon teint et résistant aux taches.

Vous demandez-vous comment étaler les pièces de la housse pour faire la coupe ? Placez toutes les mesures longitudinales (de bas en haut ou, pour les coussins et les sièges, de l'arrière à l'avant) sur la longueur du tissu ; toutes les mesures transversales sur la largeur.

Si la housse ne comporte pas de jupe, vous pouvez la terminer par une passementure façon tapissier. Ajoutez une pièce étroite que vous replierez sous le meuble et doublez-la de velcro ; fixez-la sur l'envers du siège. Entaillez la passementure pour laisser passer les pieds.

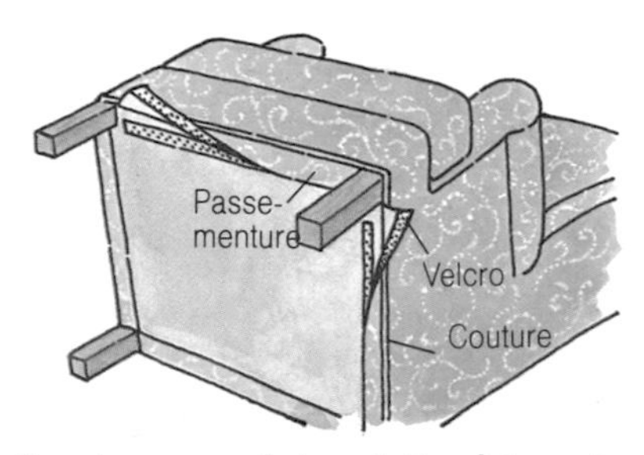

Les housses doivent être bien ajustées. Faites entrer le tissu dans les enfoncements d'un fauteuil ou d'un divan avec une règle de bois.

Si l'étiquette du tissu de vos housses spécifie qu'elles sont lavables, suivez les instructions qui y sont données, mais réinstallez-les sur les meubles avant qu'elles soient totalement sèches. Vous éliminez ainsi les risques de rétrécissement et vous obtenez un ajustement parfait.

ENTRETIEN DES MEUBLES CAPITONNÉS

Passez l'aspirateur sur les meubles capitonnés une fois par semaine. Glissez le suceur spécial lentement sur toutes les surfaces et dans tous les enfoncements. (Pour en savoir davantage, voir pp. 98-99.)

Si vos coussins prennent l'humidité, sortez-les dehors par temps sec et petit vent. Laissez-les à l'ombre — pour protéger leurs coloris — pendant plusieurs heures. Tournez-les au moins une fois.

Utilisés avec excès, les agents de nettoyage humide, tout comme les solvants de nettoyage à sec, peuvent endommager certains capitonnages en mousse. Mettez-en peu.

Accélérez le séchage des meubles capitonnés en vous servant d'un sèche-cheveux portatif. Mais prenez garde de roussir le tissu.

TISSUS D'AMEUBLEMENT

Voici une petite expérience qui permet de savoir si un tissu est durable. Etirez-le sur la longueur, puis sur la largeur et relâchez-le. Si les fils ne se rectifient pas, le tissu est de mauvaise qualité. Un tissé serré et plat dure généralement longtemps.

Le vinyle doublé de tissu est tout indiqué pour les meubles soumis à un usage rude, comme ceux de la terrasse ou du solarium. Il résiste aux agents chimiques, aux taches d'aliments et à la saleté ; il supporte également les rayons du soleil sans se décolorer.

Pour savoir combien de tissu il vous faut, mesurez entre les deux points les plus éloignés du meuble. Ajoutez de tous les côtés une marge de 2 cm pour les coutures et l'agrafage et une autre marge de 5 cm pour la manipulation. Si vous agrafez le tissu sous le bâti, ajoutez encore 5 cm.

SHAMPOOING ANNUEL POUR MEUBLES CAPITONNÉS

Il vous faut un balai à crin ou un aspirateur avec petit suceur, une spatule de caoutchouc ou de plastique, 2 c. à soupe de savon en flocons et autant d'ammoniaque dans 5 tasses d'eau chaude, un bassin d'eau chaude, des chiffons et des serviettes de papier. (Pour le cuir et le vinyle, voir p. 438.)

1. Brossez ou nettoyez le meuble à l'aspirateur. Lorsque la solution nettoyante est en gel, fouettez-la en mousse. Frottez la mousse sur un coin dissimulé. Laissez sécher. Si le tissu se décolore ou rétrécit, adressez-vous à un spécialiste ; sinon, passez à l'étape suivante.

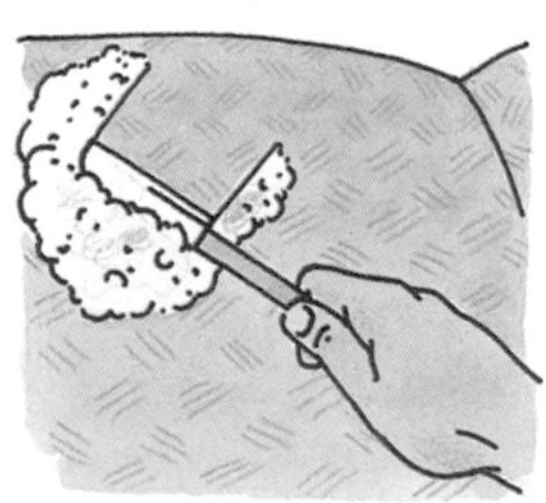

2. Avec un chiffon couvert de mousse, frottez doucement une petite surface. Lorsque la mousse devient sale, raclez-la avec la spatule. Essuyez celle-ci sur une serviette de papier propre.

3. Trempez un autre chiffon dans l'eau claire ; essorez-le et essuyez la surface savonnée. (Mouillez peu le tissu.) Répétez les étapes en empiétant sur la surface propre. Changez d'eau de rinçage, de mousse et de chiffons dès qu'ils sont sales. Séchez avec un ventilateur.

AVANT REMBOURRAGE

Retirez semences et agrafes avec un ciseau à dégarnir et un maillet (voir ci-dessous). Enlevez le tissu d'ameublement pièce par pièce ; défaites les piqûres et repassez les morceaux s'ils doivent vous servir de patron. (Cette méthode convient aussi à la confection d'une housse.)

A mesure que vous dégarnissez le meuble, notez, dessinez ou photogaphiez la position de chaque pièce du matériel et l'ordre dans lequel vous l'enlevez avant de tout défaire. Le remontage se fera plus correctement. N'enlevez que ce qui demande à être remplacé.

Les tissus ont généralement un sens que l'on perçoit lorsqu'on y passe la main ; d'un côté on redresse le poil, de l'autre on le couche. Le tissu d'ameublement doit être taillé de manière que sur les côtés (ou sur les surfaces verticales) le poil se couche vers le bas ; sur le dessus, il doit se coucher vers l'avant. Si les parties ne sont pas toutes taillées dans le même sens, le meuble sera de deux nuances de couleur.

Avant de poser les semences dans le tissu d'ameublement, couvrez la bourre d'une mousseline qui la tiendra en place. Puis, avant de tailler le nouveau tissu, épinglez les vieux morceaux sur la mousseline et regardez si le capitonnage s'est modifié. Il vous faudra peut-être ajouter ou retirer 2 cm de bourre ici et là avant de tailler le nouveau tissu.

Masquez les semences et les arêtes vives, là où le tissu est fixé au cadre, avec du galon. Collez celui-ci ou fixez-le avec des semences décoratives à tête ronde en laiton.

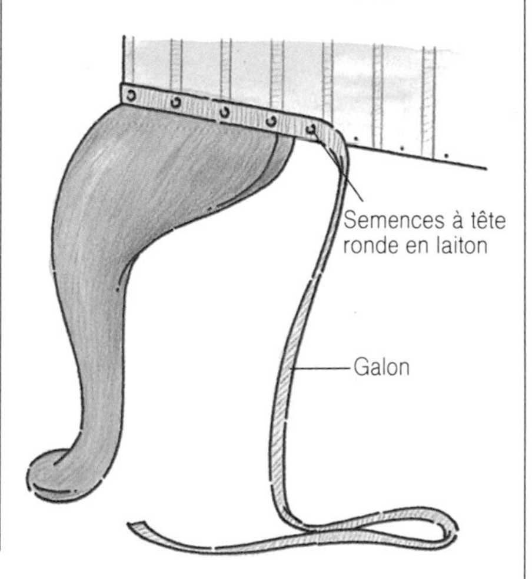

RÉPARATION D'UN MEUBLE CAPITONNÉ

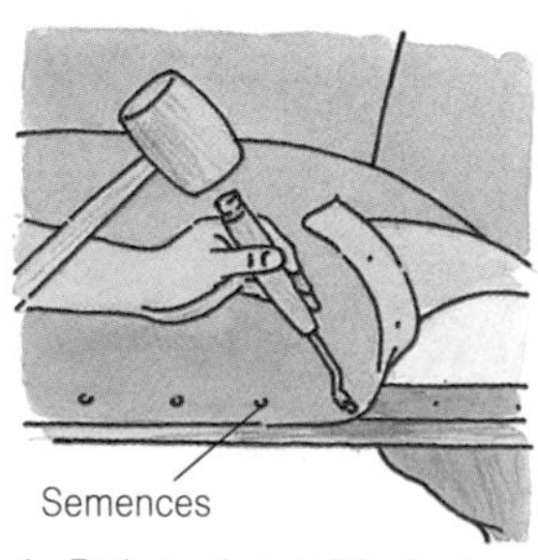

1. Retirez si possible le tissu endommagé (sinon, passez à l'étape 3). Repassez à plat la partie déchirée. Découpez une pièce thermocollante épaisse ou un morceau de denim plus grand que la déchirure.

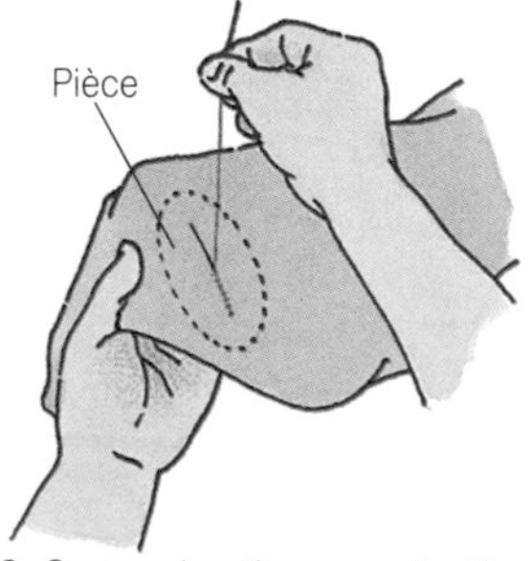

2. Centrez la pièce sous la déchirure, face encollée dessus, et repassez avec une pattemouille sèche. Avec du fil assorti, faites une ligne de points perdus de part et d'autre de la déchirure. Remettez le morceau de tissu en place sur le meuble.

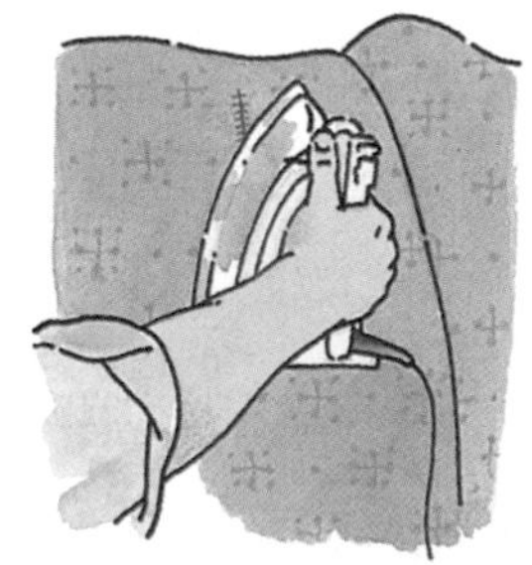

3. Si vous ne pouvez retirer le tissu, glissez la pièce thermocollante ou le morceau de denim sous la déchirure, réunissez les côtés de la déchirure avec quelques points perdus et repassez.

Achetez vos outils dans les magasins d'artisanat ; les semences, les clous décoratifs, les sangles, la ganse et autres galons au rayon des meubles d'un grand magasin. Certains petits tapissiers accepteront de vous vendre du matériel de bourre.

LE REMBOURRAGE

Autrefois, on rembourrait les meubles avec du crin de cheval. Maintenant que ce produit est rare et coûteux, on lui substitue du crin végétal, du coton ou un mélange de poils d'animaux. Mais si vos meubles sont rembourrés avec du crin de cheval réutilisable, lavez-le dans l'eau savonneuse, rincez-le bien et peignez-le pendant qu'il sèche.

Le caoutchouc mousse et le polyuréthane, matières lavables, réfractaires à la moisissure et non allergènes, s'imposent pour le capitonnage. Des deux, c'est le caoutchouc mousse qui se travaille le mieux. Bien qu'un peu plus cher, il est uniforme, de bon support et retrouve spontanément sa forme.

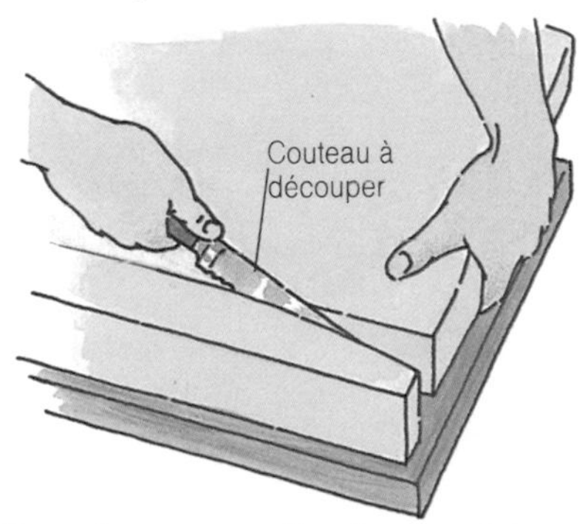

Pour bien travailler le caoutchouc mousse, saupoudrez votre table de pierre ponce pulvérisée ou de talc : ainsi, il n'aura pas tendance à adhérer à la surface ou à gripper.

Toutes les bourres laissent échapper des gaz toxiques quand elles prennent feu et, de ce point de vue, le polyuréthane est particulièrement dangereux. Si votre maison présente des risques d'incendie, recouvrez-le d'un tissu ignifuge.

Le caoutchouc mousse et le polyuréthane ont besoin de ventilation. Si le cadre du meuble est fermé, percez-y des trous d'aération à intervalles réguliers.

RESSORTS ET SANGLES

Lorsqu'un ressort s'est détaché d'une sangle, comprimez-le et cousez-le à la sangle avec une aiguille courbe et du fil à ligature. Fixez-le en quatre endroits et arrêtez le premier et le dernier point.

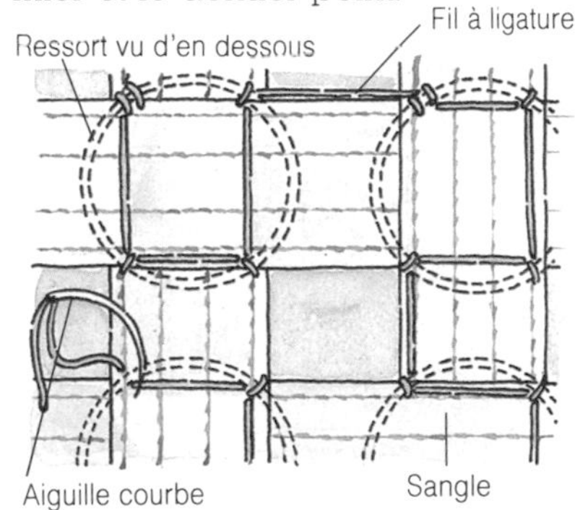

Les sangles sont-elles trop usées pour retenir les ressorts ? Remplacez-les par des lattes de contreplaqué de 1 cm d'épaisseur. Otez les sangles usées et vissez une latte de 5 cm de large sous chaque rangée de ressorts. Faites-les plus courtes que le meuble pour qu'elles ne se voient pas. Attachez-y les ressorts avec du fil à ligature.

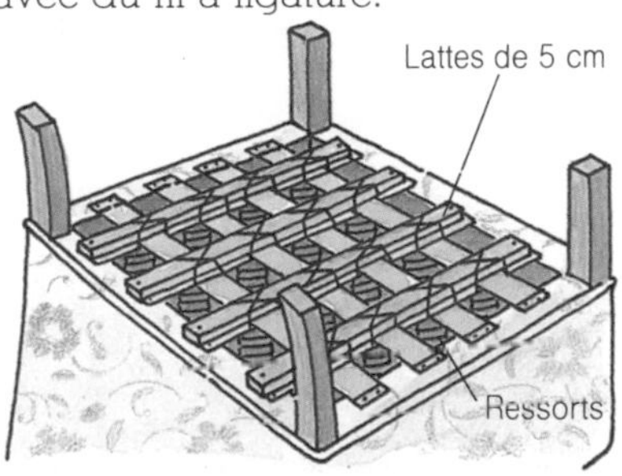

Index

Abat-jour, 420
Abats, conservation, 358
Abeilles, piqûres
  prévention, 328
  traitement, 327
Aboiements, 250, 251
Abricots
  conservation, 358
  saison, 353
Acajou, 426
Accélérateur coincé, 198
Accessoires, 44
  articles de nettoyage, 73
  audio-visuels, 38
  carrousel, 39
  crochets, 53
  échelle porte-serviettes, 46
  fixations, 50-53
  glissières, 69
  panneaux perforés, 55-56
  de rangement, 44
  pour rayonnage, 62-63
  rayonnage à épices, 41
  supports, 53
  systèmes en fil de métal, 63
Accessoires vestimentaires
  bas et collants, 302
  bijoux, 305
  chapeaux, 303-304
  chaussures, 301
  cravates, 304
  gants, 303
  sacs à main, 302-303
  souliers, 301-302
Accidents
  animaux domestiques, 244-245
  dans l'eau, 341
Acétate, 268
Achats de produits alimentaires. *Voir* Panier de provisions.
Acrylique, 268
Actes
  de l'état civil, 21
  de naissance, 21, 23
Adhésifs. *Voir* Colle.
Adolescents, 235-237
  discipline, 235-236
  fêtes, 403
  tâches, 18
  Voir aussi Enfants.
Adoption, acte, 23
Âge d'or, alimentation, 350
  Voir aussi Parents âgés.
Agencements de couleurs, 179
Agent d'assurance, 31-32
Agent d'époussetage, 438
Agents de blanchiment, 279, 285
Agneau
  conservation, 358
  découpage, 385
  dégraisser, 386
  gigot, 365, 385
  herbes d'accompagnement, 381
  marinade, 365
  temps de braisage, 384
  temps de cuisson au gril, 384
  temps de rôtissage, 386
Agrafes, pose, 297
Agressivité
  des animaux domestiques, 251
  des enfants, 231-232
Agrumes, 345
  zeste, 360
Aides-ménagère, 16
Aigue-marine, entretien, 305
Aiguilles à coudre, 294
Ail, 219, 377
  peler, 362
Alarmes antivol, 129, 130
Alcool
  gueule de bois, 316
  et mal des transports, 316
  tache sur le bois, 438-439
Alcooliques, ex-, 395
Alimentation
  âge d'or, 350
  corps gras, 348
  protéines végétales combinées, 349
  le sel, 350
  sources de calcium, 347
  sources de fibres alimentaires, 350
  sources de minéraux, 346
  sources de vitamines, 345-346
  Voir aussi Cuisine-santé ; Panier de provisions.
Aliments
  céréales, 347, 349
  fécule, 349-350
  fibres, 349-350
  fruits, 353, 355-356, 360, 379, 389
  légumes, 347-349, 353, 355-356, 361, 379-381
  œufs, 349, 353, 364-365, 379
  poisson, 348, 353, 354, 357, 368
  riches en vitamines, 345-346
  substituts, 377
  sucre, 349
  viande, 348, 354, 357, 365, 374, 385
  volaille, 357, 365-366, 382-383, 385
  Voir aussi Alimentation ; Conservation des aliments ; Cuisson ; Préparation des aliments.
Allergies
  aux piqûres d'insectes, 327, 328
  aux plumes d'oreillers, 105
  aux produits de beauté, 254, 256, 261, 262
  au romarin, 254

test, 256
Aluminium
casseroles, 112
papier d', 359, 390
Amandes, 347, 350, 360
Ambre, entretien, 305
Aménagement
paysager, 203
d'une pièce, 407
Améthyste, entretien, 305
Ameublement, 426-427
tissus, 449
Voir aussi Meubles.
Ammoniaque, 74, 84
Voir aussi Produits de nettoyage.
Ampoules
à basse tension, 421
à incandescence, 421
Ampoules (sur la peau), 321
Ananas, 360
saison, 353
sorbet à l', 320
Aneth, conservation, 355
Animaux, morsures, 329
Animaux domestiques
accidents, 245
arrivée à la maison, 242
compliments, 247
empoisonnement, 246
exercices, 247
gerbille, 252
hamster, 252
jouets, 242-243
nos amies, les bêtes, 241-266
oiseaux, 252
prévention des accidents, 244-245
problèmes de comportement, 250
propreté, 241, 247
puces, tiques et autres parasites, 243-244
repas, 246-247
soins quotidiens, 244
toilette, 243
urgences, 245
vaccins, 242
voyages, 247
Voir aussi Chat(s) ; Chien(s).
Anniversaires
adultes, 410
cartes d', 13
Antenne, problèmes, 100
Anthrène, 126
Antiacide, 314
Antidote, étiquettes, 337
Antigel, empoisonnement d'animaux domestiques, 246
Antiseptiques, 324
Appareils ménagers, 131-159
aspirateur, 90
batteur électrique, 154
bon usage, 133
broyeur à déchets, 159
cafetière, 108, 156
chauffe-eau, 143, 149, 239
chrome sur les, 106
compresseur à déchets, 159
congélateur, 108, 131-136, 308, 357, 358, 373
cordons et fiches, 160-161
cuisinière, 136-141
déshumidificateur, 158
entreposage, 38, 39, 47
entretien, 106-108
fer à repasser, 156-157, 290
four, 20, 106-108, 136-141
four grille-pain, 38, 109, 138, 152
four micro-ondes, 108, 138, 153-154, 376
grille-pain, 38, 109, 138, 152
guides, 22
humidificateur, 157-158, 310, 312, 318
lave-vaisselle, 111, 112, 142-145, 149, 431-432, 433
longévité, 131
machine à laver, 145-148, 276, 287
mélangeur, 38, 154, 155
nettoyage, 106
percolateur, 156
réfrigérateur, 108, 131-136, 308, 357, 358, 373
robot culinaire, 109, 155
salle de bains, 47, 113
sécheuse, 145, 150-152, 290
table de cuisson, 138
ventilateurs, 107, 124
Appartements, mesures de sécurité, 130
Appels d'urgence, 306
Appliques murales, 421
Appuie-livres, 62
Arachides
beurre d', 350, 376, 387
huile, 348
Araignée, 127
Arbre généalogique, 239
Arbres et arbustes
achat, 206
arrosage, 206
engrais, 206
plantation, 206
plantation d'un jeune arbre, 207
protection contre les bêtes, 208
taille, 207
Argent
gestion, 21-23
de poche, enfants, 234-235
Argent (métal), bijoux, nettoyage, 305
Argenterie, entretien, 433-434
Argile, 20
Aromates, 381
Arrêt cardiopulmonaire, 343
Art de recevoir, 392-403
artistes invités, 401
buffet, au début du, 398
buveur incorrigible, 395
cartes et menus, 399-400
centres de table, 396-397
ceux qui s'attardent, 396
cocktails, 394
compte à rebours, 396
couvert d'un grand dîner, 399
fêtes d'enfants, 402
garnitures, 400

Art de recevoir *(suite)*
grands dîners, 398-399
hors-d'œuvre, 395
invitations, 392
jeux pour enfants, 402
location et emprunt, 393
mille et une fêtes, 401
mise en place du bar, 394-395
planification, 392
préparatifs, 393
quoi servir en buffet, 398
réception, avant une, 392
recevoir des adolescents, 403
recevoir des enfants d'âge scolaire, 403
recevoir des préscolaires, 402
service, 400
service du buffet, 397-398
traiteur, 394
Arthrite, 309-310
Artichauts
conservation, 358
saison, 353
Articles d'entretien, 42
raclette, 84
Articles d'urgence, 324
Artistes invités, lors d'une réception, 401
Arts graphiques, 20
Asperges, 355, 361
conservation, 358
saison, 353
Asphalte, bardeaux d', 170, 172
Aspics, 363
Aspirateur
accessoires, 92, 93
achat, 90
choix, 90
entretien, 91
problèmes, 91
réparation, 91
Aspirine, 313, 316, 320, 331
pour enfants, 316, 317
Assiettes, 40
Assouplissants pour la lessive, 279
Assurance médicale, 23, 237
Assurance sociale, 33
Assurance-vie, 32-33
Atelier, 183-192
efficacité, 183
organisation, 183
sécurité, 183
Attelles, 326
Aubaines, 28
Aubergine
conservation, 358
au four, 380
gratinée, 362
Audio-visuel
accessoires, 38
antenne, 100
chaîne, 100
magnétoscope, 101
télévision, 230
Autobus scolaire, 227-228
Automobile, personnes âgées, 238
Voir aussi Voiture.
Avant-bras, attelles, 326
Avion, voyages en, 234, 316
Avis d'absence, 15
Avocat (fruit) 360, 361
consommé madrilène servi dans un demi-, 398
guacamole, 395
Avocat (profession), 31
Avoine
farine, 317, 350
flocons, 349
Azote, 218

B

Babeurre, 347, 348
Babillard, 11
Babysitter. *Voir* Garde d'enfants.
Bac à glaçons, 373
Bacon, 358, 400
Bague
coincée, 335
rangement, 39
Voir aussi Bijoux.
Baies (fruits), 219, 350, 355
Baignoire, nettoyage, 114
Bain, 256, 313
de bébé, 224
du chien, 241
d'éponge, parfumé, 261
des gens âgés, 310
d'un malade, 310
sortir du, 31
Balai(s), 73, 193
-éponge, 73
Bananes, 355, 379
Banque, 25
Bar, mise en place du, 394-395
Barbes et moustaches, 255
Basilic
congélation, 359
conservation, 355
Bassin de lit, 309
Batterie de voiture, 200
Batteur électrique, 154
Beauté pratique
choix des couleurs, 264-265
maquillage, 258-261
petits trucs du métier, 266
rasage et épilation, 255-256
soins
des cheveux, 253-255
dentaires, 261-262
des mains, 262-263
de la peau, 256-258
Bébé, 223
administration de médicaments, 309
aînés et, 223
capricieux, 223
chien et, 241
érythème fessier, 223
maux d'oreilles, 318
mucus dans le nez, 311
pouls, 308
sac à bébé, 223
vaccins, 317
vomissements et diarrhée, 314
Bêchage, 212
Beignes, 390
Betteraves, 355, 379, 381
conservation, 358
saison, 353
Beurre, 345,363-364
conservation, 358

friture au, 383
mesurer, 388
non salé dans la cuisson, 387
Beurre d'arachide, 376, 387
Bicarbonate de soude, 74, 317, 320
Bifteck, 354
sauce à, 350
Bijoux
entretien, 305
nœud dans une chaîne (défaire), 305
Biscuits, 352, 369, 371, 375
emporte-pièce, 38
Blessures
brûlures, 331-333
entorses, 327
état de choc, 341
fractures, 325
morsures d'animaux, 329
aux yeux, 334
Voir aussi Secourisme.
Bleuets, saison, 353
Bocaux, 38, 363
pour fournitures d'atelier, 186
main prise dans, 336
ouvrir, 373
scellés à la paraffine, 379
Bœuf, 365, 383-386
achat, 354
bouillon ou consommé, 387
chili con carne au, 374
conservation, 358
haché, 357, 365, 374, 383
herbes d'accompagnement, 381
pizza rapide au, 374
rôti, découpage, 385
temps de braisage, 384
temps de cuisson au gril, 384
temps de rôtissage, 386
Voir aussi Viande.
Bois
achat, 57
contre-plaqué, 58
défauts mineurs, 440-441
dimensions standards, 57
égratigné, 440
maquillage d'une brûlure profonde, 439
parquets, entretien, 81
produits de finition, 444
surfaces, 109
surfaces abîmées, 439
taches, 81
vernissage, 445
Boissons, 359
Boîte fourre-tout, 18
Boîte à lunch, 15
Boîte à outils de base, 184
Boîtes de conserve, 38, 353, 360
Bologne (saucisson), 354
Bonnes manières, 232
Bons de rabais, 351
Bottes
pour bébés, 226
pour chiens, 244
rangement dans l'entrée, 37
tiges à, 301
Bouche
douleur, 319-320
soins, 261-262
Bouche-pores
polyuréthane, 447
produit de finition, 447
Boue dans l'entrée, 37
Bougies (de voiture), remplacement, 198
Bouillon, 359, 367, 387
Bouleau, 426
Boulgour, 347
Bouquet garni, 381
Bouquets de fleurs, 102
Bouteilles isolantes, lavage, 111
Boutons, 295-296
-pression, pose, 297
Bracelet, rangement, 39
Braisage des aliments, 384
temps de braisage, 384
Bras, écharpes et attelles, 326
Bric-à-brac, nettoyage, 99
Bricolage. *Voir* Menuiserie.
Brique, 62, 166
fixer des éléments de rangement à la, 52-53
planchers, 81-82
Brocoli, 347, 350, 379, 380
conservation, 358
saison, 353
Broderie, repassage, 291
Bronzage, 331
Bronze, entretien, 435
Broquettes, enfoncer, 189
Brosse
d'aspirateur, 93
à crins, 73
Brouillard, conduite dans le, 202
Broyeur à déchets, entretien, 159
Brûleur à gaz, réglage de la flamme, 141
Brûleur à mazout, 122
Brûlures, 331-333
de la langue, 333
dans les tapis, 96
les trois degrés, 332
Brûlures d'estomac, 314
Buanderie, 42
Budget, 27-28
familial, 25
paiement des factures, 28
Buffet
au début du, 398
quoi servir, 398
service, 397-398
Bulbes (plantes), 213-215
Bureau à domicile, 25
Butyle, calfeutrant au, 175
Buveur incorrigible, 395

Cacahuètes, 349
Cadeaux de Noël, 28
Cadre, redorer un, 437
Voir aussi Tableaux.
Cafard, 126
Café, 316, 359
tache, 283
Caféine et perte de calcium, 347
Cafetière, 156
Calcium, sources, 347
Calendrier, 9, 11

Calendrier d'entretien,
extérieur de la
maison, 166
Calfeutrage des fenêtres,
176
Calfeutrant
choix, 175
emploi, 175
Calligraphie, 393
Cancer de la peau, 331
Canneberges, 350
cuisson, 347, 349
saison, 353
Cannelle, 386
allergie à la, 254
Cantaloup
et jambon, 395
saison, 353
Capital, 25
Carburant, voiture, 197
Cari, 382, 383, 395
Caries dentaires, 319
Carnet, 10
d'adresses, 23
de courses, 11
de rendez-vous, 11
tâches spéciales et, 11
Carottes, 335, 383
conservation, 358
herbes d'accompagnement, 381
Carpettes, 425
Carreaux
de céramique, 77
lavage et séchage, 85
pose, 86
de vinyle,
remplacement,
80
Carrousel, 39
Carte de crédit, 13
expirée, 13
perte, 22, 30
vol, 30
Cartes
d'anniversaire, 13
de remerciement, 13
Cartes et menus, 399-400
Carton, 62
Casier
pour les effets des
enfants, 15
mobile, 47
à vin, 42
Casseroles
d'aluminium, 112
couvercles, rangement,
41
dimensions, 20
rangement, 40
Cassettes, 38, 239
Cassonade, ramollir, 372
Catalogue, achats par, 28
Caviar, 395
Ceintures, 291, 300
rangement, 44, 300
Céleri, 355, 383
conservation, 358
Céleri-rave, saison, 353
Cendriers, nettoyage, 99
Centre commercial, 12
Centre familial de communication, 11
Centres de table, 396-397
Céramique
carreaux, 77
nettoyage, 114
Céréales, 15, 345, 347,
349, 350
Cerfs-volants dans la
décoration, 430
Cerisier, 426
Cerne autour du col, 277
Ceux qui s'attardent, 396
Chaîne audio-visuelle,
nettoyage, 100
Chaise(s)
berçante, 81
location, 393
et le mal de dos, 321
ressorts, 451
Chaleur extrême, 333
Chambres, 18
agencement des
couleurs, 405
à coucher, 42
d'enfants, 18, 44, 229
garde-robes, 42-44
de malade, 309
nettoyage, 104
Champignons, 380, 381
Changement d'huile
(voiture), 196
Chapeaux
entretien, 303-304
rangement, 36
Chapelure, 377, 384, 389
Chaperons, pour fêtes
d'adolescents,
403
Charbon de bois
briquettes, 373
usage à l'intérieur, 391
Voir aussi Repas en
plein air.
Chasse d'eau,
défectueuse, 117
Chat(s)
aiguise-griffes, 243
dressage, 248
éducation, 251-252
opération du, 242
vaccins, 242
Voir aussi Animaux
domestiques.
Châtaignes, griller, 360
Chaudière, 123
Chauffage
à air pulsé, 122
brûleur à mazout, 122
chaudière, 123
panne, 123
système à air chaud,
124
système à eau chaude,
124
système à vapeur, 124
thermostat, 123
Chauffe-eau
énergie, 149
entretien, 149
Chaussures, 226, 301
rangement, 44
Chauve-souris, 128
Cheminée, nettoyage, 99
Chemise, repassage, 292
Chêne, 444
Chèque, 26
de voyage, 22
Chevalet, pour l'exposition
de tableaux, 429
Cheveux. *Voir* Soins des
cheveux.
Chevilles (quincaillerie),
51, 52, 56
tés de golf en guise de,
44
Chien(s)
aboi sur commande,
251
acquisition, 241
combats, 251
enfants, 242
obéissance, 248-249
petits tours, 251
Voir aussi Animaux
domestiques.
Chiffons, 73

Chile, 359
Chili con carne, 374
Chocolat
  faire fondre, 388
  gâteau au, 375
  taches de, 282
Chocs électriques, 341
Cholestérol, 348, 349, 363
Chou, 361, 380, 381
  conservation, 358
  culture, 218
  saison, 353
Chou-fleur, 345, 380, 381
  conservation, 358
  saison, 353
Choux de Bruxelles, 347, 361, 381
  saison, 353
Chrome, entretien, 435
Chrome (minéral), 346
Ciboulette, conservation, 359
Ciment
  fixer des tablettes au, 52-53
  planchers de, 81-82
Cintres, 42
Cirage (voiture), 194
Cire
  en aérosol, 438
  en crème, 438
  liquide, 438
  en pâte, 438
Ciseaux à coudre, 294
Citoyenneté, acte, 34
Citrons, 360
Citrouille, 362
Classeur, 21
Clayettes, 43
  escamotables, 39
Clés de voiture, 202
Climatiseur, 125, 422
  bruyant, 125
  entretien, 125
Clouage, 188
Clous, achat, 65
Cocktails, 394
Coco, noix de, 360, 361, 388
Cocotte en fonte, 347
Coffre, 36, 37
Coffre-fort, 21
  bancaire, 24
Coffret de sûreté, 23
Coin fourre-tout, 16
Coings, saison, 353
Colas (breuvage)
  et la perte de calcium, 347
  taches de, 282
Collants, 288, 302
Colle, 191
Collections
  pour enfants, 229, 430
  exposition de vos, 430
Collets, repassage, 291
Coloris et motifs, 425
Combles
  isolation, 178
  nettoyage, 118
Commodes, 271
Compost, 212
Compresseur à déchets, entretien, 159
Comptables, 31
Compte à rebours, 396
Compte-gouttes, 312
Comptes en banque
  des adolescents, 235
  compte conjoint, 25
  compte-chèque, 26
  conciliation, 26
  relevés, 26
Comptoir, 39
Comptoirs de cuisine, nettoyage, 109
Conciliation d'un compte de banque, 26
Concombre, 395
  culture, 219
  enlever les graines, 362
  herbes d'accompagnement, 381
Concours des enfants (aide), 17
Confitures, 15, 348
Congélateur
  choix, 131
  dégivrage, 134
  installation, 132
  panne, 357
  problèmes, 134
  rangement des aliments, 133
Congestion nasale, 310-311
Conscience, perte de, 340
Conseils juridiques, 31, 32
Conservation des aliments, 355-359
  boissons, 359
  desserts, 359
  durée de conservation au froid, 358-359
  épices, 359
  fines herbes, 359
  fruits et légumes, 355-356
  pannes de congélateur, 357
  pannes d'électricité, 357
  poisson, 357
  produits farineux, 356
  produits laitiers, 356-357
  viandes, 357
  volailles, 357
Conserves, 353, 360
Consommé madrilène, 398
Constipation, 315
Construire un meuble, 65
Contre-plaqué, achat, 58
Contre-portes, 173
Convulsions, 317
Copie carbone, 13
Coqueluche, 317
Coquerelles, 126
Coquillages, 346
Corail, serpent, 330
Corbeille à papier, 20
Cordon électrique, vérification et remplacement, 160
Coriandre, conservation, 355
Corniches, 421
Corps étranger
  dans le nez, 335
  dans l'œil, 334-335
Corps gras, 348
Coton, 268
  repassage, 291
Cou, raideur du, 320-321
Couleur(s)
  apprentissage des enfants, 224
  en décoration, 405, 406-407
  guide des, 264-265
  de la peinture d'extérieur, 179
  des tapis, 424, 425
  des vêtements, 263-265
Coupe de cheveux, 254
Coupe-bise, 175
  en vinyle, 176
Coupe-œufs, 38
Coups de soleil, 331

Coupures et éraflures, 322-323
Cour, 203-221
Cour supérieure, 21
Courant, comment couper le, 163
Voir aussi Électricité.
Courge, 345
conservation, 358
Courgettes, 349
Courrier, 13
Courroies (quincaillerie), 147, 151
Courses, 12
gestion des, 12
Courtier en valeurs mobilières, 31-32
Coussins, 37, 449
Couteaux
aiguisage, 112, 373
entretien, 112
rangement, 39, 40
Couture, 294-300
Couvert d'un grand dîner, 399
Couverture
électrique, 280, 319
lourde, 310
rafraîchir, 104
thermale, 105
Couvre-lit, 104
Couvre-sols, 79
taches, 81
Cravates
entretien, 304
rangement, 44
Crayons de couleurs, 20
Crédit
bon usage du, 30
capacité d'emprunt, 30
carte de crédit, 30
établissement du, 31
Crémaillère, 45, 60
Crème, 363
Crème fouettée, 356, 379
Crème glacée, 347, 356, 390
Crème sûre, 348
Crêpes et gaufres, 348, 376
Crépines des tuyaux, 146
Cresson, 355
Crevaison, 199
Crevettes, 346
Cristaux, 431-433
Crochets, 53
installation, 54
Crocus, 215
Crotale
des bois, 330
des prairies, 330
Croup, 312-313
Cuiller à mesurer, rangement, 41
Cuir
entreposage, 272
entretien, 437-438
repassage, 291
Cuisine, 38, 41, 372-373
comptoir, 39
élément de rangement, 41
généralités, 105
mettre la table du petit déjeuner, 15
rayonnage à épices, 41
sécurité, 105
Cuisine-minceur, 348
Cuisine-santé, 345-350
âge d'or, 350
fécule, 349
fibres, 349
guide des aliments riches en vitamines, 345-346
guide des sels minéraux, 346
menus, 347
protéines végétales combinées, 349
le sel, 350
sources de calcium, 347
sources de fibres alimentaires, 350
Cuisinière
choix, 136
électrique, 137
panne et problèmes, 140
à gaz, 137
panne, 141
nettoyage, 106
table de cuisson, 138
Cuisson des aliments, 376-395
aromates, 381
biscuits, 371, 390
braiser les aliments, 384
crêpes et gaufres, 376
desserts, 389
épices, 382
fines herbes, 381
fonds en sauce, 387
fruits, 379
fruits de mer, 382
gâteaux, 387-388
gelées, 379
hambourgeois, 383
jambon, 386
légumes, 379-381
meilleurs œufs, 378-379
muffins, 370, 376
pains, 376-377
éclair, 368-369
pâtes, 377-378
pâtés de viande, 383
poulet et dinde, 382-383
ragoûts et braisés, 384
riz, 377-378
rôtis, 386
sauces cuisinées, 387
sauter et frire les aliments, 383-384
soupes, 379
substituts d'aliments ordinaires, 377
tartes, 388-389
tartes à croisillons, 389
temps de braisage, 384
temps de cuisson au gril, 384
temps de rôtissage, 386
yogourt, fabrication, 378
Cuivre, entretien, 435
Cuivre (minéral), 346

Dattes, 350
Dé à coudre, 295
Décalage horaire, 316
Décapage, 443
Décès, acte de, 21, 23
Décongestionnants, 311
Décorateurs professionnels, 405
Décoration intérieure, 405-430
ameublement, 426
carpettes, 425

choix d'une peinture d'intérieur, 410
choix des tableaux, 428-429
collection, 430
coloris et motifs des moquettes, 425
commencer, avant de, 405
comment suspendre tableaux et miroirs, 428
conseils gratuits, 405
décorateurs professionnels, 405
au XIXe siècle, 427
éclairage, 420-421
éléments de rangement, 407
encadrement, 429
enlèvement des revêtements muraux, 414
étagères, 407
fenêtres, 422
harmonies chromatiques, 406
lambrissage, 417
lumière d'ambiance, 420
magie des miroirs, 429-430
meubles à petit prix, 427
moquettes, 424-425
peindre, avant de, 411
peinture, 409-413
peinture au pochoir, 413
plafonds, 418
plafonds à carreaux, 418
plan de base, 405
plans à l'échelle, 407
pose du papier peint préencollé, 415
pose des revêtements muraux, 414
préparation des murs et plafonds, 408-409
qualité du mobilier, 426
réparation du papier peint, 416
retouches du plâtre et du placoplâtre, 408
sols et parquets, 419
variété de revêtements muraux, 414
vitrines, 407
Déflecteurs, 421
Dégivrage, 134
Déménagement
emballage, 20
enfants et, 234
objets inutiles, 20
Dentelle, repassage, 291
Dentiers, soins des, 262
Dentiste, 12, 23
Descentes (plomberie), 168
Déshumidificateur, 158
Déshydratation, 315, 316
Désordre, 35
effets sur le travail à la maison, 24
Desserts, 359, 370-372, 375-376, 387-389
beignes, 390
biscuits, 371, 390
comme centres de table, 397
congélation, 356, 359
fruits, 349, 389, 390
gâteaux, 370-371, 375, 387-388
gélatine, 363, 372
des grandes occasions, 401
pains, 349
pour une personne, 391
pommes cuites, 389
réduire le sucre dans les, 349
sirop de fruits dans les, 359
tartes, 370, 388-389
Détachage, des vêtements, 280-285
Détachant, maison, 280
Détecteur de fumée, 239
Détente, 10
Détergents, 278-279, 285
Détresses respiratoires, 342
Dextrose, 349
Diabétiques, buffets pour, 398
Diamants, entretien, 305
Diarrhée, 314-315
causes et effets, 315
Dinde, cuisson, 382-383
Diphtérie, 317
Discipline, adolescents, 235-236
Disjoncteurs, 162
Disques, 38
Divertissements, 10
Divorce, acte de, 21, 23, 24
Documents importants, 21-24
photocopies des, 22
Doigt(s)
attelles, 326
bague coincée, 335
Doliques à œil noir, 349
Dossiers
divers, 22
médicaux, 23
personnels, 21
rangement, 23
Douche
nettoyage, 114
prévention de la moisissure, 114
Douleur buccale, 319-320
Douleurs abdominales, 313-314
Douleurs menstruelles, 313
Durée de conservation des aliments au froid, 358-359
Duvet
couvertures de, 105
oreillers de, rafraîchir, 105
sacs de couchage, nettoyage, 281

Eau dure, problèmes, 281
Ecchymoses, 321
Échardes, 336
Écharpes, 326
Échelle
choix, 169
sécurité, 171
Échelle porte-serviette, 46
Éclairage
décoration, 420-421
luminaires, 98

Éclairage *(suite)*
petit glossaire, 421
des placards, 42
École
autobus scolaire, 228
début de l', 227-228
les devoirs, 230
jours de maladie, 228
motifs d'absence, 228
repas, 227-228
Économie d'énergie
calfeutrage des fenêtres, 176
calfeutrant, 175
coupe-bise, 175
isolation, 176
isolation des combles, 178
Écrous, 50, 51, 52, 186, 199
Écureuils, 128
protection des arbres fruitiers, 209
Électricité
comment couper le courant, 163
disjoncteurs, 162
fiche, 161
fusibles, 162
interrupteurs, 162
lampes, fiches et cordons, 159
panne, 357
vérification et remplacement d'un cordon, 160
Électricité statique sur les tapis, 96
Électroménagers. *Voir* Appareils ménagers.
Élégance, 263
choix des couleurs, 264-265, 267
Voir aussi Vêtements.
Éléments mobiles, 68-69
Éléments de rangement, 41
Émail, 46
Émeraudes, entretien, 305
Emplettes, 12, 13, 16
Emploi du temps, 10
à temps perdu, 13
Empoisonnement
animaux domestiques, 246
intoxication alimentaire, 338
produits toxiques, 339
Emporte-pièce, 38
Emprunts, 25, 30
Encadrement, 429
redorer un cadre, 437
Voir aussi Tableaux.
Encre, tache, 283
Endives, 395
saison, 353
Énergie
chauffe-eau, 149
économie d', 122
four, 138
lave-vaisselle, 142
table de cuisson, 138
Enfants, 223-235
d'âge scolaire, fêtes, 403
agressivité, 231
argent de poche, 234-235
arrivée d'un nouveau bébé, 223
autobus scolaire, 228
bonnes manières, 232
chambres, 18, 44
chien et, 241-243
crainte des ombres, 224
croissance, 229
début de l'école, 227-228
déménagement, 234
devoirs et, 230
entente cordiale, 227
esprit sportif, 233
fêtes, 234, 402
fêtes prolongées, 232-233
garde, 230-231, 236
gros mots, 232
jeux lors d'une fête, 402
jouets, 227
jours de maladie, 228
lecture et, 229
maladies infantiles, 316-318
marques d'affection, 224
maux d'oreilles, 318-39
mémento du gardien, 231
musique et, 229
parents au travail, 236
préscolaires, 223-227
propreté, 225
rapports enfants-parents, 238-239
repas et goûters, 224-225
responsabilité des tâches, 16
restaurants, 234
saignement de nez, 318
sécurité, 225-226
shampooing, 224
sports, 233
surveillance, 236-237
tâches, 17
télévision et, 230
timidité, 228
vaccination, 317
vêtements, 45, 226
voyages, 233-234
Engelures, 334
Enregistrement de la voiture, 22
Entonnoir, 372
Entorses, 327
traitement, 325
Entrée
la boue, 37
l'eau, 37
Entreposage des vêtements, 271-273
Entretien
aluminium, 112
argenterie, 433-434
aspirateur, 91
baignoire, 114
bijoux, 305
bois, 439, 444
bois égratigné, 440
bois taché, 438
bronze, 435
broyeur à déchets, 159
calendrier, 166
céramique,114
chauffe-eau, 149
chrome, 435
climatiseur, 125
compresseur à déchets, 159
comptoirs de cuisine, 109
contre-portes, 173
couteaux, 112
cristaux, 431-433
cuir, 437-438
cuisinière électrique, 106

cuivre, 435
descentes, 168
déshumidificateur, 158
douche, 115
électroménagers, 106
étain, 435
évier, 109
fer, 435
fer à repasser, 157
fondations, 167
four à micro-ondes, 108
galeries, 168
gouttières, 168
housses, 448
humidificateur classique, 158
humidificateur à ultrasons, 157
laiton, 434, 435
lampes, fiches et cordons, 159
lave-vaisselle, 145
linge de lit, 105
maquillage d'une brûlure profonde, 439
marbre, 437
matelas, 104
métal, 435
métal non peint, 438
meubles en bois, 438
meubles capitonnés, 449
meubles de rotin, 438
miroirs, 435
mobilier, 431-451
moustiquaires, 173
outils et méthodes, 447-448
parement, 165
parquet de bois, refinition, 446
parquets de bois, 81
parquets peints, 448
peinture extérieure, 178-182
petits appareils, 108
piano, 99
plantes vertes, 103
ponçage, 443, 446-447
porcelaine, 431-433
refinition de meubles, 442-443
rembourrage, 450-451
renvois d'eau, 110
réparation des joints d'une chaise, 441
réparation d'un meuble capitonné, 450
ressorts et sangles, 451
retouches, 447
salle de bains, 114-117
sécheuse, 150
soin des meubles, 98
des sols, 77
surfaces en bois, 109
tableaux, 436
terrasses, 168
toilette, 116
toiture, 170
ventilateur, 107
vernissage, 445
vêtements, 267-305
vinyle, 438
voiture, 193, 194
Épargne, 33
Épices, 359, 382
cannelle, 254, 386
chile, 359
gâteaux aux, 375
muscade, 382
paprika, 359
dans la pâte à tarte, 388
rangement, 38, 39, 41, 359
Épilation, 255-256
Épinards, 345, 347, 350
conservation, 358
culture, 218
Éponges, 73
Époussetage, 72, 98, 99
surfaces peintes, 74-75
tableaux, 436
Équipement sportif, rangement, 37, 47
Équivalences et quantités, 390
Érable, 426
Escalier, 48, 239
Escarbot de la farine, 127
Espadrilles, 302
Essuie-glace, 194
Étagères, 35
crémaillères, 60
sur crémaillères, 59
dans la cuisine, 41
écartement des supports, 60
effets des enfants, 15
types, 59
Étain, entretien, 435
Étapes du ménage, 71
entrée, 71
salle à manger, 71
salon, 11
État de choc, 341
État civil, actes d', 21, 23, 24, 34
Étiquettes, 354
des antidotes, 337
sur les vêtements, 274-275
Étouffement, 343
Étourdissements, 313, 314
Évanouissement, 340-341
Évier, entretien, 109
Exercices, des animaux domestiques, 247
Expert, choix d'un, 31
Extérieur de la maison, 165-182
calendrier d'entretien, 166
contre-portes, 173
descentes, 168
entretien du parement, 165
fondations, 167
galeries, 168
gouttières, 168
moustiquaires, 173
points à examiner, 165
terrasses, 168
toiture, 170
Extincteurs chimiques, 240

Factures, 28
Faïence, réparation, 431
Famille monoparentale, 237
Fanes de moutarde, saison, 353
Fard à joues, 259
Farine
dans la cuisson, 370
épaissir avec de la, 387
de grains entiers, conservation, 387
parasites dans la, 127
tamis à, 372
Faux plis, 300

Fécule, 349-350
Fenêtres
calfeutrage, 176
cas spéciaux, 85
décoration, 422-423
dépôts de sel, 87
énergie solaire, 88
à guillotine, 87
idées ensoleillées, 423
lavage à la raclette, 85
miracle, 423
nettoyage, 84
parures, 423
à problèmes, 422-423
Fenouil
graines de, 381
saison, 353
Fer (métal), entretien, 435
Fer à repasser, 156
entretien, 157
Fermeture éclair, 295
Fertilisant
arbres et arbustes, 206-207
pelouse, 209, 211
roses, 216
tulipes, 213
Fêtes d'enfants, 234, 402
Fêtes prolongées, 232-233
Feu. Voir *Incendies.*
Fibres, 349-350
meilleures sources, 350
Fibres textiles
des moquettes, 424-425
propriétés, 268
Fiche, remplacement, 161
Fichier, 23
Fièvre, 317
Figues, 350, 360
saison, 353
Fil à coudre, 294
Filtre
à air, 195
à huile, 196
Fines herbes, 359, 381
Fissure dans un mur, 119
Fixations, 50-53
aux montants, 48-49
murales, 51
murs creux, 50
pour murs pleins, 52
rapides, 53
Flétan, conservation, 358
Fleurs, 103
séchées, nettoyage, 99
de soie, nettoyage, 99
Floribunda, 216
Fluor, 346
Foie, 345, 346
Fond de teint, 258
Foulards, rangement, 36, 44
Foulures, 327
Four
autonettoyant, 137
énergie, 138
à micro-ondes, 108
nettoyage, 107
à nettoyage continu, 137
réglage du thermostat, 13
rôtissoire et gril, 108
Four grille-pain, emploi sécuritaire, 152
Four micro-ondes
choix, 153
emploi, 153
installation, 153
ustensiles, 154
Fourmis, 126, 127
gâte-bois, 126, 168
volantes (termites), 167
Fourrures, 271
achat, 304
entreposage, 272
entretien, 304
repassage, 291
Fourrures (menuiserie), 56, 418
Foyer, nettoyage, 99
Fractionnement des tâches, 14
Fractures, traitement, 325
Fraises, 345
saison, 353
Framboises, 350
saison, 353
Franges de tapis, 97
Freins
liquide à, 195
panne, 198
Frêne, 444
Frire les aliments, 383-384
Froid extrême, 333
Fromage, 345, 346, 347, 356, 364
blanc, 345
dans les boulettes de viande, 383
cheddar, 395
conservation, 358
conservation, 356
cottage, 353, 356
conservation, 358
en crème, 395
glaçage au fromage, 388
fondu sur les légumes, 81
gratin, 347, 353
herbes d'accompagnement, 381
râper, 353, 364
soupe au, 380
avec la tarte aux pommes, 389
Fructose, 349
Fruits, 348, 353, 355-356, 360, 379, 389
épicés, 271-272
Fruits de mer, 367-368, 382
Fuites et infiltrations, 120
Fusibles, 162

Galeries, 168
Gants
achat et entretien, 303
rangement, 36, 44
Garage, 193-202
aménagement, 193
propreté du sol, 193
Garanties, 22
Garde d'enfants, 230-231, 236
mémento pour, 231
Gardien(ne) d'enfants. *Voir* Garde d'enfants.
Garnitures, 400
Gâteaux et glaçages, 349, 359, 370, 375, 376, 387-388
Gaz carbonique, 122
Gelées, 379
Gencives, enflées ou irritées, 320
Genou, arthrite dans le, 309
Gerbille, 252
Germe de blé, 345, 346
Gestion, 21-34
argent, 21-23

budget, 27-28
bureau à domicile, 25
cartes de crédit, 25
comptes en banque, 25-26
dossiers, 21-23
paiement des factures, 28-29
placements, 33
Gingembre
bonbons au, contre le mal des transports, 316
congélation, 359
et le poisson, 382
dans la salade de fruits, 390
Glaçages, 371
au fromage à la crème, 388
Glace, 132, 135, 373, 395
sèche, 357
Glissières, 69
Glucose, 349
Goberge, 354
conservation, 358
Gomme à mâcher, 352
taches, 282
Gomme-laque, 444
Goujons, 41, 43, 46, 63, 188
Gouttières, 168
Grandiflora, 216
Grands dîners, 398-399
Gras saturés, 348
Gratin, 347, 353
Grenades, saison, 353
Grenats, entretien, 305
Grenier 48
isolation, 178
Grille-pain
emploi sécuritaire, 152
rangement, 38
Gros mots, 232
Groupes d'aliments, 345
Gruau, 370, 371
Guacamole, 395
Guêpe, 127
Gueule de bois, 316
Guichet automatique, carte de, 30
Guide d'achats saisonniers, 353
Guides des appareils ménagers, 22
Guignes, saison, 353

Hachis de bœuf, 374
Hachoir à viande, 373
Haleine, mauvaise, 202
Hall d'entrée, 47
Hambourgeois, 383, 401
Hameçon, dégagement d'un, 336
Hamster, 252
Haricots, 349, 350
conservation, 358
secs, 345, 361
verts, 347
Harmonies chromatiques, 406-407
Hémorragie grave, 324
Hémorragies anales, 315-316
Hémorroïdes, 315-316
Herbe à puce, 338-339
Hiver, en prévision de l', 201
Homard, 382
Hoquet, 319
Horaire quotidien, 14
Horoscope, 401
Hors-d'œuvre, 395
Housses, 448
Huile
d'abrasin, 444
d'arachide, 348
de finition, 438
de maïs, 348
d'olive, 348
de pin, produits de nettoyage à l', 74
de sésame, 348
de soja, 348
de tournesol, 348
végétale, 356
Huîtres, 345, 346
ouvrir les, 367
Humidificateur, 310
classique, entretien, 158
à ultrasons, entretien, 157
Humidité
déshumidificateur, 158
dans les placards, 271
problèmes, 118
vertus, 157
Hybrides de thé, 216
Hydrogène, péroxyde d', 279
Hypothèque, 21, 24, 28, 30

Igname, 350
Impôt, déclaration, 24, 29, 30, 34
Incendies
dans la cuisine, 106, 139, 140
dans le four à micro-ondes, 153
Infection, signes d', 322
Infirmité, perte de l'ouïe, 238
Inflation, 34
Influenza, 317
Ingestion de poison, 336-337
Inondation, 119
Insectes et vermines, 126-127
anthrène, 126
araignée, 127
cafard, 126
domestiques, 126-127
escarbot de la farine, 127
fourmis, 126, 127, 167, 168
guêpe, 127
insecticide, 127, 128
lépisme, 127
maringouin, 127
mites, 273
mouche commune, 127
piqûres d', 327
puces, 243
tiques, 243-244, 328-329
Insecticides, 127, 128
Intérêt bancaire, 25
Interrupteurs, 162
Intoxication
alimentaire, 338
des animaux, 246
par inhalation, 340
orale, 336-337
de la peau, 339

Intoxication *(suite)*
produits toxiques, 339
Inventaire des biens, 23
Invitations, 392
Invités, 15, 392-403
Iode, 346
Ipéca, 308, 337
Isolation, 176
besoins, 177
calfeutrage, 175-176
combles, 178
Itinéraire des courses, 12, 13
Ivoire
nettoyage, 305
touches de piano en, 99

J

Jacinthes, 214, 215
Jade, entretien, 305
Jalousie entre enfants, 223
Jambe
attelle, 326
cassée, 325
Jambon, 386-387
achat, 354
bouilli, 386
conservation, 358
en conserve, 354, 367, 386
cuit, enlever la peau, 387
découpage, 385
farce au, 395
et melon, 395
Jardin, 203-221
aménagement paysager, 203
arbres et arbustes, 206
nettoyage, meubles, 221
nouvelle pelouse, 211
pelouse, 209
rangement, meubles, 221
rêve et réalité, 203
structures, 204
tonte du gazon, 210
Jardinage
amendement du sol, 212
arrosage, 206
bulbes, 213
choix des rosiers, 215
compost, 212
détermination du pH, 205
double bêchage, 212
élimination des mauvaises herbes, 210
engrais, 206
entretien et caractéristiques des rosiers, 216, 217
entretien et multiplication des vivaces, 215
fruits, 217
légumes, 217
mise en terre de petits plants, 214
outils, entretien, 220-221
paillis, 218, 219
plantation, 206
plantation d'un jeune arbre, 207
plantation de rosiers, 217
plate-bande surélevée, 213
ravageurs, 219
réalisation d'une plate-bande, 213
récoltes productives, 217
taille d'une haie, 208
Voir aussi Jardin ; Outils de jardinage.
Jeannette, 42
Jeans, 270, 300
Jeter les objets inutiles, 19
Jeux pour enfants, 402
Jouets, 224, 227
rangement, 44-45
Journaux, rangement, 37

KL

Kakis, saison, 353

Lactose, 349
Laine, 268
entreposage, 272
entretien, 274
repassage, 291
Lait, 345
bonne source de calcium, 346-347
conservation, 358
déshydraté, 356
écrémé, 350
évaporé, fouetter le, 363
source de protéines, 346
renversé sur le bois, 439
taches de, 282
Laiton, 434
entretien, 435
Laitue, 346
conservation, 355, 358
cuisson, 380
culture, 217-218
Lambrequin d'éclairage, 421
Lambrissage, 417
Voir aussi Murs.
Lamé, entreposage, 272
Lampes, 421
entretien, 159
Lampes à piles, pour l'éclairage des placards, 41
Langue
de bœuf braisée, 387
brûlure sur la, 333
Lapins, protection des arbres contre les, 208
Lapis-lazuli, entretien, 305
Laque, 444
Lasagne aux zucchinis, 380
Laurier, 381
Lavage
bouteilles isolantes, 111
poêles et casseroles, 111
tapis, 92
vaisselle, 111
voiture, 194
Voir aussi Entretien ; Lessive ; Nettoyage.
Lave-vaisselle
choix, 142
détergent, 143
énergie, 142
entretien, 145
panne, 144
problèmes spéciaux, 144

- Laxatif, 315
- Lecture
  - apprentissage des enfants, 229
  - difficulté des gens âgés, 239
  - éclairage pour la, 420
- Légumes, 347-349, 353, 355-356, 361
  - cuisson, 379-381
- Légumineuses, 345, 346, 349
- Lépisme, 127
- Lessive, 276-287
  - articles délicats, 277, 280
  - gros articles, 280
  - à la main, 280
  - problèmes, 286-287
  - produits, 278-280, 285
  - séchage, 287-290
  - taches, 276
  - triage, 277
- Lettre ou appel téléphonique, 12
- Levure de bière, 345
- Lin, 268
  - entreposage, 272
- Linge de lit, 104, 105
- Linges à épousseter, 72, 73
- Liste principale, 9, 11
  - de courses, 12
- Lit, 104-105
  - arthrite et le, 310
  - boîte de rangement sous le, 45
  - faire le, 15, 18, 104
  - mal de dos et le, 320, 321
  - matelas, entretien, 104
  - oreillers, 104, 105, 280
  - sortir du, 310
  - tête de, 427
- Livres, 35, 229
  - sur cassette, 239
  - de cuisine, 41
  - d'école, 15, 16
  - emprunts de, 16
- Location, lors d'une réception, 393
- Loisirs, 10
- Lumière d'ambiance, 420-421
- Luminaires, 98
- Lustre, nettoyage, 102

- Machine à coudre, 297
- Machine à laver
  - bruits et vibrations, 147
  - choix, 145
  - divers problèmes, 147
  - panne, 148
  - raccords, 146
  - réparations, 147
  - tuyau de vidange, 146
  - tuyaux d'arrivée, 146
  - *Voir aussi* Lessive.
- Magnésium, 346
- Magnétoscope, nettoyage, 101
- Mains
  - arthrite dans les, 310
  - des enfants coincées dans un bocal, 336
  - soin des, 262
  - transpiration des paumes, 261
  - *Voir aussi* Ongles.
- Maïs, saison, 353
- Maïs soufflé, 362
- Maison, sécurité des vieillards, 239
- Maisons d'accueil, 240
  - parents, 240
- Mal
  - de dents, 319-320
  - de dos, 320-321
  - des transports, 316
- Malachite, entretien, 305
- Malade, chambre, 309
- Maladies infantiles, 316-318
- Malaise cardiaque, 343
- Maltose, 349
- Manganèse, 346
- Manucure, 262-263
- Maquereau, conservation, 358
- Maquillage, 258-261
  - démaquillage, 261
  - étape par étape, 260
  - fard à joues, 259
  - fond de teint, 258
  - rouge à lèvres, 259
  - des yeux, 260
- Marbre, entretien, 437
- Margarine, 345, 348
  - conservation, 358
- Mariage, 31
  - acte de, 21, 23, 24
  - *Voir aussi* Remariage.
- Marinade, 365
- Maringouin, 127
- Marquage et mesures, 186
- Marques de crayon sur le papier peint, 76
- Marteaux, 53, 184
  - enlever des clous, 189
  - planter des clous, 188-189
- Mascara, 260, 261
- Massasauga, 330
- Matelas
  - entretien, 104
  - nettoyage, 104
- Matériaux
  - achat du bois, 57
  - achat de clous, 65
  - achat de contre-plaqué, 58
  - achat de vis à bois, 66
  - dimensions standards du bois, 57
  - rangement, 185
- Matériel de nettoyage, 42
- Maux
  - de gorge, 311-312
  - d'oreilles, 318-319
  - de tête, 313
- Mayonnaise, 380
- Mazout, brûleur à, 122
- Médecin, 12, 23, 31
- Médicaments, 240, 308-309, 337
- Méfaits du froid, voiture, 200
- Mélangeur, 155
- Mélasse, 346
- Melons, 345
  - culture, 218
  - saison, 353
- Mémento du gardien d'enfants, 231
- Ménage, avant le ménage, 92
- Menuiserie
  - boîte à outils, 184
  - clouage, 188
  - colle et serres, 191
  - marquage et mesures, 186

Menuiserie *(suite)*
perçage, 189
perceuse électrique, 189
sciage et coupage, 187
tournevis, 190
vissage, 190
Menus, 347
cartes, 399-400
repas vite faits, 374-375
Meringue, 370, 372, 389
Merlu argenté, 354
Mesures
de poids et équivalences, 373
liquides, 372
Mesures d'économie, voiture, 197
Métaux
brillants et sans tache, 435
débosselage, 434
nettoyage, 434-435
non peints, 438
polissage, 434-435
Méthode
horaire quotidien, 14
de nettoyage, 74
programme de la semaine, 14
du salami, 9
Voir aussi Organisation.
Meubles
en bois, 438
capitonnés, 449-450
construire un meuble, 65
décapage, 443
entretien du mobilier, 431-451
à petit prix, 427
polissage, 438
ponçage, 443
avant la refinition, 442-443
rembourrage, 450-451
de rotin, 438
soin, 98
Voir aussi Ameublement; Décoration intérieure.
Miel, 311, 372
Mille et une fêtes, 401
Mincemeat, 382
Minéraux, sources, 346
Miroirs
comment suspendre, 428
entretien, 435
magie des, 429-430
Mise en plis, 253
Mites, 273
Mixer, rangement, 39
Mobilier. *Voir* Meubles.
Modacrylique, 268
Moisissure
échec à la, 416
tache de, 283, 287
des vêtements, 271
Monoxyde de carbone, empoisonnement, 340
Montants, repérage, 49
Montre, rangement, 39
Moquettes, 424-425
coloris et motifs, 425
décoration, 424
tableau des fibres, 424
Voir aussi Tapis.
Morsures, 329
traitement, 330
Morue, conservation, 358
Mouche commune, 127
Mouffette, 209
animal arrosé par, 245
Moustiquaires, 87, 173
sur cadre de bois, 174
sur cadre de métal, 173
Moustiques, 127, 244, 327
piqûres, 327, 328
Moutarde
fanes de, 358
taches de, 283
Mozzarella, 347
Muffins, 376
Mûres, 350
saison, 353
Murs, 49, 50
lambrissés, 77
lavage, 75
montants, 49
murs creux, 50
murs pleins, 52
nettoyage, 74
peinture, 412
préparation, 408
Muscade, 382
Muselière, 245
Musique et les enfants, 229

N

Naissance, acte de, 21, 23, 24, 34
Natation, 305, 401
Navets, 347, 355
conservation, 358
Nectarines
conservation, 358
saison, 353
Neige
conduite dans la, 201
soins de la voiture, 202
Nettoyage
accessoires de cuisine, 74
aluminium, 112
appareils, 70
articles de, 73
bouquets de fleurs, 102
calendrier de travail, 71
carreaux de céramique, 77
de la cave au grenier, 70
chaîne audio-visuelle, 100
chambres, 104
chandeliers, 102
cheminée, 99
combles, 118
comptoirs de cuisine, 109
cuisinière électrique, 106
cuivre, 74
dépôts de cire, 102
dépôts de sel, 87
douche, 115
des électroménagers, 106
équipement, 72
fenêtres, 84
four, 107
four à micro-ondes, 108
foyer, 99
laiton, 74
lavage des murs, 75
lavage des sols, 78
linge de lit, 105
luminaires, 98
lustre, 102
magnétoscope, 101
de la maison, 70-97

matelas, 104
méthodes, 74
meubles de jardin, 221
moustiquaires, 87
murs lambrissés, 77
murs et plafonds, 74
objets spéciaux, 99
ordinateur, 100
papiers peints, 76, 415-416
pare-brise, 193
parquets de bois, 81
passer l'aspirateur, avant de, 98
petits appareils, 108
portes coulissantes, 88
poubelles, 74
produits de nettoyage, 72
réfrigérateur, 108
renvois d'eau, 110
revêtements muraux, 76
rideaux et tentures, 82
rôtissoire et gril, 108
saisonnier, 94
salle de bains, 74, 114-117
salle à manger, 101
sélectif, 15
sols, 77
sous-sol, 118
stores, 82
stores vénitiens, 83
surfaces en bois, 109
systèmes stéréo, 100
tapis, 92-94
toilette, 116
ventilateur, 107
Voir aussi Entretien ; Lessive.
Nettoyage de la peau, 256
Nettoyage à sec, 274-275
Nez
congestion, 310-311
corps étranger dans le, 335
gouttes, 311, 312
saignement de, 318
vaporisateur, 311
Noël, décoration et emballages, 28
Noix, 360
Noix du Brésil
écaler, 360
source de fibres, 350
Noix de coco, 360, 361, 388
Nom des femmes mariées, 31
Noyer, 426, 444
Numéros d'urgence, 23, 306
Nylon, 268
repassage, 291

Obéissance, du chien, 248-249
Obésité et brûlures d'estomac, 314
Objets égarés, 10, 18
Objets inutiles
donnez, 19
jetez, 19
rendez, 20
Objets usagés, 20
Odeur
des aliments, 357
dans les compacteurs d'ordures, 159
de gaz, 139
dans le réfrigérateur et le congélateur, 108, 133
dans les renvois, 110
dans les tapis, 95
Œil au beurre noir, 334-335
Œufs, 345, 347, 349, 353, 364-365, 378-379
pour les animaux domestiques, 246
battre des, 364
blancs d', 349, 357, 364, 376
blancs d', conservation, 358
brouillés, 378, 379
cholestérol, 349
congélation, 357
contenu en fer, 347
durs, 349, 365, 378, 379
conservation, 358
farcis, 365, 378
fraîcheur, 357
jaunes d', 349, 357
dans les gâteaux, 370
pochés, 378
prix, 353
Œuvres d'art, 429
Voir aussi Tableaux.
Oignon(s), 38, 355, 362, 380
dans la salade, 363
soupe à l', 380, 383
Oiseaux, 252
Okra, saison, 353
Olefin, 424
Olive, huile d', 348
Omelette, 349
Ongles
des chiens, taille, 243
soin des, 262-263
Opales, entretien, 305
Or, nettoyage, 305
Oranges, 360
Ordinateurs
devoirs des enfants et, 230
nettoyage, 100
Ordre dans la maison, 14
Ordures ménagères, 110
Oreillers
choix des, 105
lavage, 280
de plumes, 105
Oreilles, 318-319
boucles d', rangement, 305
corps étranger dans, 335
Oreillons, 317
Organisation, 8-20
de l'atelier, 183
chambres d'enfants, 18
courrier, 13
emploi du temps, 10
invités, 15
liste principale, 9
le matin, 15
objets inutiles, 19-20
prévention, 20
questionnaire, 10
réceptions, 392-403
à temps perdu, 13
la veille, 15
Os pour le chien, 247
Ourlet, 297-298
Outils
boîte à outils de base, 184
perceuse électrique, 189
rangement, 185

Outils *(suite)*
refinition des parquets, 447-448
tournevis à oreilles, 190
tournevis sans oreilles, 190
Outils de jardinage
aubaines, 221
entretien, 220
rouille, 221
Oxydation
de l'argenterie, 433
dépôts sur les vitres, 86

P

Pacanes, 350
Paiement des factures, 28
Paillis, 218
inorganiques, 219
organiques, 219
Pain de viande, 383
Pains, 345, 346, 368-369, 376-377
à l'ail, 377
chapelure, 369
congélation de la pâte, 356
cuisson, 376-377
éclair, 368
à la levure, 369
de maïs, 376
pumpernickel, 350
Palourdes, 346, 367-368
Pamplemousses, saison, 353
Panais, saison, 353
Panier à buanderie, 20, 42
Panier de provisions, 351-354
bons de rabais, 351-352
choix avisés, 353
étiquettes, 354
guide d'achats saisonniers, 353
liste d'épicerie, 351
œufs et produits laitiers, 353
poisson, 353
riz, 353
supermarché, 352
viande, 354
Panne
chauffage, 123
comment cuisiner durant une, 391
congélateur, 357
cuisinière électrique, 140
cuisinière à gaz, 141
électricité, 357
lave-vaisselle, 144
machine à laver, 148
réfrigérateur, 135
sécheuse, 151
téléphone, 101
Panneau
montage, 56
perforé, 55-56
Pansements, 322-323, 324-325
animaux domestiques, 245
coupures et éraflures, 322, 323
enlèvement, 325
Pantalon, repassage, 292
Papeterie, 9, 11
Papier d'aluminium, 390
rangement, 38
Papier peint, 76, 408-409
endommagé, 416
enlèvement du, 416
pose, 415
trucs, 416
Paprika, 359, 382, 384
Paraffine, 379
Parasites
des animaux domestiques, 234-244
trichinose, 386
Pare-brise, 193
Parement
entretien, 165
réparation, 167
taché, 166
Parents âgés
difficultés de lecture, 239
éloignés, 240
maisons d'accueil, 240
médicaments, 240
rapports enfants-parents, 238-239
santé, 240
Parents au travail, 236
Parfums, 216, 261
Parquets de bois, 419
entretien, 81
refinissage, 446
taches, 447
Parquets peints, entretien, 448
Partage des tâches
contrôle de qualité, 16
responsabilité, 16
tableau de répartition, 16
Passeport, 24
Passoire, 372, 384
Pastèque, saison, 353
Patates douces, 362
Pâté de poisson, 382
Pâte à tarte, 370, 388-389
Pâte de tomates, 356
Patère, 37
Pâtes alimentaires, 377, 378
restes de, 356, 378
Pâtés de viande, 383
Peau, cancer de la, 331
Pêches
conservation, 358
en moitié, 382
saison, 353
Pédiatre, 306
Peinture, 178
agencements de couleurs, 179
application de la, 412
l'art de peindre, 181
choix, 180
comment peindre le parement, 181
émail, 36
garnitures, 182
des murs, 412
pour parquets, 448
avant de peindre, 411
peinture d'intérieur, 410
pinceaux, 409-411
au pistolet, 411
au pochoir, 413
préparation des surfaces, 180
quand peindre ?, 180
quantité requise, 411
rouleaux, 409-411
tache, 283
trucs, 411
vernis à l'uréthane, 46
Peler les légumes, 361
Pellicules, 254

Pelouse
entretien, 209
mauvaises herbes, 210
nouvelle, 211
problèmes, 209
tonte du gazon, 210
Perçage, 189
Perceuse électrique, 46, 188
Percolateur, 156
Perforations, 323
Perles, nettoyage, 305
Permanentes, 255
Permis de conduire, 22
Permis municipal, 20
Permission de sortie (enfants), 15
Persil, 400
congélation, 355
conservation, 358
hacher le, 363
Perte de l'ouïe, 238
Perte du porte-monnaie, 22
Petits appareils, nettoyage, 108
Voir aussi Appareils ménagers.
Petits objets, 20
Pharmaciens, 308
Phosphore, 346
Photocopies, 22, 24
Photographies, soin des, 436
Piano
entretien, 99
soin du, 99
Pied (de meuble), réparation, 441
Pierre, sols de, 81-82
Pierres précieuses et semi-précieuses, nettoyage, 305
Piments doux en conserve, 355
Pin, 426
Pinceaux et rouleaux
nettoyage, 409
qualité, 410
Voir aussi Peinture.
Pinces à homard, 38
Piqûres et morsures d'insectes, 327-328
Piste d'autos de course, 45
Placards, 271-272
de la chambre à coucher, 42
en désordre, 19
éclairage des, 42
questionnaire, 19
réaménagement, 43
utilisation de l'espace, 43
Placements, 22, 33
Placoplâtre, retouches, 408
Plafonds
à carreaux, 418
décoration, 418
nettoyage, 74
préparation, 408-409
Plafonniers, 420, 421
ampoules des, 98
nettoyage, 102
Planche, sciage, 187-188
Planchers de brique, 81-82
Planches à découper, 373
Plans à l'échelle, 407
Plantes d'intérieur, insectes ravageurs, 104
Plantes vénéneuses, 338-339
herbe à puce, 338-339
sumac, 338-339
Plantes vertes, 103
Plants, mise en terre, 214
Plateau tournant, fabrication, 38
Plate-bande
réalisation, 213
surélevée, 213
Plâtre, retouches, 408
Plie, conservation, 358
Plinthes, nettoyage, 76
Plinthes chauffantes, 122
Plomberie
fuite de robinet, 113
renvois d'eau, 110
réparation, 120
travaux, 120
tuyau fissuré, 120
tuyau gelé, 121
Pluie, conduite sous la, 202
Pneu, changement, 199
Poche à pâtisserie, 370-371
Pocher des œufs, 378
Poches (vêtements)
accélérer le séchage, 288
renforcer, 269
vider avant la lessive, 276
Pochoir, 413
Poêles et casseroles, lavage, 111
Poireau, saison, 353
Poires
conservation, 358
saison, 353
Pois
culture, 218
herbes d'accompagnement, 381
saison, 353
Pois chiches, 349, 350
Poison, ingestion, 336
Voir aussi Intoxication ; Secourisme.
Poisson, 348, 353, 354, 357
conservation, 358-359
filets, 368
Poivrons verts, 345
congélation, 355
conservation, 358
Police d'assurance, 21-24, 34
Poliomyélite, 317
Polyester, 268
repassage, 291
Pommes
cuisson, 347
cuites, 389
farce pour la dinde, 383
saison, 353
tarte, 388-389
tranches, cuisson, 379
Pommes de terre, 38, 345, 346
bouillies, 346, 362
crues, sel absorbé par, 379
au four, 346, 348, 380
et herbes qui les accompagnent, 381
pilées, 380, 383
Ponçage, 443, 446-447
Porc, 345
achat, 354
conservation, 358
frais, temps de cuisson au gril, 384

Porc (*suite*)
fumé, temps de cuisson au gril, 384
fumé, temps de rôtissage, 386
herbes d'accompagnement, 381
marinade pour le, 365
et raifort, 386
temps de braisage, 384
tranché, friture, 365
trichinose, 386
Voir aussi Bacon; Jambon.
Porcelaine, 40, 431-433
réparation, 432
Porte, 43
coincée, 89
coulissante, 88
grinçante, 90
incurvée, 89
pliante, 89
réparation, 88
Portemanteau, 37
Porte-parapluie, 37
Porte-serviettes, 46
Pose de crémaillères, 59
Potassium, 346
Pou de bois, 126
Poubelles, 74
Poulet
achat, 354, 391
bouillon, 359, 367, 387
conservation, 358
couleur de la peau, 354
cuisson, 382-383
découpage, 366, 385
herbes d'accompagnement, 381
poitrines désossées, 367, 382
restes, 367
rôtissage, 367, 382, 383
sauter, 383
et trempette au cari, 395
Pouls, prendre le, 307-308
Préparatifs d'une réception, 393
Préparation des aliments, 360-375
beurre, 363-364
biscuits, 371
crème, 363
dans la cuisine, 372-373
découpage du poulet, 366
desserts, 371-372
filets de poisson plat, 368
filets de poisson rond, 368
fromage, 364
fruits, 360
fruits de mer, 367-368
gâteaux et glaçages, 370
légumes, 361
mesures liquides, 372
mesures de poids et équivalences, 373
noix, 360
œufs, 364-365
pains éclair, 368-369
pains à la levure, 369
salades, 362-363
tartes, 370
viande, 365
volaille, 365
Préscolaires, 223-227
crainte des ombres, 224
entente cordiale, 227
fêtes, 402
jouets, 227
propreté, 225
repas et goûters, 224-225
vêtements, 226
Presse-jus, 38
Prévention des accidents, animaux, 244-245
Problèmes d'humidité, 118
Procuration, 21
Produits
défectueux, 29
farineux, 356
laitiers, 353, 356-357
pour la peau, 256
toxiques, 225-226, 246, 252, 339-340
Produits de nettoyage, 72
alcool à friction, 84
alcool méthylique, 85
ammoniaque, 74, 84
bicarbonate de soude, 74
cire, 78
huile de pin, 74
sécurité, 73
succédanés, 74
vinaigre, 74
Professeurs, 227, 230
Programme de la semaine, 14
Projecteurs, 421
Propreté
des animaux domestiques, 247-248
des enfants, 225
Propriété, documents, 21, 24
Prosciutto, 395
Voir aussi Jambon.
Protection contre le soleil, 257
Protéines
besoins quotidiens des adultes, 345
besoins quotidiens des enfants, 346
taches de, 282
Prothèses dentaires, 262
Pruneaux, 350
Prunes, 350
saison, 353
Puces, 243
Punaise de lit, 126
Purgatif, 315

Querelle entre les enfants, 227, 232, 233
Quilt, entreposage, 272
Quintes de toux, 311

Raccommodage, 299-300
Raclette, 84
lavage de fenêtre, 85
Radis
conservation, 358
culture, 217
saison, 353
Rage, 329
Ragoûts, 384
Raideur du cou, 320-321
Raifort, 386
Rail d'éclairage, 421

Raisins secs, 349
Rangement, 35-69
des accessoires audio-visuels, 38
articles d'entretien, 42
bagues, 39
boîte fourre-tout, 18
boucles d'oreilles, 305
bracelets, 39
buanderie, 42
carrousel, 39
casier mobile, 47
de la cave au grenier, 35
ceintures, 44, 300
chambre à coucher, 42
chandails, 44
chapeaux, 36
chaussures, 44
classeur, 21
coffre-fort, 21
coin fourre-tout, 16
comptoir, 39
en contre-plaqué, 64
corbeille à papier, 20
couteaux, 39, 40
cravates, 44
cuisine, 38, 41
dossiers importants, 23
éléments, 63
de l'entrée, 37
fichier, 23
foulards, 36, 44
gants, 36, 44
généralités, 35
grenier, 48
hall d'entrée, 47
jouets, 44, 227
jouets et jeux, 44
des journaux, 37
du linge, 293
matériaux, 185
meubles de jardin, 221
mixer, 39
montres, 39
objets lourds, 36
outils, 185
panier à buanderie, 20
penderies et commodes, 271
piste d'autos de course, 45
placards, 19, 42
porcelaine, 40
robot culinaire, 39
sac à main, 44
de la salle de bains, 46
du séjour, 37
sous un escalier, 47-48
sous le lit, 45
ustensiles, 40
vaisselle, 39
des vêtements, 270-271
vêtements d'enfants, 45
Voir aussi Accessoires.
Rapiéçage, 299-300
Rapports enfants-parents, 238-239
Rapports d'impôt. *Voir* Impôt, déclaration.
Rasage, 255-256
Ratons laveurs, 209
Ravageurs, 219
Rayonnage
accessoires, 62
à épices, 41
improvisé, 62
industriel, 62
Rayonne, 268
entreposage, 272
Rayons, sur poteaux, 61
Réceptions, 392-403
Voir aussi Art de recevoir.
Réclamation, 29
Recyclage du linge, 293
Refinition des meubles, 442-443
Réfrigérateur
choix, 131
dégivrage, 134
installation, 132
nettoyage, 108
panne, 135
problèmes, 134
rangement des aliments, 133
remplacement du joint de la porte, 134
tube d'évacuation, 136
Régime
constipation et, 315
cuisine-minceur, 348-349
des gens âgés, 240, 350
riche en fécule et fibres, 349-350
Régime de pension du Canada, 33
Régime des rentes du Québec, 33
Réglage de la flamme, brûleur à gaz, 141
Relevés de compte, 25
Remariage, 237-238
Rembourrage
avant le, 450-451
ressorts et sangles, 451
Remerciements, 13
Rendez-vous
carnet, 11
dentiste, 12
médecin, 12
Renfoncements muraux, 35, 37, 43
Renforts, 58
Renvois d'eau
déboucher, 110
nettoyage, 110
Réparation, 120
aspirateur, 91
corde de coulisseau, 87
joints d'une chaise, 441
machine à laver, 147
meuble capitonné, 449-451
parement, 167
placage endommagé, 442
sécheuse, 151
toiture, 172
Repas
animaux domestiques, 246-247
à l'école, 227-228
des enfants, 224
vite faits, 374-375
Repas en plein air, 373, 379
pour 50 personnes, 401
Repassage, 274, 290-292
problèmes, 291
Répondeur téléphonique, 130
Reprisage, 299-300
Résine pénétrante, 444
Responsabilités des enfants, 16
Ressorts, 451
Restaurants, enfants, 234
Restes de table
bouillon, 367
carcasses de poulet, 367

Restes de table *(suite)*
légumes, 355
pâte à tarte, 370
pâtes alimentaires, 356, 378
poisson, 382
viandes, 348
zestes d'agrumes, 360
Retraite, 33-34
Rétrécissement du tissu au lavage, 286
Revêtements muraux, 76
enlèvement, 414
pose, 414
variété, 414
Revêtements de sols, 419
Revues, rangement, 37
Reye, syndrome de, 316
Rhéostats, 421
Rhubarbe
cuisson, 347
saison, 353
Rhumes, 312
et grippes, 310-311
Rideaux, 423
et l'économie d'énergie, 88
légers, séchage, 288
nettoyage, 82, 114
Riz, 315, 349, 353, 377
herbes d'accompagnement, 381
Robes
recyclage, 293
repassage, 291
suspendre, 270
Robinet, fuite, 113
Robot culinaire, 109, 155
rangement, 39
Rognons, 345, 346
Romarin, allergie au, 254
Rosbif, 380
Rosiers
choix, 215
entretien et caractéristiques, 216, 217
floribunda, 216
grandiflora, 216
grimpants, 216
hybrides de thé, 216
plantation, 217
rosiers anciens, 216
Rôtis, 386
Rôtissoire, nettoyage, 108
Rouge à lèvres, 259
Rougeole, 317
Rouille
sur les outils de jardinage, 221
tache, 283
sur la voiture, 195, 202
Ruban adhésif, 324, 325
Rubéole, 317
Rubis, entretien, 305
Rythme biologique, 9

S

Sac à dos
pour le transport de l'épicerie, 309
Sacs à main, 302-303
Saignement
abondant, arrêt, 324
animaux domestiques, 245
après chirurgie orale, 320
coupures, 322
ecchymoses et, 322
fractures et, 325
rectal, 315-316
Saignements de nez, 318
Saint-Valentin, gâteau de, 370
Saisons des fruits et légumes, 353
Salade(s), 347, 362-363
de fruits, 389, 390
herbes d'accompagnement, 381
huile dans la, 362
rondelles d'oignon dans la, 363
tomates tranchées dans la, 363
vinaigre dans la, 362
vinaigrettes, 348, 363
Salami, 354
Salle de bains, 46
construction d'un meuble, 66
entretien du bain et des tuiles, 114-115
entretien de la douche, 114, 115-116, 287
miroir embué, 115, 436
propreté, 114
sécurité, 113
nettoyage, 15, 115, 116
nettoyage avant une réception, 15
rangement, 46-47, 308
toilette, 116-117, 239
Salle à manger, nettoyage, 101
Sandales, 302
Sandwiches
au beurre d'arachide, 376
aux œufs brouillés, 379
Sangles, 451
Santé familiale, 306-343
accidents dans l'eau, 341
allergies, 328
ampoules, 321
appel au centre antipoison, 337
arrêt cardiopulmonaire, 343
arthrite, 309-310
articles d'urgence, 324
blessures aux yeux, 334-336
brûlures, 331-333
brûlures d'estomac, 314
chocs électriques, 341
comment prendre la température, 307
compte-gouttes, 312
congestion nasale, 310-311
conseils aux aînés, 310
constipation, 315
corps étranger dans l'œil, 334
coups de soleil, 331
coupures et éraflures, 322-323
croup, 312-313
décalage horaire, 316
détresses respiratoires, 342
diarrhée, 314-315
douleur buccale, 319-320
douleurs abdominales, 313-314
douleurs menstruelles, 313
ecchymoses, 321
échardes, 336

écharpes et attelles, 326
entorses et foulures, 327
état de choc, 341
étouffement, 343
évanouissement,
340-341
fièvre, 317
fractures et entorses,
325
grand froid, 333
grande chaleur, 333
gueule de bois, 316
hémorragie grave, 324
hémorragies anales,
315-316
hoquet, 319
ingestion de poison, 336
intoxication alimentaire,
338
intoxication par
inhalation, 340
intoxication orale, 337
intoxication de la peau,
339
mal de dos, 320-321
mal des transports, 316
maladies infantiles,
316-318
malaise cardiaque, 343
maux de gorge, 311-312
maux d'oreilles, 318-319
maux de tête, 313
médicaments, 240,
308-309, 337
morsures, 329
numéros d'urgence, 306
pansements, 324-325
de vos parents, 240
pédiatre, 306
perforations, 323
piqûres et morsures
d'insectes,
327-328
plantes vénéneuses,
338-339
prendre le pouls, 307-
308
quintes de toux, 311
retirer un hameçon, 336
rhumes et grippes, 310-
311
saignements de nez,
318
signes d'infection, 322
tétanos, 323
thermomètre, 306
tiques, 328-329
torticolis, 320
vaccination infantile, 317
vomissements, 314-315
Saphir, entretien, 305
Sardines, 346, 347
Sarrasin, 217
Sauces cuisinées, 387
Saucisses, 354, 395
conservation, 358
Sauge, 381
Saumon, 345, 347, 395
conservation, 358
Sauter et frire les aliments,
383-384
Savon à lessive, 280
Scarlatine, 318
Sciage, planche, 187
Seau, 73
Sébaste, 354
Séchage du linge,
287-290
Sécheuse
efficacité, 150
entretien, 150
installation, 150
panne, 151
Séchoir à cheveux, 99,
115, 121, 288,
325, 327
Secourisme, 306-343
accidents dans l'eau,
341
appel au centre anti-
poison, 337
appels d'urgence, 306
arrêt cardiopulmonaire,
343
articles d'urgence, 324
blessures aux yeux,
334-336
brûlures, 331-333
chocs électriques, 341
corps étranger dans
l'œil, 334-335
coups de soleil, 331
détresses respiratoires,
342
écharpes et attelles, 326
entorses et foulures, 327
état de choc, 341
étouffement, 343
évanouissement, 340-
341
fractures et entorses,
325
hémorragie grave, 324
ingestion de poison,
336-337
intoxication par
inhalation, 340
intoxication orale, 337
intoxication de la peau,
339
malaise cardiaque, 343
numéros d'urgence, 306
pansements, 324-325
serpents venimeux,
329-331
trousse de secours, 307
Sécurité
dans l'atelier, 183
cuisine, 105, 139
détecteur de fumée, 105
échelle, 171
emploi du grille-pain,
152
des enfants, 225-226
odeur de gaz, 139
salle de bains, 113
Sécurité des enfants
allumettes, 225
briquets, 225
loquets de sûreté, 225
objets cassants, 225
objets coupants, 225
outils de jardin, 225
plantes, 225
prises de courant, 225
produits toxiques, 225
vieux médicaments, 225
en voiture, 226
Sécurité des vieillards, 239
Seigle, craquelins au, 346,
350
Séjour, 37
Sel, 254, 285, 350, 372
Serpents venimeux, 329-
331
Serre miniature, 218
Serres, 191
Serrures
à double cylindre, 129
à pêne dormant, 129
de voiture, gelées, 202
Service, lors d'une
réception, 400
Serviettes de table, 394,
399
Sésame
graines de, 349
huile de, 348

Shampooing, 253
pour meubles capitonnés, 449
Sieste, 233, 234
Sirop
de fruits, 359
d'ipéca, 308, 337
Sisal, carreaux de, 425
Sodium, 346
Soie, 268
dentaire, 261
détachage, 284
entreposage, 272
fleurs de, 99
lavage, 280
repassage, 291
Soins de beauté
choix des couleurs, 264-265
épilation, 255-256
parfums, 261
rasage, 255-256
Soins des cheveux, 253-255
cheveux clairsemés, 255
coupes, 254
mise en plis, 253
pellicules, 254
permanentes, 255
shampooings, 253
traitement capillaire, 253
traitements spéciaux, 254
Soins du corps
bain, 256
transpiration, 261
Soins dentaires, 261-262
haleine fraîche, 262
prothèses, 262
Soins des mains, manucure, 262-263
Soins de la peau, 256-259
bain, 256
hydratation, 256-258
nettoyage, 256
produits, 256
protection contre le soleil, 257
traitements faciaux, 257-258
vieillissement, 258
Soins des pieds, 263
Soja
fèves, 346, 349
huile de, 348
sauce, 350
Sol, détermination du pH, 205
Soldes
de liquidation, 28
saisonniers, 28
Sole, filet de, substitut, 354
Sols, 419
cirage, 78
couvre-sols, 79
entretien général, 77
lavage, 78
maçonnerie, 81
protection, 79
revêtements, 419
Sommiers, entretien, 104
Son, 350
Soucoupes, 40
Souliers, entretien, 301-302
Soupe(s), 347, 379
bouillon de légumes pour la, 355
à l'oignon, 380, 383
de poisson, 379
aux tomates, 379
Souris
protection des arbres contre les, 208
Sous-sol, 118, 120
escalier menant au, 118
fissure latente, 119
inondation, 119
nettoyage, 118
problèmes d'humidité, 118, 120, 170
rangement dans le, 119
Spaghetti, 378
Voir aussi Pâtes alimentaires.
Sports et esprit sportif, enfants, 233
Stores
à enrouleur, 82
vénitiens, 83
nettoyage, 83
remplacement des cordons et rubans, 83
Sucre
dans la crème fouettée, 363
guérison du hoquet, 319
soulagement de brûlure sur la langue, 333
substitut, 372
Sucrose, 349
Suède
entreposage, 272
repassage, 291
Sumac, 338-339
Supermarché, 12
et les enfants, 352
Supports, 53-54
dissimulation, 61
installation, 54
métalliques, 40
Surchauffe, voiture, 199
Surveillance des enfants, 236-237
Suspensions, 421
Syndrome de Reye, 316
Système de classement, 22
Système en fil de métal, 63
Système stéréo, nettoyage, 100
Systèmes d'alarme antivol, 129

T

Table
à café, 37
roulante, 41
Table de cuisson, énergie, 138
Table de jeu sur crémaillère, 45
Tableau de collage, colle, 192
Tableau de répartition des tâches, 16
Tableaux, 428-429
cadre, 437
comment suspendre, 428
encadrement, 429, 436
entretien, 436
Tablettes
ascensionnelles, 39
coulissantes, 40-42, 68-69
supports, 60
sur supports individuels, 58
Tâche(s)
aide des enfants, 17

pour un enfant de cinq ans, 17
de la femme moderne, 14
fractionnement des, 14
Voir aussi Partage des tâches.
Tache noire (fongus), 217
Taches
d'alcool, 438-439
d'assouplissant, 279
sur le bois, 438-439
café, 283
sur les chaussures, 301
sur les comptoirs, 109
encre, 283
sur l'évier, 109
sur gants de cuir, 303
gomme à mâcher, 282
huileuses, 277, 282
à l'intérieur du lave-vaisselle, 144
« invisibles », 285
de lait, 282
lattes de parquet, 447
sur le marbre, 437
sur le métal, 435
moisissure, 283, 287
de moutarde, 283
nettoyage à sec, 275
non identifiables, 281
sur le papier peint, 76
sur le parement, 166
sur patios de ciment, 82
sur les planchers, 81
rouille, 285
de thé, 112, 283, 431
de transpiration, 261, 270, 282
sur la vaisselle et la verrerie, 143, 431, 432
sur les vêtements, 276-278, 281-285
sur les vêtements blancs, 285
vin rouge, 285
Tamia, 128
Tamis à farine, 372
Tangerines, saison, 353
Taon
piqûre de, 328
traitement, 327
Tapis
brûlures, 96
franges, 97
lavage, 91
nettoyage, 91, 94
nettoyage à sec, 94
nettoyage à la vapeur, 94
d'Orient, 97
préservation, 94
problèmes spéciaux, 95
réparer un trou, 95
shampooing, 93, 94
tressés, 94
Voir aussi Moquettes.
Tartes, 348, 359, 370, 388-389
à croisillons, 389
Tasseaux, 40, 44, 64, 67
Tasses, rangement, 40, 41
Taupes, 209
Taux d'intérêt, 25
Teinture, taches de, 282
Téléphone
gain de temps, 11-12
panne, 101
Télévision, les enfants et la, 230
Température, prendre la, 307
Tennis sur table, 403
Terrasses, 168
Testament, 34
rangement du, 21, 23
Tétanos, 317, 323
Thé, 346
crampes menstruelles et, 313
à la menthe, 262
perte de calcium et, 347
rangement, 359
saignements et, 255, 320
taches, 283, 431
Thermomètre, 306
comment prendre la température, 307
Thermomètre à viande, 386
Thermostat, 123
Thibaude, 425
Thon, 345, 379, 395
Thym, 381
Tiges à bottes, 301
Timidité des enfants, 228
Tiques, 244, 328-329
Tiroirs, 67-68, 271
aménagement, 68
divisions, 68
organisation, 68
pour les outils, 185
pour les placards, 44
réparation, 440-441
pour les vêtements d'enfants, 46
Tissu(s)
d'ameublement, 449
apprêts, 269
élégance et, 263
entreposage, 272
propriétés des fibres, 268
repassage, 291
taches, 284
Voir aussi Fibres textiles.
Toiles d'araignée, 75
Toilette
à déboucher, 116
nettoyage, 116
Toiture, 170
fuites, 172
réparation, 172
Tomates, 345
conservation, 358
cuisson, 347
culture, 218
herbes d'accompagnement, 381
jus de, 348
pâte de, 356
saison, 353
soupe, 379
tranches, 363
Topaze, entretien, 305
Torticolis, 320
Tourmaline, entretien, 305
Tournesol
graines de, 349
huile de, 348
Toux, 311
du croup, 312-313
médicaments pour la, 311
Traitement capillaire, 253-254
Traitements faciaux, 257-258
Transpiration, 261
tache, 270, 283, 285
Travail bénévole, 235
Travail à la maison, 24
Travaux ménagers, 18

Travaux de plomberie, 120
tuyau fissuré, 120
Trempette
au cari, 395
au yogourt, 348
Triacétate, 268
Trichinose, 386
Tricots, 268, 269, 271
repassage, 291
Tringles, 42, 43, 45
Trousse de dépannage, voiture, 200
Trousse de secours, 307
Tuberculose, 317
Tubes fluorescents, 421
Tulipes, 213
Turbot, conservation, 358
Turquoises, entretien, 305
Tuyau
fissuré, 120
gel, 121
gelé, 121
machine à laver, 146
réparation, 120

Urgences
animaux domestiques, 245
appels, 306
articles d'urgence, 324
détresses respiratoires, 342
empoisonnement, 336-337
étouffement, 343
hémorragie grave, 324
malaise cardiaque, 343
numéros, 306
Voir aussi Secourisme.
Urgences routières, 198
Ustensiles de cuisine, 40, 391
casseroles, 11
couteaux, 112
couvert d'un grand dîner, 399
entretien de l'argenterie, 433-434
poêles, 111

Vaccination infantile, 317
Vadrouille, 73
Vaisselier, 40
Vaisselle
égouttoir, 40
lavage, 111
lave-vaisselle, 142-145
mal lavée, 143
marques et taches, 143
rangement, 39
Valeur nette, calcul de, 32
Valeurs mobilières, courtier, 31-32
Vanille, 388
Varicelle, 317
Vaseline
comme crème antirides, 258
pour les saignements de nez, 318
Végétariens, buffet, 398
Velours
cordé, repassage, 291
entreposage, 272
Vente
de garage, 20
d'objets inutiles, 20
Ventilateur
de maison, 124
nettoyage, 107
Ventilateurs des combles, 124
Vernis, 444
à l'uréthane, 46
Vernis à ongles, 263
Vernissage, 445
problèmes spéciaux, 445
Verrerie, 391
Vêtements
apprêts des tissus, 269
bons achats, 267
choix des couleurs, 264-265
couture, 294-300
durabilité, 270, 273
d'enfant, 45, 226
entreposage, 271-273
entretien, 267-305
étiquettes, 274-275
faux plis, 300
fibres textiles, 268
garde-robe, organisation, 267
gelés, 288
lessive, 276-287
mites, 273
moisissure, 271
nettoyage à sec, 274-275
ourlet, 297-298
qui vous avantagent, 266
raccommodage, 299-300
rangement, 270-272, 293
rapiéçage, 299-300
recyclage, 293, 302
repassage, 290-292
séchage, 287-290
symboles d'entretien, 275
taches, 276-278, 281-285
Vétérinaires, 242, 246
Viande, 348, 354, 357, 365, 374
conservation, 358
découpage, 385
Vidéocassettes, 35, 38, 101, 401
Vie de famille, 222-240
adolescents, 235-237
discipline, 235-236
enfants, 223-235
famille monoparentale, 237
garder des liens, 235
parents au travail, 236
personnes âgées, 238
préscolaires, 223-227
propreté des enfants, 225
remariage, 237-238
surveillance des enfants, 236-237
Vieillesse, perte de l'ouïe, 238
Vieillissement de la peau, 258
Vin, casier à, 42
Vin rouge
dans la cuisine, 365
tache, 285
Vinaigre, 74, 110, 115, 245, 362

Vinaigrettes, 348
dans la boîte à lunch, 363
Vinyle, 438
Vis à bois, achat, 66
Vissage, 190-191
Vitamine C, 346
Vitamines, sources, 345
Vivaces
entretien, 215
multiplication, 215
Voiture, 193-202
batterie, 200
changement d'huile, 196
changement d'un pneu, 199
conduite dans la neige, 201
crevaison, 199
économie dc carburant, 197
enregistrement, 22
entretien, 194
été, 202
filtre à air, 195
filtre à huile, 196
garage, 193
lavage et cirage, 194
méfaits du froid, 200
mesures d'économie, 197
nettoyage du pare-brise, 193
pluie et brouillard, 202
points à surveiller, 195
en prévision de l'hiver, 201
quelques bonnes idées, 197
remplacement des bougies, 198
rouille, 195, 202
sel, 202
serrures gelées, 202
surchauffe, 199
trousse de dépannage, 200
Vol
du porte-monnaie, 22
protection, 128, 130
système d'alarme, 129
Volaille, 357, 365
cuisson, 382-383
découpage, 366, 385
Vomissements, 314-315
causes et effets, 315
Voyages
animaux domestiques et, 247
enfants, 233-234

Yeux
blessure, 334
corps étranger, 334-335
Yogourt, 315, 348, 353
conservation, 358
fabrication, 378
vinaigrette au, 348

Zestes d'agrumes, 360
Zinc, 346
Zucchini, 400
lasagne aux, 380

L'éditeur remercie les organismes suivants pour leur aide :

Agriculture Canada
Ambulance Saint-Jean
American Apparel Manufacturers Association
American Council for an Energy Efficient Economy
American Ladder Institute
American Textile Manufacturers Institute
American Wool Council
APC Corporation
Armour-Dial Company
Association canadienne des constructeurs d'habitations
Association canadienne du contre-plaqué de bois dur
Association canadienne de normalisation
Association of Home Appliance Manufacturers
Association médicale canadienne
Borden Chemical, Borden, Inc.
Broan Mfg. Co., Inc.
The Carpet and Rug Institute
Clorox Co.
Con Edison
Conseil canadien de la sécurité
Conseil national de recherches Canada
Energie, Mines et Ressources Canada
General Electric Company
Georgia-Pacific Corporation
Gold Seal Co.
Good Housekeeping Institute
The Handy Hint Journal
Hill's Pet Products Inc.
Home Center Institute/National Retail Hardware Association
Hydro-Québec
International Fabricare Institute
International Linen Promotion Commission
International Silk Association – U.S.A.
International Wool Secretariat
Johnson Wax
Lever Brothers Company
The Maytag Company
National Broiler Council
National Paint & Coatings Assn.
National Turkey Federation
Neighborhood Cleaners Assn.
New York State Energy Office
Ontario, ministère de l'Environnement
Ontario, ministère du Logement
W.H. Perron et Cie, Ltée
Porcelain Enamel Institute
The Procter & Gamble Company
Revenu Canada
Santé et Bien-être social Canada
Sears Roebuck and Co.
The Soap and Detergent Assn.
Texize, Division of Morton Norwich
U.S. Department of Agriculture
The Wallcovering Information Bureau
Western Wood Products Assn.
Whirlpool Corporation

Sources

Acropolis Books Ltd. PARENT TRICKS-OF-THE-TRADE par Kathleen Touw et illustré par Loel Barr, copyright © 1981 par Acropolis Books Ltd. COLOR ME BEAUTIFUL par Carole Jackson, copyright © 1980 par Acropolis Books Ltd. Reproduit avec autorisation. *Addison-Wesley Publishing Company* TAKE CARE OF YOURSELF par D. M. Vickery et J. F. Fries, copyright © 1985 Addison-Wesley Publishing Company. Reproduit avec autorisation. *American Apparel Manufacturers Association* CONSUMER CARE GUIDE FOR APPAREL. Reproduit avec autorisation. *Arbor House Publishing Co.* HINTS FROM HELOISE, copyright © 1980 par King Features Syndicate, Inc. HELOISE'S BEAUTY BOOK, copyright © 1985 par King Features Syndicate, Inc. Reproduit avec autorisation. *Atheneum Publishers, Inc.* FEAST WITHOUT FUSS par Pamela Harlech, copyright © 1977 par Pamela Harlech. Reproduit avec autorisation. *Avon Books* SEW SUCCESSFUL par Claire B. Shaeffer, copyright © 1984 par Claire B. Shaeffer. Reproduit avec l'autorisation de Dominick Abel Literary Agency. *Charles C. Thomas, Publisher* SUBURBAN BURGLARY par George Rengart et John Wasilchick, copyright © 1985 par Charles C. Thomas, Publisher. Reproduit avec autorisation. *Chronicle Books* CUTTING-UP IN THE KITCHEN par Merle Ellis, copyright © 1975 par Merle Ellis. Reproduit avec autorisation. *Church & Dwight Co., Inc.* ARM & HAMMER BAKING SODA GREAT IDEAS CLINIC. ARM & HAMMER est un nom déposé de Church & Dwight Co., Inc. Reproduit avec autorisation. *Coats & Clark Inc.* BUTTONS, SNAPS, HOOKS AND EYES, copyright © 1983 par Coats & Clark Inc. MENDING, copyright © 1978 par Coats & Clark Inc. Reproduit avec autorisation. *The Countryman Press* HOMEOWNER'S GUIDE TO LANDSCAPE DESIGN par Timothy Michel, copyright © 1983 par The Countryman Press. Reproduit avec autorisation. *Crown Publishers, Inc.* STOPPERS par Wesley Cox, copyright © 1983 par Wesley Cox. Reproduit avec autorisation. *Dell Publishing Co., Inc.* SMART SHOPPING WITH COUPONS & REFUNDS par Bronnie Storch Kupris, copyright © 1980 par Bronnie Storch Kupris. CATS: BREEDS, CARE, AND BEHAVIOR par Shirlee A. Kalstone, copyright © 1983 par Shirlee A. Kalstone, Dell Publishing Co., Inc. et Sandford Greenburger Associates Inc. TIPS FOR TODDLERS par Brooke McKamy Beebe, copyright © 1983 par Brooke McKamy Beebe. Reproduit avec autorisation. *Dodd, Mead & Company, Inc.* EVERYTHING YOU WANTED TO KNOW ABOUT COSMETICS par Toni Stabile, copyright © 1984 par Toni Stabile. Reproduit avec l'autorisation de Dodd, Mead & Company, Inc., et Toni Stabile. *Dorling Kindersley Ltd.* COLOR RIGHT DRESS RIGHT par Liz E. London et Anne H. Adams, copyright © 1985 par Dorling Kindersley Ltd., London, copyright du texte © 1985 par Liz E. London et Anne H. Adams. Reproduit avec l'autorisation de Liz E. London et Anne H. Adams. *Doubleday & Co., Inc.* TRAINING YOU TO TRAIN YOUR DOG par Blanche Saunders, copyright © 1946 par United Specialists, Inc. MARY ELLEN PINKHAM'S 1000 NEW HELPFUL HINTS, copyright © 1983 par Mary Ellen Pinkham. SYLVIA PORTER'S NEW MONEY FOR THE 80's, copyright © 1975, 1979 par Sylvia Porter. THE AMY VANDERBILT COMPLETE BOOK OF ETIQUETTE: A GUIDE TO CONTEMPORARY LIVING. Edition revue et augmentée par Letitia Baldridge, copyright © 1978 par Curtis B. Kellar et Lincoln G. Clark, exécuteurs testamentaires de la succession de Amy Vanderbilt Kellar et Doubleday & Company, Inc. THE FURNITURE DOCTOR par George Grotz, copyright © 1962 par George Grotz. THE INDOOR CAT par Patricia Curtis, copyright © 1981 par Patricia Curtis. Reproduit avec autorisation. *E. P. Dutton Company, Inc.* TIME MANAGEMENT MADE EASY par Peter A. Turla et Kathleen L. Hawkins, copyright © 1984 par Peter A. Turla et Kathleen L. Hawkins. Reproduit avec autorisation. *The East Woods Press* INTERIOR FINISH AND CARPENTRY: SOME TRICKS OF THE TRADE par Bob Syvanen, copyright © 1982 par Bob Syvanen. Reproduit avec autorisation. *Encyclopaedia Britannica, Inc.* 1980 MEDICAL AND HEALTH ANNUAL, copyright © 1979 par Encyclopaedia Britannica, Inc. Reproduit avec autorisation. *Facts on File Publications* HELPFUL HINTS FOR BETTER LIVING par Hap Hatton et Laura Torber, copyright © par Hap Hatton et Laura Torber. Reproduit avec autorisation. *Gaines Foods, Inc.* FEEDING YOUR DOG RIGHT, copyright © 1982 par General Foods Corporation. Reproduit avec autorisation. *Globe Mini Mag* SEWING TRICKS, copyright © 1984 par Globe Mini Mag. Reproduit avec l'autorisation de Globe Mini Mag et Deutsch, Levy & Engel. *Hartcourt Brace Jovanovich, Inc.* THE I HATE TO HOUSEKEEP BOOK par Peg Bracken, copyright © 1962 par Peg Bracken. Reproduit avec autorisation. *Harper & Row, Publishers, Inc.* THE AIDA GREY BEAUTY BOOK par Aida Grey et Kathie Gordon, copyright © 1979 par Aida Grey et Kathie Gordon. Reproduit avec autorisation. *Henry Holt and Company, Inc.* KITCHEN WISDOM par Frieda Arkin, copyright © 1977 par Frieda Arkin. Reproduit avec l'autorisation de Henry Holt and Company et Severn House Publishers Ltd. MORE KITCHEN WISDOM, par Frieda Arkin, copyright © 1982 par Frieda Arkin. Reproduit avec l'autorisation de Henry Holt and Company. *Holt, Rinehart and Winston* PERSONAL & FAMILY SAFETY & CRIME PREVENTION par Nancy Z. Olson, copyright © 1980 par Preventive Medicine Institute/Strang Clinic. Reproduit avec autorisation. *Home Magazine Ltd.,* numéro de Mai 1983. Reproduit avec autorisation. *Houghton Mifflin Company* TAYLOR'S ENCYCLOPEDIA OF GARDENING, copyright © 1961 par Norman Taylor. Reproduit avec autorisation. *Jonathan David Publishers, Inc.* THE HOUSEHOLD BOOK OF HINTS AND TIPS par Diane Raintree, copyright © 1979 par Jonathan David Publishers, Inc. Reproduit avec autorisation. *Little, Brown and Company* MARSHALL LOEB'S 1986 MONEY GUIDE, copyright © 1985 par Marshall Loeb Enterprises, Inc. FAST AND LOW par Joan Stillman, copyright © 1985 par Joan Stillman. Reproduit avec autorisation. *Macmillan Publishing Company.* THE PRUNING MANUAL, d'après le THE PRUNING MANUAL par L. H. Bailey par E. P. Christopher, copyright © 1954, 1982 par E. P. Christopher. TREES FOR AMERICAN GARDENS par Donald Wyman, copyright © 1965 par Donald Wyman. SHRUBS AND VINES FOR AMERICAN GARDENS, copyright © 1949 par Donald Wyman. THE GOOD DOG BOOK par Mordecai Seigal, copyright © 1977 par Mordecai Siegal. HOWARD HILLMAN'S KITCHEN SECRETS par Howard Hillman, copyright © 1985 par Howard Hillman. Reproduit avec autorisation. UPHOLSTERING par James E. Brumbough, copyright © 1986 par Macmillan Publishing Co. *The Maytag Company* MAYTAG GAS COOKING APPLIANCE SERVICE MANUAL, MAYTAG ELECTRIC COOKING PRODUCTS SERVICE MANUAL, copyright © 1982 par The Maytag Company. MAYTAG ENCYCLOPEDIA OF HOME LAUNDRY, copyright © 1973 par The Maytag Company. Reproduit avec autorisation. *McGraw-Hill Book Company* THE MEAT BOARD MEAT BOOK par Barbara Bloch, copyright © 1977 par National Live Stock & Meat Board et The Benjamin Company, Inc. Reproduit avec l'autorisation de The Benjamin Company, Inc. HOW TO RESTORE AND REPAIR PRACTICALLY EVERYTHING par Lorraine Johnson, copyright © 1984 par Lorraine Johnson. Reproduit avec autorisation. *William Morrow & Company, Inc.* 20001 HINTS FOR WORKING MOTHERS par Gloria Gilbert Mayer, copyright © 1983 par Gloria Gilbert Mayer. Reproduit avec autorisation. *Necessary Trading Company.* NECESSARY CATALOGUE, volume 3, copyright © 1983 par Necessary Trading Company. Reproduit avec autorisation. *Nitty Gritty Productions* HOUSEHOLD HINTS par Anna Cope, copyright © 1980 par Nitty Gritty Productions. Reproduit avec autorisation. *101 Productions* WORKING FAMILY'S GUIDE par Sheila Kennedy et Susan Seidman, copyright © 1980 par Sheila Kennedy et Susan Seidman. Reproduit avec autorisation. *W. W. Norton & Company, Inc.* GETTING ORGANIZED, The Easy Way to Put Your Life in Order par Stephanie Winston, copyright © 1978 par Stephanie Winston. HOME FREE, The No-Nonsense Guide to House Care, par Ann Guilfoyle, copyright © 1984 Ann Guilfoyle. JANE BRODY'S NUTRITION BOOK, copyright © 1981 par Jane E. Brody. JANE BRODY'S GOOD FOOD BOOK, copyright © 1985 par Jane E. Brody. Reproduit avec autorisation. *Orbis Book Publishing Corporation Ltd.* THE CAT CARE QUESTION AND ANSWER BOOK, copyright © 1981 par Orbis Publishing Corporation Ltd. *Oxmoor House* HOME PAINT BOOK par Richard V. Nunn, copyright © 1975 par Oxmoor House. Reproduit avec autorisation. *Penguin Books Ltd.* THE NATIONAL TRUST MANUAL OF HOUSEKEEPING par Hermione Sandwith et Sheila Stainton (Allen Lane en collaboration avec le National Trust, 1984), copyright © 1984 par The National Trust. *Prentice-Hall, Inc.* BUILT-INS, STORAGE AND SPACEMAKING par Allen D. Bragdon, copyright © 1983 par Allen D. Bragdon. CARING FOR YOUR AGING PARENTS par Robert R. Cadmus, M.D., copyright © 1984 par Prentice-Hall, Inc. SUPER HANDYMAN'S ENCYCLOPEDIA OF HOME REPAIR HINTS par Al Carrell, copyright © 1971 par King Features Syndicate, Inc. LOOKING AFTER YOUR DOG par John and Mary Holmes, copyright © 1981 par John and Mary Holmes. SPEED SEWING par Janice S. Saunders, copyright © 1982 par Van Nostrand Reinhold Company, Inc. Reproduit avec autorisation. *The Putman Publishing Group* A BASIC GUIDE TO DOG TRAINING AND OBEDIENCE par Margaret English, copyright © 1979 par Margaret English. ABOUT FACE par Jeffrey Bruce & Sherry Suib Cohen, copyright © 1984 par Jeffrey Bruce et Sherry Suib Cohen. ALWAYS BEAUTIFUL par Kaylan Pickford, copyright © 1985 par Kaylan Pickford. ADRIENNE ARPEL'S 851 FAST

BEAUTY FIXES AND FACTS par Adrienne Arpel en collaboration avec Ronnie Sue Ebenstein, copyright © 1985 par Adrienne Newman et Ronnie Sue Ebenstein. LOOKING, WORKING, LIVING TERRIFIC 24 HOURS A DAY par Emily Cho et Hermine Leuders, copyright © 1982 par Emily Cho et Hermine Leuders. MORE CLEAN YOUR HOUSE AND EVERYTHING IN IT par Eugenia Chapman et Jill C. Major, copyright © 1984 par Eugenia Chapman et Jill C. Major. Reproduit avec autorisation. *Random House, Inc.* THE CLOTHING CARE HANDBOOK par Katherine Robinson, copyright © 1985 par Katherine Robinson. Reproduit avec l'autorisation de Ballantine Books, une filiale de Random House Inc. ALL SOUND AND NO FRILLS par Clement Meadmore, copyright © 1978 par Clement Meadmore. Reproduit avec l'autorisation de Pantheon Books, une filiale de Random House, Inc. THE BEAUTY EDITOR'S WORKBOOK, par Felicia Nilewicz et Lois Joy Johnson, copyright © 1983 par Felicia Nilewicz et Lois Joy Johnson. Reproduit avec l'autorisation de Random House, Inc. DOWN HOME WAYS par Jerry Mack Johnson, copyright © 1978 par Jerry Mack Johnson. Reproduit avec l'autorisation de Times Books, une filiale de Random House, Inc. THE FAMILY CIRCLE HINTS BOOK, par Erika Douglas et les éditeurs de Family Circle, copyright © 1982 par The Family Circle, Inc. Reproduit avec l'autorisation de Times Books, une filiale de Random House, Inc. *The Research Institute of America, Inc.* The 1, 2, 3s OF BUSINESS MATH, copyright © 1985 par The Research Institute of America, Inc. Reproduit avec autorisation. *Rodale Press, Inc.* NO DIG, NO WEED GARDENING, copyright © 1986 par Raymond P. Poincelot. GENE LOGSDON'S PRACTICAL SKILLS par Gene Logsdon, copyright © 1985 par Gene Logsdon. RODALE'S BOOK OF HINTS, TIPS, AND EVERYDAY WISDOM, copyright © 1985 par Rodale Press, Inc. THE NATURAL FORMULA BOOK FOR HOME AND YARD, copyright © 1982 par Rodale Press, Inc. MAKE IT! DON'T BUY IT, copyright © 1983 par Rodale Press, Inc. MODEST MANSIONS, copyright © 1985 par Donald Prowler. THE HANDBOOK OF NATURAL BEAUTY par Virginia Castleton, copyright © 1975 par Virginia Castleton. A LIFETIME OF BEAUTY, copyright © 1985 par Rodale Press, Inc. Reproduit avec autorisation. *Ross Books* A PRIMER OF COOKING AND HOUSEKEEPING par Elizabeth Cooper, copyright © 1979 par Ross Books. Reproduit avec autorisation. *The Scribner Book Companies, Inc.* THE SMART SHOPPER'S GUIDE TO FOOD BUYING AND PREPARATION, copyright © 1982 par Joan Bingham et Dolores Riccio. Reproduit avec autorisation. *Schaffner Agency* THE LADIES' HOME JOURNAL ART OF HOMEMAKING par Virginia Habeeb, copyright © 1973 par Virginia Habeeb. Reproduit avec l'autorisation de l'auteure et du Ladies' Home Journal. *Simon & Schuster, Inc.* HOW TO CLEAN EVERYTHING par Alma Chestnut Moore, copyright © 1961 par Alma Chestnut Moore. FEARLESS COOKING AGAINST THE CLOCK par Michael Evans, copyright © 1982 par Michael Evans. 1,001 HEALTH TIPS par Lawrence Galton, copyright © 1984 par Lawrence Galton. EILEEN FORD'S A MORE BEAUTIFUL YOU IN 21 DAYS, copyright © 1972 par Eileen Ford. HOUSEHOLD ENCYCLOPEDIA par N. H. et S. K. Mager, copyright © 1973 par Sylvia K. Mager. Reproduit avec l'autorisation de Pocket Books, une filiale de Simon & Schuster, Inc. *Sportsman's Market Inc.* SPORTY'S TOOL SHOP CATALOG, copyright © 1986 par Sporty's Tool Shop. Reproduit avec autorisation. *St. Martin's Press, Inc.* TOTALLY ORGANIZED THE BONNIE McCULLOUGH WAY par Bonnie McCullough, copyright © 1986 par Bonnie Runyan McCullough. TAKING CARE OF CLOTHES par Mablen Jones, copyright © 1982 par St. Martin's Press, Inc. Reproduit avec autorisation. *Stein and Day Publishers* HOW TO PAINT ANYTHING par Hubbard Cobb, copyright © 1977 par Hubbard Cobb. Reproduit avec autorisation. *Tab Books, Inc.* STEP-BY-STEP TELEPHONE INSTALLATION AND REPAIR, copyright © 1986 par Tab Books Inc. Reproduit avec autorisation. *The Taunton Press.* TAGE FRID TEACHES WOODWORKING – Livre 1 – Joinery, copyright © 1979 par The Taunton Press, Reproduit avec autorisation. *Taylor Publishing Company* BEAUTIFUL PARTIES par Diana McDermott en collaboration avec Sandi Britton, copyright © 1986 par Media Projects Inc. Reproduit avec autorisation. *Charles C. Thomas Publisher* PET ORIENTED CHILD PSYCHOTHERAPY par Boris Levinson, copyright © 1969 par Workman Publishing Co., Inc. Reproduit avec autorisation. SUBURBAN BURGLARY par George Rengert et John Wasilchick, copyright © 1985 par Charles C. Thomas Publisher. Reproduit avec autorisation. *U.S. Borax Research Corporation* LEARN YOUR LAUNDRY LESSONS THE EASY WAY, IDEAS TO BRIGHTEN YOUR LAUNDRY. Reproduit avec autorisation. *Ventura Associates, Inc.* BETTY-ANNE'S HELPFUL HOUSEHOLD HINTS, par Betty-Anne Hastings, copyright © 1983 par Ventura Books. Reproduit avec autorisation. *Viking Penguin, Inc.* GROWING OLD par Dr. David A. Tomb, copyright © 1984 par Dr. David A. Tomb. Reproduit avec autorisation. PETS AND THEIR PEOPLE par Bruce Fogle, copyright du texte © 1983 par Bruce Fogle. Reproduit avec l'autorisation de Viking Penguin, Inc., et William Collins Sons & Co., Ltd. *Wadsworth Publishing Company* ANYONE CAN GROW ROSES, par Cynthia Westcott, copyright © 1965 par D. Van Nostrand Company, Inc. Reproduit avec autorisation. *Warner Books, Inc.* MARY ELLEN'S BEST OF HELPFUL HINTS, édition revue, copyright © 1979 par Mary Ellen Pinkham. MARY ELLEN'S BEST OF HELPFUL HINTS, Livre 2, copyright © 1981 par Mary Ellen Pinkham. MARY ELLEN'S BEST OF HELPFUL KITCHEN HINTS, édition revue, copyright © 1979 par Mary Ellen Pinkham. EMILIE TAYOR'S INFLATION FIGHTER MEAT BOOK, copyright © 1982 par Emilie Taylor. Reproduit avec autorisation. *West Publishing Company* UNDERSTANDING NUTRITION par Eleanor Whitney et Eva May Hamilton, copyright © 1984 par West Publishing Company. Reproduit avec autorisation. *Whirlpool Corporation.* NICE THINGS TO KNOW ABOUT APPLIANCES AND ELECTRONICS, copyright © 1984 par Whirlpool Corporation. NICE THINGS TO KNOW ABOUT SAFETY WITH MAJOR HOME APPLIANCES, copyright © 1983 par Whirlpool Corporation. NICE THINGS TO KNOW ABOUT MOVING, STORING, AND WINTERIZING HOME APPLIANCES, copyright © 1983 par Whirlpool Corporation. Reproduit avec autorisation. *Woman's Day* COMPLETE GUIDE TO ENTERTAINING par Carol Cutler, copyright © 1984 par CBS, Inc. Reproduit avec autorisation. *Workman Publishing Co., Inc.* DECORATING ON THE CHEAP par Mary Gilliatt, copyright © 1984 par Mary Gilliatt. Reproduit avec autorisation. *Writer's Digest Books* DO I DUST OR VACUUM FIRST? par Don Aslett, copyright © 1982 par Don Aslett. IS THERE LIFE AFTER HOUSEWORK? copyright © 1981 par Don Aslett. CONFESSIONS OF AN ORGANIZED HOUSEWIFE, copyright © 1982 par Deniece Schofield. Reproduit avec autorisation.